中國國家圖書館編

國家圖書館藏敦煌遺書

第四十一册　北敦〇三〇〇一號——北敦〇三〇六五號

北京圖書館出版社

圖書在版編目(CIP)數據

國家圖書館藏敦煌遺書·第四十一册/中國國家圖書館編;任繼愈主編.—北京:北京圖書館出版社,2006.11

ISBN 7-5013-2983-4

Ⅰ.國…　Ⅱ.①中…②任…　Ⅲ.敦煌學-文獻　Ⅳ.K870.6

中國版本圖書館 CIP 數據核字(2006)第 118573 號

書　名　國家圖書館藏敦煌遺書·第四十一册
著　者　中國國家圖書館編　任繼愈主編
責任編輯　徐　蜀　孫　彦
封面設計　李　瓘

出　版　北京圖書館出版社　(100034　北京西城區文津街 7 號)
發　行　010-66139745　66151313　66175620　66126153
66174391(傳真)　66126156(門市部)
E-mail　cbs@nlc.gov.cn(投稿)　btsfxb@nlc.gov.cn(郵購)
Website　www.nlcpress.com
經　銷　新華書店
印　刷　北京文津閣印務有限責任公司

開　本　八開
印　張　48.25
版　次　2006 年 11 月第 1 版第 1 次印刷
印　數　1-250 册(套)

書　號　ISBN 7-5013-2983-4/K·1266
定　價　990.00 圓

編輯委員會

主　　編　任繼愈

常務副主編　方廣錩

副　主　編　李際寧　張志清

編委（按姓氏筆畫排列）　王克芬　王姿怡　吳玉梅　胡新英　陳　穎　黄　霞（常務）　劉玉芬

出版委員會

主　任　詹福瑞

副主任　陳　力

委　員（按姓氏筆畫排列）　李　健　姜　紅　郭又陵　徐　蜀　孫　彦

攝製人員（按姓氏筆畫排列）

于向洋　王富生　王遂新　谷韶軍　張　軍　張紅兵　張　陽　曹　宏　郭春紅　楊　勇　嚴　平

目錄

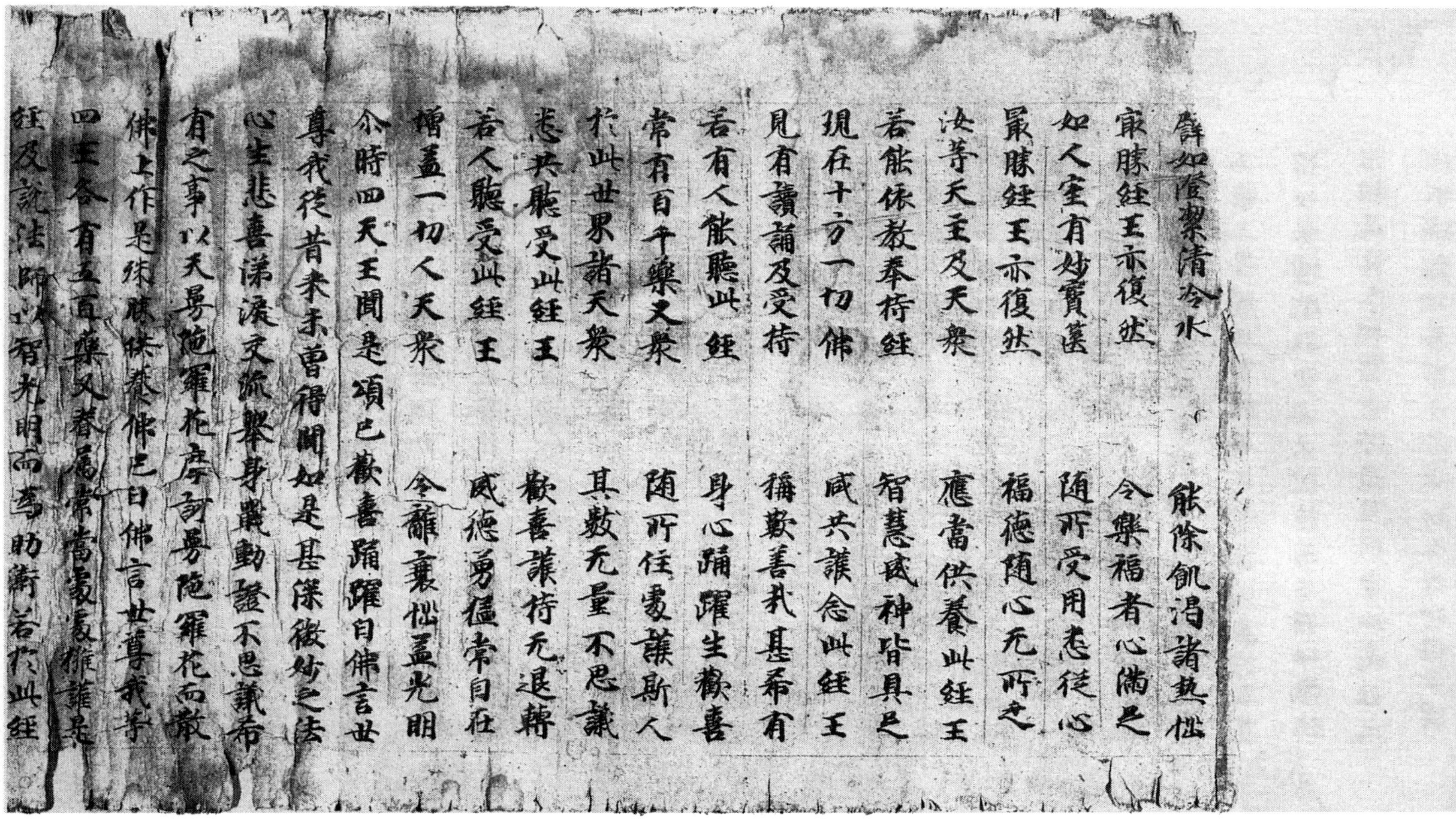

BD03001 號　金光明最勝王經卷六　（2–1）

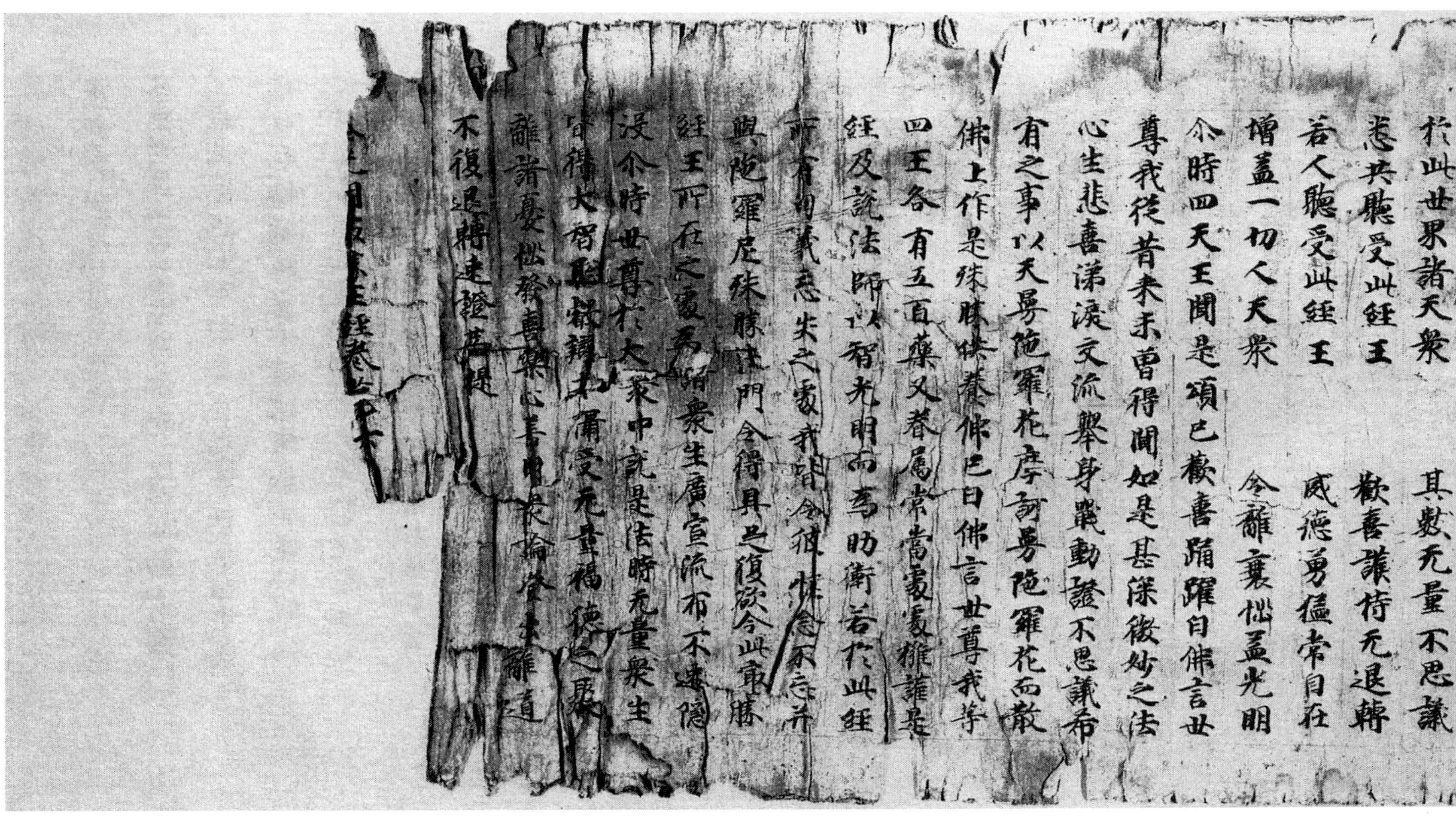

BD03001 號　金光明最勝王經卷六　（2–2）

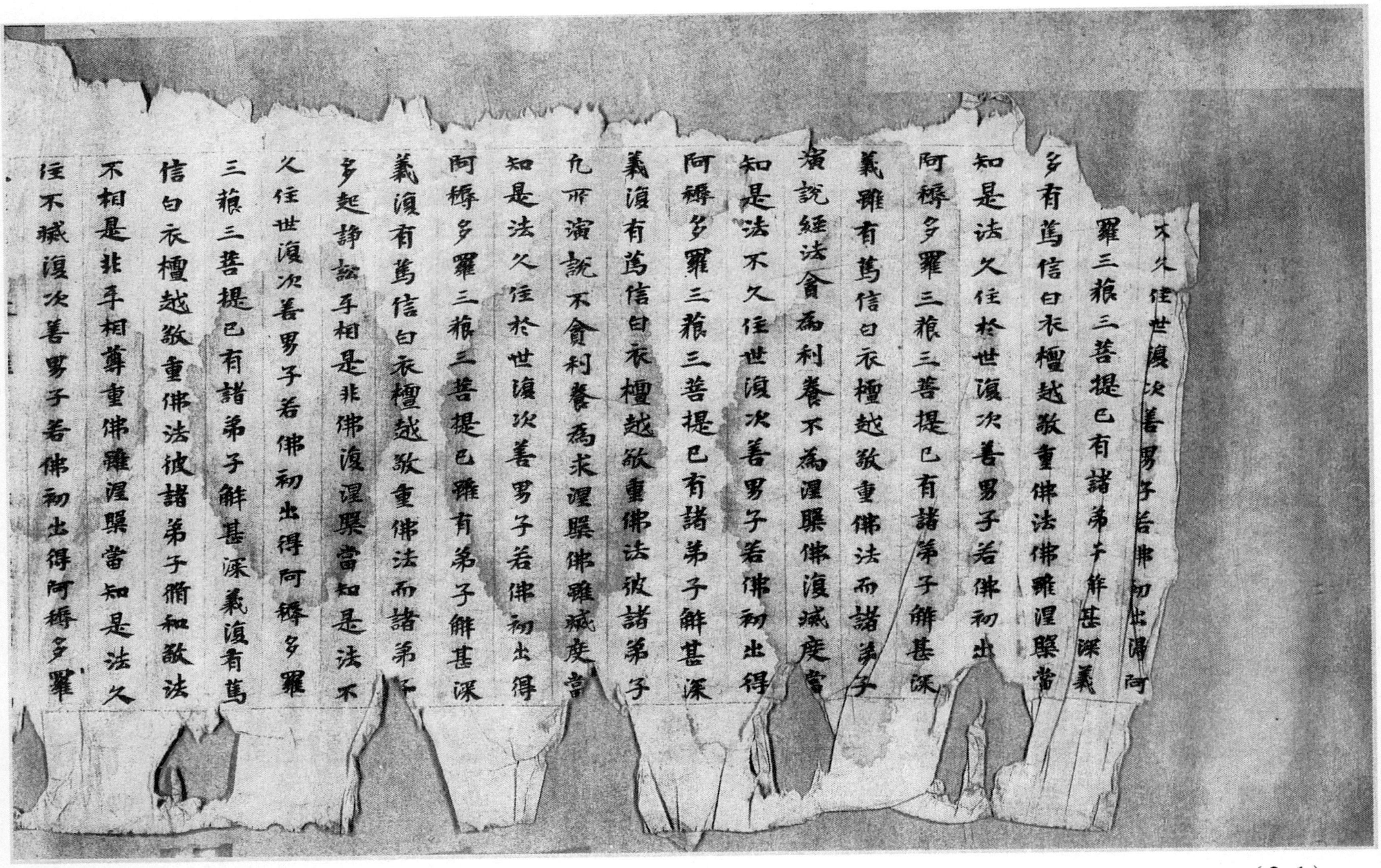

久住世復次善男子若佛初出得阿
羅三藐三菩提已有諸弟子解甚深義
多有篤信白衣檀越敬重佛法佛雖涅槃當
知是法久住於世復次善男子若佛初出
阿耨多羅三藐三菩提已有諸弟子解甚深
義雖有篤信白衣檀越敬重佛法而諸弟子
演說經法貪為利養不為涅槃佛復滅度當
知是法不久住世復次善男子若佛初出得
阿耨多羅三藐三菩提已有諸弟子解甚深
義復有篤信白衣檀越敬重佛法彼諸弟子
凡所演說不貪利養為求涅槃佛雖滅度當
知是法久住於世復次善男子若佛初出得
阿耨多羅三藐三菩提已雖有弟子解甚深
義復有篤信白衣檀越敬重佛法而諸弟
多起諍訟互相是非佛復涅槃當知是法不
久住世復次善男子若佛初出得阿耨多羅
三藐三菩提已有諸弟子解甚深義復有篤
信白衣檀越敬重佛法彼諸弟子脩和敬法
不相是非互相尊重佛雖涅槃當知是法久
住不滅復次善男子若佛初出得阿耨多羅

BD03002 號　大般涅槃經（北本）卷一八　（2–1）

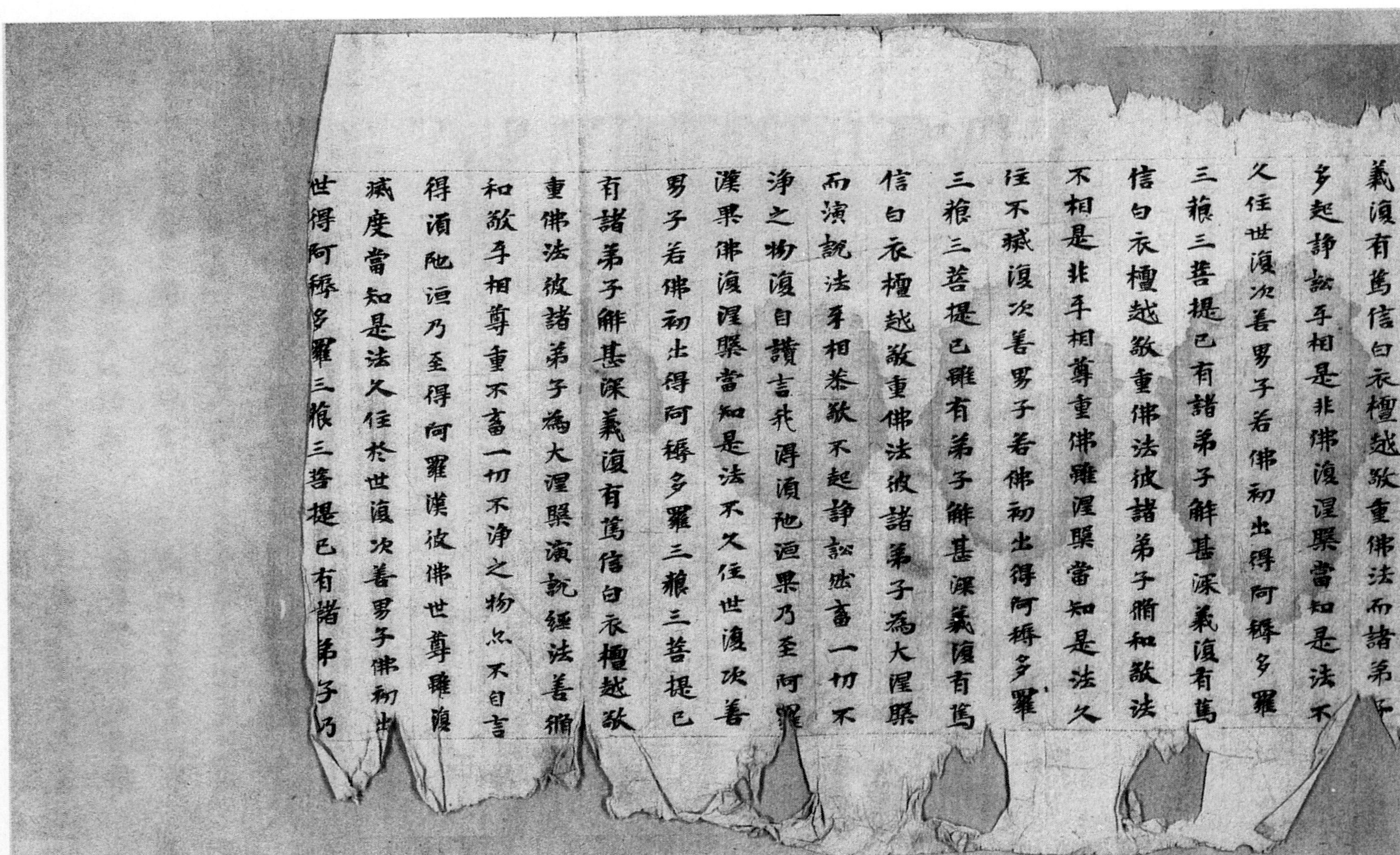

義復有篤信白衣檀越敬重佛法而諸弟子
多起諍訟互相是非佛復涅槃當知是法不
久住世復次善男子若佛初出得阿耨多羅
三藐三菩提已有諸弟子解甚深義復有篤
信白衣檀越敬重佛法彼諸弟子脩和敬法
不相是非互相尊重佛雖涅槃當知是法久
住不滅復次善男子若佛初出得阿耨多羅
三藐三菩提已雖有弟子解甚深義復有篤
信白衣檀越敬重佛法彼諸弟子為大涅槃
而演說法互相恭敬不起諍訟畜一切不
淨之物復自讚言我得須陁洹果乃至阿羅
漢果佛復涅槃當知是法不久住世復次善
男子若佛初出得阿耨多羅三藐三菩提已
有諸弟子解甚深義復有篤信白衣檀越敬
重佛法彼諸弟子為大涅槃演說經法善脩
和敬互相尊重不畜一切不淨之物亦不自言
得須陁洹乃至得阿羅漢彼佛世尊雖復
滅度當知是法久住於世復次善男子佛初出
世得阿耨多羅三藐三菩提已有諸弟子乃

BD03002 號　大般涅槃經（北本）卷一八　（2–2）

如有人以清淨目觀晴明空唯一精虛迥無
所有其人無故不動目睛瞪以發勞則於
虛空別有狂花復有一切狂亂非相色陰當知
亦如是阿難是諸狂花非從空來非從目出如
是阿難若空来者既從空来還從空入若有
出入即非虛空空若非空自不容其花相起
滅如阿難體不容阿難若目出者既從目出
還從目入即此花性從見出故當合有見若
有見者去既花空旋合見眼若無見者出既
翳空旋當翳眼又見花時目應無翳云何晴
空号清明眼是故當知色陰虛妄本非因緣
非自然性
阿難譬如有人手足宴安百體調適忽如忘
生性無違順其人無故以二手掌於空相摩
於二手中妄生澀滑冷熱諸相受陰當知亦
復如是阿難是諸幻觸不從空来不從掌出
如是阿難若空来者既能觸掌何不觸身
不應虛空選擇来觸若從掌出應非待合又
掌出故合則掌知離即觸入臂腕骨髓應亦

BD03003號　大佛頂如來密因修證了義諸菩薩萬行首楞嚴經卷二　（3–1）

生性無違順其人無故以二手掌於空相摩
於二手中妄生澀滑冷熱諸相受陰當知亦
復如是阿難是諸幻觸不從空来不從掌出
如是阿難若空来者既能觸掌何不觸身
不應虛空選擇来觸若從掌出應非待合又
掌出故合則掌知離即觸入臂腕骨髓應亦
覺知入時蹤跡必有覺心知出知入自有一物
身中往来何待合知要名為觸是故當知
受陰虛妄本非因緣非自然性
阿難譬如有人談說酢梅口中水出思蹋懸崖
足心酸澀想陰當知亦復如是阿難如是
酢說不從梅生非從口入如是阿難若梅生
者梅合自談何待人說若從口入自合口聞
何須待耳若獨耳聞此水何不耳中而出想
蹋懸崖與說相類是故當知想陰虛妄本非
因緣非自然性
阿難譬如暴流波浪相續前際後際不相踰
越行陰當知亦復如是阿難如是流性不因
空生不因水有亦非水性非離空水如是阿
難若因空生則諸十方無盡虛空成無盡流
世界自然俱受淪溺若因水有則此暴流性應
應非水有所有相今應現在若即水性則澄
清時應非水體若離空水空非有外水外無
流是故當知行陰虛妄本非因緣非自然性
阿難譬如有人取頻伽瓶塞其兩孔滿中擎

BD03003號　大佛頂如來密因修證了義諸菩薩萬行首楞嚴經卷二　（3–2）

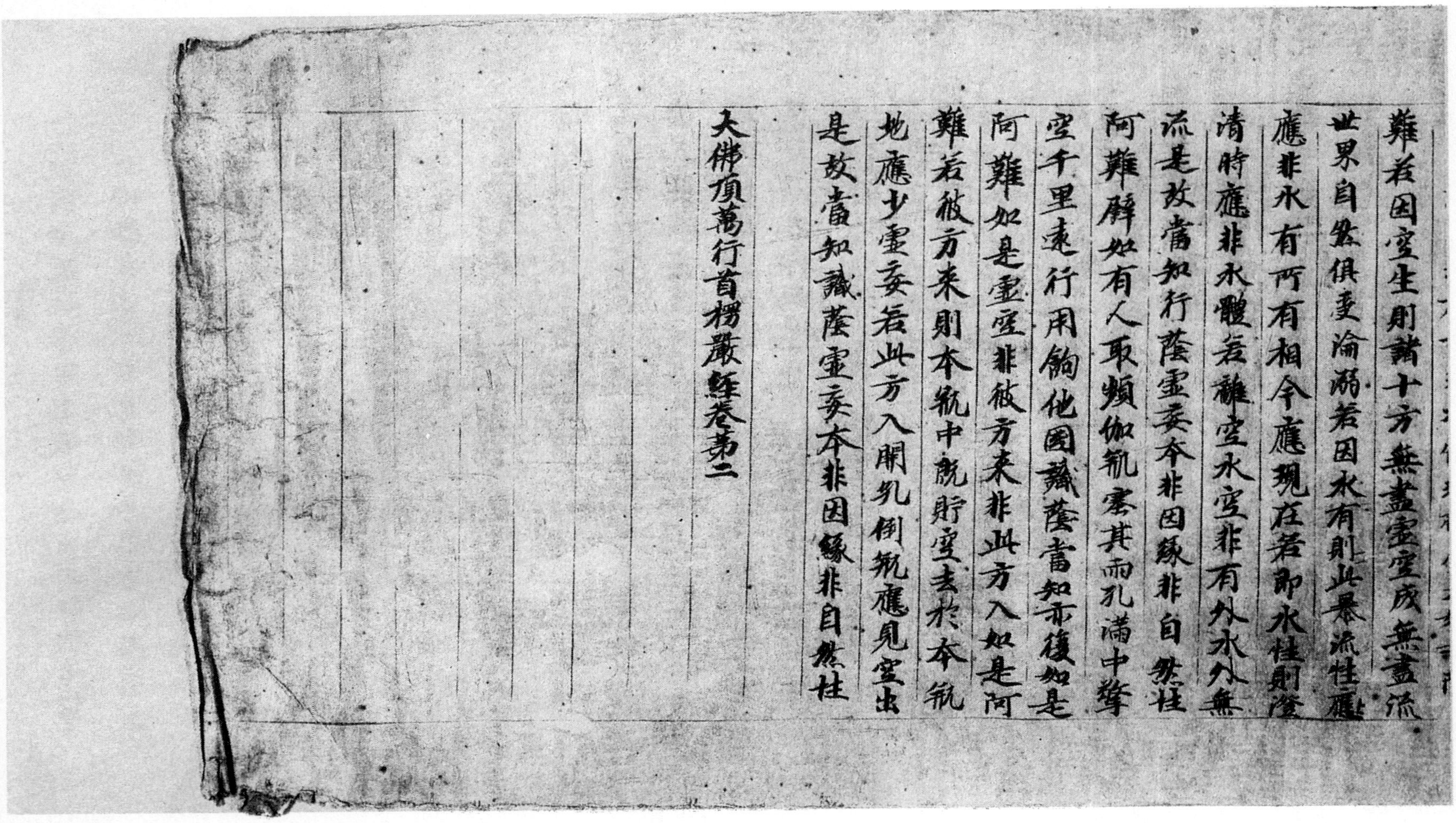

難若因空生則諸十方無盡虛空成無盡流
世界自然俱受淪溺若因水有則此暴流性應
應非水有所有相今應現在若即水性則澄
清時應非水體若離空水空非有外水外無
流是故當知行蘊虛妄本非因緣非自然性
阿難譬如有人取頻伽瓶塞其兩孔滿中擎
空千里遠行用餉他國識蘊當知亦復如是
阿難如是虛空非彼方來非此方入如是阿
難若彼方來則本瓶中既貯空去於本瓶
地應少虛空若此方入開孔倒瓶應見空出
是故當知識蘊虛妄本非因緣非自然性

大佛頂萬行首楞嚴經卷第二

BD03003號　大佛頂如來密因修證了義諸菩薩萬行首楞嚴經卷二　（3-3）

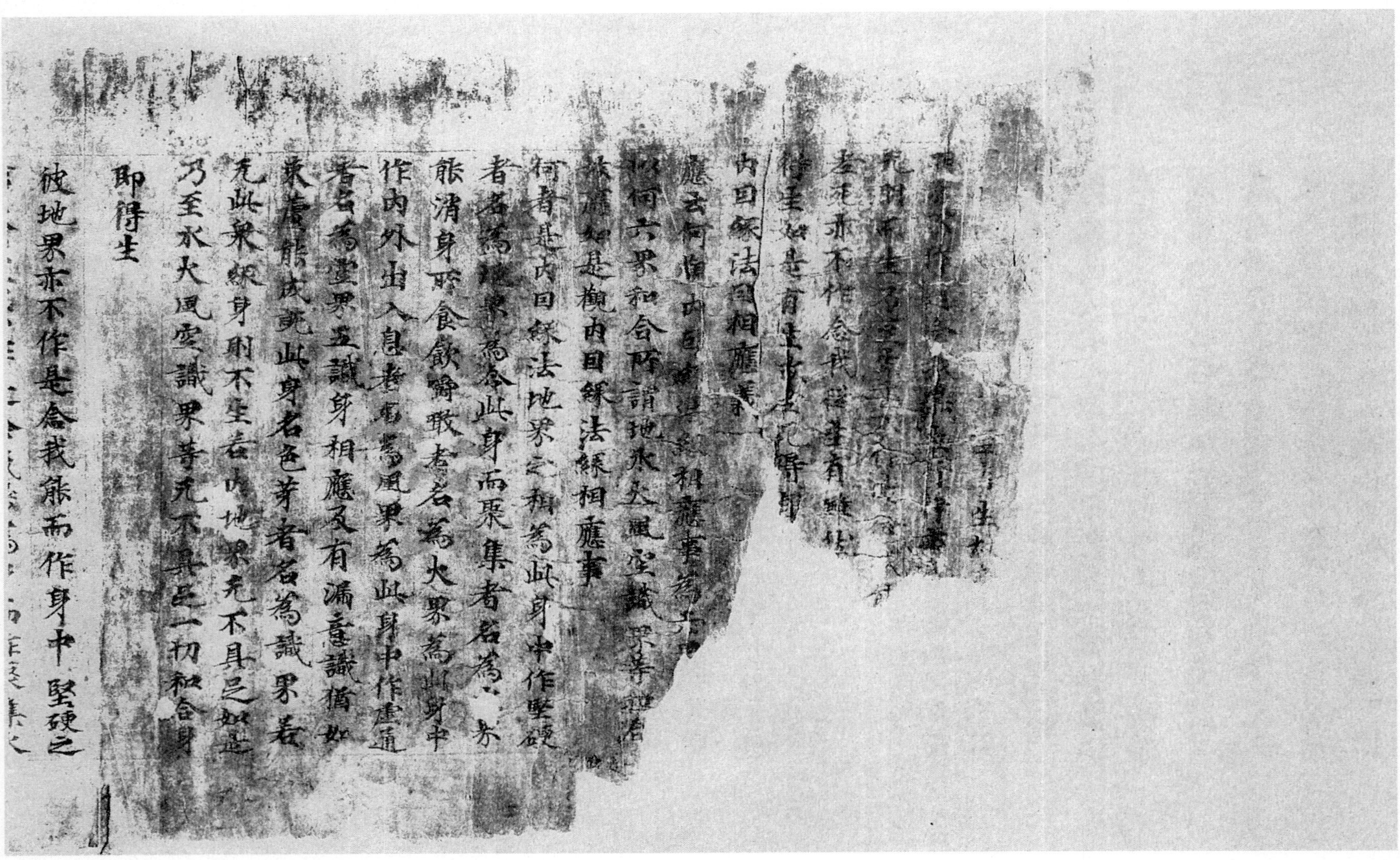

內因緣法相應事
以何六界和合所謂地水火風空識界等和合
如是觀內因緣法緣相應事
何者是內因緣法地界之相為此身中作堅硬
者名為地界為令此身而聚集者名為水界
能消身所食飲嚼啖者名為火界為此身中
作內外出入息者名為風界為此身中作虛通
者名為空界五識身相應及有漏意識猶如
束蘆能成就此身名色芽者名為識界若
无此眾緣身則不生若內地界无不具足如是
乃至水火風空識界等无不具足一切和合身
即得生
彼地界亦不作是念我能而作身中堅硬之

BD03004號　大乘稻芉經　（8-1）

況此衆緣身則不生若內地界无不具足如是
乃至水火風空識界等无不具足一切和合身
即得生
彼地界亦不作是念我能而作身中堅硬之
事水界亦不作是念我能爲身而作聚集火
界亦不作念我能而消身所食飲噉之事風
界亦不作念我能作內外出入息空界亦不作
念我能而作身中虛通之事識界亦不作是念我
能成就此身名色之芽身亦不作是念我從
此衆緣而生雖然有此衆緣之時身即得生
彼地界亦非是我非是衆生非命者非生者
非儒童非作者非男非女非黃門非自在非我
所亦非餘等如是乃至水界火界風界空界
識界亦非是我非是衆生非命者非生者非
儒童非作者非男非女非黃門非自在非我所
非餘等
何者是无明於此六界起於一想一合想常想
堅牢想不壞想安樂想衆生命生者養育
士夫人儒童作者我我所想等及餘種種无知
此是无明有无明故於諸境界起貪瞋癡於
諸境界起貪瞋癡者此是无明緣行而於
諸事能了別者名之爲識與識俱生四取蘊
者此是名色依名色諸根名爲六入三法和合
名之爲觸覺受觸者名之爲受於受貪著
名之爲愛增長愛者名之爲取從取而生能
生業者名之爲有而從彼因所生之蘊名之
爲生生已蘊成熟者名之爲老老已蘊滅壞

BD03004號　大乘稻竿經　（8–2）

諸事能了別者名之爲識與識俱生四取蘊
者此是名色依名色諸根名爲六入三法和合
名之爲觸覺受觸者名之爲受於受貪著
名之爲愛增長愛者名之爲取從取而生能
生業者名之爲有而從彼因所生之蘊名之
爲生生已蘊成熟者名之爲老老已蘊滅壞
者名之爲死臨終之時內具貪著及熱惱者
名之爲愁從愁而生諸言辭者名之爲嘆五
識身受苦者名之爲苦作意意識受諸苦
者名之爲憂具如是等及隨煩惱者名之爲惱
大黑闇故故名无明造作故名諸行了別故名
識相依故名名色爲生門故名六入觸故名觸
受故名受渴故名愛取故名取生後有故名有生
蘊故名生蘊熟故名老蘊壞故名死愁故名愁
嘆故名嘆惱身故名苦惱心故名憂煩惱故名
惱復次不了真性顛倒无知名爲无明如是有无
明故能成三行所謂福行罪行不動行從於福
行而生福行識者此是无明緣行從於罪行而生
罪行識者此則名爲行緣識從於不動行而生
不動行識者此則名爲識緣名色名色增長故
從六入門中能成事者此是名色緣六入從於
六入而生六聚觸者此是六入緣觸從於所觸而
生彼受者此則名爲觸緣受了別受已而生樂
著染者此則名爲受緣愛知已而生樂著染故
不欲遠離好色及於安樂而生願樂者此是愛
緣取生願樂已從身口意造後有業者此是

BD03004號　大乘稻竿經　（8–3）

生彼受者此則名為觸緣受了別受已而生樂
着染着此則名為愛緣受知已而生樂着染故
不欲遠離好色及於安樂而生願樂者此是愛
緣取生願樂已從身口意造後有業者此是
取緣有從於彼業所生蘊者此是有緣生生已
諸蘊成熟及滅壞者此則名為生緣老死是故
彼因緣十二支法互相為因互相為緣非常非无
常非有為非无為非无因非无緣非有受非盡法
非壞法非滅法法无始已來如暴流水而无斷絕
雖然此因緣十二支法互相為因互相為緣非常
非无常非有為非无為非无因非无緣非有受非
盡法非壞法非滅法從无始已來如暴流水而
无斷絕有其四支能攝十二因緣之法云何為四
所謂无明愛業識識者以種子性為因業者以
田性為因无明及愛以煩惱性為因此中業及煩
惱能生種子之識業則能作種子識田愛則能
潤種子之識无明能殖種子之識若无此眾
緣種子之識而不能成
彼業亦不作念我今能作種子識田愛亦不作
念我能潤於種子之識无明亦不作念我今能
殖種子之識彼種子識亦不作念我今從此眾
緣而生雖然種子之識依彼業田及愛所潤无
明糞壤所生之處入於母胎能生名色之芽
彼名色芽亦非自作亦非他作非自他俱作非
自在化亦非時變非自性生非假作者亦非无
因而生雖然父母和合時及餘緣和合之時无我
之法无我我所猶如虛空彼諸幻法因及眾緣

緣而生雖然種子之識依彼業田及愛所潤无
明糞壤所生之處入於母胎能生名色之芽
彼名色芽亦非自作亦非他作非自他俱作非
自在化亦非時變非自性生非假作者亦非无
因而生雖然父母和合時及餘緣和合之時无我
之法无我我所猶如虛空彼諸幻法因及眾緣
无不具足故依彼生處入於母胎則能成熟執
受種子之識名色之芽
如眼識生時若具五緣而則得生云何為五
所謂依眼色明空依作意故眼識得生此中眼
則能作眼識所依色則能作眼識之境明則
能為顯現之事空則能為不鄣之事作意
能為思想之事若无此眾緣眼識不生若內入
眼无不具足如是乃至色明空作意無不具
足一切和合之時眼識得生
彼眼亦不作是念我今能為眼識所依色亦不
念我今能作眼識之境明亦不作念我今能作
顯現之事作意亦不作念我今能為眼識所思
彼眼亦不作念我是從此眾緣而有雖然有此
眾緣眼識得生乃至諸餘眼等應如是知
如是無有少法而從此世移至他世雖然因及
眾緣無不具足故業果亦現譬如明鏡之中現
其面像雖彼面像不移鏡中因及眾緣无不
具足故面像亦現如是无有少許從於此滅生
其餘處因及眾緣无不具足故業果亦現譬如月
（從此四万二千由旬而行彼月輪亦像現其有水小器中者彼月輪）
輪亦不從彼移至於有水之器雖然因及眾緣
无不具足是故月輪亦現如是无有少許從於此滅

具足故面像亦現如是无有少許從於此沒生
其餘處因及衆緣无不具足故業果亦現辟如月
(從此四万二千由旬而行彼月輪亦像現其有水小器中者彼月輪)
輪亦不從彼移至於有水之器雖然因及衆緣
无不具足故月輪亦現如是无有少許從於此滅
而生餘處因及衆緣无不具足故業果亦現辟如
其火因及衆緣若不具足而不能燃因及衆緣具
足之時乃可得燃如是无我之法无我我所猶如
虛空依彼幻法因及衆緣无不具足故所生之處
入於母胎則能成就種子之識業及煩惱所生名
色之芽是故應如是觀内因緣法緣相應事
應以五種觀内因緣法云何爲五不常不斷不移
從於小因而生大果與彼相似云何不常所謂彼
後滅蘊與彼生分各異爲後滅蘊非生分故彼
後滅蘊亦滅生分亦得現故是故不常云何不
斷非依後滅蘊滅懷之時生分得有亦非不滅
彼後滅蘊亦滅當尒之時生分之蘊如秤高下
而得生故是故不斷云何不移爲諸有情從非
衆同分處能生衆同分處故是故不移云何
從於小因而生大果作於小業感大異熟是故
從於小因而生大果如所作因感彼果故與彼相
似是故應以五種觀因緣法尊者舍利子若復
有人能以正智常觀如來所說因緣之法无壽離
壽如實性无錯謬性无生无起无作无爲无障礙
无境界寂靜无畏无侵奪无盡不寂靜相不虛
誑无堅實如病如癰如箭過失无常苦空无我
者我於過去而有生耶而无生耶而不分別過
去之際於未來世生於何處亦不分別未來之
際此是何耶此復云何而作何物此諸有情從

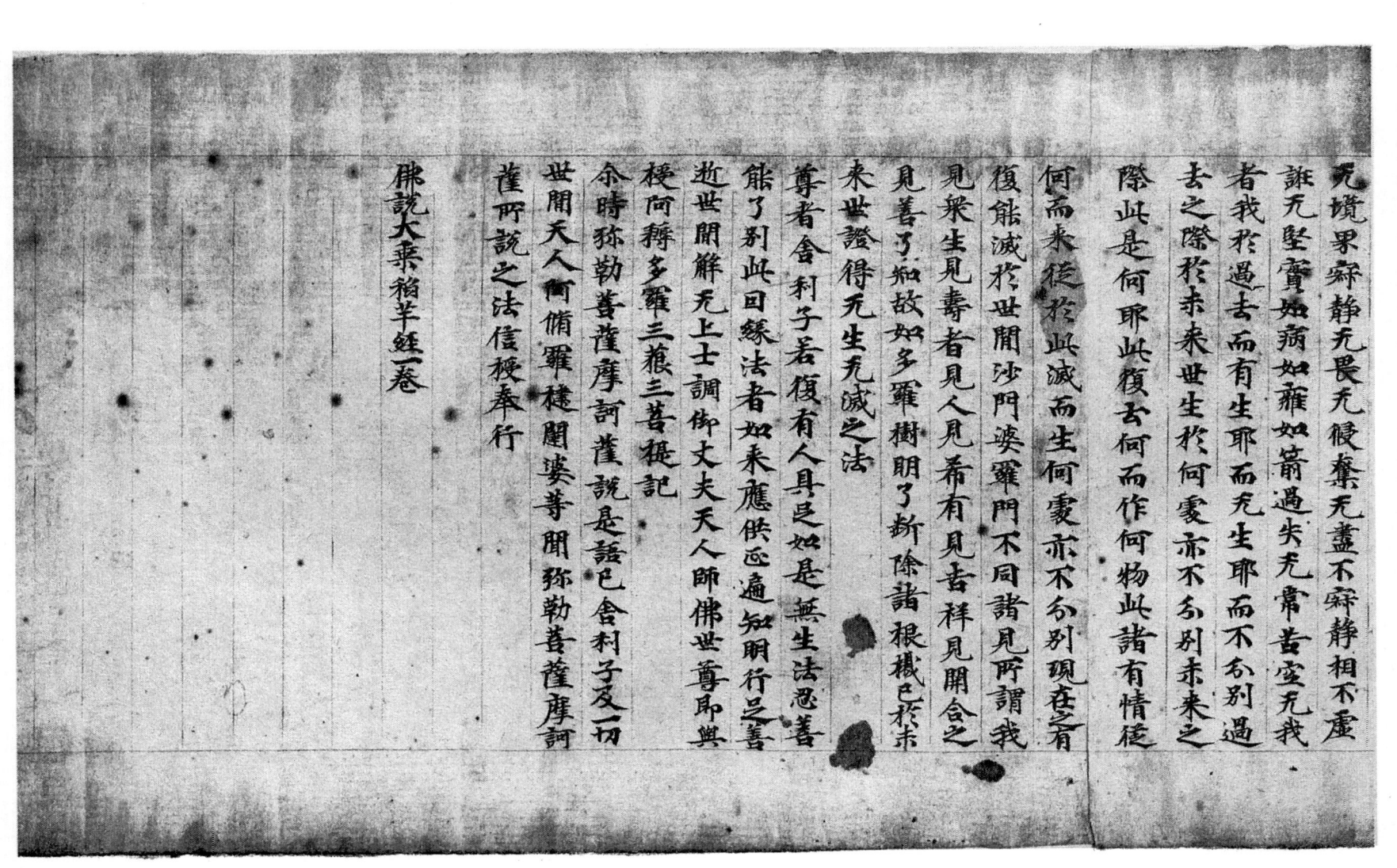

BD03004號　大乘稻芉經　（8–6）

无境界寂靜无畏无侵奪无盡不寂靜相不虛
誑无堅實如病如癰如箭過失无常苦空无我
者我於過去而有生耶而无生耶而不分別過
去之際於未來世生於何處亦不分別未來之
際此是何耶此復云何而作何物此諸有情從
何而來從於此滅而生何處亦不分別現在之有
復能滅於世間沙門婆羅門不同諸見所謂我
見衆生見壽者見人見希有見吉祥見開合之
見善了知故如多羅樹明了斷除諸根栽已於未
來世證得无生无滅之法
尊者舍利子若復有人具足如是無生法忍善
能了别此因緣法者如來應供正遍知明行足善
逝世間解无上士調御丈夫天人師佛世尊即與
授阿耨多羅三藐三菩提記
尒時弥勒菩薩摩訶薩說是語已舍利子及一切
世間天人阿脩羅揵闥婆等聞弥勒菩薩摩訶
薩所說之法信受奉行
佛說大乘稻芉經一卷

BD03004號　大乘稻芉經　（8–7）

爾時弥勒菩薩摩訶薩說是語已舍利子及一切
世間天人阿脩羅揵闥婆等聞弥勒菩薩摩訶
薩所說之法信梗奉行
佛說大乘稻芉經一卷

BD03004 號　大乘稻芉經　　（8–8）

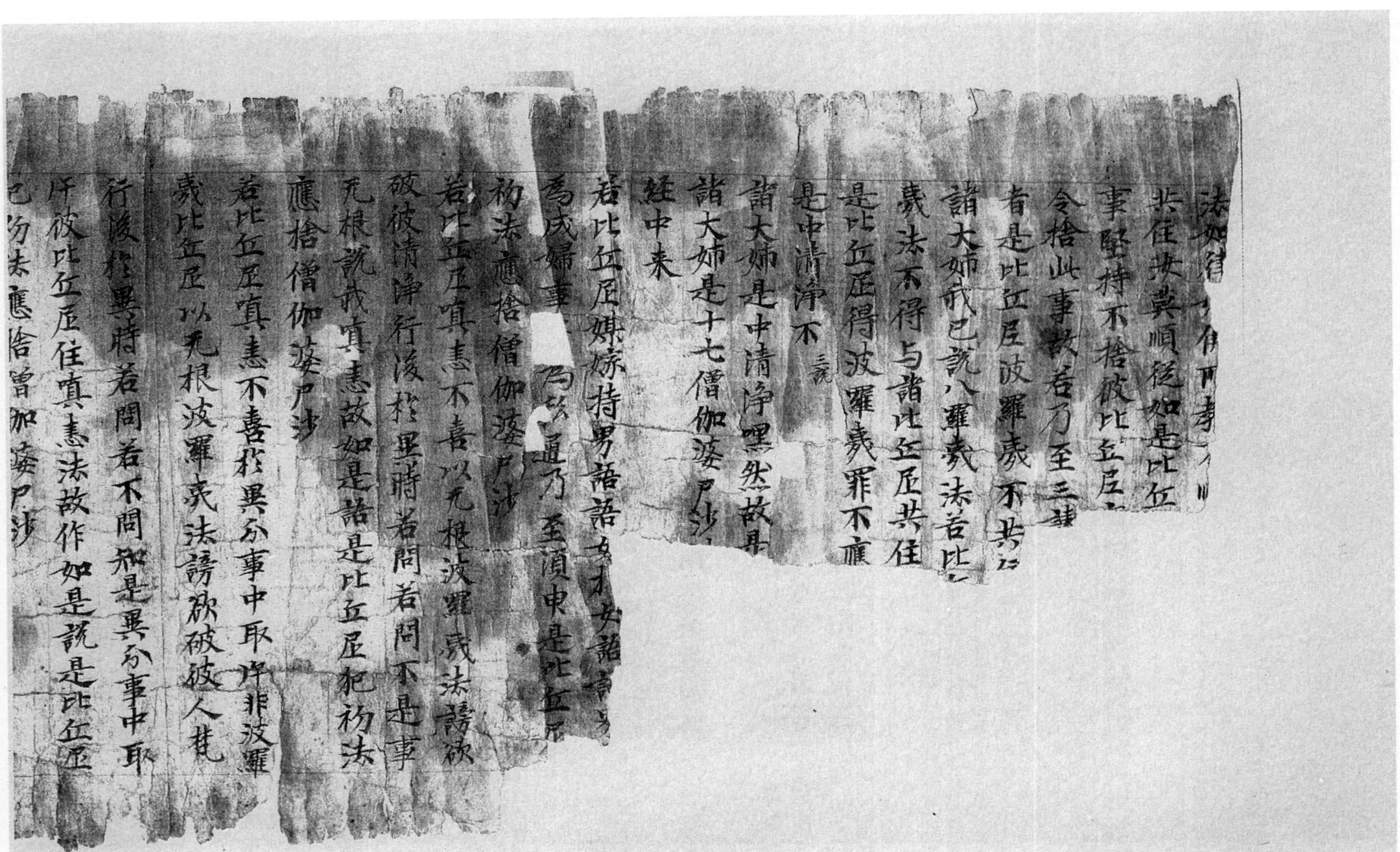

法如律……作所考……
共住汝莫順從如是比丘……
事堅持不捨彼比丘尼……
令捨此事故乃至三諫……
者是比丘尼波羅夷不共住
諸大姊我已說八波羅夷法若比丘……
夷法不得与諸比丘尼共住……
是比丘尼得波羅夷罪不應……
是中清淨不
諸大姊是中清淨嘿然故是……
諸大姊是十七僧伽婆尸沙……
經中來
若比丘尼媒嫁持男語語女持女語語……
為成婦事……乃至須臾是比丘尼……
初法應捨僧伽婆尸沙
若比丘尼嗔恚不喜以無根波羅夷法謗欲
破彼清淨行後於異時若問若不問不是事
無根說我嗔恚故如是語是比丘尼犯初法
應捨僧伽婆尸沙
若比丘尼嗔恚不喜於異分事中取片非波羅
夷比丘尼以無根波羅夷法謗欲破彼人梵
行後於異時若問若不問知是異分事中取
片彼比丘尼住嗔恚法故作如是說是比丘尼
犯初法應捨僧伽婆尸沙

BD03005 號　四分比丘尼戒本　　（4–1）

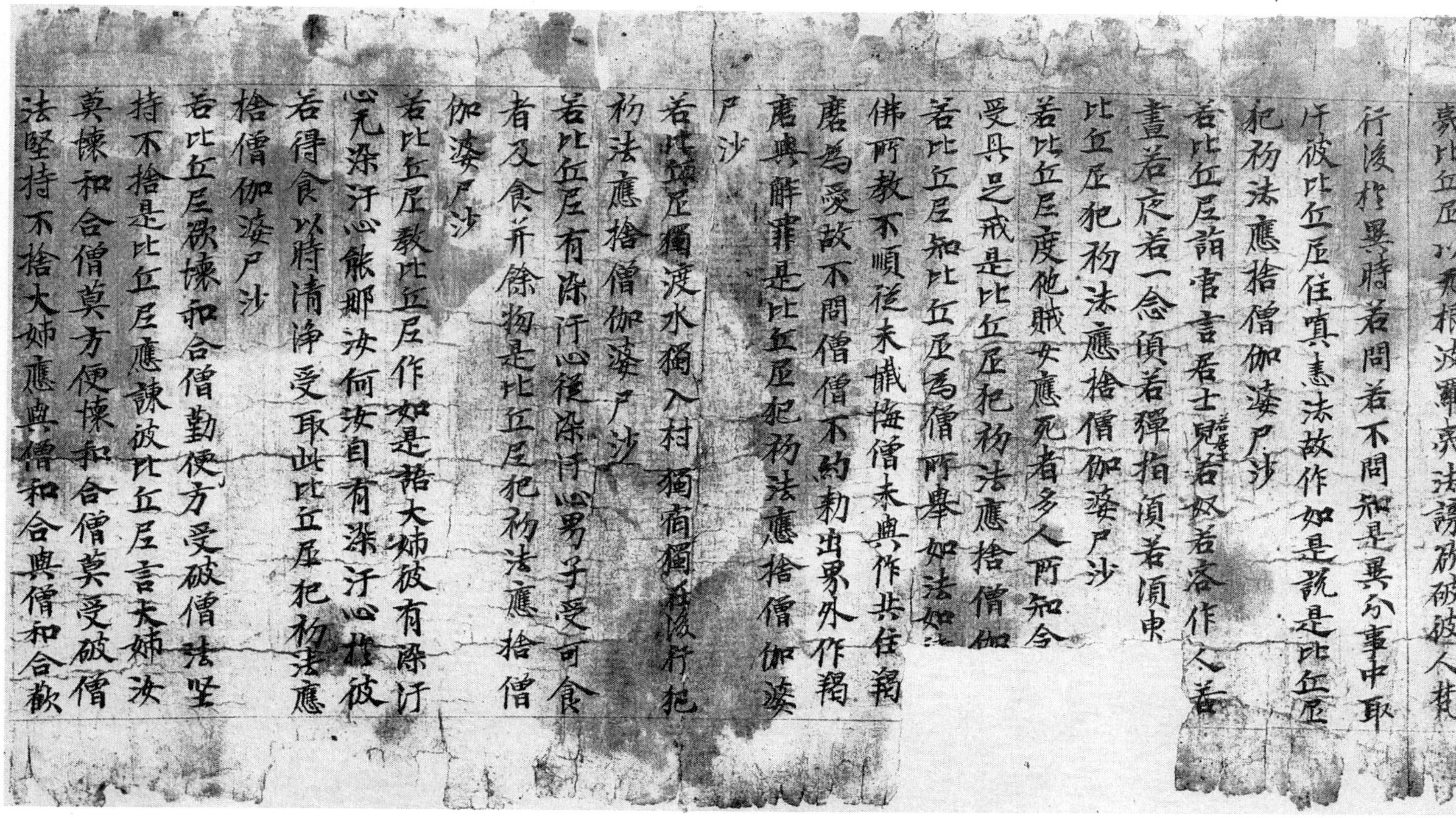
義比丘尼以无根波羅夷法謗欲破彼人梵
行後於異時若問若不問知是異分事中取
片彼比丘尼住嗔恚法故作如是說是比丘尼
犯初法應捨僧伽婆尸沙
若比丘尼詣官言若士見若奴若客作人若
晝若夜若一念頃若彈指頃若須臾
比丘尼犯初法應捨僧伽婆尸沙
若比丘尼度他賊女應死者多人所知命
受具足戒是比丘尼犯初法應捨僧伽
若比丘尼知比丘尼為僧所舉如法如
佛所教不順從未懺悔僧未與作共住羯
磨為愛故不問僧僧不約勅出界外作羯
磨與解罪是比丘尼犯初法應捨僧伽婆
尸沙
若比丘尼獨渡水獨入村獨宿獨在後行犯
初法應捨僧伽婆尸沙
若比丘尼有染汙心從染汙心男子受可食
者及食并餘物是比丘尼犯初法應捨僧
伽婆尸沙
若比丘尼教比丘尼作如是語大姉彼有染汙
心无染汙心能耶汝何汝自有染汙心於彼
若得食以時清淨受取此比丘尼犯初法應
捨僧伽婆尸沙
若比丘尼欲壞和合僧勤便方受破僧法堅
持不捨是比丘尼應諫彼比丘尼言大姉汝
莫壞和合僧莫方便壞和合僧莫受破僧
法堅持不捨大姉應與僧和合與僧和合歡

BD03005號　四分比丘尼戒本　（4–2）

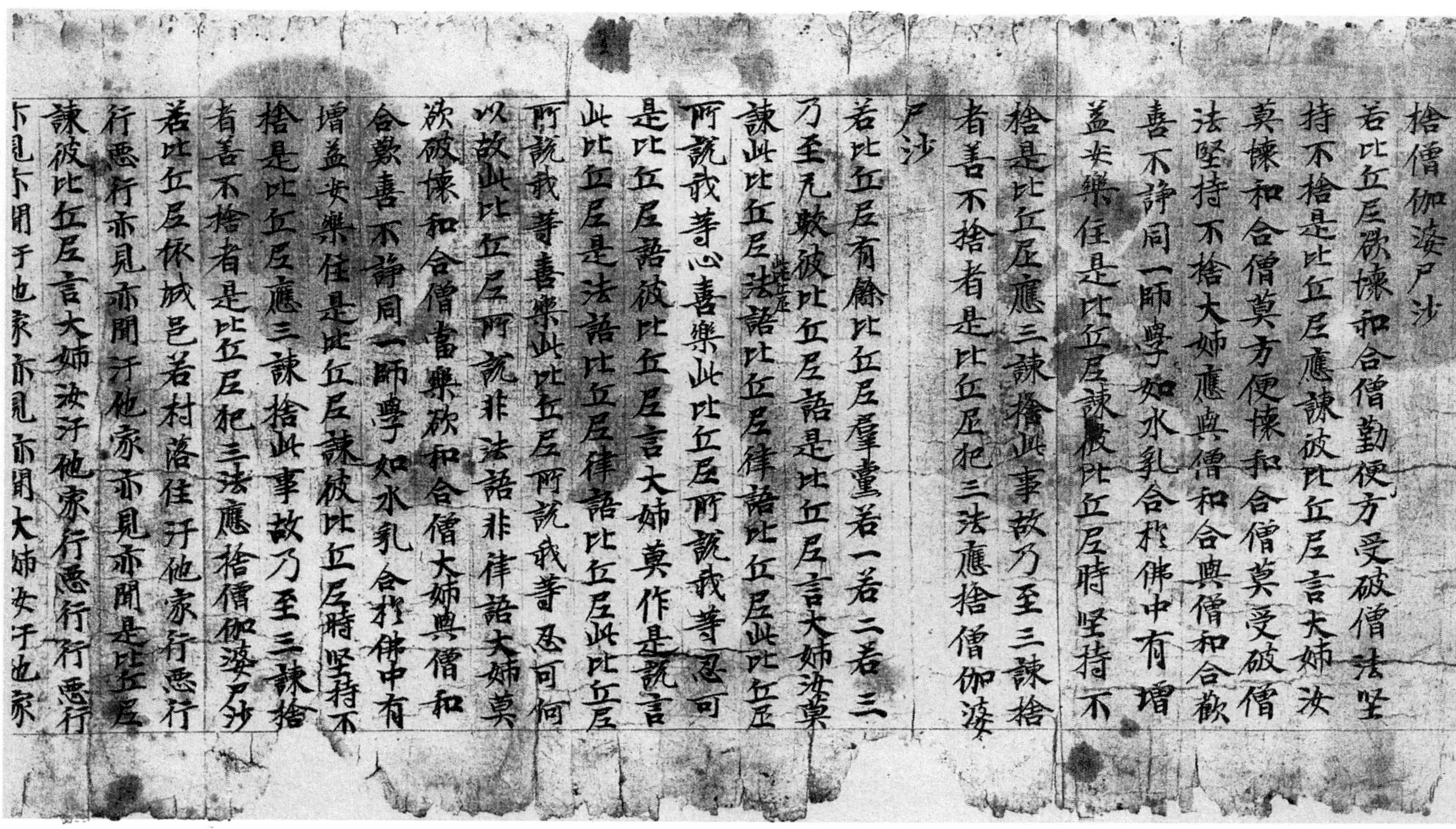
捨僧伽婆尸沙
若比丘尼欲壞和合僧勤便方受破僧法堅
持不捨是比丘尼應諫彼比丘尼言大姉汝
莫壞和合僧莫方便壞和合僧莫受破僧
法堅持不捨大姉應與僧和合與僧和合歡
喜不諍同一師學如水乳合於佛法中有增
益安樂住是比丘尼諫彼比丘尼時堅持不
捨是比丘尼應三諫捨此事故乃至三諫捨
者善不捨者是比丘尼犯三法應捨僧伽婆
尸沙
若比丘尼有餘比丘尼群黨若一若二若三
乃至无數彼比丘尼語是比丘尼言大姉汝莫
諫此比丘尼法語比丘尼律語比丘尼此比丘尼
所說我等心喜樂此比丘尼所說我等忍可
是比丘尼語彼比丘尼言大姉莫作是說言
此比丘尼是法語比丘尼律語比丘尼此比丘尼
所說我等喜樂此比丘尼所說我等忍可何
以故此比丘尼所說非法語非律語大姉莫
欲破壞和合僧當樂欲和合僧大姉與僧和
合歡喜不諍同一師學如水乳合於佛法中有
增益安樂住是比丘尼諫彼比丘尼時堅持不
捨是比丘尼應三諫捨此事故乃至三諫捨
者善不捨者是比丘尼犯三法應捨僧伽婆尸沙
若比丘尼依城邑若村落住汙他家行惡行
行惡行亦見亦聞汙他家亦見亦聞是比丘尼
諫彼比丘尼言大姉汝汙他家行惡行行惡行
亦見亦聞汙他家亦見亦聞大姉汝汙他家

BD03005號　四分比丘尼戒本　（4–3）

者善不捨者是比丘尼犯三法應捨僧伽婆尸沙
若比丘尼依城邑若村落住汙他家行惡行
行惡行亦見亦聞汙他家亦見亦聞是比丘尼
諫彼比丘尼言大姊汝汙他家行惡行行惡行
亦見亦聞汙他家亦見亦聞大姊汝汙他家
行惡行今可離此村落去不須住此彼比丘尼
語此比丘尼作是言大姊諸比丘尼有愛有
恚有怖有癡有如是同罪比丘尼有驅者
有不驅者是諸比丘尼語彼比丘尼言大姊
莫作是語有愛有恚有怖有癡亦莫言有
如是同罪比丘尼有驅者有不驅者何以故
諸比丘尼不愛不恚不怖不癡有如是同罪
比丘尼有驅者有不驅者大姊汙他家行惡
行行惡行亦見亦聞汙他家亦見亦聞是比丘
尼諫彼比丘尼時堅持不捨是比丘尼應三諫
捨此事故乃至三諫捨者善不捨者是比丘
尼犯三法應捨僧伽婆尸沙
若比丘尼惡性不受人語於戒法中諸比丘尼
如法諫已自身不受諫語言大姊汝莫向我說
若好若惡我亦不向汝說若好若惡諸姊止莫
諫彼比丘尼言大姊汝莫自
當受諫語大姊如法

BD03005 號　四分比丘尼戒本　（4–4）

尒時善財童子向樓閣城觀察正道專求正道
觀夷險道垢淨道安危道復作是念因善知
識得菩薩道諸波羅蜜道攝取衆生入无礙法
界隨順一切衆生除滅一切煩惱熾然一切
耶見拔一切不善刺度一切生死海必至一
切智城何以故因善知識得一切善根因善
知識得一切智作是念已漸漸遊行至樓閣
城周遍推求自在海師見在海岸舩舶處住
十万商人及无量衆而圍遶之欲聞勝法入大
海法佛功德海法往詣其所頭面礼足却住
一面白言大聖我已先發阿耨多羅三藐三
菩提心而未知菩薩云何學菩薩行修菩薩
道荅言善哉善哉善男子乃能發阿耨多羅
三藐三菩提心能諮問我大乘妙寶度生死
海到一切智洲得不可壞摩訶衍法離二
乘難住寂滅樂遠離生死洄澓流渕速得菩
薩至處道法陁羅尼輪菩薩莊嚴道薩婆
若波浪成就普法門於一切法无所障礙度
一切智海善男子我成就大悲幢淨行法門
在此海邊樓閣城中爲貧窮者脩諸苦行
欲令一切隨意所求悉充足已廣爲說法
皆令歡喜發起善根長養功德智慧之藏
[illegible]

BD03006 號　大方廣佛華嚴經（晉譯六十卷本）卷五〇　（12–1）

着波浪成就普法門於一切法无所障礙度
一切智海善男子我成就大悲幢淨行法門
在此海邊樓閣城中為貧窮者脩諸苦行
欲令一切隨意所求悉充足已廣為說法
皆令歡喜發起善根長養功德智慧之藏
利菩薩根發菩提心淨菩薩直心增益菩
薩深心出生長養大悲之力除生死苦
遊生死海而无疲惓攝取眾生海令住
功德海得一切法智海光明見一切佛海度
一切智海善男子我住此城如是思惟如是
正念饒益眾生善男子我知海中一切寶洲
一切寶相一切生寶一切淨寶及不淨寶知
一切寶價一切寶器知一切寶隨所應用知
作一切寶知一切寶境界知一切寶光明知
一切龍宮殿滅一切龍難知一切羅剎宮殿
滅一切羅剎難知一切大身眾生宮殿滅一
切大身眾生難知趣知捨迴復恐怖能離波
浪知相水色知日月星宿知諸算數知晝知
夜知剎那羅婆摩睺路知去知住安危之
法知海船舶牢不牢法明候風相而迴轉之
了所至處善男子我已成就如是智慧利益
眾生故入於大海因為說法悉令歡喜離生
死怖入一切智海竭愛欲海逮得三世光明
智海度一切苦海清淨一切眾生心海嚴淨
一切諸佛剎海遍遊一切十方界海无所障
礙知一切眾生諸根願海隨順一切眾生行

BD03006號　大方廣佛華嚴經（晉譯六十卷本）卷五〇　（12–2）

眾生故入於大海因為說法悉令歡喜離生
死怖入一切智海竭愛欲海逮得三世光明
智海度一切苦海清淨一切眾生心海嚴淨
一切諸佛剎海遍遊一切十方界海无所障
礙知一切眾生諸根願海隨順一切眾生行
海知一切眾生隨所應海善男子我成就此
大悲幢淨行法門若有見聞憶念我者皆悉
不虛善男子我唯知此法門諸大菩薩行於
生死煩惱大海无所染著離邪見海入寶法
海以善方便攝取眾生海住一切智海滅一切
眾生諸放逸海善分別知時非時海善方便
知化眾生海未曾失時我當云何能知能說
彼功德行
善男子於此南方有城名曰可樂彼有長者
名无上勝汝詣彼問云何菩薩學菩薩行脩
菩薩道時善財童子頭面禮足遶无數帀悲
泣流淚辭退南行尒時善財童子增廣大慈
大悲潤澤長養功德智慧莊嚴離煩惱垢入
平等法心不放逸伏不善剌滅一切障精進
堅固脩習菩薩不可思議三昧慧光普照辯
靜快樂功德水池解脫花敷滿足大願充滿
法界无所障礙趣一切智一向專求菩薩正
道漸漸南行至可樂城周遍推求无上勝長
者城東有林名離憂惱妙莊嚴幢時彼長者
在此林中无量長者周帀圍遶理斷國事因
為說法離我我所及一切有遠離嫉妬清淨
心海安住淨心常見諸佛得无著言力受諸

BD03006號　大方廣佛華嚴經（晉譯六十卷本）卷五〇　（12–3）

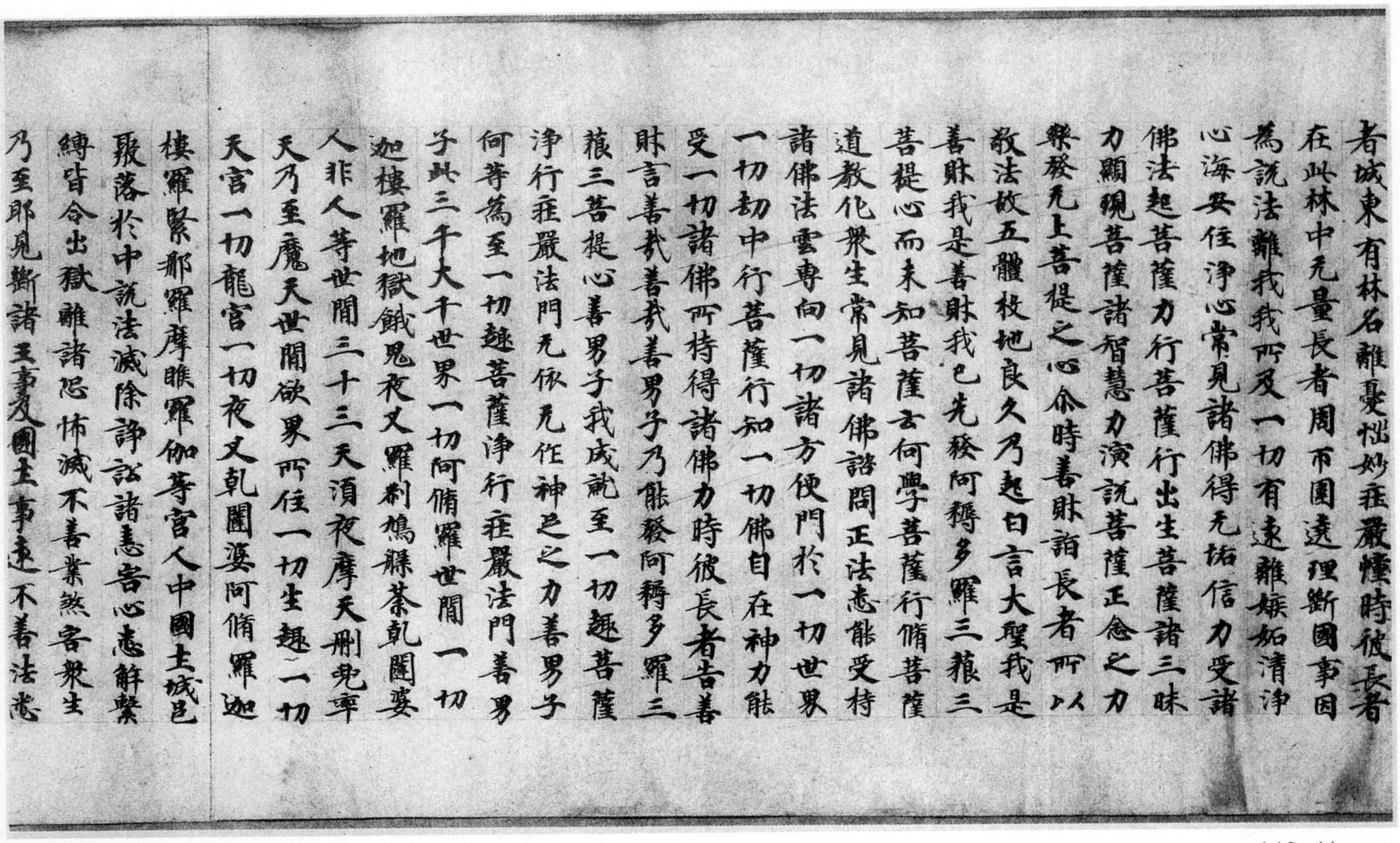
者城東有林名離憂惱妙莊嚴幢時彼長者
在此林中无量長者周帀圍遶理斷國事因
為說法離我我所及一切有遠離嫉妬清淨
心海安住淨心常見諸佛得无掂信力受諸
佛法起菩薩力行菩薩行出生菩薩諸三昧
力顯現菩薩諸智慧力演說菩薩正念之力
衆發无上菩提之心尒時善財詣長者所以
敬法故五體投地良久乃起白言大聖我是
善財我是善財我已先發阿耨多羅三藐三
菩提心而未知菩薩云何學菩薩行脩菩薩
道教化衆生常見諸佛諮問正法悉能受持
諸佛法雲專向一切諸方便門於一切世界
一切劫中行菩薩行知一切佛自在神力能
受一切諸佛所持得諸佛力時彼長者告善
財言善哉善哉善男子乃能發阿耨多羅三
藐三菩提心善男子我成就至一切趣菩薩
淨行莊嚴法門无依无作神足之力善男子
何等為至一切趣菩薩淨行莊嚴法門善男
子此三千大千世界一切阿脩羅世間一切
迦樓羅地獄餓鬼夜叉羅刹鳩槃荼乾闥婆
人非人等世間三十三天須夜摩天刪兜率
天乃至魔天世間欲界所住一切生趣一切
天宫一切龍宫一切夜叉乾闥婆阿脩羅迦
樓羅緊那羅摩睺羅伽等宫人中國土城邑
聚落於中說法滅除諍訟諸恚害心悉解繫
縛皆令出獄離諸恐怖滅不善業煞害衆生
乃至邪見斷諸王事及國土事遠不善法悉

BD03006 號　大方廣佛華嚴經（晉譯六十卷本）卷五〇　（12–4）

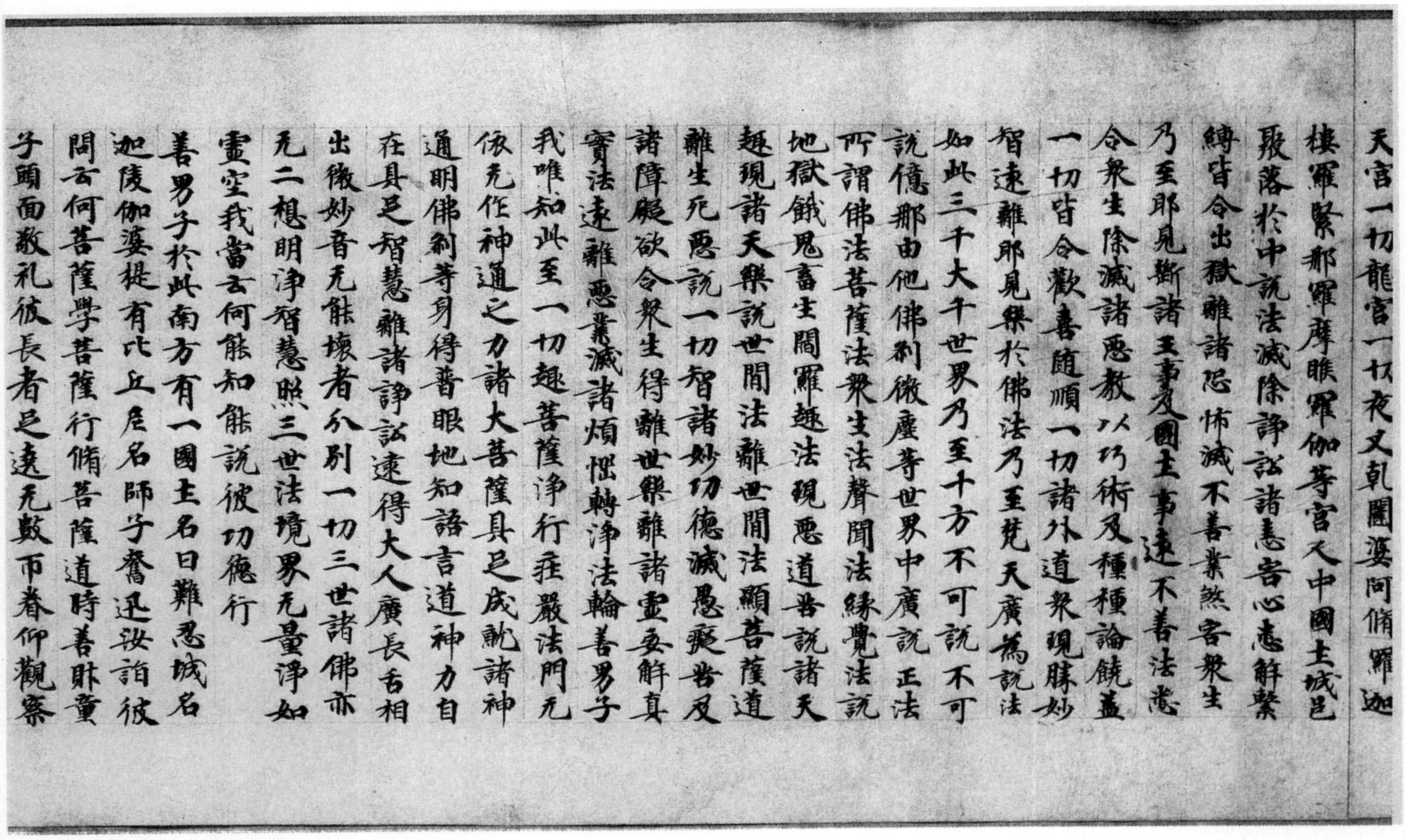
天宫一切龍宫一切夜叉乾闥婆阿脩羅迦
樓羅緊那羅摩睺羅伽等宫人中國土城邑
聚落於中說法滅除諍訟諸恚害心悉解繫
縛皆令出獄離諸恐怖滅不善業煞害衆生
乃至邪見斷諸王事及國土事遠不善法悉
令衆生除滅諸惡教以巧術及種種論饒益
一切皆令歡喜隨順一切諸外道衆現勝妙
智遠離邪見樂於佛法乃至梵天廣為說法
如此三千大千世界乃至十方不可說不可
說億那由他佛刹微塵等世界中廣說正法
所謂佛法菩薩法衆生法聲聞法緣覺法說
地獄餓鬼畜生閻羅趣法現惡道苦說諸天
趣現諸天樂說世間法離世間法顯菩薩道
離生死惡說一切智諸妙功德滅愚癡苦及
諸障礙欲令衆生得離世樂離諸虛妄解真
實法遠離惡業滅諸煩惱轉淨法輪善男子
我唯知此至一切趣菩薩淨行莊嚴法門无
依无作神通之力諸大菩薩具足成就諸神
通明佛刹等身得普眼地知語言道神力自
在具足智慧離諸諍訟遠得大人廣長舌相
出微妙音无能壞者分別一切三世諸佛亦
无二想明淨智慧照三世法境界无量淨如
虛空我當云何能知能說彼功德行
善男子於此南方有一國土名曰難忍城名
迦陵伽婆提有比丘尼名師子奮迅汝詣彼
問云何菩薩學菩薩行脩菩薩道時善財童
子頭面敬礼彼長者足遶无數帀眷仰觀察

BD03006 號　大方廣佛華嚴經（晉譯六十卷本）卷五〇　（12–5）

[illegible]
善男子於此南方有一國土名曰難忍城名
迦陵伽婆提有比丘尼名師子奮迅汝詣彼
問云何菩薩學菩薩行脩菩薩道時善財童
子頭面敬礼彼長者足遶无數帀眷仰觀察
辭退南行尒時善財童子漸漸遊行至彼國
城周遍推問彼比丘尼時有无量男女大衆
荅善財言此比丘尼今在王園曰光林中以
法饒益一切衆生尒時善財詣彼園林周遍
觀察見一大樹名曰滿月放大光明照百由
旬復見大樹名曰普覆其形如蓋放青光明
復見花樹名曰花藏高如雪山雨衆花雲如
天帝釋波利質多羅樹復見大樹名曰菓實
光明普照常有菓實復見大樹名曰明淨不
可辟喻摩尼莊嚴出阿僧祇清淨妙寶復見
衣樹出阿僧祇妙寶衣藏復見歡喜樹自然
演出微妙音聲復見普莊嚴香熏樹出一切
香普熏十方无所障礙復見彼園泉流淵池
旃檀行樹周帀圍遶七寶欄楯以為莊嚴黑
旃檀泥凝傳其底布以金沙八功德水充滿
其中憂鉢羅鉢曇摩拘牟頭分陁利花敷榮
鮮茂遍覆其上寶樹周遍端嚴殊妙一一樹
下各敷无量師子之座布以寶衣熏以衆香
張衆寶帳曰淨寶網羅覆其上金鈴網中出
妙音聲或有樹下敷蓮花藏師子之座或有
樹下敷香藏座或有樹下敷龍莊嚴藏座或
有樹下敷寶聚師子座或有樹下敷明淨普

BD03006號　大方廣佛華嚴經（晉譯六十卷本）卷五〇　（12–6）

下各敷无量師子之座布以寶衣熏以衆香
張衆寶帳曰淨寶網羅覆其上金鈴網中出
妙音聲或有樹下敷蓮花藏師子之座或有
樹下敷香藏座或有樹下敷龍莊嚴藏座或
有樹下敷寶聚師子座或有樹下敷明淨普
照藏座或有樹下敷師子衆藏座彼一一座
各有十萬寶師子座眷屬圍遶无量莊嚴散
无量寶充滿其中如海寶洲寶衣布地柔耎
妙好蹈則没足舉則還復異類衆鳥出和雅
音超越帝釋歡喜之園種種花樹常雨花雲
超勝帝釋照明之園妙香普熏超於帝釋善
法講堂寶樹樂樹出微妙聲超過善口天女
歌音无量百千樓閣莊嚴觀者无猒超踰帝
釋善現大城此園一切諸莊嚴具如梵天宮
衆生樂見尒時善財見此園林皆是菩薩業
行所成出諸世間善根所起供養不可思議
諸佛所得无能壞者此皆師子奮迅比丘尼
了法如幻長養功德藏善根所成三千大千
世界天龍八部无量衆生悉入此園而不迫
迮何以故此比丘尼不可思議威神力故尒
時善財見比丘尼遍處一切寶師子座端嚴
姝妙威儀庠序其心寂靜調伏諸根譬如龍
象如澄淨淵如如意寶珠五欲不染猶如蓮
花心无所畏如師子王安住淨戒不可傾動
如須弥山滅除衆生諸煩惱熱如涼香王滅
除衆病如良藥王見者不虛如婆樓那天長
養善根猶如良田見處一座淨居天衆眷屬

BD03006號　大方廣佛華嚴經（晉譯六十卷本）卷五〇　（12–7）

無如[illegible]如如意寶珠[illegible]不[illegible]女[illegible]
花心无所畏如師子王安住淨戒不可傾動
如須弥山滅除衆生諸煩惱熱如涼香王滅
除衆病如良藥王見者不虛如婆樓那天長
養善根猶如良田見處一座淨居天衆眷屬
圍遶為說无盡法門又見處座悅樂梵等梵
衆圍遶為說普妙音聲法門又見處座无量
他化自在天王等天子天女眷屬圍遶為說
菩薩清淨自在法門又見處座化自在天王
等天子天女眷屬圍遶為說清淨一切莊嚴
法門又見處座刪兜率天王等天子天女眷
屬圍遶為說心藏旋復法門又見處座夜摩
天王等天子天女眷屬圍遶為說无量莊嚴
法門又見處座釋天王等天子天女眷屬圍
遶為說猒離法門又見處座娑伽羅龍王十
光明龍王難陁跋難陁龍王摩那斯龍王伊
那槃那龍王阿耨達龍王等龍子龍女眷屬
圍遶為說善方便救護衆生法門又見處座
提頭賴吒天王等乹闥婆男女眷屬圍遶為
說无盡法門又見處座摩睺羅伽阿脩羅王
等眷屬圍遶為說法界方便智莊嚴法門又
見處座大勢力迦樓羅王等眷屬圍遶為說
於生死海无畏法門又見處座乇緊那羅王
等眷屬圍遶為說佛行光明法門又見處座
雲山摩睺羅伽王等眷屬圍遶為說佛普法
門又見處座无量男子女人童男童女眷屬
圍遶為說勝趣法門又見處座常奪衆生命

BD03006 號　大方廣佛華嚴經（晉譯六十卷本）卷五〇　（12–8）

等眷屬圍遶為說佛行光明法門又見處座
雲山摩睺羅伽王等眷屬圍遶為說佛普法
門又見處座无量男子女人童男童女眷屬
圍遶為說勝趣法門又見處座常奪衆生命
羅刹王等眷屬圍遶為說起大慈大悲法門
又見處座樂聲聞者眷屬圍遶為說勝智光
明法門又見處座樂緣覺者眷屬圍遶為說
明淨如来功德光明法門又見處座樂大乘
者眷屬圍遶為說普門三昧智慧光明法門
又見處座初發心菩薩眷屬圍遶為說一切
諸佛大願法門又見處座二地菩薩眷屬圍
遶為說離垢三昧法門又見處座三地菩薩
眷屬圍遶為說寂靜莊嚴法門又見處座四
地菩薩眷屬圍遶為說一切智勢力境界法
門又見處座五地菩薩眷屬圍遶為說淨心
花藏法門又見處座六地菩薩眷屬圍遶為
說明淨藏法門又見處座七地菩薩眷屬圍
遶為說普地藏法門又見處座八地菩薩眷
屬圍遶為說法界法身境界法門又見處座
九地菩薩眷屬圍遶為說无有无著莊嚴法
門又見處座十地菩薩眷屬圍遶為說无礙
三昧法門又見處座金剛力士眷屬圍遶為
說智慧金剛法門見處如是等一切諸座一
切諸趣一切衆生眷屬圍遶種善根者為說
善根長善根者為說增長一切善根隨其所
應而為說法乃至於阿耨多羅三藐三菩提
得不退轉何以故此比丘尼成就百万阿僧祇

BD03006 號　大方廣佛華嚴經（晉譯六十卷本）卷五〇　（12–9）

切諸趣一切衆生眷屬圍遶種善根者為說
善根長善根者為說增長一切善根隨其所
應而為說法乃至於阿耨多羅三藐三菩提
得不退轉何以故此比丘尼成就百万阿僧祇
般若波羅蜜門故所謂普眼般若波羅蜜
門說一切佛法般若波羅蜜門分別法界般
若波羅蜜門壞散一切障礙般若波羅蜜門
出生長養一切衆生善法般若波羅蜜門勝
莊嚴般若波羅蜜門无礙藏般若波羅蜜門
法界圓滿般若波羅蜜門清淨心藏般若波
羅蜜門一切衆生業藏般若波羅蜜門得如
是等百万阿僧祇般若波羅蜜門於此園中
所有衆生皆於阿耨多羅三藐三菩提得不
退轉尒時善財見師子奮迅比丘尼諸奇特
事所謂園林資生之具經行威儀寶師子座
大衆眷屬諸妙功德神力自在微妙音聲如
是一切諸奇特事又聞微妙清淨音聲宣揚
讚歎不思議法无量法雲之所潤澤身心柔
耎五體投地恭敬礼已將欲遠旋見比丘尼
遍一切座自見己身及无量衆樹木園林皆
悉右旋遶无數帀如是見已合掌恭敬於一
面住白言大聖我已先發阿耨多羅三藐三
菩提心而未知菩薩云何學菩薩行脩菩薩
道唯願大聖為我解說
善男子我成就菩薩一切智底法門大聖如
此法門體性云何善男子此法門者智光莊
嚴於一念中普照三世大聖此智光莊嚴法

BD03006號　大方廣佛華嚴經（晉譯六十卷本）卷五〇　（12–10）

遍一切座自見己身及无量衆樹木園林皆
悉右旋遶无數帀如是見已合掌恭敬於一
面住白言大聖我已先發阿耨多羅三藐三
菩提心而未知菩薩云何學菩薩行脩菩薩
道唯願大聖為我解說
善男子我成就菩薩一切智底法門大聖如
此法門體性云何善男子此法門者智光莊
嚴於一念中普照三世大聖此智光莊嚴法
門境界云何善男子入此法門現前正受一
切法林三昧時十方一切世界諸佛處兜率
天者於彼一一佛所從其自身出生不可說
不可說佛刹微塵等摩尭摩身恭敬礼拜又
賷不可說不可說佛刹微塵等花香瓔珞諸
妙寶鬘末香塗香衣蓋幢幡種種寶花雲乃
至一切莊嚴具雲寶網寶帳莊嚴網等種種
寶座以如是等諸供養具供養如來如兜率
天所興供養降神母胎出生在宮捨家學道
詣菩提樹成最正覺轉淨法輪在諸天上人
非人中乃至般涅槃所興供養亦復如是若
有衆生知我供養皆於阿耨多羅三藐三菩
提得不退轉其有衆生來至我所即為彼說
般若波羅蜜我不起衆生想不取衆生相知
一切語言而不著諸言見一切佛不取佛相
深解法身故受持一切諸佛法輪而亦不取
法輪之相解了諸佛真實相故於念念中悉
能无滿一切法界而亦不取法界之相了一
切法猶如幻故善男子我唯知此菩薩一切

BD03006號　大方廣佛華嚴經（晉譯六十卷本）卷五〇　（12–11）

妙寶鬘末香塗香衣蓋幢幡種種寶花雲乃
至一切莊嚴具雲寶網寶帳莊嚴網等種種
寶座以如是等諸供養具供養如來如兜率
天所興供養降神母胎出生在宮捨家學道
詣菩提樹成最正覺轉淨法輪在諸天上人
非人中乃至般涅槃所興供養亦復如是若
有眾生知我供養皆於阿耨多羅三藐三菩
提得不退轉其有眾生來至我所即為彼說
般若波羅蜜我不起眾生想不取眾生相知
一切語言而不著諸言見一切佛不取佛相
深解法身故受持一切諸佛法輪而亦不取
法輪之相解了諸佛真實相故於念念中悉
能无滿一切法界而亦不取法界之相了一
切法猶如幻故善男子我唯知此菩薩一切
智處法門諸大菩薩究竟法界一切无著一
身結跏趺坐无滿法界於自身內悉能顯現
一切佛剎於一念中悉能往詣一切佛所於
自身內悉能顯現諸佛神力能以一毛舉不
可說不可說諸佛世界於一毛孔現不可說
不可說世界成敗於一念中攝取不可說不
可說眾生於一念中攝取不可說不可說劫
我當云何能知能說彼功德行

BD03006號　大方廣佛華嚴經（晉譯六十卷本）卷五〇　（12–12）

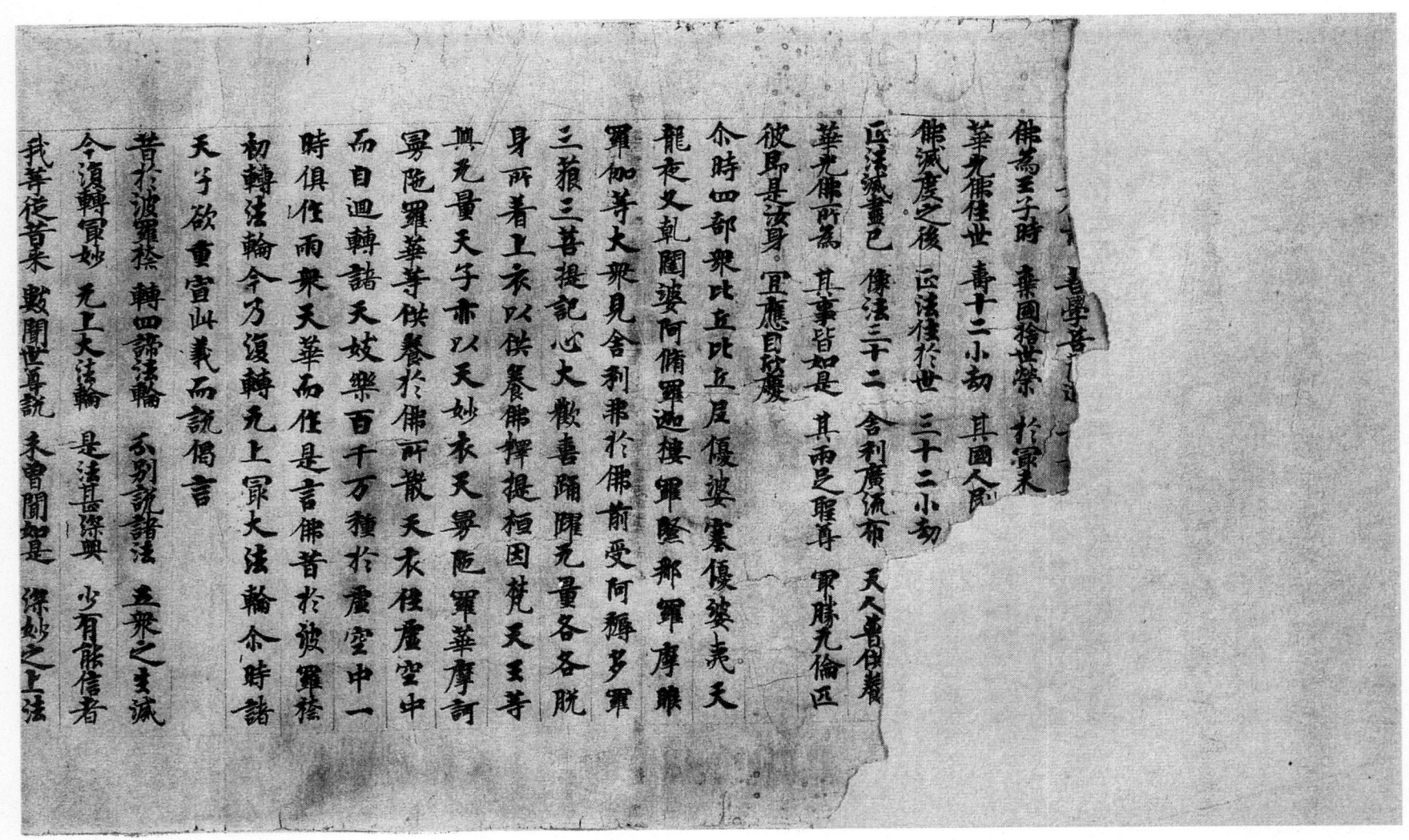

……是學菩……
佛為王子時　棄國捨世榮　於最末
華光佛住世　壽十二小劫　其國人民
佛滅度之後　正法住於世　三十二小劫
正法滅盡已　像法三十二　舍利廣流布　天人普供養
華光佛所為　其事皆如是　其兩足聖尊　最勝无倫匹
彼即是汝身　宜應自欣慶
爾時四部眾比丘比丘尼優婆塞優婆夷天
龍夜叉乾闥婆阿修羅迦樓羅緊那羅摩睺
羅伽等大眾見舍利弗於佛前受阿耨多羅
三藐三菩提記心大歡喜踊躍无量各各脫
身所著上衣以供養佛釋提桓因梵天王等
與无量天子亦以天妙衣天曼陀羅華摩訶
曼陀羅華等供養於佛所散天衣住虛空中
而自迴轉諸天伎樂百千万種於虛空中一
時俱作雨眾天華而作是言佛昔於波羅㮈
初轉法輪今乃復轉无上最大法輪爾時諸
天子欲重宣此義而說偈言
昔於波羅㮈　轉四諦法輪　分別說諸法　五眾之生滅
今復轉最妙　无上大法輪　是法甚深奧　少有能信者
我等從昔來　數聞世尊說　未曾聞如是　深妙之上法

BD03007號　妙法蓮華經卷二　（2–1）

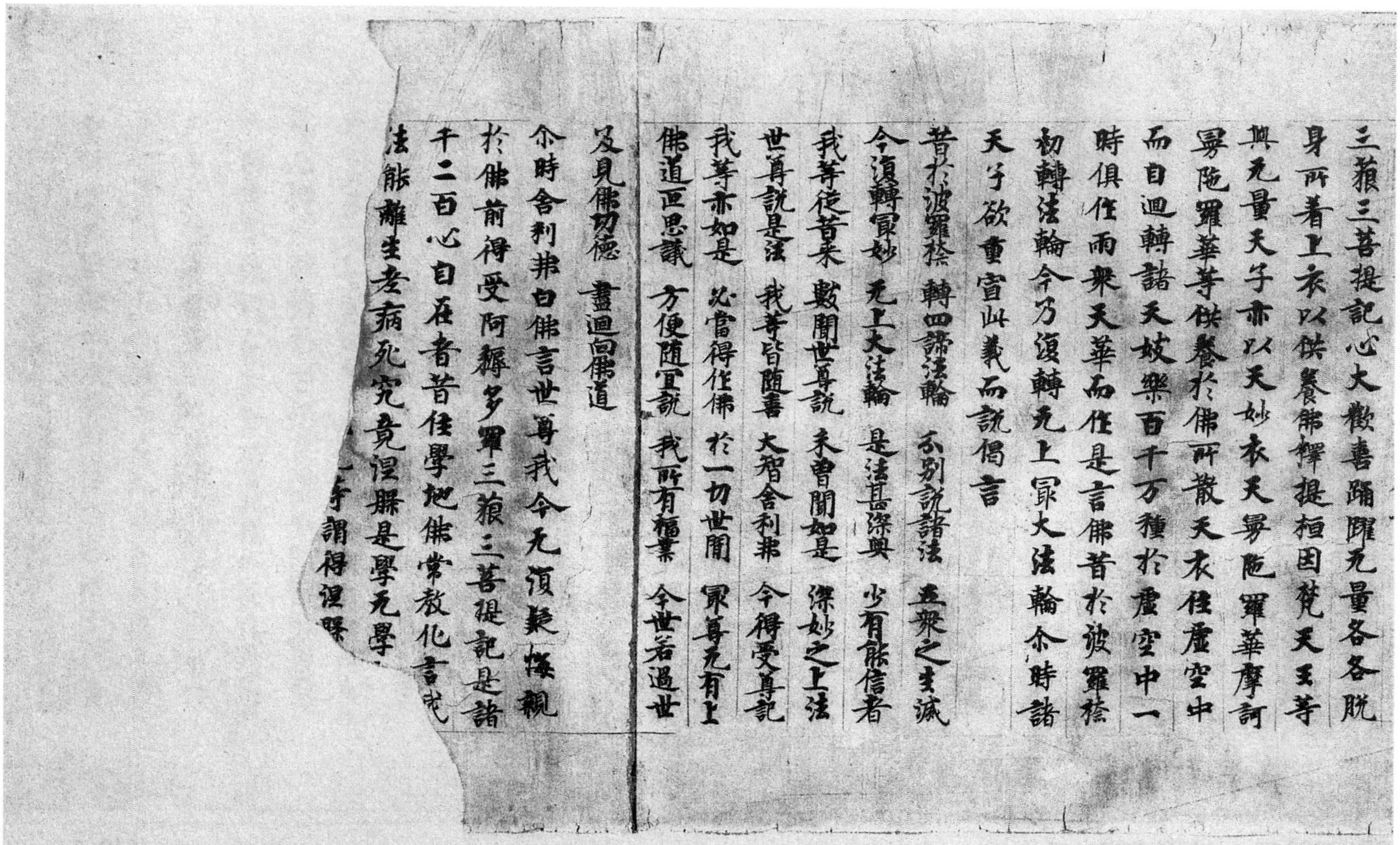

三藐三菩提記心大歡喜踊躍无量各各脫
身所著上衣以供養佛釋提桓因梵天王等
與无量天子亦以天妙衣天曼陁羅華摩訶
曼陁羅華等供養於佛所散天衣住虛空中
而自迴轉諸天伎樂百千万種於虛空中一
時俱作雨衆天華而作是言佛昔於波羅㮈
初轉法輪今乃復轉无上最大法輪尒時諸
天子欲重宣此義而說偈言
昔於波羅㮈　轉四諦法輪　分別說諸法　五衆之生滅
今復轉最妙　无上大法輪　是法甚深奧　少有能信者
我等從昔來　數聞世尊說　未曾聞如是　深妙之上法
世尊說是法　我等皆隨喜　大智舍利弗　今得受尊記
我等亦如是　必當得作佛　於一切世間　最尊无有上
佛道叵思議　方便隨宜說　我所有福業　今世若過世
及見佛功德　盡迴向佛道
尒時舍利弗白佛言世尊我今无復疑悔親
於佛前得受阿耨多羅三藐三菩提記是諸
千二百心自在者昔住學地佛常教化言我
法能離生老病死究竟涅槃是學无學
……等謂得涅槃

BD03007 號　妙法蓮華經卷二　（2–2）

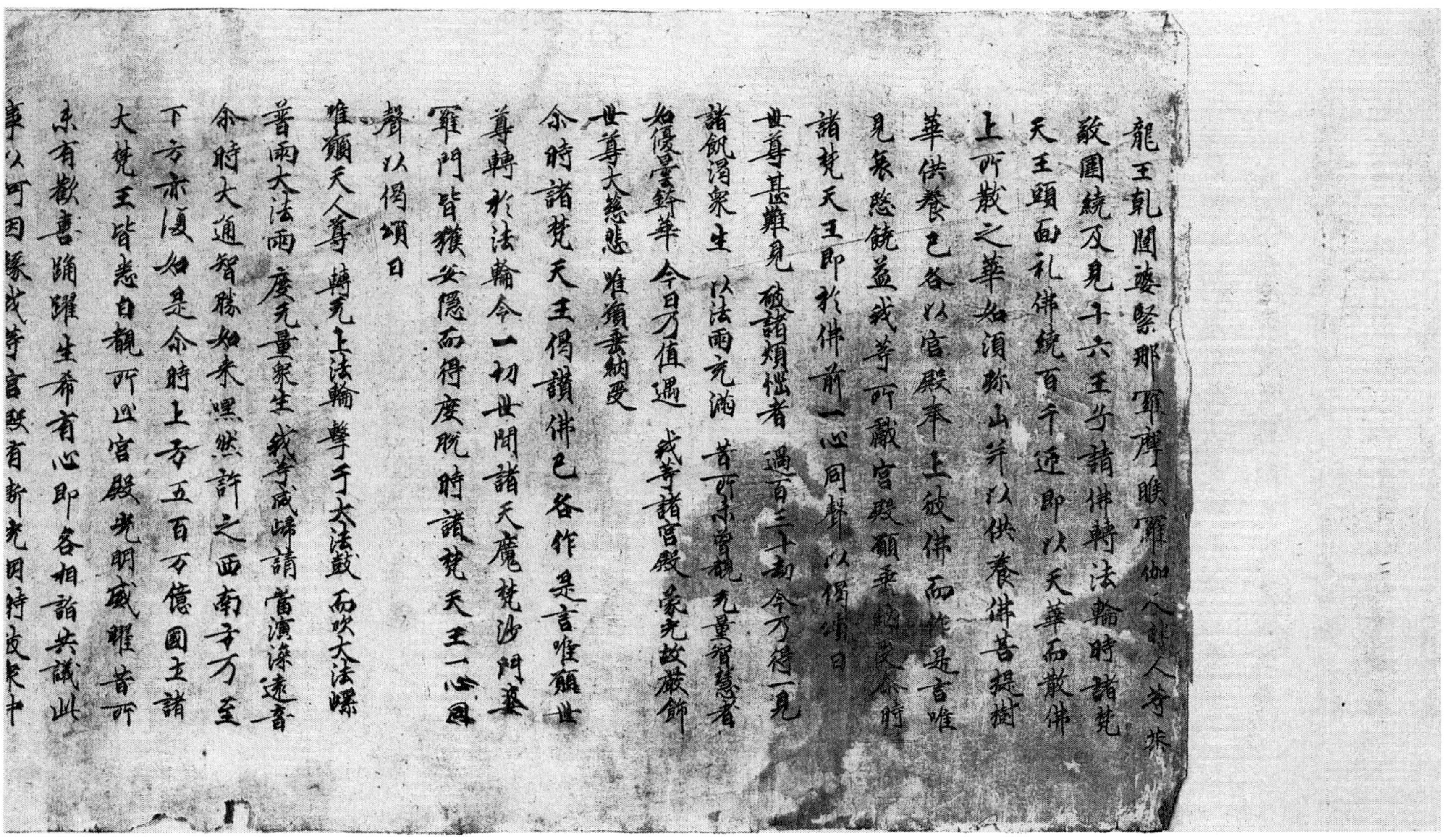

龍王乾闥婆緊那羅摩睺羅伽人非人等恭
敬圍繞及見十六王子請佛轉法輪時諸梵
天王頭面礼佛繞百千迊即以天華而散佛
上所散之華如須弥山并以供養佛菩提樹
華供養已各以宮殿奉上彼佛而作是言唯
見哀愍饒益我等所獻宮殿願垂納處時
諸梵天王即於佛前一心同聲以偈頌曰
世尊甚難見　破諸煩惱者　過百三十劫　今乃得一見
諸飢渴衆生　以法雨充滿　昔所未曾覩　无量智慧者
如優曇鉢華　今日乃值遇　我等諸宮殿　蒙光故嚴飾
世尊大慈愍　唯願垂納受
尒時諸梵天王偈讚佛已各作是言唯願世
尊轉於法輪令一切世間諸天魔梵沙門婆
羅門皆獲安隱而得度脫時諸梵天王一心同
聲以偈頌曰
唯願天人尊　轉无上法輪　擊于大法鼓　而吹大法螺
普雨大法雨　度无量衆生　我等咸歸請　當演深遠音
尒時大通智勝如來默然許之西南方乃至
下方亦復如是尒時上方五百万億國土諸
大梵王皆悉自覩所止宮殿光明威曜昔所
未有歡喜踊躍生希有心即各相詣共議此
事以何因緣我等宮殿有斯光明時彼衆中

BD03008 號　妙法蓮華經卷三　（10–1）

普雨大法雨　度无量眾生　我等咸歸請　當演深遠音
尒時大通智勝如來默然許之西南方乃至
下方亦復如是尒時上方五百万億國土諸
大梵王皆悉自覩所止宮殿光明威曜昔所
未有歡喜踊躍生希有心即各相詣共議此
事以何因緣我等宮殿有斯光明時彼眾中
有一大梵天王名曰尸棄為諸梵眾而說偈言
今以何因緣　我等諸宮殿　威德光明曜　嚴飾未曾有
如是之妙相　昔所未聞見　為大德天生　為佛出世間
尒時五百万億諸梵天王與宮殿俱各以衣
祴盛諸天華共詣下方推尋是相見大通智
勝如來處于道場菩提樹下坐師子座諸天
龍王乾闥婆緊那羅摩睺羅伽人非人等恭
敬圍繞及見十六王子請佛轉法輪時諸梵
天王頭面礼佛繞百千匝即以天華而散佛
上所散之華如須弥山并以供養佛菩提樹
華供養已各以宮殿奉上彼佛而作是言唯
見哀愍饒益我等所獻宮殿願垂納受時諸
梵天王即於佛前一心同聲以偈頌曰
善哉見諸佛　救世之聖尊　能於三界獄　勉出諸眾生
普智天人尊　哀愍羣生類　能開甘露門　廣度於一切
於昔无量劫　空過无有佛　世尊未出時　十方常闇暝
三惡道增長　阿脩羅亦盛　諸天眾轉減　死多墮惡道
不從佛聞法　常行不善事　色力及智慧　斯等皆減少
罪業因緣故　失樂及樂想　住於邪見法　不識善儀則
不蒙佛所化　常墮於惡道　佛為世間眼　久遠時乃出

BD03008號　妙法蓮華經卷三　（10–2）

於昔无量劫　[illegible]
三惡道增長　阿脩羅亦盛　諸天眾轉減　死多墮惡道
不從佛聞法　常行不善事　色力及智慧　斯等皆減少
罪業因緣故　失樂及樂想　住於邪見法　不識善儀則
不蒙佛所化　常墮於惡道　佛為世間眼　久遠時乃出
哀愍諸眾生　故現於世間　超出成正覺　我等甚欣慶
及餘一切眾　喜歎未曾有　我等諸宮殿　蒙光故嚴飾
今以奉世尊　唯垂哀納受　願以此功德　普及於一切
我等與眾生　皆共成佛道
尒時五百万億諸梵天王偈讚佛已各白佛
言唯願世尊轉於法輪多所安隱多所度脫
時諸梵天王而說偈言
世尊轉法輪　擊甘露法鼓　度苦惱眾生　開示涅槃道
唯願受我請　以大微妙音　哀愍而敷演　无量劫習法
尒時大通智勝如來受十方諸梵天王及十
六王子請即時三轉十二法輪若沙門婆羅
門若天魔梵及餘世間所不能轉謂是苦是
苦集是苦滅是苦滅道及廣說十二因緣法
无明緣行行緣識識緣名色名色緣六入六
入緣觸觸緣受受緣愛愛緣取取緣有有緣
生生緣老死憂悲苦惱无明滅則行滅行滅
則識滅識滅則名色滅名色滅則六入滅六
入滅則觸滅觸滅則受滅受滅則愛滅愛滅
則取滅取滅則有滅有滅則生滅生滅則老
死憂悲苦惱滅佛於天人大眾之中說是法
時六百万億那由他人以不受一切法故而
於諸漏心得解脫皆得深妙禪定三明六通

BD03008號　妙法蓮華經卷三　（10–3）

則識滅識滅則名色滅名色滅則六入滅六
入滅則觸滅觸滅則受滅受滅則愛滅愛滅
則取滅取滅則有滅有滅則生滅生滅則老
死憂悲苦惱滅佛於天人大衆之中說是法
時六百万億那由他人以不受一切法故而
於諸漏心得解脫皆得深妙禪定三明六通
具八解脫第二第三第四說法時千万億恒
河沙那由他等衆生亦以不受一切法故而
於諸漏心得解脫從是已後諸聲聞衆无量
无邊不可稱數尒時十六王子皆以童子出
家而為沙彌諸根通利智慧明了已曾供養
百千万億諸佛淨修梵行求阿耨多羅三藐
三菩提俱白佛言世尊是諸无量千万億大
德聲聞皆已成就世尊亦當為我等說阿耨
多羅三藐三菩提法我等聞已皆共修學世
尊我等志願如來知見深心所念佛自證知
尒時轉輪聖王所將衆中八万億人見十六
王子出家亦求出家王即聽許尒時彼佛受
沙彌請過二万劫已乃於四衆之中說是大
乘經名妙法蓮華教菩薩法佛所護念說是
經已十六沙彌為阿耨多羅三藐三菩提故
皆共受持諷誦通利說是經時十六菩薩沙
彌皆悉信受聲聞衆中亦有信解其餘衆生
千万億衆皆生疑惑佛說是經於八千劫未
曾休廢說此經已即入靜室住於禪定八万
四千劫是時十六菩薩沙彌知佛入室寂然

千万億衆皆生疑惑佛說是經於八千劫未
曾休廢說此經已即入靜室住於禪定八万
四千劫是時十六菩薩沙彌知佛入室寂然
禪定各昇法座亦於八万四千劫為四部衆
廣說分別妙法華經一一皆度六百万億那
由他恒河沙等衆生教利喜令發阿耨多
羅三藐三菩提心大通智勝佛過八万四千
劫已從三昧起往詣法座安詳而坐普告大
衆是十六菩薩沙彌甚為希有諸根通利智
慧明了已曾供養无量千万億數諸佛於
諸佛所常修梵行受持佛智開示衆生令入
其中汝等皆當數數親近而供養之所以者
何若聲聞辟支佛及諸菩薩能信是十六菩
薩所說經法受持不毀者是人皆當得阿耨
多羅三藐三菩提如來之慧佛告諸比丘是
十六菩薩常樂說是妙法蓮華經一一菩薩
所化六百万億那由他恒河沙等衆生世世
所生與菩薩俱從其聞法悉皆信解以此因
緣得值四万億諸佛世尊于今不盡諸比丘
我今語汝彼佛弟子十六沙彌今皆得阿耨
多羅三藐三菩提於十方國土現在說法有
无量百千万億菩薩聲聞以為眷屬其二沙
彌東方作佛一名阿閦在歡喜國二名須彌
頂東南方二佛一名師子音二名師子相南
方二佛一名虛空住二名常滅西南方二佛
一名帝相二名梵相西方二佛一名阿彌陁

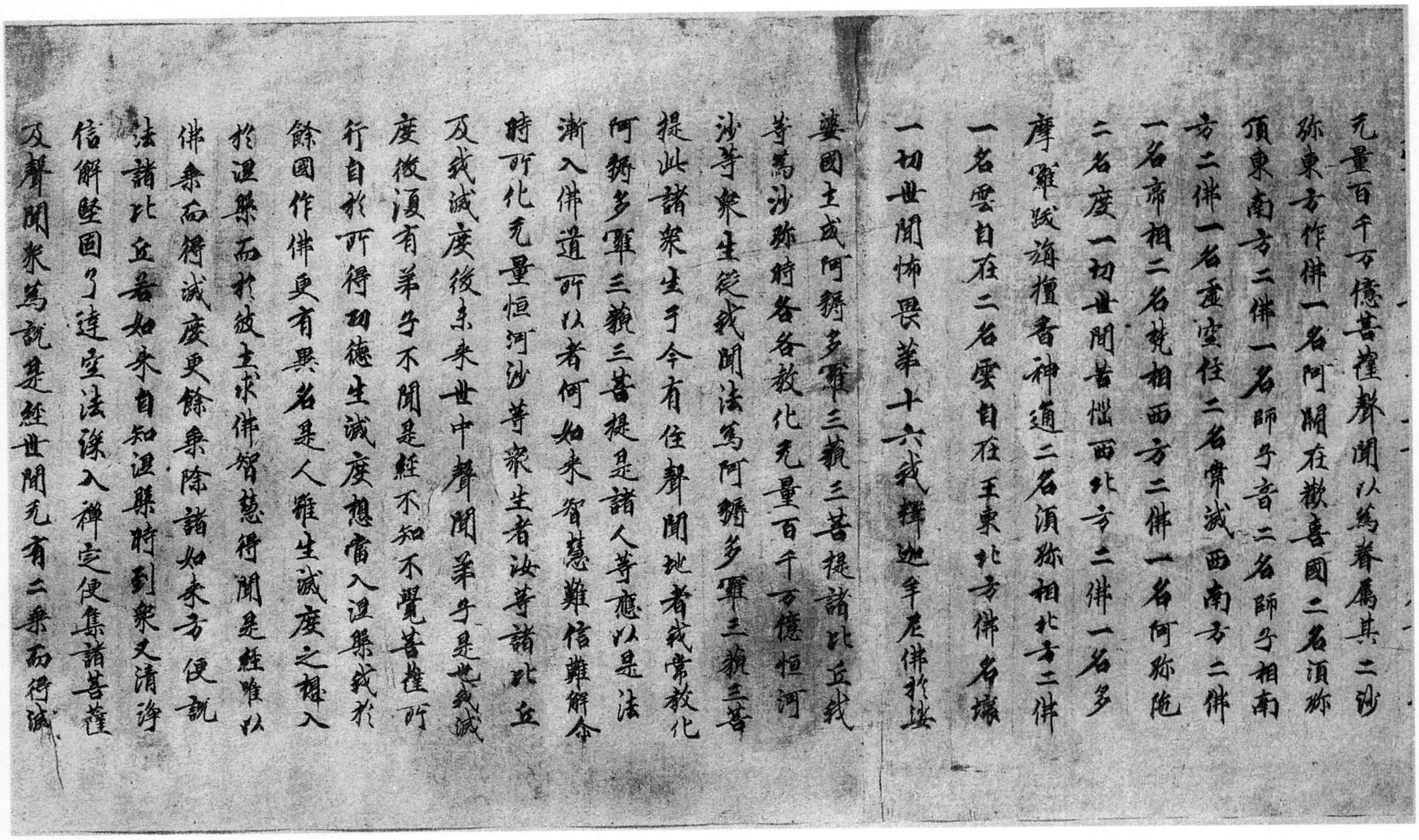

无量百千万億菩薩聲聞以為眷屬其二沙
弥東方作佛一名阿閦在歡喜國二名須弥
頂東南方二佛一名師子音二名師子相南
方二佛一名虛空住二名常滅西南方二佛
一名帝相二名梵相西方二佛一名阿弥陁
二名度一切世間苦惱西北方二佛一名多
摩羅跋栴檀香神通二名須弥相北方二佛
一名雲自在二名雲自在王東北方佛名壞
一切世間怖畏第十六我釋迦牟尼佛於娑
婆國土成阿耨多羅三藐三菩提諸比丘我
等為沙弥時各各教化无量百千万億恒河
沙等衆生從我聞法為阿耨多羅三藐三菩
提此諸衆生于今有住聲聞地者我常教化
阿耨多羅三藐三菩提是諸人等應以是法
漸入佛道所以者何如來智慧難信難解尒
時所化无量恒河沙等衆生者汝等諸比丘
及我滅度後未來世中聲聞弟子是也我滅
度後復有弟子不聞是經不知不覺菩薩所
行自於所得功德生滅度想當入涅槃我於
餘國作佛更有異名是人雖生滅度之想入
於涅槃而於彼土求佛智慧得聞是經唯以
佛乘而得滅度更無餘乘除諸如來方便說
法諸比丘若如來自知涅槃時到衆又清淨
信解堅固了達空法深入禪定便集諸菩薩
及聲聞衆為說是經世間无有二乘而得滅

BD03008號　妙法蓮華經卷三　（10–6）

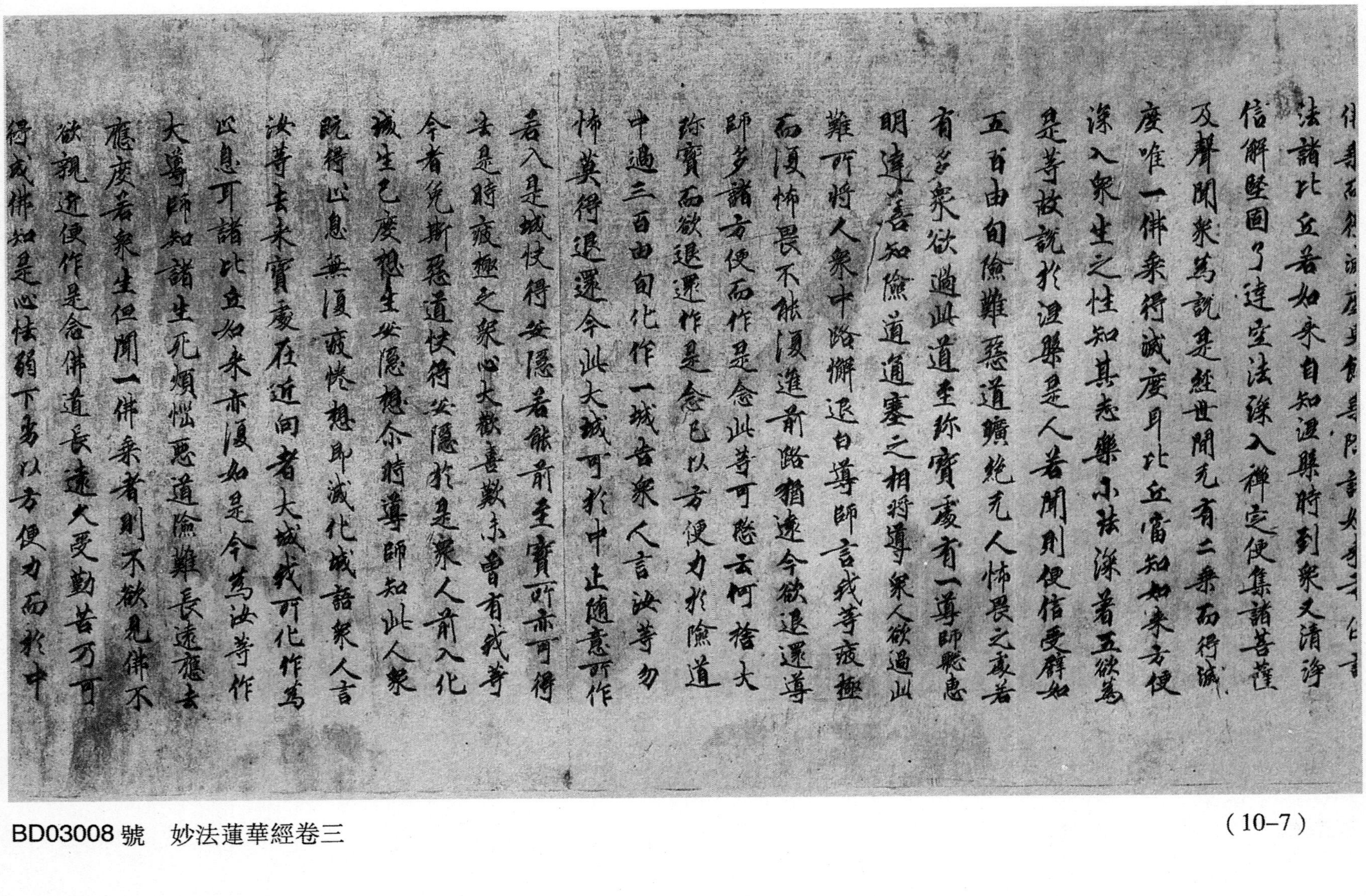

佛乘而得滅度更无餘乘除諸如來方便說
法諸比丘若如來自知涅槃時到衆又清淨
信解堅固了達空法深入禪定便集諸菩薩
及聲聞衆為說是經世間无有二乘而得滅
度唯一佛乘得滅度耳比丘當知如來方便
深入衆生之性知其志樂小法深著五欲為
是等故說於涅槃是人若聞則便信受譬如
五百由旬險難惡道曠絕无人怖畏之處若
有多衆欲過此道至珍寶處有一導師聰慧
明達善知險道通塞之相將導衆人欲過此
難所將人衆中路懈退白導師言我等疲極
而復怖畏不能復進前路猶遠今欲退還導
師多諸方便而作是念此等可愍云何捨大
珍寶而欲退還作是念已以方便力於險道
中過三百由旬化作一城告衆人言汝等勿
怖莫得退還今此大城可於中止隨意所作
若入是城快得安隱若能前至寶所亦可得
去是時疲極之衆心大歡喜歎未曾有我等
今者免斯惡道快得安隱於是衆人前入化
城生已度想生安隱想尒時導師知此人衆
既得止息無復疲惓即滅化城語衆人言
汝等去來寶處在近向者大城我所化作為
止息耳諸比丘如來亦復如是今為汝等作
大導師知諸生死煩惱惡道險難長遠應去
應度若衆生但聞一佛乘者則不欲見佛不
欲親近便作是念佛道長遠久受勤苦乃可
得成佛知是心怯弱下劣以方便力而於中

BD03008號　妙法蓮華經卷三　（10–7）

大導師知諸生死煩惱惡道險難長遠應去
應度。若衆生但聞一佛乘者，則不欲見佛，不
欲親近，便作是念：佛道長遠，久受勤苦，乃可
得成。佛知是心怯弱下劣，以方便力，而於中
道為止息故，說二涅槃。若衆生住於二地，如
來爾時即便為說：汝等所作未辦，汝所住地
近於佛慧，當觀察籌量所得涅槃非真實也。
但是如來方便之力，於一佛乘分別說三。如
彼導師，為止息故，化作大城，既知息已，而告之
言：寶處在近，此城非實，我化作耳。爾時世
尊欲重宣此義，而說偈言：

大通智勝佛　十劫坐道場　佛法不現前　不得成佛道
諸天神龍王　阿脩羅衆等　常雨於天華　以供養彼佛
諸天擊天鼓　并作衆伎樂　香風吹萎華　更雨新好者
過十小劫已　乃得成佛道　諸天及世人　心皆懷踊躍
彼佛十六子　皆與其眷屬　千万億圍繞　俱行至佛所
頭面禮佛足　而請轉法輪　聖師子法雨　充我及一切
世尊甚難值　久遠時一見　為覺悟群生　震動於一切
東方諸世界　五百万億國　梵宮殿光曜　昔所未曾有
諸梵見此相　尋來至佛所　散華以供養　并奉上宮殿
請佛轉法輪　以偈而讚歎　佛知時未至　受請嘿然坐
三方及四維　上下亦復爾　散華奉宮殿　請佛轉法輪
世尊甚難值　願以大慈心　廣開甘露門　轉无上法輪
无量慧世尊　受彼衆人請　為宣種種法　四諦十二緣
无明至老死　皆從生緣有　如是衆過患　汝等應當知
宣暢是法時　六百万億姟　得盡諸苦際　皆成阿羅漢
第二說法時　千万恒沙衆　於諸法不受　亦得阿羅漢

BD03008號　妙法蓮華經卷三　（10–8）

三方及四維　上下亦復爾　散華奉宮殿　請佛轉法輪
世尊甚難值　願以大慈心　廣開甘露門　轉无上法輪
无量慧世尊　受彼衆人請　為宣種種法　四諦十二緣
无明至老死　皆從生緣有　如是衆過患　汝等應當知
宣暢是法時　六百万億姟　得盡諸苦際　皆成阿羅漢
第二說法時　千万恒沙衆　於諸法不受　亦得阿羅漢
從是後得道　其數无有量　万億劫算數　不能得其邊
時十六王子　出家作沙弥　皆共請彼佛　演說大乘法
我等及營從　皆當成佛道　願得如世尊　慧眼第一淨
佛知童子心　宿世之所行　以无量因緣　種種諸譬喻
說六波羅蜜　及諸神通事　分別真實法　菩薩所行道
說是法華經　如恒河沙偈
彼佛說經已　靜室入禪定　一心一處坐　八万四千劫
是諸沙弥等　知佛禪未出　為无量億衆　說佛无上慧
各各坐法座　說是大乘經　於佛宴寂後　宣揚助法化
一一沙弥等　所度諸衆生　有六百万億　恒河沙等衆
彼佛滅度後　是諸聞法者　在在諸佛土　常與師俱生
是十六沙弥　具足行佛道　今現在十方　各得成正覺
爾時聞法者　各在諸佛所　其有住聲聞　漸教以佛道
我在十六數　曾亦為汝說　是故以方便　引汝趣佛慧
以是本因緣　今說法華經　令汝入佛道　慎勿懷驚懼
譬如險惡道　迥絶多毒獸　又復无水草　人所怖畏處
无數千万衆　欲過此險道　其路甚曠遠　經五百由旬
時有一導師　強識有智慧　明了心決定　在險濟衆難
衆人皆疲惓　而白導師言　我等今頓乏　於此欲退還
導師作是念　此輩甚可愍　如何欲退還　而失大珍寶
尋時思方便　當設神通力　化作大城郭　莊嚴諸舍宅

BD03008號　妙法蓮華經卷三　（10–9）

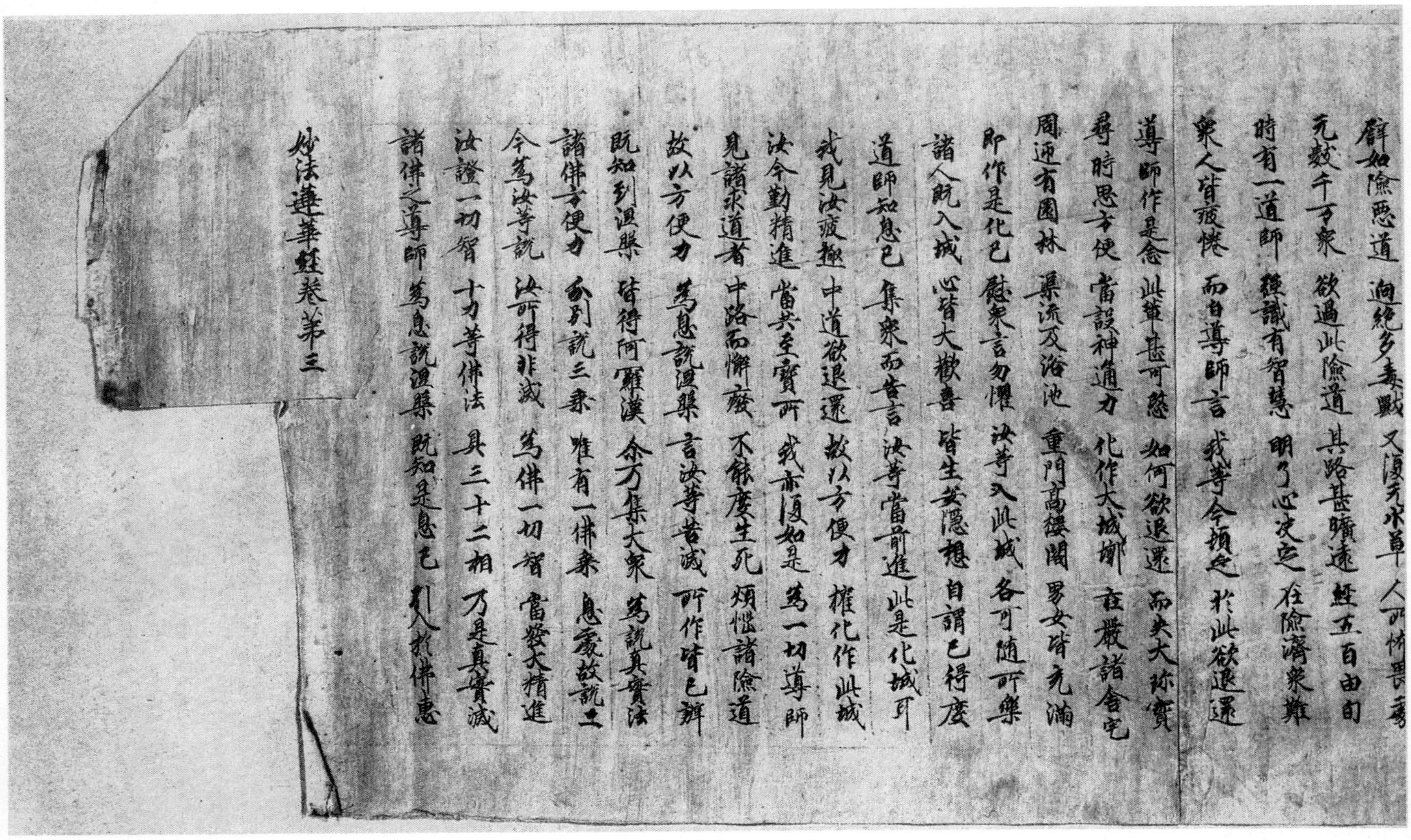

譬如險惡道　迥絕多毒獸　又復无水草　人所怖畏處
无數千万衆　欲過此險道　其路甚曠遠　經五百由旬
時有一導師　強識有智慧　明了心決定　在險濟衆難
衆人皆疲惓　而白導師言　我等今頓乏　於此欲退還
導師作是念　此輩甚可愍　如何欲退還　而失大珍寶
尋時思方便　當設神通力　化作大城郭　莊嚴諸舍宅
周匝有園林　渠流及浴池　重門高樓閣　男女皆充滿
即作是化已　慰衆言勿懼　汝等入此城　各可隨所樂
諸人既入城　心皆大歡喜　皆生安隱想　自謂已得度
導師知息已　集衆而告言　汝等當前進　此是化城耳
我見汝疲極　中道欲退還　故以方便力　權化作此城
汝今勤精進　當共至寶所　我亦復如是　為一切導師
見諸求道者　中路而懈廢　不能度生死　煩惱諸險道
故以方便力　為息說涅槃　言汝等苦滅　所作皆已辦
既知到涅槃　皆得阿羅漢　尒乃集大衆　為說真實法
諸佛方便力　分別說三乘　唯有一佛乘　息處故說二
今為汝等說　汝所得非滅　為佛一切智　當發大精進
汝證一切智　十力等佛法　具三十二相　乃是真實滅
諸佛之導師　為息說涅槃　既知是息已　引入於佛慧

妙法蓮華經卷第三

BD03008 號　妙法蓮華經卷三　　（10–10）

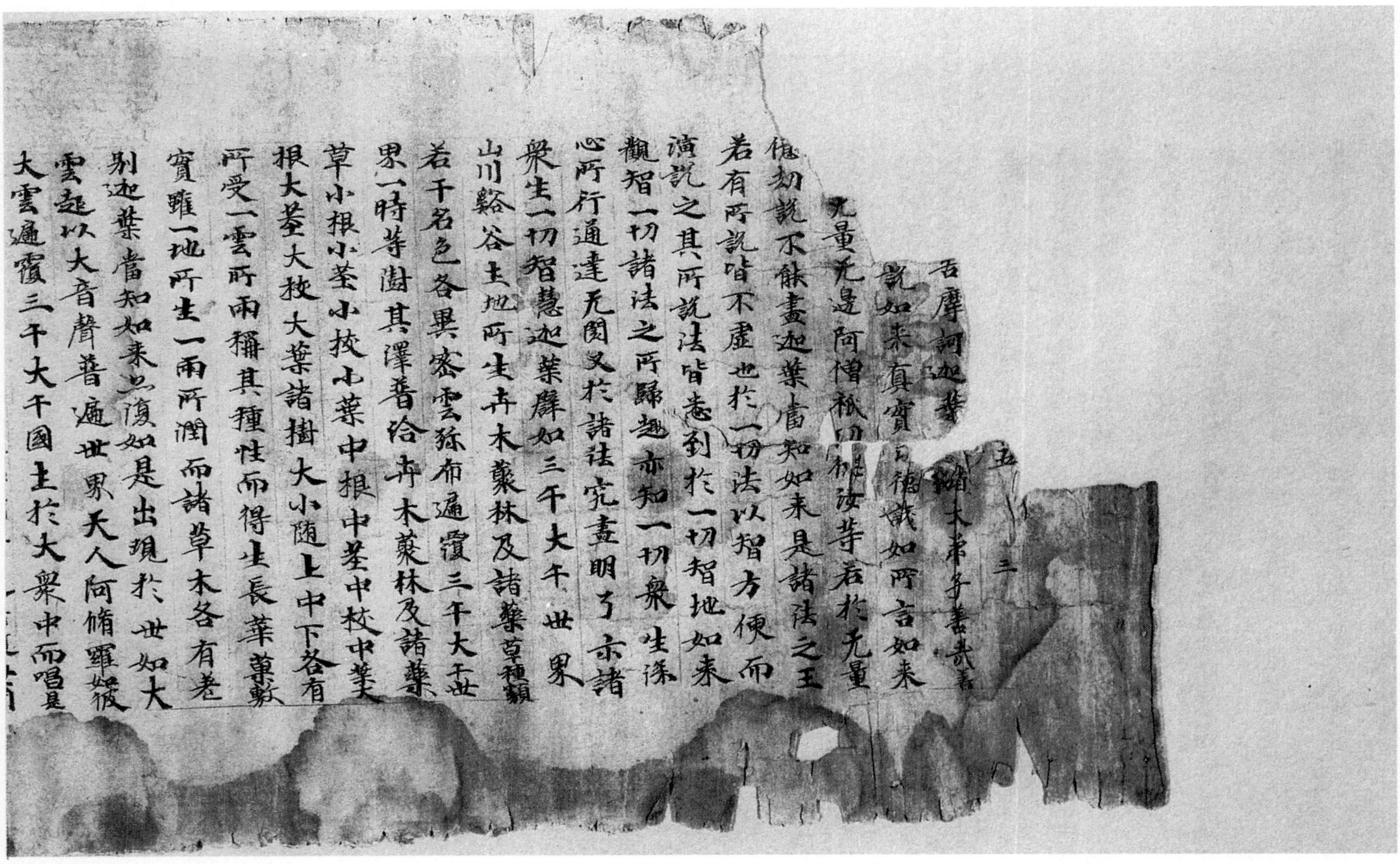

[illegible]告摩訶迦葉[illegible]諸大弟子善哉善
[illegible]說如來真實功德誠如所言如來
无量无邊阿僧祇功德汝等若於无量
億劫說不能盡迦葉當知如來是諸法之王
若有所說皆不虛也於一切法以智方便而
演說之其所說法皆悉到於一切智地如來
觀知一切諸法之所歸趣亦知一切衆生深
心所行通達无閡又於諸法究盡明了示諸
衆生一切智慧迦葉譬如三千大千世界
山川谿谷土地所生卉木叢林及諸藥草種類
若干名色各異密雲彌布遍覆三千大千世
界一時等澍其澤普洽卉木叢林及諸藥
草小根小莖小枝小葉中根中莖中枝中葉
大根大莖大枝大葉諸樹大小隨上中下各有
所受一雲所雨稱其種性而得生長華菓敷
實雖一地所生一雨所潤而諸草木各有差
別迦葉當知如來亦復如是出現於世如大
雲起以大音聲普遍世界天人阿脩羅如彼
大雲遍覆三千大千國土於大衆中而唱是

BD03009 號　妙法蓮華經（兌廢稿）卷三　　（7–1）

所受一雲所雨稱其種性而得生長華菓敷
實雖一地所生一雨所潤而諸草木各有差
別迦葉當知如來亦復如是出現於世如大
雲起以大音聲普遍世界天人阿脩羅如彼
大雲遍覆三千大千國土於大衆中而唱是
言我是如來應供正遍知明行足善逝世間
解无上士調御丈夫天人師佛世尊未度者
令度未解者令解未安者令安未涅槃者令
得涅槃今世後世如實知之我是一切知者
一切見者知道者開道者說道者汝等天人
阿脩羅衆皆應到此為聽法故尒時无數千
萬億種衆生來至佛所而聽法如來于時觀
是衆生諸根利鈍精進懈怠隨其所堪而為
說法種種无量皆令歡喜快得善利是諸衆
生聞是法已現世安隱後生善處以道受樂
亦得聞法既聞法已離諸鄣閡於諸法中任
力所能漸得入道如彼大雲雨於一切卉木
叢林及諸藥草如其種性具足蒙潤各得生
長如來說法一相一味所謂解脫相離相滅
相究竟至於一切種智其有衆生聞如來法
若持讀誦如說脩行所得功德不自覺知所以
者何唯有如來知此衆生種相體性念何事
思何事脩何事云何念云何思云何脩以何法念
以何法思以何法脩以何法得何法衆生住於
種種之地唯有如來如實見之明了无礙如彼
卉木叢林諸藥草等而不自知上中下性如來

BD03009 號　妙法蓮華經（兌廢稿）卷三　（7–2）

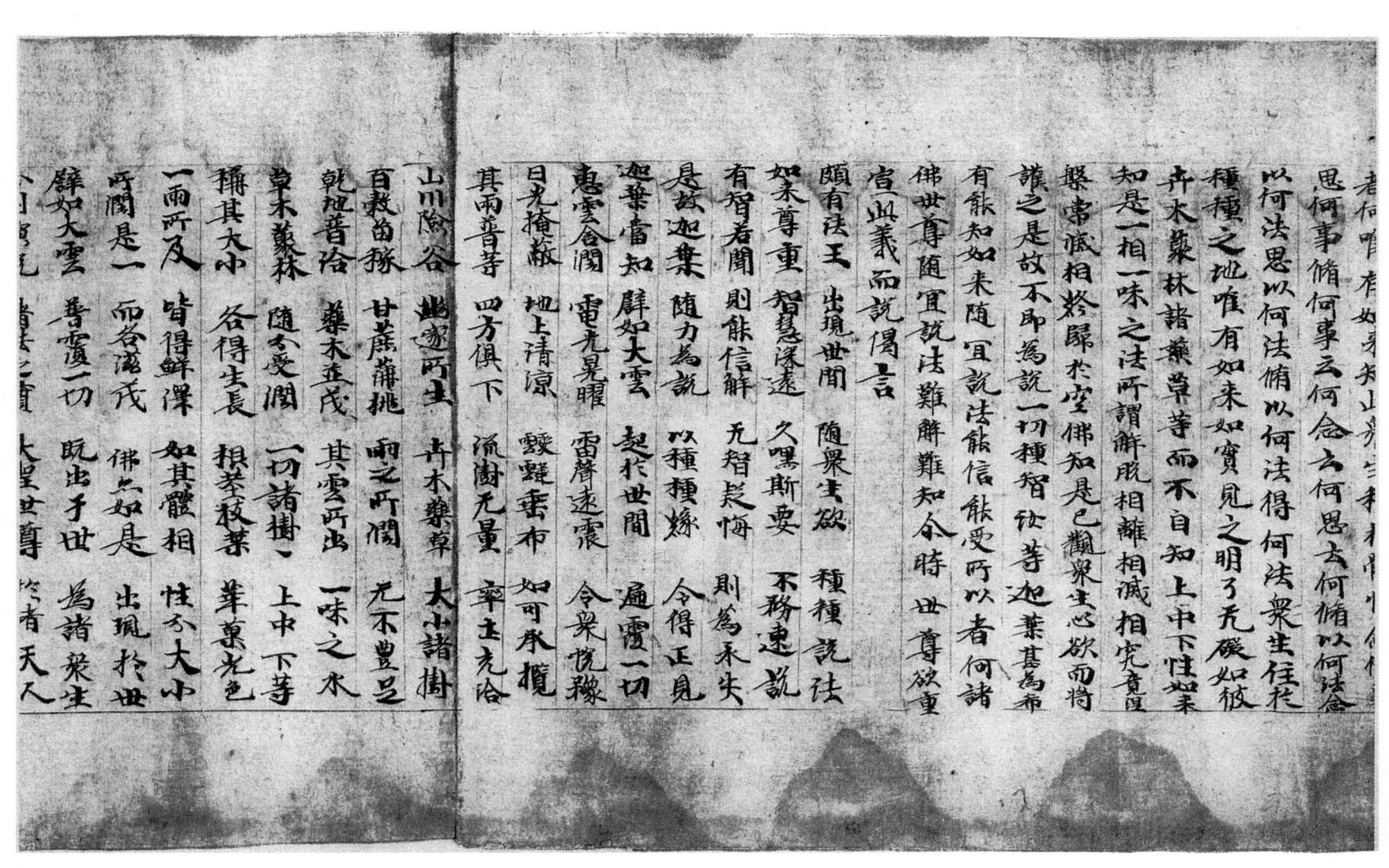

者何唯有如來知此衆生種相體性念何事
思何事脩何事云何念云何思云何脩以何法念
以何法思以何法脩以何法得何法衆生住於
種種之地唯有如來如實見之明了无礙如彼
卉木叢林諸藥草等而不自知上中下性如來
知是一相一味之法所謂解脫相離相滅相究竟
槃常寂相終歸於空佛知是已觀衆生心欲而將
護之是故不即為說一切種智汝等迦葉甚為希
有能知如來隨宜說法能信能受所以者何諸
佛世尊隨宜說法難解難知尒時世尊欲重
宣此義而說偈言
頗有法王　出現世間　隨衆生欲　種種說法
如來尊重　智慧深遠　久嘿斯要　不務速說
有智若聞　則能信解　无智疑悔　則為永失
是故迦葉　隨力為說　以種種緣　令得正見
迦葉當知　譬如大雲　起於世間　遍覆一切
慧雲含潤　電光晃曜　雷聲遠震　令衆悅豫
日光掩蔽　地上清涼　靉靆垂布　如可承攬
其雨普等　四方俱下　流澍无量　率土充洽
山川險谷　幽邃所生　卉木藥草　大小諸樹
百穀苗稼　甘蔗蒲桃　雨之所潤　无不豐足
乾地普洽　藥木並茂　其雲所出　一味之水
草木叢林　隨分受潤　一切諸樹　上中下等
稱其大小　各得生長　根莖枝葉　華菓光色
一雨所及　皆得鮮澤　如其體相　性分大小
所潤是一　而各滋茂　佛亦如是　出現於世
譬如大雲　普覆一切　既出于世　為諸衆生
分別演說　諸法之實　大聖世尊　於諸天人

BD03009 號　妙法蓮華經（兌廢稿）卷三　（7–3）

稱其大小　各得生長　根莖枝葉　華菓光色
一雨所及　皆得鮮澤　如其體相　性分大小
所潤是一　而各滋茂　佛亦如是　出現於世
譬如大雲　普覆一切　既出于世　為諸衆生
分別演說　諸法之實　大聖世尊　於諸天人
一切衆中　而宣是言　我為如來　兩足之尊
出于世間　猶如大雲　充潤一切　枯槁衆生
皆令離苦　得安隱樂　世間之樂　及涅槃樂
諸天人衆　一心善聽　皆應到此　覲无上尊
我為世尊　无能及者　安隱衆生　故現於世
為大衆說　甘露淨法　其法一味　解脫涅槃
以一妙音　演暢斯義　常為大乘　而作因緣
我觀一切　普皆平等　无有彼此　愛憎之心
我无貪著　亦无限閡　恒為一切　平等說法
如為一人　衆多亦然　常演說法　曾无他事
去來坐立　終不疲猒　充足世間　如雨普潤
貴賤上下　持戒毀戒　威儀具足　及不具足
正見邪見　利根鈍根　等雨法雨　而无懈惓
一切衆生　聞我法者　隨力所受　住於諸地
或處人天　轉輪聖王　釋梵諸王　是小藥草
知无漏法　能得涅槃　起六神通　及得三明
獨處山林　常行禪定　得緣覺證　是中藥草
求世尊處　我當作佛　行精進定　是上藥草
又諸佛子　專心佛道　常行慈悲　自知作佛
決定无疑　是名小樹　安住神通　轉不退輪
度无量億　百千衆生　如是菩薩　名為大樹

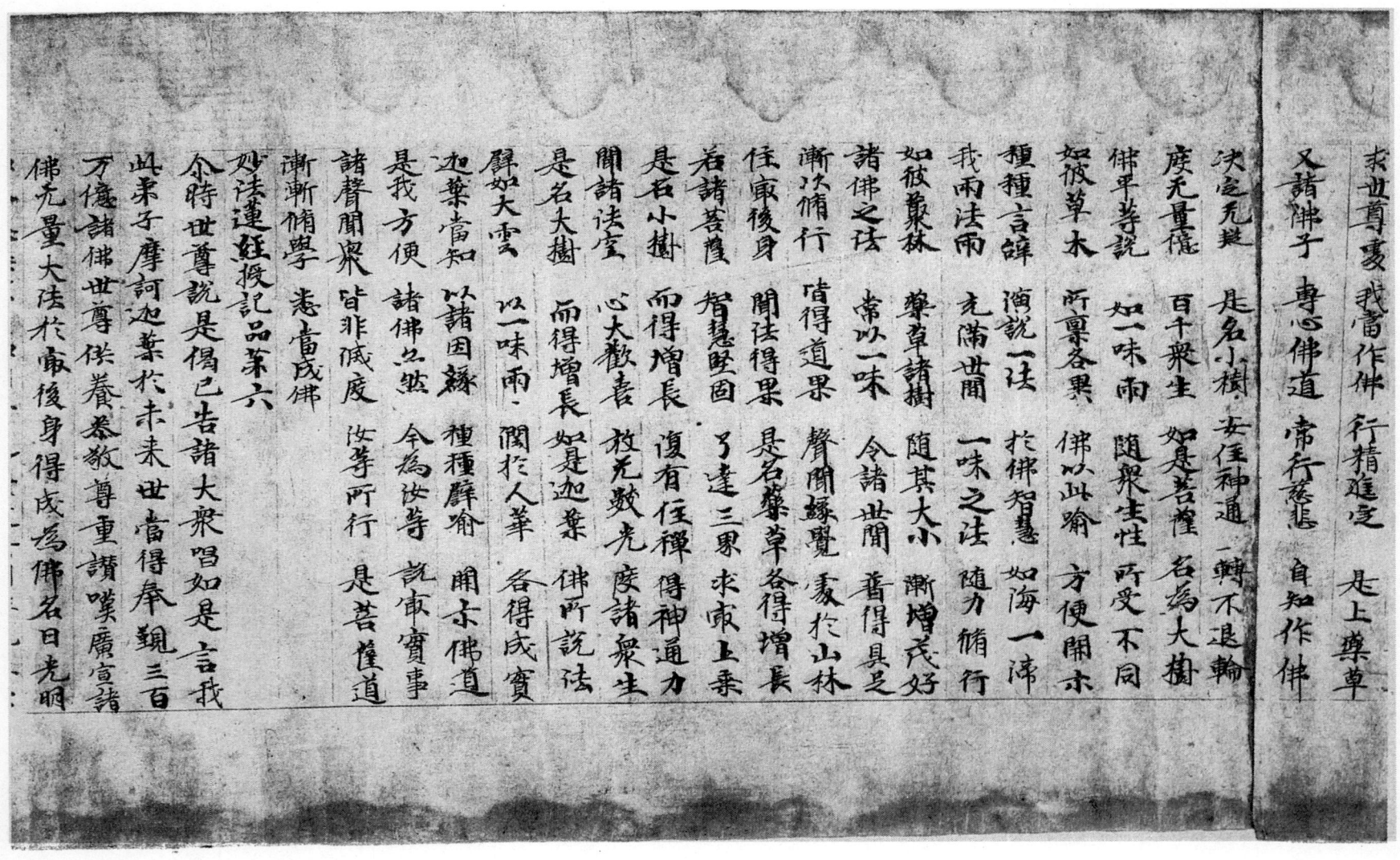

BD03009 號　妙法蓮華經（兌廢稿）卷三　（7–4）

求世尊處　我當作佛　行精進定　是上藥草
又諸佛子　專心佛道　常行慈悲　自知作佛
決定无疑　是名小樹　安住神通　轉不退輪
度无量億　百千衆生　如是菩薩　名為大樹
佛平等說　如一味雨　隨衆生性　所受不同
如彼草木　所稟各異　佛以此喻　方便開示
種種言辭　演說一法　於佛智慧　如海一渧
我雨法雨　充滿世間　一味之法　隨力修行
如彼叢林　藥草諸樹　隨其大小　漸增茂好
諸佛之法　常以一味　令諸世間　普得具足
漸次修行　皆得道果　聲聞緣覺　處於山林
住最後身　聞法得果　是名藥草　各得增長
若諸菩薩　智慧堅固　了達三界　求最上乘
是名小樹　而得增長　復有住禪　得神通力
聞諸法空　心大歡喜　放无數光　度諸衆生
是名大樹　而得增長　如是迦葉　佛所說法
譬如大雲　以一味雨　潤於人華　各得成實
迦葉當知　以諸因緣　種種譬喻　開示佛道
是我方便　諸佛亦然　今為汝等　說最實事
諸聲聞衆　皆非滅度　汝等所行　是菩薩道
漸漸修學　悉當成佛
妙法蓮華經授記品第六
尒時世尊說是偈已　告諸大衆　唱如是言　我
此弟子摩訶迦葉　於未來世　當得奉覲　三百
万億諸佛世尊　供養恭敬　尊重讚嘆　廣宣諸
佛无量大法　於最後身　得成為佛　名曰光明

BD03009 號　妙法蓮華經（兌廢稿）卷三　（7–5）

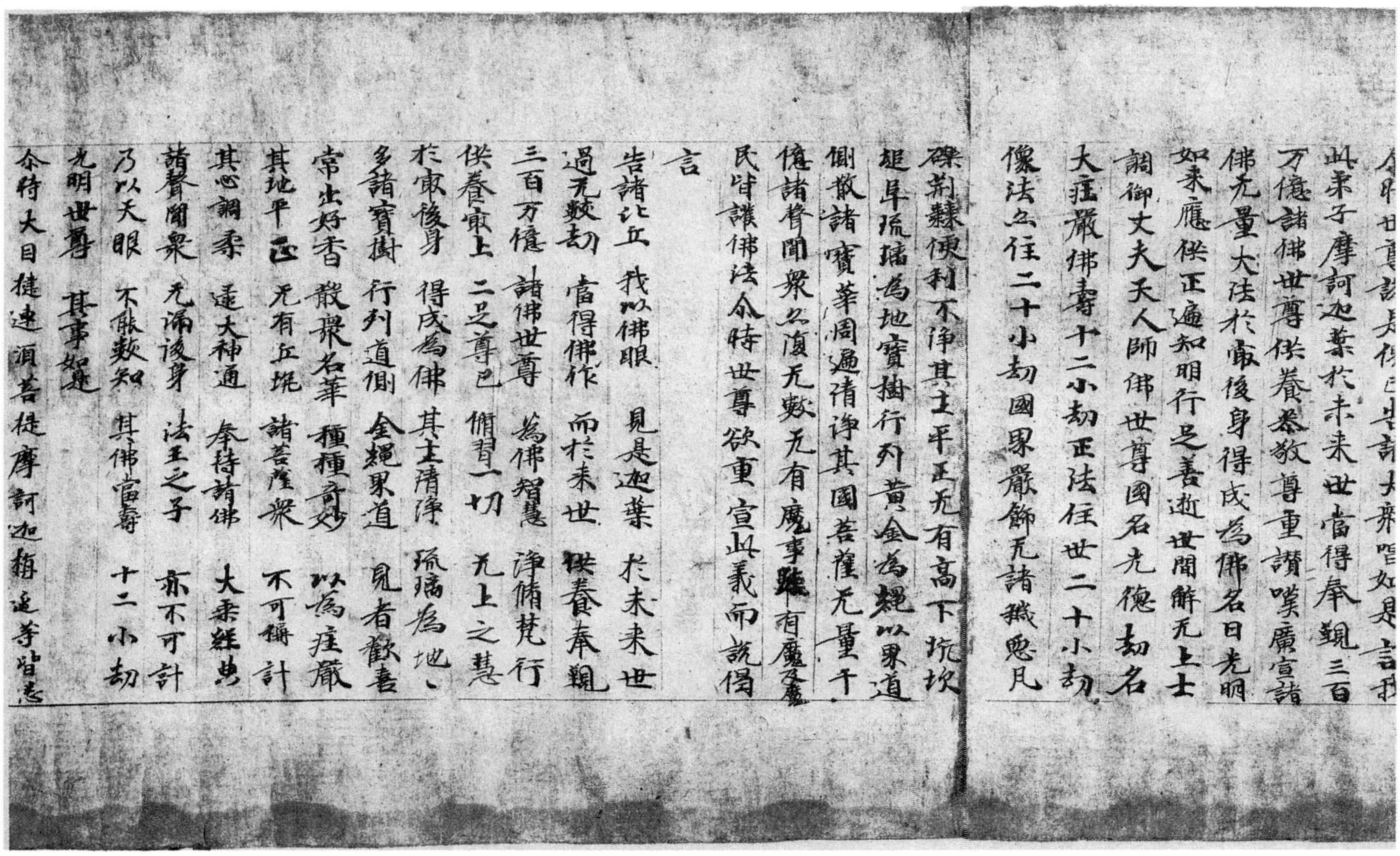
尒時世尊說是偈已告諸大衆唱如是言我
此弟子摩訶迦葉於未來世當得奉覲三百
万億諸佛世尊供養恭敬尊重讚嘆廣宣諸
佛无量大法於最後身得成為佛名曰光明
如來應供正遍知明行足善逝世間解无上士
調御丈夫天人師佛世尊國名光德劫名
大莊嚴佛壽十二小劫正法住世二十小劫
像法亦住二十小劫國界嚴飾无諸穢惡瓦
礫荊棘便利不淨其土平正无有高下坑坎
堆阜琉璃為地寶樹行列黃金為繩以界道
側散諸寶華周遍清淨其國菩薩无量千
億諸聲聞衆亦復无數无有魔事雖有魔及魔
民皆護佛法尒時世尊欲重宣此義而說偈
言
告諸比丘　我以佛眼　見是迦葉　於未來世
過无數劫　當得佛作　而於未世　供養奉覲
三百万億　諸佛世尊　為佛智慧　淨脩梵行
供養最上　二足尊已　脩習一切　无上之慧
於最後身　得成為佛　其土清淨　琉璃為地
多諸寶樹　行列道側　金繩界道　見者歡喜
常出好香　散衆名華　種種奇妙　以為莊嚴
其地平正　无有丘坑　諸菩薩衆　不可稱計
其心調柔　逮大神通　奉持諸佛　大乘經典
諸聲聞衆　无漏後身　法王之子　亦不可計
乃以天眼　不能數知　其佛當壽　十二小劫
光明世尊　其事如是
尒時大目揵連須菩提摩訶迦旃延等皆悉

BD03009號　妙法蓮華經（兌廢稿）卷三　（7–6）

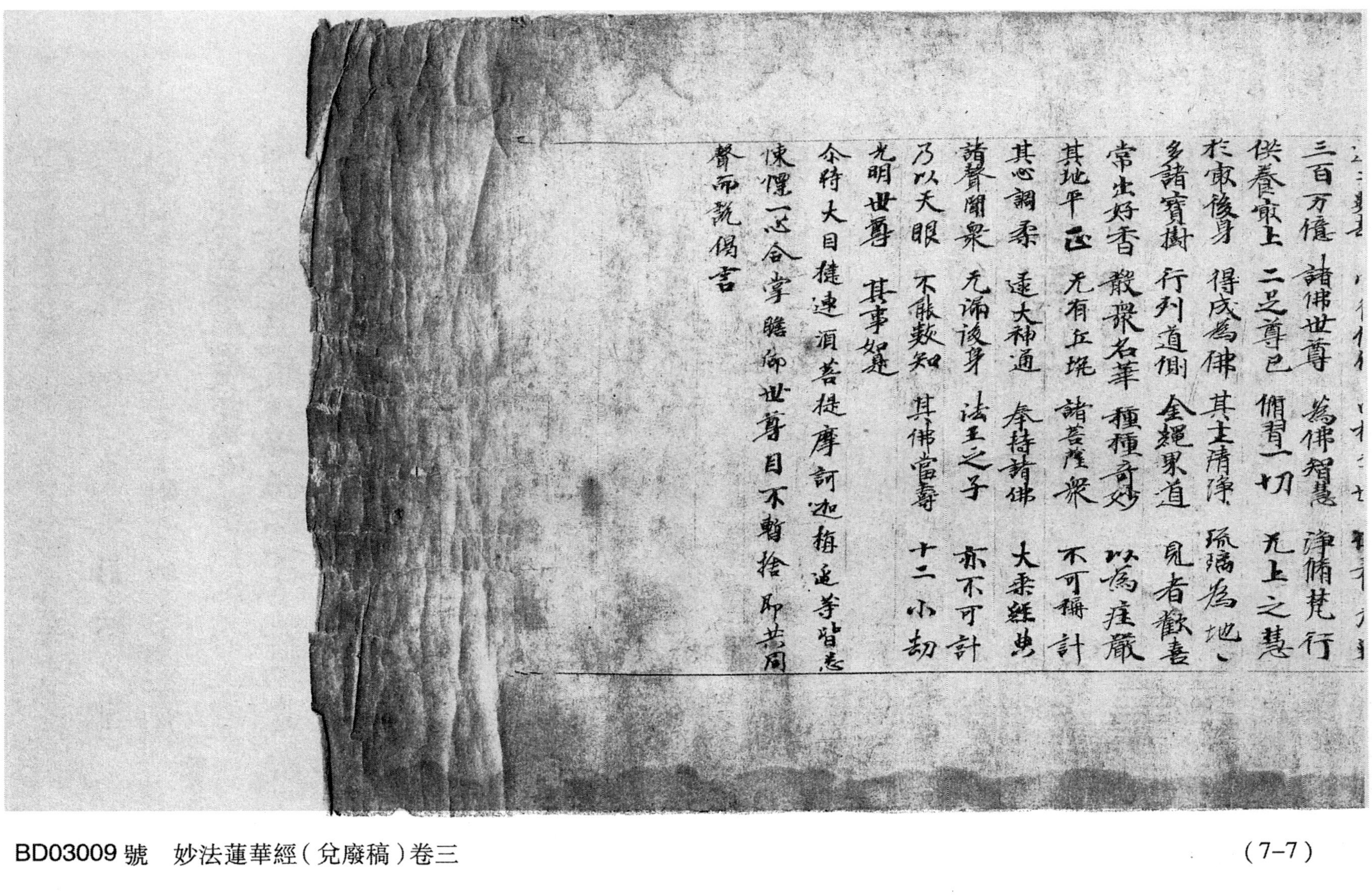
三百万億　諸佛世尊　為佛智慧　淨脩梵行
供養最上　二足尊已　脩習一切　无上之慧
於最後身　得成為佛　其土清淨　琉璃為地
多諸寶樹　行列道側　金繩界道　見者歡喜
常出好香　散衆名華　種種奇妙　以為莊嚴
其地平正　无有丘坑　諸菩薩衆　不可稱計
其心調柔　逮大神通　奉持諸佛　大乘經典
諸聲聞衆　无漏後身　法王之子　亦不可計
乃以天眼　不能數知　其佛當壽　十二小劫
光明世尊　其事如是
尒時大目揵連須菩提摩訶迦旃延等皆悉
悚慄一心合掌瞻仰世尊目不暫捨即共同
聲而說偈言

BD03009號　妙法蓮華經（兌廢稿）卷三　（7–7）

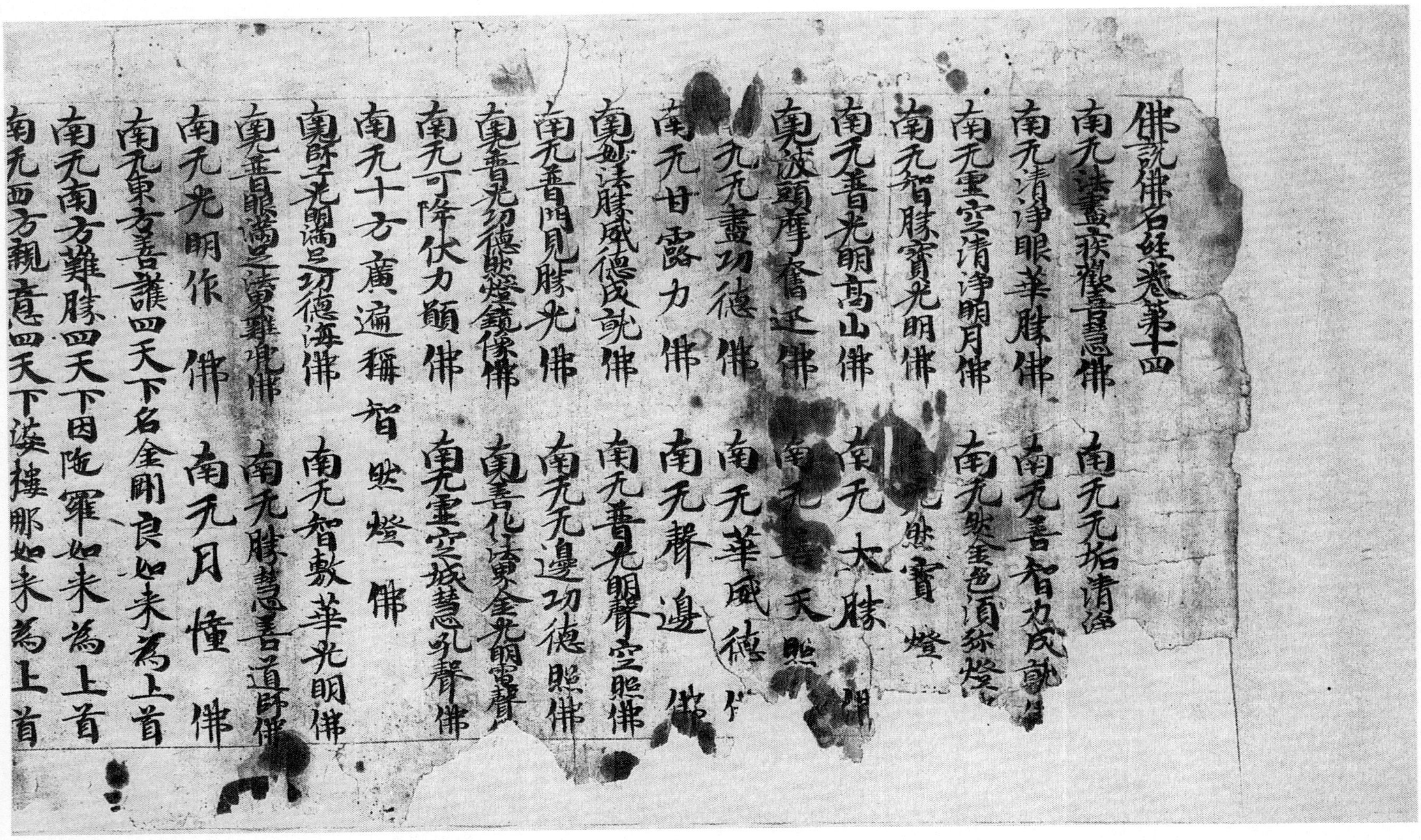

佛說佛名經卷第十四
南无法盡衆幢王慧佛　南无无垢清淨
南无清淨眼華勝佛　南无善智力成就佛
南无虛空清淨明月佛　南无然金色須弥燈佛
南无智勝寶光明佛　南无然寶燈佛
南无普光明高山佛　南无大勝佛
南无波頭摩奮迅佛　南无天照佛
南无盡功德佛　南无華威德佛
南无甘露力佛　南无聲邊佛
南无妙法勝威德成就佛　南无普光明聲空照佛
南无普門見勝光佛　南无无邊功德照佛
南无普光功德然燈鏡像佛　南无善化法東金光明雷聲佛
南无可降伏力願佛　南无虛空城慧吼聲佛
南无十方廣遍稱智然燈佛
南无師子光明滿足功德海佛　南无智數華光明佛
南无普眼滿足法東難降伏佛　南无勝慧善道師佛
南无光明作佛　南无月幢佛
南无東方善護四天下名金剛良如来為上首
南无南方難勝四天下因陀羅如来為上首
南无西方親意四天下娑樓那如来為上首

BD03010 號　佛名經（二十卷本）卷一四　（5–1）

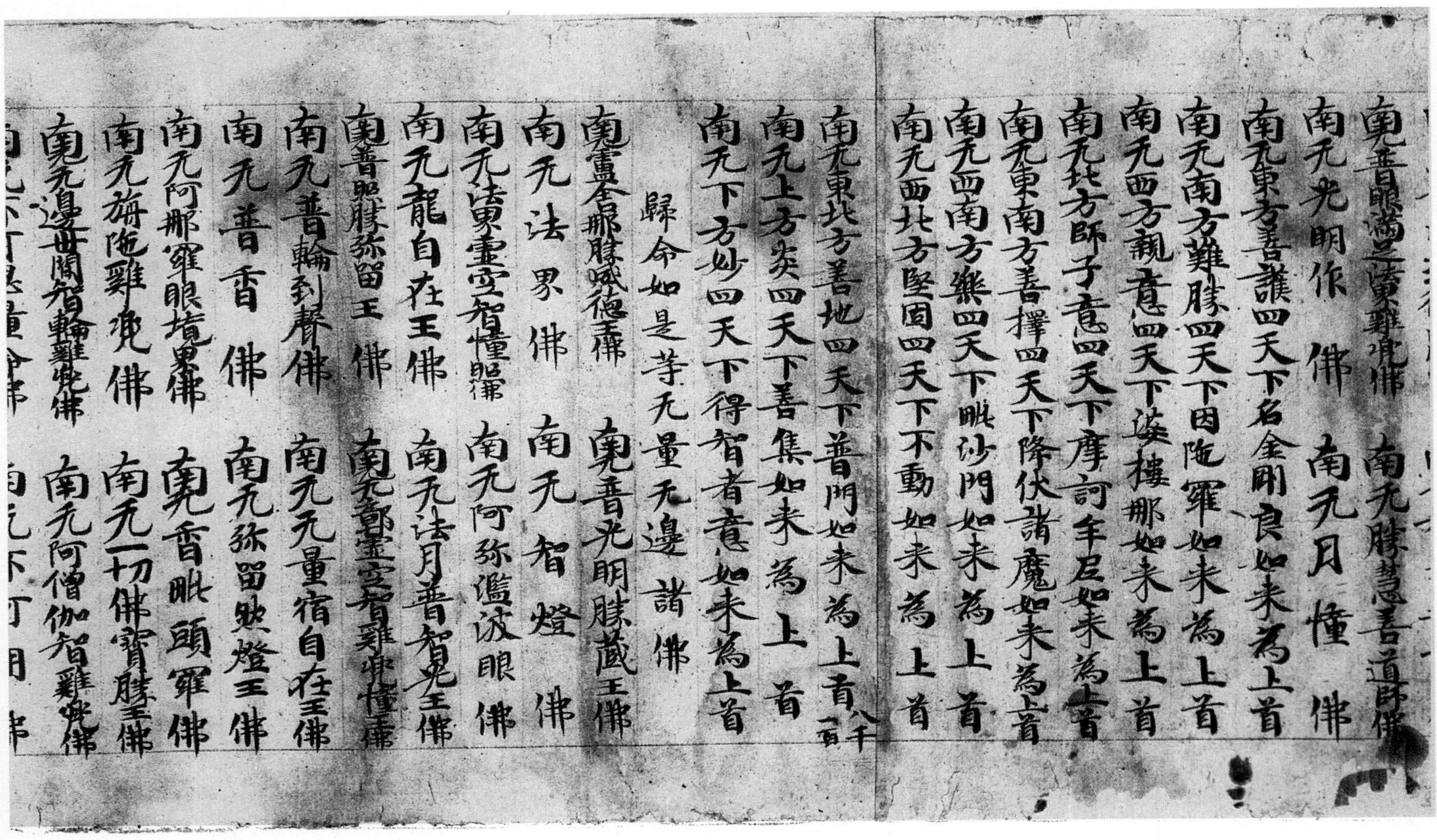

南无普眼滿足法東難降伏佛　南无勝慧善道師佛
南无光明作佛　南无月幢佛
南无東方善護四天下名金剛良如来為上首
南无南方難勝四天下因陀羅如来為上首
南无西方親意四天下娑樓那如来為上首
南无北方師子意四天下摩訶年尼如来為上首
南无東南方善擇四天下降伏諸魔如来為上首
南无西南方樂四天下毗沙門如来為上首
南无西北方堅固四天下不動如来為上首
南无東北方善地四天下普門如来為上首八千
南无上方安四天下善集如来為上首
南无下方妙四天下得智者意如来為上首
歸命如是等无量无邊諸佛
南无盡金那勝威德佛　南无普光明勝藏王佛
南无法界佛　南无智燈佛
南无法東虛空智幢照佛　南无阿弥遮波眼佛
南无龍自在王佛　南无法月普智吼王佛
南无普照勝弥留王佛　南无鄣虛空智難降伏幢佛
南无普輪到聲佛　南无无量宿自在王佛
南无普香佛　南无弥留然燈王佛
南无阿那羅眼境界佛　南无香毗頭羅佛
南无旃陀難降伏佛　南无一切佛寶勝王佛
南无邊世間智輪難降伏佛　南无阿僧伽智難降伏佛

BD03010 號　佛名經（二十卷本）卷一四　（5–2）

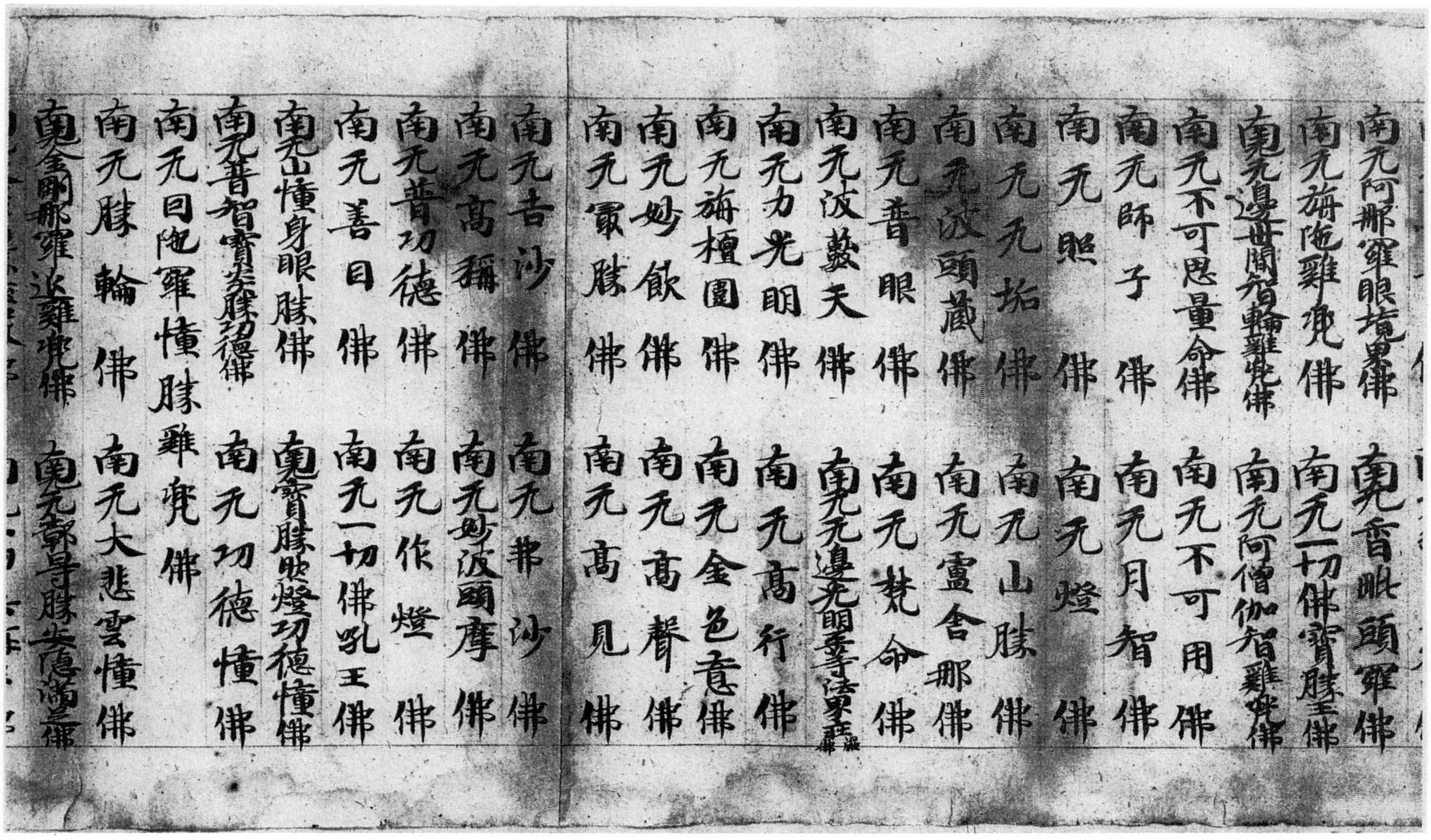

南无阿那羅眼境界佛　南无香毗頭羅佛
南无旃陁雞兜佛　南无一切佛寶勝王佛
南无无邊世間智自輪雞兜佛　南无阿僧伽智雞兜佛
南无不可思量命佛　南无不可用佛
南无師子佛　南无月智佛
南无照佛　南无燈佛
南无无垢佛　南无山勝佛
南无波頭藏佛　南无盧舍那佛
南无普眼佛　南无梵命佛
南无波藪天佛　南无无邊光明香等法界莊嚴佛
南无力光明佛　南无高行佛
南无旃檀園佛　南无金色意佛
南无妙飲佛　南无高聲佛
南无衆勝佛　南无高見佛
南无吉沙佛　南无弗沙佛
南无高稱佛　南无妙波頭摩佛
南无普功德佛　南无作燈佛
南无善目佛　南无一切佛乳王佛
南无山幢身眼勝佛　南无寶勝然燈功德幢佛
南无普智寶炎勝功德佛　南无功德幢佛
南无因陁羅幢勝雞兜佛
南无勝輪佛　南无大悲雲幢佛
南无金剛那羅延雞兜佛　南无郭導勝安隱滿足佛

BD03010 號　佛名經（二十卷本）卷一四　（5–3）

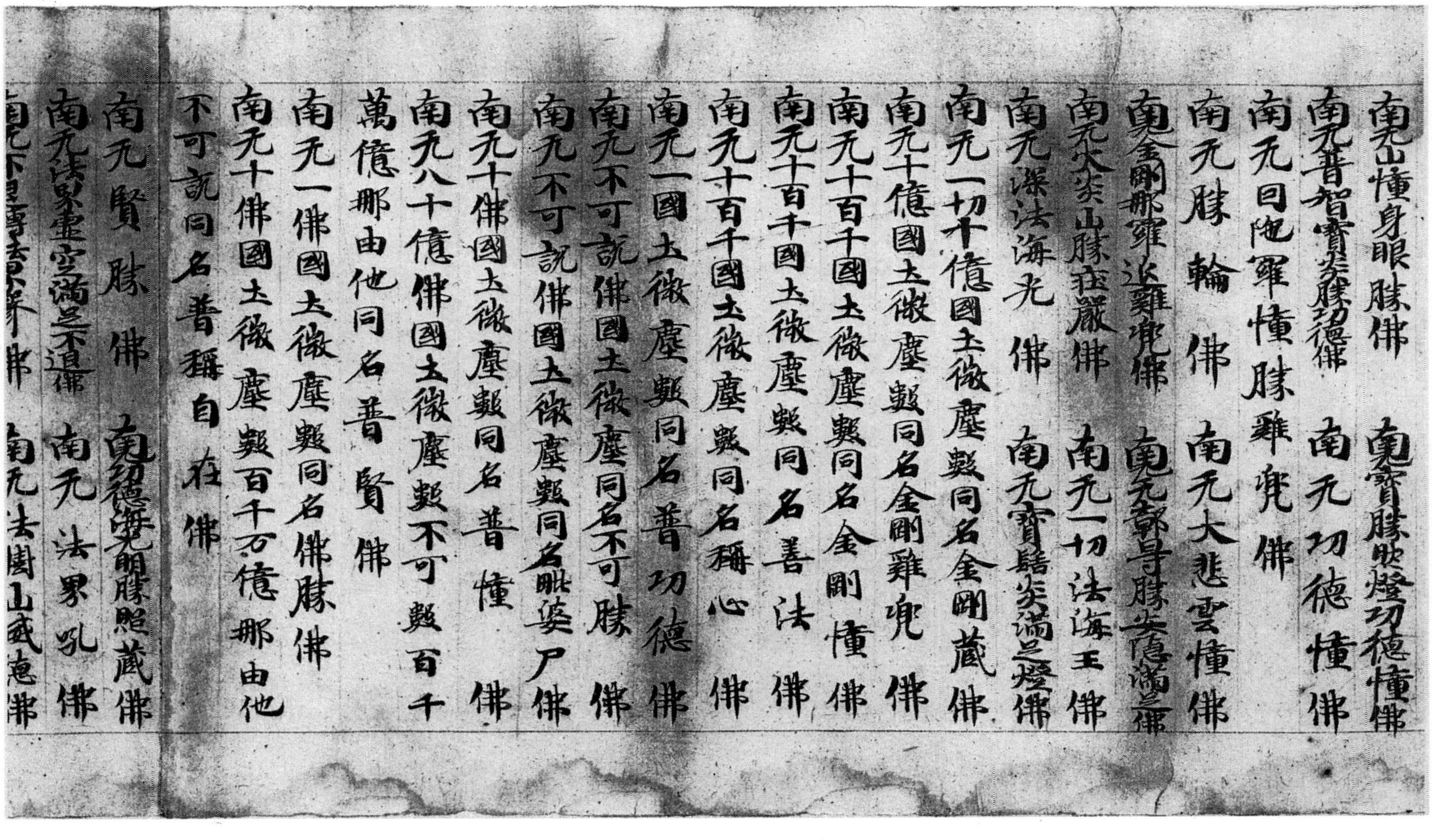

南无山幢身眼勝佛　南无寶勝然燈功德幢佛
南无普智寶炎勝功德佛　南无功德幢佛
南无因陁羅幢勝雞兜佛
南无勝輪佛　南无大悲雲幢佛
南无金剛那羅延雞兜佛　南无郭導勝安隱滿足佛
南无大炎山勝莊嚴佛　南无一切法海王佛
南无深法海光佛　南无寶髻炎滿足燈佛
南无一切千億國土微塵數同名金剛藏佛
南无十億國土微塵數同名金剛雞兜佛
南无十百千國土微塵數同名金剛幢佛
南无十百千國土微塵數同名善法佛
南无十百千國土微塵數同名稱心佛
南无一國土微塵數同名普功德佛
南无不可說佛國土微塵同名不可勝佛
南无不可說佛國土微塵數同名毗婆尸佛
南无十佛國土微塵數同名普幢佛
南无八十億佛國土微塵數不可數百千
萬億那由他同名普賢佛
南无一佛國土微塵數同名佛勝佛
南无十佛國土微塵數百千万億那由他
不可說同名普稱自在佛
南无賢勝佛　南无功德海光明勝照藏佛
南无法界虛空滿足不退佛　南无法界吼佛

BD03010 號　佛名經（二十卷本）卷一四　（5–4）

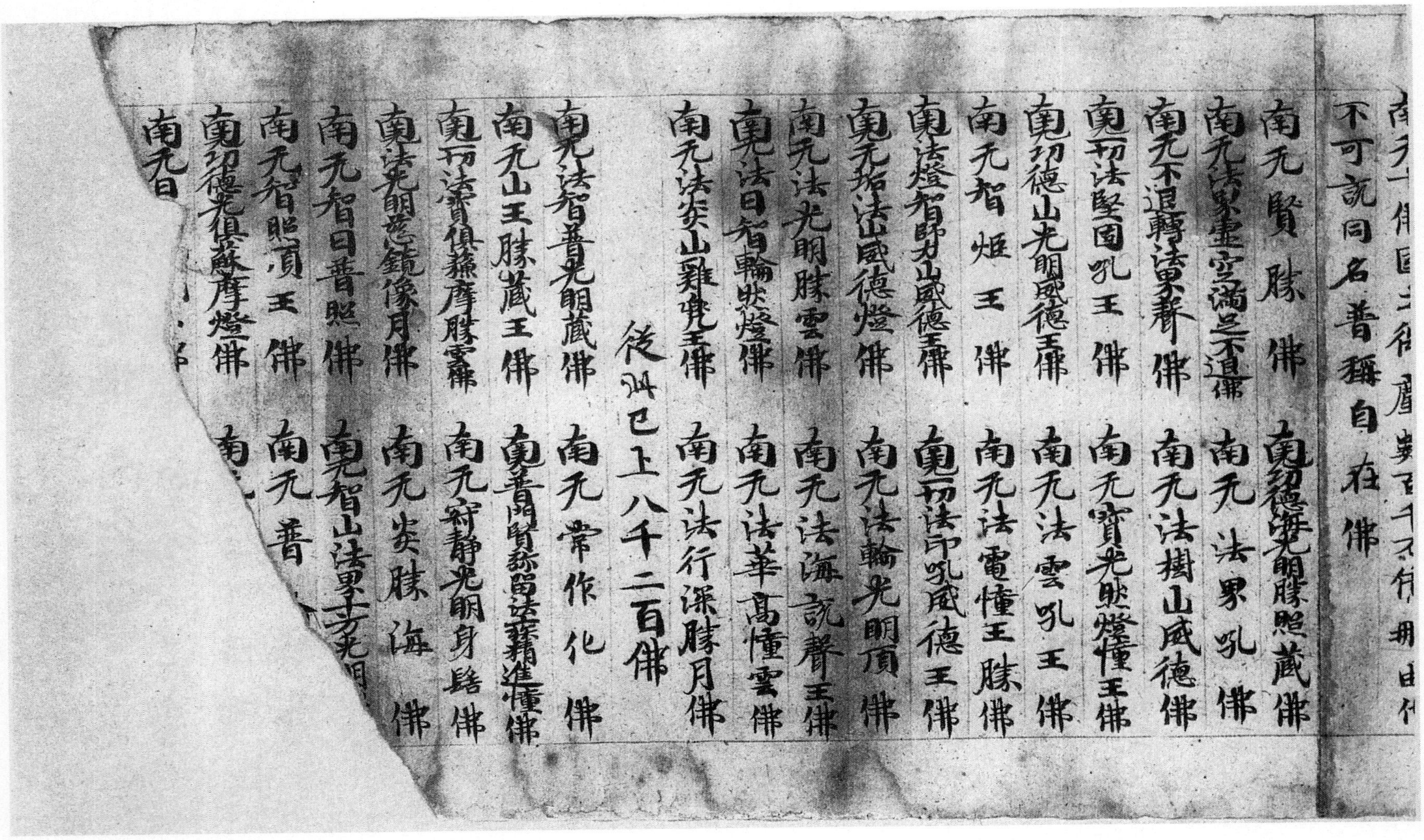

南无一佛國土微塵數百千不□□册由他
不可說同名普稱自在佛
南无賢勝佛　南无一切德海光明勝照藏佛
南无法界虛空滿足不退佛　南无法界吼佛
南无不退轉法界聲佛　南无法樹山威德佛
南无一切法堅固吼王佛　南无寶光照燈幢王佛
南无一切德山光明威德王佛　南无法雲吼王佛
南无智炬王佛　南无法電幢王勝佛
南无法燈智歸力山威德王佛　南无一切法印吼威德王佛
南无指法山威德燈佛　南无法輪光明頂佛
南无法光明勝雲佛　南无法海說聲王佛
南无法日智輪光燈佛　南无法華高幢雲佛
南无法安山難勝光王佛　南无法行深勝月佛
從此已上八千二百佛
南无法智普光明藏佛　南无常作化佛
南无山王勝藏王佛　南无普賢□留法藏精進幢佛
南无一切法寶俱蘇摩勝雲佛　南无寂靜光明身髻佛
南无法光明慈鏡像月佛　南无安勝海佛
南无智日普照佛　南无智山法界十方光明……
南无智照頂王佛　南无普……
南无一切德光俱蘇摩燈佛　南……
南无日……

BD03010號　佛名經（二十卷本）卷一四　　（5–5）

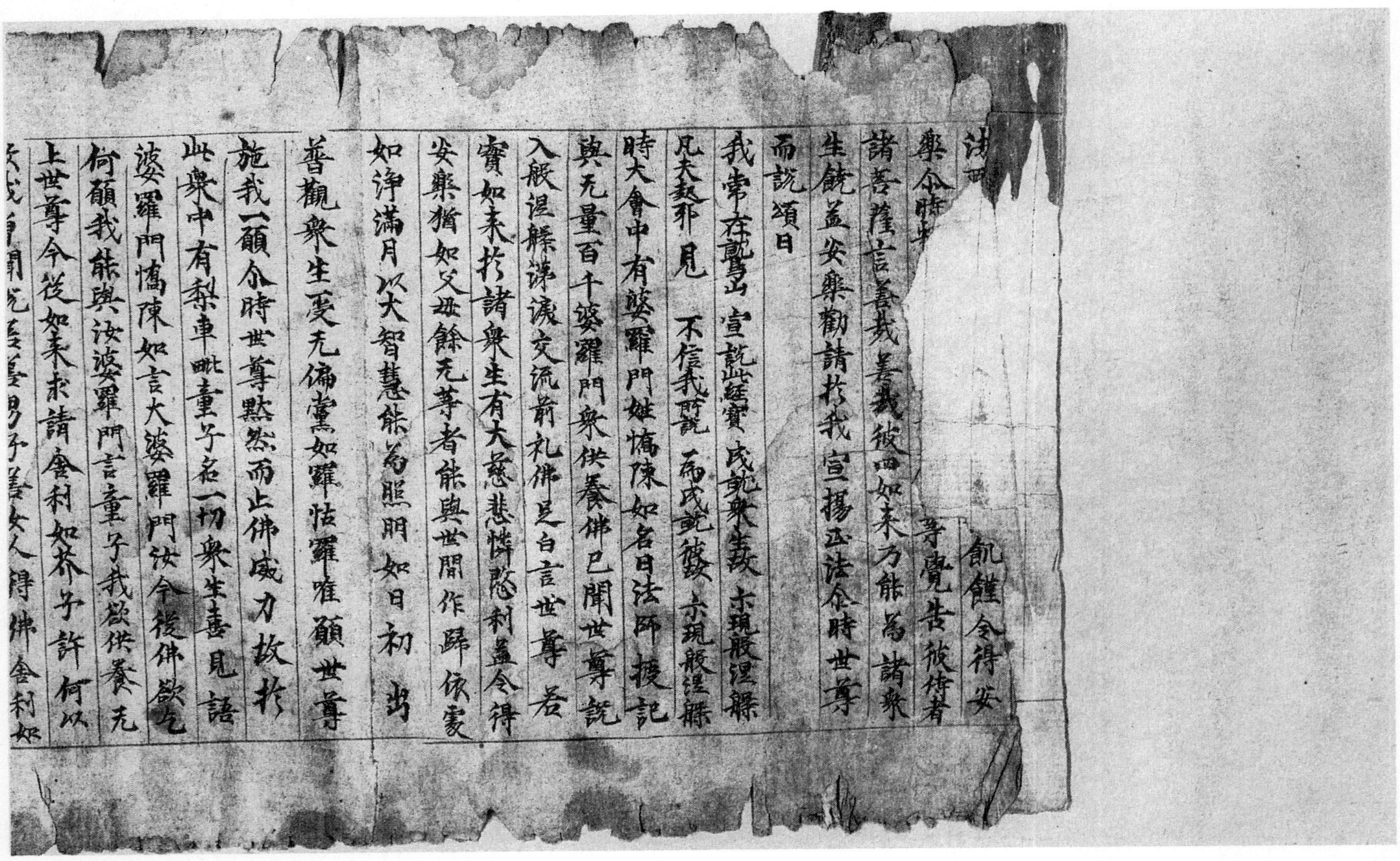

法……飢饉令得安
衆尒時……等覺告彼侍者
諸菩薩言善哉善哉彼四如來乃能爲諸衆
生饒益安樂勸請於我宣揚正法尒時世尊
而說頌曰
我常在鷲山　宣說此經寶　成就衆生故　示現般涅槃
凡夫起邪見　不信我所說　爲成就彼故　示現般涅槃
時大會中有婆羅門姓憍陳如名曰法師授記
與无量百千婆羅門衆供養佛已聞世尊說
入般涅槃涕淚交流前礼佛足白言世尊若
實如來於諸衆生有大慈悲憐愍利益令得
安樂猶如父母餘无等者能與世間作歸依處
如淨滿月以大智慧能爲照明如日初出
普觀衆生愛无偏黨如羅怙羅唯願世尊
施我一願尒時世尊默然而止佛威力故於
此衆中有梨車毗童子名一切衆生喜見語
婆羅門憍陳如言大婆羅門汝今從佛欲乞
何願我能與汝婆羅門言童子我欲供養无
上世尊今從如來求請舍利如芥子許何以
故我曾聞說若善男子善女人得佛舍利如

BD03011號　金光明最勝王經卷一　　（8–1）

施我一願尒時世尊默然而止佛威神力故
此衆中有梨車毗童子名一切衆生喜見語
婆羅門憍陳如言大婆羅門汝今從佛欲乞
何願我能與汝婆羅門言童子我欲供養无
上世尊今從如來求請舍利如芥子許何以
故我曾聞說若善男子善女人得佛舍利如
芥子許恭敬供養是人當生三十三天而為帝
釋是時童子語婆羅門曰若欲願生三十三
天受勝報者應當至心聽是金光明最勝王
經於諸經中最為殊勝難解難入聲聞獨覺
所不能知此經能生无量无邊福德果報乃至
成辦无上菩提我今為汝略說其事婆羅
門言善哉童子此金光明甚深最上難解難
入聲聞獨覺尚不能知何況我等邊鄙之人
智慧微淺而能解了是故我今求佛舍利如
芥子許持還本處置寶函中恭敬供養命
終之後得為帝釋常受安樂云何汝今不能
為我從明行足求斯一願作是語已尒時童
子即為婆門而說頌曰
恒河駛流水　可生白蓮花　黃鳥作白形　黑烏變為赤
假使贍部樹　可生多羅菓　朅樹羅枝中　能出菴羅葉
斯等希有物　或容可轉變　世尊之舍利　畢竟不可得
假使用龜毛　織成上妙服　寒時可披著　方求佛舍利
假使蚊蚋足　可使成樓觀　堅固不搖動　方求佛舍利
假使水蛭蟲　口中生白齒　長大利如鋒　方求佛舍利
假使持兔角　用成於梯蹬　可昇上天宮　方求佛舍利
鼠緣此梯上　除去阿蘇羅　能障空中月　方求佛舍利
若蠅飲酒醉　周行村邑中　廣造於舍宅　方求佛舍利
若使驢脣色　赤如頻婆菓　善作於歌舞　方求佛舍利

BD03011 號　金光明最勝王經卷一　（8–2）

假使持兔角　用成於梯蹬　可昇上天宮　方求佛舍利
鼠緣此梯上　除去阿蘇羅　能障空中月　方求佛舍利
若蠅飲酒醉　周行村邑中　廣造於舍宅　方求佛舍利
若使驢脣色　赤如頻婆菓　善作於歌舞　方求佛舍利
烏與鵂鶹鳥　同共一處遊　彼此相順從　方求佛舍利
假使波羅葉　可成於傘蓋　能遮於大雨　方求佛舍利
假令大舩舶　盛滿諸財寶　能令陸地行　方求佛舍利
假使鷦鷯鳥　以觜銜香山　隨處任遊行　方求佛舍利
尒時法師授記婆羅門聞此頌已亦以伽他答一切
衆喜見童子曰
善哉大童子　此衆中吉祥　善巧方便心　得佛无上記
如來大威德　能救護世間　仁可至心聽　我今次第說
諸佛境難思　世間无與等　法身性常住　脩行无差別
諸佛體皆同　所說法亦尒　諸佛无作者　亦復本无生
世尊金剛體　權現於化身　是故佛舍利　无如芥子許
佛非血肉身　云何有舍利　方便留身骨　為益諸衆生
法身是正覺　法界即如來　此是佛真身　亦說如是法
尒時會中三万二千天子聞說如來壽命長
遠皆發阿耨多羅三藐三菩提心歡喜踊躍
得未曾有異口同音而說頌曰
佛不般涅槃　正法亦不滅　為利衆生故　示現有滅盡
世尊不思議　妙體无異相　為利衆生故　現種種莊嚴
尒時妙幢菩薩親於佛前及四如來并二大士
諸天子所聞說釋迦牟尼如來壽量事已
復從座起合掌恭敬白佛言世尊若實如是
諸佛如來不般涅槃无舍利者云何經中說
有涅槃及佛舍利令諸人天恭敬供養過去

BD03011 號　金光明最勝王經卷一　（8–3）

諸天子所聞說釋迦牟尼如來壽量事已
復從座起合掌恭敬白佛言世尊若實如是
諸佛如來不般涅槃无舍利者云何經中說
有涅槃及佛舍利令諸人天恭敬供養過去
諸佛現有身骨流布於世人天供養得福无
邊今復言无致生疑惑唯願世尊哀愍我等
廣為分別
尒時佛告妙幢菩薩及諸大衆汝等當知云
般涅槃有舍利者是密意說如是之義當一
心聽善男子菩薩摩訶薩如是應知有其十
法能解如來應正等覺真理趣說有究竟
大般涅槃云何為十一者諸佛如來究竟斷盡
諸煩惱障所知障故名為涅槃二者諸佛如
來善能解了有情无性及法无性故名為涅
槃三者能轉身依及法依故名為涅槃四
者於諸有情任運休息化因緣故名為涅槃
五者證得真實无差別相平等法身故名為
涅槃六者了知生死及以涅槃无二性故名為
涅槃七者於一切法了其根本證清淨故名
為涅槃八者於一切法无生无滅善脩行故
名為涅槃九者真如法界實際平等得正
智故名為涅槃十者於諸法性及涅槃性得
无差別故名為涅槃是謂十法說有涅槃
復次善男子菩薩摩訶薩如是應知復有十
法能解如來應正等覺真實理趣說有究竟
大般涅槃云何為十一者一切煩惱以樂欲為
本從樂欲生諸佛世尊斷樂欲故名為涅
槃二者以諸如來斷諸樂欲不取一法以不

BD03011號　金光明最勝王經卷一　（8–4）

復次善男子菩薩摩訶薩如是應知復有十
法能解如來應正等覺真實理趣說有究竟
大般涅槃云何為十一者一切煩惱以樂欲為
本從樂欲生諸佛世尊斷樂欲故名為涅
槃二者以諸如來斷諸樂欲不取一法以不
取故无去无來无所取故名為涅槃三者以
無去來及无所取是則法身不生不滅无生
滅故名為涅槃四者无生滅非言所宣言語
斷故名為涅槃五者无有我人唯法生滅得
轉依故名為涅槃六者煩惱隨惑皆是客
塵法性是主无來无去佛了知故名為涅槃
七者真如是實餘皆虛妄實性體者即是真
如真性者即是如來名為涅槃八者實際
如真如性者即是如來名為涅槃八者實際
之性无有戲論唯獨如來證實際法戲論永
斷名為涅槃九者无生是實生是虛妄愚癡
之人漂溺生死如來體實无有虛妄名為涅
槃十者不實之法是從緣生真實之法不
從緣起如來法身體是是真實名為涅槃善
男子是謂十法說有涅槃
復次善男子菩薩摩訶薩如是應知復有十
法能解如來應正等覺真實理趣說有究
竟大般涅槃云何為十一者如來善知施及施
果无我我所此施及果不正分別永除滅故名
為涅槃二者如來善知戒及戒果无我我所此
戒及果不正分別永除滅故名為涅槃三者
如來善知忍及忍果无我我所此忍及果
不正分別永除滅故名為涅槃四者如來

BD03011號　金光明最勝王經卷一　（8–5）

果无我我所此施及果不正分別永除滅故名
爲涅槃二者如來善知戒及戒果无我我所此
戒及果不正分別永除滅故名爲涅槃三者
如來善知忍及忍果无我我所此忍及果
不正分別永除滅故名爲涅槃四者如來
善知勤及勤果无我我所此勤及果不正分
別永除滅故名爲涅槃五者如來善知定及
定果无我我所此定及果不正分別永除滅
故名爲涅槃六者如來善慧及果无我我
所此慧及果不正分別永除滅故名爲涅
槃七者諸佛如來善能了知一切有情非有
情一切諸法皆无性不正分別永除滅故名爲
涅槃八者若自愛著便起追求由追求故
受衆苦惱諸佛如來除自愛故永絕追求无
追求故名爲涅槃九者有爲之法皆有數量
无爲法者數量皆除佛離有爲證无爲法无
數量故名爲涅槃十者如來了知有情及法
體性皆空離空非有空性即是真法身故名
爲涅槃善男子是謂十法說有涅槃
復次善男子豈唯如來不般涅槃是爲希有
復有十種希有之法是如來行云何爲十一者
生死過失涅槃寂靜由於生死及以涅槃證
平等故不處流轉不住涅槃於諸有情
不生猒背是如來行二者何於衆生不作是
念此諸愚夫行顛倒見爲諸煩惱之所纏迫我
今開悟令其解脫然由往昔慈善根力於彼
有情隨其根性意樂勝解不起分別任運濟
度示教利喜盡未來際无有窮盡是如來

BD03011號　金光明最勝王經卷一　（8–6）

平等故不處流轉不住涅槃於諸有情
不生猒背是如來行二者何於衆生不作是
念此諸愚夫行顛倒見爲諸煩惱之所纏迫我
今開悟令其解脫然由往昔慈善根力於彼
有情隨其根性意樂勝解不起分別任運濟
度示教利喜盡未來際无有窮盡是如來
行三者佛无是念我今演說十二分教利益有
情然由往昔慈善根力於彼有情廣說乃至
盡未來際无有窮盡是如來行四者佛无是
念我今往彼城邑聚落王及大臣婆羅門刹
帝利薜舍戍達羅等舍從其乞食然由往
昔身語意行串習力故任運詣彼爲利益事
而行乞食是如來行五者如來之身无有飢渴
亦无便利羸憊之相雖行乞取而无所食亦
无分別然爲任運利益有情是有食相是如來
行六者佛无是念此諸衆生有上中下隨彼
機性而爲說法然佛世尊无有分別隨其器
量善應機緣爲彼說法是如來行七者佛
无是念此類有情不恭敬我常於我所出呵
罵言不能與彼共爲言論彼類有情恭敬於
我常於我所共相讚歎我當與彼共爲言說
然而如來起慈悲心平等无二是如來行八
者諸佛如來无有愛憎憍慢貪惜及諸煩
惱然而如來常樂寂靜讚歎少欲離諸諠閙
是如來行九者如來无有一法不知不善通達
於一切處鏡智現前无有分別然而如來見
彼有情所作事業隨彼意轉方便誘引令得
出離是如來行十者如來若見一分有情得

BD03011號　金光明最勝王經卷一　（8–7）

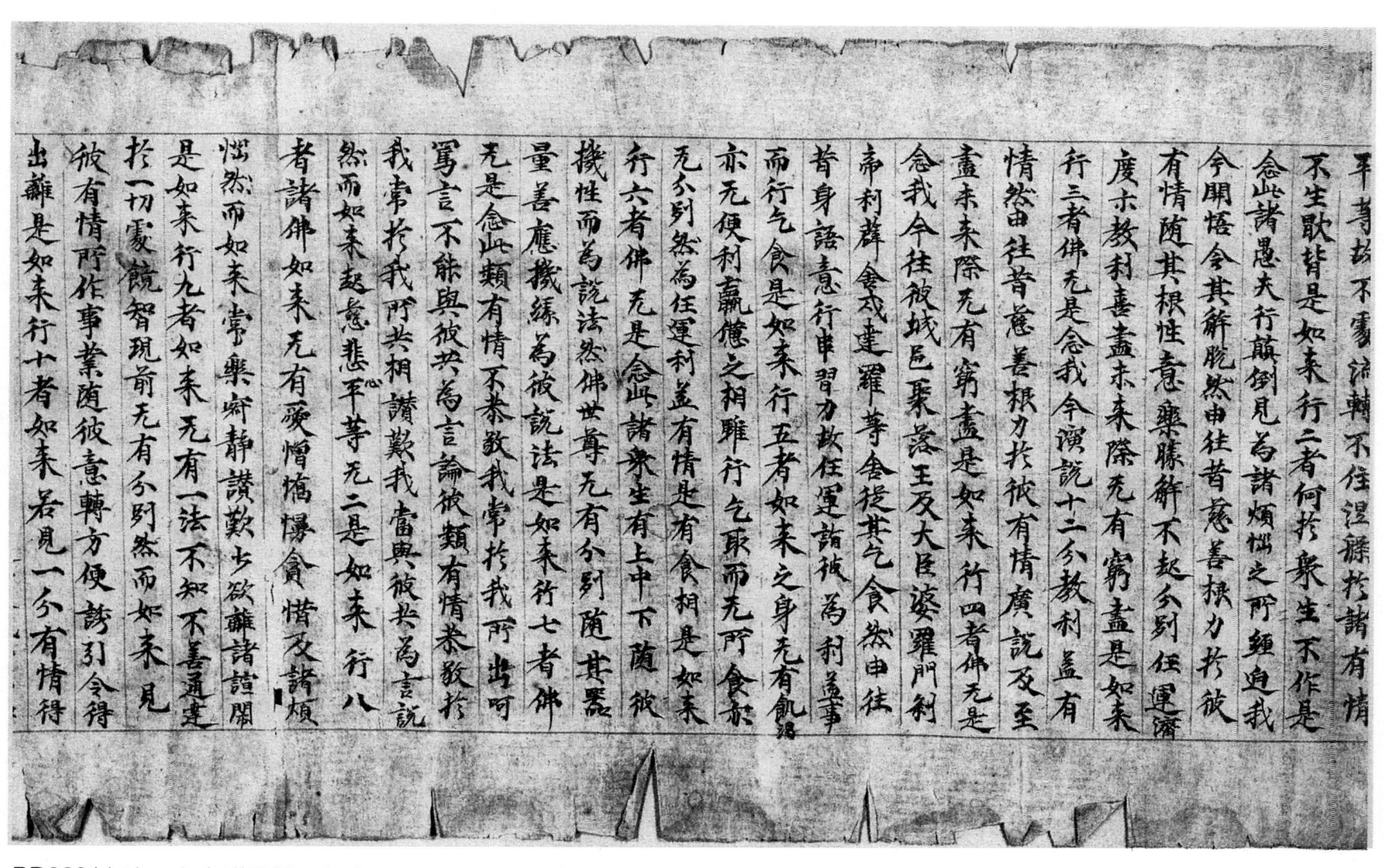

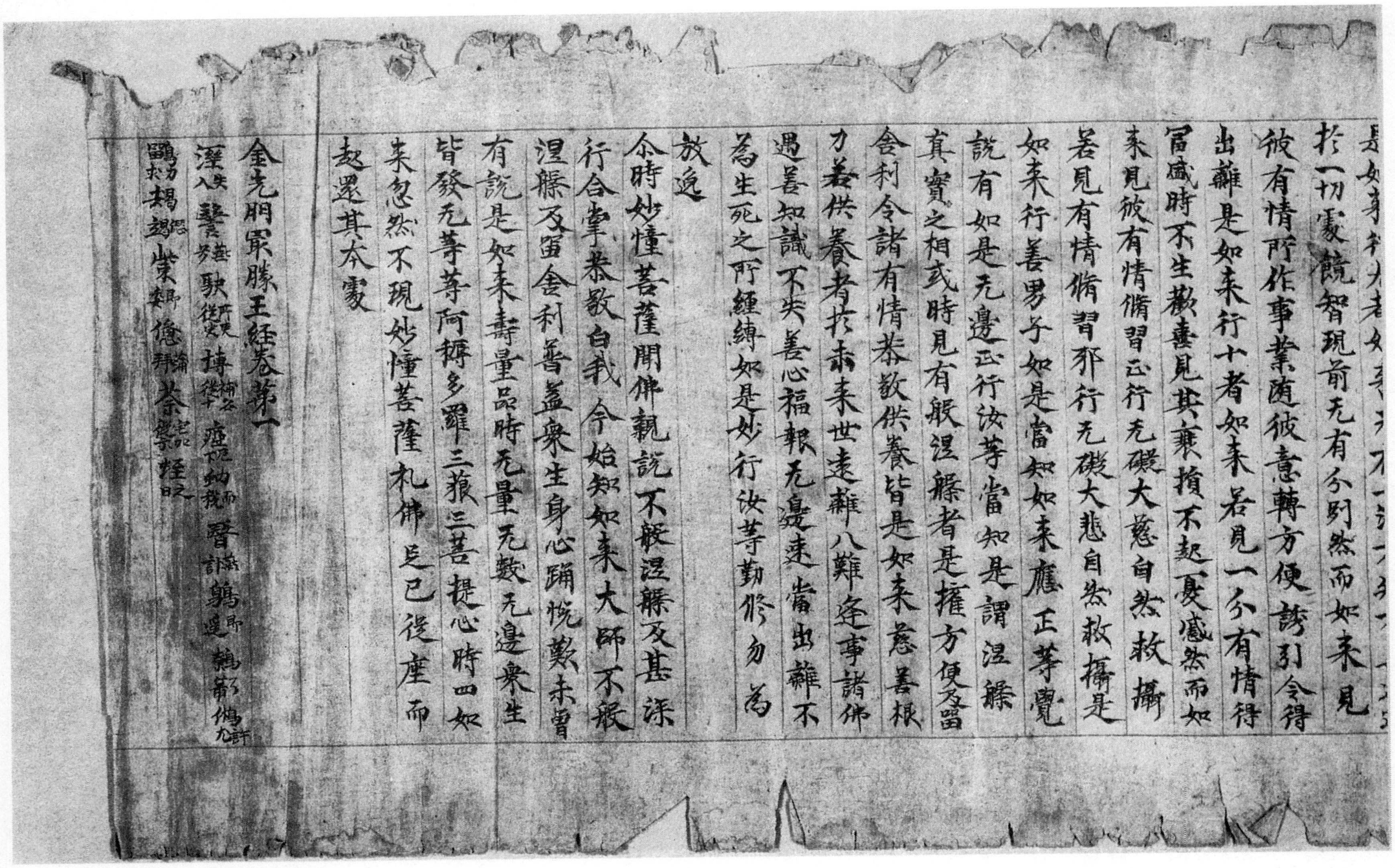
[illegible]
於一切處皆智現前无有分別然而如來見
彼有情所作事業隨彼意轉方便誘引令得
出離是如來行十者如來若見一分有情得
富盛時不生歡喜見其衰損不起憂慼然而如
來見彼有情脩習正行无礙大慈自然救攝
若見有情脩習邪行无礙大悲自然救攝是
如來行善男子如是當知如來應正等覺
說有如是无邊正行汝等當知是謂涅槃
真實之相或時見有般涅槃者是權方便及留
舍利令諸有情恭敬供養皆是如來慈善根
力若供養者於未來世遠離八難逢事諸佛
遇善知識不失善心福報无邊速當出離不
為生死之所纏縛如是妙行汝等勤修勿為
放逸
尒時妙幢菩薩聞佛親說不般涅槃及甚深
行合掌恭敬白我今始知如來大師不般
涅槃及留舍利普益衆生身心踊悅歎未曾
有說是如來壽量品時无量无數无邊衆生
皆發无等等阿耨多羅三藐三菩提心時四如
來忽然不現妙幢菩薩礼佛足已從座而
起還其本處
金光明最勝王經卷第一
[illegible]

BD03011 號　金光明最勝王經卷一　（8–8）

南无
南无成就義佛　南
南无大海佛　南无无盡意佛
未來如是等无量无邊諸佛
若人受持讀誦是諸佛名現世安隱遠
及消滅諸罪未來畢竟得阿耨多羅三藐
光佛　南无樂莊嚴思惟佛
月幢稱佛　南无華光佛
光佛　南无寶上佛
畏觀佛　南无遠離諸畏驚怖佛
子奮迅力佛　南无金光明王佛
男子善女人十日讀誦思惟是佛名必遠離
菩薩
一切同名佛　南无日龍奮迅二佛
同名日龍奮迅佛　南无六十功德寶佛
无一切同名功寶佛　南无六十二毗留羅佛
无一切同名毗留羅佛　南无八万四千旨自在幢佛

BD03012 號　佛名經（十六卷本）卷一　（7–1）

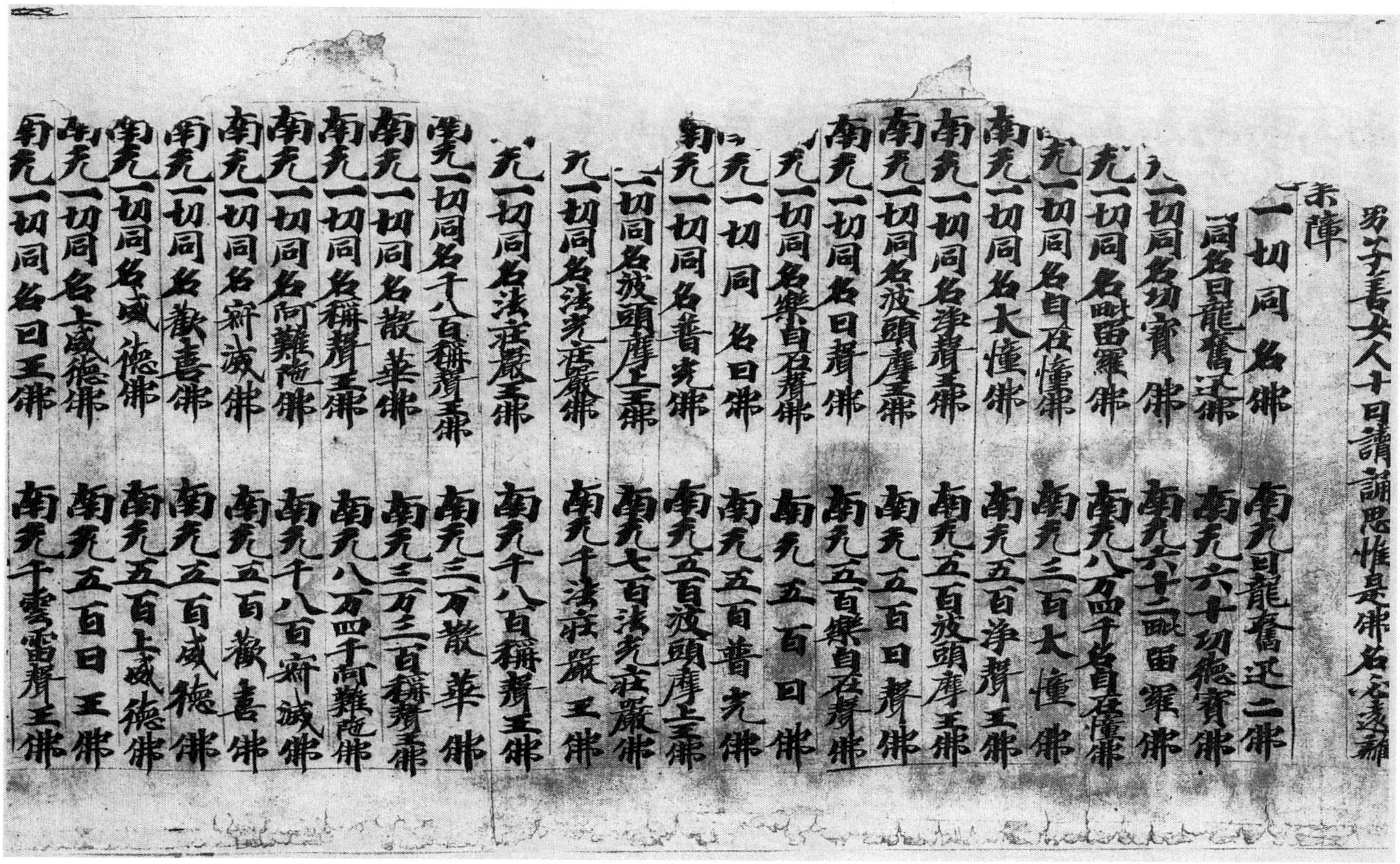

男子善女人十日讀誦思惟是佛名，遠離
業障
一切同名佛　南无日龍奮迅二佛
同名日龍奮迅佛　南无六十功德寶佛
无一切同名功寶佛　南无六十二眼留羅佛
无一切同名眼留羅佛　南无八万四千名自在幢佛
无一切同名自在幢佛　南无三百大幢佛
南无一切同名大幢佛　南无五百淨聲王佛
南无一切同名淨聲王佛　南无五百放頭摩王佛
南无一切同名放頭摩王佛　南无五百日聲佛
南无一切同名日聲佛　南无五百樂自在聲佛
无一切同名樂自在聲佛　南无五百日佛
无一切同　名日佛　南无五百普光佛
南无一切同名普光佛　南无五百放頭摩上王佛
一切同名放頭摩上王佛　南无七百法光莊嚴佛
无一切同名法光莊嚴佛　南无千法莊嚴王佛
无一切同名法莊嚴王佛　南无千八百稱聲王佛
南无一切同名千八百稱聲王佛　南无三万散華佛
南无一切同名散華佛　南无三万三百稱聲王佛
南无一切同名稱聲王佛　南无八万四千阿難陁佛
南无一切同名阿難陁佛　南无千八百寂滅佛
南无一切同名寂滅佛　南无五百歡喜佛
南无一切同名歡喜佛　南无五百威德佛
南无一切同名威德佛　南无五百上威德佛
南无一切同名上威德佛　南无五百日王佛
南无一切同名日王佛　南无千雲雷聲王佛

BD03012 號　佛名經（十六卷本）卷一　（7–2）

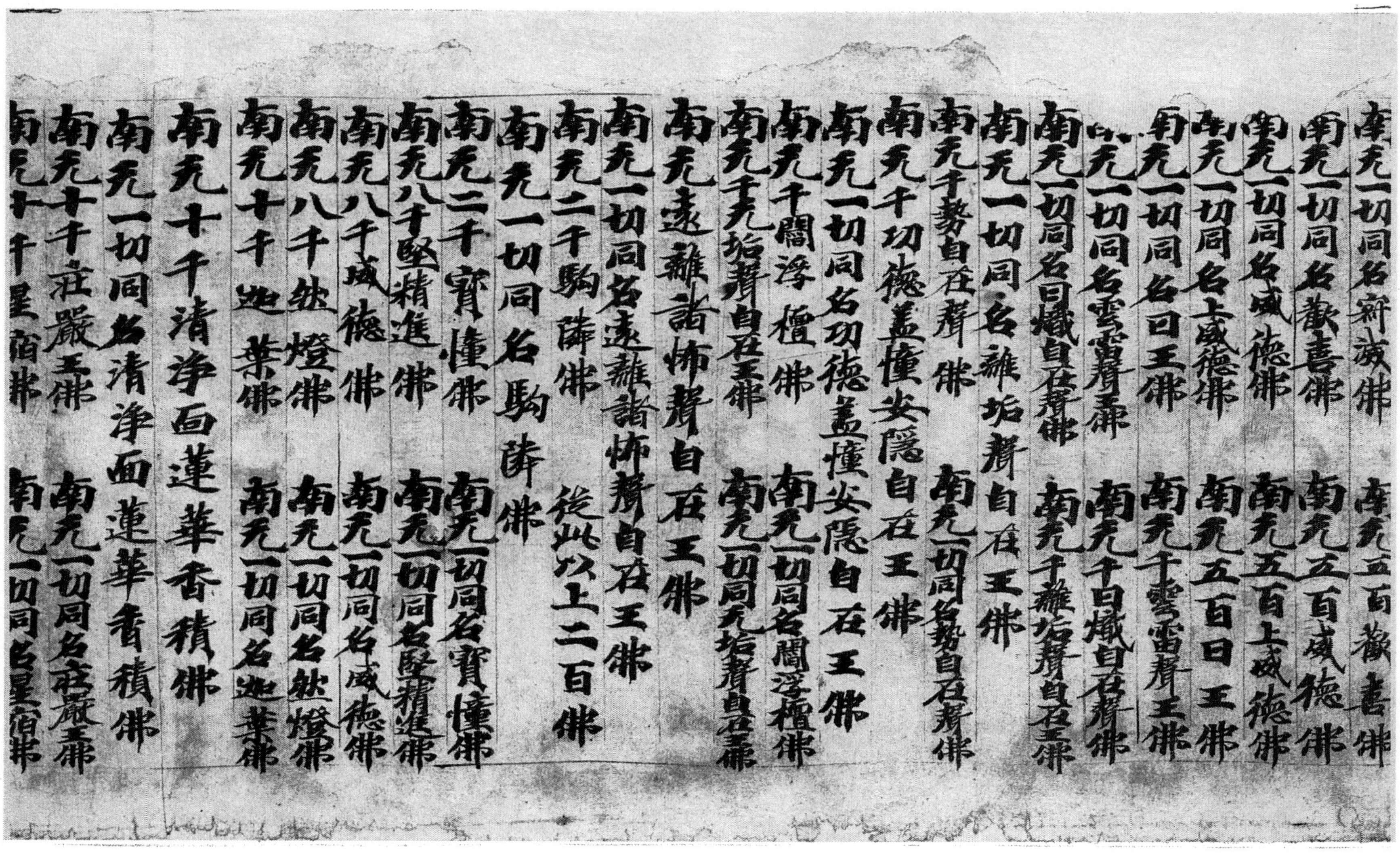

南无一切同名寂滅佛　南无五百歡喜佛
南无一切同名歡喜佛　南无五百威德佛
南无一切同名威德佛　南无五百上威德佛
南无一切同名上威德佛　南无五百日王佛
南无一切同名日王佛　南无千雲雷聲王佛
南无一切同名雲雷聲王佛　南无千日熾自在聲佛
南无一切同名日熾自在聲佛　南无千離垢聲自在王佛
南无一切同名離垢聲自在王佛
南无千勢自在聲佛　南无一切同名勢自在聲佛
南无千功德蓋幢安隱自在王佛
南无一切同名功德蓋幢安隱自在王佛
南无千閻浮檀佛　南无一切同名閻浮檀佛
南无千无垢聲自在王佛　南无一切同无垢聲自在王佛
南无遠離諸怖聲自在王佛
南无一切同名遠離諸怖聲自在王佛
南无二千駒隣佛　從此以上二百佛
南无一切同名駒隣佛
南无二千寶幢佛　南无一切同名寶幢佛
南无八千堅精進佛　南无一切同名堅精進佛
南无八千威德佛　南无一切同名威德佛
南无八千然燈佛　南无一切同名然燈佛
南无十千迦葉佛　南无一切同名迦葉佛
南无十千清淨面蓮華香積佛
南无一切同名清淨面蓮華香積佛
南无十千莊嚴王佛　南无一切同名莊嚴王佛
南无十千星宿佛　南无一切同名星宿佛

BD03012 號　佛名經（十六卷本）卷一　（7–3）

南无十千迦葉佛　南无一切同名迦葉佛
南无十千清淨面蓮華香積佛
南无一切同名清淨面蓮華香積佛
南无十千莊嚴王佛　南无一切同名莊嚴王佛
南无十千星宿佛　南无一切同名星宿佛
南无八千娑羅王佛　南无一切同名娑羅王佛
南无一万八千娑羅自在王佛
南无一切同名娑羅自在王佛
南无一万八千普護佛　南无一切同名普護佛
南无四万顏莊嚴佛　南无一切同名顏莊嚴佛
南无三千毗盧舍那佛　南无一切同名毗盧舍那佛
南无三千放光佛　南无一切同名放光佛
南无三千釋迦牟尼佛　南无一切同名釋迦牟尼佛
南无三万日月太白佛　南无一切同名日月太白佛
南无六万波頭摩上王佛　南无一切同名波頭摩上王佛
南无六万能令衆生離諸見佛
南无一切同名能令衆生離諸見佛
南无六十百千万成就義見佛
南无一切同名成就義見佛
南无无量百千万名不可見勝佛
南无一切同名不可勝佛
南无二億拘隣佛　南无一切同名拘隣佛
南无三億弗沙佛　南无一切同名弗沙佛
南无六十億大莊嚴佛　南无一切同名大莊嚴佛
南无八十億寶體法決定佛
南无一切同名寶體法決定佛

BD03012 號　佛名經（十六卷本）卷一　（7–4）

南无二億拘隣佛　南无一切同名拘隣佛
南无三億弗沙佛　南无一切同名弗沙佛
南无六十億大莊嚴佛　南无一切同名大莊嚴佛
南无八十億寶體法決定佛
南无一切同名寶體法決定佛
南无六十億娑羅自在王佛
南无一切同名娑羅自在王佛
南无十八億寶體法決定佛
南无一切同名寶體法決定佛
南无十八億日月燈明佛
南无一切同名日月燈明佛
南无百億決定光明佛
南无一切同名決定光明佛
南无二十億日月燈明佛
南无一切同名日月燈明佛
南无二十億妙聲王佛
南无一切同名妙聲王佛
南无二十百億雲自在王佛
南无一切同名雲自在王佛
南无三十億釋迦牟尼佛
南无一切同名釋迦牟尼佛
南无二十億千怖畏聲王佛
南无一切同名怖畏聲王佛
南无四十億那由他妙聲佛　南无億千樂莊嚴佛
南无一切同名妙聲佛
南无一切同名樂莊嚴佛

BD03012 號　佛名經（十六卷本）卷一　（7–5）

南无二十億千怖畏聲王佛
南无一切同名怖畏聲王佛
南无四十億那由他妙聲佛　南无億千樂莊嚴佛
南无一切同名妙聲佛
南无一切同名樂莊嚴佛
南无億那由他百千覺華佛
南无一切同名覺華佛
南无六十頻婆羅遠離諸怖畏佛
南无一切同名遠離諸怖畏佛
南无須彌微塵數一切功德山王勝名佛
南无一切同名功德山王勝名佛
南无十佛國土不可說億那由他微塵數普
賢佛　南无一切同名普賢
南无過去未來現在諸佛
南无旃檀遠離諸煩惱藏佛
南无功德奮迅佛　南无勝奮迅佛
南无脩寂靜佛　南无上寂靜佛
南无住虛空佛　南无降伏諸魔怨佛
南无百寶佛　南无難勝光佛
南无自在作佛　南无曰作佛
南无无垢光佛　南无自在觀佛
南无金光明師子奮迅佛　南无无垢威德佛
南无觀自在佛　南无金光明師子奮迅佛
南无无量光佛　南无釋迦牟尼佛
南无静去佛
從此以上三百佛

BD03012號　佛名經（十六卷本）卷一　（7–6）

南无自在作佛　南无曰作佛
南无无垢光佛　南无自在觀佛
南无金光明師子奮迅佛　南无无垢威德佛
南无觀自在佛　南无金光明師子奮迅佛
南无无量光佛　南无釋迦牟尼佛
南无静去佛
從此以上三百佛
南无寂靜佛　南无普光明積功德佛
南无普現見佛　南无金剛功德佛
南无不動佛　南无普賢佛
南无普照佛　南无寶法上决定佛
南无无畏王佛　南无无垢光佛
南无樂說莊嚴思惟佛　南无无垢月幢稱佛
南无拘蘇摩莊嚴光明作佛
南无出火佛　南无寶上佛
南无无畏觀佛　南无師子奮迅力佛
南无遠離怖畏毛竪稱佛　南无金剛牟尼佛
南无飲甘露佛　南无金剛光明佛
南无善見佛　南无尸棄佛
南无毗舍浮佛　南无拘留孫佛
南无難勝佛　南无阿閦佛
南无盧舍佛　南无阿彌陁佛

BD03012號　佛名經（十六卷本）卷一　（7–7）

佛面猶如淨滿月　亦如千日放光明
目淨脩廣若青蓮　齒白齊密猶珂雪
佛德无邊如大海　无限妙寶積其中
智慧德水鎮恒盈　百千勝定咸充滿
足下輪相皆嚴飾　轂輞千輻悉齊平
手足靴網遍莊嚴　猶如鵝王相具足
佛身光曜等金山　清淨殊特无倫匹
亦如妙高功德滿　故我稽首佛山王
相好如空不可測　逾於千日放光明
皆如焰幻不思議　故我稽首心无著
尒時四天王讚歎佛已世尊亦以伽他而
荅之曰
此金光明最勝經　无上十力之所說
汝等四王常擁衛　應生勇猛不退心
此妙經寶極甚深　能與一切有情樂
由彼有情安樂故　常得流通贍部洲
於此大千世界中　所有一切有情類
餓鬼傍生及地獄　如是苦趣悉皆除
住此南洲諸國王　及餘一切有情類
由經威力常歡喜　皆蒙擁護得安寧

BD03013 號　金光明最勝王經卷六　（2–1）

皆如焰幻不思議　故我稽首心无著
尒時四天王讚歎佛已世尊亦以伽他而
荅之曰
此金光明最勝經　无上十力之所說
汝等四王常擁衛　應生勇猛不退心
此妙經寶極甚深　能與一切有情樂
由彼有情安樂故　常得流通贍部洲
於此大千世界中　所有一切有情類
餓鬼傍生及地獄　如是苦趣悉皆除
住此南洲諸國王　及餘一切有情類
由經威力常歡喜　皆蒙擁護得安寧
亦伏此中諸有情　除衆病苦无賊盜
賴此國土弘經故　安隱豐樂无違惱
若人聽受此經王　欲求尊貴及財利
國土豐樂无違諍　隨心所願悉皆從
能令他方賊退散　於自國界常安隱
由此最勝經王力　離諸苦惱无憂怖
如寶樹王在宅内　能生一切諸樂具
最勝經王亦復然　能與人王勝功德

BD03013 號　金光明最勝王經卷六　（2–2）

處若與業合業亦應爾若是云
若一切處應一切合亦應說去
言已合共合如二雙指合是義
先无有合復方合故先无復有是无常
故不得說言虛空已合共合如世間法先无
復有文尒无常虛空若尒亦應无常若言
虛空在物如器中菓是義不然何以故如是
虛空先无器時在何處住若有住處虛空則
多如其多者云何言常言一言遍若使虛空
[illegible]依有物亦應離虛空住是故當知无
虛空有
有虛空善男子若有說言指住之處名為虛
空當知虛空是无常法何以故指有四方若
有四方當知虛空亦有四方一切常法都无
方所以有方故虛空无常若是无常不離五
陰要離五陰是无所有善男子有法若從因
緣住者當知是法名為无常善男子譬如一
切衆生樹木因地而住地无常故因地之物
次第无常善男子如地因水水无常故地亦
无常如水因風風无常故水亦无常風因虛
空虛空无常風亦无常若无常者云何說言
虛空是常遍一切處虛空无故非是過去未
來現在亦如兔角是无物故非是過去未來
[illegible]

BD03014 號　大般涅槃經（北本　異卷）卷三七　　（20–1）

无常如水因風風无常故水亦无常風因虛
空虛空无常風亦无常若无常者云何說言
虛空是常遍一切處虛空无故非是過去未
來現在亦如兔角是无物故非是過去未來
現在是故我說佛性常故非三世攝虛空无
故非三世攝善男子我終不與世間共諍何
以故智者說有我亦說有智者說无我亦說
无迦葉菩薩言世尊菩薩摩訶薩具足幾法
不與世諍不為世法之所汚佛言善男子
菩薩摩訶薩具足十法不與世諍不為世法
之所汚何等為十一者信心二者有戒三
者親近善友四者內善思惟五者具足精進
六者具足正念七者具足智慧八者具足正
語九者樂於正法十者憐愍衆生善男子菩
薩具足如是十法不與世諍不為世法之所
汚如優鉢羅華迦葉菩薩白佛言世尊如
佛所說世智說有我亦說有世智說无我亦
說无何等名為世智有无佛言善男子世智
若說色是无常苦空无我乃至識亦如是善
男子是名世間智者說有我亦說有善男子
世間智者說色无有常樂我淨受想行識亦
復如是善男子是名世間智者說无我亦說
无迦葉菩薩白佛言世尊世間智者即佛菩
薩一切聖人若諸聖人色是无常苦空无我
云何如來說佛色身常恒无變世間智者所
說无法云何如來說言是有如來世尊作如
是說云何復言不與世諍不為世法之所汚
[illegible]

BD03014 號　大般涅槃經（北本　異卷）卷三七　　（20–2）

[illegible]如是善男子是名世間智者言[illegible]我[illegible]言
无迦葉菩薩白佛言世尊世間智者即佛菩
薩一切聖人若諸聖人色是无常苦空无我
云何如來說佛色身常恒无變世間智者所
說无法云何如來說言是有如來世尊作如
是說云何復言不與世諍不為世法之所沾
汙如來已離三種顛倒所謂想倒心倒見倒
應說佛色實是无常今乃說常云何得名遠
離顛倒不與世諍佛言善男子凡夫之色從
煩惱生是故智說色是无常苦空无我如來
色者遠離煩惱是故說是常恒无變迦葉
薩善言世尊云何為色從煩惱生善男子煩
惱三種所謂欲漏有漏无明漏智者應當觀
是三漏所有罪過所以者何知罪過已則能
遠離譬如醫師先診病脉知病所在然後授
藥善男子如人將盲至棘林中捨之而還盲
人於後甚難得出設得出者身體傷盡世間
凡夫亦復如是不能知見三漏過患則隨逐
行如其見者則能遠離知罪過已雖受果報
果報微輕善男子有四種人一作業時重受
報時輕二作業時輕受報時重三作業時重
受報俱重四作業時輕受報俱輕善男子若
人能觀煩惱罪過是人作業受報俱輕善男
子有智之人作如是念我應遠離如是等漏
又復不應作如是等鄙惡之事何以故我今
未得脫於地獄餓鬼畜生人天報故我若脩
道當因是力破壞諸苦是人觀已貪欲瞋恚
愚癡微弱既見貪欲瞋癡輕已其心歡喜復

BD03014號　大般涅槃經（北本　異卷）卷三七　（20–3）

又復不應作如是等鄙惡之事何以故我今
未得脫於地獄餓鬼畜生人天報故我若脩
道當因是力破壞諸苦是人觀已貪欲瞋恚
愚癡微弱既見貪欲瞋癡輕已其心歡喜復
作是念我今如是皆由道脩因緣力故令我
得離不善之法親近善法是故現在得見正
道應當勲如而脩集之是人因是勲脩道力
遠離无量諸惡煩惱及離地獄餓鬼畜生人
天果報是故我於契經中說當觀一切有漏
煩惱及有漏因何以故有智之人若但觀漏
不觀漏因則不能斷諸煩惱也何以故智者
觀漏從是因生我今斷因漏則不生善男子
如彼醫師先斷病因病則不生智者先斷煩
惱因者亦復如是有智之人先當觀因次觀
果報知從善因生於善果知從惡因生於惡
果觀果報已遠離惡因觀果報已復當次觀
煩惱輕重觀輕重已先離重者既離重已輕
者自去善男子智者若知煩〻惱〻因煩惱
果報煩惱輕重是人尒時精勲脩道不息不
悔親近善友至心聽法為滅如是諸煩惱故
善男子譬如病者自知病輕必可除差雖得
苦藥服之不悔有智之人亦復如是勲脩聖
道歡喜不愁不息不悔善男子若人能知煩
〻惱〻因煩惱果報煩惱輕重為除煩惱故
勲脩聖道是人不從煩惱生色受想行識亦
復如是若不能知煩〻惱〻因煩惱果報煩
惱輕重不勲脩集是人則從煩惱生色受想

BD03014號　大般涅槃經（北本　異卷）卷三七　（20–4）

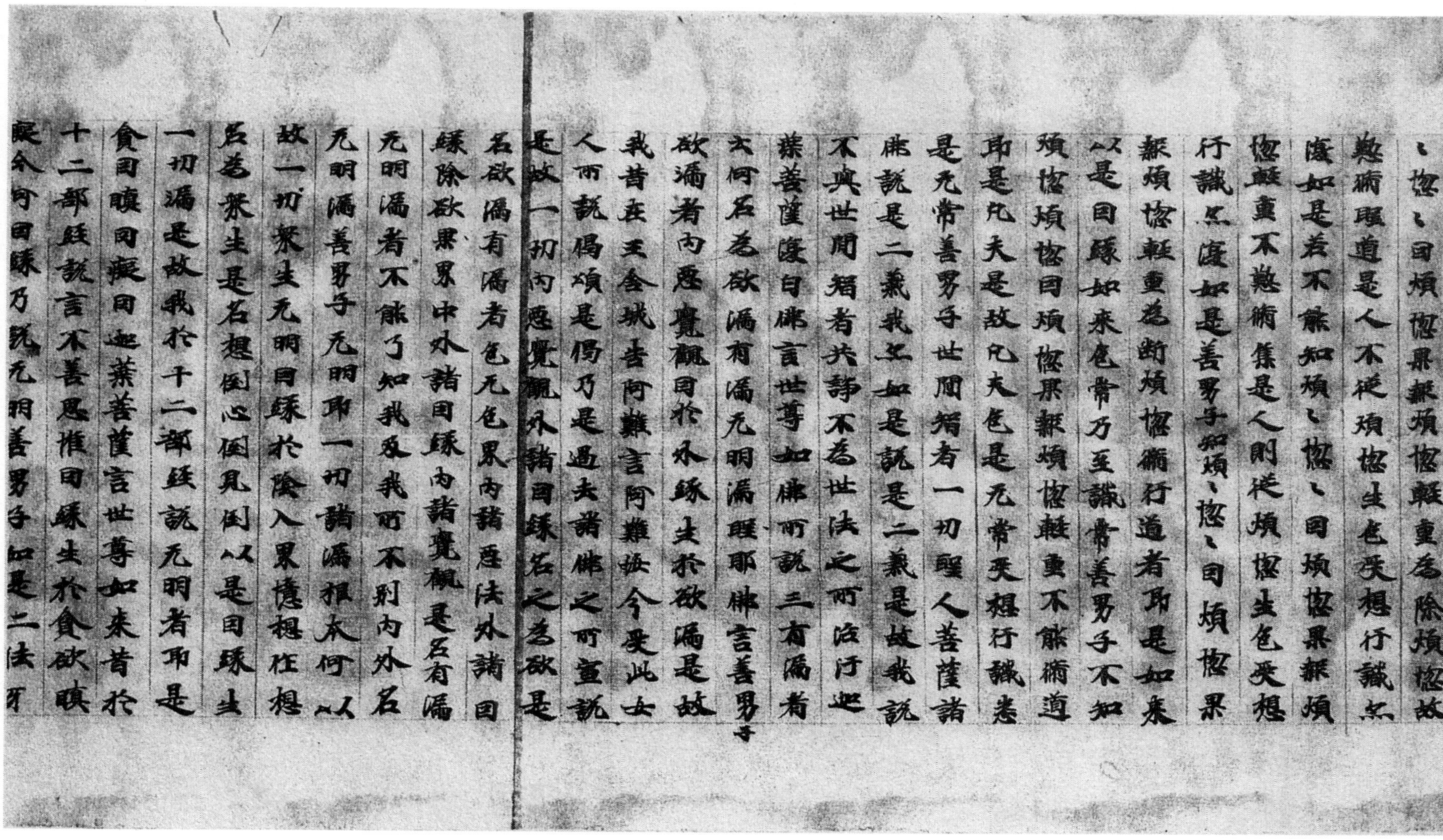
々惱々因煩惱果報煩惱輕重為除煩惱故
熟脩聖道是人不從煩惱生色受想行識亦
復如是若不能知煩々惱々因煩惱果報煩
惱輕重不熟脩集是人則從煩惱生色受想
行識亦復如是善男子知煩々惱々因煩惱果
報煩惱輕重為斷煩惱脩行道者即是如來
以是因緣如來色常乃至識常善男子不知
煩惱煩惱因煩惱果報煩惱輕重不能脩道
即是凡夫是故凡夫色是无常受想行識亦
是无常善男子世間智者一切聖人菩薩諸
佛說是二義我亦如是說是二義是故我說
不與世間智者共諍不為世法之所汚染
迦葉菩薩復白佛言世尊如佛所說三有漏者
云何名為欲漏有漏无明漏瞿曇佛言善男子
欲漏者內惡覺觀因於外緣生於欲漏是故
我昔在王舍城告阿難言阿難汝今受此女
人所說偈頌是偈乃是過去諸佛之所宣說
是故一切內惡覺觀外諸因緣名之為欲是
名欲漏有漏者色无色界內諸惡法外諸因
緣除欲界界中外諸因緣內諸覺觀是名有漏
无明漏者不能了知我及我所不別內外名
无明漏善男子无明即是一切諸漏根本何以
故一切眾生无明因緣於陰入界憶想相貌
名為眾生是名想倒心倒見倒以是因緣生
一切漏是故我於十二部經說无明者即是
貪因瞋因癡因迦葉菩薩言世尊如來昔於
十二部經說言不善思惟因緣生於貪欲瞋
癡今何因緣乃說无明善男子如是二法互

BD03014號　大般涅槃經（北本　異卷）卷三七　（20–5）

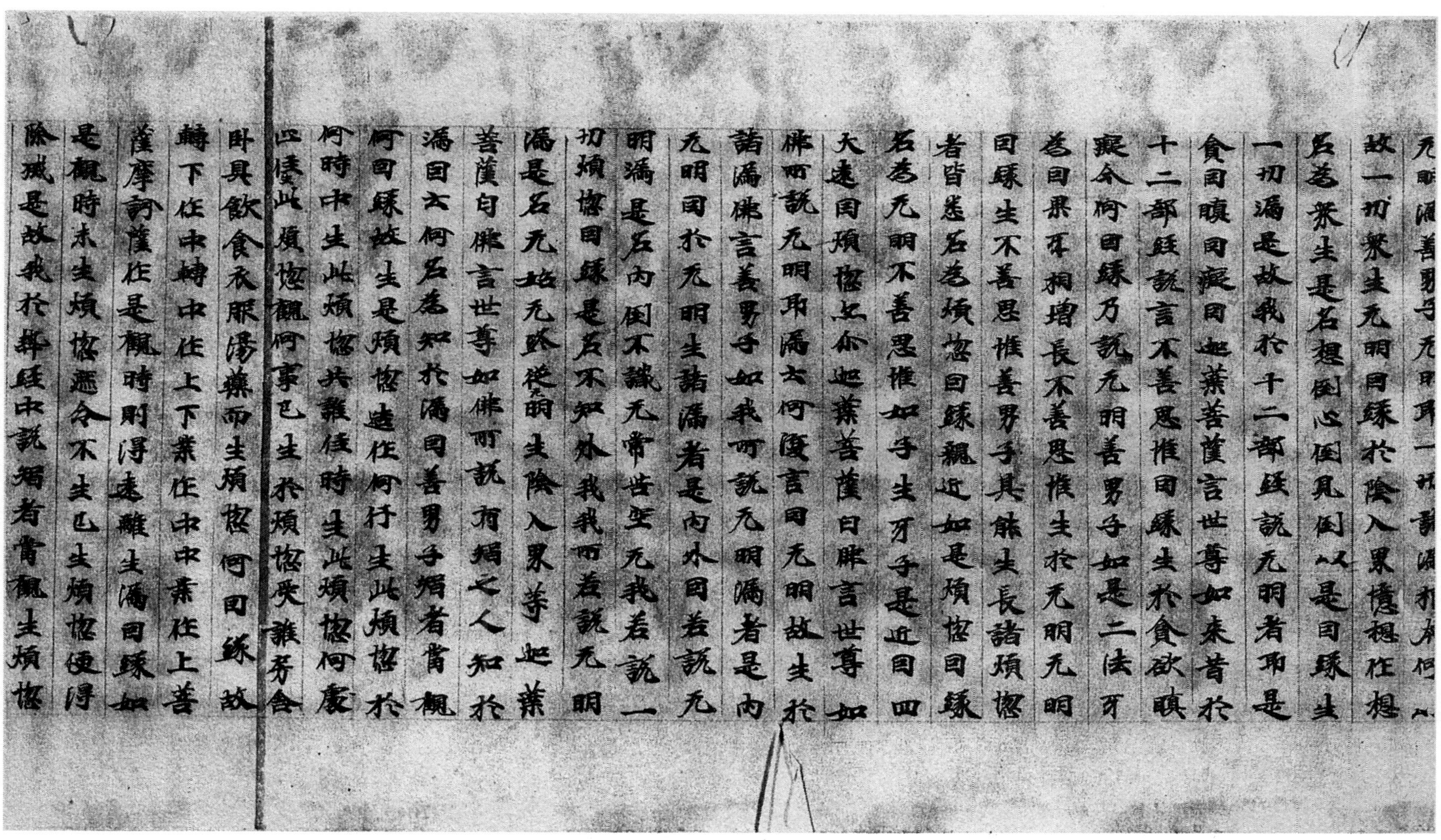
无明漏善男子无明即是一切諸漏根本何以
故一切眾生无明因緣於陰入界憶想相貌
名為眾生是名想倒心倒見倒以是因緣生
一切漏是故我於十二部經說无明者即是
貪因瞋因癡因迦葉菩薩言世尊如來昔於
十二部經說言不善思惟因緣生於貪欲瞋
癡今何因緣乃說无明善男子如是二法互
為因果互相增長不善思惟生於无明无明
因緣生不善思惟善男子其能生長諸煩惱
者皆悉名為煩惱因緣親近如是煩惱因緣
名為无明不善思惟如子生牙子是近因四
大遠因煩惱亦尒迦葉菩薩白佛言世尊如
佛所說无明即漏云何復言因无明故生於
諸漏佛言善男子如我所說无明漏者是內
无明因於无明生諸漏者是內外因若說无
明漏是名內倒不識无常苦空无我若說一
切煩惱因緣是名不知外我我所若說无明
漏是名无始无終從无明生陰入界等迦葉
菩薩白佛言世尊如佛所說有智之人知於
漏因云何名為知於漏因善男子智者當觀
何因緣故生是煩惱造作何行生此煩惱於
何時中生此煩惱共誰住時生此煩惱何處
止住此煩惱觀何事已生於煩惱受誰房舍
臥具飲食衣服湯藥而生煩惱何因緣故
轉下作中轉中作上下業作中中業作上菩
薩摩訶薩作是觀時則得遠離生漏因緣如
是觀時未生煩惱遮令不生已生煩惱便得
除滅是故我於彼經中說智者當觀生煩惱

BD03014號　大般涅槃經（北本　異卷）卷三七　（20–6）

[illegible]
薩摩訶薩作是觀時則得遠離生漏因緣如
是觀時未生煩惱遮令不生已生煩惱便得
除滅是故我於餘經中說智者當觀生煩惱
因迦葉菩薩白佛言世尊衆生一身云何能
起種種煩惱佛言善男子如一器中有種種
子得水雨已各各自生衆生亦尒器雖是一
愛因緣故而能生長種種煩惱迦葉菩薩言
世尊智者云何觀於果報善男子智者當觀
諸漏因緣能生地獄餓鬼畜生是漏因緣得
人天身即是无常苦空无我是身器中得三
種苦三種无常是漏因緣能令衆生作五逆
罪受諸惡報能斷善根犯四重禁誹謗三寶
智者當觀我既受得如是之身不生惡起如
是煩惱受諸惡果迦葉菩薩言世尊有无漏
果復言智者斷諸果報无漏果報在斷中不
諸得道人有无漏果如其智者永无漏果云
何佛說一切智者應斷果報如其斷者今諸
聖人云何得有善男子如來或時因中說果
果中說因如世間人說泥即瓶縷即是衣是
名因中說果果中說因者牛即水草人即是
食我亦如是因中說果先於經中作是說言
我從身心至梵天過是名因中說果果說中
因此六入者名過去業是名果中說因善男
子一切聖人真實无有无漏果報一切聖人
脩道果報更不生漏是故名為无漏果報善
男子有智之人如是觀時則得永滅煩惱果
報善男子智者觀已為斷如是煩惱果報脩

BD03014號　大般涅槃經（北本　異卷）卷三七　（20–7）

脩道果報更不生漏是故名為无漏果報善
男子有智之人如是觀時則得永滅煩惱果
報善男子智者觀已為斷如是煩惱果報脩
脩集聖道聖道者即空无相願脩是道已能滅
一切煩惱果報迦葉菩薩白佛言世尊一切
衆生皆從煩惱而得果報言煩惱者所謂惡
也從惡煩惱所生煩惱亦名為惡如是煩惱
則有種二一因二果因惡故果惡果惡故子
惡如紝婆菓其子苦故華菓莖葉一切皆苦
猶如毒樹其子毒故菓亦是毒因亦衆生果
亦衆生因亦煩惱菓亦煩惱煩惱因菓即是
衆〻生〻即是煩惱因果若從是義云何如
來先喻雪山亦有毒草微妙藥王若言煩惱
即是衆〻生〻即是煩惱云何而言衆生身中
有妙藥王佛言善哉善哉善男子无量衆
生咸同此疑汝今能為啓請我亦能斷
諦聽諦聽善思念之今當為汝分別解說善
男子雪山喻者即是衆生言毒草者即是煩
惱妙藥王者即淨梵行善男子若有衆生能
脩如是清淨梵行是名身中有妙藥王迦葉
菩薩白佛言世尊云何衆生有清淨梵行善
男子猶如世間從子生菓是菓有能與子作
因有不能者有能作者是名菓子若不能作
唯得名菓不能名子一切衆生亦復如是皆
有二種一者有煩惱果是煩惱因二者有煩
惱果非煩惱因是煩惱果非煩惱因是則名
為清淨梵行善男子衆生觀受知是一切漏
之近因所謂內外觸受因緣故不能所色一

BD03014號　大般涅槃經（北本　異卷）卷三七　（20–8）

復得名果不能名子一切衆生亦復如是皆
有二種一者有煩惱果是煩惱因二者有煩
惱果非煩惱因是煩惱果非煩惱因是則名
為清淨梵行善男子衆生觀受知是一切漏
之近因所謂內外漏受因緣故不能斷絶一
切諸漏亦不能出三界牢獄衆生因受著我
我所生於心倒想倒見倒是故衆生先當觀
受如是受者為一切愛而作近因是故智者
欲斷愛者當先觀受善男子一切衆生十二
因緣所作善惡皆因受時是故我為阿難說
言阿難一切衆生所作善惡皆是受時是故
智者先當觀受既觀受已復當更觀如是受
者何因緣生若因緣生如是因緣復從何生
若无因生无因何故不生无受復觀是受不
因自在天生不因士夫生不因微塵生非時
節生不因想生不因性生不從自生不從他
生非自他生非无因生是受皆從緣合而生
因緣者即是愛也是和合中非有受非无受
是故我當斷是和合斷和合故則不生受善
男子智者觀因已次觀果報衆生因受受於
地獄餓鬼畜生乃至三界无量苦惱受因緣
故受无量樂受因緣故斷於善根受因緣故
獲得解脫作是觀時不作受因云何名為不
作受因謂分別受何等受能作愛何等愛能
作受善男子衆生若能如是深觀愛因受因
則便能斷我及我所善男子若人能作如是
等觀則應分別愛之與受在何處滅即見愛
受有少滅處當知亦應有畢竟滅介時即於

BD03014號　大般涅槃經(北本　異卷)卷三七　(20-9)

則便能斷我及我所善男子若人能作如是
等觀則應分別愛之與受在何處滅即見愛
受有少滅處當知亦應有畢竟滅介時即於
解脫生信生信心已是解脫處何由而得知
從八正即便修集云何名為八正道即是道
觀受有三種想一者苦二者樂三者不苦不
樂如是三種俱能增長身之與心何因緣故
能增長即集因緣也是集三種一者无明集
二者明集三者非明非无明集言明集者即八
正道其餘二集增長身心及三種受是故我
應斷二種集因緣集斷不生三受善男子如是
受者亦名為因亦名為果智者當觀亦因亦
果云何為因因受生愛名之為因云何名果
因集生故名之為果是故此受亦因亦果智
者如是觀受已次復觀愛愛果報故名之
為愛智者觀愛復有二種一者雜食二者无
食雜食愛者因生老病死一切諸有食无食愛
者斷生老病死一切諸有无漏道智者復
當作如是念我若生是雜食之愛則不能斷
生老病死我今雖貪无漏之道不斷受因則不
能得无漏道果是故應當先斷是集集既
斷已受則自滅受既滅已愛亦隨滅是名八
正道善男子若有衆生能如是觀雖有毒身
其中亦有微妙藥王如雪山中雖有毒草亦
有妙藥善男子如是衆生雖從煩惱而得果
報而是果報更不復為煩惱作因是則名為
清淨梵行復次善男子智者觀當受愛二事

BD03014號　大般涅槃經(北本　異卷)卷三七　(20-10)

有妙藥善男子如是衆生雖從煩惱而得果
報而是果報更不復為煩惱作因是則名為
清淨梵行復次善男子智者觀受愛二事
何因緣生知因想生何以故衆生見色亦不
生貪及觀受時亦不生貪若於色中生顛倒
想謂色即是常樂我淨受是常恒无有變易
因是倒想生貪恚癡是故智者應當觀想云
何觀想當作是念一切衆生未得正道皆有
倒想云何倒想於非常中生於常想於非樂
中生於樂想於非淨中生於淨想於空法中
生於我想於非男女大小晝夜歲月衣服房
舍卧具生於男女至卧具想是想三種一者
小二者大三者无邊小因緣故生於小想大
因緣故生於大想无量緣故生无量想復有
小想謂未入定復有大想謂已入定復有无
量想謂十一切入復有小想所謂欲界一切
想等復有大想所謂色界一切想等復有无
量想謂无色界一切想等三想滅故受則自
滅想受滅故名為解脫迦葉菩薩言世尊滅
一切法名為解脫如來云何說想受滅名解
脫耶佛言善男子如來或時因衆生說聞者
解法或時因法說於衆生聞者亦解說於衆
生云何名為因衆生說聞者解法如我先為大
迦葉說迦葉衆生滅時善法則滅是名因衆生
說聞者解法云何因法說於衆生聞者亦解
說於衆生如我為先阿難說言我亦不說近
一切法亦復不說不親近一切法若法近已

BD03014號　大般涅槃經（北本　異卷）卷三七　（20–11）

迦葉說迦葉衆生滅時善法則滅是名因衆生
說聞者解法云何因法說於衆生聞者亦解
說於衆生如我為先阿難說言我亦不說近
一切法亦復不說不親近一切法若法近已
善法衰羸不善熾盛如是法者不應親近善
法近已不善衰滅善法增長如是法者是應
親近是名因法說於衆生聞者亦解說於衆
生善男子如來雖說想受二滅則已摠說一
切可斷智者既觀如是想已次觀想因是无
量想因何而生如因觸生是觸二種一者因
煩惱觸二者因解脫觸因无明生名煩惱觸
因明生者名解脫觸因煩惱觸生於倒想因
解脫觸生不倒想觀想因已次觀果報迦葉
菩薩白佛言世尊若以因此煩惱之想生於
倒想一切聖人實有倒想而无煩惱是義云
何佛言善男子云何聖人而有倒想迦葉菩
薩言世尊一切聖人牛作牛想亦說是牛馬
作馬想亦說是馬男女大小舍宅車乘去來
亦尒是名倒想善男子一切凡夫有二種想
一者世流布想二者著想一切聖人唯有世
流布想无有著想一切凡夫惡覺觀故於世
流布生於著想一切聖人善覺觀故於世流
布不生著想是故凡夫名為倒想聖人雖知
不名倒想智者如是觀想因已次觀果報是
惡想果在於地獄餓鬼畜生人天中受如我
因斷惡覺觀故无明觸斷是故想斷因想斷
故果報亦斷智者為斷如是想因修八聖道
善男子若有能作如是等觀則得名為清淨

BD03014號　大般涅槃經（北本　異卷）卷三七　（20–12）

因斷惡覺觀故无明集斷是故想斷因想斷
故果報亦斷智者為斷如是想因修八聖道
善男子若有能作如是等觀則得名為清淨
梵行善男子是名眾生毒身之中有妙藥王
如雪山中雖有毒草亦有妙藥復次善男子
智者觀欲欲者即是色聲香味觸善男子即
是如來因中說果從此五事生於欲事實非
欲也善男子愚癡之人貪求受之於是色中
生顛倒想乃至觸中亦生倒想倒想因緣便
生於受是故世間說因倒想生十種想欲因
緣故在於世間受惡果報以惡加於父母沙
門婆羅門等所不應不作而故作之不惜身命
是故智者觀是惡想因緣故生欲心智者如
是觀欲因已次觀果報是欲多有諸惡果報
所謂地獄餓鬼畜生人中天上是名觀果報
若是惡想得除滅者終不生於此欲心〻无
欲心故不受惡受无惡受故則无惡果是故
我應先斷惡想斷惡想已如是等法自然而
滅是故智者為滅惡想修八正道是則名為
清淨梵行是名眾生毒身之中有妙藥王如
雪山中雖有毒草亦有妙藥復次善男子智
者如是觀是欲已次觀當業何以故有智之
人當作是念受想觸欲即是煩惱煩惱者能
作生業不作受業如是煩惱與業共行則有
二種一作生業二作受業是故智者當觀於
業是業三種謂身口意善男子身口二業亦
名為業亦名業果意唯名業不名為果以業

BD03014號　大般涅槃經（北本　異卷）卷三七　　（20–13）

作生業不作受業如是煩惱與業共行則有
二種一作生業二作受業是故智者當觀於
業是業三種謂身口意善男子身口二業亦
名為業亦名業果意唯名業不名為果以業
因故則名為業善男子身口二業名為外業
意業名內是三種業共煩惱行故作二種業
一者生業二者受業善男子正業者即意業
也期業者謂身口業先發故名意業從意業
生名身口業是故意業得名為正智者觀業
已次觀業因業因者即无明觸因无明觸眾
生求〻有〻因緣即是愛也愛因緣故造作
三種身口意業善男子智者如是觀業因已
次觀果報果報有四一者黑〻果報二者白
白果報三者雜〻果報四者不黑不白不黑
不白果報黑〻果報者作業時垢果報亦垢
白白果報者作業時淨果報亦淨是名白白
果報雜〻果報者作業時雜果報亦雜不白
不黑果報者名无漏業迦葉菩薩
白佛言世尊先說无漏无有果報今云何言
不白不黑果報耶佛言善男子是義有二一
者亦果亦報二者唯果非報黑〻果報亦名
為果亦名為報黑因生故得名為果能作因
故復名為報淨雜亦尒无漏果者因有漏生
故名為果不作他因不名為報是故名果不名
為報迦葉菩薩白佛言世尊是无漏業非是
黑法何因緣故不名為白善男子无有報故
不名為白對治黑故故名為白我今乃說受

BD03014號　大般涅槃經（北本　異卷）卷三七　　（20–14）

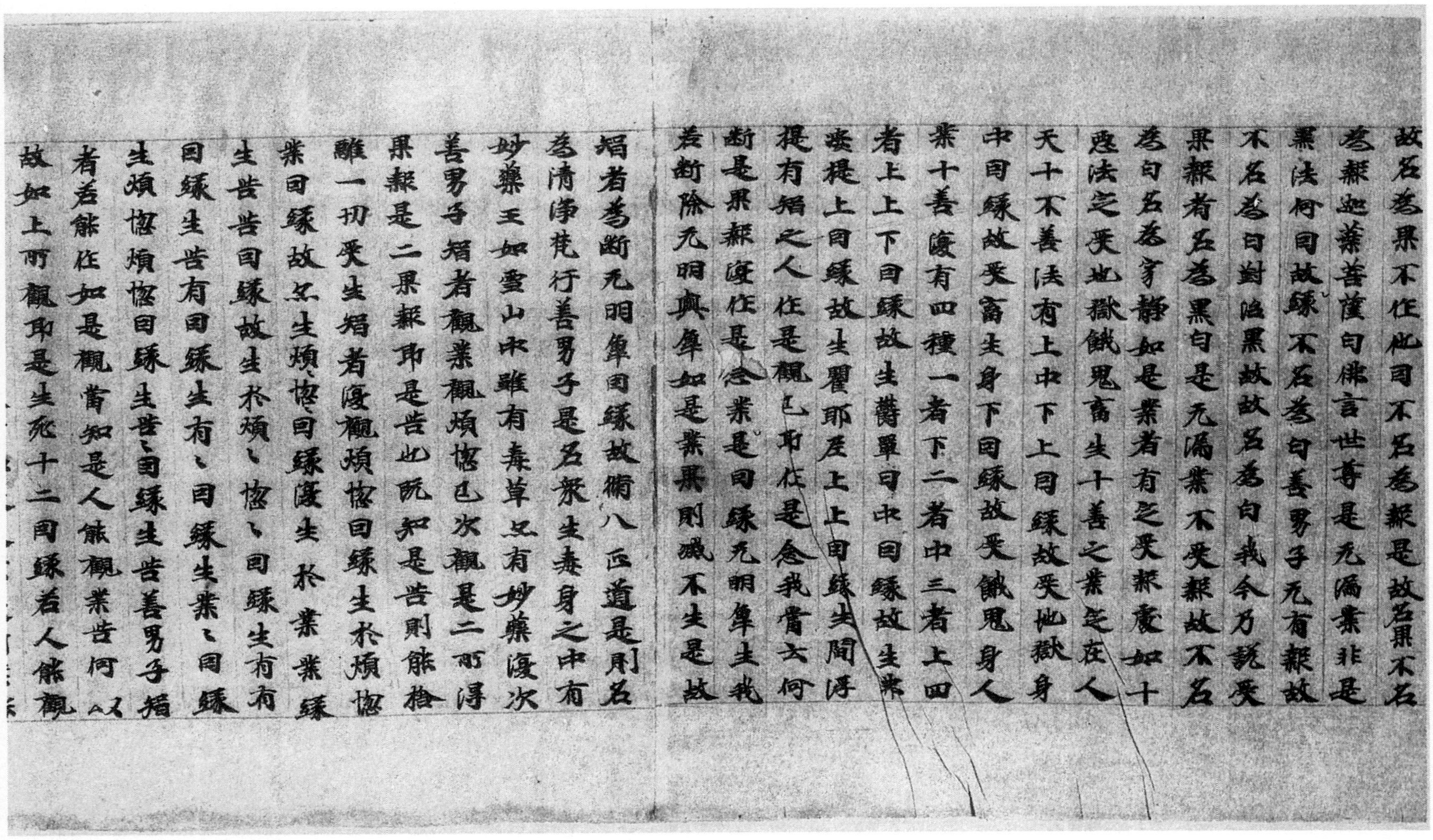

故名為果不作他因不名為報是故名果不名
為報如是菩薩白佛言世尊是无漏業非是
黑法何因緣故不名為白善男子无有報故
不名為白對治黑故故名為白我今乃說受
果報者名為黑白是无漏業不受報故不名
為白名為寂靜如是業者有定受報處如十
惡法定受地獄餓鬼畜生十善之業定在人
天十不善法有上中下上因緣故受地獄身
中因緣故受畜生身下因緣故受餓鬼身人
業十善復有四種一者下二者中三者上四
者上上下因緣故生欝單曰中因緣故生弗
婆提上因緣故生瞿耶尼上上因緣生閻浮
提有智之人作是觀已即作是念我當云何
斷是果報復作是念業是因緣无明是生我
若斷除无明與愛如是業果則滅不生是故
智者為斷无明愛因緣故脩八正道是則名
為清淨梵行善男子是名眾生毒身之中有
妙藥王如雪山中雖有毒草亦有妙藥復次
善男子智者觀業觀煩惱已次觀是二所得
果報是二果報即是苦也既知是苦則能捨
離一切受生智者復觀煩惱因緣生於煩惱
業因緣故亦生煩惱煩惱因緣復生於業業緣
生苦苦因緣故生於煩惱煩惱因緣生有有
因緣生苦苦有因緣生有有因緣生業業因緣
生煩惱煩惱因緣生苦苦因緣生苦善男子智
者若能作如是觀當知是人能觀業苦何以
故如上所觀即是生死十二因緣若人能觀

BD03014號　大般涅槃經（北本　異卷）卷三七　（20–15）

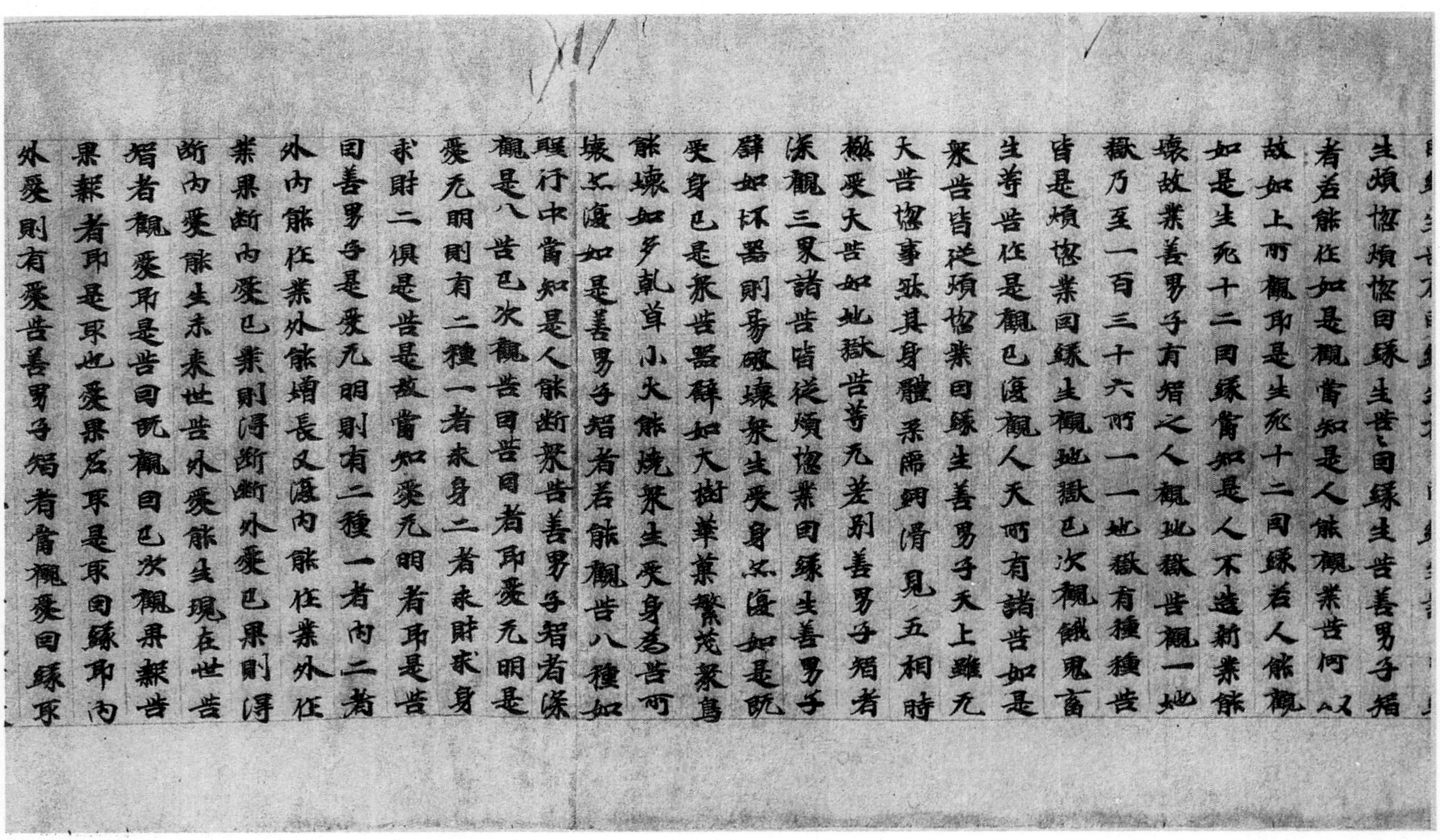

生煩惱煩惱因緣生苦苦因緣生苦善男子智
者若能作如是觀當知是人能觀業苦何以
故如上所觀即是生死十二因緣若人能觀
如是生死十二因緣當知是人不造新業能
壞故業善男子有智之人觀地獄苦觀一地
獄乃至一百三十六所一一地獄有種種苦
皆是煩惱業因緣生觀地獄已次觀餓鬼畜
生等苦作是觀已復觀人天所有諸苦如是
眾苦皆從煩惱業因緣生善男子天上雖无
大苦惱事然其身體柔軟細滑見五相時
極受大苦如地獄苦等无差別善男子智者
深觀三界諸苦皆從煩惱業因緣生善男子
譬如坏器則易破壞眾生受身亦復如是既
受身已是眾苦器譬如大樹華葉繁茂眾鳥
能壞如多乾草小火能燒眾生受身為苦所
壞亦復如是善男子智者若能觀苦八種如
聖行中當知是人能斷眾苦善男子智者深
觀是八苦已次觀苦因苦因者即愛无明是
愛无明則有二種一者求身二者求財求身
求財二俱是苦是故當知愛无明者即是苦
因善男子是愛无明則有二種一者內二者
外內能作業外能增長又復內能作業外作
業果斷內愛已業則得斷斷外愛已果則得
斷內愛能生未來世苦外愛能生現在世苦
智者觀愛即是苦因既觀因已次觀果報苦
果報者即是取也愛果名取是取因緣即內
外愛則有愛苦善男子智者當觀愛因緣取

BD03014號　大般涅槃經（北本　異卷）卷三七　（20–16）

智者觀愛即是苦因既觀因已次觀果報苦
果報者即是取也愛果名取是取因緣即內
外愛則有愛苦善男子智者當觀愛因緣取
取因緣愛若我能斷愛取二事則不造業受
於眾苦是故智者為斷愛苦脩八正道善男
子若有人能如是觀者是則名為清淨梵行
是名眾生毒身之中有妙藥王如雪山中雖
有毒草亦有妙藥迦葉菩薩白佛言世尊云
何名為清淨梵行佛言善男子一切法是迦
葉菩薩言世尊一切法者義不決定何以故
如來或說是善不善或時說為四念處觀或
說是十二入或說是善知識或說是十二因
緣或說是眾生或說是正見邪見或說十二
部經或說即是二諦如來今乃說一切法為
清淨梵行是何等一切法耶佛言善哉善
哉善男子如是妙微大涅槃經乃是一切善
法寶藏譬如大海是眾寶藏是涅槃經亦復
如是即是一切字義祕藏善男子如須彌山
眾藥根本是經亦尒即是菩薩戒之根本善
男子譬如虛空是一切物之所住處是經亦
尒即是一切善法住處善男子譬如猛風无
能繫縛一切菩薩行是經者亦復如是不為
一切煩惱惡法之所繫縛善男子譬如金剛
无能壞者是經亦尒雖有外道惡邪之人不
能破壞善男子如恒河沙无能數者如是經
義亦復如是无能數者善男子是經典者為
諸菩薩而作法幢如帝釋幢善男子是經即

BD03014號　大般涅槃經（北本　異卷）卷三七　　（20–17）

无能壞者是經亦尒雖有外道惡邪之人不
能破壞善男子如恒河沙无能數者如是經
義亦復如是无能數者善男子是經典者為
諸菩薩而作法幢如帝釋幢善男子是經即
是趣涅槃城之商主也如大導師引諸商人
趣向大海善男子是經能為諸菩薩等作法
光明如世日月能破諸闇善男子是經能為
病苦眾生作大良藥如香山中妙微藥王能
治眾病善男子是經能為一闡提杖猶如羸
人因之得起善男子是經能為一切惡人而
作橋梁猶如世橋能度一切善男子是經能
為行五有者遇煩惱熱而作蔭涼如世間蓋
遮覆暴熱善男子是經即是大无畏王能壞
一切煩惱惡魔如師子王降伏眾獸善男子
是經即是大神呪師能壞一切煩惱惡鬼如
世呪師能去魍魎善男子是經即是无上霜
雹能壞一切生死果報如世雹雨壞諸菓實
善男子是經能為壞戒目者作大良藥猶如
世間安闍那藥善療眼痛善男子是經能住
一切善法如世間地能住眾物善男子是經
即是毀戒眾生之明鏡也如世明鏡見諸色
像善男子是經能為无慚愧者而作衣服如
世衣常鄣蔽形體善男子是經能為貧善法
者作大財寶如功德天利益貧者善男子是
經能為渴法眾生甘露漿如八味水充足渴
者善男子是經能為煩惱之人而作法牀
如世之人遇安隱牀善男子是經能為初地

BD03014號　大般涅槃經（北本　異卷）卷三七　　（20–18）

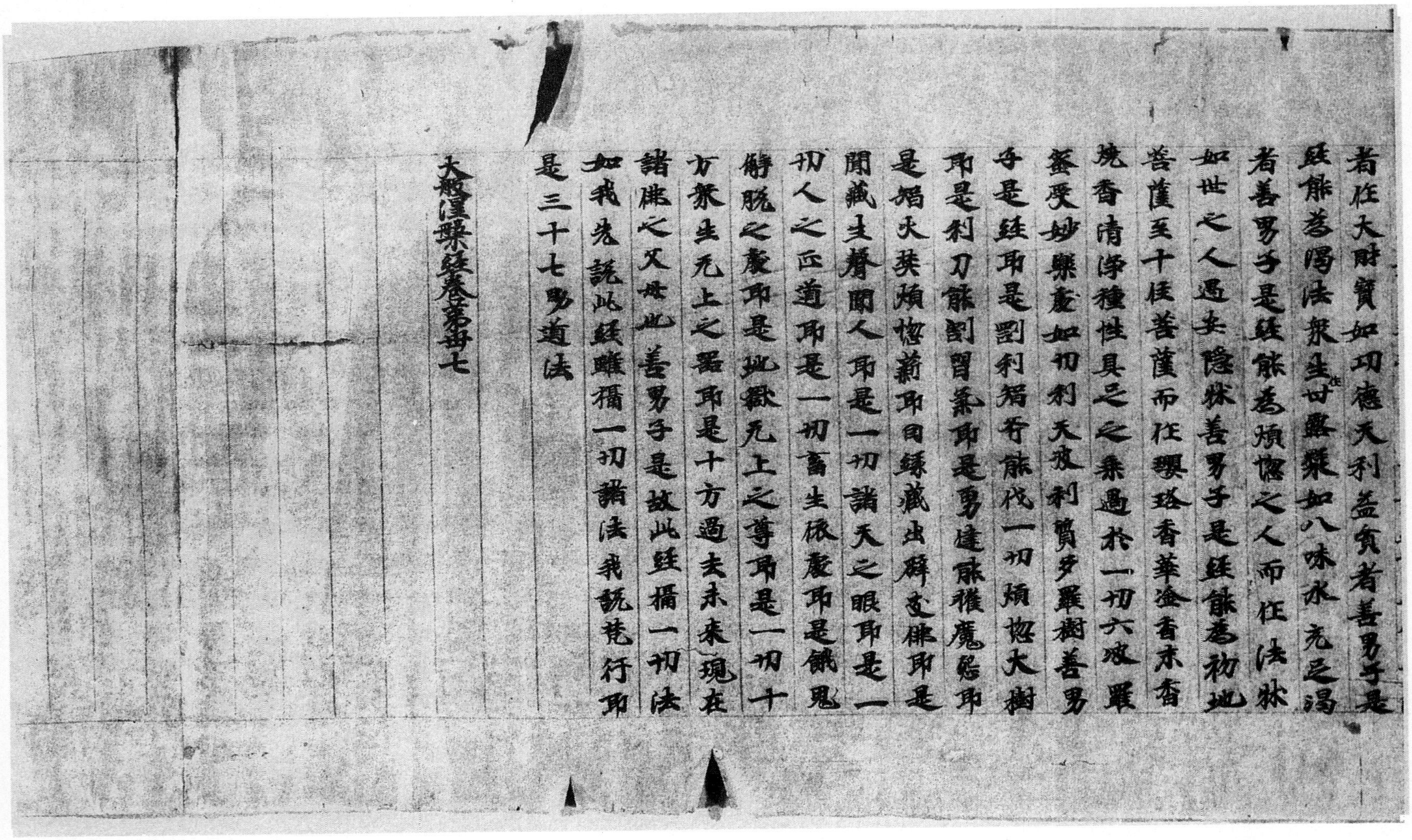

者住大財寶如功德天利益貧者善男子是
經能為渴法衆生甘露漿如八味水充足渴
者善男子是經能為煩惱之人而作法牀
如世之人遇安隱牀善男子是經能為初地
菩薩至十住菩薩而作瓔珞香華塗香末香
燒香清淨種姓具足之乘過於一切六波羅
蜜受妙樂處如忉利天波利質多羅樹善男
子是經即是剛利智斧能伐一切煩惱大樹
即是利刀能剖習氣即是勇健能摧魔怨即
是智火焚煩惱薪即因緣藏出辟支佛即是
聞藏生聲聞人即是一切諸天之眼即是一
切人之正道即是一切畜生依處即是餓鬼
解脫之處即是地獄无上之尊即是一切十
方衆生无上之器即是十方過去未來現在
諸佛之父母此善男子是故此經攝一切法
如我先說此經雖攝一切諸法我說梵行即
是三十七助道法

大般涅槃經卷第卅七

BD03014 號　大般涅槃經（北本　異卷）卷三七　　（20–19）

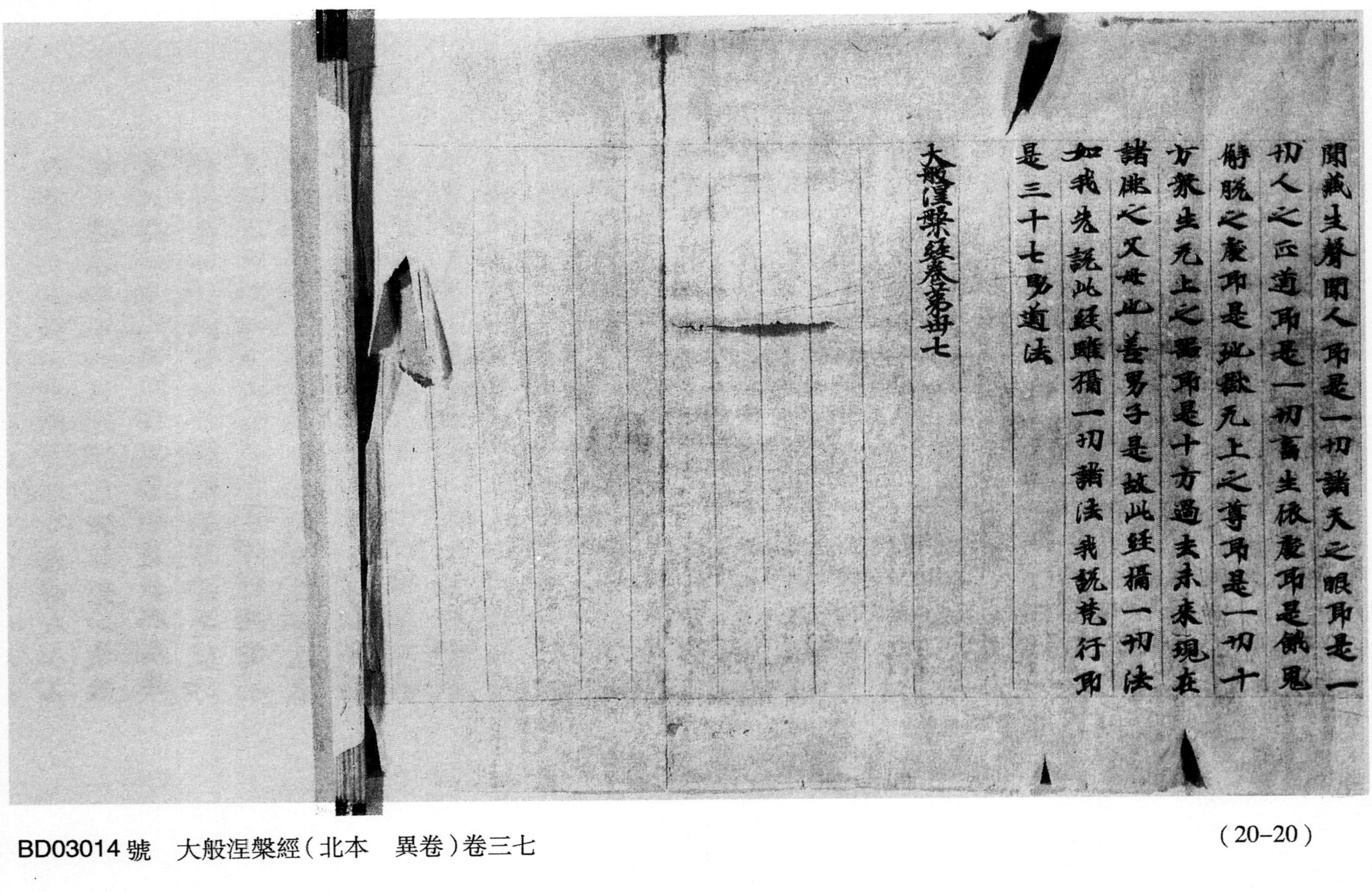

聞藏生聲聞人即是一切諸天之眼即是一
切人之正道即是一切畜生依處即是餓鬼
解脫之處即是地獄无上之尊即是一切十
方衆生无上之器即是十方過去未來現在
諸佛之父母此善男子是故此經攝一切法
如我先說此經雖攝一切諸法我說梵行即
是三十七助道法

大般涅槃經卷第卅七

BD03014 號　大般涅槃經（北本　異卷）卷三七　　（20–20）

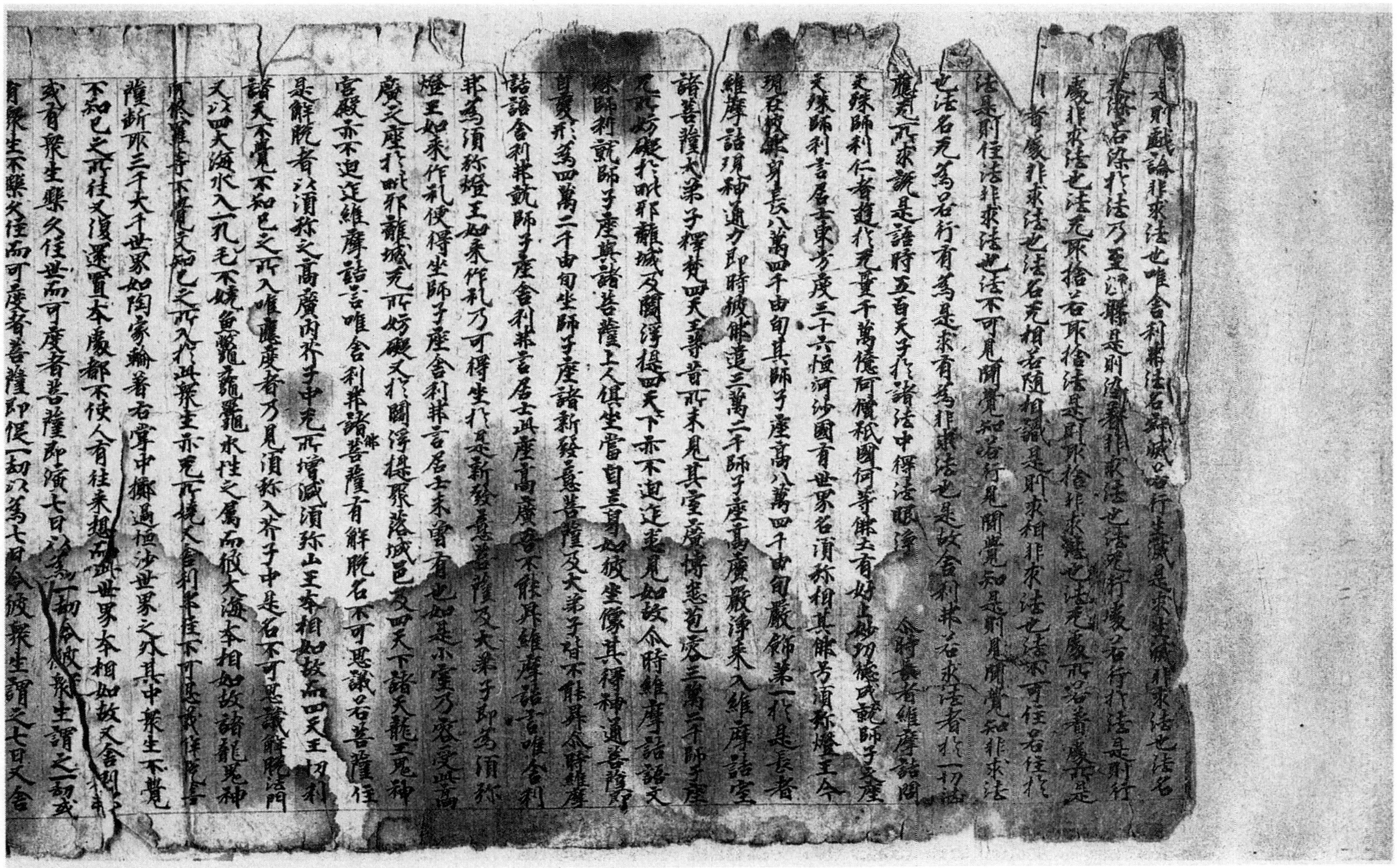
有戲論，非求法也。唯舍利弗，法名寂滅，若行生滅，是求生滅，非求法也。法名
无染，若染於法，乃至涅槃，是則染著，非求法也。法无行處，若行於法，是則行
處，非求法也。法无取捨，若取捨法，是則取捨，非求法也。法无處所，若著處
所，是則著處，非求法也。法名无相，若隨相識，是則求相，非求法也。法不可住，若住於
法，是則住法，非求法也。法不可見聞覺知，若行見聞覺知，是則見聞覺知，非求法
也。法名无為，若行有為，是求有為，非求法也。是故舍利弗，若求法者，於一切法
應无所求。說是語時，五百天子於諸法中得法眼淨。　尒時長者維摩詰問
文殊師利：仁者遊於无量千萬億阿僧祇國，何等佛土有好上妙功德成就師子之座？
文殊師利言：居士，東方度三十六恒河沙國，有世界名須弥相，其佛号須弥燈王，今
現在。彼佛身長八萬四千由旬，其師子座高八萬四千由旬，嚴飾第一。於是長者
維摩詰現神通力，即時彼佛遣三萬二千師子座高廣嚴淨，來入維摩詰室，
諸菩薩、大弟子、釋、梵、四天王等昔所未見。其室廣博，悉皆包容三萬二千師子座，
无所妨礙。於毗耶離城及閻浮提四天下亦不迫迮，悉見如故。尒時維摩詰語文
殊師利：就師子座，與諸菩薩上人俱坐，當自立身如彼座像。其得神通菩薩即自
變形為四萬二千由旬，坐師子座。諸新發意菩薩及大弟子皆不能昇。尒時維摩
詰語舍利弗：就師子座。舍利弗言：居士，此座高廣，吾不能昇。維摩詰言：唯，舍利
弗，為須弥燈王如來作禮，乃可得坐。於是新發意菩薩及大弟子即為須弥
燈王如來作禮，便得坐師子座。舍利弗言：居士，未曾有也。如是小室乃容受此高
廣之座，於毗耶離城无所妨礙，又於閻浮提聚落城邑及四天下諸天、龍王、鬼神
宮殿亦不迫迮。維摩詰言：唯，舍利弗，諸佛菩薩有解脫名不可思議。若菩薩住
是解脫者，以須弥之高廣內芥子中，无所增減，須弥山王本相如故，而四天王、忉利
諸天不覺不知己之所入，唯應度者乃見須弥入芥子中，是名不可思議解脫法門。
又以四大海水入一毛孔，不嬈魚鼈黿鼉水性之屬，而彼大海本相如故，諸龍、鬼神、
阿修羅等不覺不知己之所入，於此眾生亦无所嬈。又舍利弗，住不可思議解脫菩
薩斷取三千大千世界，如陶家輪，著右掌中，擲過恒沙世界之外，其中眾生不覺
不知己之所往，又復還置本處，都不使人有往來想，而此世界本相如故。又舍利弗，
或有眾生樂久住世而可度者，菩薩即演七日以為一劫，令彼眾生謂之一劫；或
有眾生不樂久住而可度者，菩薩即促一劫以為七日，令彼眾生謂之七日。又舍

BD03015 號 1　維摩詰所說經卷中　（20–1）

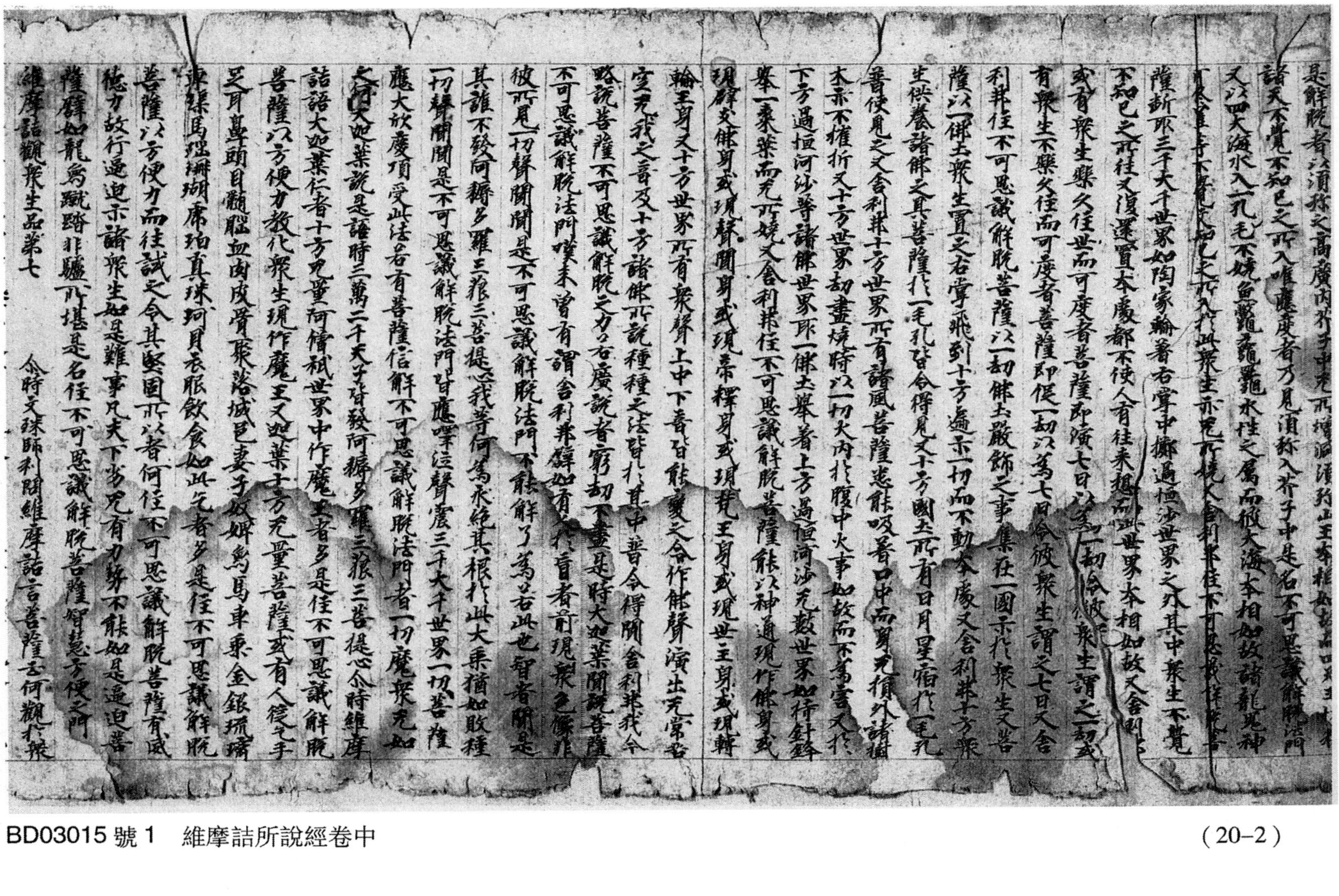
是解脫者，以須弥之高廣內芥子中，无所增減，須弥山王本相如故，而四天王、忉利
諸天不覺不知己之所入，唯應度者乃見須弥入芥子中，是名不可思議解脫法門。
又以四大海水入一毛孔，不嬈魚鼈黿鼉水性之屬，而彼大海本相如故，諸龍、鬼神、
阿修羅等不覺不知己之所入，於此眾生亦无所嬈。又舍利弗，住不可思議解脫菩
薩斷取三千大千世界，如陶家輪，著右掌中，擲過恒沙世界之外，其中眾生不覺
不知己之所往，又復還置本處，都不使人有往來想，而此世界本相如故。又舍利弗，
或有眾生樂久住世而可度者，菩薩即演七日以為一劫，令彼眾生謂之一劫；或
有眾生不樂久住而可度者，菩薩即促一劫以為七日，令彼眾生謂之七日。又舍
利弗，住不可思議解脫菩薩，以一切佛土嚴飾之事集在一國，示於眾生。又菩
薩以一佛土眾生置之右掌，飛到十方，遍示一切，而不動本處。又舍利弗，十方眾
生供養諸佛之具，菩薩於一毛孔皆令得見。又十方國土所有日月星宿，於一毛孔
普使見之。又舍利弗，十方世界所有諸風，菩薩悉能吸著口中，而身无損，外諸樹
木亦不摧折。又十方世界劫盡燒時，以一切火內於腹中，火事如故，而不為害。又於
下方過恒河沙等諸佛世界，取一佛土，舉著上方過恒河沙无數世界，如持針鋒
舉一棗葉而无所嬈。又舍利弗，住不可思議解脫菩薩，能以神通現作佛身，或
現辟支佛身，或現聲聞身，或現帝釋身，或現梵王身，或現世主身，或現轉
輪王身。又十方世界所有眾聲，上中下音，皆能變之令作佛聲，演出无常、苦、
空、无我之音，及十方諸佛所說種種之法，皆於其中普令得聞。舍利弗，我今
略說菩薩不可思議解脫之力，若廣說者，窮劫不盡。是時大迦葉聞說菩薩
不可思議解脫法門，嘆未曾有，謂舍利弗：譬如有人於盲者前現眾色像，非
彼所見；一切聲聞聞是不可思議解脫法門，不能解了，為若此也。智者聞是，
其誰不發阿耨多羅三藐三菩提心？我等何為永絕其根，於此大乘猶如敗種。
一切聲聞聞是不可思議解脫法門，皆應號泣，聲震三千大千世界；一切菩薩
應大欣慶，頂受此法。若有菩薩信解不可思議解脫法門者，一切魔眾无如
之何。大迦葉說是語時，三萬二千天子皆發阿耨多羅三藐三菩提心。尒時維摩
詰語大迦葉：仁者，十方无量阿僧祇世界中作魔王者，多是住不可思議解脫
菩薩，以方便力教化眾生，現作魔王。又迦葉，十方无量菩薩，或有人從乞手
足耳鼻、頭目髓腦、血肉皮骨、聚落城邑、妻子奴婢、象馬車乘、金銀琉璃、
車𤦲馬瑙、珊瑚琥珀、真珠珂貝、衣服飲食，如此乞者，多是住不可思議解脫
菩薩，以方便力而往試之，令其堅固。所以者何？住不可思議解脫菩薩，有威
德力，故行逼迫，示諸眾生如是難事。凡夫下劣，无有力勢，不能如是逼迫菩
薩。譬如龍象蹴踏，非驢所堪。是名住不可思議解脫菩薩智慧方便之門。
維摩詰觀眾生品第七
　　尒時文殊師利問維摩詰言：菩薩云何觀於眾

BD03015 號 1　維摩詰所說經卷中　（20–2）

足耳鼻頭目髓腦血肉皮骨聚落城邑妻子奴婢象馬車乘金銀瑠璃
車𤦲馬瑙珊瑚虎珀真珠珂貝衣服飲食如此乞者多是住不可思議解脫
菩薩以方便力而往試之令其堅固所以者何住不可思議解脫菩薩有威
德力故行逼迫示諸衆生如是難事凡夫下劣无有力勢不能如是逼迫菩
薩辟如龍象蹴踏非驢所堪是名住不可思議解脫菩薩智慧方便之門
維摩詰所說經觀衆生品第七
尒時文殊師利問維摩詰言菩薩云何觀於衆
生維摩詰言辟如幻師見所幻人菩薩觀衆生爲若此如智者見水中月如
鏡中見其面像如熱時焰如呼聲響如空中雲如水聚沫如水上泡如芭蕉
堅如電久住如第五大如第六陰如第七情如十三入如十九界菩薩觀衆生
爲若此如无色界色如燋穀牙如須陀洹身見如阿那含入胎如阿羅漢三
毒如得忍菩薩貪恚毀禁如佛煩惱習如盲者見色如入滅盡定出入息
如空中鳥跡如石女兒如化人煩惱如夢所見已寤如滅度者受身如无烟之
火菩薩觀衆生爲若此　文殊師利言若菩薩作是觀者云
何行慈維摩詰言菩薩作是觀已自念我當爲衆生說如斯法是則
真實慈也行寂滅慈无所生故行不熱慈无煩惱故行等之慈等三世
故行无諍慈无所起故行不二慈內外不合故行不壞慈畢竟盡故行堅
固慈心无毀故行清淨慈諸法性淨故行无邊慈如虛空故行阿羅漢
慈破結賊故行菩薩慈安衆生故行如來慈得如相故行佛之慈覺衆
生故行自然慈无因得故行菩提慈等一味故行无等慈斷諸愛故行大
悲慈導以大乘行无猒慈觀空无我故行法施慈无遺惜故行持戒慈化
毀禁故行忍辱慈護彼我故行精進慈荷負衆生故行禪定慈不受味故
行智慧慈无不知時故行方便慈一切示現故行无隱慈直心清淨故行深心
慈无雜行故行无誑慈不虛假故行安樂慈令得佛樂故菩薩之慈爲若
此也　文殊師利又問何謂爲悲答曰菩薩所作功德皆與一切衆生共之何
謂爲喜答曰有所饒益歡喜无悔何謂爲捨答曰所作福祐无所悕望
文殊師利又問生死有畏菩薩當何所依維摩詰言菩薩於生死畏中當
依如來功德之力文殊師利又問菩薩欲依如來功德之力當依何住答曰
菩薩欲依如來功德力者當住度脫一切衆生又問欲度衆生當何所除
答曰欲度衆生除其煩惱又問欲除煩惱當何所行答曰當行正念又問
云何行於正念答曰當行不生不滅又問何法不生何法不滅答曰不善不生
善法不滅又問善不善孰爲本答曰身爲本又問身孰爲本答曰貪欲爲
本又問貪欲孰爲本答曰虛妄分別爲本又問虛妄分別孰爲本答曰顛

BD03015 號 1　維摩詰所說經卷中　（20–3）

依如來功德之力文殊師利又問菩薩欲依如來功德之力當依何住答曰
菩薩欲依如來功德力者當住度脫一切衆生又問欲度衆生當何所除
答曰欲度衆生除其煩惱又問欲除煩惱當何所行答曰當行正念又問
云何行於正念答曰當行不生不滅又問何法不生何法不滅答曰不善不生
善法不滅又問善不善孰爲本答曰身爲本又問身孰爲本答曰貪欲爲
本又問貪欲孰爲本答曰虛妄分別爲本又問虛妄分別孰爲本答曰顛
倒想爲本又問顛倒想孰爲本答曰无住爲本又問无住孰爲本答曰无
住則无本文殊師利從无住本立一切法
時維摩詰室有一天女見諸大
人聞所說法便現其身即以天華散諸菩薩大弟子上華至諸菩薩即皆
墮落至大弟子便著不墮一切弟子神力去華不能令去尒時天問舍利弗何故
去華答曰此華不如法是以去之天曰勿謂此華爲不如法所以者何是華无所
分別仁者自生分別想耳若於佛法出家有所分別爲不如法若无分別是則
如法觀諸菩薩華不著者以斷一切分別想故辟如人畏時非人得其便如是弟
子畏生死故色聲香味觸得其便已離畏者一切五欲无能爲也結習未盡華
著身耳結習盡者華不著也舍利弗言天止此室其已久如答曰我止此室
如耆年解脫舍利弗言止此久也天曰耆年解脫亦何如久舍利弗嘿然不答
天曰如何耆舊大智如嘿答曰解脫者无所言說故吾於是不知所云天曰言說
文字皆解脫相所以者何解脫者不內不外不在兩間文字亦不內不外不在兩間
是故舍利弗无離文字說解脫也所以者何一切諸法是解脫相舍利弗言不復
以離婬怒癡爲解脫乎天曰佛爲增上慢人說離婬怒癡爲解脫耳若无增上
慢者佛說婬怒癡性即是解脫舍利弗言善哉善哉天女汝何所得以何爲
證辯乃如是天曰我无得无證故辯如是所以者何若有得有證者則於佛法
爲增上慢
舍利弗問天汝於三乘爲何志求天曰以聲聞法化衆生故我
爲聲聞以因緣法化衆生故我爲辟支佛以大悲化衆生故我爲大乘舍利
弗如人入瞻蔔林唯嗅瞻蔔不嗅餘香如是若入此室但聞佛功德之香不樂聲
聞辟支佛功德香也舍利弗其有釋梵四天王諸天龍鬼神等入此室者聞斯上人
講說正法皆樂佛功德之香發心而出舍利弗吾止此室十有二年初不聞說聲
聞辟支佛法但聞菩薩大慈大悲不可思議諸佛之法舍利弗此室常現八未
曾有難得之法何等爲八此室常以金色光照晝夜无異不以日月所照爲
明是爲一未曾有難得之法此室入者不爲諸垢之所惱也是爲二未曾有難
得之法此室常有釋梵四天王他方菩薩來會不絕是爲三未曾有難得之
法此室常說六波羅蜜不退轉法是爲四未曾有難得之法此室常作天人第

BD03015 號 1　維摩詰所說經卷中　（20–4）

聞辟支佛法但聞菩薩大慈大悲不可思議諸佛之法舍利弗此室常現八未
曾有難得之法何等為八此室常以金色光照晝夜无異不以日月所照為
明是為一未曾有難得之法此室入者不為諸垢之所惱也是為二未曾有難
得之法此室常有釋梵四天王他方菩薩來會不絕是為三未曾有難得之
法此室常說六波羅蜜不退轉法是為四未曾有難得之法此室常作天人第
一之樂絃出无量法化之聲是為五未曾有難得之法此室有四大藏眾寶積
滿周窮濟乏求得无盡是為六未曾有難得之法此室釋迦牟尼佛阿彌陀佛
阿閦佛寶德寶炎寶月寶嚴難勝師子響一切利成如是等十方无量諸佛
是上人念時即皆為來廣說諸佛秘要法藏說已還去是為七未曾有難得
之法此室一切諸天嚴飾宮殿諸佛淨土皆於中現是為八未曾有難得之法舍
利弗此室常現八未曾有難得之法誰有見斯不思議事而復樂於聲聞法
乎
舍利弗言汝何以不轉女身天曰我從十二年來求女人相了不可得當何所
轉譬如幻師化作幻女若有人問何以故不轉女身是人為正問不舍利弗言不
也幻无定相當何所轉天曰一切諸法亦復如是无有定相云何乃問不轉女身
即時天女以神通力變舍利弗令如天女天自化身如舍利弗而問言何以不轉
女身舍利弗以天女像而荅言我今不知何轉而變為女身天曰舍利弗若
能轉此女身則一切女人亦當能轉如舍利弗非女而現女身一切女人亦復如是雖
現女身而非女也是故佛說一切諸法非男非女即時天女還攝神力舍利弗身
還復如故天問舍利弗女身色相今何所在舍利弗言女身色相无在无不在
天曰一切諸法亦復如是无在无不在夫无在无不在者佛所說也舍利弗問天
曰汝於此沒當生何所天曰佛化所生吾如彼生曰佛化所生非沒生也天曰眾生
猶然无沒生也舍利弗問天汝久如當得阿耨多羅三藐三菩提天曰如舍利弗
還為凡夫我乃當成阿耨多羅三藐三菩提舍利弗言我作凡夫无有是處天
曰我得阿耨多羅三藐三菩提亦无是處所以者何菩提无住處是故无有得
者舍利弗言今諸佛得阿耨多羅三藐三菩提已得當得如恒河沙皆謂何乎
天曰皆以世俗文字數故說有三世非謂菩提有去來今天曰舍利弗汝得阿羅
漢道耶曰无所得故而得天曰諸佛菩薩亦復如是无所得故而得尒時維摩詰
語舍利弗是天女曾以供養九十二億佛已能遊戲菩薩神通所願具足得无
生忍住不退轉以大願故隨意能現教化眾生

維摩詰佛道品第八

尒時文殊師利問維摩詰言菩薩云何通達佛道維摩詰言若菩薩行於
非道是為通達佛道又問云何菩薩行於非道答曰若菩薩行五无間而无
惱恚至于地獄无諸罪垢至于畜生无有无明憍慢等過至于餓鬼而具足功德
行色无色界道不以為勝示行貪欲離諸染著示行瞋恚於諸眾生无有恚閡

BD03015 號 1　維摩詰所說經卷中　（20–5）

尒時文殊師利問維摩詰言菩薩云何通達佛道維摩詰言若菩薩行於
非道是為通達佛道又問云何菩薩行於非道答曰若菩薩行五无間而无
惱恚至于地獄无諸罪垢至于畜生无有无明憍慢等過至于餓鬼而具足功德
行色无色界道不以為勝示行貪欲離諸染著示行瞋恚於諸眾生无有恚閡
示行愚癡而以智慧調伏其心示行慳貪而捨內外所有不惜身命示行毀禁
而安住淨戒乃至小罪猶懷大懼示行瞋恚而常慈忍示行懈怠而勤修功德
示行亂意而常念定示行愚癡而通達世間出世間慧示行諂偽而善方便
隨諸經義示行憍慢而於眾生猶如橋梁示行諸煩惱而心常清淨示入於
魔而順佛智慧不隨他教示入聲聞而為眾生說未聞法示入辟支佛而成就大
悲教化眾生示入貧窮而有寶手功德无盡示入形殘而具諸相好以自莊
嚴示入下賤而生佛種姓中具諸功德示入羸劣醜陋而得那羅延身一切眾
生之所樂見示入老病而永斷病根超越死畏示有資生而恒觀无常實无所
貪示有妻妾婇女而常遠離五欲淤泥現於訥鈍而成就辯才總持无失示
入邪濟而以正濟度諸眾生現遍入諸道而斷其因緣現於涅槃而不斷生死
文殊師利菩薩能如是行於非道是為通達佛道
於是維摩詰問文
殊師利何等為如來種文殊師利言有身為種无明有愛為種貪恚癡為種
四顛倒為種五蓋為種六入為種七識處為種八邪法為種九惱處為種十
不善道為種以要言之六十二見及一切煩惱皆是佛種曰何謂也答曰若見无
為入正位者不能復發阿耨多羅三藐三菩提心譬如高原陸地不生蓮華卑濕
汙泥乃生此華如是見无為法入正位者終不復能生於佛法煩惱泥中乃有眾
生起佛法耳又如植種於空終不得生糞壤之地乃能滋茂如是入无為正位
者不生佛法起於我見如須彌山猶能發于阿耨多羅三藐三菩提心生佛法
矣是故當知一切煩惱為如來種譬如不下巨海不能得无價寶珠如是不入煩惱
大海則不能得一切智寶
尒時大迦葉歎言善哉善哉文殊師利快說此
語誠如所言塵勞之疇為如來種我等今者不復堪任發阿耨多羅三藐三
菩提心乃至五无間罪猶能發意生於佛法而今我等永不能發譬如根
敗之士其於五欲不能復利如是聲聞諸結斷者於佛法中无所復益永不志願
是故文殊師利凡夫於佛法有反復而聲聞无也所以者何凡夫聞佛法能起
无上道心不斷三寶正使聲聞終身聞佛法力无畏等永不能發无上道意尒
時會中有菩薩名普現色身問維摩詰言居士父母妻子親戚眷屬吏
民知識悉為是誰奴婢僮僕象馬車乘皆何所在於是維摩詰以偈答曰
智度菩薩母　方便以為父　一切眾導師　无不由是生
法喜以為妻　慈悲心為女

BD03015 號 1　維摩詰所說經卷中　（20–6）

時會中有菩薩名普現色身問維摩詰言居士父母妻子親戚眷屬吏
民知識悉為是誰奴婢僮僕象馬車乘皆何所在於是維摩詰以偈荅曰
智度菩薩母　方便以為父　一切眾導師　无不由是生　法喜以為妻　慈悲心為女
善心誠實男　畢竟空寂舍　弟子眾塵勞　隨意之所轉　道品善知識　由是成正覺
諸度法等侶　四攝為伎女　歌詠誦法言　以此為音樂　總持之園苑　无漏法林樹
覺意淨妙華　解脫智慧果　八解之浴池　定水湛然滿　布以七淨華　浴此无垢人
象馬五通馳　大乘以為車　調御以一心　遊於八正路　相具以嚴容　眾好飾其姿
慚愧之上服　深心為華鬘　富有七財寶　教授以滋息　如所說修行　迴向為大利
四禪為牀坐　從於淨命生　多聞增智慧　以為自覺音　甘露法之食　解脫味為漿
淨心以澡浴　戒品為塗香　摧滅煩惱賊　勇健无能踰　降伏四種魔　勝幡建道場
雖知无起滅　示彼故有生　悉現諸國土　如日无不現　供養於十方　无量億如來
諸佛及已身　无有分別想　雖知諸佛國　及與眾生空　而常修淨土　教化於群生
諸有眾生類　形聲及威儀　无畏力菩薩　一時能盡現　覺知眾魔事　而示隨其行
以善方便智　隨意皆能現　或示老病死　成就諸群生　了知如幻化　通達无有閡
或現劫燒盡　天地皆洞然　眾人有常想　照令知无常　无數億眾生　俱來請菩薩
一時到其舍　化令向佛道　經書禁呪術　工巧諸伎藝　盡現行此事　饒益諸群生
世間眾道法　悉於中出家　因以解人惑　而不墮邪見　或作日月天　梵王世界主
或時作地水　或復作風火　劫中有疾疫　現作諸藥草　若有服之者　除病消眾毒
劫中有飢饉　現身作飲食　先救彼飢渴　却以法語人　劫中有刀兵　為之起慈悲
化彼諸眾生　令住无諍地　若有大戰陣　立之以等力　菩薩現威勢　降伏使和安
一切國土中　諸有地獄處　輒往到於彼　勉濟其苦惱　一切國土中　畜生相食噉
皆現生於彼　為之作利益　示受於五欲　亦復現行禪　令魔心憒亂　不能得其便
火中生蓮華　是可謂希有　在欲而行禪　希有亦如是　或現作婬女　引諸好色者
先以欲鉤牽　後令入佛智　或為邑中主　或作商人導　國師及大臣　以祐利眾生
諸有貧窮者　現作无盡藏　因以勸導之　令發菩提心　我心憍慢者　為現大力士
消伏諸貢高　令住无上道　其有恐懼眾　居前而慰安　先施以无畏　後令發道心
或現離婬欲　為五通仙人　開道諸群生　令住戒忍慈　見須供事者　為現作僮僕
既悅可其意　乃發以道心　隨彼之所須　得入於佛道　以善方便力　皆能給足之
如是道无量　所行无有涯　智慧无邊際　度脫无數眾　假令一切佛　於无數億劫
讚歎其功德　猶尚不能盡　誰聞如此法　不發菩提心　除彼不肖人　癡冥无智者
維摩詰入不二法門品第九　尒時維摩詰謂眾菩薩言諸仁者云何菩薩
入不二法門各隨所樂說之會中有菩薩名法自在說言諸仁者生滅為二法本不

BD03015號1　維摩詰所說經卷中

(20–7)

或現離婬欲　為五通仙人　開道諸群生　令住戒忍慈　見須供事者　為現作僮僕
既悅可其意　乃發以道心　隨彼之所須　得入於佛道　以善方便力　皆能給足之
如是道无量　所行无有涯　智慧无邊際　度脫无數眾　假令一切佛　於无數億劫
讚歎其功德　猶尚不能盡　誰聞如此法　不發菩提心　除彼不肖人　癡冥无智者
維摩詰入不二法門品第九　尒時維摩詰謂眾菩薩言諸仁者云何菩薩
入不二法門各隨所樂說之會中有菩薩名法自在說言諸仁者生滅為二法本不
生今則无滅得此无生法忍是為入不二法門　德首菩薩曰我我所為二因
有我故便有我所若无有我則无我所是為入不二法門　不眴菩薩曰受不受
為二若法不受則不可得以不可得故无取无捨无作无行是為入不二法門
德頂菩薩曰垢淨為二見垢實性則无淨相順於滅相是為入不二法門
善宿菩薩曰是動是念為二不動則无念无念即无分別通達此者是為入不二
法門　善眼菩薩曰一相无相為二若知一相即是无相亦不取无相入於平等是
為入不二法門　妙臂菩薩曰菩薩心聲聞心為二觀心相空如幻化者无菩薩心
无聲聞心是為入不二法門　弗沙菩薩曰善不善為二若不起善不善入无相
際而通達者是為入不二法門　師子菩薩曰罪福為二若達罪性則與福无
異以金剛慧決了此相无縛无解者是為入不二法門　師子意菩薩曰有漏
无漏為二若得諸法等則不起漏不漏想不著於相亦不著无相是為入不二
法門　淨解菩薩曰有為无為為二若離一切數則心如虛空以清淨慧
无所閡者是為入不二法門　那羅延菩薩曰世間出世間為二世間性空
即是出世間於其中不入不出不溢不散是為入不二法門　善意菩薩曰生
死涅槃為二若見生死性則无生死无縛无解不然不滅如是解者是為入不二
法門　現見菩薩曰盡不盡為二法若究竟盡若不盡皆是无盡相
无盡相即是空空則无有盡不盡相如是入者是為入不二法門
普守菩薩曰我无我為二我尚不可得非我何可得見我實性者不復起二是為
入不二法門　電天菩薩曰明无明為二无明實性即是明明亦不可取離一
切數於其中平等无二者是為入不二法門　喜見菩薩曰色色空為二
色即是空非色滅空色性自空如是受想行識識空為二識即是空非識滅
空識性自空於其中而通達者是為入不二法門　明相菩薩曰四種異空
種異為二四種性即是空種性如前際後際空故中際亦空若能如是知諸種性
者是為入不二法門　妙意菩薩曰眼色為二若知眼性於色不貪不恚不癡
是名寂滅如是耳聲鼻香舌味身觸意法為二若知意性於法不貪不恚不癡
是名寂滅安住其中是為入不二法門　无盡意菩薩曰布施迴向一切智為二
布施性即是迴向一切智性如是持戒忍辱精進禪定智慧迴向一切智為二智慧

BD03015號1　維摩詰所說經卷中

(20–8)

者是為入不二法門　妙意菩薩曰眼色為二若知眼性於色不貪不恚不癡
是名寂滅如是耳聲鼻香舌味身觸意法為二若知意性於法不貪不恚不癡
是名寂滅安住其中是為入不二法門　无盡意菩薩曰布施迴向一切智為
二布施性即是迴向一切智性如是持戒忍辱精進禪定智慧迴向一切智為二智慧
性即是迴向一切智性於其中入一切相者是為入不二法門　深慧菩薩曰是空是
无相是无作為二空即无相无相即无作若空无相无作則无心意識於一解脫
門即是三解脫門者是為入不二法門　寂根菩薩曰佛法眾為二佛即是
法法即是眾是三寶皆无為相與虛空等一切法亦尒能隨此行者是為入不
二法門　心无閡菩薩曰身身滅為二身即是身滅所以者何見身實相者不
起見身及見滅身身與滅身无二无分別於其中不驚不懼者是為入不二法門
上善菩薩曰身口意善為二是三業皆无作相身无作相即口无作相口无作相即
意无作相是三業无作相即一切法无作相能如是隨无作慧者是為入不二法門
福田菩薩曰福行罪行不動行為二三行實性即是空空則无福行无罪行无
不動行於此三行而不起者是為入不二法門　華嚴菩薩曰從我起二為二
我見實相者不起二法若不住二法則无有識无所識者是為入不二法門
德藏菩薩曰有所得相為二若无所得則无取捨无取捨者是為入不二法門
月上菩薩曰闇與明為二无闇无明則无有二所以者何如入滅受想定无闇无明
一切法相亦復如是於其中平等入者是為入不二法門　寶印手菩薩曰樂涅
槃不樂世間為二若不樂涅槃不厭世間則无有二所以者何若有縛則有解若
本无縛其誰求解无縛无解則无樂厭是為入不二法門　珠頂王菩薩曰正道
邪道為二住正道者則不分別是邪是正離此二者是為入不二法門　樂實菩薩
曰實不實為二實見者尚不見實何況非實所以者何非肉眼所見慧眼乃能
見而此慧眼无見无不見是為入不二法門　如是諸菩薩各各說已問文殊
師利何等是菩薩入不二法門　文殊師利曰如我意者於一切法无言无說无示
无識離諸問答是為入不二法門　於是文殊師利問維摩詰我等各自
說已仁者當說何等是菩薩入不二法門　時維摩詰嘿然无言文殊師利歎曰
善哉善哉乃至无有文字語言是真入不二法門　說是入不二法門時於此眾
中五千菩薩皆入不二法門得无生法忍
維摩經卷中
維摩詰經香積佛品第十　卷下　於是舍利弗心念日時欲至此諸菩薩當於
何食時維摩詰知其意而語言佛說八解脫仁者受行豈雜欲食而聞法乎若欲
食者且待須臾當令汝得未曾有食時維摩詰即入三昧以神通力示諸大眾
上方界分過卌二恒河沙佛土有國名眾香佛號香積今現在其國香氣比於

BD03015 號 1　維摩詰所說經卷中　　（20–9）

維摩詰經香積佛品第十　卷下　於是舍利弗心念日時欲至此諸菩薩當於
何食時維摩詰知其意而語言佛說八解脫仁者受行豈雜欲食而聞法乎若欲
食者且待須臾當令汝得未曾有食時維摩詰即入三昧以神通力示諸大眾
上方界分過卌二恒河沙佛土有國名眾香佛號香積今現在其國香氣比於
十方諸佛世界人天之香最為第一彼土无有聲聞辟支佛名唯有清淨大菩薩
眾佛為說法其界一切皆以香作樓閣經行香地苑園皆香其食香氣周
流十方无量世界時彼佛與諸菩薩方共坐食有諸天子皆號香嚴悉
發阿耨多羅三藐三菩提心供養彼佛及諸菩薩此諸大眾莫不目見時
維摩詰問眾菩薩諸仁者誰能致彼佛飯以文殊師利威神力故咸皆嘿
然維摩詰言仁者此諸大眾无乃可恥文殊師利曰如佛所言勿輕未學於是
維摩詰不起于坐居眾會前化作菩薩相好光明威德殊勝蔽於眾會而
告之曰汝往上方界分度如卌二恒河沙佛土有國名眾香佛號香積與諸
菩薩方共坐食汝往到彼如我辭曰維摩詰稽首世尊足下致敬无量
問訊起居少病少惱氣力安不願得世尊所食之餘當於娑婆世界施作佛事
令此樂小法者得弘大道亦使如來名聲普聞時化菩薩即於會前昇于上
方舉眾皆見其去到眾香界礼彼佛足又聞其言維摩詰稽首世尊足下
致敬无量問訊起居少病少惱氣力安不願得世尊所食之餘欲於娑婆世界
施作佛事使此樂小法者得弘大道亦使如來名聲普聞彼諸大士見化
菩薩歎未曾有今此上人從何所來娑婆世界為在何許云何名為樂小
法者即以問佛佛告之曰下方度如卌二恒河沙佛土有世界名娑婆佛號釋
迦牟尼今現在於五濁惡世為樂小法眾生敷演道教彼有菩薩名維摩詰
住不可思議解脫為諸菩薩說法故遣化來稱揚我名并讚此土令彼菩
薩增益功德彼菩薩言其人何如乃作是化德力无畏神足若斯佛言甚
大一切十方皆遣化往施作佛事饒益眾生於是香積如來以眾香鉢盛滿
香飯與化菩薩時彼九百万菩薩俱發聲言我欲詣娑婆世界供養釋迦
牟尼佛并欲見維摩詰等諸菩薩眾佛言可往攝汝身香无令彼諸
眾生起惑著心又當捨汝本形勿使彼國求菩薩者而自鄙恥又汝於彼
莫懷輕賤而作礙想所以者何十方國土皆如虛空又諸佛為欲化諸樂小
法者不盡現其清淨土耳時化菩薩既受鉢飯與彼九百万菩薩俱承
佛威神及維摩詰力於彼世界忽然不現須臾之間至維摩詰舍維摩
詰即化作九百万師子之座嚴好如前諸菩薩皆坐其上化菩薩以滿鉢
香飯與維摩詰飯香普熏毗耶離城及三千大千世界時毗耶離婆羅門

BD03015 號 2　維摩詰所說經卷下　　（20–10）

法者不盡現其清淨土耳時化菩薩既受鉢飯與彼九百万菩薩俱承
佛威神及維摩詰力於彼世界忽然不現須臾之間至維摩詰舍維摩
詰即化作九百万師子之座嚴好如前諸菩薩皆坐其上化菩薩以滿鉢
香飯與維摩詰飯香普熏毗耶離城及三千大千世界時毗耶離婆羅門
居士等聞是香氣身意快然歎未曾有於是長者主月蓋從八万四千人
來入維摩詰舍見其室中菩薩甚多諸師子座高廣嚴好皆大歡喜礼
眾菩薩及大弟子却住一面諸地神虛空神及欲色界諸天聞此香氣亦皆
來入維摩詰舍時維摩詰語舍利弗等諸大聲聞仁者可食如來甘露味
飯大悲所熏无以限意食之使不消也有異聲聞念是飯少而此大眾人人
當食化菩薩曰勿以聲聞小德小智稱量如來无量福慧四海有竭此飯无
盡使一切人食揣若須弥乃至一劫猶不能盡所以者何无盡戒定慧智解
脫解脫知見功德具足者所食之餘終不可盡於是鉢飯悉飽眾會猶故不賜
其諸菩薩聲聞天人食此飯者身安快樂譬如一切樂莊嚴國諸菩薩也又諸
毛孔皆出妙香亦如眾香國土諸樹之香　尒時維摩詰問眾香菩薩
香積如來以何說法彼菩薩曰我土如來无文字說但以眾香令諸天人
得入律行菩薩各各坐香樹下聞斯妙香即獲一切德藏三昧得是三昧者
菩薩所有功德皆悉具足彼諸菩薩問維摩詰今世尊釋迦牟尼以何說
法維摩詰言此土眾生剛強難化故佛為說剛強之語以調伏之言是地獄
是畜生是餓鬼是諸難處是愚人生處是身邪行是身邪行報是口邪
行是口邪行報是意邪行是意邪行報是煞生是煞生報是不與取是
不與取報是邪婬是邪婬報是妄語是妄語報是兩舌是兩舌報是惡口
是惡口報是无義語是无義語報是貪嫉是貪嫉報是瞋惱是瞋惱報是邪
見是邪見報是慳悋是慳悋報是毀戒是毀戒報是瞋恚是瞋恚報是懈
怠是懈怠報是亂意是亂意報是愚癡是愚癡報是結戒是持戒是犯戒
是應作是不應作是鄣礙是不鄣礙是得罪是離罪是淨是垢是有漏是
无漏是邪道是正道是有為是无為是世間是涅槃以難化之人心如猨猴故以若
干種法制御其心乃可調伏譬如象馬𢤱悷不調加諸楚毒乃至徹骨然後調
伏如是剛強難化眾生故以一切苦切之言乃可入律彼諸菩薩聞說是已皆曰未曾
有也如世尊釋迦牟尼佛隱其无量自在之力乃以貧所樂法度脫眾生斯諸菩
薩亦能勞謙以无量大悲生是佛土維摩詰言此土菩薩於諸眾生大悲堅固
誠如所言然其一世饒益眾生多於彼國百千劫行所以者何此娑婆世界有十事
善法諸餘淨土之所无有何等為十以布施攝貧窮以淨戒攝毀禁以忍辱
攝瞋恚以精進攝懈怠以禪定攝亂意以智慧攝愚癡說除難法度八難

BD03015 號 2　維摩詰所說經卷下　（20–11）

伏如是剛強難化眾生故以一切苦切之言乃可入律彼諸菩薩聞說是已皆曰未曾
有也如世尊釋迦牟尼佛隱其无量自在之力乃以貧所樂法度脫眾生斯諸菩
薩亦能勞謙以无量大悲生是佛土維摩詰言此土菩薩於諸眾生大悲堅固
誠如所言然其一世饒益眾生多於彼國百千劫行所以者何此娑婆世界有十事
善法諸餘淨土之所无有何等為十以布施攝貧窮以淨戒攝毀禁以忍辱
攝瞋恚以精進攝懈怠以禪定攝亂意以智慧攝愚癡說除難法度八難
者以大乘法度樂小乘者以諸善根濟无德者常以四攝成就眾生是為十
彼菩薩曰菩薩成就幾法於此世界行无瘡疣生于淨土維摩詰言菩薩
成就八法於此世界行无瘡疣生于淨土何等為八饒益眾生而不望報代
一切眾生受諸苦惱所作功德盡以施之等心眾生謙下无礙於諸菩薩視之
如佛所未聞經聞之不疑不與聲聞而相違背不嫉彼供不高己利而於其中
調伏其心常省己過不訟彼短恒以一心求諸功德是為八維摩詰文殊師利
於大眾中說是法時百千天人皆發阿耨多羅三藐三菩提心十千菩薩得无生
法忍

維摩詰菩薩行品第十一

是時佛說法於菴羅樹園其地
忽然廣博嚴事一切眾會皆作金色阿難白佛言世尊以何因緣有此瑞應是
處忽然廣博嚴事一切眾會皆作金色佛告阿難是維摩詰文殊師利與諸
大眾恭敬圍繞發意欲來先為此瑞應於是維摩詰語文殊師利可共見佛
與諸菩薩礼事供養文殊師利言善哉行矣今正是時維摩詰即以神力持諸
大眾并師子座置於右掌往詣佛所到已著地稽首佛足右繞七帀一心合掌在
一面立其諸菩薩即皆避坐稽首佛足亦遶七帀於一面立諸大弟子釋梵四天
王等亦皆避坐稽首佛足在一面立於是世尊如法慰問諸菩薩已各令復坐
即皆受教眾坐已定佛語舍利弗汝見菩薩大士自在神力之所為乎唯然已見
於意云何世尊我覩其為不可思議非意所圖非度所測尒時阿難白佛言
世尊今所聞香自昔未有是為何香佛告阿難是彼菩薩毛孔之香於
是舍利弗語阿難言我等毛孔亦出是香阿難言此所從來曰是長者維摩
詰從眾香國取佛餘飯於舍食者一切毛孔皆香若此阿難問維摩詰是
香氣住當久如維摩詰言至此飯消曰此飯久如當消曰此飯勢力至于七日然
後乃消又阿難若聲聞人未入正位食此飯者得入正位然後乃消已入正位食
此飯者得心解脫然後乃消若未發大乘意食此飯者至發意乃消已發意
食此飯者得无生忍然後乃消已得无生忍食此飯者至一生補處然後乃消
譬如有藥名曰上味其有服者身諸毒滅然後乃消此飯如是滅除一切諸煩惱
毒然後乃消阿難白佛言未曾有也世尊如此香飯能作佛事佛言如是
如是阿難或有佛土以佛光明而作佛事有以諸菩薩而作佛事有以佛所化人

BD03015 號 2　維摩詰所說經卷下　（20–12）

香氣住當久如維摩詰言至此飯消曰此飯久如當消曰此飯勢力至于七日然
後乃消又阿難若聲聞人未入正位食此飯者得入正位然後乃消已入正位食
此飯者得心解脫然後乃消若未發大乘意食此飯者至發意乃消已發意
食此飯者得无生忍然後乃消已得无生忍食此飯者至一生補處然後乃消
辟如有藥名曰上味其有服者身諸毒滅然後乃消此飯如是滅除一切諸煩惱
毒然後乃消阿難白佛言未曾有也世尊如此香飯能作佛事佛言如是
如是阿難或有佛土以佛光明而作佛事有以諸菩薩而作佛事有以佛所化人
而作佛事有以菩提樹而作佛事有以佛衣服臥具而作佛事有以飯食而作佛
事有以園林臺觀而作佛事有以三十二相八十隨形好而作佛事有以佛身而
作佛事有以虛空而作佛事眾生應以此緣得入律行有以夢幻影響鏡中
像水中月熱時焰如是等喻而作佛事有以音聲語言文字而作佛事或
有清淨佛土寂寞无言无說无示无識无作无為而作佛事如是阿難諸佛
威儀進止諸所施為无非佛事阿難有此四魔八万四千諸煩惱門而諸眾
生為之疲勞諸佛即以此法而作佛事是名入一切諸佛法門菩薩入此門者
若見一切淨好佛土不以為喜不貪不高若見一切不淨佛土不以為憂不礙
不沒但於諸佛生清淨心歡喜恭敬未曾有也諸佛如來功德平等為教
化眾生故而現佛土不同阿難汝見諸佛國土地有若干而虛空无若干也如是
見諸佛色身有若干耳其无礙慧无若千也阿難諸佛色身威相種姓戒定
智慧解脫解脫知見力无所畏不共之法大慈大悲威儀所行及其壽命說法教化
成就眾生淨佛國土具諸佛法悉皆同等是故名為三藐三佛陀名為多陀阿
伽度名為佛陀阿難若我廣說此三句義汝以劫壽不能盡受正使三千大千
世界滿中眾生皆如阿難多聞第一得念總持此諸人等以劫之壽亦不能受
如是阿難諸佛阿耨多羅三藐三菩提无有限量智慧辯才不可思議阿難
白佛言我從今已往不敢自謂以為多聞佛告阿難勿起退意所以者何我說
汝於聲聞中為最多聞非謂菩薩且止阿難其有智者不應限度諸菩
薩也一切海淵尚可測量菩薩禪定智慧總持辯才一切功德不可量也阿
難汝等捨置菩薩所行是維摩詰一時所現神通之力一切聲聞辟支佛於百千
劫盡力變化所不能作　　尒時眾香世界菩薩來者合掌白佛言世尊我
等初見此土生下劣想今自悔責捨離是心所以者何諸佛方便不可思議為度
眾生故隨其所應現佛國異唯然世尊願賜少法還於本土當念如來佛告諸
菩薩有盡无盡解脫法門汝等當學何為謂盡謂有為法何謂无盡謂
无為法如菩薩者不盡有為不住无為何謂不盡有為謂不離大慈不捨
大悲深發一切智心而不忽忘教化眾生終不厭惓於四攝法常念順行護持正

劫盡力變化所不能作　　尒時眾香世界菩薩來者合掌白佛言世尊我
等初見此土生下劣想今自悔責捨離是心所以者何諸佛方便不可思議為度
眾生故隨其所應現佛國異唯然世尊願賜少法還於本土當念如來佛告諸
菩薩有盡无盡解脫法門汝等當學何為謂盡謂有為法何謂无盡謂
无為法如菩薩者不盡有為不住无為何謂不盡有為謂不離大慈不捨
大悲深發一切智心而不忽忘教化眾生終不厭惓於四攝法常念順行護持正
法不惜軀命種諸善根无有疲厭志常安住方便迴向求法不懈說法无悋
勤供諸佛故入生死而无所畏於諸榮辱心无憂喜不輕未學敬學如佛
墮煩惱者令發正念於遠離樂不以為貴不著己樂慶於彼樂在諸禪定
如地獄想於生死中如園觀想見來求者為善師想捨諸所有具一切智想見
毀戒人起救護想諸波羅蜜為父母想道品之法為眷屬想發行善根无
有齊限以諸淨國嚴飾之事成己佛土行不限施具足相好除一切惡身口意淨
故生死无數劫意而有勇聞佛无量德志而不惓以智慧劍破煩惱賊出陰界
入荷負眾生永使解脫以大精進摧伏魔軍常求无念實相智慧行少欲知
足而不捨世法不壞威儀而能隨俗起神通慧引導眾生得念總持所聞不
忘善別諸根斷眾生疑以樂說辯演法无礙淨十善道受天人福脩四无量
開梵天道勸請說法隨喜讚善得佛音聲身口意善得佛威儀深脩
善法所行轉勝以大乘教成菩薩僧心无放逸不失眾善行如此法是名
菩薩不盡有為何謂菩薩不住无為謂脩學空不以空為證脩學无相
无作不以无相无作為證脩學无起不以无起為證觀於无常而不厭善本
觀世間苦而不惡生死觀於无我而誨人不惓觀於寂滅而不永寂滅觀於遠
離而身心脩善觀无所歸而歸趣善法觀於无生而以生法荷負一切觀於无
漏而不斷諸漏觀无所行而以行法教化眾生觀於空无而不捨大悲觀正法
位而不隨小乘觀諸法虛妄无牢无人无主无相本願未滿而不虛福德禪定
智慧脩如是法是名菩薩不住无為又具福德故不住无為具智慧故不盡
有為大慈悲故不住无為滿本願故不盡有為集法藥故不住无為隨授藥
故不盡有為知眾生病故不住无為滅眾生病故不盡有為諸正士菩薩
已脩此法不盡有為不住无為是名盡无盡解脫法門汝等當學尒時彼
諸菩薩聞說是法皆大歡喜以眾妙華若干種色若干種香散遍三千大
千世界供養於佛及此經法并諸菩薩已稽首佛足歎未曾有言釋迦牟尼
佛乃能於此善行方便言已忽然不現還到彼國　　見阿閦佛品第十二
尒時世尊問維摩詰汝欲見如來為以何等觀如來乎維摩詰言如自觀身
實相觀佛亦然我觀如來前際不來後際不去今則不住不觀色不觀色如不

已脩此法不盡有爲不住无爲是名盡无盡解脫法門汝等當學尒時彼
諸菩薩聞說是法皆大歡喜以衆妙華若干種色若干種香散遍三千大
千世界供養於佛及此經法并諸菩薩已稽首佛足歎未曾有言釋迦牟尼
佛乃能於此善行方便言已忽然不現還到彼國

見阿閦佛品第十二

尒時世尊問維摩詰汝欲見如來爲以何等觀如來乎維摩詰言如自觀身
實相觀佛亦然我觀如來前際不來後際不去今則不住不觀色不觀色如不
觀色性不觀受想行識不觀識如不觀識性非四大起同於虛空六入无積眼
耳鼻舌身心已過不在三界三垢已離順三脫門三明與无明等不一相不異
相不自相不他相非无相非取相不此岸不彼岸不中流而化衆生觀於寂滅亦不
永滅不此不彼不以此不以彼不可以智知不可以識識无晦无明无名无相无強
无弱非淨非穢不在方不離方非有爲非无爲无示无說不施不慳不戒不犯
不忍不恚不進不怠不定不亂不智不愚不誠不欺不來不去不出不入一切言說
道斷非福田非不福田非應供養非不應供養非取非捨非有相非无相同真際等
法性不可稱不可量過諸稱量非大非小非見非聞非覺非知離衆結縛等
諸智同衆生於諸法无分別一切无失无濁无惱无作无起无生无滅无畏无
憂无喜无厭无著无已有无當有无今有不可以一切言說分別顯示世
尊如來身爲若此作如是觀以斯觀者名爲正觀若他觀者名爲邪觀
尒時舍利弗問維摩詰汝於何沒而來生此維摩詰言汝所得法有沒生乎
舍利弗言无沒生也若諸法无沒生相云何問言汝於何沒而來生此於意云
何譬如幻師幻作男女寧沒生邪舍利弗言无沒生也汝豈不聞佛說諸法如
幻相乎荅曰如是若一切法如幻相者云何問言汝於何沒而來生此舍利弗沒者爲
虛誑法壞敗之相生者爲虛誑法相續之相菩薩雖沒不盡善本雖生不長
諸惡是時佛告舍利弗有國名妙喜佛号无動是維摩詰於彼國沒而來生此
舍利弗言未曾有也世尊是人乃能捨清淨土而來樂此多怒害處維摩詰
語舍利弗於意云何日光出時與冥合乎荅曰不也日光出時則无衆冥維摩
詰言夫日何故行閻浮提荅曰欲以明照爲之除冥維摩詰言菩薩如是雖生不
淨佛土爲化衆生不與愚闇而共合也但滅衆生煩惱闇耳
是時大衆渴仰欲見妙喜世界无動如來及其菩薩聲聞之衆佛知一切衆會
所念告維摩詰言善男子爲此衆會現妙喜國无動如來及諸菩薩聲聞
之衆衆皆欲見於是維摩詰心念吾當不起于坐接妙喜國鐵圍山川溪谷江
河大海泉源須彌諸山及日月星宿天龍鬼神梵天等宮并諸菩薩聲聞之衆
城邑聚落男女大小乃至无動如來及菩提樹諸妙蓮華能於十方作佛事者

BD03015 號 2　維摩詰所說經卷下

（20–15）

淨佛土爲化衆生不與愚闇而共合也但滅衆生煩惱闇耳
是時大衆渴仰欲見妙喜世界无動如來及其菩薩聲聞之衆佛知一切衆會
所念告維摩詰言善男子爲此衆會現妙喜國无動如來及諸菩薩聲聞
之衆衆皆欲見於是維摩詰心念吾當不起于坐接妙喜國鐵圍山川溪谷江
河大海泉源須彌諸山及日月星宿天龍鬼神梵天等宮并諸菩薩聲聞之衆
城邑聚落男女大小乃至无動如來及菩提樹諸妙蓮華能於十方作佛事者
三道寶階從閻浮提至忉利天以此寶階諸天來下悉爲礼敬无動如來聽受
經法閻浮提人亦登其階上昇忉利見彼諸天妙喜世界成就如是无量功德上
至阿迦膩吒天下至水際以右手斷取如陶家輪入此世界猶持華鬘示一切衆作
是念已入於三昧現神通力以其右手斷取妙喜世界置於此土彼得神通菩
薩及聲聞衆并餘天人俱發聲言唯然世尊誰取我去願見救護无動
佛言非我所爲是維摩詰神力所作其餘未得神通者不覺不知己之所往
妙喜世界雖入此土而不增減於是世界亦不迫隘如本无異
尒時釋迦牟尼佛告諸大衆汝等且觀妙喜世界无動如來其國嚴飾菩薩
行淨弟子清白皆曰唯然已見佛言若菩薩欲得如是清淨佛土當學无動
如來所行之道現此妙喜國時娑婆世界十四那由他人發阿耨多羅三藐三菩提
心皆願生於妙喜佛土釋迦牟尼佛即記之曰當生彼國時妙喜世界於此國土
所應饒益其事訖已還復本處舉衆皆見佛告舍利弗汝見此妙喜世界
及无動佛不唯然已見世尊願使一切衆生得清淨土如无動佛獲神通力如維
摩詰世尊我等快得善利得見是人親近供養其諸衆生若今現在若佛
滅後聞此經者亦得善利況復聞已信解受持讀誦解說如法脩行者
手得是經典者便爲已得法寶之藏若有讀誦解釋其義如說脩行
則爲諸佛之所護念其有供養如是人者當知則爲供養於佛其有書持
此經卷者當知其室則有如來若聞是經能隨喜者斯人則爲取一切智若
能信解此經乃至一四句偈爲他說者當知此人即是受阿耨多羅三藐三
菩提記

法供養品第十三

尒時釋提桓因於大衆中白佛言世尊
我雖從佛及文殊師利聞百千經未曾聞此不可思議自在神通決定實相經典
如我解佛所說義趣若有衆生聞是經法信解受持讀誦之者必得是法不
疑何況如說脩行斯人則爲閉衆惡趣開諸善門常爲諸佛之所護念降
伏外學摧滅魔怨脩治菩提安處道場履踐如來所行之跡世尊若有
受持讀誦如說脩行者我當與諸眷屬供養給事所在聚落城邑山林曠野
有是經處我亦與諸眷屬聽受法故共到其所其未信者當令生信其已信

BD03015 號 2　維摩詰所說經卷下

（20–16）

如我解佛所說義趣若有衆生聞是經法信解受持讀誦之者必得是法不
疑何况如說脩行斯人則爲閉衆惡趣開諸善門常爲諸佛之所護念降
伏外學摧滅魔怨脩治菩提安處道場履踐如來所行之跡世尊若有
受持讀誦如說脩行者我當與諸眷屬供養給事所在聚落城邑山林曠野
有是經處我亦與諸眷屬聽受法故共到其所其未信者當令生信其已信
者當爲作護佛言善哉善哉天帝如汝所說吾助尒喜此經廣說過去未
來現在諸佛不可思議阿耨多羅三藐三菩提是故天帝若善男子善女人
受持讀誦供養是經者則爲供養去來今佛天帝正使三千大千世界如來滿
中譬如甘蔗竹葦稻麻叢林若有善男子善女人或一劫或減一劫恭敬尊
重讚歎供養奉諸所安至諸佛滅後以一一全身舍利起七寶塔縱廣一四
天下高至梵天表剎莊嚴以一切華香瓔珞幢幡伎樂微妙第一若一劫若減一
劫而供養之於天帝意云何其人植福寧爲多不釋提桓因言多矣世尊彼
之福德若以百千億劫說不能盡佛告天帝當知是善男子善女人聞是不可
思議解脫經典信解受持讀誦脩行福多於彼所以者何諸佛菩提皆從是
生菩提之相不可限量以是因緣福不可量
佛告天帝過去无量阿僧祇劫
時世有佛号曰藥王如來應供正遍知明行足善逝世間解无上士調御丈夫天
人師佛世尊世界曰大莊嚴劫曰莊嚴佛壽二十小劫其聲聞僧三十六億那
由他菩薩僧有十二億天帝是時有轉輪聖王名曰寶蓋七寶具足王四天下王
有千子端正勇健能伏怨敵尒時寶蓋與其眷屬供養藥王如來施諸所安
至滿五劫過五劫已告其千子汝等亦當如我以深心供養於佛於是千子受父
王命供養藥王如來復滿五劫一切施安其王一子名曰月蓋獨坐思惟寧有
供養殊過此者以佛神力空中有天曰善男子法之供養勝諸供養即問何
謂法之供養天曰汝可往問藥王如來當廣爲汝說法之供養即時月蓋王子
行詣藥王如來稽首佛足却住一面白佛言世尊諸供養中法供養勝云何
爲法供養佛言善男子法供養者諸佛所說深經一切世間難信難受微
妙難見清淨无染非但分別思惟之所能得菩薩法藏所攝陁羅尼印印
之至不退轉成就六度善分別義順菩提法衆經之上入大慈悲離衆魔事
及諸邪見順因緣法无我无人无衆生无壽命空无相无作无起能令衆生
坐於道場而轉法輪諸天龍神乾闥婆等所共歎譽能令衆生入佛法藏攝
諸賢聖一切智慧說衆菩薩所行之道依於諸法實相之義明宣无常苦空
无我寂滅能救一切毀禁衆生諸魔外道及貪著者能使怖畏諸佛賢聖所共
稱歎背生死苦示涅槃樂十方三世諸佛所說若聞如是等經信解受持讀誦

BD03015 號 2　維摩詰所說經卷下　(20–17)

及諸邪見順因緣法无我无人无衆生无壽命空无相无作无起能令衆生
坐於道場而轉法輪諸天龍神乾闥婆等所共歎譽能令衆生入佛法藏攝
諸賢聖一切智慧說衆菩薩所行之道依於諸法實相之義明宣无常苦空
无我寂滅能救一切毀禁衆生諸魔外道及貪著者能使怖畏諸佛賢聖所共
稱歎背生死苦示涅槃樂十方三世諸佛所說若聞如是等經信解受持讀誦
以方便力爲諸衆生分別解說顯示分別守護法故是名法之供養又於諸法
如說脩行隨順十二因緣離諸邪見得无生忍決定无我无有衆生而於因緣
果報无違无諍離諸我所依於義不依語依於智不依識依了義經不依不
了義經依於法不依人隨順法相无所入无所歸无明畢竟滅故諸行亦畢竟
滅乃至生畢竟滅故老死亦畢竟滅作如是觀十二因緣无有盡相不復起
見是名最上法之供養
佛告天帝王子月蓋從藥王佛聞如是法
得柔順忍即解寶衣嚴身之具以供養佛白佛言世尊如來滅後我當行
法供養守護正法願以威神加哀建立令我得降魔怨脩菩薩行佛知其深心
所念而記之曰汝於末後守護法城天帝時王子月蓋見法清淨聞佛授記以
信出家脩集善法精進不久得五神通逮菩薩道得陁羅尼无斷辯才於
佛滅後以其所得神通總持辯才之力滿十小劫藥王如來所轉法輪隨而分布
月蓋比丘以守護法勤行精進即於此身化百萬億人於阿耨多羅三藐三菩
提立不退轉十四那由他人深發聲聞辟支佛心无量衆生得生天上天帝時王寶
蓋豈異人乎今現得佛号寶焰如來其王千子即賢劫中千佛是也從迦羅
鳩孫駄爲始得佛最後如來号曰樓至月蓋比丘即我身是如是天帝當知此
要以法供養於諸供養爲上爲最第一无比是故天帝當以法之供養供養
於佛
囑累品第十四　於是佛告彌勒菩薩言彌勒我今以是
无量億阿僧祇劫所集阿耨多羅三藐三菩提法付囑於汝如是輩經於
佛滅後末世之中汝等當以神力廣宣流布於閻浮提无令斷絶所以者何
未來世中當有善男子善女人及天龍鬼神乾闥婆羅刹等發阿耨多
羅三藐三菩提心樂于大法若使不聞如是等經則失善利如此輩人聞是等
經必多信樂發希有心當以頂受隨諸衆生所應得利而爲廣說彌勒當知
菩薩有二相何謂爲二一者好於雜句文飾之事二者不畏深義如實能入若好
雜句文飾事者當知是爲新學菩薩若於如是无染无著甚深經典无有
恐畏能入其中聞已心淨受持讀誦如說脩行當知是爲久脩道行彌勒復
有二法名新學者不能決定於甚深法何等爲二一者所未聞深經聞之驚怖
生疑不能隨順毀謗不信而作是言我初不聞從何所來二者若有護持解說

BD03015 號 2　維摩詰所說經卷下　(20–18)

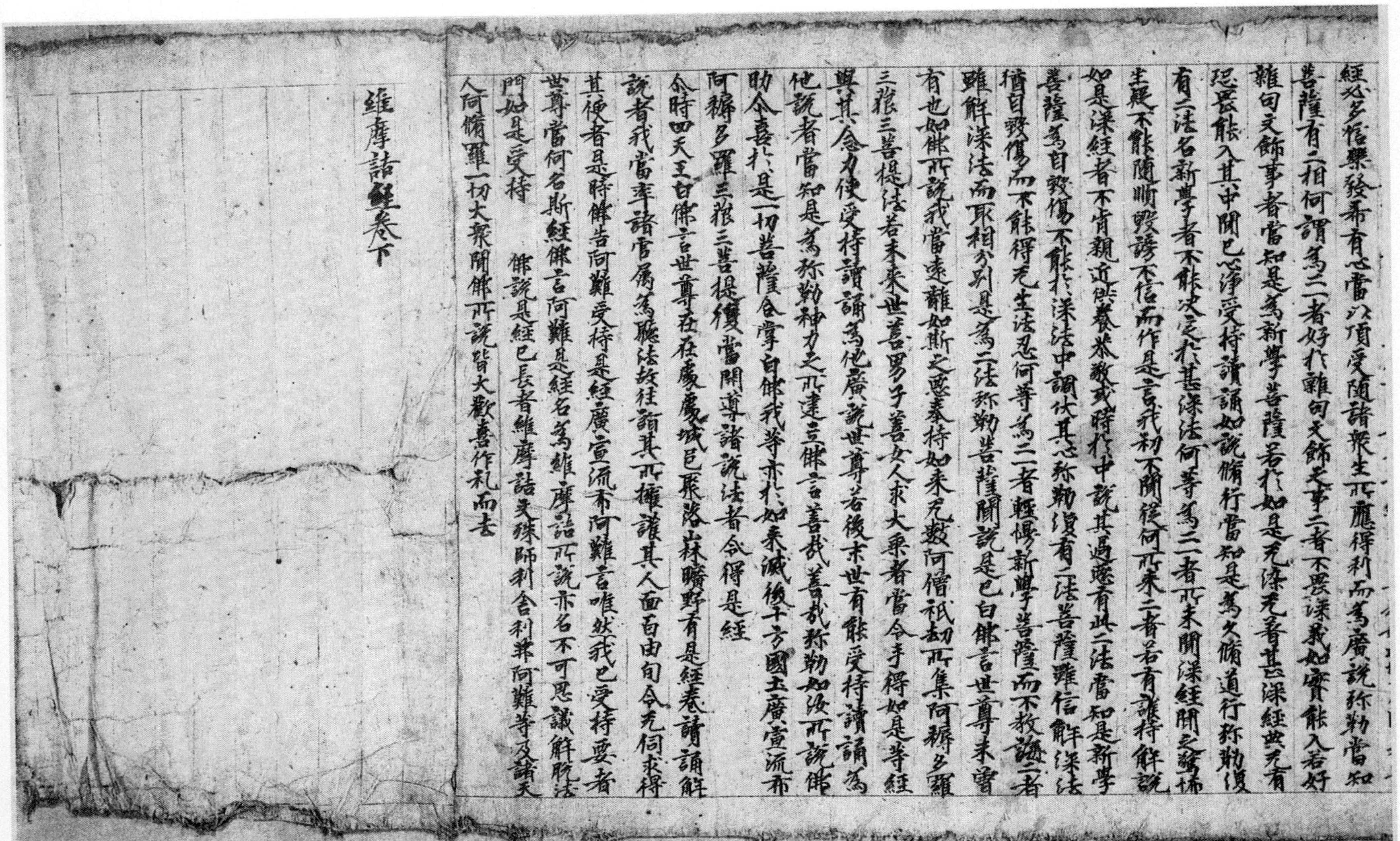

經必多信樂發希有心當以頂受隨諸衆生所應得利而爲廣說弥勒當知
菩薩有二相何謂爲二一者好於雜句文飾之事二者不畏深義如實能入若好
雜句文飾事者當知是爲新學菩薩若於如是无染无著甚深經典无有
恐畏能入其中聞已心淨受持讀誦如說脩行當知是爲久脩道行弥勒復
有二法名新學者不能決定於甚深法何等爲二一者所未聞深經聞之驚怖
生疑不能隨順毀謗不信而作是言我初不聞從何所來二者若有護持解說
如是深經者不肯親近供養恭敬或時於中說其過惡有此二法當知是新學
菩薩爲自毀傷不能於深法中調伏其心弥勒復有二法菩薩雖信解深法
猶自毀傷而不能得无生法忍何等爲二一者輕慢新學菩薩而不教誨二者
雖解深法而取相分別是爲二法弥勒菩薩聞說是已白佛言世尊未曾
有也如佛所說我當遠離如斯之惡奉持如來无數阿僧祇劫所集阿耨多羅
三藐三菩提法若未來世善男子善女人求大乘者當令手得如是等經
與其念力使受持讀誦爲他廣說世尊若後末世有能受持讀誦爲
他說者當知是爲弥勒神力之所建立佛言善哉善哉弥勒如汝所說佛
助尒喜於是一切菩薩合掌白佛我等亦於如來滅後十方國土廣宣流布
阿耨多羅三藐三菩提復當開導諸說法者令得是經
尒時四天王白佛言世尊在在處處城邑聚落山林曠野有是經卷讀誦解
說者我當率諸官屬爲聽法故往詣其所擁護其人面百由旬令无伺求得
其便者是時佛告阿難受持是經廣宣流布阿難言唯然我已受持要者
世尊當何名斯經佛言阿難是經名爲維摩詰所說亦名不可思議解脫法
門如是受持　佛說是經已長者維摩詰文殊師利舍利弗阿難等及諸天
人阿脩羅一切大衆聞佛所說皆大歡喜作禮而去

維摩詰經卷下

BD03015 號 2　維摩詰所說經卷下　（20–19）

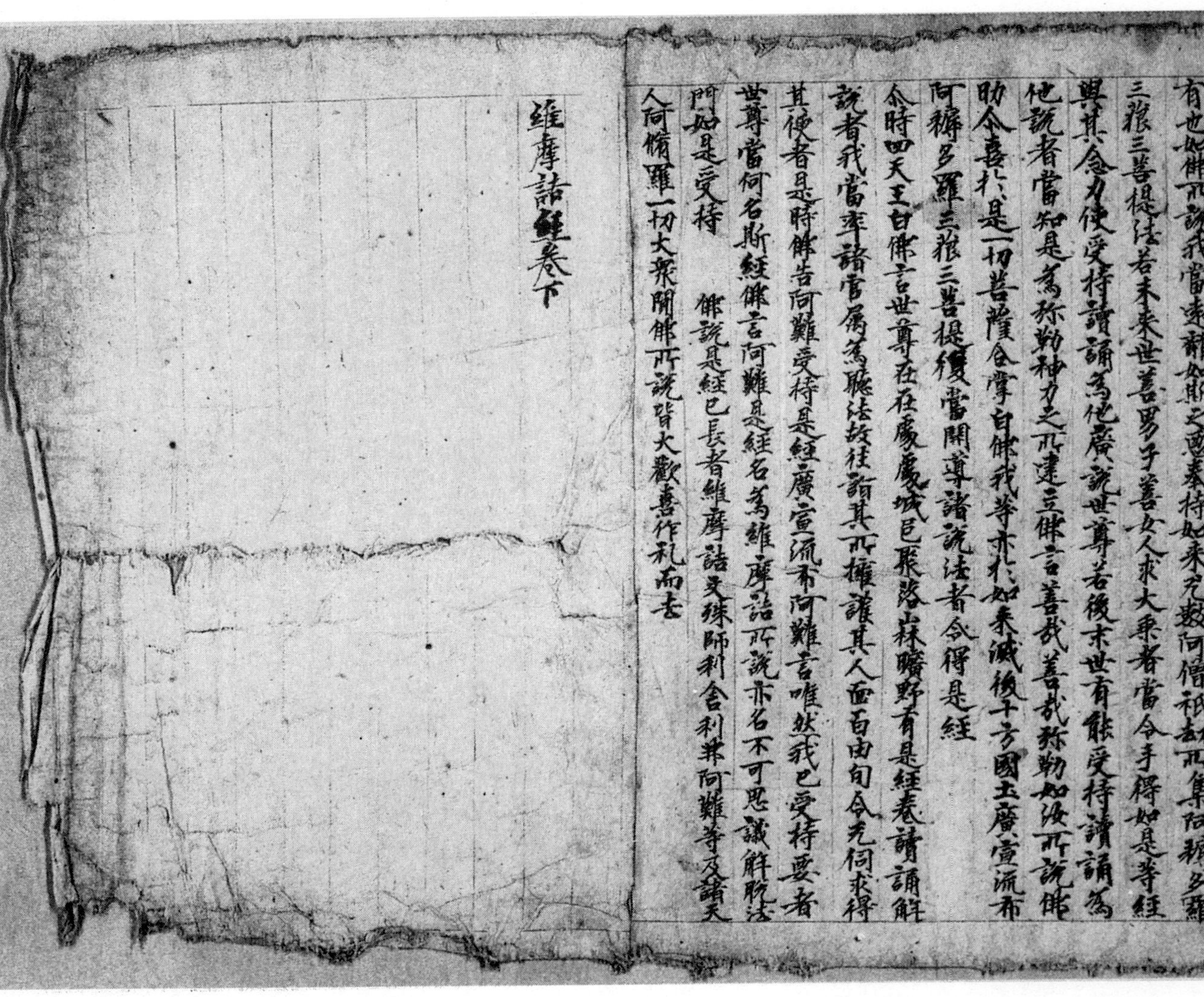

有也如佛所說我當遠離如斯之惡奉持如來无數阿僧祇劫所集阿耨多羅
三藐三菩提法若未來世善男子善女人求大乘者當令手得如是等經
與其念力使受持讀誦爲他廣說世尊若後末世有能受持讀誦爲
他說者當知是爲弥勒神力之所建立佛言善哉善哉弥勒如汝所說佛
助尒喜於是一切菩薩合掌白佛我等亦於如來滅後十方國土廣宣流布
阿耨多羅三藐三菩提復當開導諸說法者令得是經
尒時四天王白佛言世尊在在處處城邑聚落山林曠野有是經卷讀誦解
說者我當率諸官屬爲聽法故往詣其所擁護其人面百由旬令无伺求得
其便者是時佛告阿難受持是經廣宣流布阿難言唯然我已受持要者
世尊當何名斯經佛言阿難是經名爲維摩詰所說亦名不可思議解脫法
門如是受持　佛說是經已長者維摩詰文殊師利舍利弗阿難等及諸天
人阿脩羅一切大衆聞佛所說皆大歡喜作禮而去

維摩詰經卷下

BD03015 號 2　維摩詰所說經卷下　（20–20）

不虛妄何以故是長者先作是意我以方便
令子得出以是因緣无虛妄也何況長者自
知財富无量欲饒益諸子等與大車佛告舍
利弗善哉善哉如汝所言舍利弗如來亦復
如是則為一切世間之父於諸怖畏衰惱憂患
無明闇蔽永盡无餘而悉成就無量知見
力无所畏有大神力及智慧力具足方便智慧
波羅蜜大慈大悲常无懈惓恒求善事利益
一切而生三界朽故火宅為度衆生生老病
死憂悲苦惱愚癡闇蔽三毒之火教化令
得阿耨多羅三藐三菩提見諸衆生為生老
病死憂悲苦惱之所燒煮亦以五欲財利故
受種種苦又以貪著追求故現受衆苦後受地
地獄畜生餓鬼之苦若生天上及在人間貧窮
困苦愛別離苦怨憎會苦如是等種種諸苦
衆生沒在其中歡喜遊戲不覺不知不驚
不怖亦不生猒不求解脫於此三界火宅東
西馳走雖遭大苦不以為患舍利弗佛見此
已便作是念我為衆生之父應拔其苦難與无
量无邊佛智慧樂令其遊戲舍利弗如來復
作是念若我但以神力及智慧力捨於方便
為諸衆生讚如來知見力无所畏者衆生不

BD03016號　妙法蓮華經卷二　（20–1）

不怖亦不生猒不求解脫於此三界火宅東
西馳走雖遭大苦不以為患舍利弗佛見此
已便作是念我為衆生之父應拔其苦難與无
量无邊佛智慧樂令其遊戲舍利弗如來復
作是念若我但以神力及智慧力捨於方便
為諸衆生讚如來知見力无所畏者衆生不
能以是得度所以者何是諸衆生未免生老
病死憂悲苦惱而為三界火宅所燒何由能
解佛之智慧舍利弗如彼長者雖復身手有
力而不用之但以慇勤方便免濟諸子火、
宅之難然後各與珎寶大車如來亦復如是
雖有力无所畏而不用之但以智慧方便於三
界火宅拔濟衆生為說三乘聲聞辟支佛
佛乘而作是言汝等莫得樂住三界火宅勿
貪麁弊色聲香味觸也若貪著生愛則為所
燒汝速出三界當得三乘聲聞辟支佛佛乘
我今為汝保任此事終不虛也汝等但當勤
修精進如來以是方便誘進衆生復作是言
汝等當知此三乘法皆是聖所稱歎自在無繫
无所依求乘是三乘以无漏根力覺道禪定
解脫三昧等而自娛樂便得无量安隱快樂
舍利弗若有衆生內有智性從佛世尊聞法
信受慇勤精進欲速出三界自求涅槃是
名聲聞乘如彼諸子為求羊車出於火宅若
有衆生從佛世尊聞法信受慇勤精進求自然
慧樂獨善寂深知諸法因緣是名辟支佛乘
如彼諸子為求鹿車出於火宅若有衆生從
佛世尊聞法信受勤修精進求一切智佛智自

BD03016號　妙法蓮華經卷二　（20–2）

有衆生從佛世尊聞法信受殷勤精進求自然
慧樂獨善寂深知諸法因緣是名辟支佛乘
如彼諸子為求鹿車出於火宅若有衆生從
佛世尊聞法信受勤修精進求一切智佛智自
然智无師智如來知見力无所畏愍念安樂
无量衆生利益天人度脫一切是名大乘菩
薩求此乘故名為摩訶薩如彼諸子為求
牛車出於火宅舍利弗如彼長者見諸子等
安隱得出火宅到无畏處自惟財富无量等
以大車而賜諸子如來亦復如是為一切衆
生之父若見无量億千衆生以佛教門出三
界苦怖畏險道得涅槃樂如來尒時便作是念
我有无量无邊智慧力无畏等諸佛法藏
是諸衆生皆是我子等與大乘不令有人
獨得滅度皆以如來滅度而滅度之是諸衆
生脫三界者悉與諸佛禪定解脫等娛樂之
具皆是一相一種聖所稱歎能生淨妙第一之
樂舍利弗如彼長者初以三車誘引諸子然
後但與大車寶物莊嚴安隱第一然彼長
者无虛妄之咎如來亦復如是无有虛妄初
說三乘引導衆生然後但以大乘而度脫之
何以故如來有无量智慧力无所畏諸法之藏
能與一切衆生大乘之法但不盡能受舍利弗
以是因緣當知諸佛方便力故於一佛乘分
別說三佛欲重宣此義而說偈言
譬如長者　有一大宅　其宅久故　而復頓弊
堂舍高危　柱根摧朽　梁棟傾斜　基陛隤毀
牆壁圮坼　泥塗褫落　覆苫亂墜　椽梠差脫

BD03016號　妙法蓮華經卷二

（20–3）

以是因緣當知諸佛方便力故於一佛乘分
別說三佛欲重宣此義而說偈言
譬如長者　有一大宅　其宅久故　而復頓弊
堂舍高危　柱根摧朽　梁棟傾斜　基陛隤毀
牆壁圮坼　泥塗褫落　覆苫亂墜　椽梠差脫
周障屈曲　雜穢充遍　有五百人　止住其中
鵄梟鵰鷲　烏鵲鳩鴿　蚖蛇蝮蠍　蜈蚣蚰蜒
守宮百足　狖狸鼷鼠　諸惡蟲輩　交橫馳走
屎尿臭處　不淨流溢　蜣蜋諸蟲　而集其上
狐狼野干　咀嚼踐蹋　嚌齧死屍　骨肉狼藉
由是群狗　競來搏撮　飢羸慞惶　處處求食
鬪諍摣掣　啀喍嗥吠　其舍恐怖　變狀如是
處處皆有　魑魅魍魎　夜叉惡鬼　食噉人肉
毒蟲之屬　諸惡禽獸　孚乳產生　各自藏護
夜叉競來　爭取食之　食之既飽　惡心轉熾
鬪諍之聲　甚可怖畏　鳩槃荼鬼　蹲踞土埵
或時離地　一尺二尺　往返遊行　縱逸嬉戲
捉狗兩足　撲令失聲　以腳加頸　怖狗自樂
復有諸鬼　其身長大　裸形黑瘦　常住其中
發大惡聲　叫呼求食　復有諸鬼　其咽如針
復有諸鬼　首如牛頭　或食人肉　或復噉狗
頭髮蓬亂　殘害兇險　飢渴所逼　叫喚馳走
夜叉餓鬼　諸惡鳥獸　飢急四向　窺看窗牖
如是諸難　恐畏无量　是朽故宅　屬于一人
其人近出　未久之間　於後宅舍　忽然火起
四面一時　其焰俱熾　棟梁椽柱　爆聲震裂
摧折墮落　牆壁崩倒　諸鬼神等　揚聲大叫
鵰鷲諸鳥　鳩槃荼等　周章惶怖　不能自出

BD03016號　妙法蓮華經卷二

（20–4）

如是諸難　恐畏无量　是朽故宅　屬于一人
其人近出　未久之間　於後宅舍　忽然火起
四面一時　其焰俱熾　棟梁椽柱　爆聲震裂
摧折墮落　牆壁崩倒　諸鬼神等　揚聲大叫
鵰鷲諸鳥　鳩槃荼等　周章惶怖　不能自出
惡獸毒虫　藏竄孔穴　毗舍闍鬼　亦住其中
薄福德故　為火所逼　共相殘害　飲血噉肉
野干之屬　並已前死　諸大惡獸　競來食噉
臭煙熢㶿　四面充塞　蜈蚣蚰蜒　毒蛇之類
為火所燒　爭走出穴　鳩槃荼鬼　隨取而食
又諸餓鬼　頭上火然　飢渴熱惱　周章悶走
其宅如是　甚可怖畏　毒害火災　眾難非一
是時宅主　在門外立　聞有人言　汝諸子等
先因遊戲　來入此宅　稚小无知　歡娛樂著
長者聞已　驚入火宅　方宜救濟　令无燒害
告喻諸子　說眾患難　惡鬼毒虫　災火蔓莚
眾苦次第　相續不絕　毒蛇蚖蝮　及諸夜叉
鳩槃荼鬼　野干狐狗　鵰鷲鵄梟　百足之屬
飢渴惱急　甚可怖畏　此苦難處　況復大火
諸子无知　雖聞父誨　猶故樂著　嬉戲不已
是時長者　而作是念　諸子如此　益我愁惱
今此舍宅　无一可樂　而諸子等　耽湎嬉戲
不受我教　將為火害　即便思惟　設諸方便
告諸子等　我有種種　珍玩之具　妙寶好車
羊車鹿車　大牛之車　今在門外　汝等出來
吾為汝等　造作此車　隨意所樂　可以遊戲
[illegible]

不受我教　將為火害　即便思惟　設諸方便
告諸子等　我有種種　珍玩之具　妙寶好車
羊車鹿車　大牛之車　今在門外　汝等出來
吾為汝等　造作此車　隨意所樂　可以遊戲
諸子聞說　如此諸車　即時奔競　馳走而出
到於空地　離諸苦難　長者見子　得出火宅
住於四衢　坐師子座　而自慶言　我今快樂
此諸子等　生育甚難　愚小无知　而入險宅
多諸毒虫　魑魅可畏　大火猛焰　四面俱起
而此諸子　貪樂嬉戲　我已救之　令得脫難
是故諸人　我今快樂　爾時諸子　知父安坐
皆詣父所　而白父言　願賜我等　三種寶車
如前所許　諸子出來　當以三車　隨汝所欲
今正是時　唯垂給與　長者大富　庫藏眾多
金銀琉璃　硨磲碼瑙　以眾寶物　造諸大車
莊校嚴飾　周帀欄楯　四面懸鈴　金繩交絡
真珠羅網　張施其上　金華諸瓔　處處垂下
眾綵雜飾　周帀圍繞　柔軟繒纊　以為茵蓐
上妙細氎　價直千億　鮮白淨潔　以覆其上
有大白牛　肥壯多力　形體姝好　以駕寶車
多諸儐從　而侍衛之　以是妙車　等賜諸子
諸子是時　歡喜踊躍　乘是寶車　遊於四方
嬉戲快樂　自在无礙　告舍利弗　我亦如是
眾聖中尊　世間之父　一切眾生　皆是吾子
深著世樂　无有慧心　三界無安　猶如火宅
眾苦充滿　甚可怖畏　常有生老　病死憂患
如是等火　熾然不息　如來已離　三界火宅
寂然閑居　安處林野　今此三界　皆是我有

衆聖中尊　世間之父　一切衆生　皆是吾子
深著世樂　无有慧心　三界無安　猶如火宅
衆苦充滿　甚可怖畏　常有生老　病死憂患
如是等火　熾然不息　如來已離　三界火宅
寂然閑居　安處林野　今此三界　皆是我有
其中衆生　悉是吾子　而今此處　多諸患難
唯我一人　能為救護　雖復教詔　而不信受
於諸欲染　貪著深故　以是方便　為說三乘
令諸衆生　知三界苦　開示演說　出世間道
是諸子等　若心決定　具足三明　及六神通
有得緣覺　不退菩薩　汝舍利弗　我為衆生
以此譬喻　說一佛乘　汝等若能　信受是語
一切皆當　成得佛道　是乘微妙　清淨第一
於諸世間　為无有上　佛所悅可　一切衆生
所應稱讚　供養禮拜　无量億千　諸力解脫
禪定智慧　及佛餘法　得如是乘　令諸子等
日夜劫數　常得遊戲　與諸菩薩　及聲聞衆
乘此寶乘　直至道場　以是因緣　十方諦求
更无餘乘　除佛方便　告舍利弗　汝諸人等
皆是吾子　我則是父　汝等累劫　衆苦所燒
我皆濟拔　令出三界　我雖先說　汝等滅度
但盡生死　而實不滅　今所應作　唯佛智慧
若有菩薩　於是衆中　能一心聽　諸佛實法
諸佛世尊　雖以方便　所化衆生　皆是菩薩
若人小智　深著愛欲　為此等故　說於苦諦
衆生心喜　得未曾有　佛說苦諦　真實无異
若有衆生　不知苦本　深著苦因　不能暫捨
為是等故　方便說道　諸苦所因　貪欲為本

BD03016號　妙法蓮華經卷二　（20–7）

諸佛世尊　雖以方便　所化衆生　皆是菩薩
若人小智　深著愛欲　為此等故　說於苦諦
衆生心喜　得未曾有　佛說苦諦　真實无異
若有衆生　不知苦本　深著苦因　不能暫捨
為是等故　方便說道　諸苦所因　貪欲為本
若滅貪欲　无所依止　滅盡諸苦　名第三諦
為滅諦故　修行於道　離諸苦縛　名得解脫
是人於何　而得解脫　但離虛妄　名為解脫
其實未得　一切解脫　佛說是人　未實滅度
斯人未得　无上道故　我意不欲　令至滅度
我為法王　於法自在　安隱衆生　故現於世
汝舍利弗　我此法印　為欲利益　世間故說
在所遊方　勿妄宣傳　若有聞者　隨喜頂受
當知是人　阿惟越致　若有信受　此經法者
是人已曾　見過去佛　恭敬供養　亦聞是法
若人有能　信汝所說　則為見我　亦見於汝
及比丘僧　并諸菩薩　斯法華經　為深智說
淺識聞之　迷惑不解　一切聲聞　及辟支佛
於此經中　力所不及　汝舍利弗　尚於此經
以信得入　況餘聲聞　其餘聲聞　信佛語故
隨順此經　非己智分　又舍利弗　憍慢懈怠
計我見者　莫說此經　凡夫淺識　深著五欲
聞不能解　亦勿為說　若人不信　毀謗此經
則斷一切　世間佛種　或復顰蹙　而懷疑惑
汝當聽說　此人罪報　若佛在世　若滅度後
其有誹謗　如斯經典　見有讀誦　書持經者
輕賤憎嫉　而懷結恨　此人罪報　汝今復聽

BD03016號　妙法蓮華經卷二　（20–8）

汝當聽說　此人罪報　若佛在世　若滅度後
其有誹謗　如斯經典　見有讀誦　書持經者
輕賤憎嫉　而懷結恨　此人罪報　汝今復聽
其人命終　入阿鼻獄　具足一劫　劫盡更生
如是展轉　至无數劫　從地獄出　當墮畜生
若狗野干　其形頊瘦　黧黮疥癩　人所觸嬈
又復為人　之所惡賤　常困飢渴　骨肉枯竭
生受楚毒　死被瓦石　斷佛種故　受斯罪報
若作駝驢　或生驢中　身常負重　加諸杖捶
但念水草　餘无所知　謗斯經故　獲罪如是
有作野干　來入聚落　身體疥癩　又无一目
為諸童子　之所打擲　受諸苦痛　或時致死
於此死已　更受蟒身　其形長大　五百由旬
聾騃无足　宛轉腹行　為諸小虫　之所唼食
晝夜受苦　无有休息　謗斯經故　獲罪如是
若得為人　諸根闇鈍　矬陋攣躄　盲聾背傴
有所言說　人不信受　口氣常臭　鬼魅所著
貧窮下賤　為人所使　多病痟瘦　无所依怙
雖親附人　人不在意　若有所得　尋復忘失
若脩醫道　順方治病　更增他疾　或復致死
若自有病　无人救療　設服良藥　而復增劇
若他反逆　抄劫竊盜　如是等罪　橫羅其殃
如斯罪人　永不見佛　眾聖之王　說法教化
如斯罪人　常生難處　狂聾心亂　永不聞法
於无數劫　如恒河沙　生輒聾瘂　諸根不具
常處地獄　如遊園觀　在餘惡道　如己舍宅
駝驢豬狗　是其行處　謗斯經故　獲罪如是

BD03016號　妙法蓮華經卷二　（20-9）

如斯罪人　永不見佛　眾聖之王　說法教化
如斯罪人　常生難處　狂聾心亂　永不聞法
於无數劫　如恒河沙　生輒聾瘂　諸根不具
常處地獄　如遊園觀　在餘惡道　如己舍宅
駝驢豬狗　是其行處　謗斯經故　獲罪如是
若得為人　聾盲瘖瘂　貧窮諸衰　以自莊嚴
水腫乾痟　疥癩癰疽　如是等病　以為衣服
身常臭處　垢穢不淨　深著我見　增益瞋恚
婬欲熾盛　不擇禽獸　謗斯經故　獲罪如是
告舍利弗　謗斯經者　若說其罪　窮劫不盡
以是因緣　我故語汝　无智人中　莫說此經
若有利根　智慧明了　多聞強識　求佛道者
如是之人　乃可為說　若人曾見　億百千佛
殖諸善本　深心堅固　如是之人　乃可為說
若人精進　常脩慈心　不惜身命　乃可為說
若人恭敬　无有異心　離諸凡愚　獨處山澤
如是之人　乃可為說　又舍利弗　若見有人
捨惡知識　親近善友　如是之人　乃可為說
若見佛子　持戒清潔　如淨明珠　求大乘經
如是之人　乃可為說　若人無瞋　質直柔耎
常愍一切　恭敬諸佛　如是之人　乃可為說
復有佛子　於大眾中　以清淨心　種種因緣
譬喻言辭　說法无礙　如是之人　乃可為說
若有比丘　為一切智　四方求法　合掌頂受
但樂受持　大乘經典　乃至不受　餘經一偈
如是之人　乃可為說　如人至心　求佛舍利
如是求經　得已頂受　其人不復　志求餘經

BD03016號　妙法蓮華經卷二　（20-10）

若有比丘為一切智四方求法合掌頂受
但樂受持大乘經典乃至不受餘經一偈
如是之人乃可為說如人至心求佛舍利
如是求經得已頂受其人不復志求餘經
亦未曾念外道典籍如是之人乃可為說
告舍利弗我說是相求佛道者窮劫不盡
如是等人則能信解汝當為說妙法華經

妙法蓮華經信解品第四

尒時慧命須菩提摩訶迦旃延摩訶迦葉摩
訶目揵連從佛所聞未曾有法世尊授舍利
弗阿耨多羅三藐三菩提記發希有心歡喜
踊躍即從座起整衣服偏袒右肩右膝著地
一心合掌曲躬恭敬瞻仰尊顏而白佛言我
等居僧之首年並朽邁自謂已得涅槃無所
堪任不復進求阿耨多羅三藐三菩提世尊
往昔說法既久我時在座身體疲懈但念空
无相无作於菩薩法遊戲神通淨佛國土成
就眾生心不喜樂所以者何世尊令我等出
於三界得涅槃證又今我等年已朽邁於佛
教化菩薩阿耨多羅三藐三菩提不生一念
好樂之心我等今於佛前聞授聲聞阿耨多
羅三藐三菩提記心甚歡喜得未曾有不謂
於今忽然得聞希有之法深自慶幸獲大善
利无量珎寶不求自得世尊我等今者樂說
譬喻以明斯義譬若有人年既幼稚捨父逃
逝久住他國或十二十至五十歲年既長大
加復窮困馳騁四方以求衣食漸漸遊行遇
向本國其父先來求子不得中止一城其家

BD03016號　妙法蓮華經卷二　（20–11）

利无量珎寶不求自得世尊我等今者樂說
譬喻以明斯義譬若有人年既幼稚捨父逃
逝久住他國或十二十至五十歲年既長大
加復窮困馳騁四方以求衣食漸漸遊行遇
向本國其父先來求子不得中止一城其家
大富財寶无量金銀瑠璃珊瑚虎珀頗梨珠
等其諸倉庫悉皆盈溢多有僮僕臣佐吏民
象馬車乘牛羊无數出入息利乃遍他國商估
賈客亦甚眾多時貧窮子遊諸聚落經歷
國邑遂到其父所止之城父每念子與子離別
五十餘年而未曾向人說如此事但自思惟
心懷悔恨自念老朽多有財物金銀珎寶倉
庫盈溢无有子息一旦終沒財物散失无所
委付是以慇懃每憶其子復作是念我若
得子委付財物坦然快樂无復憂慮世尊尒
時窮子傭賃展轉遇到父舍住立門側遙見
其父踞師子床寶几承足諸婆羅門剎利居
士皆恭敬圍繞以真珠瓔珞價直千萬莊嚴
其身吏民僮僕手執白拂侍立左右覆以寶
帳垂諸華幡香水灑地散眾名華羅列寶物
出內取與有如是等種種嚴飾威德特尊窮
子見父有大力勢即懷恐怖悔來至此竊作
是念此或是王或是王等非我傭力得物之
處不如往至貧里肆力有地衣食易得若久
住此或見逼迫強使我作作是念已疾走而
去時富長者於師子座見子便識心大歡喜
即作是念我財物庫藏今有所付我常思念
此子无由見之而忽自來甚適我願我雖年

BD03016號　妙法蓮華經卷二　（20–12）

住此或見逼迫强使我作作是念已疾走而
去時富長者於師子座見子便識心大歡喜
即作是念我財物庫藏今有所付我常思念
此子无由見之而忽自來甚適我願我雖年
朽猶故貪惜即遣傍人急追將還尒時使者
疾走往捉窮子驚愕稱怨大喚我不相犯
何為見捉使者執之逾急强牽將還于時窮
子自念无罪而被囚執此必定死轉更惶怖悶絶
躄地父遥見之而語使言不須此人勿强將
來以冷水灑面令得醒悟莫復與語所以者
何父知其子志意下劣自知豪貴為子所難
審知是子而以方便不語他人云是我子使者
語之我今放汝隨意所趣窮子歡喜得未
曾有從地而起往至貧里以求衣食尒時長
者將欲誘引其子而設方便密遣二人形
色顦顇无威德者汝可詣彼徐語窮子此有
作處倍與汝直窮子若許將來使作若言欲
何所作便可語之雇汝除糞我等二人亦共
汝作時二使人即求窮子既已得之具陳上
事尒時窮子先取其價尋與除糞其父見子
愍而怪之又以他日於窻牖中遥見子身羸瘦
顦顇糞土塵坌汙穢不淨即脱瓔珞細耎上
服嚴飾之具更著麁弊垢膩之衣塵土坌
身右手執持除糞之器狀有所畏語諸作人
汝等勤作勿得懈息以方便故得近其子後復
告言咄男子汝常此作勿復餘去當加汝價
諸有所須瓫器米麪鹽酢之屬莫自疑難亦

BD03016 號　妙法蓮華經卷二　（20–13）

汝等勤作勿得懈息以方便故得近其子後復
告言咄男子汝常此作勿復餘去當加汝價
諸有所須瓫器米麪鹽酢之屬莫自疑難亦
有老弊使人須者相給好自安意我如汝父
勿復憂慮所以者何我年老大而汝少壯
汝常作時无有欺怠瞋恨怨言都不見汝有
此諸惡如餘作人自今已後如所生子即時長
者更與作字名之為兒尒時窮子雖欣此遇
猶故自謂客作賤人由是之故於二十年中
常令除糞過是已後心相體信入出無難
然其所止猶在本處世尊尒時長者有疾自
知將死不久語窮子言我今多有金銀珎寶
倉庫盈溢其中多少所應取與汝悉知之我
心如是當體此意所以者何今我與汝便為
不異宜加用心无令漏失尒時窮子即受教
勑領知衆物金銀珎寶及諸庫藏而无悕取
一飡之意然其所止故在本處下劣之心亦
未能捨復經少時父知子意漸以通泰成就
大志自鄙先心臨欲終時而命其子并會親
族國王大臣刹利居士皆悉已集即自宣言
諸君當知此是我子我之所生於某城中捨吾
逃走竛竮辛苦五十餘年其本字某我名某
甲昔在本城懷憂推覓忽於此間遇會得
之此實我子我實其父今我所有一切財物
皆是子有先所出內是子所知世尊是時窮
子聞父此言即大歡喜得未曾有而作是念
我本无心有所悕求今此寶藏自然而至世

BD03016 號　妙法蓮華經卷二　（20–14）

之此實我子我實其父今我所有一切財物
皆是子有先所出內是子所知世尊是時窮
子聞父此言即大歡喜得未曾有而作是念
我本无心有所希求今此寶藏自然而至世
尊大富長者則是如來我等皆似佛子如來
常說我等為子世尊我等以三苦故於生死
中受諸熱惱迷惑无知樂著小法今日世尊
令我等思惟蠲除諸法戲論之糞我等於中
勤加精進得至涅槃一日之價既得此已心
大歡喜自以為足便自謂言於佛法中勤精
進故所得弘多然世尊先知我等心著弊欲
樂於小法便見縱捨不為分別汝等當有如
來知見寶藏之分世尊以方便力說如來智
慧我等從佛得涅槃一日之價以為大得於
此大乘无有志求我等又因如來智慧為諸
菩薩開示演說而自於此无有志願所以者
何佛知我等心樂小法以方便力隨我等說
而我等不知真是佛子今我等方知世尊於
佛智慧无所悋惜所以者何我等昔來真是
佛子而但樂小法若我等有樂大之心佛則
為我說大乘法於此經中唯說一乘而昔於
菩薩前毀呰聲聞樂小法者然佛實以大乘
教化是故我等說本无心有所希求今法王
大寶自然而至如佛子所應得者皆已得之
尒時摩訶迦葉欲重宣此義而說偈言
我等今日　聞佛音教　歡喜踊躍　得未曾有
佛說聲聞　當得作佛　无上寶聚　不求自得

BD03016 號　妙法蓮華經卷二　（20–15）

大寶自然而至如佛子所應得者皆已得之
尒時摩訶迦葉欲重宣此義而說偈言
我等今日　聞佛音教　歡喜踊躍　得未曾有
佛說聲聞　當得作佛　无上寶聚　不求自得
譬如童子　幼稚无識　捨父逃逝　遠到他土
周流諸國　五十餘年　其父憂念　四方推求
求之既疲　頓止一城　造立舍宅　五欲自娛
其家巨富　多諸金銀　車璖碼瑙　真珠瑠璃
象馬牛羊　輦轝車乘　田業僮僕　人民眾多
出入息利　乃遍他國　商估賈人　无處不有
千萬億眾　圍繞恭敬　常為王者　之所愛念
羣臣豪族　皆共宗重　以諸緣故　往來者眾
豪富如是　有大力勢　而年朽邁　益憂念子
夙夜惟念　死時將至　癡子捨我　五十餘年
庫藏諸物　當如之何　尒時窮子　求索衣食
從邑至邑　從國至國　或有所得　或無所得
飢餓羸瘦　體生瘡癬　漸次經歷　到父住城
傭賃展轉　遂至父舍　尒時長者　於其門內
施大寶帳　處師子座　眷屬圍繞　諸人侍衛
或有計算　金銀寶物　出內財產　注記券疏
窮子見父　豪貴尊嚴　謂是國王　若國王等
驚怖自怪　何故至此　覆自念言　我若久住
或見逼迫　強驅使作　思惟是已　馳走而去
借問貧里　欲往傭作　長者是時　在師子座
遙見其子　默而識之　即勅使者　追捉將來
窮子驚喚　迷悶躄地　是人執我　必當見殺

BD03016 號　妙法蓮華經卷二　（20–16）

或見逼迫　強駈使作　思惟是已　馳走而去
借問貧里　欲往傭作　長者是時　在師子座
遥見其子　默而識之　即勅使者　追捉將來
窮子驚喚　迷悶躄地　是人執我　必當見殺
何用衣食　使我至此　長者知子　愚癡狹劣
不信我言　不信是父　即以方便　更遣餘人
眇目矬陋　无威德者　汝可語之　云當相雇
除諸糞穢　倍與汝價　窮子聞之　歡喜隨來
為除糞穢　淨諸房舍　長者於牖　常見其子
念子愚劣　樂為鄙事　於是長者　著弊垢衣
執除糞器　往到子所　方便附近　語令勤作
既益汝價　并塗足油　飲食充足　薦席厚暖
如是苦言　汝當勤作　又以耎語　若如我子
長者有智　漸令入出　經二十年　執作家事
示其金銀　真珠頗梨　諸物出入　皆使令知
猶處門外　止宿草庵　自念貧事　我无此物
父知子心　漸已曠大　欲與財物　即聚親族
國王大臣　剎利居士　於此大眾　說是我子
捨我他行　經五十歲　自見子來　已二十年
昔於某城　而失是子　周行求索　遂來至此
凡我所有　舍宅人民　悉以付之　恣其所用
子念昔貧　志意下劣　今於父所　大獲珍寶
并及舍宅　一切財物　甚大歡喜　得未曾有
佛亦如是　知我樂小　未曾說言　汝等作佛
而說我等　得諸無漏　成就小乘　聲聞弟子

并及舍宅　一切財物　甚大歡喜　得未曾有
佛亦如是　知我樂小　未曾說言　汝等作佛
而說我等　得諸無漏　成就小乘　聲聞弟子
佛勅我等　說最上道　修習此者　當得成佛
我承佛教　為大菩薩　以諸因緣　種種譬喻
若干言辭　說无上道　諸佛子等　從我聞法
日夜思惟　精勤修習　是時諸佛　即授其記
汝於來世　當得作佛　一切諸佛　秘藏之法
但為菩薩　演其實事　而不為我　說斯真要
如彼窮子　得近其父　雖知諸物　心不希取
我等雖說　佛法寶藏　自无志願　亦復如是
我等內滅　自謂為足　唯了此事　更无餘事
我等若聞　淨佛國土　教化眾生　都无欣樂
所以者何　一切諸法　皆悉空寂　无生无滅
无大無小　無漏無為　如是思惟　不生喜樂
我等長夜　於佛智慧　無貪無著　無復志願
而自於法　謂是究竟　我等長夜　修習空法
得脫三界　苦惱之患　住最後身　有餘涅槃
佛所教化　得道不虛　則為已得　報佛之恩
我等雖為　諸佛子等　說菩薩法　以求佛道
而於是法　永無願樂　導師見捨　觀我心故
初不勸進　說有實利　如富長者　知子志劣
以方便力　柔伏其心　然後乃付　一切財物
佛亦如是　現希有事　知樂小者　以方便力

而於是法　永無願樂　導師見捨　觀我心故
初不勸進　說有實利　如富長者　知子志劣
以方便力　柔伏其心　然後乃付　一切財物
佛亦如是　現希有事　知樂小者　以方便力
調伏其心　乃教大智　我等今日　得未曾有
非先所望　而今自得　如彼窮子　得無量寶
世尊我今　得道得果　於無漏法　得清淨眼
我等長夜　持佛淨戒　始於今日　得其果報
法王法中　久修梵行　今得無漏　無上大果
我等今者　真是聲聞　以佛道聲　令一切聞
我等今者　真阿羅漢　於諸世間　天人魔梵
普於其中　應受供養　世尊大恩　以希有事
憐愍教化　利益我等　無量億劫　誰能報者
手足供給　頭頂禮敬　一切供養　皆不能報
若以頂戴　兩肩荷負　於恒沙劫　盡心恭敬
又以美饍　無量寶衣　及諸臥具　種種湯藥
牛頭栴檀　及諸珍寶　以起塔廟　寶衣布地
如斯等事　以用供養　於恒沙劫　亦不能報
諸佛希有　無量無邊　不可思議　大神通力
無漏無為　諸法之王　能為下劣　忍于斯事
取相凡夫　隨宜為說　諸佛於法　得最自在
知諸眾生　種種欲樂　及其志力　隨所堪任
以無量喻　而為說法　隨諸眾生　宿世善根
又知成熟　未成熟者　種種籌量　分別知已

BD03016號　妙法蓮華經卷二　（20–19）

若以頂戴　兩肩荷負　於恒沙劫　盡心恭敬
又以美饍　無量寶衣　及諸臥具　種種湯藥
牛頭栴檀　及諸珍寶　以起塔廟　寶衣布地
如斯等事　以用供養　於恒沙劫　亦不能報
諸佛希有　無量無邊　不可思議　大神通力
無漏無為　諸法之王　能為下劣　忍于斯事
取相凡夫　隨宜為說　諸佛於法　得最自在
知諸眾生　種種欲樂　及其志力　隨所堪任
以無量喻　而為說法　隨諸眾生　宿世善根
又知成熟　未成熟者　種種籌量　分別知已
於一乘道　隨宜說三

妙法蓮華經卷第二

BD03016號　妙法蓮華經卷二　（20–20）

漸漸增長……
愛三昧大王譬如月光從十六日至卅
色光明漸漸損減月愛三昧亦復如是
照處所有煩惱能令漸減是故復名……
眛大王譬如盛熱之時一切衆生常思……光
月光既照鬱熱即除月愛三昧亦復如是能
令衆生除貪惱熱大王譬如滿月衆星中王
為甘露味一切衆生之所愛樂月愛三昧亦
復如是諸善中王為甘露味一切衆生之所
愛樂是故復名月愛三昧王言我……不
興惡人同心坐起語言談論猶如大海不宿
死屍如鴛鴦鳥不住清廁釋提桓因不與鬼
住鳩翅羅鳥不棲枯樹如来亦尒我當云何
而得往見設其見者我身將不陷入地耶我
觀如来寧近醉象師子虎狼猛火熾炎終不
追於重惡之人是故我今思忖是已當有何
心往見如来耆婆荅言大王譬如渴人速赴
清泉飢夫求食怖者求救病求良醫熱求蔭
涼寒者求火王今求佛亦應如是大王如来
尚為一闡提等演說法要何况大王非一闡
提而當不蒙慈悲救濟王言耆婆我昔曾
聞一闡提者不信不聞不能觀察不得義理
何故如来而為說法耆婆荅言大王譬如有

BD03017號　大般涅槃經（北本）卷二〇

（18-1）

清泉飢夫求食怖者求救病求良醫熱求蔭
涼寒者求火王今求佛亦應如是大王如来
尚為一闡提等演說法要何况大王非一闡
提而當不蒙慈悲救濟王言耆婆我昔曾
聞一闡提者不信不聞不能觀察不得義理
何故如来而為說法耆婆荅言大王譬如有
人身遇重病是人夜夢昇一柱殿服蘇油脂
及以塗身臥灰食灰攀上枯樹或與獮猴遊
行坐臥沉水沒泥墜墮樓殿高山樹木象馬
牛羊身著青黃赤色黑衣喜咲歌儛或見烏
鷲狐狸之屬齒髮墮落裸形枕狗臥糞穢中
復與亡者行住坐起携手食噉毒蛇滿路而
從中過或復夢與被髮女人共相抱持多羅
樹葉以為衣服乘壞驢車正南而遊是人夢
已心生愁惱以愁惱故身病愈增以病增故
諸家親屬遣使命醫所可遣使形體缺短根
不具足頭蒙塵土著弊壞衣載以壞車語彼
醫言速疾上車尒時良醫即自思惟今見是
使相狠不吉當知病者難可療治復作是念
使雖不吉復當占日為可治不若四日六日
八日十二日十四日如是日者病亦難治復
作是念日雖不吉復當占星為可治不若是
火星金星昴星閻羅王星濕星滿星如是星
時病亦難治復作是念星雖不吉復當觀時
若是秋時冬時及日入時夜半時月入時當
知是病亦難可治復作是念如是衆相雖復
不吉或定不定當觀病人若有福德皆可療

BD03017號　大般涅槃經（北本）卷二〇

（18-2）

時病乏難治復作是念星雖不吉復當觀時
若是秋時冬時及日入時夜半時月入時當
知是病乏難可治復作是念如是衆相雖復
不吉或定不定當觀病人若有福德皆可療
治若无福德雖吉何益思惟是已尋與俱
在露復念若彼病者有長壽相則可療治拒
命相者則不可治即於前路見二小兒相牽
鬪諍捉頭拔髮瓦石刀杖共相撾打見人持
火自然殄滅或見有人斫伐樹木或復見人
手龜皮革隨路而行或見道路有遺落物或
見有人執持空器或見沙門獨行无侶復見
虎狼烏鷲野狐見是事已復作是念所遣使
人乃至道路所見諸相悉皆不祥當知病者
定難療治復作是念我若不往則非良師如
其往者不可療救復更念言如是衆相雖復
不祥且當捨置往至病所思惟是已復於前
路聞如是聲所謂亡失死喪出破壞折剝脫
墮墜負燒不來不可療治不能拔濟復聞南
方有飛鳥聲所謂烏鷲舍利鳥聲若狗若鼠
野狐兔豬聞是聲已復作是念當知病者難
可療治尒時即入病人舍宅見彼病人數寒
數熱骨節頭痛目赤流淚耳聲聞外咽喉結
痛舌上裂破其色正黑頭不自勝體枯无汗
大小便利擁隔不通身卒肥大紅赤異常語
聲不均或麁或細舉體斑駮異色青黃其腹
脹滿言語不了醫見是已問瞻病言病者昨
來意志云何答言大師其人本来敬信三寶

大小便利擁隔不通身卒肥大紅赤異常語
聲不均或麁或細舉體斑駮異色青黃其腹
脹滿言語不了醫見是已問瞻病言病者昨
來意志云何答言大師其人本来敬信三寶
及以諸天今者變異敬信情息本喜惠施今
者慳悋本性少食今則過多本性弊惡今則
和善本性慈孝恭敬父母今於父母无恭敬
心醫聞是已即前嗅之憂鉢羅香沉水雜香
必迦羅香多迦羅香多摩羅跋香鬱金香栴
檀香炙宍臭蒲桃酒臭燒筋骨臭魚臭糞臭
知香臭已即前觸身覺身細濡猶如繒錦劫
貝娑華或鞕如石或冷如冰或熱如火或澁
如沙尒時良醫見如是等種種相已定知病
者必死不疑然不定言是人當死語瞻病者
吾今忩務明當更来隨其所須恣意勿遮即
便還家明日使到復語使言我事未訖兼未
合藥智者當知如是病者必死不疑大王世
尊亦尒一闡提輩善知根性而為說法何以
故若不為說一切凡夫當言如來无大慈悲
有慈悲者名一切智若无慈悲云何說言一
切智人是故如來為一闡提而演說法大王
如來世尊見諸病者常施法藥病者不服非
如來咎大王一闡提輩分別有二一者得現
在善根二者得後世善根如來善知一闡提
輩能於現在得善根者則為說法後世得者
亦為說法今雖无益作後世因是故如來為
一闡提演說法要一闡提者復有二種一者

如来世尊見諸病者常施法藥病者不用
如来告大王一闡提輩分别有二一者得現
在善根二者得後世善根如来善知一闡提
輩能於現在得善根者則為說法後世得者
亦為說法今雖无益作後世因是故如来為
一闡提演說法要一闡提者復有二種一者
利根二者中根利根之人於現在世能得善
根中根之人後世即得諸佛世尊不空說法
大王譬如淨人墮圊廁有善知識見而愍
之尋前捉髮而拔出之諸佛如来亦復如是
見諸衆生墮三惡道方便救濟令得出離是
故如来為一闡提而演說法王語耆婆若使
如来審如是者明當選擇良日吉星然後乃
往耆婆白王大王如来法中无有選擇良日
吉星大王如重病人猶不看日時節吉凶唯
求良藥王今病重求佛良醫不應選擇良時
好日大王如栴檀火及伊蘭火二俱燒相无
有異也吉日凶日亦復如是若到佛所俱得
滅罪唯願大王今日速往尒時大王即命一
臣名曰吉祥而告之言大臣當知吾今欲往
佛世尊所速辦供養所須之具臣言大王善
哉善哉所須供具一切悉有阿闍世王與其
夫人嚴駕車乘一万二千妹壯大象其數五
万一一象上各載三人賫持幡蓋華香伎樂
種種供具无不備足導從馬騎有十八万摩
伽陁國所有人民尋從王者其數足滿五十
八万尒時拘尸那城所有大衆滿十二由旬

BD03017號　大般涅槃經（北本）卷二〇　（18–5）

万一一象上各載三人賫持幡蓋華香伎樂
種種供具无不備足導從馬騎有十八万摩
伽陁國所有人民尋從王者其數足滿五十
八万尒時拘尸那城所有大衆滿十二由旬
悉皆遙見阿闍世王與其眷屬尋路而來尒
時佛告諸大衆言一切衆生為阿耨多羅三
藐三菩提近因緣者莫先善友何以故阿闍
世王若不隨順耆婆語者来月七日必定命
終墮阿鼻獄是故近因莫若善友阿闍世王
復於前路聞舍婆提毗流離王乘船入海遇
火而死瞿迦離比丘生身入地至阿鼻獄須
那剎多作種種惡到於佛所衆罪得滅聞是
語已語耆婆言吾今雖聞如是二言猶未審
定汝来耆婆吾欲與汝同載一象設我當入
阿鼻地獄冀汝持捉不令我墮何以故吾昔
曾聞得道之人不入地獄尒時佛告諸大衆
言阿闍世王猶有疑心我今當為作決定心
尒時會中有一菩薩名持一切白佛言世尊
如佛先說一切諸法皆无定相所謂色无定
相乃至涅槃亦无定相如来今者云何而言
為阿闍世作決定心佛言善哉善哉善男子
我今定為阿闍世王作決定心何以故若王
疑心可破壞者當知諸法无有定相是故我
為阿闍世王作決定心當知是心為无定定
善男子若彼王心是決定者王之逆罪云何
可壞以无定故其罪可壞是故我為阿闍世
王作決定心尒時大王即到娑羅雙樹間至

BD03017號　大般涅槃經（北本）卷二〇　（18–6）

為阿闍世王作决定心當知是心為无定定
善男子若彼王心是决定者王之逆罪云何
可壞以无定故其罪可壞是故我為阿闍世
王作决定心尒時大王即到娑羅雙樹間至
於佛所仰瞻如来三十二相八十種好猶如
微妙真金之山尒時世尊出八種聲告言大
王時阿闍世王左右顧視此大衆中誰是大
王我既罪戾又无福德如来不應稱為大王
尒時如来即便喚言阿闍世大王時王聞已
心大歡喜即作是言如来今日顧命語言真
知如来於諸衆生大悲憐愍等无差別白佛
言世尊我今疑心永无遺餘定知如来真是
衆生无上大師尒時迦葉菩薩語持一切菩
薩言如来已為阿闍世王作决定心尒時阿
闍世王即白佛言世尊假使我今得與梵王
釋提洹因坐起飲食猶不歡悅得遇如来一
言顧命深以欣慶尒時阿闍世王即以所持
幡蓋華香伎樂供養前礼佛足右遶三迊礼
畢已却坐一面
尒時佛告阿闍世王言大王今當為汝說正
法要汝當一心諦聽諦聽凡夫常當繫心觀
身有廿事所謂我此身中空无无漏諸善根
本我此生死未得調順墮墜深坑无處不畏
以何方便得見佛性云何脩定得見佛性生
死常苦无常我淨八難之難難得遠離恒為
怨家之所追逐无有一法能遮諸有於三惡
趣未得解脫具足種種諸惡耶見亦未造立

以何方便得見佛性云何脩定得見佛性生
死常苦无常我淨八難之難難得遠離恒為
怨家之所追逐无有一法能遮諸有於三惡
趣未得解脫具足種種諸惡耶見亦未造立
度五逆津生死无際未得其邊不作諸業不
得果報无有我作他人受果不作樂因終无
樂果若有造業果終不失因无明生亦因而
死去来現在常行放逸大王凡夫之人常於
此身當作如是廿種觀作是觀已不樂生死
不樂生死則得止觀尒時次第觀心生相住
相滅相次第觀心生住滅相定慧進戒亦復
如是觀生住滅已知心相乃至戒相終不作
惡无有死畏三惡道畏若不繫心觀察如是
二十事者心則放逸无惡不造阿闍世言如
我解佛所說義者從我昔来初未曾觀是二
十事故造衆惡造衆惡故則有死畏三惡道
畏世尊自我招殃造是重惡父王无辜橫加
逆害是十二事設觀不觀必定當墮阿鼻地
獄佛告大王一切諸法性相无常无有决定
王云何言必定當墮阿鼻地獄阿闍世王白
佛言世尊若一切法无定相者我之煞罪亦
應不定若煞定者一切諸法則非不定佛言
大王善哉善哉諸佛世尊說一切法悉无定
相王復能知煞亦不定是故當知煞无定相
大王如汝所言先父无辜橫加逆害何者是
父但於假名衆生五陰妄生父想於十二入
十八界中何者是父若色是父四陰應非若

相王復能如煞亦不定是故當知煞无定相
大王如汝所言父无辜横加逆害何者是
父但於假名衆生五陰妄生父想於十二入
十八界中何者是父若色是父四陰應非若
四是父色亦應非若色非色合為父者无有
是處何以故色與非色性无合故大王凡夫
衆生於是色陰妄生父想如是色陰亦不可
害何以故色有十種是十種中唯色一種可
見可持可稱可量可牽可縛雖可見縛其性
不住以不住故不可得見不可捉持不可稱
量不可牽縛色相如是云何可煞若色是父
可煞可害獲罪報者餘九應非若九非者則
應无罪大王色有三種過去未來現在過去
現在則不可害何以故過去過去故現在念
念滅故遮未來故名之為煞如是一色或有
可煞或不可煞有煞不煞色則不定色若不
定煞亦不定煞不定故報亦不定云何說言
定入地獄大王一切衆生所作罪業凡有二
種一者輕二者重若心口作則名為輕身口
作則名為重大王心念口說身不作者所得
報輕大王昔日口不勅煞但言削足大王若
勅侍臣立斬王首坐時乃斬猶不得罪况王
不勅云何得罪王若得罪諸佛世尊亦應得
罪何以故汝父先王頻婆娑羅常於諸佛種
諸善根是故今日得居王位諸佛若不受其
供養則不為王若不為王汝則不得為國生
害若汝煞父當有罪者我等諸佛亦應有罪
[illegible]

BD03017號　大般涅槃經（北本）卷二〇　（18–9）

罪何以故汝父先王頻婆娑羅常於諸佛種
諸善根是故今日得居王位諸佛若不受其
供養則不為王若不為王汝則不得為國生
害若汝煞父當有罪者我等諸佛亦應有罪
若佛世尊无得罪者汝獨云何而得罪耶大
王頻婆娑羅往有惡心於毗富羅山遊行獵
鹿周遍曠野悉无所得唯見一仙五通具足
見已即生瞋恚惡心我今遊獵所以不得正
坐此人驅逐令去而勅左右而令煞之其人
臨終生瞋惡心退失神通而作誓言我實无
辜汝以心口横加戮害我於來世亦當如是
還以心口而害於汝時王聞已即生悔心供
養死屍是王如是尚得輕受不墮地獄况王
不介而當地獄受果報耶先王自作還自受
之云何令王而得煞罪如王所言父王无辜
者大王云何言无夫有罪者則有罪報无惡
業者則无罪報汝父先王若无辜罪云何有
報頻婆娑羅於現世中亦得善果及以惡果
是故先王亦復不定以不定故煞亦不定煞
不定故云何而言定入地獄衆生狂惑凡有
四種一者貪狂二者藥狂三者呪狂四者本業
緣狂大王我弟子中有是四狂雖多作惡我
終不記是人犯戒是人所作不至三惡若還
得心亦不言犯王本貪國逆害父王貪狂心
作云何得罪大王如人耽醉逆害其母既醒
悟已心生悔恨當知是業亦不得報王今貪
醉非本心作若非本心云何得罪大王譬如

BD03017號　大般涅槃經（北本）卷二〇　（18–10）

得心亦不言犯王本貪國逆害父王貪狂心
作云何得罪大王如人耽醉逆害其母既醒
悟已心生悔恨當知是業亦不得報王今貪
醉非本心作若非本心云何得罪大王譬如
幻師四衢道頭幻作種種男女象馬瓔珞衣
服愚癡之人謂為真實有智之人知非真有
煞亦如是凡夫謂實諸佛世尊知其非真大
王譬如山閒響聲愚癡之人謂之實聲有智
之人知其非真煞亦如是凡夫謂實諸佛世
尊知其非真大王如人有怨詐来親附愚癡
之人謂為實親知者了達乃知虛詐煞亦如
是凡夫謂實諸佛世尊知其非真大王如人
執鏡自見面像愚癡之人謂為真面智者了
達知其非真煞亦如是凡夫謂實諸佛世尊
知其非真大王如熱時炎愚癡之人謂之是
水智者了達知其非水煞亦如是凡夫謂實
諸佛世尊知其非真大王如乾闥婆城愚癡
之人謂為真實智者了達知其非真煞亦如
是凡夫謂實諸佛世尊知其非真大王如人
夢中受五欲樂愚癡之人謂之為實智者了
達知其非真煞亦如是凡夫謂實諸佛世尊
知其非真大王煞法煞業煞者煞果及以解
脫我皆了之則无有罪王惟知煞云何有罪
大王譬如有人主知典酒如其不飲則亦不
醉雖復知火亦不燒燃王亦如是雖復知煞
云何有罪大王有諸衆生於日出時作種種
罪於月出時復行劫盜日月不出則不作罪

BD03017號　大般涅槃經（北本）卷二〇　（18–11）

脫我皆了之則无有罪王惟知煞云何有罪
大王譬如有人主知典酒如其不飲則亦不
醉雖復知火亦不燒燃王亦如是雖復知煞
云何有罪大王有諸衆生於日出時作種種
罪於月出時復行劫盜日月不出則不作罪
雖因日月令其作罪然此日月實不得罪煞
亦如是雖復因王王實无罪大王如王宮中
常勑屠羊心初无懼云何於父獨生懼心雖
復人畜尊卑差別寶命重死二俱无異何故
於羊心輕无懼於父先王生重憂苦大王世
閒之人是愛僮僕不得自在為愛所使而行
煞害設有果報乃是愛罪王不自在當有何
咎大王譬如涅槃非有非无而亦是有煞亦
如是雖非有无而亦是有慚愧之人則是非
有无慚愧者則為非无受果報者名之為有
空見之人則為非有有見之人則為非无有
有見者亦名為有何以故有有見者得果報
故无有見者則无果報常見之人則為非有
无常見者則為非无常常見者不得為无何
以故常常見者有惡業果故是故常常見者
不得為无以是義故雖非有无而亦是有大
王夫衆生者名出入息斷出入息故名為煞
諸佛道俗亦說為煞大王色是无常色之因
緣亦是无常從无常因生色云何常乃至識
无常識之因緣亦是无常從无常因生識云
何常以无常故苦以苦故空以空故无我若
是无常苦空无我為何所煞煞无常者得常

BD03017號　大般涅槃經（北本）卷二〇　（18–12）

无常識之因緣亦是无常從无常因生識云
何常以无常故苦以苦故空以空故无我若
是无常苦空无我為何所猒猒无常者得常
涅槃猒苦得樂猒空得實猒於无我而得真
我大王若猒无常苦空无我者則與我同
亦猒於无常苦空无我不入地獄汝云何入尒
時阿闍世王如佛所說觀色乃至觀識作是
觀已即白佛言世尊我今始知色是无常乃
至識是无常我本若能如是知者則不作罪
世尊我昔曾聞諸佛世尊常為衆生而作父
母雖聞是語猶未定審今則定知世尊我亦
曽聞須弥山王四寶所成所謂金銀琉璃頗
梨若有衆鳥隨所集處則同其色雖聞是言
亦不審定我今来至佛須弥山則與同色同
色者則知諸法无常苦空无我世尊我見世
間從伊蘭子生伊蘭樹不見伊蘭生栴檀樹
我今始見從伊蘭子生栴檀樹伊蘭子者我
身是也栴檀樹者是我心无根信也无根者
我初不知恭敬如来不信法僧是名无根世
尊我若不遇如来世尊當於无量阿僧祇劫
在大地獄受无量苦我今見佛以是見佛所
得功德破壞衆生所有一切煩惱惡心佛言
大王善㦲善㦲我今知汝必能破壞衆生惡
心世尊若我審能破壞衆生諸惡心者使我
常在阿鼻地獄无量劫中為諸衆生受大苦
惱不以為苦尒時摩伽陁國无量人民悉發
阿耨多羅三藐三菩提心以如是等无量人

大王善㦲善㦲我今知汝必能破壞衆生惡
心世尊若我審能破壞衆生諸惡心者使我
常在阿鼻地獄无量劫中為諸衆生受大苦
惱不以為苦尒時摩伽陁國无量人民悉發
阿耨多羅三藐三菩提心以如是等无量人
民發大心故阿闍世王所有重罪即得微薄
王及夫人後宮婇女悉皆同發阿耨多羅三
藐三菩提心尒時阿闍世王語耆婆言耆婆
我今未死已得天身於捨短命而得長命捨
无常身而得常身令諸衆生發阿耨多羅三
藐三菩提心即是天身長命常身即是一切
諸佛弟子說是語已即以種種寶幢幡蓋香
華瓔珞微妙伎樂而供養佛復以偈頌而讚
嘆言

實語甚微妙　善巧於句義　甚深秘密藏　為衆故顯示
所有廣博言　為衆故略說　具足如是語　善能療衆生
若有諸衆生　得聞是語者　若信及不信　定知是佛說
諸佛常軟語　為衆故說麁　麁言及軟語　皆歸第一義
是故我今者　歸依於世尊
如来語一味　猶如大海水　是名第一諦　故无无義語
如来今所說　種種无量法　男女大小聞　同獲第一義
无因亦无果　无生及无滅　是名大涅槃　聞者破諸結
如来為一切　常作慈父母　當知諸衆生　皆是如来子
世尊大慈悲　為衆故苦行　如人著鬼魅　狂亂多所作
我今得見佛　所得三業善　願以此功德　迴向无上道
我今所供養　佛法及衆僧　願以此功德　三寶常存世
我今所當得　種種諸功德　願以此破壞　衆生四種魔

[illegible]
如來爲一切　常作慈父母　當知諸衆生　皆是如來子
世尊大慈悲　爲衆脩苦行　如人著鬼魅　狂乱多所作
我今得見佛　所得三業善　願以此功德　迴向无上道
我今所供養　佛法及衆僧　願以此功德　三寶常在世
我今所當得　種種諸功德　願以此破壞　衆生三種魔
我遇惡知識　造作三世罪　今於佛前悔　願後更莫造
願諸衆生等　悉發菩提心　繫心常思念　十方一切佛
復願諸衆生　永破諸煩惱　了了見佛性　猶如妙德等
尒時世尊讚阿闍世王善哉善哉若有人能
發菩提心當知是人則爲莊嚴諸佛大衆大
王汝昔已於毗婆尸佛初發阿耨多羅三藐
三菩提心從是已來至我出世於其中閒未
曾墮於地獄受罪大王當知菩提之心乃有
如是无量果報大王從今已往常當懃脩菩
提之心何以故從是因緣當得消滅无量惡
故尒時阿闍世王及摩伽陁舉國人民從坐
而起遶佛三迊辭退還宮天行品者如雜華
說

大般涅槃經嬰兒行品第九

善男子云何名爲嬰兒行善男子不能起住
來去語言是名嬰兒如來亦尒不能起者如
來終不起諸法相不能住者如來不著一切
諸法不能來者如來身行无有動搖不能去
者如來以到大般涅槃不能語者如來雖爲
一切衆生演說諸法實无所說何以故有所
說者名有爲法如來世尊非是有爲是故无
說又无語者猶如嬰兒言語未了雖復有語

來終不起諸法相不能住者如來不著一切
諸法不能來者如來身行无有動搖不能去
者如來以到大般涅槃不能語者如來雖爲
一切衆生演說諸法實无所說何以故有所
說者名有爲法如來世尊非是有爲是故无
說又无語者猶如嬰兒言語未了雖復有語
實亦无語如來亦尒語未了者即是諸佛秘
密之言雖有所說衆生不解故名无語又嬰
兒者名物不一未知正語雖名物不一未知正
語非不因此而得識物如來亦尒一切衆生
方類各異所言不同如來方便隨而說之亦
令一切因而得解又嬰兒者能說大字如來
亦尒說於大字所謂婆啝啝者有爲婆者无
爲是名嬰兒啝者名爲无常婆者名爲有常
如來說常衆生聞已爲常法故斷於无常是
名嬰兒行又嬰兒者不知苦樂晝夜父母菩
薩摩訶薩亦復如是爲衆生故不見苦樂无
晝夜相於諸衆生其心平等故无父母親踈
等想又嬰兒者不能造作大小諸事菩薩摩
訶薩亦復如是菩薩不造生死作業是名不
作大事大事者即五逆也菩薩摩訶薩終不
造作五逆重罪小事者即二乘心菩薩終不
退菩提心而作聲聞辟支佛乘又嬰兒行者
如彼嬰兒啼哭之時父母即以楊樹黄葉而
語之言莫啼莫啼我與汝金嬰兒見已生真
金想便止不啼然此楊葉實非金也木牛木
馬木男木女嬰兒見已亦復生於男女等想
[illegible]

退菩提心而作聲聞辟支佛乘又嬰兒行者
如彼嬰兒啼哭之時父母即以楊樹黃葉而
語之言莫啼莫啼我與汝金嬰兒見已生真
金想便止不啼然此楊葉實非金也木牛木
馬木男木女嬰兒見已亦復生於男女等想
即止不啼實非男女以作如是男女想故名
曰嬰兒如來亦尒若有衆生欲造衆惡如來
為說卅三天常樂我淨端政自恣於妙宮殿
受五欲樂六根相對无非是樂衆生聞有如
是樂故心生貪樂止不為惡懃作卅三天善
業實是生死无常无樂无我无淨為度衆生
方便說言常樂我淨又嬰兒者若有衆生猒
生死時如來則為說於二乘然實无有二乘
之實以二乘故知生死過見涅槃樂以是見
故則能自知有斷不斷有真不真有脩不脩
有得不得善男子如彼嬰兒於非金中而生
金想如來亦尒於不淨中而說為淨如來以
得第一義故則无虛妄如彼嬰兒於非牛馬
作牛馬想若有衆生於非道中作真道想如
來亦說非道為道非道之中實无有道以能
生道微因緣故說非道為道如彼嬰兒於木
男女生男女想如來亦尒知非衆生說衆生
想而實无有衆生相也若佛如來說无衆生
一切衆生則墮耶見是故如來說有衆生於
衆生中作衆生相者則不能破衆生相也若
於衆生破衆生相者是則能得大般涅槃以
得如是大涅槃故止不啼哭是名嬰兒行善
[illegible]

BD03017號　大般涅槃經（北本）卷二〇　（18–17）

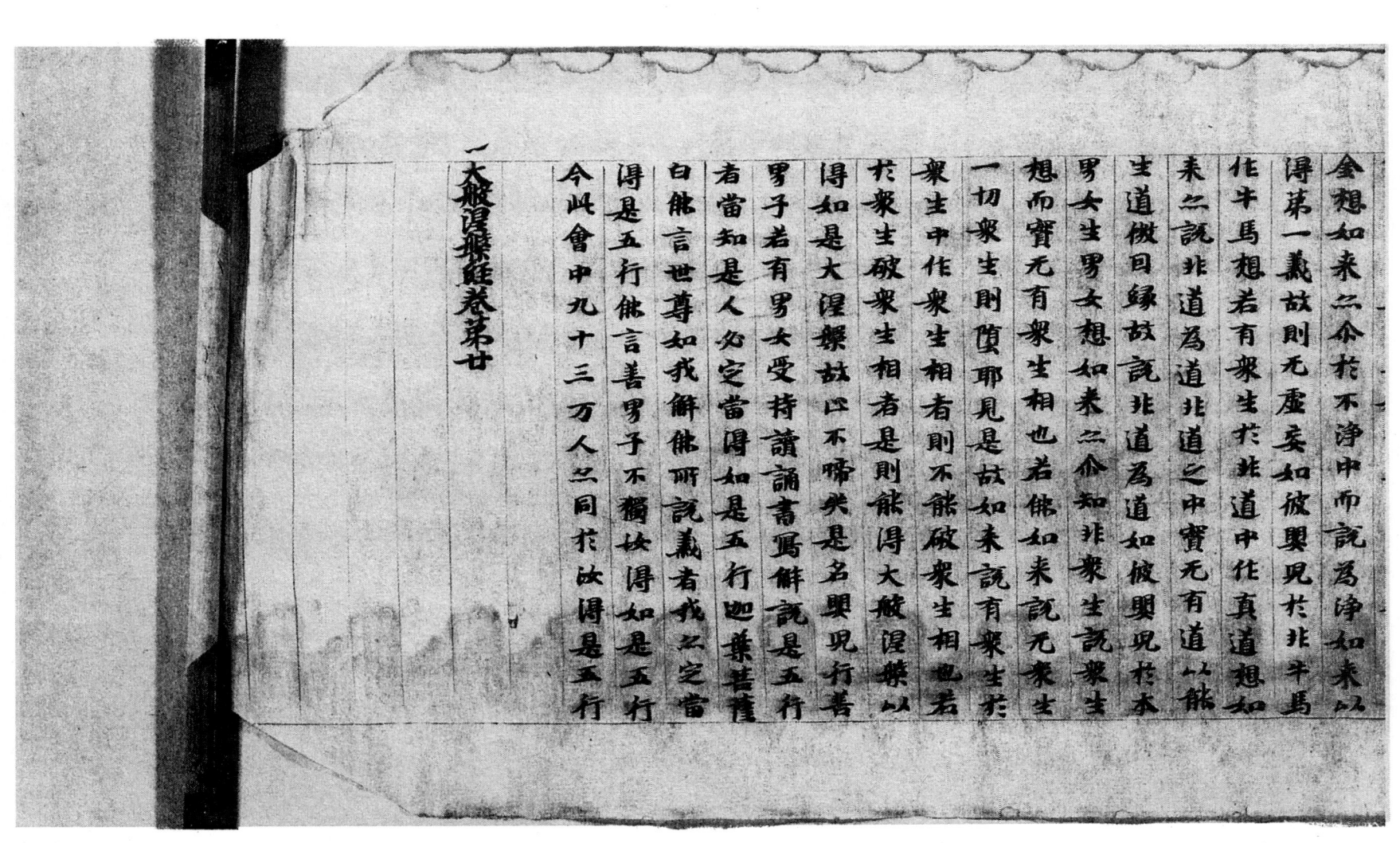

[illegible]
金想如來亦尒於不淨中而說為淨如來以
得第一義故則无虛妄如彼嬰兒於非牛馬
作牛馬想若有衆生於非道中作真道想如
來亦說非道為道非道之中實无有道以能
生道微因緣故說非道為道如彼嬰兒於木
男女生男女想如來亦尒知非衆生說衆生
想而實无有衆生相也若佛如來說无衆生
一切衆生則墮耶見是故如來說有衆生於
衆生中作衆生相者則不能破衆生相也若
於衆生破衆生相者是則能得大般涅槃以
得如是大涅槃故止不啼哭是名嬰兒行善
男子若有男女受持讀誦書寫解說是五行
者當知是人必定當得如是五行迦葉菩薩
白佛言世尊如我解佛所說義者我亦定當
得是五行佛言善男子不獨汝得如是五行
今此會中九十三万人亦同於汝得是五行

大般涅槃經卷第廿

BD03017號　大般涅槃經（北本）卷二〇　（18–18）

第五言解釋者經大門令三初釋題目二釋本文初有令三一釋大乘義二釋稻芉三
釋經義初言大乘者以七種大超過二乘故名為大言七大者一所緣大二發心大三信
解大四思惟大五積糧大六時大七成就大言所緣大者為大般若大集大寶積經等
所說諸法皆是菩薩所緣境故言發心大者為發无上菩提心故言信解大者為信解
甚深法故言思惟大者為思惟利樂一切諸有情故言積糧大者為具福智二種大功
德故言時大者為三无數劫趣菩提故言成就大者為成力无畏等諸大功德故所言
乘者是運載義猶如船筏運載衆生出生死海令至彼岸故二言稻芉者夫一切
經皆以四義而立其名云何為四一處所二人三法四喻言處所者如楞伽經等言約人立名
者如維摩經等言從法立名者如大般若經等言從喻立名者如寶雲經說彼經時十
方菩薩如大雲悉付雲集故名寶雲經此亦如是謂佛世尊觀見稻芉說此法故 三言經
者准諸經論中釋多途今略舉二義一者常義古今不易故名為常二者通稱諸法
釋之為要 二釋本文者夫欲解釋一切諸經者應以五門通釋諸經云何為五一惣稱
門二經之所詮三釋句義四辯次第五答難此經亦立以五門分別解釋初門之中復分
為七一者序分二者發起序三者所知事四所知性五所知果六云何所知七雖知所要初
言序者因義謂集經者欲令聽衆生其信故列序分也經始從如是我聞至及諸
菩薩摩訶薩俱是也言發起序者為聽法故應時而問不失所宜故名發起序經從舍利
弗長壽舍利子至作是語已 三言所知事者所謂因緣之法順流逆流是智境故此則顯其
生死有二種法性順流法中復分為三一者煩惱二者是業三者是苦故因緣論云初
八九煩惱二及十是業餘七皆是苦十二唯三攝 經從彌勒菩薩摩訶薩答具壽舍利子
至如是唯滅純極大苦之聚此是世尊所說因緣之法 四言所知性者此道能知諸法性
故八聖道法名所知性 經從何者是法至此是八聖道 五言所知果者有其二種一者有
上果二者无上言有上者謂四沙門果及涅槃是也言无上者所謂无上菩提之果此
二顯其所趣方便及所詮之法 經從果及涅槃至學无學法故 六言云何所知者所謂應
以二諦觀因緣者是故至云應以二諦而觀者亦是[illegible]可見因緣口ム

至如是唯滅純極大苦之聚此是世尊所說因緣之法 四言所知性者此道能知諸法性
故八聖道法名所知性 經從何者是法至此是八聖道 五言所知果者有其二種一者有
上果二者无上言有上者謂四沙門果及涅槃是也言无上者所謂无上菩提之果此
二顯其所趣方便及所詮之法 經從果及涅槃至無學法故 六言云何所知者所謂應
以二諦觀因緣法是故經云應以二諦而觀諸法此是所知之義 經從云何見因緣如佛
所說至是故應以五種觀因緣之法 七言經之所要者所謂除二種障及得无住涅槃道
者是也若論无住涅槃義遠无量略而言之有其二種何謂為二所謂諸佛菩薩悲智二種
是也何故此二名无住涅槃為具智慧故不墮生死具大悲故不住涅槃若不住生死不住
涅槃是則名為无住涅槃 言二障者一煩惱二所知 言煩惱障者謂染污无知 言所知障者謂
非染污无知了人空故斷煩惱障得有上果了法空故斷所知障得无上果 經從尊
者舍利子至信受奉行釋總攝門竟 大門第二言經之所詮者與上所說經之所要義
同故更不重釋 大門第三言釋句義者釋其句義有无量門總而言之不出六種
所謂名身句身文身語行相攝請 大門第四言辯次第者有其三種一辯圓滿次第
二辯解釋次第 三辯能成次第 大門第五答難者夫難起之因而有五種 一者不了義
故難 二者語相違故難 三者與道理相違故難 四者不決定故難 五者事不現故難 上
來五門之中第二第三第四第五此四門義通此經故不可別文從始至終以義通弁
第一總攝門中文有七段今當第一明其序分於中文四 一時成就 二主成就 三處所成就 四
衆成就 是故句何時是誰何處為何等言隨類而配 經如是我聞一時 此明時成就也
言如是者為諸菩薩結集之時啓問文殊師利菩薩言汝云何聞當如實說彼即答言
如是我聞此即能引下諸經文 問曰何故集經者不言自說言如是我聞 答離增益損
減謗故 言我聞者此之顯其親聞非自證也為因親聞尤傳聞過失所以言我但聞非證故
於聞除佛一人餘則不能了此義故若言自證不生信故 言一時者即聞經時也此有二種一
與聞相合二與住合 與聞相合者顯此經實難得聞故 與住合者此顯如來即餘時為座
衆生住餘處故 經薄伽梵 此二主成就也言薄伽梵者此是梵音此翻云降伏具足謂
降四魔具六功德故名薄伽梵 經住王舍城耆闍崛山 此三處所成就也此有通別通言王
舍城別即耆闍崛山言住者有其三種一威儀住二流法住三禪定住此中復有三種一梵住二天住
三佛住 王舍者往昔之時為諸非人惱亂國人毀壞村邑王勅國人於其門上題王舍字由是非

与聞相合二与住合与聞相合者顯此經實難得聞故与住合者此顯如來即餘時爲度
衆生住餘處故　經薄伽梵　此二主成就也言薄伽梵者此是梵音此翻云降伏具足謂
降四魔具六功德故名薄伽梵　經住王舍城耆闍崛山　此三處所成就也此有通別通言王
舍城別即耆闍崛山言住者有其三種一威儀住二行法住三禪定住中復有三種一梵住二天住
三佛住王舍者往昔之時爲諸非人擾亂國人毀壞村邑王勅國人於其門上題王舍字由是非
人不能毀故名王舍城耆闍崛山者此翻鷲峯山也此山峯勢狀如鷲鳥因以爲名列二處
者一爲欲利益在家出家諸人等故二爲令自利具足他利圓滿故爲此聚落諸聚落中最
爲尊貴此經亦於諸經中最爲第一故於此說比丘者耆闍崛山者此經甚深難得入故顯高勝
義也　經与大比丘衆千二百五十人及諸菩薩摩訶薩俱　此第四衆成就也文二聲聞二菩薩成
就也初復有二舉名二列數与大比丘衆此舉名也言大者一數大二威德大有千二百五十故名
數大皆是大阿羅漢故名威德大言比丘者有五種一名字二乞士三自稱四破結使五白四羯磨
得處所雖有五種今取第四言衆者和合義也千二百五十人者此二列數也世尊成等正覺於王
舍城度優樓頻螺迦葉師及弟子五百眷屬頻螺迦葉師及弟子二百五十迦耶迦葉五二百五
舍利子目連共二百五十住王舍城說此經故向大乘經中何故列聲聞耶答有三義故一爲集經
者欲令於自信故二令諸聲聞入大乘故三此因緣法是共有法故先列聲聞者一爲諸聲聞不離
於佛常作侍者故二於出家人生恭敬故及諸菩薩摩訶薩俱此菩薩衆成就也此是梵音翻爲道
心大道心言道心者求其聖道趣菩提故言大道心者簡異二乘下劣心故有七大義同前
所釋言俱者兼菩薩共及異之義　次明惣稱門中第二發起序文分爲五一往二恭敬三就座四
陳疑五發問　經爾時具壽舍利子往彌勒菩薩摩訶薩經行之處此初往也言爾時者佛在王舍
聞經時也言具壽者恭敬之辭具惠命根故舍利子者從母立名也言彌勒者梵音此云慈
氏也一從願立名過去有佛号爲慈氏於彼發心願我當來成佛之時亦同此号故以爲名二約
行立名爲此菩薩於无量劫修慈故三從母立名者過去之時出家修道名爲勝尊母名慈
氏是故言慈氏也言經行之處者謂彌勒菩薩所在之處爲諸有情說法地也　經到已共相慰
問　此二互相恭敬也爲談妙法先有噓容言善來等名爲慰問二俱尊故但以慰問互不礼也
若致礼者不成恭敬有過失故　經俱坐盤陁石上　此三就座言俱坐者彌勒与身子同於
一座論妙法故不求餘座就石座者一當來之時此名近故二樂甚深法是故不求餘座舍利
子是智惠第一故能問彌勒菩薩補處故能答　經是時具壽舍利子向彌勒菩薩摩訶薩作如是
言彌勒今日世尊觀見稻芉告諸比丘作如是說諸比丘若見因緣彼即見法若見於法即
能見佛作是語已默然无言彌勒善逝何故作如是說其事云何　此四陳疑也觀見稻芉說

若致禮者不成恭敬有過失故　經俱坐盤陁石上　此三就座言俱座者弥勒与舍利子同於
一座論妙法故不求餘座就石座者一當尒之時此石近故二乘甚深法是故不求餘座舍利
子是智惠第一故能問弥勒菩薩補處故能荅　經是時具壽舍利子向弥勒菩薩摩訶薩作如是
言弥勒今日世尊觀見稻芉告諸比丘作如是說諸比丘若見因緣彼即見法若見於法即
能見佛作是語已嘿然无言弥勒善逝何故作如是說其事云何　此四陳辭也觀見稻芉說
此法者為外因緣法与内因緣二俱无我假因緣有无差別故為諸比丘說法者欲令引小
趣大法故何故世尊說此法已而嘿然耶若論聖旨幽細難測雖然以比量論有其三意一
為除慢為諸聲聞常作是念佛雖求說我能領大除比慢故二為諸菩薩能說如來秘密意
趣嘆彼德故三此中具足更无餘故言善逝者善者好逝者去々已不退故名善逝言其
事云何者如來說法不離四種密語四種意趣於八法中今於何法說此法耶問此事故与列斯
問言四密語者一引入二自性三對治四轉變引入語者如小乘經為引外道令入法故說有
我等如大乘經欲令引小趣大果故說蘊界等自性密語者依遍計性說一切无依後
二自性說一切有等對治密語者為對治八万四千諸塵勞故說諸對治門等轉變
密語者如對法論說覺不堅為堅善住於顛倒極煩惱所惱而得无上道又云若人
能煞於父母王及二種淨行人能壞國王并眷屬此人名為清淨者等言四意趣者
一平等二別時三別義四隨人平等意趣者如釋迦經為依身法語字平等故言過去
諸佛皆是我身等　別時意趣者如經若有善男子聞寶髻佛名者即於阿耨多羅
三藐三菩提等　別義意趣者如經所說若不供養恒河沙諸佛不悟大乘等隨人意趣
者如經為慳貪者而讚於施為惡戒者毀呰布施而嘆於戒等問見何相違問密語
及意趣耶荅言因緣者是有漏因果言法者是无漏道及无為亦言佛者是无漏
果力无畏等此等性相各不相似云何見不相似因緣而能見法佛耶若能見者眼
互聞聲等有此義故々致問也　經何者因緣何者是法何者是佛云何見因緣即能
見法云何見法即能見佛作是語已　此五徵問也此云荅文如經下釋　次明總標門第
三所知事文分為二初標後釋　經弥勒菩薩摩訶薩荅具壽舍利子言今佛法王正遍
知告諸比丘若見因緣即能見法若見於法即能見佛者　此初標也言法王者於一切
法得自在故名得自在所說教法堪信受故言正遍知者此則為顯法王之因具四義
故名為遍知一无遺知二无量知三不著知四不顛倒知二釋文分有二一流轉二非流轉初有又

見法云何見佛行是說也　此五種因也此云若文出經下種　次明完在門菜
三所知事文分為二初標後釋　經彌勒菩薩摩訶薩答具壽舍利子言今佛法王正遍
知告諸比丘若見因緣即能見法若見於法即能見佛者　此初標也言法王者於一切
法得自在故名得自在所說教法堪信受故言正遍知者此則為顯法王之因具四義
故名為遍知一无遺知二无量知三不共知四不顛倒知二釋文分有二一流轉二非流轉初有又
分三一問二答三結　經此中何者是因緣　此初問也上來問中答初問故之致斯問　經言因
緣者此有故彼有此生故彼生所謂无明緣行行緣識識緣名色名色緣六入六入緣觸觸緣受受
緣愛愛緣取取緣有有緣生生緣老死愁歎苦憂惱而得生起　此二答也言此有故彼
有者從不動緣而有故言此生故彼生者從无常緣而生故諸餘句義下經所明故
不重釋問何故唯列十二法耶答為五義故一列支即无明行識二所引支即名色六入觸
受三能成支即愛取有四所成支即生五過失支即老死　能引支者即是遠因能
成支者即是近因若无此二生不成故故說二因以此五義若少十二義不具足若過十二
即无所用故无加減闕不說无明因故生死有始无明不從无因而生耶答无始已來
依自性緣无明生故故无有始不成无因若言非如理作意是无明因者彼非正因
是明因故又非如理作意等是无明性故可理无違　經如是唯生純極大苦之聚
此三結也言唯者離我我所故言純極大苦者謂三苦八苦故言大者无有始故　二明
非流轉文三初列數次結後引證　經此中无明滅行滅行滅故識滅識滅故名色滅名色滅故六入滅六入滅故
觸滅觸滅故受滅受滅故愛滅愛滅故取滅取滅故有滅有滅故生滅生滅故老死愁歎苦憂惱得滅　此初
問何故无明滅等名緣生法耶答還有二種一遠无二遠非此遠非故譬如有人服其
仙藥此亦如是以修道力不与无明等相應而得轉依斷令增勝故无明滅等亦名緣
生既此二種緣生法者為諸有情迷於流轉非流轉法捨此迷故故說二種　經如是唯滅
純極大苦之聚　此二結也　經此是世尊所說因緣之法　此三引證也非自意故故引證
揔攝門第四明所知性文三初問次答後結　經何者是法　此初也問文可知　經所謂八聖
道支正見正思惟正語正業正命正精進正念正定　此二答也若論於法而有三種今所說
者取其行法此八聖道是行法故於如實理无顛倒見者名為正見如理籌量名正思惟
如實而說離於口過口業清淨名之為正語離身三德身業清淨名為正業離四邪等
如法而求身口清淨故名正命為除餘障諸過惡故而修勇捍名正精進於所緣境明記不
忘名為正念為求勝德心住一境名為正定此八聖道分為六支一了別支即是正見正了別

惣攝門第四明所知性文三初問次答後結　經信者是何　此初問也文可知　經所謂八聖
道支正見正思惟正語正業正命正精進正念正定　此二荅也　若論於法而有三種今所說
者取其行法此八聖道是行法故於如實理无顛倒見者名為正見如理籌量名正思惟
如實而說離於口過口業清淨名之為正語離身三德身業清淨名為正業離四邪等
如法而求身口清淨故名正命為除餘障諸過惡故而修勇猛名正精進於所緣境明記不
忘名為正念為求勝德心住一境名為正定此八聖道亦為共支一了別支即是正見正了別
已受定取故二表示支即正思惟正語所思之事為人說故三信支愛即正語正業正命若有
問法如實荅故不作非業戒清淨故如法而求常少欲故四除障支即正精進此明能除煩
惱并隨煩惱所知二種障故五捨隨煩惱支即正念為正念故掉舉惛沈不得便故六成就功德
支即正定由定力故能得三明諸功德故　經此是八聖道支　此三結也　次明惣攝門第五
所知果文二一有上二无上初復分三一有為二无為三引證　經果　此初也四沙門果即是有
為是解脫道　經及涅槃　此二无為也捨煩惱也得涅槃者是无為故論說有為无為皆是四
沙門果者彼通論故今此經中別說涅槃故分為二又解言涅槃者即是清淨真如彼无煩惱故
經世尊所說名之為法　此三引證言法者軌自性為義二明无上文四一問二荅三明見四弁所緣
經何者是仏　此初問也　經所謂知一切法者名之為仏　此二荅也以无漏慧知理而知內外一切有
為无為有漏无漏諸法性相故名為仏　經以彼慧眼及法身　此三明因也能知一切法者是
无漏慧非肉眼故言慧眼顯慧眼因故列法身言法身者即清淨智及真如也　經能見作
菩提學无學法故　此四弁所緣言能見者以慧眼及法身能見故也言作菩提者即是三種菩
提之因所謂卅七品菩提分法及十二分教等是也言有學者從四加行至第七人名為有學言
无學者第八人也問何故不說非有學非无學耶荅有學无學尚自能知豈非有學
非无學而不能知故不列也　惣攝門第六明云何所知文分為二一勝義二世俗初有分三
初觀因緣次觀於法後觀於仏初又分二一問二荅　經云何見因緣　此初問也　經如仏所說若
能見因緣之法常无壽離壽如實性无錯謬性无生无起无作无為无障礙无境界
寂靜无畏无侵奪不寂靜相者是也　此二荅也　以勝義世俗觀因緣者為欲令捨增益
損減謗故若唯勝義觀因緣者墮於斷見及涅槃故若唯世俗觀因緣者即墮增益以二門
觀則離二謗處中道故无明行等猶如幻化假因緣有離並而於三世无有生者即名勝義
故經云无生是實餘皆虛妄問勝義諦中无有言說何故此經說常无壽等耶荅作
是說者皆是世俗為欲表示諸有情故於一切時具无生故名為常此則顯其於第一義三

損減謗故若唯勝義觀因緣者墮於斷見及常故若唯世俗觀因緣者即墮增益以二門
觀則離二謗處中道故无所行等猶如幻化假因緣有雖並而於三世无有生者即名勝義
故經云无生是實餘皆虛妄爲勝義諦中无有言說何故此經說常无壽等耶答作
是說者皆是世俗爲欲表示諸有情故於一切時其无生故名爲常此則顯其於第一義三
世一如无變異也若如是者与說有我无有差別破此疑故言无壽自性本非明我性故言
離壽者无有一物与此差別我人壽者能動轉故而此因緣勝義之法非如常我橫計有故
言如實性此則顯其非橫計也何故此非橫計亦此因故之列无錯謬性此則顯其无顛倒也此現
有生何故言不生耶爲除此疑故言无生於第一義无有少法而生故也故經云從緣所生故 彼
不生此則名爲无生法雖現不生於過去世不具生耶捨此見故言无起過去之世立如現
在无所生故雖自不生故无生起爲自在等而不造作耶爲除此見故言无作无有常因斷
須造作有相違故此則離其无因不相似因也雖非自在等作爲因緣和合共相作故此明有
爲爲除此見故言无爲以勝義觀因及衆緣不可得故此因緣法雖於此處而无有生惑於餘
處而則能生爲捨此見故言无障㝵於一切法而生空性此无不通故是故此无生法於一切處
而无所㝵此則顯其往一切處也若如是者如上所說有德因緣一切有情何故而不知耶爲除
此疑故言无境界能取所取无所有故是故貪著能取所取諸有情等而不能知雖能離
諸戲論出世間智而能知見有何勝益而令循此勝義觀耶爲示勝益故言寂靜若能而循
勝義觀者能離一切諸惡法故名爲寂靜若无我我所能取所取者无有苦樂等事超過一切
語言境故誰能緣此法耶爲捨此見故言无畏於此法中无怖畏故貪著有境樂著於我則有
怖畏若見勝義捨分別故是故若能循此法者離怖畏故雖證此因緣勝義後於異時遇惡
知識起顛倒故貪等煩惱而能生起復爲怖因爲除此見故言无侵奪見勝義者无能毀壞
故言无侵奪也雖見真實餘不能壞爲自隨顛倒故而不侵奪耶爲除此疑故言不寂靜
相於此勝義无生法中无有對治修道之力能除顛倒本自无生性明淨故因緣論云此中无
可遣亦无少立於真以觀真見真而解脫 經若能如是於法立見常无壽離壽如實性
无生无起无作无爲无障㝵无境界寂靜无畏无侵奪不寂靜相者 此之觀法也而此經文
上同所釋故不明也 經得正智故能悟勝法以无上法身而見於佛此三觀佛也言正智者若
有能證勝義法者名爲正智言勝法者即勝義諦也如上所說勝義之法名无上法身若
具正智住平等性智故而觀因緣法及諸佛等无差別是故佛說若見因緣即能見法若見

无生无起无作无為无障导无境界寂静无畏无侵奪不寂静相者　此觀法也而此經文
上同所釋故不明也　經得正智故能悟勝法以无上法身而見於佛　此三觀佛也言正智者若
有能證勝義法者名為正智　言勝法者即勝義諦也如上所說勝義々法名无上法身若
具正智住平等性智故而觀因緣法及諸佛等无差別是故佛說若見因緣即能見法若見
於法即能見佛者与理无違依平等意趣圓成實語說此法故　次明第二世俗而觀因緣
文分為二初標後釋初文分三一從有因所生門二從種无常因所生門三從无我因所生門　經
問曰何故名因緣至不顛倒性等作如是說　此初也文四一問二答三結四引證　經問曰何故名因
緣　此初問也既前言此因緣法於勝義諦无生无為若如是者何故此法名因緣耶向此事故
列斯問　經答曰有因有緣名為因緣々非无因无緣故　此二答也此則能除无因々見此緣
生々法於第一義雖无有生然約世諦如幻如化假因假緣有施設故是故諸佛留教於世
与理无違若世諦門如幻化者何故說此法耶雖然為捨外道五種見故所謂无因執常有
我不能作者故佛為說從有因所生從種々无常因所生從无我因所生從能成因所生從
无作者因所生門也　經是故名為因緣之法　此三結也　經世尊略說因緣之相彼緣生果如
来出現若不出現法性常住乃至法性法住性法定性与因緣相應性真如性无錯謬
性无變異性真實性實際性不虛妄性不顛倒性等作如是說　此四引證也言彼緣生果
如來出現若不出現法性常住者從因生果之法不假諸佛出現於世及與那此法尔故也言
法性者是因緣性故言法住々者因緣々法本自住故言法定性者緣本因故言与因緣相應性
者无有一法不假因緣而能生故言真如性者若證此法了真如故言无錯謬性者捨顛倒故言无
變異性者捨邪曲故言真實性者无虛誑故言實際性者是聖諦故言不虛妄性者非顛倒橫
計故言不顛倒性者是正智境界故有呼解云前文釋後如理應思　次二明從種々无常因所生門
文三初標次徵後答　經此因緣法以其二種而得生起　此初標也　經云何為二　此二徵也　經所
謂因相應　此三答也言因相應者此是取因不共有故言緣相應者此是助因是共有故　經復有
二謂外及內　此第三從无我因所生門也言彼者即是与因緣相應法也為諸凡愚執內諸入以為其
我於外諸入執為我所捨此二故々說二種內外因緣同一无我因緣生故　第二此明釋文三初外後內
初復有二一因相應二緣相應　經此中何者是外因緣法因相應々生應々如是觀外因緣法因相應義
此初因相應也文二一從種々能成因所生門二從无作者所生門初又分三一問二答三證成　經此中何者
是外因緣法因相應　此初問也　經所謂從種生芽從芽生葉從葉生莖從莖生節從節生穗從穗
生花從花生實　此二答也為種等諸法各為因故此則顯其從一切不生一切能成々法各別故
經若无有種芽即不生乃至若无有花實亦不生有種芽生如是有花實亦得生　此三引

二謂外及内　此第三從无我因所生門也言彼者即是与因緣相應法也為諸凡愚執内諸入以為其
我於外諸入執為我所捨此二故說二種内外因緣同一无我因緣生故　第二此明釋文二初外後内
初復有二一因相應二緣相應　經此中何者是外因緣法因相應所謂如是觀外因緣法因相應義
此初因相應也文分三一問二答三證成　經此中何者
是外因緣法因相應　此初問也　經所謂從種生芽從芽生葉從葉生莖從莖生節從節生穗從穗
生花從花生實　此二答也為種等諸法各為因故此則顯其從一切不生一切能成之法各別故
經若无有種芽即不生乃至若无有花實亦不生有種芽生如是有花實亦得生　此三引
證成也此則示其能成義也　二明從无作因所生門文四一明因无作者二明果无作者三雖无作
者而成其果四結　經彼種亦不作是念我能生芽芽亦不作是念我從種生乃至花亦不作
是念我能生實實亦不作是念我從花生　此二明因无作者及果无作者也此則顯其雖有
因而无作者若諸作者是其因者為与諸法无有相連不絕蓋故　經雖然有種故而芽得生
如是有花故實即而能成就　此三明雖无作者而成其果也經文可見故不明也　經應如是觀
外因緣法因相應義　此四結也結文可見　次明第二緣相應文三初從能成緣所生門次從无作
者緣所生門從遍惡見初又分七一問二答三徵四答列數五結六明業用七證成　經應云何觀外
因緣法緣相應義　此初問也　經謂六界和合故　此答也　經以何六界和合　此三徵也　經所謂
地水火風空時界等和合外因緣法而得生起　此四答列數也六界體義如下經文　經應如是
觀外因緣法緣相應義　此五結也　經地界者能持於種水界者潤漬於種火界者能暖
於種風界者動搖於種空界者不障於種時則能變種子　此六明業用也言地界者堅鞕為
性水界者流濕為性火界者溫煖為性風界者輕等動性空界者虛通為性　此復有二謂明及
闇言時者為约地等四大而建立也　經若无此眾緣種則不能而生於芽若具外地界无不
具足如是乃至水火風空時等无不具足一切和合種子滅時而芽得生　此七證成也經文可見
二明從无作者緣所生門文六一六緣无作者二因无作者三果无作者四雖无作者而成其果五證
成六結　經此中地界不作是念我能任持種子如是水界亦不作是念我能潤漬於種火界亦
不作是念我能暖於種子風界亦不作是念我能動搖於種空界亦不作是念我能不障於種時
亦不作是念我能變於種子　此初明六緣无作者　經種子亦不作是念我能生芽　此二因无
作者也　經芽亦不作是念我今從此眾緣而生此三明果无作者　經雖然有此眾緣而種滅時芽
即得生如是有花之時實即得生　此四明雖无作者而成其果也　經彼芽亦非自作亦非
他作非自他俱作非自在作亦非時變非自性生亦非无因而生雖然地水火風空時界等和合種
滅之時而芽得生　此五證成也言非自作者諸法自性若有若无不為自因无所施為不

闇言時者乃約地等四大而建立也　經若无此衆緣種則不能而生於芽若具外[illegible]
具足如是乃至永火風空時等无不具足一切和合種子滅時而芽得生　此七證成也任文可見
二從无作者緣而生門文六　一六緣无作者二因无作者三果无作者四雖无作者而成其果五證
成六結　經此中地界不作是念我能任持種子如是水界亦不作是念我能潤漬於種火界亦
不作是念我能暖於種子風界亦不作是念我能動搖於種空界亦不作是念我能不障於種時
亦不作是念我能變於種子　此初明六緣无作者　經種子亦不作是念我能生芽　此二因无
作者也　經芽亦不作是念我今從此衆緣而生　此三明果无作者　經雖然有此衆緣而種滅時芽
即得生如是有花之時實即得生　此四明雖无作者而成其果也　經彼芽亦非自作亦非
他作非自他俱作非自在作亦非時變非自性生亦非无因而生雖然地水火風空時界等種和合
種滅之時而芽得生　此五證成也言非自作者諸法自性若有著无不而自因无所施各不
能成故言亦非他作者无有作者而先起意而造作故　此則顯其一切諸法无有我也言非自
他俱作者自性及餘不造作故言非自在作者乃諸法因常自在等時而生与理相違因
具足故言亦非時變者諸法假因緣有不待時故言非自性生者非是數論所計法故此則斷
除不同因也言亦非无因而生者諸法假因緣故　此捨无因見也　經是故應如是觀外因緣
法緣相應義　此六結也　三明遠惡見文五　一標二問三答四解釋五總結　經應以五種觀彼外因
緣法　此初標也　經何等為五　此二問　經不常不斷不移從於小因而生大果與彼相似　此三答
也　經云何不常主是故芽与彼相似　此四解釋也文五　一明不常二明不斷三明不移四明小因生大五
相似初又分三　一問二答三結　經云何不常　此初問也　經乃芽与種各別異故彼芽非種壞時
而芽得生亦非不滅而得生起種壞之時而芽得生　此二答也若是常者此是因此是果不可說
故　經是故不常　此三結也　3

南无龍種上尊王佛　南无日月光佛
南无日月珠光佛　南无慧幢勝王佛
南无師子吼自在力王佛　南无妙音勝佛
南无常光幢佛　南无觀世燈佛
南无慧威燈王佛　南无法勝王佛
南无須弥光佛　南无須曼那華光佛
南无優曇鉢羅華殊勝王佛　南无大慧力王佛
南无阿閦毗歡喜光佛　南无无量音聲王佛
南无財光佛　南无金海光佛
南无山海慧自在通王佛　南无大通光佛
南无一切法常滿王佛

乃是過去久遠舊住娑婆世界成熟衆生而般涅槃若有善男子善女人及餘一切衆生得聞是五十三佛名者是人於百千万億阿僧祇劫不墮惡道若復有人能稱是五十三佛名者生生之處常得值遇十方諸佛若復有人能至心敬礼五十三佛者除滅四重五逆及謗方等經皆悉清淨以是諸佛本誓願故於念念中即得除滅如上諸罪

南无東方善德如來十方佛等一切諸佛
南无拘那提如來賢劫千佛等一切諸佛
南无釋迦牟尼如來三十五佛等一切諸佛
南无釋迦牟尼佛　南无金剛不壞佛
南无寶光佛　南无龍尊王佛
南无精進軍佛　南无精進喜佛

BD03019 號　七階佛名經

（3–1）

南无東方善德如來十方佛等一切諸佛
南无拘那提如來賢劫千佛等一切諸佛
南无釋迦牟尼如來三十五佛等一切諸佛
南无釋迦牟尼佛　南无金剛不壞佛
南无寶光佛　南无龍尊王佛
南无精進軍佛　南无精進喜佛
南无寶火佛　南无寶月光佛
南无現无愚佛　南无寶月佛
南无无垢佛　南无離垢佛
南无勇施佛　南无清淨佛
南无清淨施佛　南无娑留那佛
南无水天佛　南无堅德佛
南无旃檀功德佛　南无无量掬光佛
南无光德佛　南无无憂德佛
南无那羅延佛　南无功德華佛
南无蓮華光遊戲神通佛　南无財功德佛
南无德念佛　南无善名稱功德佛
南无紅炎幢王佛　南无善遊步功德佛
南无鬪戰勝佛　南无善遊步佛
南无周帀莊嚴功德佛　南无寶華遊步佛
南无寶蓮華善住娑羅樹王佛

藥王藥上經定有具目而无名号則卅五佛名出決定毗尼經

南无東方阿閦如來十方无量佛等一切諸佛

已上七階佛依藥王藥上經文次第已下別依餘部經等號出

南无寶集如來廿五佛等一切諸佛
南无寶集佛　南无寶勝佛
南无成就盧舍那佛　南无盧舍那鏡像佛
南无盧舍那光明佛　南无不動佛

BD03019 號　七階佛名經

（3–2）

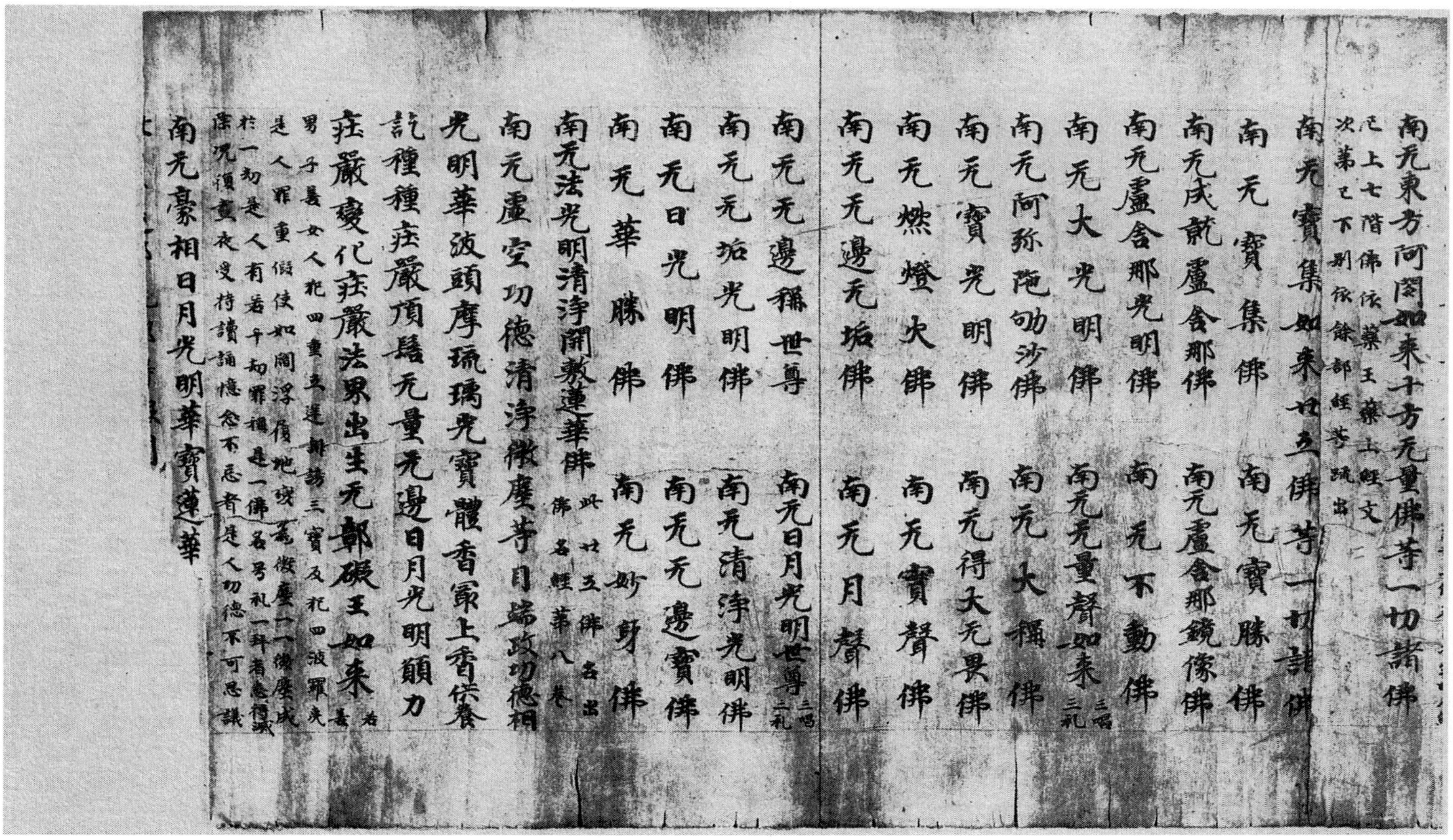
南无東方阿閦如来十方无量佛等一切諸佛
已上七階佛依藥王藥上經文次第已下別依餘部經等疏出
南无寶集如来廿五佛等一切諸佛
南无寶集佛　南无寶勝佛
南无成就盧舍那佛　南无盧舍那鏡像佛
南无盧舍那光明佛　南无不動佛
南无大光明佛　南无无量聲如来 三唱三礼
南无阿弥陁劬沙佛　南无大稱佛
南无寶光明佛　南无得大无畏佛
南无燃燈火佛　南无寶聲佛
南无无邊无垢佛　南无月聲佛
南无无邊稱世尊　南无日月光明世尊 三唱三礼
南无无垢光明佛　南无清淨光明佛
南无日光明佛　南无无邊寶佛
南无華勝佛　南无妙身佛
南无法光明清淨開敷蓮華佛 此廿五佛名出佛名經第八卷
南无虛空功德清淨微塵等目端政功德相
光明華波頭摩琉璃光寶體香最上香供養
訖種種莊嚴頂髻无量无邊日月光明願力
莊嚴變化莊嚴法界出生无鄣礙王如来 若善
男子善女人犯四重五逆謗三寶及犯四波羅夷
是人罪重假使如閻浮提地破為微塵一一微塵成
於一劫是人有若干劫罪禍是一佛名号礼一拜者悉得滅
除況復晝夜受持讀誦憶念不忘者是人功德不可思議
南无豪相日月光明華寶蓮華

BD03019 號　七階佛名經　（3–3）

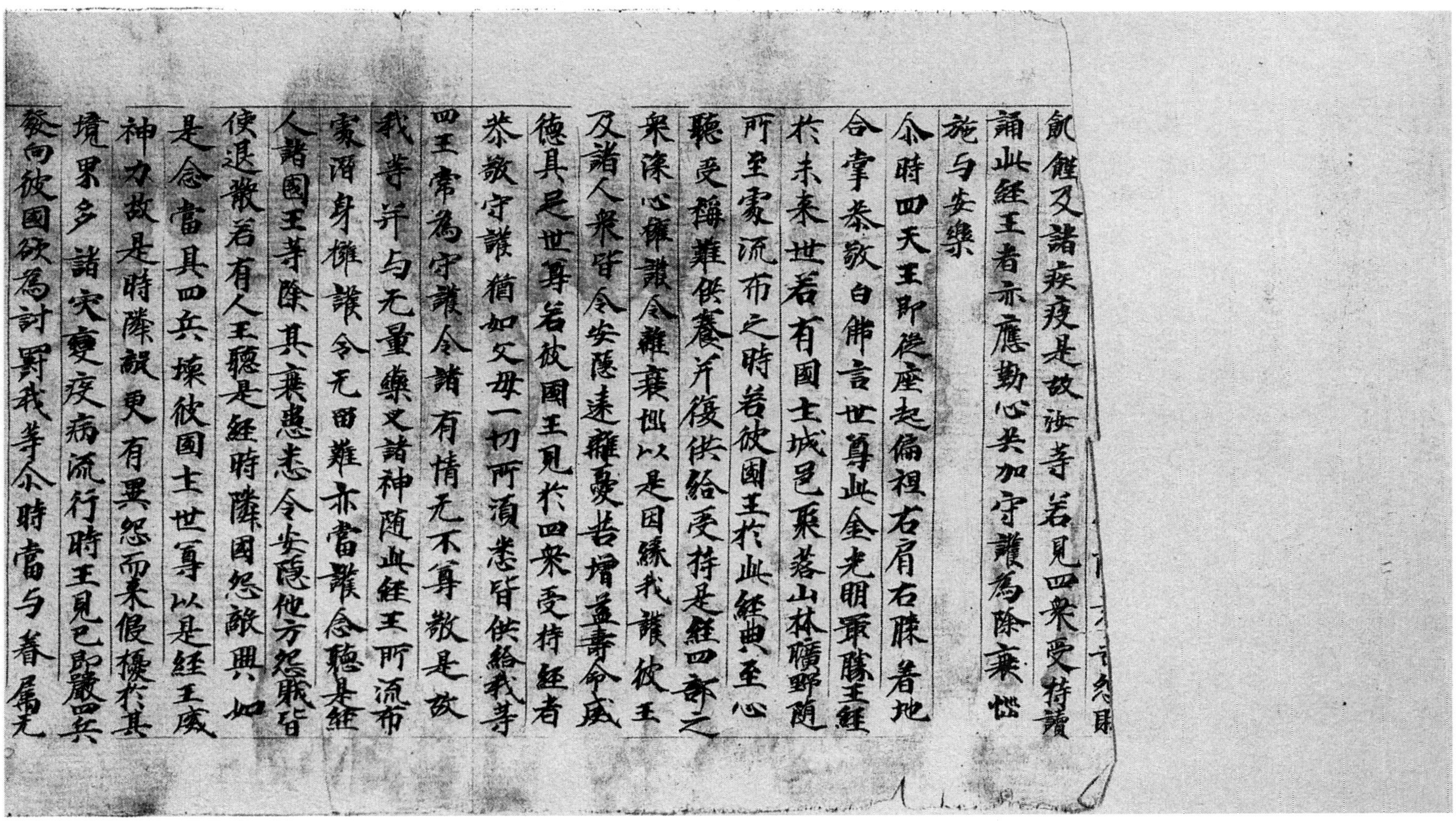
飢饉及諸疾疫是故汝等若見四衆受持讀
誦此經王者亦應勤心共加守護為除衰惱
施与安樂
尒時四天王即從座起偏袒右肩右膝着地
合掌恭敬白佛言世尊此金光明最勝王經
於未来世若有國土城邑聚落山林曠野隨
所至處流布之時若彼國王於此經典至心
聽受稱歎供養并復供給受持是經四部之
衆深心擁護令離衰惱以是因緣我護彼王
及諸人衆皆令安隱遠離憂苦增益壽命威
德具足世尊若彼國王見於四衆受持經者
恭敬守護猶如父母一切所須悉皆供給我等
四王常為守護令諸有情无不尊敬是故
我等并与无量藥叉諸神隨此經王所流布
處潛身擁護令无留難亦當護念聽是經
人諸國王等除其衰患悉令安隱他方怨賊皆
使退散若有人王聽是經時隣國怨敵興如
是念當具四兵壞彼國土世尊以是經王威
神力故是時隣敵更有異怨而来侵擾於其
境界多諸灾變疫病流行時王見已即嚴四兵
發向彼國欲為討罰我等尒時當与眷屬无

BD03020 號　金光明最勝王經卷六　（19–1）

家演身俱詣令无量難亦當聽受念聽是經
人諸國王等除其衰患悉令安隱他方怨賊皆
使退散若有人王聽是經時隣國怨敵興如
是念當具四兵壞彼國土世尊以是經王威
神力故是時隣敵更有異怨而來侵擾於其
境界多諸災變疫病流行時王見已即嚴四兵
發向彼國欲為討罸我等尒時當与眷屬无
量无邊藥叉諸神各自隱形為作護助令
彼怨敵自然降伏尚不敢來至其國界豈復
得有兵戈相罸
尒時佛告四天王善哉善哉汝等四王乃能擁
護如是經典我於過去百千俱胝那庾多
劫修諸苦行得阿耨多羅三藐三菩提證一
切智今說是法若有人王受持是經恭敬供
養者為消衰患令其安隱亦復擁護城邑聚
落乃至怨賊悉令退散亦令一切贍部洲內
所有諸王永无衰惱鬪諍之事四王當知此
贍部洲八万四千城邑聚落八万四千諸人王
等各於其國受諸快樂皆得自在所有財
寶豊足受用不相侵奪隨彼宿因而受其報
不起惡念貪求他國咸生少欲利樂之心无
有鬪戰繫縛等苦其土人民自然受樂上下
和穆猶如水乳情相愛重歡喜遊戲慈悲謙
讓增長善根以是因緣此贍部洲安隱豊樂
人民熾盛大地沃壤寒暑調和時不乖序日
月星宿常度无虧風雨隨時離諸災横資産
財寶皆悉豊盈心无慳鄙常行慧施具十善
業若人命終多生天上增益天衆大王若未

BD03020 號　金光明最勝王經卷六　（19–2）

讓增長善根以是因緣此贍部洲安隱豊樂
人民熾盛大地沃壤寒暑調和時不乖序日
月星宿常度无虧風雨隨時離諸災横資産
財寶皆悉豊盈心无慳鄙常行慧施具十善
業若人命終多生天上增益天衆大王若未
來世有諸人王聽受是經恭敬供養幷受持
經四部之衆尊重稱讚復欲安樂饒益汝等
及諸眷屬无量百千諸藥叉衆是故彼王常
當聽受是妙經王由得聞此正法之水甘露上
味增益汝等身心勢力精進勇猛福德威光
悉令充滿是諸人王若能至心聽受是經則為
廣大希有供養供養於我釋迦牟尼應
正等覺若供養我則是供養過去未來現在
百千俱胝那庾多佛若能供養三世諸佛則得
无量不可思議功德之聚以是因緣汝等應
當擁護彼王后妃眷屬令无衰惱及宮宅神
常受安樂功德難思是諸國土所有人民亦
受種種五欲之樂一切惡事皆令消殄
尒時四天王白佛言世尊於未來世若有人王
樂聽如是金光明經為欲擁護自身后妃王
子乃至內宮諸婇女等城邑宮殿皆得第一不
可思議最上歡喜寂靜安樂於現世中王位
尊高自在昌盛常得增長復欲攝受无量无
邊難思福聚於自國土令无怨敵及諸憂惱災
厄事者世尊如是人王不應放逸令心散
亂當生恭敬至誠慇重聽受如是最勝經
王欲聽之時先當莊嚴最上宮室王所愛重
顯敞之處香水灑地散衆名花安置師子

BD03020 號　金光明最勝王經卷六　（19–3）

是難思福聚於自國土令无怨敵及諸憂惱灾
厄事者世尊如是人王不應放逸令心散
亂當生恭敬至誠殷重聽受如是最勝經
王欲聽之時先當莊嚴最上宮室王所愛重
顯敞之處香水灑地散衆名花安置師子
殊勝法座以諸珎寶而為校飾張施種種寶
蓋幢幡燒无價香奏諸音樂其王尒時當
淨澡浴以香塗身著新淨衣及諸瓔珞坐小
卑座不生高舉捨自在位離諸憍慢端正念
聽是經典於法師所起大師想復於宮內后
妃王子婇女眷屬生慈愍心喜悅相視和顏
愛語於自身心大喜充遍作如是念我今獲
得難思殊勝廣大利益於此經王盛興供養
既敷設已見法師至當起虔敬渴仰之心
尒時佛告四天王不應如是不迎法師時彼人
王應著純淨鮮潔之衣種種瓔珞以為嚴飾
自持白蓋及以香花備整軍儀盛陳音樂
步出城闕迎彼法師運想虔恭為吉祥事
四王以何因緣令彼人王親作如是恭敬供養
由彼人王舉足下足步步即是恭敬供養
承事尊重百千万億那庾多諸佛世尊復得
超越如是劫數生死之苦復於來世如是數劫
當受輪王殊勝尊位隨其步步亦於現世福
德增長自在為王感應難思衆所欽重當於
无量百千億劫人天受用七寶宮殿所在生
處常得為王增益壽命言詞辯了人天信受
无所畏懼有大名稱咸共瞻仰天上人中受勝
妙樂獲大力勢有大威德身相奇妙端嚴无

BD03020 號　金光明最勝王經卷六　（19–4）

德增長自在為王感應難思衆所欽重當於
无量百千億劫人天受用七寶宮殿所在生
處常得為王增益壽命言詞辯了人天信受
无所畏懼有大名稱咸共瞻仰天上人中受勝
妙樂獲大力勢有大威德身相奇妙端嚴无
比值天人師遇善知識成就具足无量福聚四王
當知彼諸人王見如是等種種无量功德
利益故應自往奉迎法師若一踰繕那乃至
百千踰繕那於說法師應生佛想還至城已
作如是念今日釋迦牟尼如來應正等覺入
我宮中受我供養為我說法我聞法已即於
阿耨多羅三藐三菩提不復退轉即是值遇
百千万億那庾多諸佛世尊我於今日即
是種種廣大殊勝上妙樂具供養過去未來
現在諸佛我於今日即是永拔琰摩王界地
獄餓鬼傍生之苦便為已種无量百千万億
轉輪聖王釋梵天主善根種子當令无量百
千万億衆生出生死苦得涅槃樂積集无量
无邊不可思議福德之聚後宮眷屬及諸人
民皆蒙安隱國土清泰无諸災厄毒害惡人
他方怨敵不來侵擾遠離憂患四王當知時
彼人王應作如是尊重正法亦於受持是妙
經典苾芻苾芻尼鄔波索迦鄔波斯迦供養
恭敬尊重讚歎所獲善根先以勝福施与汝
等及諸眷屬彼之人王有大福德善業因緣
於現世中得大自在增益威光吉祥妙相皆
悉莊嚴一切怨敵能以正法而摧伏之
尒時四天王白佛言世尊若有人王能作如

BD03020 號　金光明最勝王經卷六　（19–5）

等及諸眷屬彼之人王有大福德善業因緣
於現世中得大自在增益威光吉祥妙相皆
悉莊嚴一切怨敵能以正法而摧伏之
尒時四天王白佛言世尊若有人王能作如
是恭敬正法聽此經王并於四衆持經之人
恭敬供養尊重讚歎時彼人王欲為我等生
歡喜故當在一邊近於法座香水灑地散衆
名花安置處所設四王座我与彼王共聽正
法其王所有自利善根亦以福分施及我等世
尊時彼人王請說法者昇座之時便為我等
燒衆名香供養是經世尊時彼香烟於一念
須上昇虛空即至我等諸天宮殿於虛空中
變成香蓋我等天衆聞彼妙香香有金光照
曜我等所居宮殿乃至梵宮及以帝釋大辯
才天大吉祥天堅牢地神正了知大將二十八
部諸藥叉神大自在天金剛密主寶賢大將
訶利底母五百眷屬無熱惱池龍王大海
龍王所居之處世尊如是等衆於自宮殿見
彼香烟一剎那須變成香蓋聞香芬馥覩色
光明遍至一切諸天神宮佛告四天王是香
光明非但至此宮殿變成香蓋放大光明由
彼人王手執香爐燒衆名香供養經時其
烟氣於一念須遍至三千大千世界百億日
月百億妙高山王百億四洲於此三千大千
世界一切天龍藥叉健闥婆阿蘇羅揭路茶
緊那羅莫呼洛伽宮殿之所於虛空中充滿
而住種種香烟變成雲蓋其蓋金色普照
天宮如是三千大千世界所有種種香雲香

BD03020號　金光明最勝王經卷六　（19–6）

月百億妙高山王百億四洲於此三千大千
世界一切天龍藥叉健闥婆阿蘇羅揭路茶
緊那羅莫呼洛伽宮殿之所於虛空中充滿
而住種種香烟變成雲蓋其蓋金色普照
天宮如是三千大千世界所有種種香雲香
蓋皆是金光明最勝王經威神之力是諸人
王手持香爐供養經時種種香氣非但遍此
三千大千世界於一念須亦遍十方无量无
邊恒河沙等百千万億諸佛國土於諸佛上
虛空之中變成香蓋金色普照亦復如是時
彼諸佛聞此妙香覩斯雲蓋及以金色於十
方界恒河沙等諸佛世尊現神變已彼諸世
尊悉共觀察異口同音讚法師曰善哉善哉
汝大丈夫能廣流布如是甚深微妙經典
則為成就无量无邊不可思議福德之聚若
有聽聞如是經者所獲功德其量甚多何況書
寫受持讀誦為他敷演如說修行何以故善
男子若有衆生聞此金光明最勝王經者即
於阿耨多羅三藐三菩提不復退轉
尒時十方有百千俱胝那庾多无量无數恒
河沙等諸佛剎土彼諸剎土一切如來異口
同音於法座上讚彼法師言善哉善哉善男
子汝於未來世以精勤力當修无量百千苦行
具足資粮超諸聖衆出過三界為最勝尊當
坐菩提樹王之下殊勝莊嚴能救三千大千
世界有緣衆生善能摧伏可畏形儀諸魔軍
衆覺了諸法最勝清淨甚深无上正等菩提

BD03020號　金光明最勝王經卷六　（19–7）

具足資粮起諸聖衆出過三界為最勝尊當
坐菩提樹王之下殊勝莊嚴能救三千大千
世界有緣衆生善能摧伏可畏形儀諸魔軍
衆覺了諸法最勝清淨甚深无上正等菩提
善男子汝當坐於金剛之座轉於无上諸佛
所讚十二妙行甚深妙輪能擊无上最大法鼓
能吹无上極妙法螺能建无上殊勝法幢能
然无上極明法炬能降无上甘露法雨能斷
无量煩惱怨結能令无量百千万億那庾多
有情度於无涯可畏大海解脫生死无際輪
迴值遇无量百千万億那庾多佛
尒時四天王復白佛言世尊是金光明最勝
王經能於未來現在成就如是无量功德是
故人王若得聞是微妙經典即是已於百千
万億无量佛所種諸善根於彼人王我當護
念復見无量福德利故我等四王及餘眷屬
无量百千万億諸神於自宮殿見是種種香
烟雲蓋神變之時我當隱蔽不現其身為聽
法故當至是王清淨嚴飾所止宮殿講法之
處如是乃至梵宮帝釋大辯才天大吉祥天
堅牢地神正了知神大將二十八部諸藥叉
神大自在天金剛密主寶賢大將訶利底母五
百眷屬无熱惱池龍王大海龍王无量百千
万億那庾多諸天藥叉如是等衆為聽法故
皆不現身至彼人王殊勝宮殿莊嚴高座說
法之所世尊我等四王及餘眷屬藥叉諸神
皆當一心共彼人王為善知識因是无上大

BD03020號　金光明最勝王經卷六　（19–8）

百眷屬无熱惱池龍王大海龍王无量百千
万億那庾多諸天藥叉如是等衆為聽法故
皆不現身至彼人王殊勝宮殿莊嚴高座說
法之所世尊我等四王及餘眷屬藥叉諸神
皆當一心共彼人王為善知識因是无上大
法施主以甘露味充足於我是故我等當護
是王除其衰患令得安隱及其宮殿城邑國
土諸惡災變悉令銷滅尒時四天王俱共
合掌白佛言世尊若有人王於其國土雖有
此經未嘗流布心生捨離不樂聽聞亦不供
養尊重讚歎見四部衆持經之人亦復不能
尊重供養遂令我等及餘眷屬无量諸天
不得聞此甚深妙法背甘露味失正法流无
有威光及以勢力增長惡趣損減人天墜生死
河乖涅槃路世尊我等四王并諸眷屬及藥
叉等見如斯事捨其國土无擁護心非但我
等捨棄是王亦有无量守護國土諸大善神
悉皆捨去既捨離已其國當有種種災禍喪
失國位一切人衆皆无善心唯有繫縛殺害
瞋諍互相讒諂枉及无辜疾疫流行彗星數
出兩日並現薄蝕无恒黑白二虹表不祥相
星流地動井內發聲暴雨惡風不依時節常
遭飢饉苗實不成多有他方怨賊侵掠國
人民受諸苦惱土地无有可樂之處世尊我
等四王及与无量百千天神并護國土諸舊
善神遠離去時生如是等无量百千災怪惡
事世尊若有人王欲護國土常受快樂欲令
衆生咸蒙安隱欲得摧伏一切外敵於自國

BD03020號　金光明最勝王經卷六　（19–9）

等四王及与无量百千天神并諸國土諸舊
善神遠離去時生如是等无量百千災恠惡
事世尊若有人王欲護國土常受快樂欲令
衆生咸蒙安隱欲得摧伏一切外敵於自國
境永得昌盛欲令正教流布世間苦惱惡法
皆除滅者世尊是諸國主必當聽受是妙經
王亦應恭敬供養讀誦受持經者我等及餘
无量天衆以是聽法善根威力得服无上甘
露法味增益我等所有眷屬并餘天神皆得
勝利何以故以是人王至心聽受是經典故 世尊
如大梵天於諸有情常為宣說世出世論
帝釋復說種種諸論五通神仙亦說諸論世
尊梵天帝釋五通仙人雖有百千俱胝那庾
多无量諸論然佛世尊慈悲哀愍為人天衆
說金光明微妙經典比前所說勝彼百千俱
胝那庾多倍不可為喻何以故由此能令諸
贍部洲所有王等正法化世能与衆生安樂
之事為護自身及諸眷屬令无苦惱又无他
方怨賊侵害所有諸惡悉皆遠去亦令國土
災厄屏除化以正法无有諍訟是故人王各
於國土當然法炬明照无邊增益天衆并諸
眷屬世尊我等四王无量天神藥叉之衆贍
部洲內所有天神以是因緣得服无上甘露
法味獲大威德勢力光明无不具足一切衆
生皆得安隱復於未來世无量百千不可思議
那庾多劫常受快樂復得值遇无量諸佛種
諸善根然後證得阿耨多羅三藐三菩 提

BD03020號　金光明最勝王經卷六　（19–10）

法味獲大威德勢力光明无不具足一切衆
生皆得安隱復於未來世无量百千不可思議
那庾多劫常受快樂復得值遇无量諸佛種
諸善根然後證得阿耨多羅三藐三菩 提
如是无量无邊勝利皆是如來應正等覺以
大慈悲過梵衆以大智慧逾帝釋修諸苦
行勝五通仙百千万億那庾多倍不可稱計為
諸衆生演說如是微妙經典令贍部洲一切
國王及諸人衆明了世間所有法式治國化
人勸導之事由此經王流通力故普得安樂
此等福利皆是釋迦大師於此經典廣為流
通慈悲力故世尊以是因緣諸人王等皆應受
持供養恭敬尊重讃歎此妙經王何以故以
如是等不可思議殊勝功德利益一切是故
名曰最勝經王
尒時世尊復告四天王汝等四王及餘眷屬
无量百千俱胝那庾多諸天大衆見彼人王
若能至心聽是經典供養恭敬尊重讃歎者應
當擁護除其衰患能令汝等亦受安樂若四
部衆能廣流布是經王者於人天中廣作佛
事普能利益无量衆生如是之人汝等四王
常當擁護如是四衆勿使他緣共相侵擾令
彼身心寂靜安樂於此經王廣宣流布令不
斷絕利益有情盡未來際
尒時多聞天王從座而起白佛言世尊我 有
如意寶珠陁羅尼法若有衆生樂受持者功
德无量我常擁護令彼衆生離苦得樂能成
福智二種資粮欲受持者先當誦此護身之

BD03020號　金光明最勝王經卷六　（19–11）

新饒利益有情盡未來際
尒時多聞天王從座而起白佛言世尊我有
如意寶珠陀羅尼法若有衆生樂受持者功
德无量我常擁護令彼衆生離苦得樂能成
福智二種資粮欲受持者先當誦此護身之
呪即說呪曰
南无薜室囉末拏也莫訶曷囉闍也 伯是也上之字守須引聲
怛姪他 囉囉囉囉 矩怒矩怒
區怒區怒 窶怒窶怒 颯縛颯縛
羯囉羯囉 莫訶毗羯喇麼 莫訶毗羯喇麼
莫訶曷囉社 曷喀叉曷喀叉 覩漫 自稱己名
薩婆薩埵難者 莎訶 此之二字皆長引聲
世尊誦此呪者當以白線呪之七遍一遍一結繫
之肘後其事必成應取諸香所謂安息旃
檀龍腦蘇合多揭羅薰陸皆須等分和合
一處手執香爐燒香供養清淨澡浴著鮮潔
衣於一靜室可誦神呪
請我薜室羅末拏天王即說呪曰
南无薜室囉 末拏 引 也 南无檀那馱也
檀泥說囉 引也 阿揭撦 阿鉢喇弭多
檀泥說囉 鉢囉麼 迦留尼迦
薩婆薩埵 呬多振多 麼麼 己名 檀那
末奴鉢喇拽撦 鉢闍麼揭撦 莎訶
此呪誦滿一七遍已次誦本呪欲誦呪時先
當稱名敬礼三寶及薜室羅末拏大王能施
財物令諸衆生所求願滿悉能成就与其安
樂如是礼已次誦薜室羅末拏王如意末尼
寶心神呪能施衆生隨意安樂尒時多聞天王

BD03020 號　金光明最勝王經卷六　（19–12）

當稱名敬礼三寶及薜室羅末拏大王能施
財物令諸衆生所求願滿悉能成就与其安
樂如是礼已次誦薜室羅末拏王如意末尼
寶心神呪能施衆生隨意安樂尒時多聞天王
即於佛前說如意末尼寶心呪曰
南謨曷喇怛娜 怛喇夜 引 也
南无薜室囉末拏 引 也 莫訶囉闍 引 也
怛姪他 四弭四弭 蘇母蘇母
旃荼旃荼 折囉折囉 薩囉薩囉
羯囉羯囉 枳哩枳哩 矩嚕矩嚕
母嚕母嚕 主嚕主嚕 娑大也頞貪
我名某甲 昵店頻䭾 達達覩莎訶
南无薜室囉末拏也莎訶檀那馱也莎訶
曼奴喇他鉢喇晡喇迦 引也 莎訶
受持呪時先誦千遍然後於淨室中瞿摩
塗地作小壇場隨時飲食一心供養常然妙香
令烟不絕誦前心呪晝夜繫心唯自耳聞勿令
他解時有薜室羅末拏王子名禪膩師現童
子形來至其所問言何故須喚我父即可報
言我為供養三寶事須財物願當施与時禪
膩師聞是語已即還父所白其父言今有善
人發至誠心供養三寶少乏財物為斯請白
其父報曰汝可速去日日与彼一百迦利沙波拏
此是根本梵音唯目貝齒而隨方不定或是貝齒或是金銀銅鐵等錢然摩揭陀現今通用一迦利沙波拏有一千六百貝齒將數可以准知若准物直隨處不定若人持呪得成就者獲物之時自知其數有本云每日与百陳那羅即金錢也乃至盡形日日常得西方求者多有神驗除不至心
其持呪者見是相已知事得成當須獨處
淨室燒香而卧可於牀邊置一香篋每至
天曉觀其篋

BD03020 號　金光明最勝王經卷六　（19–13）

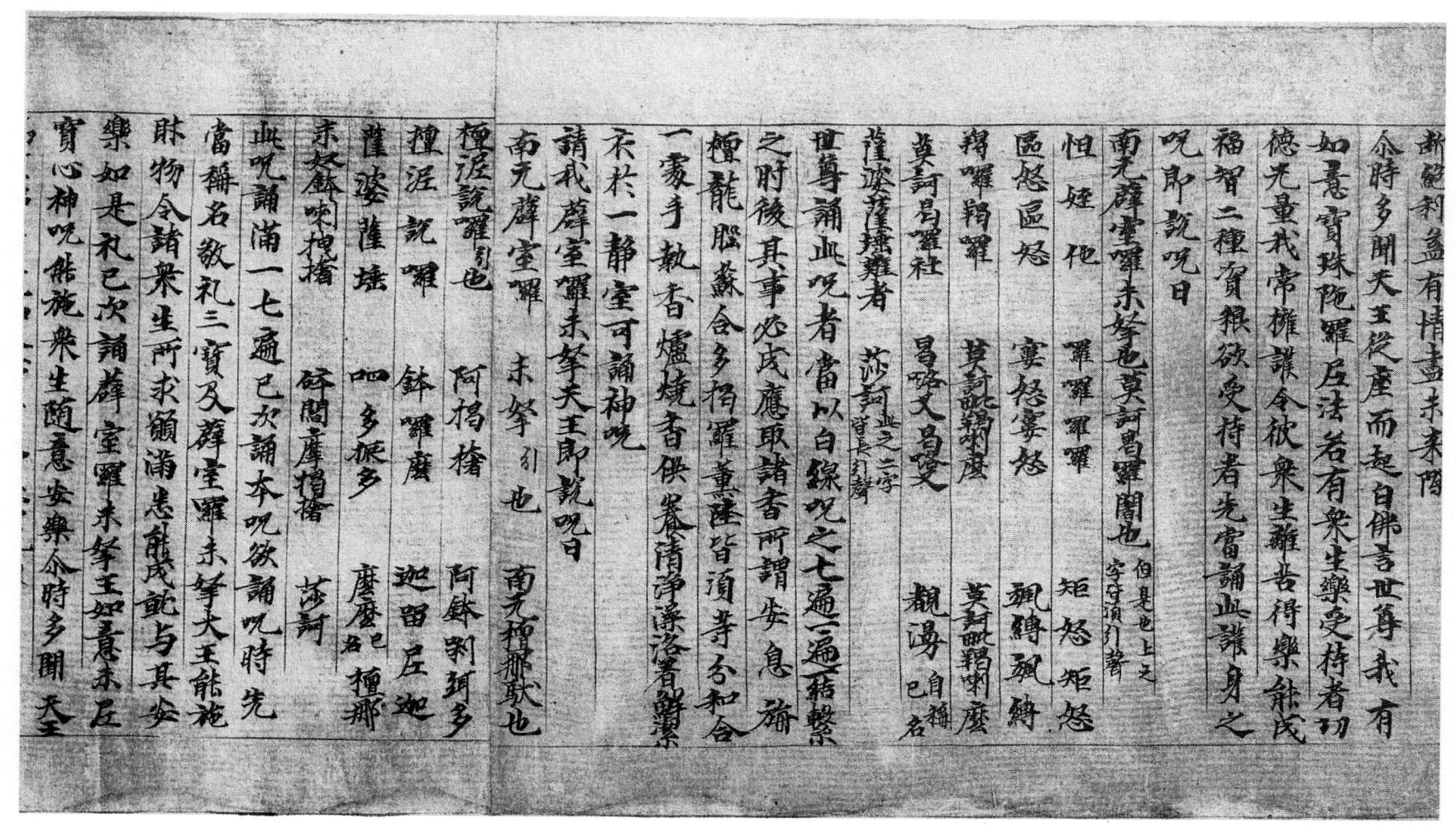

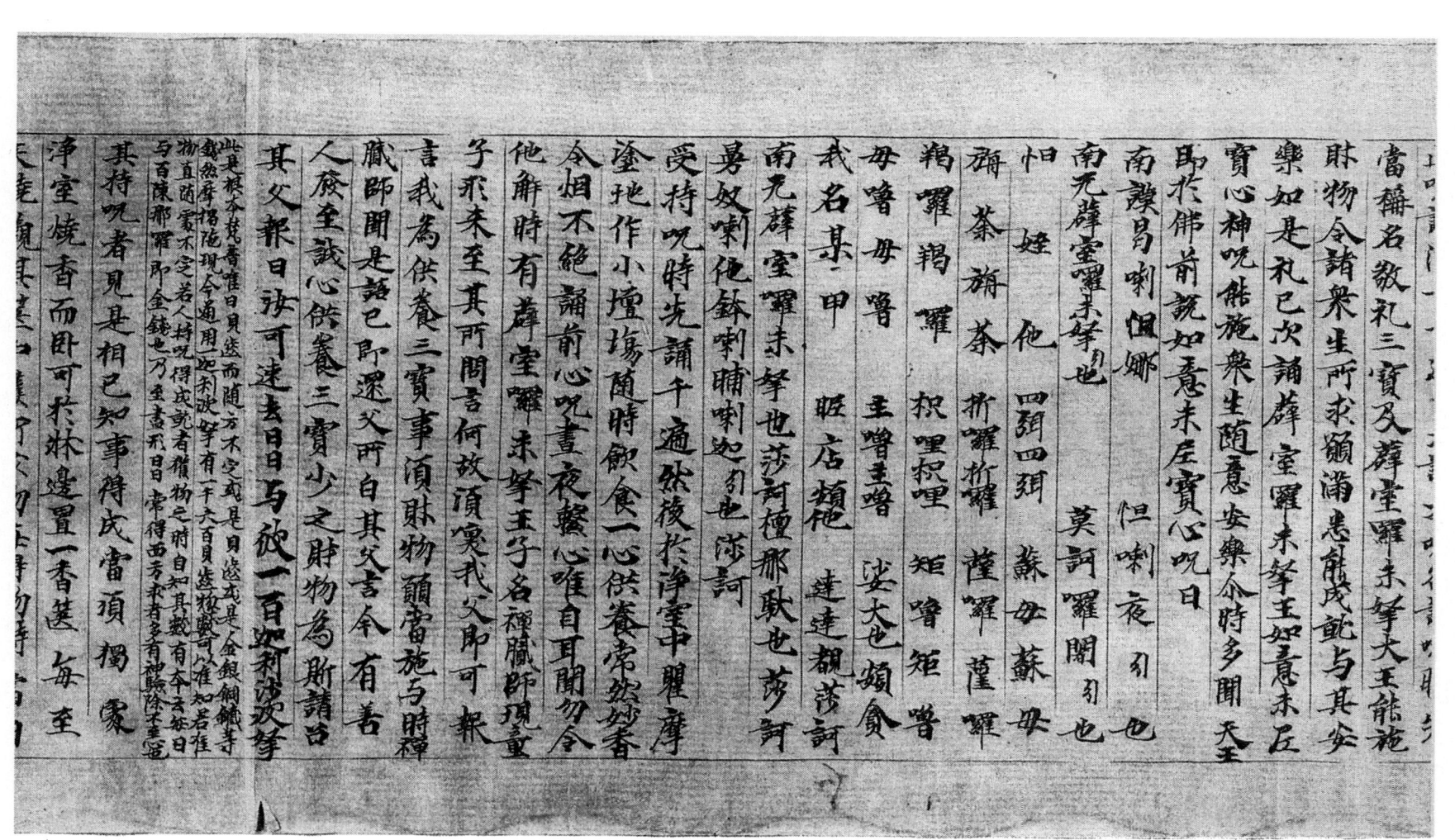

鉢然摩揭陀國今通用此未詳數有一千六百貝齒將數可以准知若在物直隨處不定若人持呪得成就者獲物之時自知其數有本云每日与百陳那羅即金錢也乃至盡形日日常得西方求者多有神驗除不至心
其持呪者見是相已知事得成當須獨處
淨室燒香而卧可於牀邊置一香篋每至
天曉觀其篋中獲所求物每得物時當日
即須供養三寶香花飲食兼施貧乏皆令
罄盡不得停留於諸有情起慈悲念勿生瞋
誑諂害之心若起瞋者即失神驗常可護心
勿令瞋恚又持此呪者於每日中憶我多聞
天王及男女眷屬稱揚讚歎恒以十善共相
資助令彼天等福力增明衆善普臻證菩
提處彼諸天衆見是事已皆大歡喜共來擁
衛持呪之人又持呪者壽命長遠經无量歲
永離三塗常无灾厄亦令獲得如意寶珠及
以伏藏神通自在所願皆成若求官榮无不
稱意亦解一切禽獸之語
世尊若持呪時欲得見我自身現者可於月
八日或十五日於白疊上畫佛形像當用木
膠雜彩莊飾其畫像人為受八戒於佛左邊
作吉祥天女像於佛右邊作我多聞天像并
畫男女眷屬之類安置坐處咸令如法布列
花彩燒衆名香然燈續明晝夜无歇上妙飲
食種種珍奇發慇重心隨時供養受持神呪
不得輕心請召我時應誦此呪
南无室利健那(引)也　勃　陁　也
南无薜室羅末拏也　藥叉囉闍(引下同)　也
莫　訶　囉　闍　阿地囉闍也
南麼　室　利　耶　曩　莫訶提鞞(引)曩

BD03020號　金光明最勝王經卷六　(19–14)

不得輕心請召我時應誦此呪
南无室利健那(引)也　勃　陁　也
南无薜室羅末拏也　藥叉囉闍(引下同)　也
莫　訶　囉　闍　阿地囉闍也
南麼　室　利　耶　曩　莫訶提鞞(引)曩
怛　姪　他　怛囉怛囉咄嚕咄嚕
末　囉　末　囉　窣奴吐窣奴吐
漢　娜　漢　娜　末尼羯諾迦
跋折囉薜琉璃也　目底迦楞訖哩哆
設　唎　囉　曩　蒲(引)薩婆薩埵
呬　哆　迦(引)　摩　薜室囉末拏
室　唎　夜　提　鼻　跋攞婆(引)　也
醫呬醫呬磨呬藍婆　瞿嘌拏瞿嘌拏
襪(麻八反)喇婆襪喇婆　達䭾呬　麼　麼
阿目迦耶末寫(自稱己名)　達哩設那迦末寫
達　哩　設　南　麼　麼　末　那
鉢　喇　曷　囉　大也　莎訶
世尊我若見此誦呪之人復見如是盛興供
養即生慈愛歡喜之心我即變身作小兒形
或作老人苾芻之像手持如意末尼寶珠并
持金囊入道場內身現恭敬口稱佛名語持
呪者曰隨汝所求皆令如願或隱林藪或造
寶珠或欲衆人愛寵或求金銀等物欲持諸
呪皆令有驗或欲神通壽命長遠及勝妙
樂无不稱心我今且說如是之事若更求餘皆
隨所願悉得成就寶藏无盡功德无窮假使
日月墜墮于地或可大地有時移轉我此實
語終不虛然常得安隱隨心快樂[illegible]

BD03020號　金光明最勝王經卷六　(19–15)

叫[illegible]令有[illegible]遠乃[illegible]
樂无不稱心我今且說如是之事若更求餘皆
隨所願悉得成就實藏无盡功德无窮假使
日月墜墮于地或可大地有時移轉我此實
語終不虛然常得安隱隨心快樂世尊若有
人能受持讀誦是經王者誦此呪時不假疲
勞法速成就世尊我今爲彼貧窮困厄苦惱
衆生說此神呪令獲大利皆得富樂自在无
患乃至盡形我當擁護隨逐是人爲除災厄
亦復令此持金光明最勝王經流通之者及持
呪人於百步内光明照燭我之所有千藥叉神
亦常侍衛隨欲驅使无不遂心我說實語无
有虛誑唯佛證知時多聞天王說此呪已佛言
善哉大王汝能破裂一切衆生貧窮苦網令
得富樂說是神呪復令此經廣行於世時四
天王但從座起偏袒一肩頂礼雙足右膝著地
合掌恭敬以妙伽他讚佛功德
佛面猶如淨滿月　亦如千日放光明
目淨脩廣若青蓮　齒白齊密猶珂雪
佛德无邊如大海　无限妙寶積其中
智慧德水鎮恒盈　百千勝定咸充滿
足下輪相皆嚴飾　轂輞千輻悉齊平
手足鞔網遍莊嚴　猶如鵝王相具足
佛身光曜等金山　清淨殊特无倫疋
亦如妙高功德滿　故我稽首佛山王
相好如空不可測　逾於千月放光明
皆如焰幻不思議　故我稽首心无著
尒時四天王讚歎佛已世尊亦以伽他而答

佛身光曜等金山　清淨殊特无倫疋
亦如妙高功德滿　故我稽首佛山王
相好如空不可測　逾於千月放光明
皆如焰幻不思議　故我稽首心无著
尒時四天王讚歎佛已世尊亦以伽他而答
之曰
此金光明最勝經　无上十力之所說
汝等四王常擁衛　應生勇猛不退心
此妙經寶極甚深　能与一切有情樂
由彼有情安樂故　常得流通贍部洲
於此大千世界中　所有一切有情類
餓鬼傍生及地獄　如是苦趣悉皆除
住此南洲諸國王　及餘一切有情類
由經威力常歡喜　皆蒙擁護得安寧
亦使此中諸有情　除衆病苦无賊盜
賴此國土弘經故　安隱豐樂无違惱
若人聽受此經王　欲求尊貴及財利
國土豐樂无違諍　隨心所願悉皆從
能令他方賊退散　於自國界常安隱
由此最勝經王力　離諸苦惱无憂怖
如寶樹王在宅内　能生一切諸樂具
最勝經王亦復然　能与人王勝功德
譬如澄潔清冷水　能除飢渴諸熱惱
最勝經王亦復然　令樂福者心滿足
如人室有妙寶篋　隨所受用悉從心
最勝經王亦復然　福德隨心无所乏
汝等天王及天衆　應當供養此經王
若能依教奉持經　智慧威神皆具足
現在十方一切佛　咸共護念此經王

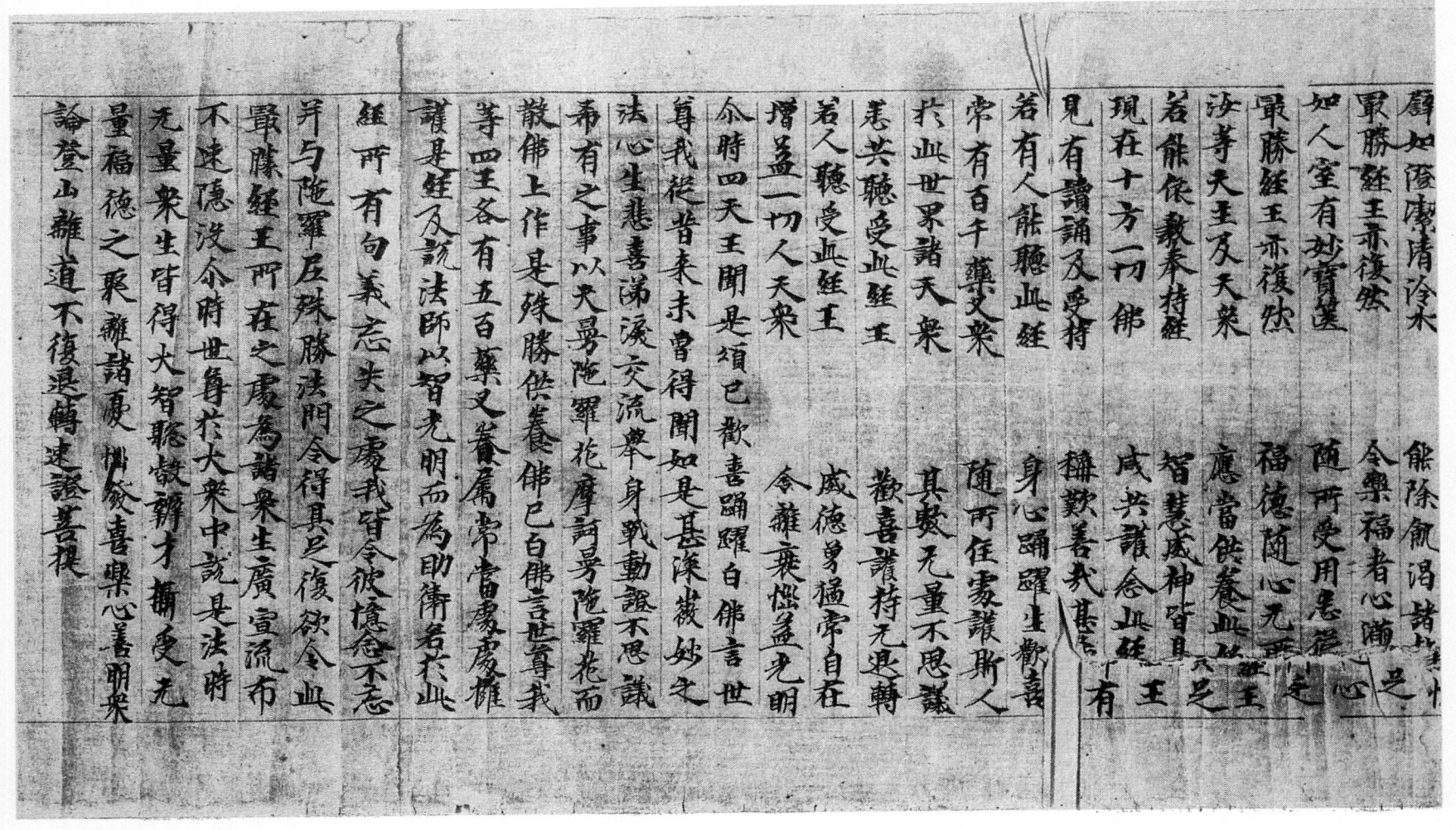

譬如澡浴清涼水　能除飢渴諸憂惱
最勝經王亦復然　令樂福者心滿足
如人室有妙寶篋　隨所受用悉從心
最勝經王亦復然　福德隨心无所乏
汝等天主及天衆　應當供養此經王
若能依教奉持經　智慧威神皆具足
現在十方一切佛　咸共護念此經王
見有讀誦及受持　稱歎善哉甚希有
若有人能聽此經　身心踊躍生歡喜
常有百千藥叉衆　隨所住處護斯人
於此世界諸天衆　其數无量不思議
悉共聽受此經王　歡喜護持无退轉
若人聽受此經王　威德勇猛常自在
增益一切人天衆　令離衰惱益光明
尒時四天王聞是頌已歡喜踊躍白佛言世
尊我從昔來未曾得聞如是甚深微妙之
法心生悲喜涕淚交流舉身戰動證不思議
希有之事以天曼陁羅花摩訶曼陁羅花而
散佛上作是殊勝供養佛已白佛言世尊我
等四王各有五百藥叉眷屬常當處處擁
護是經及說法師以智光明而為助衛若於此
經所有句義忘失之處我皆令彼憶念不忘
并与陁羅尼殊勝法門令得具足復欲令此
最勝經王所在之處為諸衆生廣宣流布
不速隱沒尒時世尊於大衆中說是法時
无量衆生皆得大智聰叡辯才攝受无
量福德之聚離諸憂惱發喜樂心善明衆
論登出離道不復退轉速證菩提

BD03020號　金光明最勝王經卷六　（19–18）

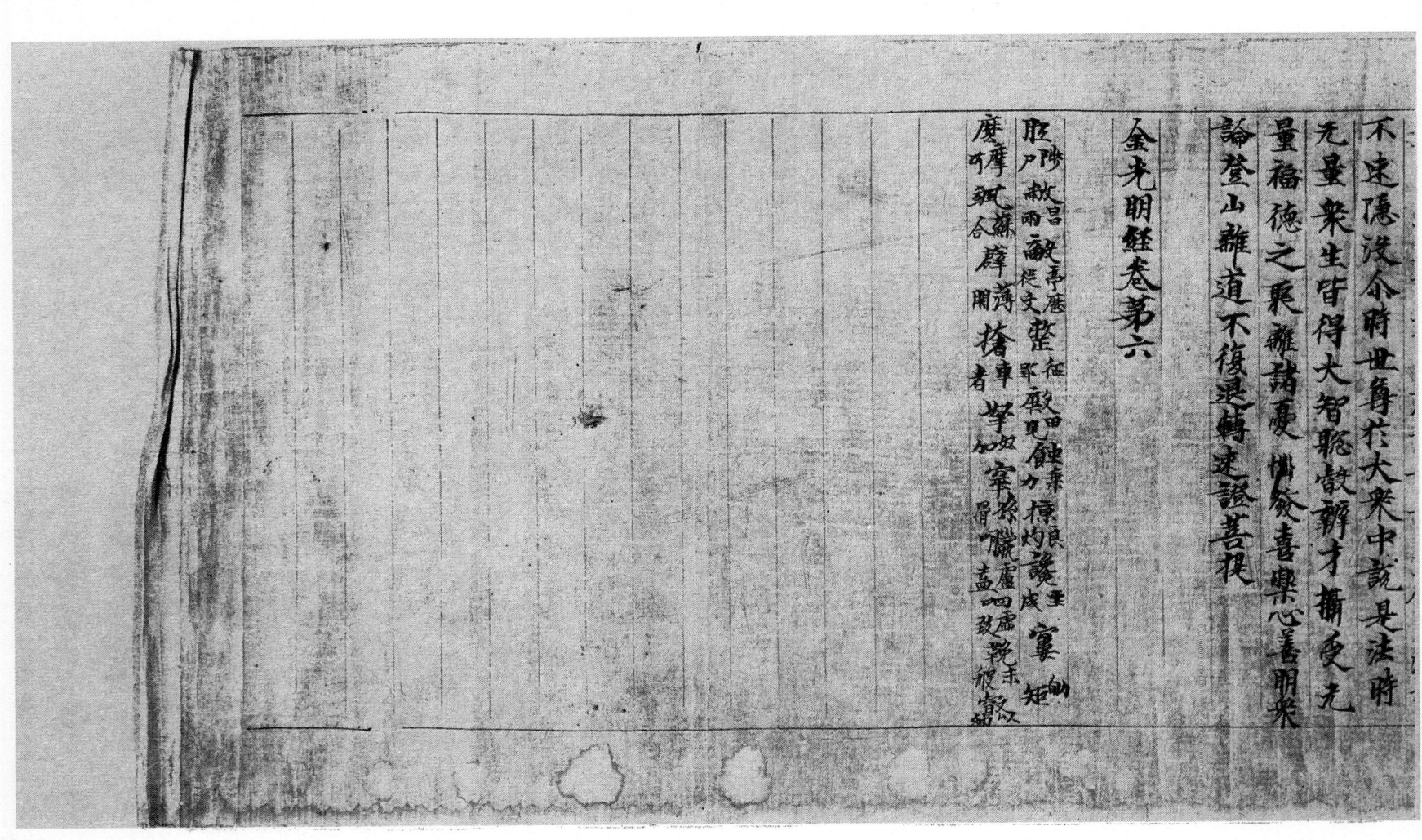

不速隱沒尒時世尊於大衆中說是法時
无量衆生皆得大智聰叡辯才攝受无
量福德之聚離諸憂惱發喜樂心善明衆
論登出離道不復退轉速證菩提

金光明經卷第六

胝陟尸 敵亭歷 整征郢 皺 蝕乘力 標 謙 窶劬矩
麼摩可 穌蘇合 薜蒲閉 擔 拏女加 窣 囉 盧

BD03020號　金光明最勝王經卷六　（19–19）

BD03020 號背　雜寫　　（1–1）

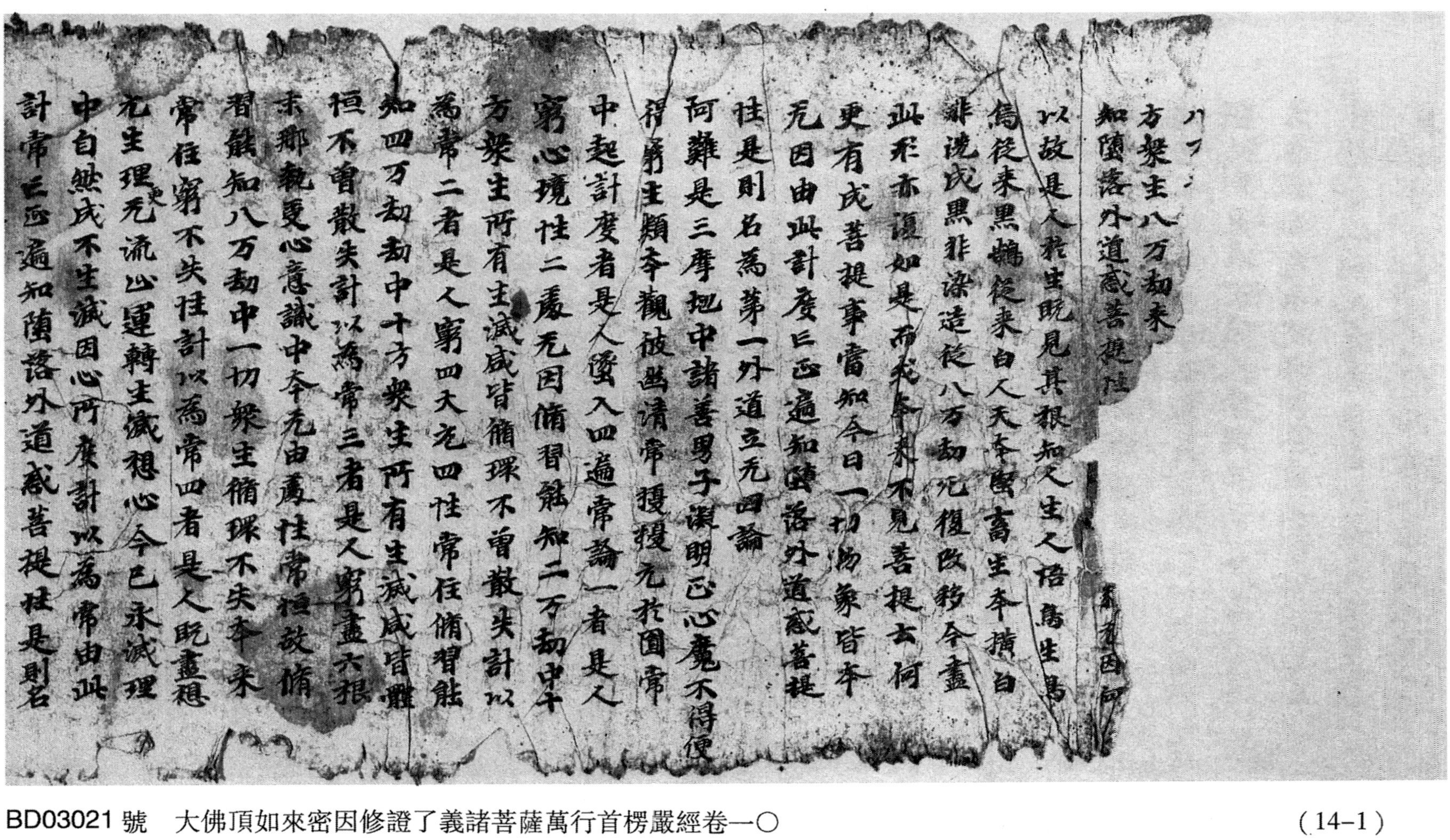

BD03021 號　大佛頂如來密因修證了義諸菩薩萬行首楞嚴經卷一〇　　（14–1）

末那執受心意識中本元由處[illegible]
習能知八万劫中一切衆生循環不失本來
常住窮不失性計以為常四者是人既盡想
元生理更无流止運轉生滅想心今已永滅理
中自然成不生滅因心所度計以為常由此
計常亡正遍知墮落外道惑菩提性是則名
為第二外道立圓常論
又三摩地中諸善男子堅凝正心魔不得便
窮生類本觀彼幽清常擾動元於自他中起
計度者是人墮入四顛倒見一分无常一分常
論一者是人觀妙明心遍十方界湛然以為
究竟神我從是則計我遍十方凝明不動一
切衆生於我心中自生自死則我心性名之為
常彼生滅者真无常性二者是人不觀其心
遍觀十方恒沙國土見劫壞處名為究竟
无常種性劫不壞處名究竟常三者是人
别觀我心精細微密猶如微塵流轉十方性
无移改能令此身即生即滅其不壞性名我
性常一切死生從我流出名无常性四者是
人知想陰盡見行陰流行陰常流計為常
性色受想等今已滅盡名為无常由此計度
一分无常一分常故墮落外道惑菩提性是
則名為第三外道一分常論
又三摩地中諸善男子堅凝正心魔不得便
窮生類本觀彼幽清常擾動元於分位中生
計度者是人墮入四有邊論一者是人心計
生元流用不息計過未者名為有邊計相
續心名為无邊二者是人觀八万劫則見

BD03021號　大佛頂如來密因修證了義諸菩薩萬行首楞嚴經卷一〇

（14–2）

則名為[illegible]
又三摩地中諸善男子堅凝正心魔不得便
窮生類本觀彼幽清常擾動元於分位中生
計度者是人墮入四有邊論一者是人心計
生元流用不息計過未者名為有邊計相
續心名為无邊二者是人觀八万劫則見
衆生八万劫前寂无聞見无聞見處名為无
邊有衆生處名為有邊三者是人計我遍
知得无邊性彼一切人現我知中我曾不知
彼之知性名彼不得无邊之心但有邊性
四者是人窮行陰空以其所見心路籌度
一切衆生一身之中計其咸皆半生半滅明
其世界一切所有一半有邊一[illegible]
計度有邊无邊墮落外道惑菩提性是則
名為第四外道立有邊論
又三摩地中諸善男子堅凝正心魔不得便
窮生類本觀彼幽清常擾動元於知見中生
計度者是人墮入四種顛倒不死矯亂遍計
虛論一者是人觀變化元見遷流處名之為
變見相續處名之為恒見所見處名之為生
不見見處名之為滅相續之因性不斷處名之
為增正相續中中所離處名之為減各各生
處名之為有互互亡處名之為无以理都觀
用心别見有求法人來問其義答言我今亦
生亦滅亦有亦无亦增亦減於一切時皆亂
其語令彼前人遺失章句二者是人諦觀
其心互互處因无得證有人來問唯答一字

BD03021號　大佛頂如來密因修證了義諸菩薩萬行首楞嚴經卷一〇

（14–3）

用心別見有求法人來問其義答言我今亦
生亦滅亦有亦无亦增亦減於一切時皆亂
其語令彼前人遺失章句二者是人諦觀
其心互互處因无得證有人來問唯答一字
但言其无除无之餘无所言說三者是人諦
觀其心各各有處因有得證有人來問唯
答一字但言其是除是之餘无所言說四者
是人有无俱見其境枝故其心亦亂有人來問
答言亦有即是亦无亦无之中不是亦有一
切矯亂无容窮詰由此計度矯亂虛无墮落
外道惑菩提性是則名為第五外道四顛倒
性不死矯亂遍計虛論
又三摩地中諸善男子堅凝正心魔不得便
窮生類本觀幽清常擾之元於无盡流生計
度者是人墮入死後有相發心顛倒或自固身
云色是我或見我圓含遍國土云我有色或
彼前緣隨我迴復云色屬我或復我依行中
相續云我在色皆計度言死後有相如是循
環有十六相從此或計畢竟煩惱畢竟菩提
兩性並驅各不相觸由此計度死後有故墮
落外道惑菩提性是則名為第六外道立五
陰中死後有相心顛倒論
又三摩地中諸善男子堅凝正心魔不得便
窮生類本觀其幽清常擾動元於先除滅色
受想中生計度者是人墮入死後无相發心
顛倒見其色滅形无所因觀其想滅心无所

BD03021號　大佛頂如來密因修證了義諸菩薩萬行首楞嚴經卷一〇　（14–4）

陰中死後有相心顛倒論
又三摩地中諸善男子堅凝正心魔不得便
窮生類本觀其幽清常擾動元於先除滅色
受想中生計度者是人墮入死後无相發心
顛倒見其色滅形无所因觀其想滅心无所
繫知其受滅无復連綴陰性銷散縱有生
理而无受想與草木同此質現前猶不可得
死後云何更有諸相因之勘校死後相无如
是循環有八无相從此或計涅槃因果一切皆
空徒有名字究竟斷滅由此計度死後无故
墮落外道惑菩提性是則名為第七外道
立五陰中死後无相心顛倒論
又三摩地中諸善男子堅凝正心魔不得便
窮生類本觀彼幽清常擾動元於行存中兼
受想滅雙計有无自體相破是人墜入死後俱
非起顛倒論色受想中見有非有行遷流內
觀无不无如是循環窮盡陰界八俱非相隨
得一緣皆言死後有相无相又計諸行性遷
訛故心發通悟有无俱非虛實失措由此計
度死後俱非後際昏瞢无可道故墮落[illegible]
惑菩提性是則名為第八外道立五陰中
俱非心顛倒論
又三摩地中諸善男子堅凝正心魔不得便
窮生類本觀彼幽清常擾動元於後後无生
計度者是人墜入七斷滅論或計身滅或欲盡
滅或苦盡滅或極樂滅或極捨滅如是循環
窮盡七際現前銷滅滅已无復由此計度死
後斷滅墮落外道惑菩提性是則名為第九

BD03021號　大佛頂如來密因修證了義諸菩薩萬行首楞嚴經卷一〇　（14–5）

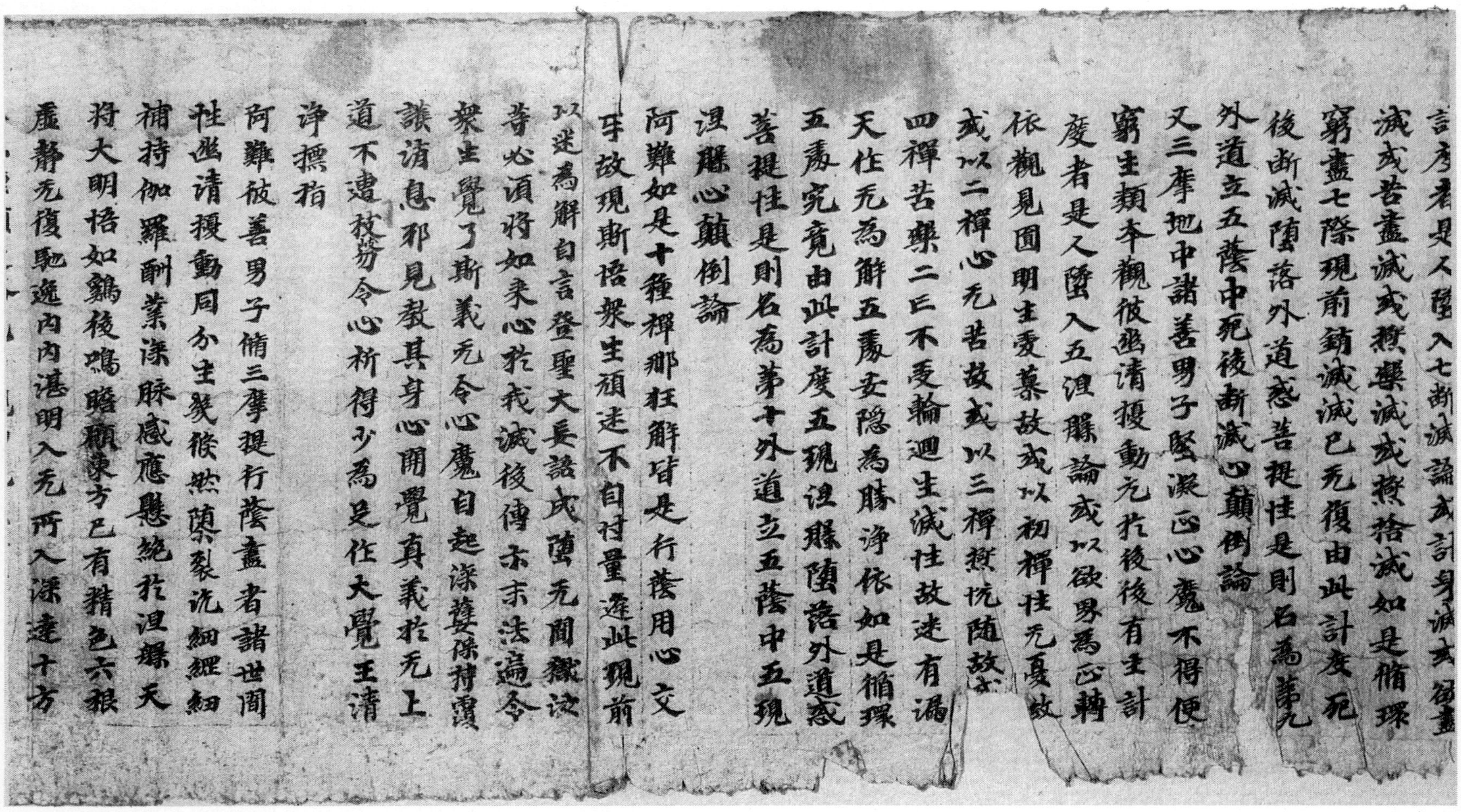

言彼者是人墮入七斷滅論或計身滅或欲盡
滅或苦盡滅或極樂滅或極捨滅如是循環
窮盡七際現前銷滅滅已无復由此計度死
後斷滅墮落外道惑菩提性是則名為第九
外道立五陰中死後斷滅心顛倒論
又三摩地中諸善男子堅凝正心魔不得便
窮生類本觀彼幽清擾動元於後後有生計
度者是人墮入五涅槃論或以欲界為正轉
依觀見圓明生愛慕故或以初禪性无憂故
或以二禪心无苦故或以三禪極悅隨故
四禪苦樂二亡不受輪迴生滅性故迷有漏
天作无為解五處安隱為勝淨依如是循環
五處究竟由此計度五現涅槃墮落外道惑
菩提性是則名為第十外道立五陰中五現
涅槃心顛倒論
阿難如是十種禪那狂解皆是行陰用心交
互故現斯悟眾生頑迷不自忖量逢此現前
以迷為解自言登聖大妄語成墮无間獄汝
等必須將如來心於我滅後傳示末法遍令
眾生覺了斯義无令心魔自起深孽保持覆
護消息邪見教其身心開覺真義於无上
道不遭枝歧令心祈得少為足作大覺王清
淨標指
阿難彼善男子修三摩提行陰盡者諸世間
性幽清擾動同分生機倏然隳裂沉細綱紐
補特伽羅酬業深脈感應懸絕於涅槃天
將大明悟如雞後鳴瞻顧東方已有精色六根
虛靜无復馳逸內內湛明入无所入深達十方

BD03021 號　大佛頂如來密因修證了義諸菩薩萬行首楞嚴經卷一〇　（14–6）

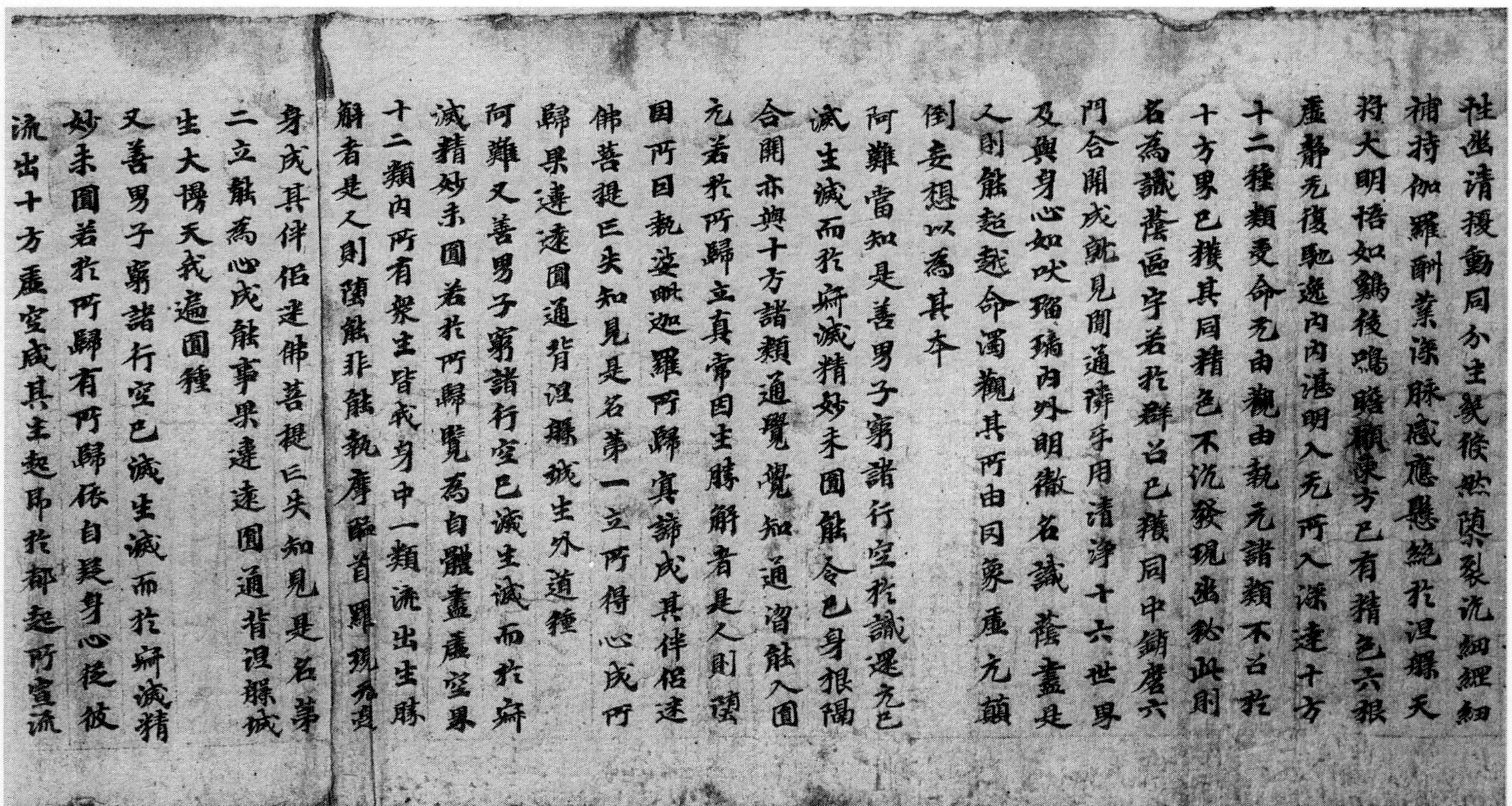

性幽清擾動同分生機倏然隳裂沉細綱紐
補特伽羅酬業深脈感應懸絕於涅槃天
將大明悟如雞後鳴瞻顧東方已有精色六根
虛靜无復馳逸內內湛明入无所入深達十方
十二種類受命元由觀由執元諸類不召於
十方界已獲其同精色不沉發現幽秘此則
名為識陰區宇若於群召已獲同中銷磨六
門合開成就見聞通鄰互用清淨十方世界
及與身心如吠瑠璃內外明徹名識陰盡是
人則能超越命濁觀其所由罔象虛无顛
倒妄想以為其本
阿難當知是善男子窮諸行空於識還元已
滅生滅而於寂滅精妙未圓能令已身根隔
合開亦與十方諸類通覺覺知通溜能入圓
元若於所歸立真常因生勝解者是人則墮
因所因執娑毗迦羅所歸冥諦成其伴侶迷
佛菩提亡失知見是名第一立所得心成所
歸果違遠圓通背涅槃城生外道種
阿難又善男子窮諸行空已滅生滅而於寂
滅精妙未圓若於所歸覽為自體盡虛空界
十二類內所有眾生皆我身中一類流出生勝
解者是人則墮能非能執摩醯首羅現无邊
身成其伴侶迷佛菩提亡失知見是名第
二立能為心成能事果違遠圓通背涅槃城
生大慢天我遍圓種
又善男子窮諸行空已滅生滅而於寂滅精
妙未圓若於所歸有所歸依自疑身心從彼
流出十方虛空咸其生起即於都起所宣流

BD03021 號　大佛頂如來密因修證了義諸菩薩萬行首楞嚴經卷一〇　（14–7）

生大慢天我遍圓種
又善男子窮諸行空已滅生滅而於寂滅精
妙未圓若於所歸有所歸依自疑身心從彼
流出十方虛空咸其生起即於都起所宣流
地作真常身无生滅解在生滅中早計常住
既惑不生亦迷生滅安住沉迷生勝解者是
人則墮常非常執計自在天成其伴侶迷佛
菩提亡失知見是名第三立因依心成妄計果
違遠圓通背涅槃城生倒圓種
又善男子窮諸行空已滅生滅而於寂滅精
妙未圓若於所知知遍圓故因知立解十方
草木皆稱有情與人无異圓故因知立解十
方草木皆稱有情與人无異草木為人人死
還成十方草樹无擇遍知生勝解者是人則
墮知无知執婆吒霰尼執一切覺成其伴侶
迷佛菩提亡失知見是名第四計圓知心成虛
謬果違遠圓通背涅槃城生倒知種
又善男子窮諸行空已滅生滅而於寂滅精
妙未圓若於圓融根互用中已得隨順便於
圓化一切發生求火光明樂水清淨愛風周
流觀塵成就各各崇事以此群塵發作本因
立常住解是人則墮生无生執諸迦葉波并
婆羅門勤心役身事火崇水求出生死成其伴
侶迷佛菩提亡失知見是名第五計著崇事
迷心從物立妄求因求妄冀果違遠圓通背涅
槃城生顛化種
又善男子窮諸行空已滅生滅而於寂滅精
妙未圓若於圓明計明中虛非滅群化以永

BD03021號　大佛頂如來密因修證了義諸菩薩萬行首楞嚴經卷一〇　　(14–8)

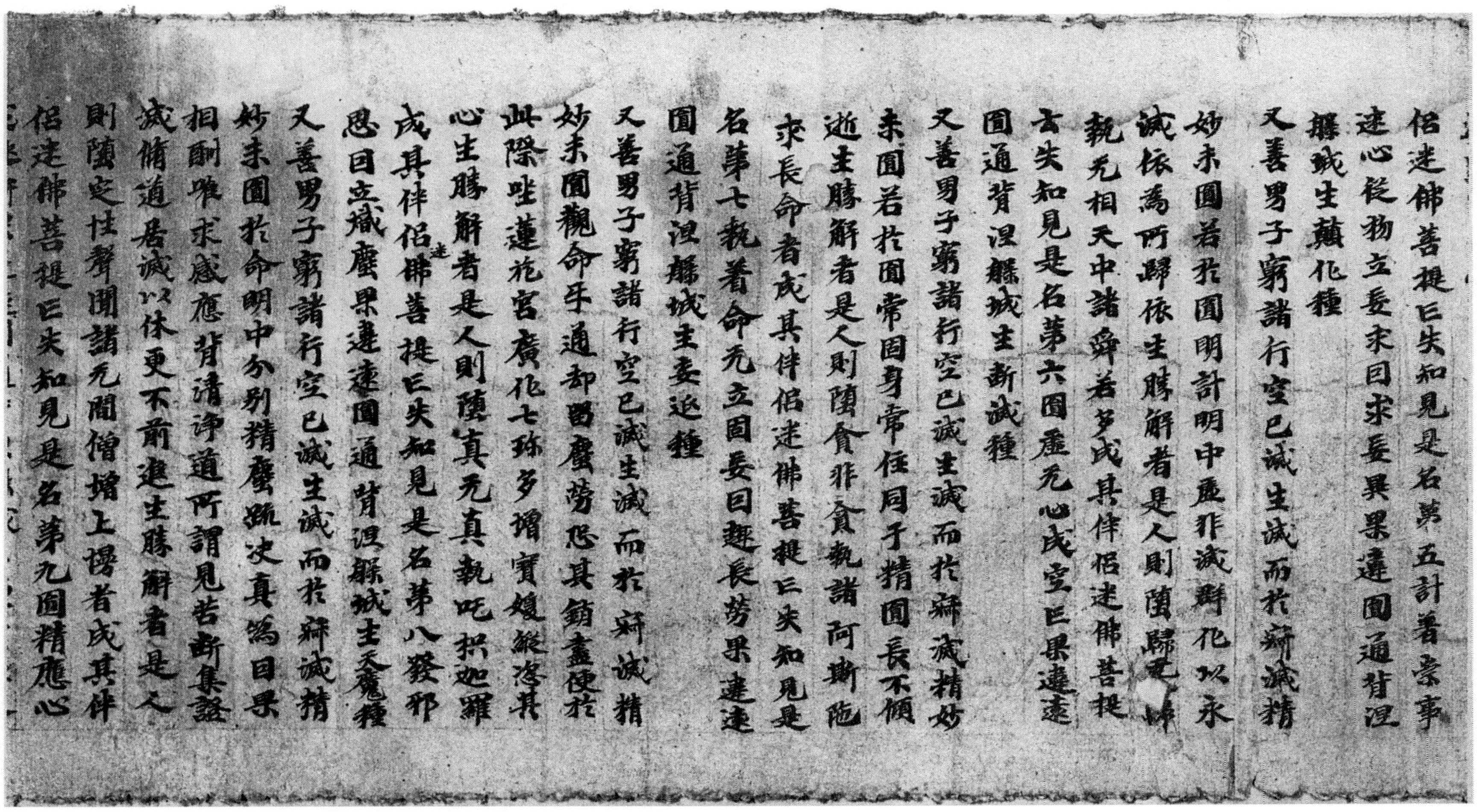

侶迷佛菩提亡失知見是名第五計著崇事
迷心從物立妄求因求妄冀果違遠圓通背涅
槃城生顛化種
又善男子窮諸行空已滅生滅而於寂滅精
妙未圓若於圓明計明中虛非滅群化以永
滅依為所歸依生勝解者是人則墮歸无歸
執无想天中諸舜若多成其伴侶迷佛菩提
亡失知見是名第六圓虛无心成空亡果違遠
圓通背涅槃城生斷滅種
又善男子窮諸行空已滅生滅而於寂滅精妙
未圓若於圓常固身常住同于精圓長不傾
逝生勝解者是人則墮貪非貪執諸阿斯陀
求長命者成其伴侶迷佛菩提亡失知見是
名第七執著命元立固妄因趣長勞果違遠
圓通背涅槃城生妄延種
又善男子窮諸行空已滅生滅而於寂滅精
妙未圓觀命互通卻留塵勞恐其銷盡便於
此際坐蓮花宮廣化七珍多增寶媛縱恣其
心生勝解者是人則墮真无真執吒枳迦羅
成其伴侶迷佛菩提亡失知見是名第八發邪
思因立熾塵果違遠圓通背涅槃城生天魔種
又善男子窮諸行空已滅生滅而於寂滅精
妙未圓於命明中分別精麤疏決真偽因果
相酬唯求感應背清淨道所謂見苦斷集證
滅修道居滅以休更不前進生勝解者是人
則墮定性聲聞諸无聞僧增上慢者成其伴
侶迷佛菩提亡失知見是名第九圓精應心

BD03021號　大佛頂如來密因修證了義諸菩薩萬行首楞嚴經卷一〇　　(14–9)

相副唯求感應背清淨道所謂見苦斷集證
滅脩道居滅以休更不前進生勝解者是人
則墮定性聲聞諸无聞僧增上慢者成其伴
侶迷佛菩提亡失知見是名第九圓精應心
成趣寂果違遠圓通背涅槃城生纏空種又
善男子窮諸行空已滅生滅而於寂滅精妙
未圓若於圓融清淨覺明發研深妙即立
涅槃而不前進生勝解者是人則墮定性辟
支諸緣獨倫不迴心者成其伴侶迷佛菩提
亡失知見是名第十圓覺㴩心成湛明果違遠
圓通背涅槃城生覺圓明不化圓種
阿難如是十種禪那中途成狂因依惑未足
中生滿足證皆是識陰用心交互故生斯位
衆生頑迷不自忖量逢此現前各以所愛先
習迷心而自休息將為畢竟所歸寧地自言
滿足无上菩提大妄語成外道邪魔所感業
終墮无間獄聲聞緣覺不成增進汝等存心
秉如來道將此法門於我滅後傳示末世普
令衆生覺了斯義无令見魔自作沉孽保綏
哀救消息邪緣令其身心入佛知見從始成
就不遭歧路如是法門先過去世恒沙劫中
微塵如來乘此心開得无上道識陰若盡
則汝現前諸根互用從互用中能入菩薩
金剛乾慧圓明精心於中發化如淨琉璃內
含寶月如是乃超十信十住十行十向四加
行心菩薩所行金剛十地等覺圓明入於如
來妙莊嚴海圓滿菩提歸无所得此是過去先

BD03021號　大佛頂如來密因修證了義諸菩薩萬行首楞嚴經卷一〇　（14–10）

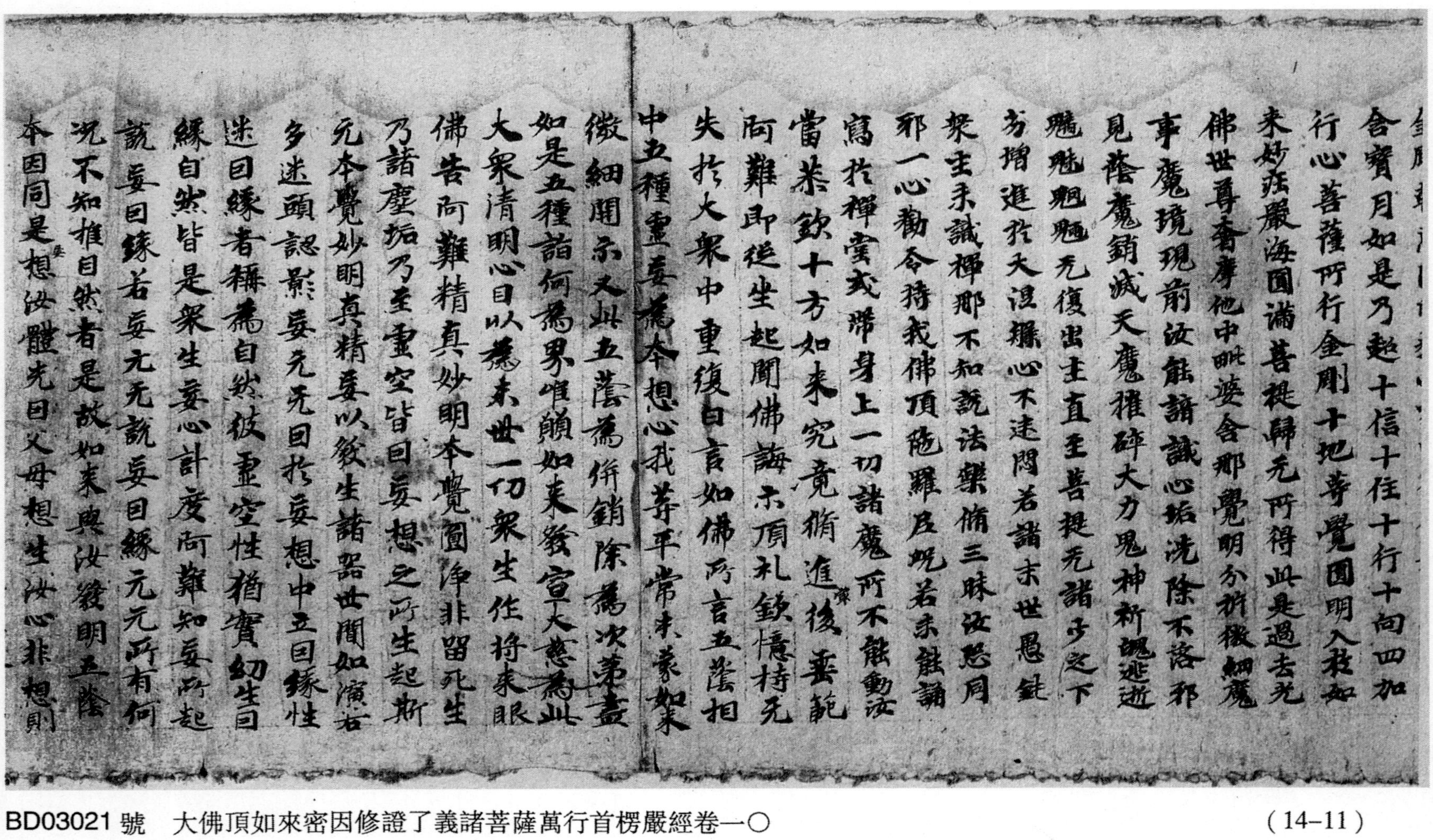
含寶月如是乃超十信十住十行十向四加
行心菩薩所行金剛十地等覺圓明入於如
來妙莊嚴海圓滿菩提歸无所得此是過去先
佛世尊奢摩他中毗婆舍那覺明分析微細魔
事魔境現前汝能諳識心垢洗除不落邪
見陰魔銷滅天魔摧碎大力鬼神褫魄逃逝
魑魅魍魎无復出生直至菩提无諸少乏下
劣增進於大涅槃心不迷悶若諸末世愚鈍
衆生未識禪那不知說法樂脩三昧汝恐同
邪一心勸令持我佛頂陀羅尼呪若未能誦
寫於禪堂或帶身上一切諸魔所不能動汝
當恭欽十方如來究竟脩進後垂範
阿難即從坐起聞佛誨示頂礼欽憶持无
失於大衆中重復白言如佛所言五陰相
中五種虛妄為本想心我等平常未蒙如來
微細開示又此五陰為併銷除為次第盡
如是五種詣何為界唯願如來發宣大慈為此
大衆清明心目以為末世一切衆生作將來眼
佛告阿難精真妙明本覺圓淨非留死生
乃諸塵垢乃至虛空皆因妄想之所生起斯
元本覺妙明真精妄以發生諸器世間如演若
多迷頭認影妄元无因於妄想中立因緣性
迷因緣者稱為自然彼虛空性猶實幻生因
緣自然皆是衆生妄心計度阿難知妄所起
說妄因緣若妄元无說妄因緣元无所有何
況不知推自然者是故如來與汝發明五陰
本因同是想妄汝體先因父母想生汝心非想則

BD03021號　大佛頂如來密因修證了義諸菩薩萬行首楞嚴經卷一〇　（14–11）

緣自然皆是衆生妄心計度阿難知妄所起
說妄因緣若妄元无說妄因緣元无所有何
況不知推自然者是故如來與汝發明五陰
本因同是妄想汝體先因父母想生汝心非想則
不能來想中傳命如我先言心想酢味口中
涎生心想登高足心酸起懸崖不有酢物未
來汝體必非虛妄通倫口水如何因談酢出
是故當知汝現色身名為堅固第一妄想
即此所說臨高想心能令汝形真受酸澁
由因受生能動色體汝今現前順益違損
二現驅馳名為虛明第二妄想由汝念慮使汝
色身身非念倫汝身何因隨念所使種種取
像心生形取與念相應寤即想心寐為諸夢
則汝想念搖動妄情名為融通第三妄想
化理不住運運密移甲長髮生氣銷容皺
夜相代曾无覺悟阿難此若非汝云何體遷
如必是真汝何无覺則汝諸行念念不停名
為幽隱第四妄想又汝精明湛不搖處名恒
常者於身不出見聞覺知若實精真不容習
妄何因汝等曾於昔年覩一奇物經歷年歲憶
忘俱无於後忽然覆覩前異記憶宛然曾不遺
失則此精了湛不搖中念念受熏有何籌筭
阿難當知此湛非真如急流水望如恬靜流
急不見非是无流若非想元寧受想習非汝
六根互用合開此之妄想无時得滅故汝現
在見聞覺知中串習幾則湛了內罔象虛无
第五顛倒細微精想

BD03021號　大佛頂如來密因修證了義諸菩薩萬行首楞嚴經卷一〇　(14–12)

急不見非是无流若非想元寧受想習非汝
六根互用合開此之妄想无時得滅故汝現
在見聞覺知中串習幾則湛了內罔象虛无
第五顛倒細微精想
阿難是五受陰妄想成汝今欲知因界淺
深唯色與空是色邊際唯觸及離是受邊際
唯記與妄是想邊際唯滅與生是行邊際湛
入合湛歸識邊際此五陰元重疊生起生因
識有滅從色除理則頓悟乘悟併銷事非
頓除因次第盡我已示汝劫波巾結何所不明
再此詢問汝應將此妄想根元心得開通傳
示將來末法之中諸脩行者令識虛妄深猒
自生知有涅槃不戀三界
阿難若復有人遍滿十方所有虛空盈滿七
寶持以奉上微塵諸佛承事供養心无虛度
於意云何是人以此施佛因緣得福多不阿
難荅言虛空无盡珎寶无邊昔有衆生施佛
七錢捨身猶獲轉輪王位況復現前虛空既
窮佛土充遍皆施珎寶窮劫思議尚不能及
是福云何更有邊際
佛告阿難諸佛如來語无虛妄若復有人身
具四重十波羅夷瞬息即經此方他方阿鼻
地獄乃至窮盡十方无間靡不經歷能以一
念將此法門於末劫中開示未學是人罪障
應念銷滅變其所受地獄苦因成安樂國得
福超越前之施人百倍千倍千万億倍如是乃
至筭數譬喻所不能及阿難若有衆生能誦
此經能持此呪如我廣說窮劫不盡依我教

BD03021號　大佛頂如來密因修證了義諸菩薩萬行首楞嚴經卷一〇　(14–13)

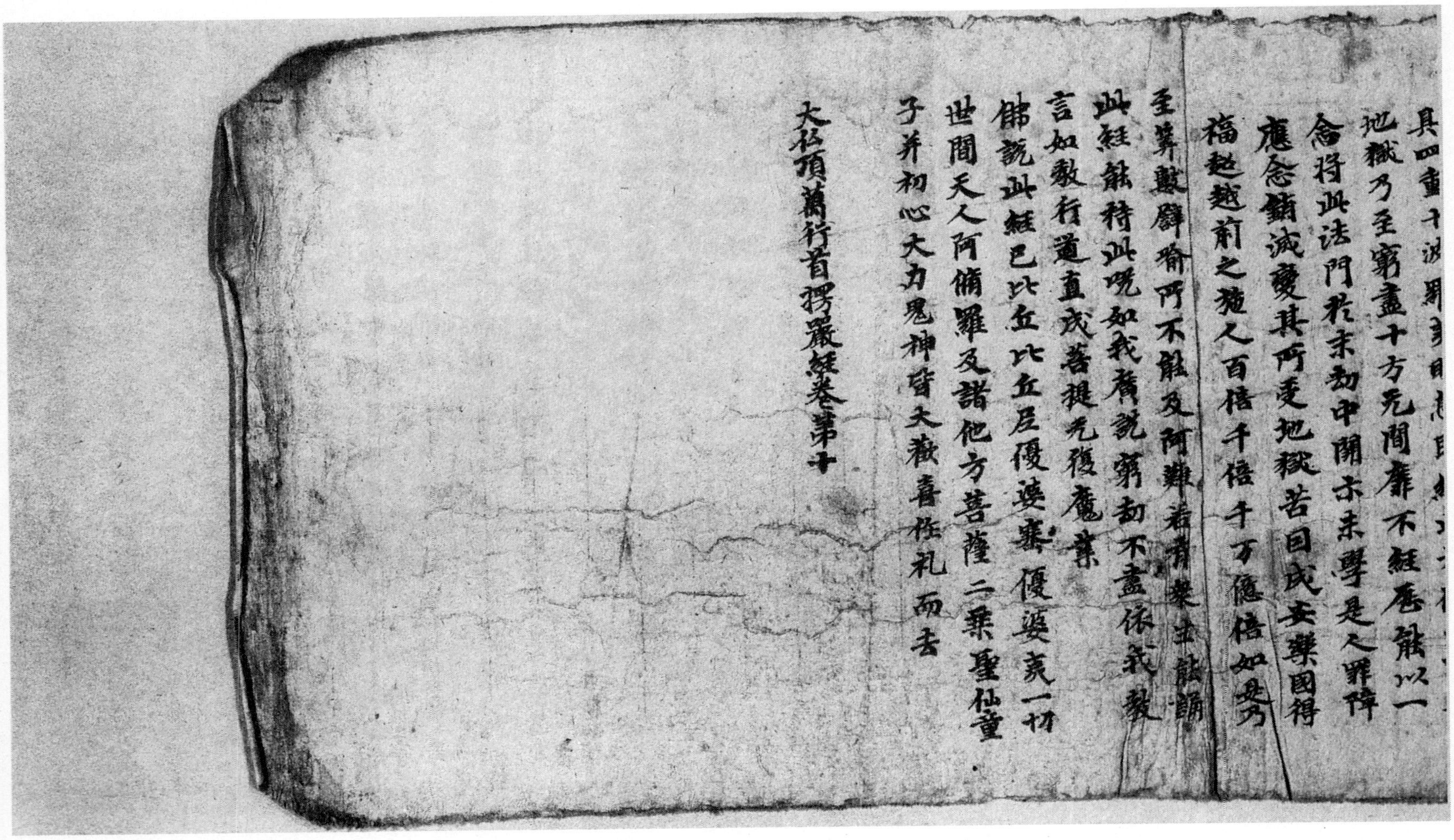
具四重十波羅夷瞬息即經此方他方
地獄乃至窮盡十方无間靡不經歷能以一
念將此法門於末劫中開示未學是人罪障
應念銷滅變其所受地獄苦因成安樂國得
福超越前之施人百倍千倍千万億倍如是乃
至算數譬喻所不能及阿難若有衆生能誦
此經能持此咒如我廣說窮劫不盡依我教
言如教行道直成菩提无復魔業
佛說此經已比丘比丘尼優婆塞優婆夷一切
世間天人阿脩羅及諸他方菩薩二乘聖仙童
子并初心大力鬼神皆大歡喜作礼而去
大佛頂萬行首楞嚴經卷第十

BD03021 號　大佛頂如來密因修證了義諸菩薩萬行首楞嚴經卷一〇　（14–14）

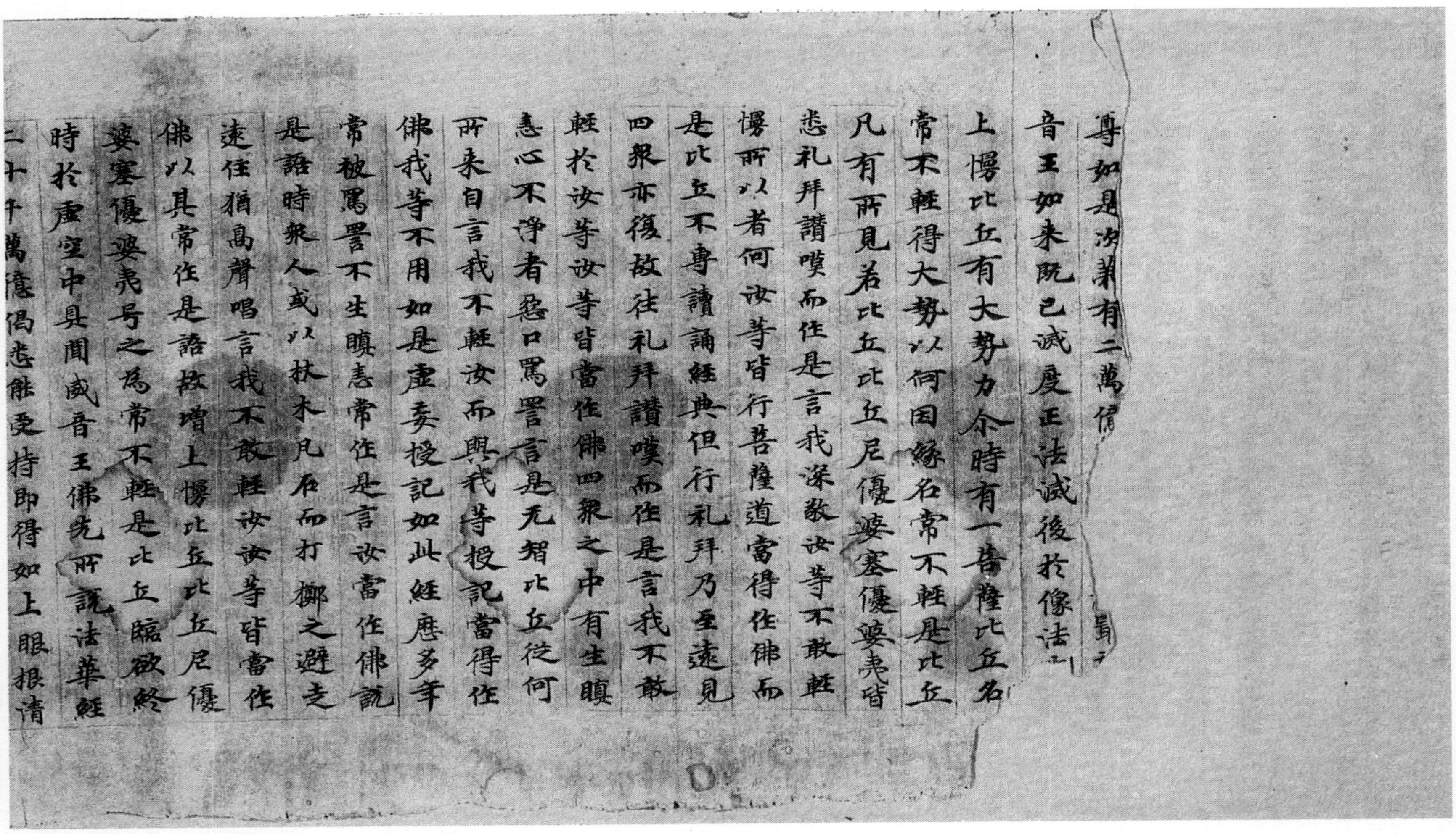
尊如是次第有二萬億
音王如來既已滅度正法滅後於像法
上慢比丘有大勢力尒時有一菩薩比丘名
常不輕得大勢以何因緣名常不輕是比丘
凡有所見若比丘比丘尼優婆塞優婆夷皆
悉礼拜讚嘆而作是言我深敬汝等不敢輕
慢所以者何汝等皆行菩薩道當得作佛而
是比丘不專讀誦經典但行礼拜乃至遠見
四衆亦復故往礼拜讚嘆而作是言我不敢
輕於汝等汝等皆當作佛四衆之中有生瞋
恚心不淨者惡口罵詈言是无智比丘從何
所來自言我不輕汝而與我等授記當得作
佛我等不用如是虚妄授記如此經歷多年
常被罵詈不生瞋恚常作是言汝當作佛說
是語時衆人或以杖木瓦石而打擲之避走
遠住猶高聲唱言我不敢輕汝汝等皆當作
佛以其常作是語故增上慢比丘比丘尼優
婆塞優婆夷号之為常不輕是比丘臨欲終
時於虚空中具聞威音王佛先所說法華經
二十千萬億偈悉能受持即得如上眼根清

BD03022 號　妙法蓮華經（八卷本）卷七　（23–1）

佛以其常作是語故增上慢比丘比丘尼優
婆塞優婆夷号之為常不輕是比丘臨欲終
時於虛空中具聞威音王佛先所說法華經
二十千萬億偈悉能受持即得如上眼根清
淨耳鼻舌身意根清淨得是六根清淨已更
增壽命二百萬億那由他歲廣為人說是法
華經於時增上慢四衆比丘比丘尼優婆塞
優婆夷輕賤是人為作不輕名者見其得大
神通力樂說辯力大善寂力聞其所說皆信
伏隨從是菩薩復化千萬億衆令住阿耨多
羅三藐三菩提命終之後得值二千億佛皆
号曰月燈明於其法中說是法華經以是因
緣復值二千億佛同号雲自在燈王於此諸
佛法中受持讀誦為諸四衆說此經典故得
是常眼清淨耳鼻舌身意諸根清淨於四衆
中說法心无所畏得大勢是常不輕菩薩摩
訶薩供養如是若干諸佛恭敬尊重讚歎種
諸善根於後復值千萬億佛亦於諸佛法中
說是經典功德成就當得作佛得大勢於意
云何尒時常不輕菩薩豈異人乎則我身是
若我於宿世不受持讀誦此經為他人說者
不能疾得阿耨多羅三藐三菩提我於先佛
所受持讀誦此經為人說故疾得阿耨多羅
三藐三菩提得大勢彼時四衆比丘比丘尼
優婆塞優婆夷以瞋恚意輕賤我故二百億

BD03022號　妙法蓮華經（八卷本）卷七　（23–2）

不能疾得阿耨多羅三藐三菩提我於先佛
所受持讀誦此經為人說故疾得阿耨多羅
三藐三菩提得大勢彼時四衆比丘比丘尼
優婆塞優婆夷以瞋恚意輕賤我故二百億
劫常不值佛不聞法不見僧千劫於阿鼻地
獄受大苦惱畢是罪已復遇常不輕菩薩教
化阿耨多羅三藐三菩提得大勢於汝意云
何尒時四衆常輕是菩薩者豈異人乎今此
會中跋陀婆羅等五百菩薩師子月等五百
比丘尼思佛等五百優婆塞皆於阿耨多羅
三藐三菩提不退轉者是得大勢當知是法
華經大饒益諸菩薩摩訶薩能令至於阿耨
多羅三藐三菩提是故諸菩薩摩訶薩於如
來滅後常應受持讀誦解說書寫是經尒時
世尊欲重宣此義而說偈言
過去有佛　号威音王　神智无量　將導一切
天人龍神　所共供養　是佛滅後　法欲盡時
有一菩薩　名常不輕　時諸四衆　計著於法
不輕菩薩　往到其所　而語之言　我不輕汝
汝等行道　皆當作佛　諸人聞已　輕毀罵詈
不輕菩薩　能忍受之　其罪畢已　臨命終時
得聞此經　六根清淨　神通力故　增益壽命
得為諸人　廣說是經　諸著法衆　皆蒙菩薩
教化成就　令住佛道　不輕命終　值无數佛
說是經故　得无量福　漸具功德　疾成佛道

BD03022號　妙法蓮華經（八卷本）卷七　（23–3）

得聞此經　六根清淨　神通力故　增益壽命
得為諸人　廣說是經　諸著法衆　皆蒙菩薩
教化成就　令住佛道　不輕命終　值无數佛
說是經故　得无量福　漸具功德　疾成佛道
彼時不輕　則我身是　時四部衆　著法之者
聞不輕言　汝當作佛　以是因緣　值无數佛
此會菩薩　五百之衆　并及四部　清信士女
今於我前　聽法者是　我於前世　勸是諸人
聽受斯經　第一之法　開示教人　令住涅槃
世世受持　如是經典　億億萬劫　至不可議
時乃得聞　是法華經　億億萬劫　至不可議
諸佛世尊　時說是經　是故行者　於佛滅後
聞如是經　勿生疑惑　應當一心　廣說此經
世世值佛　疾成佛道

妙法蓮華經如來神力品第二十一

尒時千世界微塵等菩薩摩訶薩從地踊出
者皆於佛前一心合掌瞻仰尊顏而白佛言
世尊我等於佛滅後世尊分身所在國土滅
度之處當廣說此經所以者何我等亦自欲
得是真淨大法受持讀誦解說書寫而供養
之尒時世尊於文殊師利等无量百千萬億
舊住娑婆世界菩薩摩訶薩及諸比丘比丘
尼優婆塞優婆夷天龍夜叉乾闥婆阿脩羅
迦樓羅緊那羅摩睺羅伽人非人等一切衆
前現大神力出廣長舌上至梵世一切毛孔

BD03022號　妙法蓮華經（八卷本）卷七　（23–4）

尼優婆塞優婆夷天龍夜叉乾闥婆阿脩羅
迦樓羅緊那羅摩睺羅伽人非人等一切衆
前現大神力出廣長舌上至梵世一切毛孔
放於无量无數色光皆悉遍照十方世界衆
寶樹下師子座上諸佛亦復如是出廣長舌
放无量光釋迦牟尼佛及寶樹下諸佛現神
力時滿百千歲然後還攝舌相一時謦欬俱
共彈指是二音聲遍至十方諸佛世界地皆
六種震動其中衆生天龍夜叉乾闥婆阿脩
羅迦樓羅緊那羅摩睺羅伽人非人等以佛
神力故皆見此娑婆世界无量无邊百千萬
億衆寶樹下師子座上諸佛及見釋迦牟尼
佛共多寶如來在寶塔中坐師子座又見无
量无邊百千萬億菩薩摩訶薩及諸四衆恭
敬圍繞釋迦牟尼佛既見是已皆大歡喜得
未曾有即時諸天於虛空中高聲唱言過此
无量无邊百千萬億阿僧祇世界有國名娑
婆是中有佛名釋迦牟尼今為諸菩薩摩訶
薩說大乘經名妙法蓮華教菩薩法佛所護
念汝等當深心隨喜亦當禮拜供養釋迦牟
尼佛彼諸衆生聞虛空中聲已合掌向娑婆
世界作如是言南无釋迦牟尼佛南无釋迦
牟尼佛以種種華香瓔珞幡蓋及諸嚴身之
具珎寶妙物皆共遙散娑婆世界所散諸物
從十方來譬如雲集變成寶帳遍覆此間諸

BD03022號　妙法蓮華經（八卷本）卷七　（23–5）

世界作如是言南无釋迦牟尼佛南无釋迦
牟尼佛以種種華香瓔珞幡蓋及諸嚴身之
具珎寶妙物皆共遙散娑婆世界所散諸物
從十方来譬如雲集變成寶帳遍覆此間諸
佛之上于時十方世界通達无礙如一佛土
尒時佛告上行等菩薩大衆諸佛神力如是
无量无邊不可思議若我以是神力於无量
无邊百千萬億阿僧祇劫為囑累故說此經
功德猶不能盡以要言之如来一切所有之
法如来一切自在神力如来一切秘要之藏
如来一切甚深之事皆於此經宣示顯說是
故汝等於如来滅後應一心受持讀誦解說
書寫如說脩行所在國土若有受持讀誦解
說書寫如說脩行若經卷所住之處若於園
中若於林中若於樹下若於僧坊若白衣舍
若在殿堂若山谷曠野是中皆應起塔供養
所以者何當知是處即是道場諸佛於此得
阿耨多羅三藐三菩提諸佛於此轉于法輪
諸佛於此而般涅槃尒時世尊欲重宣此義
而說偈言

諸佛救世者 住於大神通 為悅衆生故 現无量神力
舌相至梵天 身放无數光 為求佛道者 現此希有事
諸佛謦欬聲 及彈指之聲 周聞十方國 地皆六種動
以佛滅度後 能持是經故 諸佛皆歡喜 現无量神力
囑累是經故 讚美受持者 於无量劫中 猶故不能盡

BD03022號　妙法蓮華經（八卷本）卷七　（23–6）

舌相至梵天 身放无數光 為求佛道者 現此希有事
諸佛謦欬聲 及彈指之聲 周聞十方國 地皆六種動
以佛滅度後 能持是經故 諸佛皆歡喜 現无量神力
囑累是經故 讚美受持者 於无量劫中 猶故不能盡
是人之功德 无邊无有窮 如十方虛空 不可得邊際
能持是經者 則為已見我 亦見多寶佛 及諸分身者
又見我今日 教化諸菩薩 能持是經者 令我及分身
滅度多寶佛 一切皆歡喜 十方現在佛 并過去未来
亦見亦供養 亦令得歡喜 諸佛坐道場 所得秘要法
能持是經者 不久亦當得 能持是經者 於諸法之義
名字及言辭 樂說无窮盡 如風於空中 一切无鄣礙
於如来滅後 知佛所說經 因緣及次第 隨義如實說
如日月光明 能除諸幽冥 斯人行世間 能滅衆生闇
教无量菩薩 畢竟住一乘 是故有智者 聞此功德利
於我滅度後 應受持斯經 是人於佛道 決定无有疑

妙法蓮華經囑累品第二十二

尒時釋迦牟尼佛從法座起現大神力以右
手摩无量菩薩摩訶薩頂而作是言我於无
量百千萬億阿僧祇劫脩習是難得阿耨多
羅三藐三菩提法今以付囑汝等汝等應當
一心流布此法廣令增益如是三摩諸菩薩
摩訶薩頂而作是言我於无量百千萬億阿
僧祇劫脩習是難得阿耨多羅三藐三菩提
法今以付囑汝等汝等當受持讀誦廣宣此
法令一切衆生普得聞知所以者何如来有

BD03022號　妙法蓮華經（八卷本）卷七　（23–7）

摩訶薩頂而作是言我於无量百千萬億阿
僧祇劫脩習是難得阿耨多羅三藐三菩提
法今以付囑汝等汝等當受持讀誦廣宣此
法令一切衆生普得聞知所以者何如來有
大慈悲无諸慳悋亦无所畏能與衆生佛之
智慧如來智慧自然智慧如來是一切衆生
之大施主汝等亦應隨學如來之法勿生慳
悋於未來世若有善男子善女人信如來智
慧者當為演説此法華經使得聞知為令其
人得佛慧故若有衆生不信受者當於如來
餘深妙法中示教利喜汝等若能如是則為
已報諸佛之恩時諸菩薩摩訶薩聞佛作是
説已皆大歡喜遍滿其身益加恭敬曲躬低
頭合掌向佛俱發聲言如世尊勅當具奉行
唯然世尊願不有慮諸菩薩摩訶薩衆如是
三反俱發聲言如世尊勅當具奉行唯然世
尊願不有慮尒時釋迦牟尼佛令十方來諸
分身佛各還本土而作是言諸佛各隨所安
多寶佛塔還可如故説是語時十方无量分
身諸佛坐寶樹下師子座上者及多寶佛并
上行等无邊阿僧祇菩薩大衆舍利弗等聲
聞四衆及一切世間天人阿脩羅等聞佛所
説皆大歡喜

妙法蓮華經藥王菩薩本事品第二十三

尒時宿王華菩薩白佛言世尊藥王菩薩云

BD03022號　妙法蓮華經（八卷本）卷七　（23-8）

上行等无邊阿僧祇菩薩大衆舍利弗等聲
聞四衆及一切世間天人阿脩羅等聞佛所
説皆大歡喜

妙法蓮華經藥王菩薩本事品第二十三

尒時宿王華菩薩白佛言世尊藥王菩薩云
何遊於娑婆世界世尊是藥王菩薩有若干
百千萬億那由他難行苦行善哉世尊願少
解説諸天龍神夜叉乹闥婆阿脩羅迦樓羅
緊那羅摩睺羅伽人非人等又他國土諸來
菩薩及此聲聞衆聞皆歡喜尒時佛告宿王
華菩薩乃往過去无量恒河沙劫有佛号曰
月淨明德如來應供正遍知明行足善逝世
間解无上士調御丈夫天人師佛世尊其佛
有八十億大菩薩摩訶薩七十二恒河沙大
聲聞衆佛壽四萬二千劫菩薩壽命亦等彼
國无有女人地獄餓鬼畜生阿脩羅等及以
諸難地平如掌瑠璃所成寶樹莊嚴寶帳覆
上垂寶華幡寶瓶香鑪周遍國界七寶為臺
一樹一臺其樹去臺盡一箭道此諸寶樹皆
有菩薩聲聞而坐其下諸寶臺上各有百億
諸天作天伎樂歌嘆於佛以為供養尒時彼
佛為一切衆生喜見菩薩及衆菩薩諸聲聞
衆説法華經是一切衆生喜見菩薩樂習苦
行於日月淨明德佛法中精進經行一心求
佛滿萬二千歲已得現一切色身三昧得此

BD03022號　妙法蓮華經（八卷本）卷七　（23-9）

諸天作天伎樂歌嘆於佛以為供養尒時彼
佛為一切衆生喜見菩薩及衆菩薩諸聲聞
衆說法華經是一切衆生喜見菩薩樂習苦
行於日月淨明德佛法中精進經行一心求
佛滿萬二千歲已得現一切色身三昧得此
三昧已心大歡喜即作念言我得現一切色
身三昧皆是得聞法華經力我今當供養日
月淨明德佛及法華經即時入是三昧於虛
空中雨曼陀羅華摩訶曼陀羅華細末堅黑
栴檀滿虛空中如雲而下又雨海此岸栴檀
之香此香六銖價直娑婆世界以供養佛作
是供養已從三昧起而自念言我雖以神力
供養於佛不如以身供養即服諸香栴檀薰
陸兜樓婆畢力迦沉水膠香又飲瞻蔔諸華
香油滿千二百歲已香油塗身於日月淨明
德佛前以天寶衣而自纏身灌諸香油以神
通力願而自然身光明遍照八十億恒河沙
世界其中諸佛同時讚言善哉善哉善男子
是真精進是名真法供養如來若以華香瓔
珞燒香末香塗香天繒幡蓋及海此岸栴檀
之香如是等種種諸物供養所不能及假使
國城妻子布施亦所不及善男子是名第一
之施於諸施中最尊最上以法供養諸如來
故作是語已而各嘿然其身火然千二百歲

BD03022號　妙法蓮華經（八卷本）卷七　（23-10）

之香如是等種種諸物供養所不能及假使
國城妻子布施亦所不及善男子是名第一
之施於諸施中最尊最上以法供養諸如來
故作是語已而各嘿然其身火然千二百歲
過是已後其身乃盡一切衆生喜見菩薩作
如是法供養已命終之後復生日月淨明德
佛國中於淨德王家結加趺坐忽然化生即
為其父而說偈言
大王今當知　我經行彼處　即時得一切　現諸身三昧
勤行大精進　捨所愛之身
說是偈已而白父言日月淨明德佛今故現
在我先供養佛已得解一切衆生語言陀羅
尼復聞是法華經八百千萬億那由他甄迦
羅頻婆羅阿閦婆等偈大王我今當還供養
此佛白已即坐七寶之臺上昇虛空高七多
羅樹往到佛所頭面礼足合十指爪以偈讚
佛
容顏甚奇妙　光明照十方　我適曾供養　今復還親覲
尒時一切衆生喜見菩薩說是偈已而白佛
言世尊世尊猶故在世尒時日月淨明德佛
告一切衆生喜見菩薩善男子我涅槃時到
滅盡時至汝可安施牀座我於今夜當般涅
槃又勅一切衆生喜見菩薩善男子我以佛
法囑累於汝及諸菩薩大弟子并阿耨多羅
三藐三菩提法亦以三千大千七寶世界諸

BD03022號　妙法蓮華經（八卷本）卷七　（23-11）

告一切衆生憙見菩薩善男子我涅槃時到
滅盡時至汝可安施牀座我於今夜當般涅
槃又勅一切衆生憙見菩薩善男子我以佛
法囑累於汝及諸菩薩大弟子并阿耨多羅
三藐三菩提法亦以三千大千七寶世界諸
寶樹寶臺及給侍諸天悉付於汝我滅度後
所有舍利亦付囑汝當令流布廣設供養應
起若干千塔如是日月淨明德佛勅一切衆
生憙見菩薩已於夜後分入於涅槃尒時一
切衆生憙見菩薩見佛滅度悲感懊惱戀慕
於佛即以海此岸栴檀為積供養佛身而以
燒之火滅已後收取舍利作八萬四千寶瓶
以起八萬四千塔高三世界表刹莊嚴垂諸
幡蓋懸衆寶鈴尒時一切衆生憙見菩薩復
自念言我雖作是供養心猶未足我今當更
供養舍利便語諸菩薩大弟子及天龍夜叉
等一切大衆汝等當一心念我今供養日月
淨明德佛舍利作是語已即於八萬四千塔
前然百福莊嚴臂七萬二千歲而以供養令
无數求聲聞衆无量阿僧祇人發阿耨多羅
三藐三菩提心皆使得住現一切色身三昧
尒時諸菩薩天人阿脩羅等見其无臂憂惱
悲哀而作是言此一切衆生憙見菩薩是我
等師教化我者而今燒臂身不具足于時一
切衆生憙見菩薩於大衆中立此誓言我捨

BD03022號　妙法蓮華經（八卷本）卷七

（23–12）

尒時諸菩薩天人阿脩羅等見其无臂憂惱
悲哀而作是言此一切衆生憙見菩薩是我
等師教化我者而今燒臂身不具足于時一
切衆生憙見菩薩於大衆中立此誓言我捨
兩臂必當得佛金色之身若實不虛令我兩
臂還復如故作是誓已自然還復由斯菩薩
福德智慧淳厚所致當尒之時三千大千世
界六種震動天雨寶華一切人天得未曾有
佛告宿王華菩薩於汝意云何一切衆生憙
見菩薩豈異人乎今藥王菩薩是也其所捨
身布施如是无量百千萬億那由他數宿王
華若有發心欲得阿耨多羅三藐三菩提者
能然手指乃至足一指供養佛塔勝以國城
妻子及三千大千國土山林河池諸珍寶物
而供養者若復有人以七寶滿三千大千世
界供養於佛及大菩薩辟支佛阿羅漢是人
所得功德不如受持此法華經乃至一四句
偈其福最多宿王華譬如一切川流江河諸
水之中海為第一此法華經亦復如是於諸
如來所說經中最為深大又如土山黑山小
鐵圍山大鐵圍山及十寶山衆山之中須弥
山為第一此法華經亦復如是於諸經中最
為其上又如衆星之中月天子最為第一此
法華經亦復如是於千萬億種諸經法中最
為照明又如日天子能除諸闇此經亦復如

BD03022號　妙法蓮華經（八卷本）卷七

（23–13）

山為第一此法華經亦復如是於諸經中最
為其上又如衆星之中月天子最為第一此
法華經亦復如是於千萬億種諸經法中最
為照明又如日天子能除諸闇此經亦復如
是能破一切不善之闇又如諸小王中轉輪
聖王最為第一此經亦復如是於衆經中最
為其尊又如帝釋於三十三天中王此經亦
復如是諸經中王又如大梵天王一切衆生
之父此經亦復如是一切賢聖學无學及發
菩薩心者之父又如一切凡夫人中須陁洹
斯陁含阿那含阿羅漢辟支佛為第一此經
亦復如是一切如來所說若菩薩所說若聲
聞所說諸經法中最為第一有能受持是經
典者亦復如是於一切衆生中亦為第一一
切聲聞辟支佛中菩薩為第一此經亦復如
是於一切諸經法中最為第一如佛為諸法
王此經亦復如是諸經中王宿王華此經能
救一切衆生者此經能令一切衆生離諸苦
惱此經能大饒益一切衆生充滿其願如清
涼池能滿一切諸渴乏者如寒者得火如裸
者得衣如商人得主如子得母如渡得船如
病得醫如暗得燈如貧得寶如民得王如賈
客得海如炬除暗此法華經亦復如是能令
衆生離一切苦一切病痛能解一切生死之

BD03022 號　妙法蓮華經（八卷本）卷七　（23–14）

客得海如炬除暗此法華經亦復如是能令
衆生離一切苦一切病痛能解一切生死之
縛若人得聞此法華經若自書若使人書所
得功德以佛智慧籌量多少不得其邊若書
是經卷華香瓔珞燒香末香塗香幡蓋衣服
種種之燈蘇燈油燈諸香油燈瞻蔔油燈須
曼那油燈波羅羅油燈婆利師迦油燈那婆
摩利油燈供養所得功德亦復无量宿王華
若有人聞是藥王菩薩本事品者亦得无量
无邊功德若有女人聞是藥王菩薩本事品
能受持者盡是女身後不復受若如來滅後
後五百歲中若有女人聞是經典如說脩行
於此命終即往安樂世界阿彌陁佛大菩薩
衆圍繞住處生蓮華中寶座之上不復為貪
欲所惱亦復不為瞋恚愚癡所惱亦復不為
憍慢嫉妬諸垢所惱得菩薩神通无生法忍
得是忍已眼根清淨以是清淨眼根見七百
萬二千億那由他恒河沙等諸佛如來是時
諸佛遥共讚言善哉善哉善男子汝能於釋
迦牟尼佛法中受持讀誦思惟是經為他人
說所得福德无量无邊火不能焚水不能漂
汝之功德千佛共說不能令盡汝今已能破
諸魔賊壞生死軍諸餘怨敵皆悉摧滅善男
子百千諸佛以神通力共守護汝於一切世

BD03022 號　妙法蓮華經（八卷本）卷七　（23–15）

迦牟尼佛法中受持讀誦思惟是經為他人
說所得福德无量无邊火不能焚水不能漂
汝之功德千佛共說不能令盡汝今已能破
諸魔賊壞生死軍諸餘怨敵皆悉摧滅善男
子百千諸佛以神通力共守護汝於一切世
間天人之中无如汝者唯除如來其諸聲聞
辟支佛乃至菩薩智慧禪定无有與汝等者
宿王華此菩薩成就如是功德智慧之力若
有人聞是藥王菩薩本事品能隨喜讚善者
是人現世口中常出青蓮華香身毛孔中常
出牛頭栴檀之香所得功德如上所說是故
宿王華以此藥王菩薩本事品囑累於汝我
滅度後後五百歲中廣宣流布於閻浮提无
令斷絕惡魔魔民諸天龍夜叉鳩槃荼等得
其便也宿王華汝當以神通之力守護是經
所以者何此經則為閻浮提人病之良藥若
人有病得聞是經病即消滅不老不死宿王
華汝若見有受持是經者應以青蓮華盛滿
末香供散其上散已作是念言此人不久必
當取草坐於道場破諸魔軍當吹法螺擊大
法鼓度脫一切眾生老病死海是故求佛道
者見有受持是經典人應當如是生恭敬心
說是藥王菩薩本事品時八萬四千菩薩得
解一切眾生語言陁羅尼多寶如來於寶塔
中讚宿王華菩薩言善哉善哉宿王華汝成

BD03022號　妙法蓮華經（八卷本）卷七　（23–16）

者見有受持是經典人應當如是生恭敬心
說是藥王菩薩本事品時八萬四千菩薩得
解一切眾生語言陁羅尼多寶如來於寶塔
中讚宿王華菩薩言善哉善哉宿王華汝成
就不可思議功德乃能問釋迦牟尼佛如此
之事利益无量一切眾生

妙法蓮華經妙音菩薩品第二十四

尒時釋迦牟尼佛放大人相肉髻光明及放
眉間白豪相光遍照東方百八萬億那由他
恒河沙等諸佛世界過是數已有世界名淨
光莊嚴其國有佛号淨華宿王智如來應供
正遍知明行足善逝世間解无上士調御丈
夫天人師佛世尊為无量无邊菩薩大眾恭
敬圍繞而為說法釋迦牟尼佛白豪光明遍
照其國尒時一切淨光莊嚴國中有一菩薩
名曰妙音久已殖眾德本供養親近无量百
千萬億諸佛而悉成就甚深智慧得妙幢相
三昧法華三昧淨德三昧宿王戲三昧无緣
三昧智印三昧解一切眾生語言三昧集一
切功德三昧清淨三昧神通遊戲三昧慧炬
三昧莊嚴王三昧淨光明三昧淨藏三昧不
共三昧日旋三昧得如是等百千萬億恒河
沙等諸大三昧釋迦牟尼佛光照其身即白
淨華宿王智佛言世尊我當往詣娑婆世界
礼拜親近供養釋迦牟尼佛及見文殊師利

BD03022號　妙法蓮華經（八卷本）卷七　（23–17）

三昧莊嚴王三昧淨光明三昧淨藏三昧不
共三昧日旋三昧得如是等百千萬億恒河
沙等諸大三昧釋迦牟尼佛光照其身即白
淨華宿王智佛言世尊我當往詣娑婆世界
礼拜親近供養釋迦牟尼佛及見文殊師利
法王子菩薩藥王菩薩勇施菩薩宿王華菩
薩上行意菩薩莊嚴王菩薩藥上菩薩尒時
淨華宿王智佛告妙音菩薩汝莫輕彼國生
下劣想善男子彼娑婆世界高下不平土石
諸山穢惡充滿佛身卑小諸菩薩衆其形亦
小而汝身四萬二千由旬我身六百八十萬
由旬汝身第一端正百千萬福光明殊妙是
故汝往莫輕彼國若佛菩薩及國土生下劣
想妙音菩薩白其佛言世尊我今詣娑婆世
界皆是如來之力如來神通遊戲如來功德
智慧莊嚴於是妙音菩薩不起于座身不動
揺而入三昧以三昧力於耆闍崛山去法座
不遠化作八萬四千衆寶蓮華閻浮檀金爲
莖白銀爲葉金剛爲鬚甄叔迦寶以爲其臺
尒時文殊師利法王子見是蓮華而白佛言
世尊是何因緣先現此瑞有若干千萬蓮華
閻浮檀金爲莖白銀爲葉金剛爲鬚甄叔迦
寶以爲其臺尒時釋迦牟尼佛告文殊師利
是妙音菩薩摩訶薩欲從淨華宿王智佛國
與八萬四千菩薩圍繞而來至此娑婆世界

BD03022號　妙法蓮華經（八卷本）卷七　（23–18）

閻浮檀金爲莖白銀爲葉金剛爲鬚甄叔迦
寶以爲其臺尒時釋迦牟尼佛告文殊師利
是妙音菩薩摩訶薩欲從淨華宿王智佛國
與八萬四千菩薩圍繞而來至此娑婆世界
供養親近礼拜於我亦欲供養聽法華經文
殊師利白佛言世尊是菩薩種何善本脩何
功德而能有是大神通力行何三昧願爲我
等說是三昧名字我等亦欲勤脩行之行此
三昧乃能見是菩薩色相大小威儀進止唯
願世尊以神通力彼菩薩來令我得見尒時
釋迦牟尼佛告文殊師利此久滅度多寶如
來當爲汝等而現其相時多寶佛告彼菩薩
善男子來文殊師利法王子欲見汝身于時
妙音菩薩於彼國沒與八萬四千菩薩俱共
發來所經諸國六種震動皆悉雨於七寶蓮
華百千天樂不鼓自鳴是菩薩目如廣大青
蓮華葉正使和合百千萬月其面貌端正復
過於此身真金色无量百千功德莊嚴威德
熾盛光明照曜諸相具足如那羅延堅固之
身入七寶臺上昇虛空去地七多羅樹諸菩
薩衆恭敬圍繞而來詣此娑婆世界耆闍崛
山到已下七寶臺以價直百千瓔珞持至釋
迦牟尼佛所頭面礼足奉上瓔珞而白佛言
世尊淨華宿王智佛問訊世尊少病少惱起

BD03022號　妙法蓮華經（八卷本）卷七　（23–19）

薩衆恭敬圍繞而來詣此娑婆世界耆闍崛
山到已下七寶臺以價直百千瓔珞持至釋
迦牟尼佛所頭面礼足奉上瓔珞而白佛言
世尊淨華宿王智佛問訊世尊少病少惱起
居輕利安樂行不四大調和不世事可忍不
衆生易度不无多貪欲瞋恚愚癡嫉妬慳慢
不无不孝父母不敬沙門邪見不善心不攝
五情不世尊衆生能降伏諸魔怨不久滅度
多寶如來在七寶塔中來聽法不又問訊多
寶如來安隱少惱堪忍久住不世尊我今欲
見多寶佛身唯願世尊示我令見尒時釋迦
牟尼佛語多寶佛是妙音菩薩欲得相見時
多寶佛告妙音言善哉善哉汝能為供養釋
迦牟尼佛及聽法華經并見文殊師利等故
來至此尒時華德菩薩白佛言世尊是妙音
菩薩種何善根脩何功德有是神力佛告華
德菩薩過去有佛名雲雷音王多陁阿伽度
阿羅呵三藐三佛陁國名現一切世間劫名
憙見妙音菩薩於萬二千歲以十萬種伎樂
供養雲雷音王佛并奉上八萬四千七寶鉢
以是因緣果報今生淨華宿王智佛國有是
神力華德於汝意云何尒時雲雷音王佛所
妙音菩薩伎樂供養奉上寶器者豈異人乎
今此妙音菩薩摩訶薩是華德是妙音菩薩
已曾供養親近无量諸佛久殖德本又值恒

BD03022號　妙法蓮華經（八卷本）卷七　（23–20）

神力華德於汝意云何尒時雲雷音王佛所
妙音菩薩伎樂供養奉上寶器者豈異人乎
今此妙音菩薩摩訶薩是華德是妙音菩薩
已曾供養親近无量諸佛久殖德本又值恒
河沙等百千萬億那由他佛華德汝但見妙
音菩薩其身在此而是菩薩現種種身處處
為諸衆生說是經典或現梵王身或現帝釋
身或現自在天身或現大自在天身或現天大將
軍身或現毗沙門天王身或現轉輪聖王身
或現諸小王身或現長者身或現居士身或
現宰官身或現婆羅門身或現比丘比丘尼
優婆塞優婆夷身或現長者居士婦女身或
現宰官婦女身或現婆羅門婦女身或現童
男童女身或現天龍夜叉乾闥婆阿脩羅迦
樓羅緊那羅摩睺羅伽人非人等身而說是
經諸有地獄餓鬼畜生及衆難處皆能救濟
乃至於王後宮變為女身而說是經華德是
妙音菩薩能救護娑婆世界諸衆生者是妙
音菩薩如是種種變化現身在此娑婆國土
為諸衆生說是經典於神通變化智慧无所
損減是菩薩以若干智慧明照娑婆世界令
一切衆生各得所知於十方恒河沙世界中
亦復如是若應以聲聞形得度者現聲聞形
而為說法應以辟支佛形得度者現辟支佛
形而為說法應以菩薩形得度者現菩薩形
[illegible]

BD03022號　妙法蓮華經（八卷本）卷七　（23–21）

亦復如是若應以聲聞形得度者現聲聞形
而為說法應以辟支佛形得度者現辟支佛
形而為說法應以菩薩形得度者現菩薩形
而為說法應以佛形得度者即現佛形而為
說法如是種種隨所應度而為現形乃至應
以滅度而得度者示現滅度華德妙音菩薩
摩訶薩成就大神通智慧之力其事如是尒
時華德菩薩白佛言世尊是妙音菩薩深種
善根世尊是菩薩住何三昧而能如是在所
變現度脫衆生佛告華德菩薩善男子其三
昧名現一切色身妙音菩薩住是三昧中能
如是饒益无量衆生說是妙音菩薩品時與
妙音菩薩俱來者八萬四千人皆得現一切
色身三昧此娑婆世界无量菩薩亦得是三
昧及陁羅尼尒時妙音菩薩摩訶薩供養釋
迦牟尼佛及多寶佛塔已還歸本土所經諸
國六種震動雨寶蓮華作百千萬億種種伎
樂既到本國與八萬四千菩薩圍繞至淨華
宿王智佛所白佛言世尊我到娑婆世界饒
益衆生見釋迦牟尼佛及見多寶佛塔礼拜
供養又見文殊師利法王子菩薩及見藥王
菩薩得勤精進力菩薩勇施菩薩等亦令是
八萬四千菩薩得現一切色身三昧說是妙
音菩薩來往品時四萬二千天子得无生法
忍華德菩薩得法華三昧

BD03022號　妙法蓮華經（八卷本）卷七　　（23–22）

昧名現一切色身妙音菩薩住是三昧中能
如是饒益无量衆生說是妙音菩薩品時與
妙音菩薩俱來者八萬四千人皆得現一切
色身三昧此娑婆世界无量菩薩亦得是三
昧及陁羅尼尒時妙音菩薩摩訶薩供養釋
迦牟尼佛及多寶佛塔已還歸本土所經諸
國六種震動雨寶蓮華作百千萬億種種伎
樂既到本國與八萬四千菩薩圍繞至淨華
宿王智佛所白佛言世尊我到娑婆世界饒
益衆生見釋迦牟尼佛及見多寶佛塔礼拜
供養又見文殊師利法王子菩薩及見藥王
菩薩得勤精進力菩薩勇施菩薩等亦令是
八萬四千菩薩得現一切色身三昧說是妙
音菩薩來往品時四萬二千天子得无生法
忍華德菩薩得法華三昧

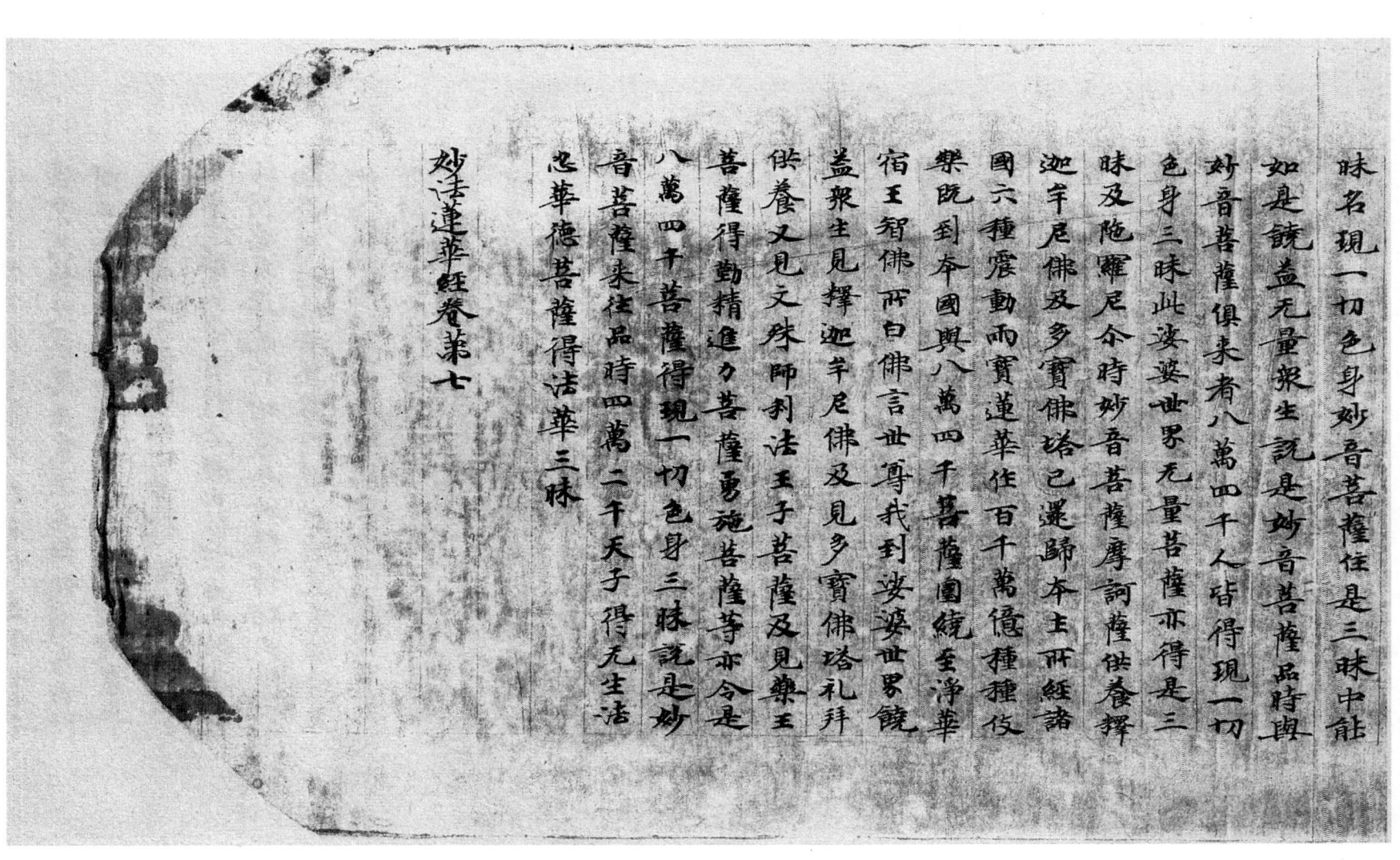

妙法蓮華經卷第七

BD03022號　妙法蓮華經（八卷本）卷七　　（23–23）

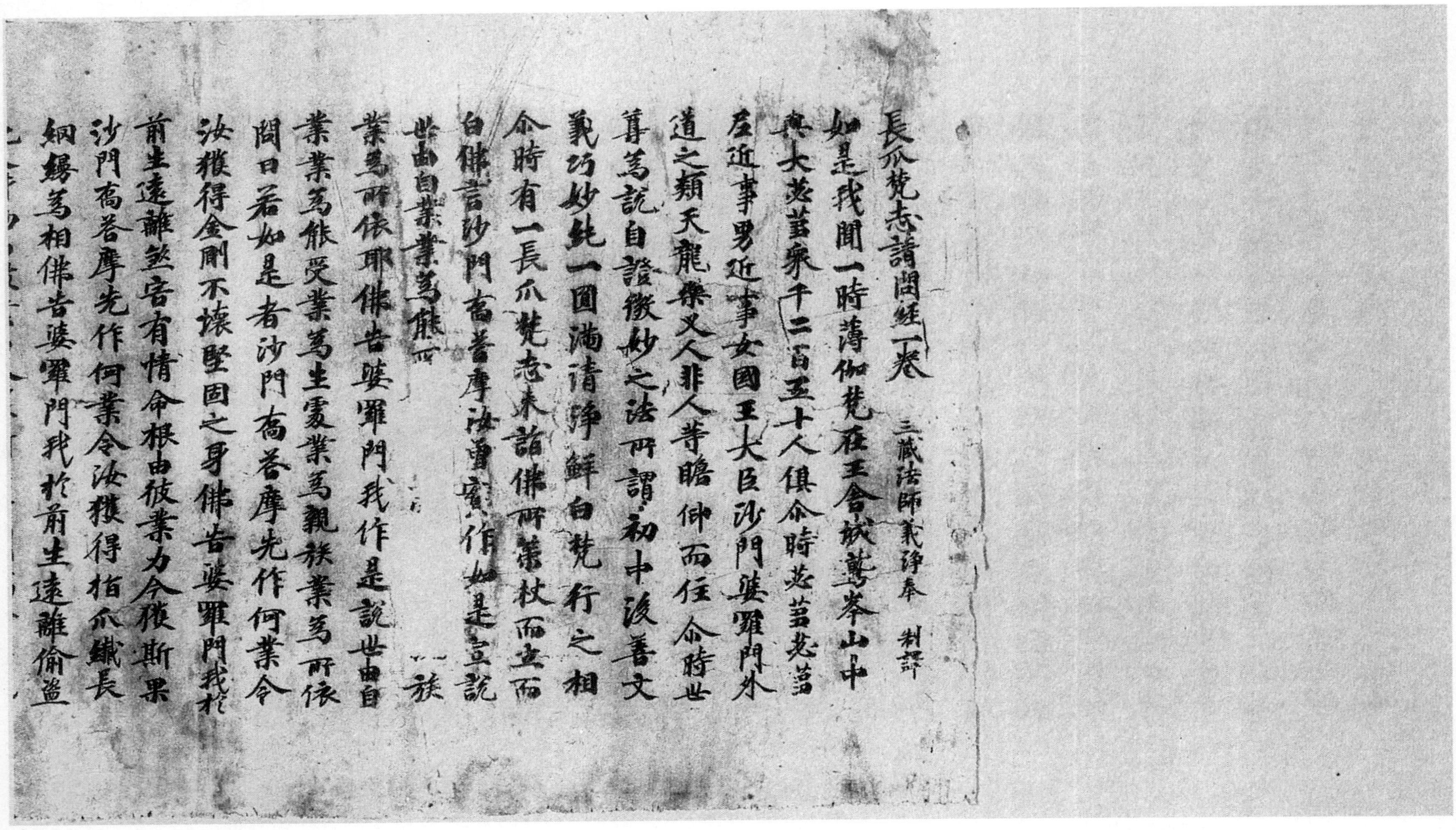

長爪梵志請問經一卷　三藏法師義淨奉　制譯
如是我聞一時薄伽梵在王舍城鷲峯山中
與大苾芻衆千二百五十人俱介時苾芻苾芻
尼近事男近事女國王大臣沙門婆羅門外
道之類天龍藥叉人非人等瞻仰而住介時世
尊為說自證微妙之法所謂初中後善文
義巧妙純一圓滿清淨鮮白梵行之相
介時有一長爪梵志來詣佛所策杖而立而
白佛言沙門喬荅摩汝曾實作如是宣說
世由自業業為能作　族
業為所依耶佛告婆羅門我作是說世由自
業業為能受業為生處業為親族業為所依
問曰若如是者沙門喬荅摩先作何業今
汝獲得金剛不壞堅固之身佛告婆羅門我於
前生遠離煞害有情命根由彼業力今獲斯果
沙門喬荅摩先作何業今汝獲得指爪纖長
銅鍱為相佛告婆羅門我於前生遠離偷盜

BD03023號　長爪梵志請問經　（4–1）

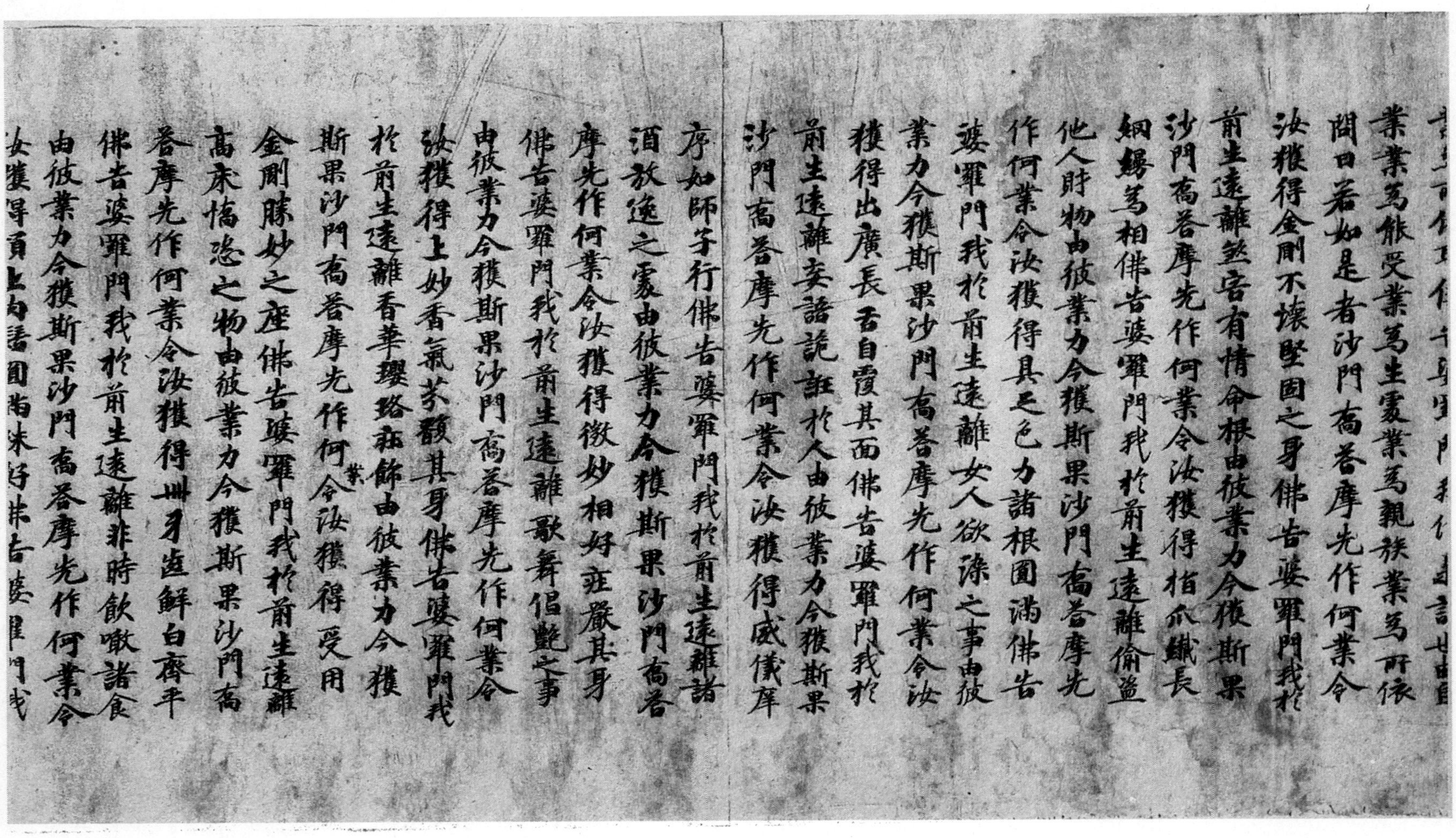

業業為能受業為生處業為親族業為所依
問曰若如是者沙門喬荅摩先作何業今
汝獲得金剛不壞堅固之身佛告婆羅門我於
前生遠離煞害有情命根由彼業力今獲斯果
沙門喬荅摩先作何業今汝獲得指爪纖長
銅鍱為相佛告婆羅門我於前生遠離偷盜
他人財物由彼業力今獲斯果沙門喬荅摩先
作何業今汝獲得具足色力諸根圓滿佛告
婆羅門我於前生遠離女人欲染之事由彼
業力今獲斯果沙門喬荅摩先作何業今汝
獲得出廣長舌自覆其面佛告婆羅門我於
前生遠離妄語誑惑於人由彼業力今獲斯果
沙門喬荅摩先作何業今汝獲得威儀庠
序如師子行佛告婆羅門我於前生遠離諸
酒放逸之處由彼業力今獲斯果沙門喬荅
摩先作何業今汝獲得微妙相好莊嚴其身
佛告婆羅門我於前生遠離歌舞倡伎之事
由彼業力今獲斯果沙門喬荅摩先作何業今
汝獲得上妙香氣芬馥其身佛告婆羅門我
於前生遠離香華瓔珞莊飾由彼業力今獲
斯果沙門喬荅摩先作何業今汝獲得受用
金剛勝妙之座佛告婆羅門我於前生遠離
高床憍恣之物由彼業力今獲斯果沙門喬
荅摩先作何業今汝獲得卌牙齒鮮白齊平
佛告婆羅門我於前生遠離非時飲噉諸食
由彼業力今獲斯果沙門喬荅摩先作何業今
汝獲得頂上肉髻圓滿殊好佛告婆羅門我

BD03023號　長爪梵志請問經　（4–2）

斯果沙門喬荅摩先作何業令汝獲得受用
金剛勝妙之座佛告婆羅門我於前生遠離
高床憍恣之物由彼業力令獲斯果沙門喬
荅摩先作何業令汝獲得卌牙齒鮮白齊平
佛告婆羅門我於前生遠離非時飲噉諸食
由彼業力令獲斯果沙門喬荅摩先作何業令
汝獲得頂上肉髻圓滿殊好佛告婆羅門我
於前生於三寶二師沙門婆羅門父母尊
長應恭敬處五輪著地以无揭心虔誠致礼
由彼業力令獲斯果時婆羅門見佛爲說
因果不虛白言喬荅摩此名何福我等云何
受持佛言此名八支淨戒若能一日一夜或復
長時從師受持獲果如是尒時長爪梵志既
於佛所聞說八支日夜淨戒由先遠離鄙惡
業故便能獲得勝妙莊嚴深心信受歡喜
踊躍即於佛前捨高揭心扶杖手地合掌
恭敬而白佛言希有世尊我今始知善惡之
業感報不虛我從今日乃至盡形歸於陁兩足
中尊乃至盡形歸於達摩離欲中尊乃至
盡形歸於僧伽諸衆中尊我受八支近住
淨戒始從今時乃至明旦日出已來於其
中閒
不害一切命　不盜他財物　不婬不妄語　飲酒放逸處
花鬘及歌舞　高大非時食　我今悉遠離　受持淨八支
第二第三亦如是說
尒時世尊說是法已時婆羅門及苾芻衆
諸人天等皆大歡喜信受奉行

BD03023 號　長爪梵志請問經　　（4–3）

踊躍即於佛前捨高揭心扶杖手地合掌
恭敬而白佛言希有世尊我今始知善惡之
業感報不虛我從今日乃至盡形歸於陁兩足
中尊乃至盡形歸於達摩離欲中尊乃至
盡形歸於僧伽諸衆中尊我受八支近住
淨戒始從今時乃至明旦日出已來於其
中閒
不害一切命　不盜他財物　不婬不妄語　飲酒放逸處
花鬘及歌舞　高大非時食　我今悉遠離　受持淨八支
第二第三亦如是說
尒時世尊說是法已時婆羅門及苾芻衆
諸人天等皆大歡喜信受奉行

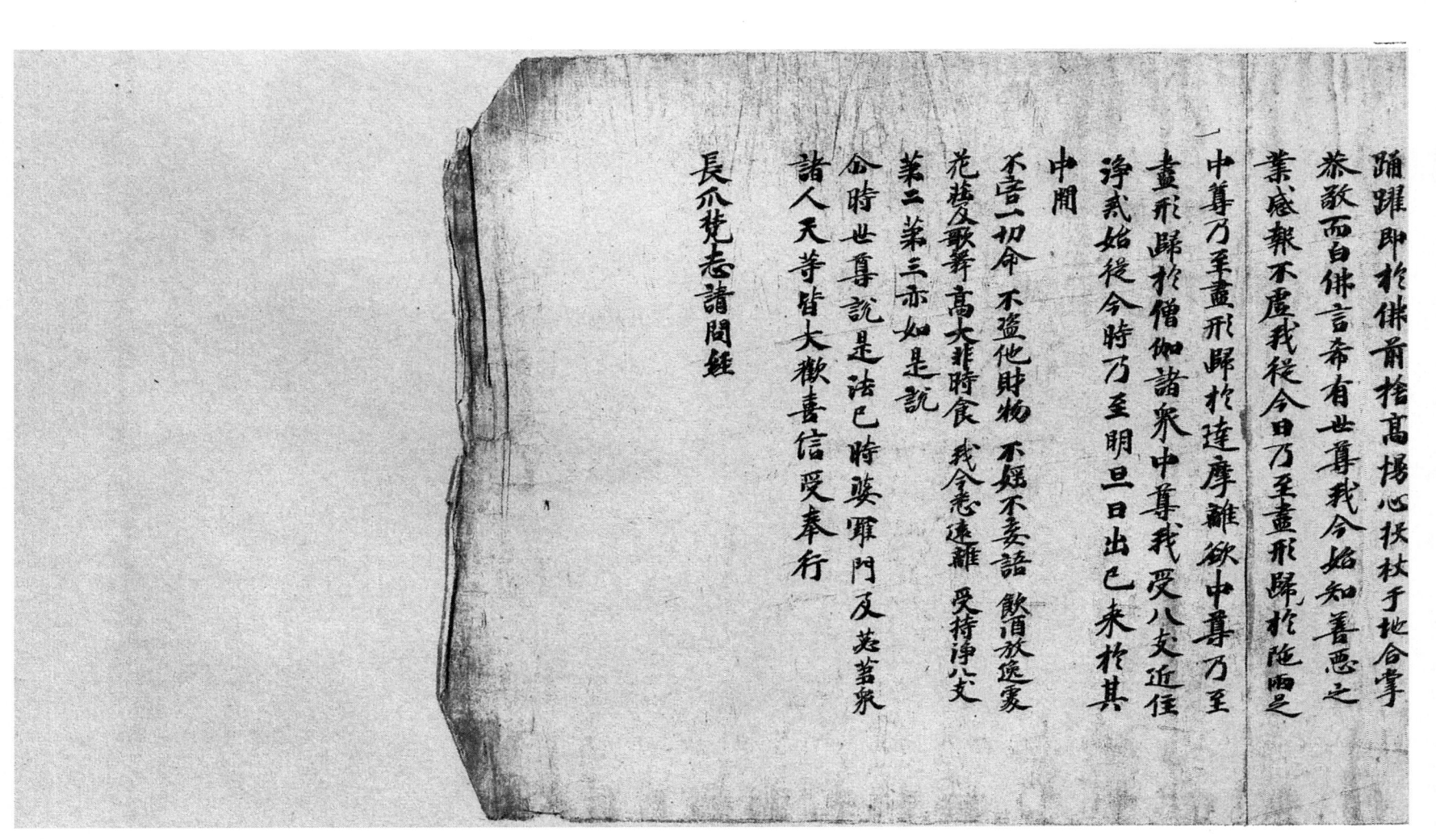

長爪梵志請問經

BD03023 號　長爪梵志請問經　　（4–4）

BD03024號背　八相變護首

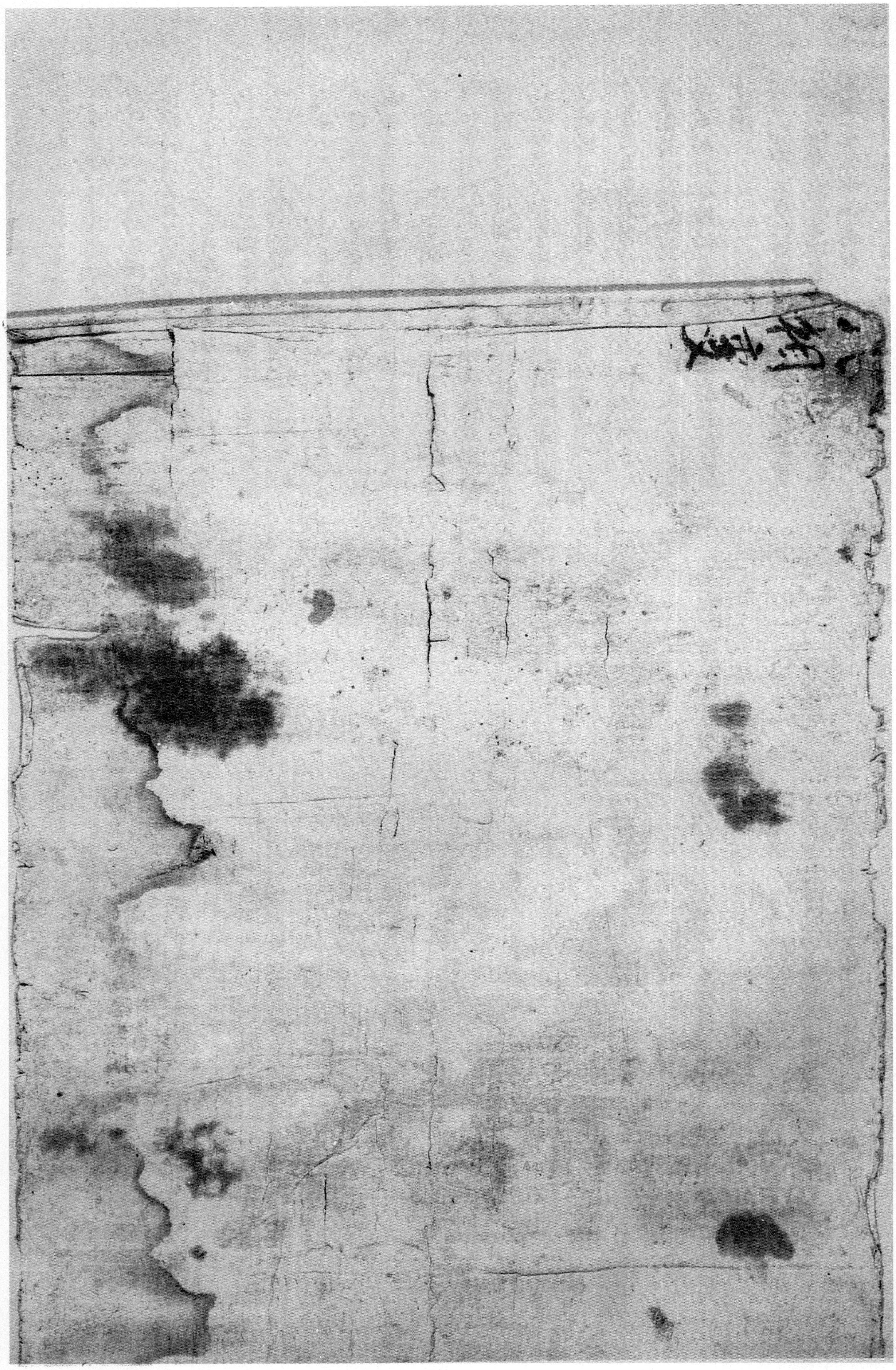

（1–1）

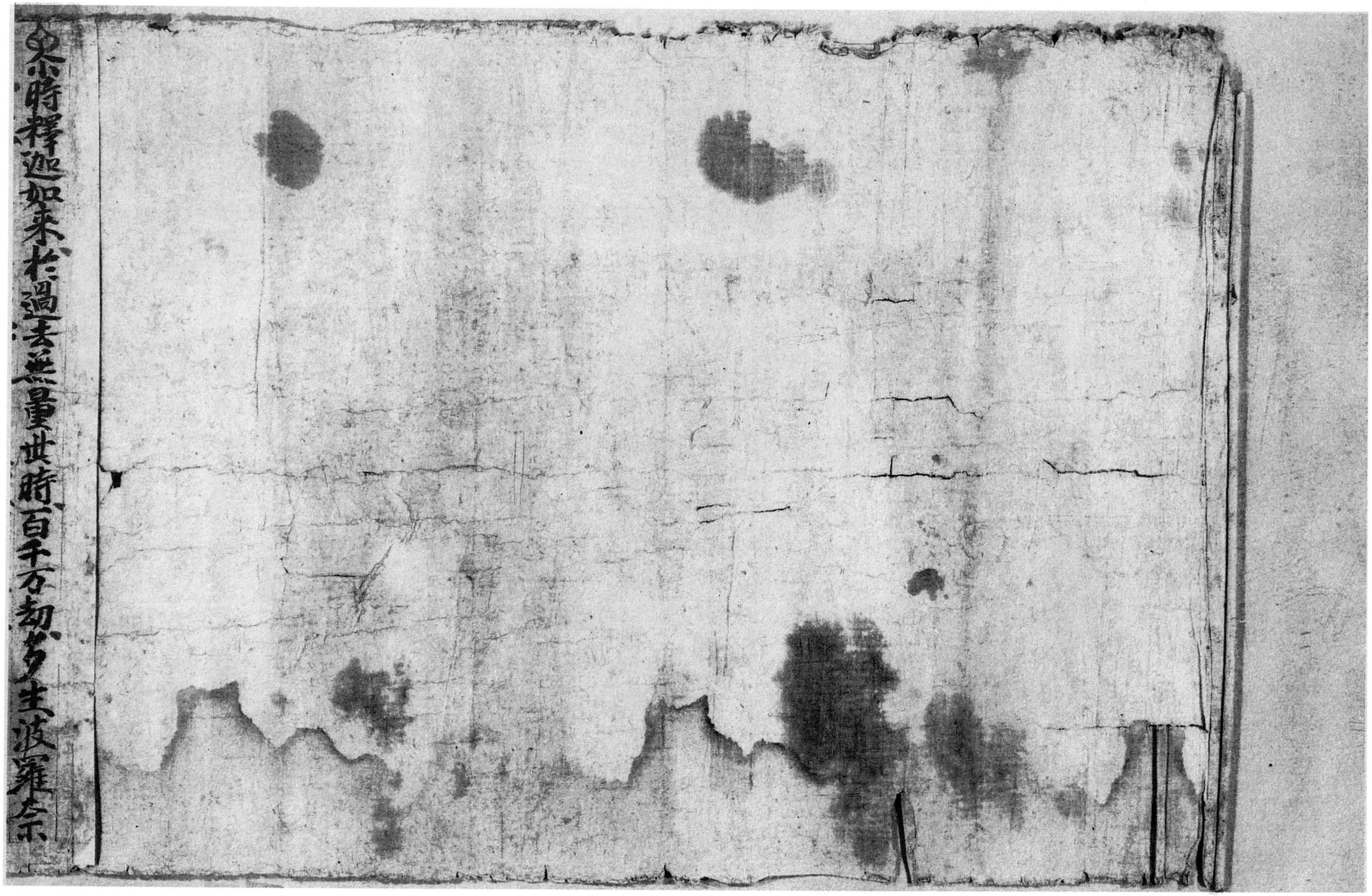
尒時釋迦如來於過去無量世時百千万劫多生波羅奈

BD03024號　八相變

尒時釋迦如來於過去無量世時百千万劫多生波羅奈
國廣發四弘誓願直求无上菩提不惜身命常以己身及一切
万物給施眾生慈力王時見五夜叉為吸人血肉飢火
所逼其王哀愍以身布施餧五夜叉歌利王時割截
身體節節支解尸毗王時割股救其鴿鷹月光王時一樹
下施頭千遍求其智惠寶燈王時剜身千龕燃燈春十
方諸仏身上燃燈千歲薩埵王子時捨身數度濟其
餓虎悉達太子時施開大藏布施一切飢餓乏之人
令得飽滿須所林國城妻子象馬七珍等施与一切眾生
或時為王或時為太子於波羅奈國五天之境捨身捨命
不作為難非但一生如是百千万億劫精練身心發其大願
種種苦行无不滌斷令其心願滿足救於三界數劫中積
集万行以為功充果滿方成仏從仏者何語仏者覺也覺
悟身中无始之性覺心內煩惱之怨出生死之苦得證菩提
示閻浮六通具足五眼元明為三界大師作四生慈父從清
淨土著蔽垢衣出現娑婆化諸菩薩 仏子 [redacted]
三大僧祇斷力堅 六波羅蜜行圓旋 帝釋功德身將滿
八十隨形[illegible]相欲全 未向此間求救度 且於何處大甚緣
當時不在諸餘國 亦現權居兜率天 未審兜率名若是
梵語暴言知足天 號名少欲喜足知足 此是欲界第四天
也況說欲界有其六天 第一四天王天 第二忉利天 第三須夜摩天

[illegible]

三大僧祇道力堅　六波羅蜜行圓旋　齊功德身將滿

八十隨形相欲全　未向此閻浮救度　具於何處並生緣

當時不往諸餘國　亦現權居兜率天　相番兜率宮名是

梵語秦言知足天　兜率是知足　此是欲界弟四天

也況欲界有其六天　弟一四天王天　弟二忉利天　弟三焰摩天

弟四兜率陀天　弟五樂變化天　弟六他化自在天　如是六

天之內近上則玄極太寂近下則閙動煩喧中者兜率

陀天不寂不閙所以前仏後仏總補在於此宮今我如來世

尊亦當是處　此是上生兜率相也上想菩薩下降

其是我仏道見閻浮提眾生業重死自難出苦海擬救

我仏觀見閻浮提眾生業障深重苦海

難離欲擬下界勞籠救拔超生死過遣金

團天子先屆向閻浮一斉方壇五百降於

此之時有何言語　云云

我今欲擬下閻浮　汝等速須揀一國

爾時金團天子遍看下方諸世界何處堪託生

奇方並不堪世尊託質唯有迦毗衛國

恒屑堪居都往天中具由咨說　云云

當日金團天子　遍看閻浮下人同　金輪聖王

祐郭今生何處　遍看十六大國　經歷遊遍

唯有迦毗衛城　天子開名一　神移萬並衛國

祖宗千代輪王　我觀過去世尊　未現受生仏國

居都安天宮　降於下生　將當七日出胎

於陰合衆服內　百千天子排空下

同向迦毗羅國生

[illegible]

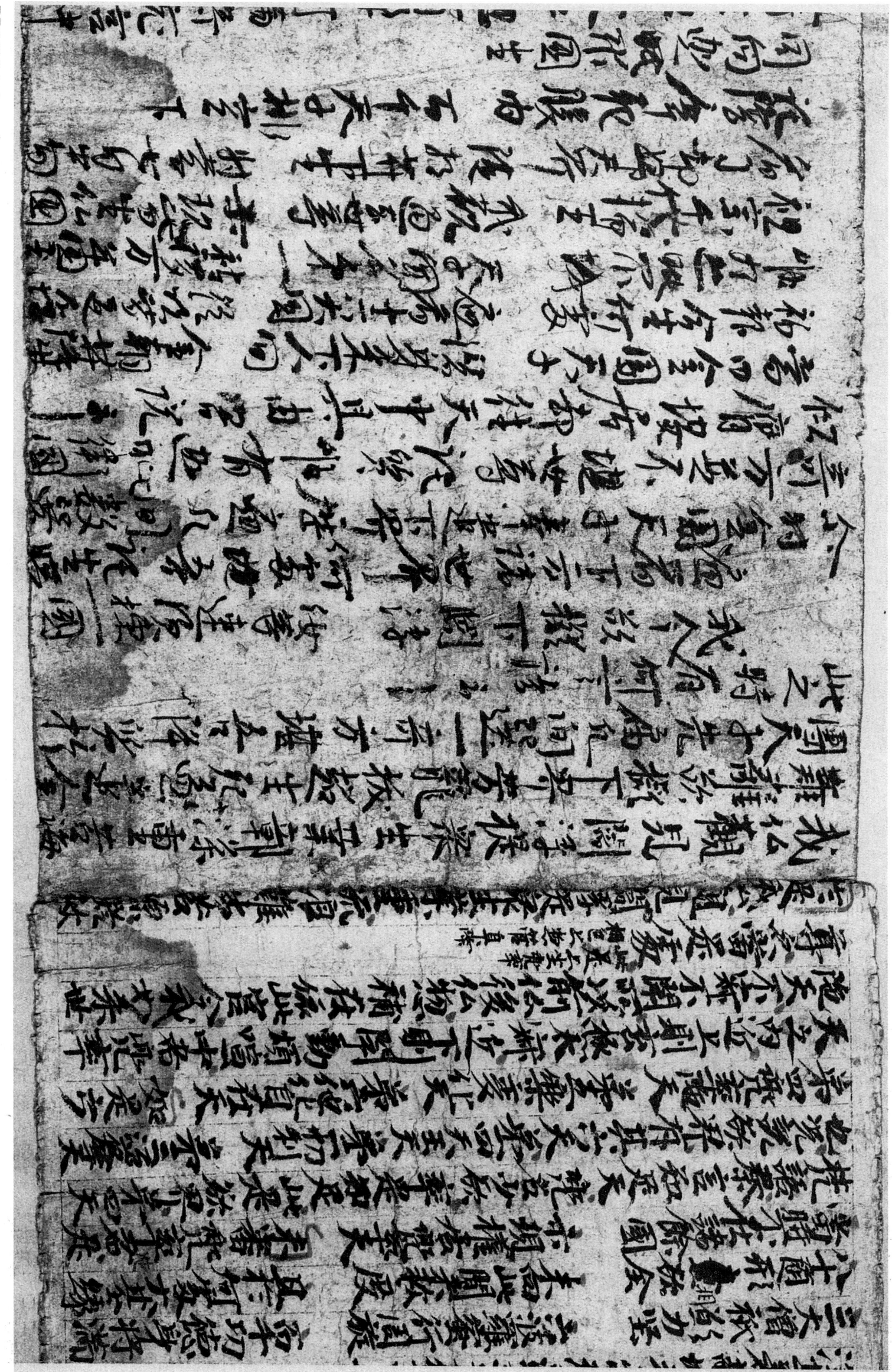

衣宮千於王　于前逍遙七寶　寶珍之生寶位匣
眷屬萬天宮　隨於井下生　將無七日出向
託蔭摩耶胎內　下千天子排宮下
同向迦毗羅國生
是時摩耶夫人夢想有孕　月滿將充宮中
煩悶而思無憂　遂往嬪妃遊後苑觀無憂
樹　舉手　攀枝　釋迦交身從右脅誕
出當此之時　作何言語
無憂樹下　攀花　右脅生來釋氏家
五百天人隨太子　三千宮女捧摩耶
靈前花雲蓋破　道家休人比罷事
產後錦之無少掃枏　明君何處喜　衛等

太子既生之下　感得九龍吐水沐浴一身　舉左
手而指天　垂右臂而於地　東西徐步　起足蓮花
九人觀此　皆殊祥遇　君頗暗之異瑞　常不之解
道何言語
九龍吐水浴身胎　八部神光曜殿臺　希期瑞相頭頭有
萬萬蓮花足下開　又道　指天天上我為尊
指地地中我最勝　仁我生胎分今朝盡　是降菩薩最
後身
於是大王令變太子　將何緣官令遣占相把逐天育養
其時敕諸大臣道　大王太子今是妖精鬼魅　請王
須與棄之　若也存在人間　必定破家滅國　當不

後身
於是大王怜愛太子，將何後宮令遣頻把送交育養。
其時敕諸大臣道：大王太子本是積精鬼魅，請王
須乃弃已，若也存立人間，必定破家滅國。當
之時，如何言語　云々
太子生下蹄靈額，諸臣精道是妖對，
臣請大王須除弃，留存家國恐不安。
當時文殊菩薩見諸臣不識是出世之仙，只謗
損傷太子，遂化作一臣，數越超趁班，雖對奏言：
大王審審，莫取諸臣言教，細意再思，此是
異聖奇人，不同凡類。當爾之時，如何言語　云々
太子相好無等倫，降下閻浮化理民，
君崇定作輪王位，出世應為大法尊。
文殊菩薩遂向大王道：大王若不信，南山之中一阿斯陀
仙仁，修行歲久，道行精專，但請將來，令交瞻
相，大王便悉此事。　云々
南山有一阿斯仙，修行歲久道行尊，
頰貌已歷經千載，早登五通相人間，
睹看國內皆第一，世上無比其奇廣，
但請將來令交相，臣此令朝不虛然。
說見菩薩語了，大王感敬見言，來日屈請仙人。假晨使
……之請……因白大王府夫人……主乃出奇

新誕已居立……

怪看國內此第一　世上無此奇膚

屈請將來令交相　臣此今朝不虛然

親見菩薩語了　大王感敬見言　來日屈諸仙人　侵晨俱

至門守候　請上殿對說因由　大王府夫人產生　乃出奇

祥太子　天下復語口雖　惟真天上人間獨我無雙　回

請仙哲占相　阿斯人仙師……出來流淚滿目　手

拭眼淚　口讚希噫　當爾之時　為何言語

大王屈請皇子　侵晨便到以將來　廣排請康花殿

共王禮職上基階　咨白說夫人　生下太子大奇哉

仙人忽見淚盈目　呼嗟傷嘆手攀頭

仙人既見之後　却向大王道　太子是出世之尊　不是

凡人之敵　大王今若不信　城南有一深神　量世

已來人皆親驗　王遣太子廻駕但出　親驗神

奇貌是鬼類　積精其神化為凝血　若不是

精靈之類　只今不動不變　於下之時　由何言語

城南有一尊靈神　見說尋常多操嗔

世上或行訴訟事　就前立驗現其真

大王但將兒太子　鏡見及今拈知郁

君是積祥於太子　暗空妖邪化為塵

大王明日　廣排天仗　遠出城南　將百萬之精兵　太

幸

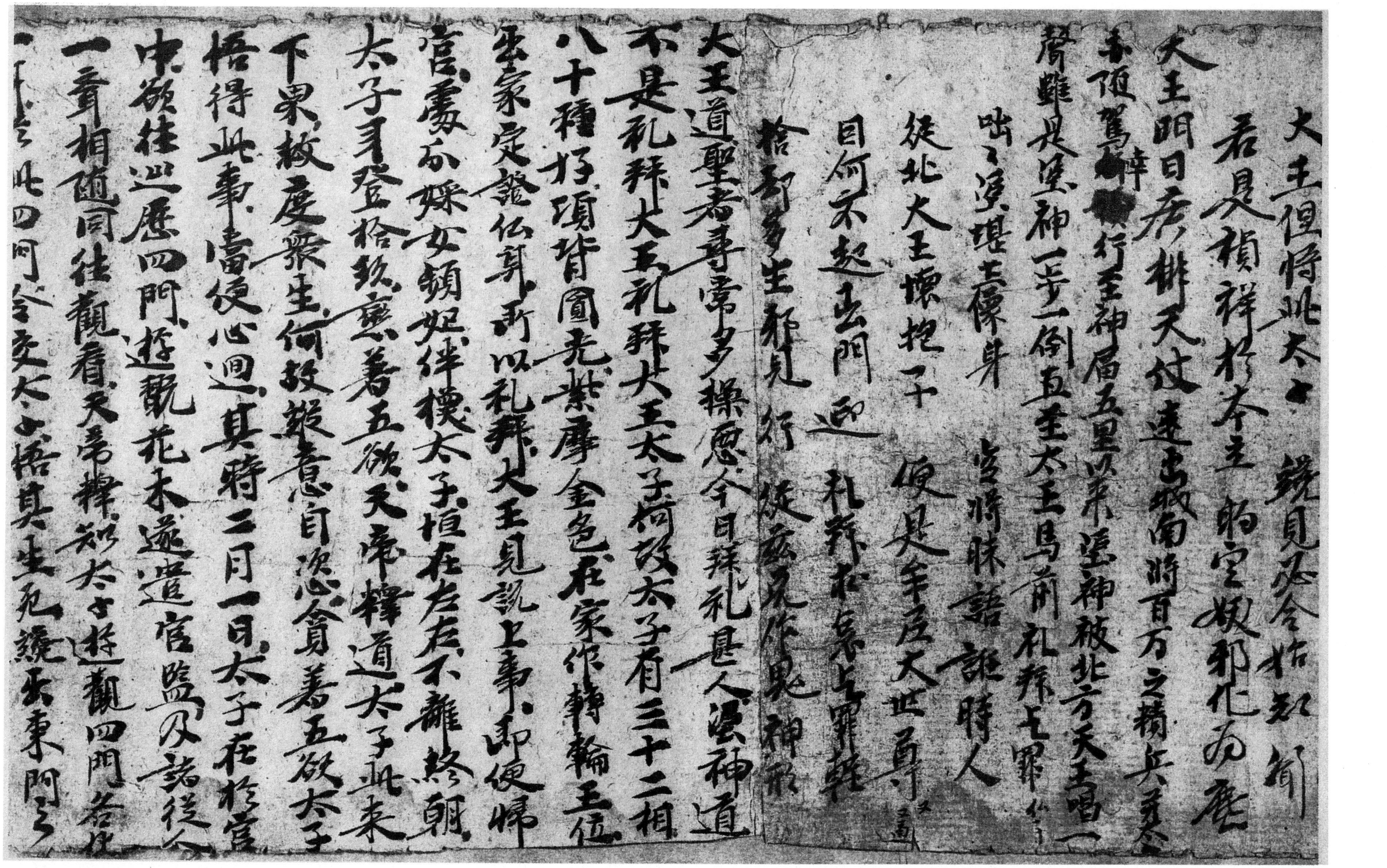

BD03024號　八相變　　（19–7）

悟得此事，當便心迴。其時二月一日，太子在於宮
中，欲往巡歷四門，遊觀花木，遂遣官監及諸從人
一齊相隨，同往觀看。天帝釋知太子游觀四門，各化
一身於此四門，令交太子悟其生死。纔出東門，乃
外陌上忽逢一人，行步慈慈，熱甚怛切。太子見已，遂
遣車匿迎前問之："公是何人？行步慈速。"其人道："家
中新添有難，捨日將死，苦痛逼身，所以慈速。"
太子又問："生者只是一人，人人間總有？"其人道："一例如此。
我家有子在胎，千般痛苦，誕孾孩，父子並
拒重發，刻只鄭手，善不逢災。"太子遂聞生者憂切，
救加便疑，還宮又作一偈嘆道：
太子聞孩子誕生來，方知世事實苦哉。
生下人身不長久，白月流速遞相催。
太子作偈已了，即便歸宮，迷悶憂煩，極甚不悅。
大王見太子愁憂不樂，更添百般細樂，萬種音聲，
令遣宮內，為歡太子，都不入耳，無處分事。
居來晨朝，朱鬃白馬，卻往南門觀看。是時太子
車駕及諸侍從，賓齋議出南門，忽爾行次，不遠
事見一老人，駮白如霜，頭毛似雪，眉中九子，垂破額頭
上，口內百齒連疏，筋雙目，朋珠淚長垂，兩手乃策杖

匿來晨備朱騣白馬，却往南門觀看。是時太子
車駕及諸侍從賚榮從出南門，忽然行次，不遠別
更見一老人，鬢白如霜，鬢毛似雪，眉中九千重皺，項
上九百道廉筋，雙目則似珠淚長垂，兩手乃策快
拄杖，看人不識，共語無聽，護行搖行，廉喘細喘。
太子見已，即便驚怛。當爾之時，道何言語：
策杖傴僂是何人，面無光色鬢如銀。
為復世人無二種，為復老者只一身。
太子見已莫辯聖凡，令遣車匿問之：此者是何人也？
車匿奉命，直見老翁：是何人，在此市立，數件叫問？
欲沒獲候推葉并三方，皓迴恐老人答道：吾今棄
喻已過，鍾漏將窮，眼暗欲不識人，耳聾不聞音
響，日十步之內，九件長噓，壽限將臨，此者為老啟
下，既問然說實情，當爾之時，乃何言語：
雞皮鶴髮身憔悴，耳聾眼暗不能語。
此老欲來不得去，必定當傳至後生。
太子遣人車匿，却往重問，并三宗人道，太子恒在
宮園，不知世間之事，為復人物衰老，為復只是
一人諸不惜情，子細分明，車匿從頭聽，直見老
翁，具說形問根原，直申太子情，懇老翁蒙問權
嘆呵，久說道我輩凡夫，高下共同一體，空不是吾
之衰老，總之便到，後生雖然，縱不尊高，老相亦
復如是，既蒙垂問，具說原由。於此之時，有何言語：

[illegible]

嗟呵久說道我輩凡夫高下共同一體空不是吾
之褒光稍々便到沒生雖然殿下尊高尭相亦
復如是既蒙来問具說原由於此之時有何言語

眼暗形羸不弁色　耳聾高語不聞聲
欲行三里二里時　雖是四迴五迴歇

太子聞已轉更泣淚愁眉迴首一偈

太子聞言情滿悲　再三全得沒多時
必若老来何處避　願恩榮華也是虛

太子作偈已了更積悲憂嘆息長嗟淚珠流滿
當便迴駕却入宮闈父王聞太子罷宮遊出
臣存問今晨殿下散悶閑遊賀駕南門見何
景像太子答何具奏上情致變顏容都無人色
大臣走出申奏大王知今晨太子散悶悲憂更加
轉熱大王聞奏愁嗟連連遣宮嬪採女擁從相勸
伴擬太子無心歡悅如意悲憂直至眼不看兩眉
莫展來日遣排朱鬃白馬再往西門巡行忽見
一人四體熱甚羸劣形容痩損喘息不來兩面人扶
千般癡痛萬般藥槐在於頭邊百味飲食將來
一般都不向口太子遂問遣車匿何名是何人其人
答曰我是病兒太子又問何名病兒其人道人生世間
地水火風成其四大大不調百一病起此名病兒又問
病者雖去一個為復盡皆如然病兒道殿下緣
[illegible]

答曰我是病兒太子又問何名病兒其人答[illegible]
地水火風成其四大一大不調百一病起此名病兒又問
病者唯君一箇爲復盡皆如然病兒答道殿下縱量
官高病來亦復如是老人祇向具已啓聞當爾之時
道何言語老人道捉劒平四海 橫戈敵万夫
一朝床枕上起臥要人扶
太子聞偈嗟嘆非常遂乃切念悲哀亦道一偈
太子聞道病來侵 方般愁苦轉縈心
貴賤一般同幻化 何須多蓄積珠金
太子作偈了了卻復歸宮殿顏色怛悵憂愁不樂大王
聞太子遊宮人遂嘆太子吾從養汝只是懷愁
非日遊觀西門見於衍物太子奏大王曰非日遊翫不
見別餘見一病兒形骸羸瘦遂患在床不可病苦
只是一人他道世間病患之時不諫貴賤聞此言語
實積憂愁謹啓大王何必依貴大王遂遣太子來
日卻往遊遊至於北門又見一人歸於遊路四支全具
九孔
臥在荒郊膖脹壞爛六親號叫九族哀
啼散髮披頭渾搥自撲遂遣車匿往問之云此是何
人吾主具說實言道此是死事卿公一箇死世間
亦復如然吾主遂王侯凡庶一般死相亦無二種當
之時如何言語 國王之位大尊高 煞鬼臨侵死處逃
死相來得皆若此 還漂苦海浪滔滔 太子答
太子聞死轉愁眉 三界思根實可悲
直饒万乘君王位 孰長風得多少時
太子吟詠已了更悲憂嗟嘆我等凡夫於何免得

死相此未假皆若此　還漂苦海浪滔滔　太子答
太子聞死轉愁眉　無三恩根實可悲
直饒萬乘居王位　勢衰風俗得多少時
太子吟詠已了，更乃愁憂嗟嘆：我年九歲，何覺得
此事。何必數四受苦，弃三郎便還宮，都無喜色。
父王聞太子入內，親嘆至於面前，遂乃出於善言，
親自勸免：若說世間且憂，不過父子情深，細論
世上且情莫若親生男女，皆是宿生緣業，今世
許我賂中且作國王大臣，汝今不樂天地，自後數日
都無歡顏，顏問如何，越加憂怨，百鳥南為子
原，何况我當君王，若是香順之男，直中心中於
動財物庫藏，任意般將，不要為誰，進任破用。
既奉父王勸免，元來不稱情懷，愁眼雙眉淚
流雙眼。父王勸諫太子，不得無計思量，當不之時：
雖居一國作人王　富貴凌天無益往
汝坐我子受快樂　因何愁苦轉悲傷
太子道：遂莫高貴逢處雄　人生須會大難逢
生死病死相煎逼　積財千萬頻成空
太子來日，遂遣車匿被於朱源，往出城門，在於路上
觀看之次，忽見一人，斷髮染衣，徐行復步。太子忽
見，即遣車匿問之：君是何人，在此遊戲？此人答曰：我
是師僧。太子即問何名師僧，此人答曰：諸漏已盡，煩惱
剃除，飯在盂中，衣生架上，捨割世間恩愛，唯於佛
果[illegible]精勤[illegible]

觀看之次，忽見一人剃鬚除衣，徐行漸步。太子
見，即遣車匿問之：君是何人，在此遊戲？此人答曰：我
是師僧。太子即問：何名師僧？此人答曰：諸漏已盡，煩惱
頓除，鉢在盂中，衣生染色，捨割世間恩愛，作於佛
果，葆不懃頑讀，精勤大義，是名師僧。太子聞已，歡
喜非常，下馬虔恭，於一心合掌，禮拜於三寶。
便問和尚是誰之弟子？和尚答曰：我是三藏大師，
四生慈父，為人天之善導，首作苦海之舟航，釋迦
居如來，是我之師父。和尚蒙問，具答實情，當
和尚啟蒙太子問，實情並具說知。
君說我之本師父，便是如來大牟尼。
和尚吟偈已，太子即問：於何能行，於得此身？
和尚道：精勤行道，五苦捍勞，极濟眾生，
堅持戒學，仍獲此身。太子聞已，即便生歡。
當求之時，道何言語：
太子見已便歡忻，頓捨煩惱斷貪嗔，
先立之程成伱事，決定飛行證此身。
尒時太子悟身之而非久，了幻體之無常，具衣子
時感天人而唱道嘆云：太子將行時，至何得歸燃
太子息從勝覺報言：空中如此嘆呼是何人？此即時
空中報曰：我是金團天子，遣助太子將行，正是太子
時，何勞懈怠？太子啟云：我大王令五百宮監，守伴

太子忽夜騰竇報言空中如此喚者是何人以即時
空中報曰我是金團天子遣助太子於行正是其
時何勞擲色太子啓云我大王令五百宮監守伴
三時不離終朝如何去得天人答言我交一瞌睡
神下界令百人盡皆昏沉即便相隨有何不得
言之已了宮人並覩睡著綵女五百睡著只留
車匿醒悟被得朱騌白馬牽來直迎皆前
感四天王以捧馬蹄攢一隊而騰空發時當二更
日在八晨離迦毗之羅城赴雪山而苦行 云云
樓頭幾打三更鼓 寺裏稍聲半夜中（鐘）
一似門徒彈指頃 須臾直到雪山中
太子既離皇闕已赴雪山巉巖之峻峨望其
奇峯之岑峻乃見千尋巨蓋萬歲松蘿前望
益行之蹤後仏於因之地 云云
當時堅棄誓心身 巉巖峻峨不畏驚
南北東西行七步 閻阿那盤陀石最平
太子座已專注於行偉哉（相）以奉緣遂埃塵而捨宮
遣於車匿卻返王城來去之間車匿懇切號申太
子固訴陳言奉旨迴而不辜負大王妃之勿信

太子座已尊，達非行行，辭妄以其奉緣，絕埃塵而悕宮。
遣於車匿，却迴王城，來去之間，車匿懇切號申太
子。固訴陳言，奉旨迴而不奉，慮王妃之勿信，
宜將白馬，由恐孤疑，車匿鄭詞難為的實云云。
太子夜半出來時　宮人美女不覺知
今日空迴白馬去　大王亦見便生疑
是時太子語於車匿，付屬再三，將頭冠以獻父王，
牽白馬而却還本廄，朱衣寶服，脫卸技封迴附
宮人，以為信物。車匿承旨，不憚艱辛，引馬登程，
奉歸本國。即感白馬踟躕，滿目而滴淚成池，万
樹千花，失光嚴之秀色，不含歸路，步步徐下山來。
當尔之時，道何言語：
行行行來下青山　馬叫人悲慘別顏
千樹夜花光燦爛　一溪流水綠潺潺
心憂到報君王問　暗地思量奏對言
亦入城來人物看　問太子如今在何所邊
太子自別車匿之後，上高嶺之岩巖，立弘誓以堅貞，
求菩提之至切，入於禪室，定意安祥，食麥而為柔，
養四大之幻軀，蘆穿透膝，頂鵲為巢，斷有

BD03024號　八相變

(19–15)

求獲之至切入於禪室定意安祥貪一麦而為柔
養四大之幻軀盡窮透膝項鵲爲巢斷有
漏之凡蹤誓无邊之工德精專聖道不起耶
塵獨住山間爲唯祈淨行 云〃

自別車匿住雪山　苦行殷勤志道尊
日食一麻或一麦　鵲巢頂上安

太子一從守道行滿六年當臘月八日之時下山於
泥連河沐浴爲久專觀行身力全無惟殘骨
筋體右困頼河中洗濯浣臟潔清欲出
不能攀岸感文殊而垂手接引虛空承我
仏於河灘邊於彼岸遂逢吉祥長者鋪香
草以懇勤紫磨嚴身金剛播體 云〃

六年苦行志殷勤　四智俱圓感覺身
下河泥連河沐浴　上登草座勸黎民
紫金滿殘猶於其體　奇毫光相素如銀
文殊長者設妙膳　供養如來大世尊

我如來既登草座觀心未圓忽逢姝妹二人
一時迎前拜礼口稱名号是阿難隨田中牧

文殊長者設何廣　供養如來大世尊
我如來既登草座觀心未圓忽逢姝妹二人
一時迎前拜礼口稱名号是阿難陁田中牧
牛常摩野隨每将乳粥供養樹神偶見世
尊迎時獻俸又感四天王掌鉢來奉於尊
併四鉢納一盂中可集三千大千三界為除其
毒六欲天魔波羅蜜是因也既備功圓便
往至聖道往金剛座上獨稱三界之尊
鷲嶺峯前化諸十方侍識降天魔而
戰摧伏外道以現鷲頭正堆邪歸從釋
教子
方登草座觀難陁　迴將乳粥獻釋迦
四王掌鉢除三毒　功圓浄行六波羅
金剛座中嚴靈相　鷲嶺峯前定天魔
八十隨形皆妙備　三十二相現娑婆
況說如來八相三秋未盡根原略以標名
開題示目令是日光西下座久延時盈場
並是英奇仁閤郡皆懷文雅槩眾中俊哲
藝曉千端忽滯淹藏後無一出次聖

八十隨形皆已備　三十二相現身中

況說如來八相，三秋未盡根原。略以標名，
開題示目。今具日光西下，座久延時。盈場
並是英奇，仁闔郡皆懷雅操。衆中俊哲，
藝曉千端，忽滯淹藏，後無一出。伏望
府主允從，則是光揚。佛日恩矣恩矣。

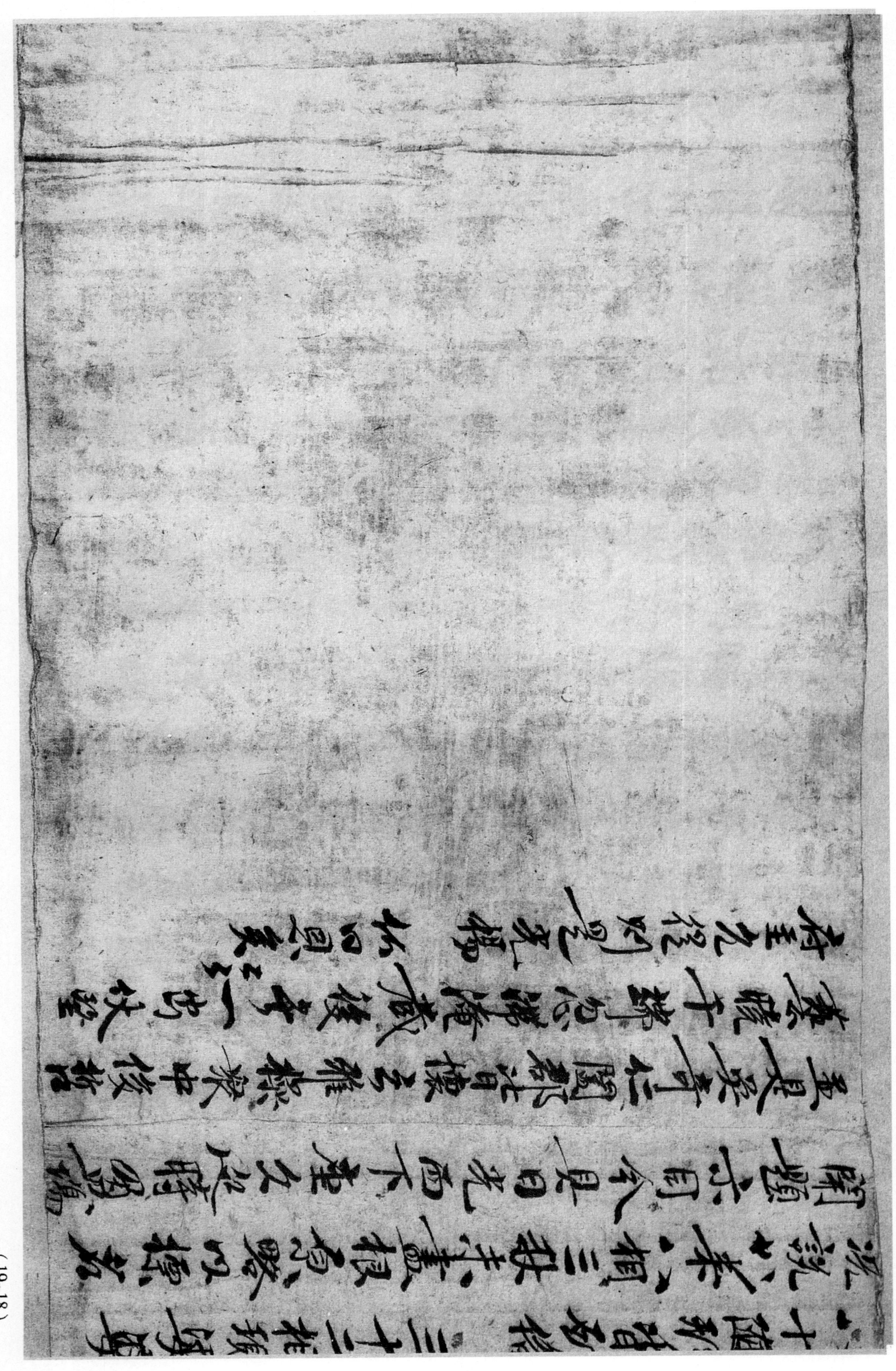

慧曉千蹄忽沸淹藏後者一齒鉄堅
府主先從明是究楊　似日見矣

斷惡道者喻於
人者喻佛世　有滋味者喻於四
棘刺喻諸煩惱无水草者喻不脩集
之一人還者喻退轉菩薩其直行者
菩薩善男子衆生佛性常住不變猶
不可說言人悔還故令道无常佛性
男子菩提道中終无退者善男子如
中見伴狼藉而還努力自在供養
示親多受安樂見是事已心中生
疾殺復道還去不惜身命堪忍長
普遂便到値七寶山中退轉菩薩亦復如是
善男子一切衆生定當得成阿耨多羅三藐
三菩提以是義故我經中說一切衆生乃至
等及一闡提悉有佛性師子吼
言世尊何等菩薩有退不退善男子若有菩
薩脩集如來卅二相業因緣故得名不退得
名菩薩摩訶薩也名不動轉名為憐愍一切
衆生名勝一切聲聞緣覺名阿毗跋致善男
子若菩薩摩訶薩持戒不動施心不移安住
實語如須弥山以是業緣得足下平如奩底
相菩薩摩訶薩於父母所和上師長乃至
畜生以如法財供養供給以是業緣得成足
下千輻輪相若菩薩摩訶薩不殺不盜於父

BD03025號　大般涅槃經（北本　異卷）卷二九　（6-1）

衆生名勝一切聲聞緣覺名阿毗跋致善男
子若菩薩摩訶薩持戒不動施心不移安住
實語如須弥山以是業緣得足下平如奩底
相菩薩摩訶薩於父母所和上師長乃至
畜生以如法財供養供給以是業緣得成足
下千輻輪相若菩薩摩訶薩不殺不盜於父
母師長常生歡喜以是業緣得成三相一者
手指纖長二者足跟長三者其身方直如是
三相同一業緣若菩薩摩訶薩脩四攝法攝
取衆生以是業緣得網縵指如白鵝王若有
菩薩摩訶薩父母師長若病苦時自手洗拭
捉持案摩以是業緣得手足濡若菩薩摩訶
薩持戒聞法惠施无猒以是業緣得節踝傭
滿身毛上靡若菩薩摩訶薩專心聽法演說
正教以是業緣得鹿王蹲若菩薩摩訶薩於
諸衆生不生害心飲食知足常樂惠施瞻病
給藥以是業緣其身圓滿如尼拘陀樹立手
過膝頂有肉髻无見頂相若菩薩摩訶薩見
怖畏者為作救護見裸跣者施與衣服以是
業緣得陰藏相若菩薩摩訶薩親近智者遠
離愚人善喜問答掃治行路以是業緣皮膚
細濡身毛右旋若菩薩摩訶薩常以衣服飲
食臥具醫藥香華燈明施人以是業緣得身
金色常光明曜若菩薩摩訶薩行施之時所
珎之物能捨不恪不觀福田及非福田以是
業緣得七處滿相若菩薩摩訶薩布施之時
心不生疑以是業緣得柔濡聲若菩薩摩訶
薩如法求財以用布施以是業緣得缺骨充
滿師子上身臂肘傭纖若菩薩摩訶薩遠離
兩舌惡口恚心以是業緣得卌齒白淨齊密

BD03025號　大般涅槃經（北本　異卷）卷二九　（6-2）

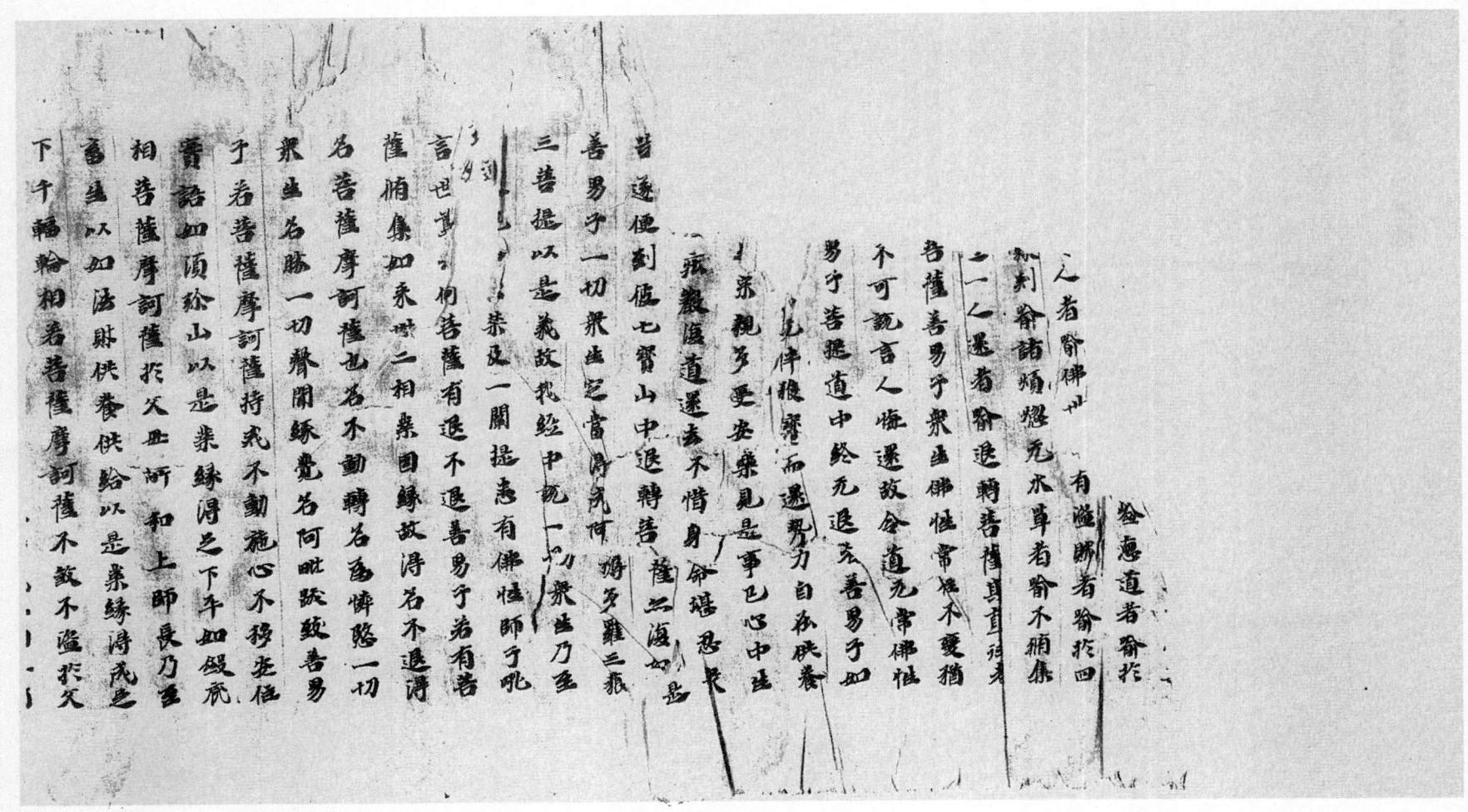

施之時能於不觀福田及非福田以是
業緣得七處滿相若菩薩摩訶薩布施之時
心不生悋以是業緣得柔軟身若菩薩摩訶
薩如法求財以用布施以是業緣得敎骨无
滿師子上身髀肘臑纖若菩薩摩訶薩遠離
兩舌惡口恚心以是業緣得卌齒白淨齊密
若菩薩摩訶薩於諸衆生脩大慈悲以是業
緣得二牙相若菩薩摩訶薩常作是願有來
求者隨意給與以是業緣得師子頰若菩薩
摩訶薩隨諸衆生所須之食悉與皆之以是
業緣得味中上味若菩薩摩訶薩自脩十善
兼以化人以是業緣得廣長舌若菩薩摩訶
薩不訟彼短不謗正法以是業緣得梵音聲
若菩薩摩訶薩見諸怨憎生於善心以是業
緣得目睫紺色若菩薩摩訶薩不隱他德稱
揚其善以是業緣得白毫相善男子若菩薩
摩訶薩脩集如是三十二相業因緣時則得
不退菩提之心善男子一切衆生不可思議
諸佛境界業果佛性亦不可思議何以故如
是四法皆悉是常以是常故不可思議一切
衆生煩惱覆鄣故名為常斷常煩惱故名无
常若言一切衆生常者何故脩集八聖道分
為斷衆苦衆苦若斷則名无常所受之樂則
名為常是故我言一切衆生煩惱覆鄣不見
佛性以不見故不得涅槃師子吼言世尊如
佛所說一切諸法有二種因一者正因二者
緣因以是二因應无縛解是五陰者念念生
滅如其生滅誰有縛解世尊因此五陰生後
五陰此陰自滅不至彼陰雖不至彼能生彼

BD03025號　大般涅槃經（北本　異卷）卷二九　（6–3）

佛所說一切諸法有二種因一者正因二者
緣因以是二因應无縛解是五陰者念念生
滅如其生滅誰有縛解世尊因此五陰生後
五陰此陰自滅不至彼陰雖不至彼能生彼
陰如因子生牙子不至牙雖不至牙而能生
牙衆生亦尒云何縛解善男子諦聽諦聽我
當為汝分別解說善男子如人捨命受大苦
時宗親圍遶號哭懊惱其人惶怖莫知依救
雖有五情无所知覺支節戰動不能自持身
體慞冷煖氣欲盡見先所脩善惡報相善男
子如日垂沒山陵堆阜影現東移理无西逝
衆生業果亦復如是此陰滅時彼陰續生如
燈生闇滅燈滅闇生善男子如蠟印印泥印
與泥合印滅文成而是蠟印不變在泥文非
泥出不餘處來以印因緣而生是文現在陰
滅中陰陰生是現在陰終不變為中陰五陰
中陰五陰亦非自生不從餘來因現陰故生
中陰陰如印印泥印壞文成名雖无差而時
節各異是故我說中陰五陰非宍眼見天眼
所見是中陰中有三種食一者思食二者觸
食三者意食中陰二種一善業果二惡業果
因善業故得善覺觀因惡業故得惡覺觀父
母交會和合之時隨業因緣向受生處於母
生愛於父生瞋父精出時謂是己有見已心
悅而生歡喜以是三種煩惱因緣中陰陰壞
生後五陰如印印泥印壞文成生時諸根有
具不具具者見色則生於貪生於貪故則名
為愛狂故生貪是名无明貪愛无明二因緣
故所見境界皆悉顛倒无常見常无我見我

BD03025號　大般涅槃經（北本　異卷）卷二九　（6–4）

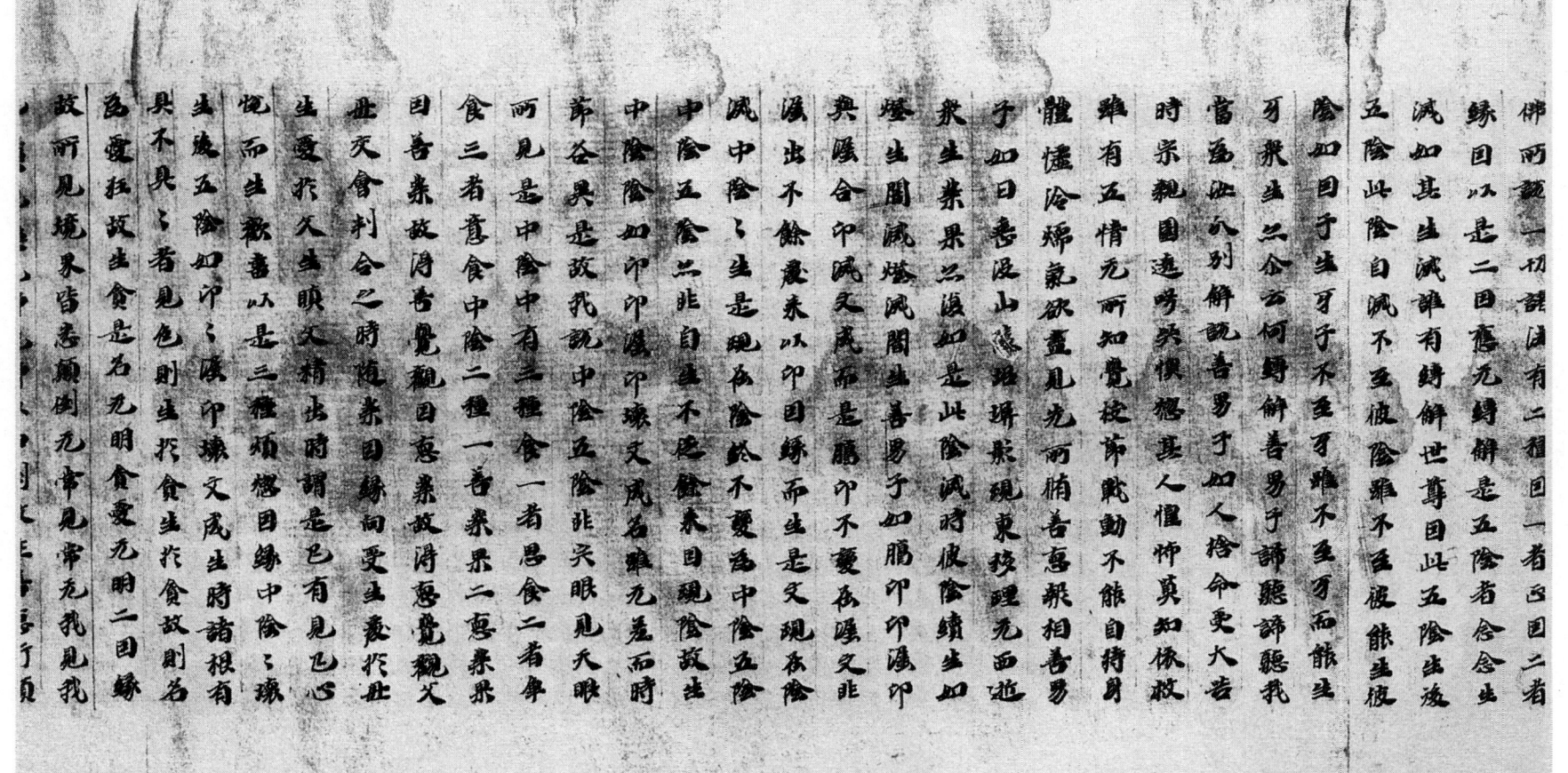

母交會和合之時隨業因緣向受生處於母
生愛於父生瞋父精出時謂是已有見已心
悅而生歡喜以是三種煩惱因緣中陰之壞
生後五陰如印印泥印壞文成生時諸根有
具不具具足者見色則生於貪生於貪故則名
為愛狂故生貪是名无明貪愛无明二因緣
故所見境界皆悉顛倒无常見常无我見我
无樂見樂无淨見淨以四倒故作善惡行煩
惱作業業作煩惱是名繫縛以是義故名五
陰生是人若得親近於佛及佛弟子諸善知
識便得聽受十二部經以聽法故觀善境界
觀善境界故得大智慧大智慧者名正知見
得知見故於生死中而生悔心生悔心故不
生歡樂不生歡樂故能破貪心破貪心故脩
八聖道脩八聖道故得无生死得无生死故
名得解脫如火不遇薪名之為滅滅生死故
名為滅度以是義故名五陰滅
師子吼言空中无剌云何言拔陰无繫者云
何繫縛佛言善男子以煩惱鏁繫縛五陰離
五陰已无別煩惱離煩惱已无別五陰善男
子如柱持屋離屋无柱離柱无屋衆生五陰
亦復如是有煩惱故名為繫縛无煩惱故名
為解脫善男子如拳合掌繫結等三合散生
滅更无別法衆生五陰亦復如是有煩惱故
名為繫縛无煩惱故名為解脫善男子如說
名色繫縛衆生名色若滅則无衆生離名色
已无別衆生離衆生已无別名色亦名名色
繫縛衆生亦名衆生繫縛名色
師子吼言世尊如眼不自見指不自拿刀不
自割受不自受云何如來說言名色繫縛名

BD03025號　大般涅槃經（北本　異卷）卷二九　（6–5）

名得解脫如火不遇薪名之為滅滅生死故
名為滅度以是義故名五陰滅
師子吼言空中无剌云何言拔陰无繫者云
何繫縛佛言善男子以煩惱鏁繫縛五陰離
五陰已无別煩惱離煩惱已无別五陰善男
子如柱持屋離屋无柱離柱无屋衆生五陰
亦復如是有煩惱故名為繫縛无煩惱故名
為解脫善男子如拳合掌繫結等三合散生
滅更无別法衆生五陰亦復如是有煩惱故
名為繫縛无煩惱故名為解脫善男子如說
名色繫縛衆生名色若滅則无衆生離名色
已无別衆生離衆生已无別名色亦名名色
繫縛衆生亦名衆生繫縛名色
師子吼言世尊如眼不自見指不自拿刀不
自割受不自受云何如來說言名色繫縛名
色何以故言名色者即是衆生言衆生者即
是名色若言名色繫縛衆生即是名色繫縛
名色佛言善男子如二手合時更无異法而
來合也名之與色亦復如是以是義故我言
名色繫縛衆生若離名色則得解脫是故我
言衆生解脫師子吼言世尊若有名色是繫
縛者諸阿羅漢未離名色亦應繫縛善男子
解脫二種一者子斷二者果斷言子斷者名
[illegible]漢寺[illegible]

BD03025號　大般涅槃經（北本　異卷）卷二九　（6–6）

實相具足六波羅[illegible]
道斷煩惱習具足一切種智摠相[illegible]
了成阿耨多羅三藐三菩提三人雖俱免
死生方便道各異是故須菩提讚歎摩
摧破一切世間勝出人天阿脩羅上譬
空含受一切國土而虛空故不
如是含受三世諸佛及諸弟子摩訶衍亦不
滿又如虛空常相故无入相无出相无住相
是乘亦如是无未來世入處无過去世出處
无現在世住處破三時故三世等名[illegible]
問曰佛應讚須菩提所歎善哉何[illegible]
訶衍答曰佛將欲傾須菩提所讚歎說[illegible]上
說摩訶衍遠故言略說摩訶衍相出後廣述
須菩提所讚摩訶衍者所謂六波羅蜜諸地
羅尼門諸三昧門十八空四念處
共法等如須菩提所說摩訶衍故[illegible]
閒勝出人阿脩羅上者是事實介何[illegible]是
三果虛誑如幻如夢无明虛妄因緣故有因
果无有定實一切无常破壞摩[illegible]目
以摩訶衍與三果相違故能摧破勝[illegible]三
果定實常不虛妄是摩訶衍不能摧破勝出
何以故力等故五衆十二入十八界六觸生

BD03026號　大智度論鈔(擬)　(14–1)

三果虛誑如幻如夢无明虛妄因緣故有因
果无有定實一切无常破壞摩[illegible]目
以摩訶衍與三果相違故能摧破勝[illegible]三
果定實常不虛妄是摩訶衍不能摧破勝出
何以故力等故五衆十二入十八界六觸生
諸受亦如是若法性是有法非无法者摩訶
衍不能破世間得勝出須菩提以[illegible]
故摩訶衍能得勝出世間問曰有為法因
和合虛誑故言无如法性實際不可思議是
為實法名為實際云何言无答曰无為空故
言无復次佛說離有為无為法[illegible]
法實相即是无為法復次觀是有為法虛誑
如如法性實際是實以人於法性取相起諍
故言无法性或說有或說无各自有因緣故
无咎如實際不可思議性亦如是[illegible]間[illegible]波
羅蜜著故有出世間檀波羅蜜无故[illegible]破
慳貪故言有檀波羅蜜破耶見故言檀波羅
蜜无為度初學者說言有聖人心中說言无
如檀波羅蜜乃至若衆生實有非是无法不
應令強賊入无餘涅槃問曰從[illegible]
後何以不說言摩訶衍勝出答曰為衆生
應當說直文煩故不說復次三十二相乃至
為衆生轉法輪亦是摩訶衍但名字異耳復
次上摠相說摩訶衍勝出不知[illegible]今
別相說所謂佛三十二相莊嚴身故勝一切

BD03026號　大智度論鈔(擬)　(14–2)

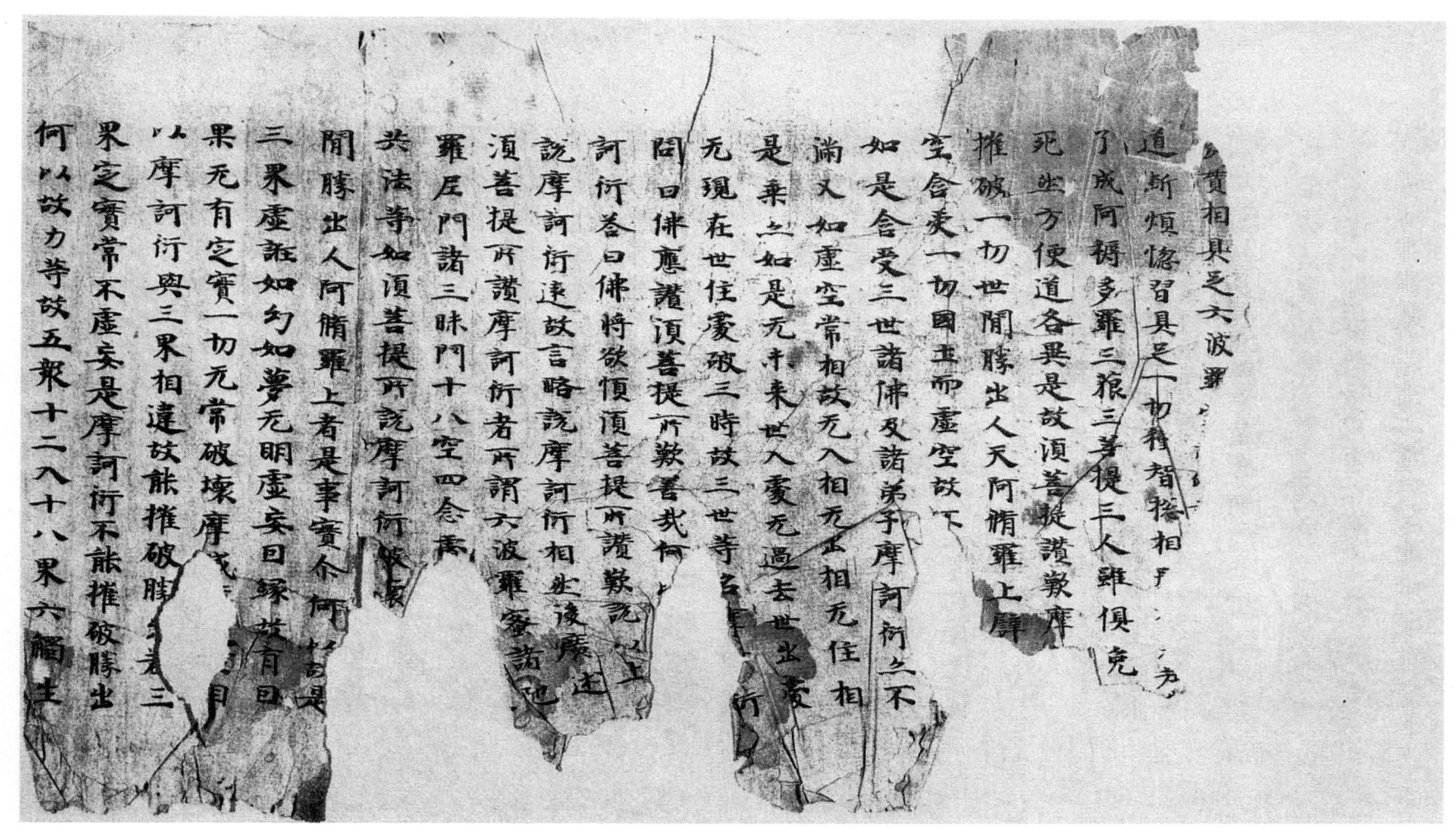

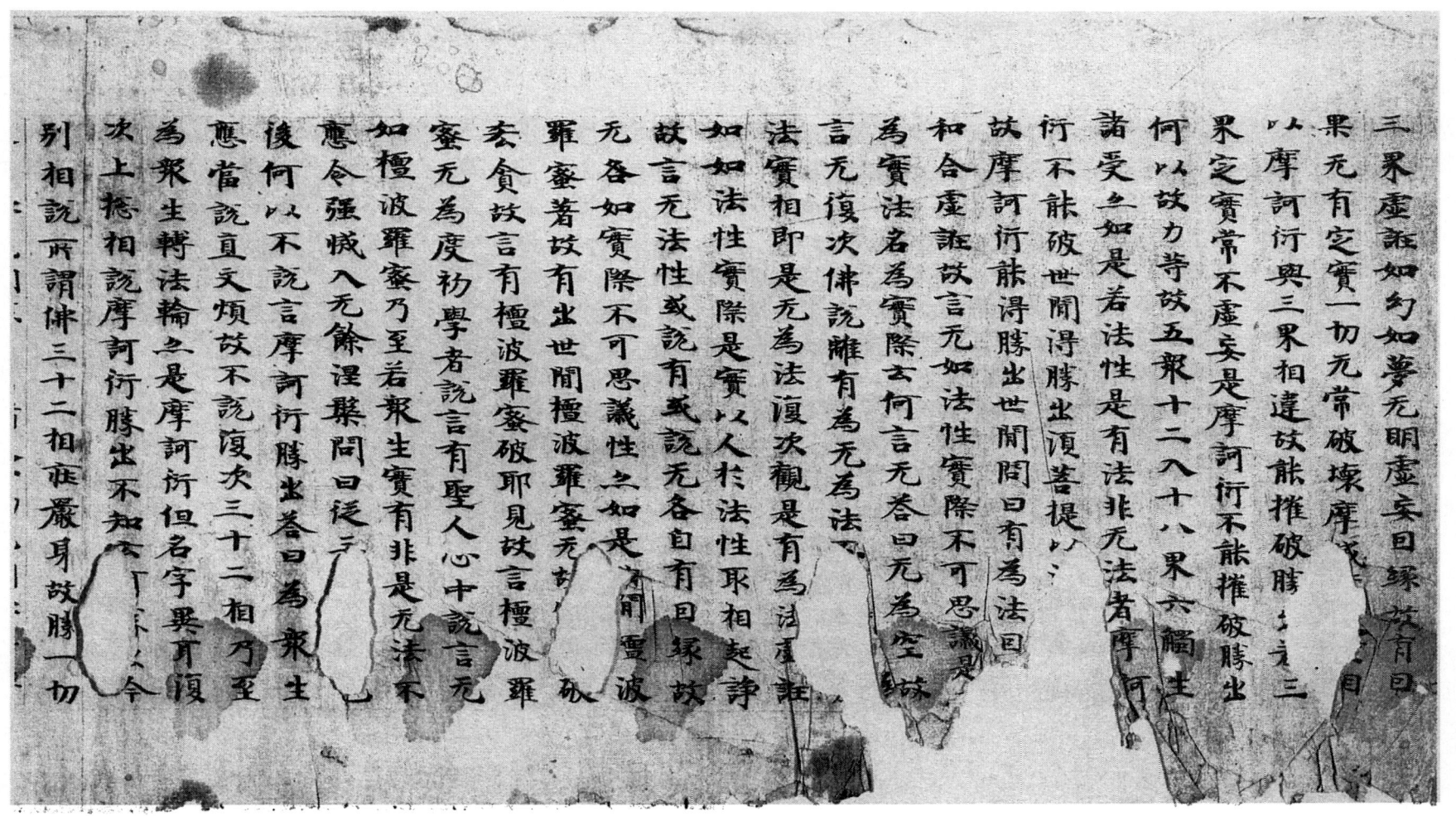

衆生轉法輪[illegible]
次上捴相說摩訶衍勝出不知[illegible]令
別相說所謂佛三十二相莊嚴身故勝一切
衆生佛光明勝日月諸天一切光明佛音聲
勝一切音樂世界妙聲諸天梵音佛法轉輪
勝轉輪王寶輪及諸外道一切法輪[illegible]无
㝵餘法輪所利益微淺或一世二世極至千
万世佛法輪能令永入无餘涅槃不復還入
生死復次若衆生實有者佛不應令衆生入
涅槃永拔其根此過於数一身有如是大咎
以衆生顛倒心見我故佛欲破其[illegible]言
涅槃无衆生可㓕故无咎有如是功德故摩
訶衍能勝出一切世間問曰一切世間者十
方六道衆生何以獨說勝出諸[illegible]有羅
荅曰六道中三是善道三是悪[illegible]
能破三善道勝出何况悪道問曰龍王經中
說龍得菩薩道何以說是悪道荅曰衆生无
量无邊龍得道者少復次有人言大菩薩變
化身教化故作龍王身
大智度經品第廿二釋論
論者言須菩提讚衍如虛空佛即廣述成其
事如虛空无十方是摩訶衍亦无十方无長
短方圓青黄赤白等是摩訶衍[illegible]曰
虛空是无為法无色无方摩訶衍是有為法
是色法所謂布施持戒等云何言與虛空
等荅曰六波羅蜜有二種世間出世間世間

短方圓青黄[illegible]
虛空是无為法无色无方摩訶衍是有為法
是色法所謂布施持戒等云何言與虛空
等荅曰六波羅蜜有二種世間出世間世間
者是有為法色法不同虛空出世間[illegible]如
法性實際智慧和合故似如虛空從得无生
忍已後无分別如虛空復次如佛以无㝵智
觀實相如虛空餘人則不然智慧未畢竟清
淨故復次前後說諸法畢竟空如[illegible]槃
相如虛空不應致疑餘法亦如是乃至如虛
空非說非不說亦如是問曰如虛空言无所
有使是何以說无種種相荅曰初發心菩薩
於內外種種因緣法中著心以是故[illegible]如
虛空无是種種相摩訶衍亦如是問[illegible]以
不說虛空廣大无邊故受一切物而言虛空
无所有故能受一切物衆生摩訶衍亦无所
有荅曰現見虛空无所有一切万物皆在其
中以无所有故能受問曰心心數法亦无形
質何以不受一切物荅曰心心數法覺知相
非是受相又无住處若內若外若近若遠
但以分別相故知有心形色法有住處[illegible]
有虛空以色不受物故則知虛空受物色與
虛空違色若不受則知虛空是受如以无明
故知有明以苦知有樂因色无故說有虛空
更无別相復次心心數法更有不受[illegible]耶
見心心不受正見正見心不受耶見虛空則
[illegible]

虛空違色若不受則知虛空是受如以无明
故知有明以若知有樂曰色无故說有虛空
更无別相復次心心數法更有不受[illegible]耶
見心心不受正見正見心不受耶見處空則
不然一切皆受故又心心數法生滅相是可
斷法虛空則不然心心數法虛空但无色无
形同不得言都不異以是故諸法中[illegible]虛空
能受一切問曰我先問意不然何以不言虛
空无量无邊能受一切物而言无所有受一
切物答曰我說虛空无自相待色相說虛空
若无自相則无虛空云何言无量无[illegible]曰
汝言受想是則虛空云何言无答曰受相即是
无色相色不到處名為虛空以是故无虛空若
實有虛空未有色時應有虛空若未有色有
虛空虛空則无相何以故以未有[illegible]色
色故知有虛空有色故便有无色若先有色
後有虛空虛空則是作法作法不名為常若
有无相法是不可得以是故无虛空問曰若
常有虛空曰色故虛空相現然後相[illegible]空
答曰若空先无相後相之无所住若虛空先
有相相无所相若先无相相之无所住若離
相无相已相无住處若相无住處所相處之
无所相處无故相之无離相及相處更[illegible]无有
法以是故虛空不名為相不名為所相不名
為法不名為非法不名為有不名為无斷諸
語言寂滅如无餘涅槃除一切法如是問

BD03026號　大智度論鈔（擬）　（14–5）

有相相无所相若先无相相之无所住若離
相无相已相无住處若相无住處所相處之
无所相處无故相之无離相及相處更无有
法以是故虛空不名為相不名為所相不名
為法不名為非法不名為有不名為无斷諸
語言寂滅如无餘涅槃除一切法[illegible]是問
曰若一切法如是者即是虛空何以復以虛
空為喻答曰諸法因果皆是虛誑因无明故
有誑眾生心眾生於是中生著而不於虛空
生著六塵法誑眾生心虛空雖誑[illegible]以
是故以虛空為喻以麁現事破微細事如虛
空因色故但有假名无有定法眾生之如是
因五眾和合故但有假名之无定法摩訶衍
之如是以眾生空无佛无菩薩以有[illegible]生故
有佛有菩薩若无佛无菩薩則无摩訶衍以
是故摩訶衍能受无量无邊阿僧祇眾生若
是有法不能受无量諸佛及弟子問[illegible]實
无虛空云何能受无量无邊阿僧祇眾生答
曰以是故佛說摩訶衍无故阿僧祇无阿僧
祇无故无量之无无量无故无邊之无无邊
无故一切法之无以是故能受阿僧[illegible]僧
呿秦言數阿秦言无眾生諸法各各不可得
邊故名无數虛空十方遠近不可得邊故名
故无數分別數六波羅蜜種種布施種種持
戒等无有數數數眾生已上乘[illegible]乘今
上乘不可數是名无數復次有人言初數為

BD03026號　大智度論鈔（擬）　（14–6）

之如是以衆生空无佛无菩薩以有[illegible]生故
有佛有菩薩若无佛无菩薩則无摩訶衍以
是故摩訶衍能受无量无邊阿僧祇衆生若
是有法不能受无量諸佛及弟子問[illegible]若實
无虛空云何能受无量无邊阿僧祇衆生荅
曰以是故佛說摩訶衍无故阿僧祇无阿僧
祇无故无量之无量无故无邊之无无邊
无故一切法之无以是故能受阿僧[illegible]僧
呿秦言數阿秦言无衆生諸法各各不可得
邊故名无數虛空十方遠近不可得邊故名
故无數分別數六波羅蜜種種布施種種持
戒等无有數數衆生已上乘當[illegible]乘今
上乘不可數是名无數復次有人言初數為
一但有一一故言二如是等皆一更无餘數
法若皆是一則无數有人言一切法和合故
有名字如輪輻轂和合故名為車无有定實
法一法无故多亦无先後多故復次以數數
事事无故數之无无量者如以斗稱量物以
智慧量諸法之如是諸法空故无量[illegible]故
无量无有實智云何能得諸法定相无量无
邊量名總相邊名別相量為初始邊名終
竟復次我乃至知者見者无故實際之无實
際无故无數之无无數无故无量之无无量
无故无邊之无无邊无故一切法之无以是
故一切法畢竟清淨是摩訶衍能含受一切

BD03026號　大智度論鈔（擬）　（14–7）

邊量名總相邊名別相量為初始邊名終
竟復次我乃至知者見者无故實際之无實
際无故无數之无无數无故无量之无无量
无故无邊之无无邊无故一切法之无以是
故一切法畢竟清淨是摩訶衍能含受一切
衆生及法二事相因若无衆生則无法若无
法則无衆生无總相一切法空後一一別說
諸法空實際是末後妙法此若无者何況餘
法從不可思議性乃至如涅槃性[illegible]是
須菩提汝所言是摩訶衍不見來處不見去
處不見住處如是如是須菩提論者言佛謂
須菩提汝何以但讚摩訶衍无來无去无住一
切法之如是无來无去无住一切法實相不
動故問曰諸法現有來去可見云何言不說
一切佛法動相无來无去荅曰來去相先已
破今當說一切佛法中无我无衆生[illegible]知者
見者无故來者去者來者去者无故來去相之
應无復次三世中相求不可得所以者何已
去中无去未去中之无去離已去未去去時
之无去問曰有身動處是名為去已去未去中
无身動以是故去時身動即應有去荅曰不然
離去相去時不可得離去時去相不可得云
何言去時去復次若去時有去相應離[illegible]相有
去時何以故汝說去時有去故復次若去時應
有二法一者知去時二者知去時去問曰若尒
有何咎荅曰若尒有二去去者何[illegible]離去

BD03026號　大智度論鈔（擬）　（14–8）

何言去時去復次若去時有去相應[illegible]相有
去時何以故汝說去時有去故復次若去時應
有二法一者知去時二者知去時去問曰若尒
有何咎荅曰若尒有二去去者何[illegible]離去
者无去相若離者去无去相離去相者无去
者是故去者不去不去者之不去離去不去
之无有去来者住者之如是以是故佛說凡
夫人法虛誑无實離復肉眼所見與畜生无
異是不可信是故說諸法无来无去无住處
之无動何者是所謂色色法色如色生色相
色名眼見事未分別好醜實不實自相他相
色法名无常生滅不淨故等色如名色和合
有水沫不牢固離散則无虛誑无實但誑人
眼色現在如是過去未来之尒如現在火熱
比知過去未来之如是復次如諸佛觀色相
畢竟清淨空菩薩之應如是觀色法色如何
因緣不如凡夫人所見性自尒故此於深妙
云何可知以色相力故可知如火以烟為相
見烟則知有火今見色无常破壞苦惱麁惡
相知其性尒五法不去不来不住如[illegible]說乃
至无為无為法如性相不来不去不住之如
須菩提汝所言是摩訶衍前際不可得後際
不可得中際不可得論者言須菩提[illegible]讚說
是摩訶衍前際後際中際俱不可得三世等
故名摩訶衍今佛廣說須菩提所讚是三世

BD03026號　大智度論鈔（擬）　（14–9）

須善[illegible]
不可得中際不可得論者言須善提[illegible]讚說
是摩訶衍前際後際中際俱不可得三世等
故名摩訶衍今佛廣說須菩提所讚是三世
云何不可得所謂過去世過去世空[illegible]世
未来世空現在世現在世空故不可得三世
等等者空摩訶衍摩訶衍自空菩薩菩薩空
是三世相空義如先說此中佛自說[illegible]緣
所謂空空相非一非二非三非四非五等不
異不合不散无有分別是故三世等空相无
所有故是等之空菩薩能如是解諸[illegible]世
等不以无始世来為疲猒不以未来世无邊
故為難是為菩薩三世等名摩訶衍是摩訶
衍中等相不可得不等相之不可得[illegible]入三
世等三昧破是不等相不等相待故有等不
等畢竟无故等之无欲不欲乃至三界度三
界是相待法之如是此中佛自說是[illegible]法皆
從因緣和合故无自性自性无故空復次過
去色過去色相空未来現在之如是如色餘
四衆之如是所以者何空中空相不可得何
況空中有一世五衆相菩薩觀五衆空斷貪
欲入道行所謂檀波羅蜜等之如是五衆三
世中不可得三世等故等即是空是[illegible]中檀
波羅蜜不可得荅曰諸法等中无三世等等
中等相之不可得何況三世六波羅蜜乃至
十八不共法之如是復次三世中凡[illegible]相不

BD03026號　大智度論鈔（擬）　（14–10）

世中不可得三世等故等即是空
波羅蜜不可得荅曰諸法等中无三世等等
中等相之不可得何況三世六波羅蜜乃至
十八不共法之如是復次三世中凡夫相不
可得聲聞乃至佛之不可得以衆生空故菩
薩住般若波羅蜜能如是學三世等空集諸
善功德便具足一切種智佛說菩薩能如是
三世等中住則能勝出一切世間及諸天人
阿脩羅是時須菩提讚言世尊善哉善哉是
摩訶衍利益諸衆菩薩所以者何過去諸菩
薩學是摩訶衍得一切種智未得今得之如
是有人言得清淨无因緣滌垢穢之无因緣
大小好醜縛解皆无主所與有人言好醜縛
解即時節自得有人言福德成就故得佛道
有人言但得清淨實智慧得佛道如是等說
皆是非因緣少因緣須菩薩所不讚歎今佛
捨非因緣之捨不具足因緣說具足因緣所
謂六波羅蜜三世菩薩學是乘具足得成佛
道佛之可須菩提所讚言如是如是

憂波提舍中隨順品第廿三

論者言富樓那雖自无疑為新學鈍根者不
解義一而名字異故發問須菩提即以其事
白佛佛法甚深我所說者將无有失佛荅汝
說摩訶衍隨順般若无有違錯此義初已 論
之今佛為說隨順因緣所謂三乘所攝一切
善法皆合聚在般若波羅蜜中所以者何一

BD03026 號　大智度論鈔（擬）

（14–11）

白佛佛法甚深我所說者將无有失佛荅汝
說摩訶衍隨順般若无有違錯此義初已 論
之今佛為說隨順因緣所謂三乘所攝一切
善法皆合聚在般若波羅蜜中所以者何一
切三乘善法皆為涅槃故涅槃門有三種一
切法皆入空門无相无作如持戒能禪定禪
定能生實智慧不著世間故何等三乘助道
法攝在般若中所謂六波羅蜜三十七品三
脫門佛十力四无所畏四无导智大慈大悲
十八不共法无錯謬相常捨行此中三十七
品三解脫門是三乘共法六波羅蜜是菩薩
法十力乃至常捨行是佛法有人言六波羅
蜜有具足有不具足不具足者共二乘法具
足獨菩薩法復次摩訶衍空般若波羅蜜之
空空義一故須菩提隨順无錯如般若波羅
蜜空五波羅蜜乃至如法性實際不可思議
性涅槃之如是復次般若波羅蜜乃至涅槃
皆是不可合不散无色无形无對一相所謂
无相是同相故說摩訶衍則是般若波羅蜜
摩訶衍般若无二无別故

憂波提舍中品第廿四

問曰上已說菩薩菩薩字不可得為誰說般
若波羅蜜今何以更說荅曰不應作是問須
菩提空行第一常樂說空若有所說常以若
門利益衆生復次上略說是中十種廣分別
菩薩不可得行者若觀諸法空隨順无相不

BD03026 號　大智度論鈔（擬）

（14–12）

善提空行第一常樂說空者有所說常以十
門利益衆生復次上略說是中十種廣分别
善薩不可得行者若觀諸法空隨順无相不
作以无作心故不欲有所作尚不能自作利
益何况利益人若人住我心中能分别諸
法善不善相集諸善法捨不善法今佛說般
若波羅蜜中不應計我心不應分别諸法但
行衆善是事為難行者作是念若无我者為
誰脩善先有我今以般若波羅蜜故无心生憂
慼是故須善提更重說我從本以來无非无
有今无行者如是知本來自无今无所失故
无所憂譬如深根大樹不可以一斫能辦多
用斧刃乃至斷善薩空之如是不可一說便得
以是故廣分别須善提問佛時作是念若空
有善薩法應三世通有今前世中无有善薩
何以故前世无初故未來世之如是未有因
緣故前後相待故有中間若无前後則无中
間若謂五衆是善薩五衆无邊如先種種因
緣說五衆畢竟空故无量无邊无量无邊故
同无為法若善薩无邊者是事不然以此因
緣故善薩不可得當為誰說常一切處一切
種種切時求善薩不可得當為誰誰如我畢
竟不生空无所有有五衆之如是畢竟不生
无所有既无衆生及五衆法云何有善薩問
曰衆生及五衆法畢竟之不生觧是法者即
是善薩答曰畢竟不生不名為色受想行識

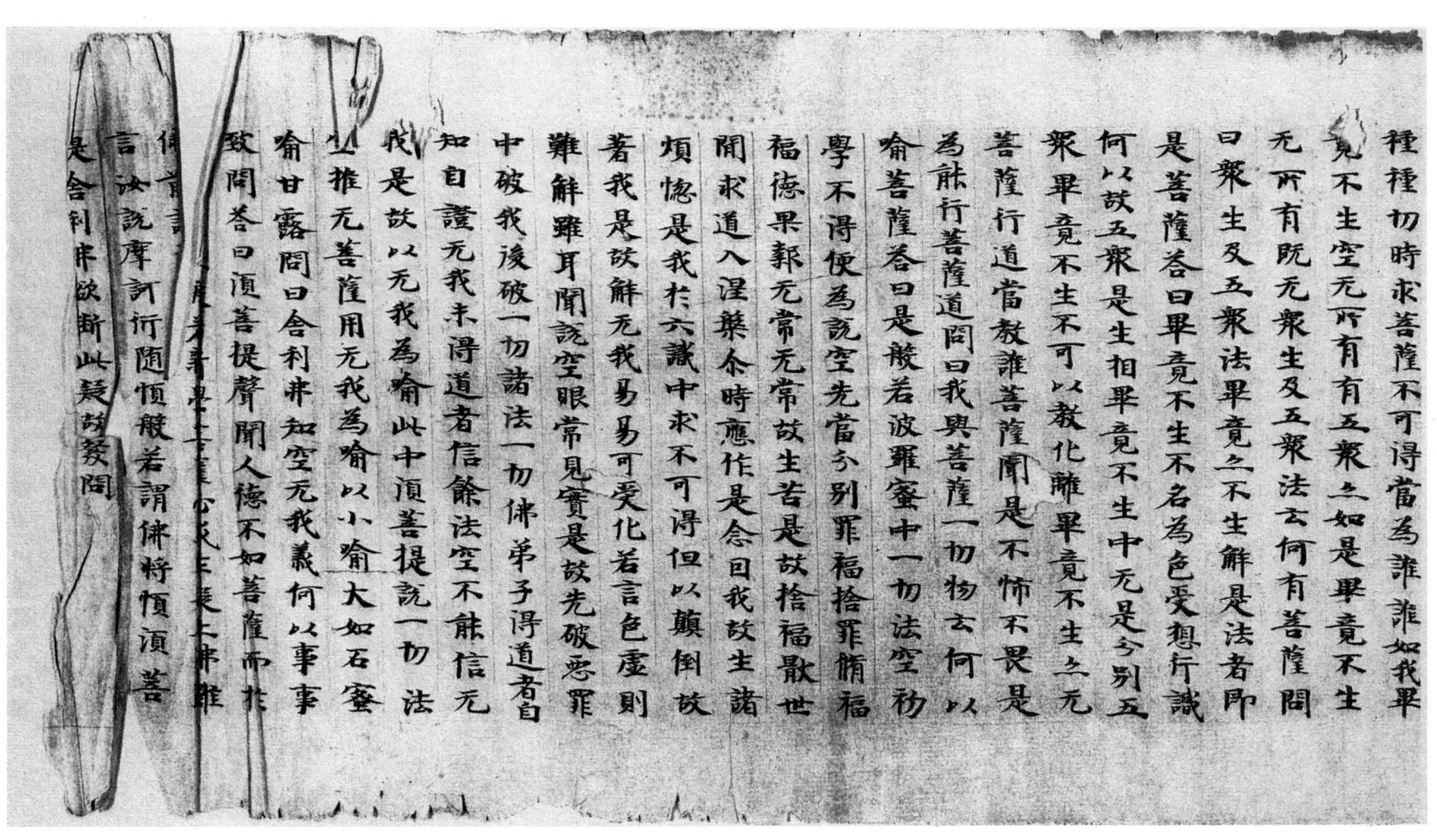

BD03026號　大智度論鈔（擬）　（14–13）

種種切時求善薩不可得當為誰誰如我畢
竟不生空无所有有五衆之如是畢竟不生
无所有既无衆生及五衆法云何有善薩問
曰衆生及五衆法畢竟之不生觧是法者即
是善薩答曰畢竟不生不名為色受想行識
何以故五衆是生相畢竟不生中无是分别五
衆畢竟不生不可以教化離畢竟不生之无
善薩行道當教誰善薩聞是不怖不畏是
為能行善薩道問曰我與善薩一切物云何以
喻善薩答曰是般若波羅蜜中一切法空初
學不得便為說空先當分别罪福捨罪脩福
福德果報无常无常故生苦是故捨福猒世
間求道入涅槃尒時應作是念因我故生諸
煩惱是我於六識中求不可得但以顛倒故
著我是故觧无我易易可受化若言色虛則
難觧雖耳聞說空眼常見實是故先破惡罪
中破我後破一切諸法一切佛弟子得道者自
知自證无我未得道者信餘法空不能信无
我是故以无我為喻此中須善提說一切法
生推无善薩用无我為喻以小喻大如石蜜
喻甘露問曰舍利弗知空无我義何以事事
致問答曰須善提聲聞人德不如善薩而於
[illegible]
佛前[illegible]
言汝說摩訶衍隨順般若謂佛將順須善
是舍利弗欲斷此疑故發問

BD03026號　大智度論鈔（擬）　（14–14）

貪煩惱阿……□惱衆結爛壞是名
子結不能繫縛未斷果故名果繫縛諸阿羅
漢不見佛性以不見故不得阿耨多羅三藐
三菩提以是義故可言果繫不得說言名色
繫縛善男子譬如燃燈油未盡時明則不滅
若油盡者滅則无疑善男子所言油者喻諸
煩惱燈喻衆生一切衆生煩惱油故不入涅
槃若得斷者則入涅槃師子吼言世尊燈之
與油二性各異衆生煩惱則不如是衆生即
是煩惱煩惱即是衆生衆生名五陰五陰
名衆生五陰名煩惱煩惱名五陰云何如來
喻之於燈佛言善男子喻有八種一者順喻二
者逆喻三者現喻四者非喻五者先喻六者
後喻七者先後喻八者遍喻云何順喻如經中
說天降大雨溝瀆皆滿溝瀆滿故小坑滿小
坑滿故大坑滿大坑滿故小泉滿小泉滿故
大泉滿大泉滿故小池滿小池滿故大池滿
大池滿故小河滿小河滿故大河滿大河滿
故大海滿如來法雨亦復如是衆生戒滿戒
滿之故不悔心滿不悔滿故歡喜滿歡喜滿
故遠離滿遠離滿故安隱滿安隱滿故三昧
滿三昧滿故正知見滿正知見滿故厭離滿

BD03027號　大般涅槃經（北本　異卷）卷二九　（17–1）

大泉滿大泉滿故小池滿小池滿故大池滿
大池滿故小河滿小河滿故大河滿大河滿
故大海滿如來法雨亦復如是衆生戒滿戒
滿之故不悔心滿不悔滿故歡喜滿歡喜滿
故遠離滿遠離滿故安隱滿安隱滿故三昧
滿三昧滿故正知見滿正知見滿故厭離滿
厭離滿故呵責滿呵責滿故解脫滿解脫滿
故涅槃滿是名順喻云何逆喻大海有本所
謂大河大河有本所謂小河小河有本所謂
大池大池有本所謂小池小池有本所謂大
泉大泉有本所謂小泉小泉有本所謂大坑
大坑有本所謂小坑小坑有本所謂溝瀆溝
瀆有本所謂大雨涅槃有本所謂解脫解脫
有本所謂呵責呵責有本所謂厭離厭離有
本所謂正知見正知見有本所謂三昧三昧
有本所謂安隱安隱有本所謂遠離遠離有
本所謂喜心喜心有本所謂不悔不悔有本所謂
持戒持戒有本所謂法雨是名逆喻云何現
喻如經中說衆生心性猶如獼猴獼猴之性
捨一取一衆生心性亦復如是取著色聲香
味觸法无暫住時是名現喻云何非喻如我
昔告波斯匿王大王有親信人從四方來各
作是言大王有四大山從四方來欲害人民
王若聞者當設何計王言世尊設有此來无
逃避處唯當專心持戒布施我即讚言善哉
大王我說四山即是衆生生老病死生老病
死來常切人云何大王不脩戒施王言世尊
持戒布施得何等果我言大王於人天中多
受快樂王言世尊尼拘陀樹持戒布施亦於

BD03027號　大般涅槃經（北本　異卷）卷二九　（17–2）

王若聞者當設何計王言世尊設有此來无
逃避處唯當專心持戒布施我即讚言善哉
大王我說四山即是衆生生老病死生老病
死來常切人云何大王不脩戒施王言世尊
持戒布施得何等果我言大王於人天中多
受快樂王言世尊尼拘陁樹持戒布施亦於
人天受安隱耶我言大王尼拘陁樹不能持
戒脩行布施如其能者則受无異是為非喻
云何先喻我經中說譬如有人貪著妙華採
取之時為水所溺衆生亦尒貪受五欲為生
老病死之所溺沒是名先喻云何後喻如法
句說
莫輕小惡　以為无殃　水渧雖微　漸盈大器
是名後喻云何先後喻譬如芭蕉生菓則死
愚人得養亦復如是如騾懷任命不久全云
何遍喻如經中說三十三天有波利質多樹
其根入地深五由旬高百由旬枝葉四布五
十由旬葉熟則黃諸天見已心生歡喜是葉
不久必當墮落其葉既落復生歡喜是枝不
久必當變色枝既變已復生歡喜是色不久
必當生皰見已復喜是皰不久必當生嘴見
已復喜是嘴不久必當開剖開剖之時香氣
周遍五十由旬光明遠照八十由旬尒時諸
天夏三月時在下受樂善男子我諸弟子亦
復如是葉色黃者喻我弟子念欲出家其葉
落者喻我弟子剃除鬚髮其色變者喻我弟
子白四羯磨受具足戒初生皰者喻我弟子
發阿耨多羅三藐三菩提心嘴者喻於十住

天夏三月時在下受樂善男子我諸弟子亦
復如是葉色黃者喻我弟子念欲出家其葉
落者喻我弟子剃除鬚髮其色變者喻我弟
子白四羯磨受具足戒初生皰者喻我弟子
發阿耨多羅三藐三菩提心嘴者喻於十住
菩薩得見佛性開剖者喻於菩薩得阿耨多
羅三藐三菩提香者喻於十方无量衆生受
持禁戒光者喻於如來名号无㝵周遍十方
夏三月者喻三三昧三十三天受快樂者喻
於諸佛在大涅槃得常樂我淨是名遍喻善
男子凡所引喻不必盡取或取少分或取多
分或復全取如言如來面如滿月是名少分
善男子譬如有人初不見乳轉問他言乳為
何類彼人答言如水蜜貝水則濕相蜜則甜
相貝則白相雖引三喻未即乳實善男子
我言燈喻喻於衆生亦復如是善男子離水
无河衆生亦尒離五陰已无別衆生善男子
如離箱轂輪軸輻輞更无別車衆生亦尒善
男子若欲得合彼燈喻者諦聽諦聽我今當
說炷者喻於廿五有油者喻愛明喻智慧
除破黑闇喻破无明煙喻聖道如燈油盡明
炎則滅衆生愛盡則見佛性雖有名色不能
繫縛雖復處在廿五有不為諸有之所汙染
師子吼言世尊衆生五陰空无所有誰有受
教脩集道者佛言善男子一切衆生皆有念
心慧心發心懃精進心信心定心如是等法
雖念念滅猶故相似相續不斷故名脩道
師子吼言世尊如是等法皆念念滅是念念
滅中之因以相續云何脩集

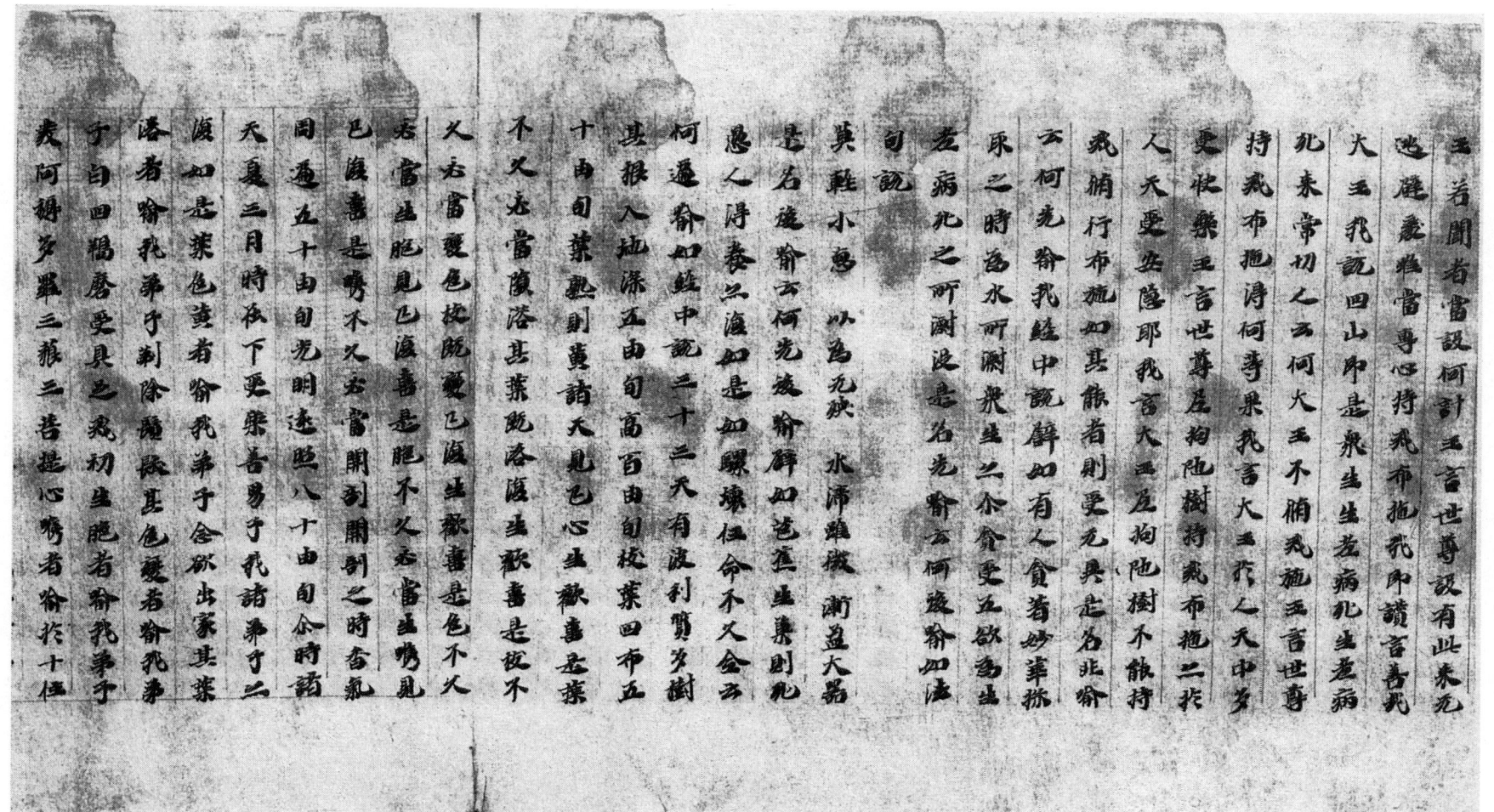

師子吼言世尊衆生五陰空无所有誰有受
教脩集道者佛言善男子一切衆生皆有念
心慧心發心懃精進心信心定心如是等法
雖念念生滅猶故相似相續不斷故名脩道
師子吼言世尊如是等法皆念念滅是念念
滅中之相似相續云何脩集
佛言善男子如燈雖念念滅而有光明除破
闇冥念等諸法亦復如是善男子如衆生食
雖念念滅亦令飢者而得飽滿譬如上藥雖
念念滅亦能愈病日月光明雖念念滅亦能
增長樹林草木善男子汝言念念滅云何增
長心者不斷故名爲增長善男子如人讀書
所讀字句不得一時前不至中中不至後人
之與字及以心想俱念念滅以久習故而得
通利善男子譬如金師從初習作至于晧首
雖念念滅前不至後以積習故所作遂工是
故得稱善好金師讀誦經書亦復如是善男
子譬如種子地不教汝當生牙以法性故
牙則自生乃至華亦不教汝當作菓以法性
故而菓自生衆生脩道亦復如是善男子譬
如數法一不至二二不至三雖念念滅而至
千万衆生脩道亦復如是善男子如燈念念
滅初滅之炎不教後炎我滅汝生當破諸闇
善男子譬如犢子生便求乳求乳之智實无
人教雖念念滅而初飢後飽是故當知不悉
相似若相似者不應異生衆生脩道亦復如
是初雖未增以久習故則能破壞一切煩惱
師子吼言世尊如佛所說須陀洹人得果證
已雖生惡國猶故持戒不殺盜婬兩舌飲酒

BD03027號　大般涅槃經（北本　異卷）卷二九　（17–5）

人教雖念念滅而初飢後飽是故當知不悉
相似若相似者不應異生衆生脩道亦復如
是初雖未增以久習故則能破壞一切煩惱
師子吼言世尊如佛所說須陀洹人得果證
已雖生惡國猶故持戒不殺盜婬兩舌飲酒
須陀洹陰即此處滅不至惡國脩道之力不
至惡國若相似者何故不生淨妙國土若惡
國陰非須陀洹陰云何而得不作惡業佛言
善男子須陀洹者雖生惡國終不失於須陀
洹名陰不相似是故我引犢子爲喻須陀洹
人雖生惡國以道力故不作惡業善男子譬
如香山有師子王是故一切飛鳥走獸絕迹
此山无敢近者有時是王至雪山中一切鳥
獸猶故不住須陀洹人亦復如是雖不脩道
以道力故不作諸惡善男子譬如有人服食
甘露甘露雖滅以其力勢能令是人不死不
生善男子如須弥山有上妙藥名揚伽利有
人服之雖念念滅以藥力故不遇惡害善男
子如轉輪王所生之處王雖不在无人敢近
何以故王威力故須陀洹人亦復如是雖生
惡國不脩集道以道力故不作惡業善男子
須陀洹陰於此而滅雖生異陰猶故不失須
陀洹陰善男子譬如衆生爲果實故於種子
中多役作糞治溉灌未得果實而子復滅
之得名爲因子得果須陀洹陰亦復如是善
男子譬如有人貧生巨富唯有一子先以終
沒其子有子遠在他土其人忽然奄便終亡
孫聞是已還收產業雖知財貨非其所作然
其收取无遮護者何以故以性一故須陀洹

BD03027號　大般涅槃經（北本　異卷）卷二九　（17–6）

亦得名為因子得果還他酒陰亦復如是善
男子譬如有人負出息債唯有一子先以終
沒其子有子復貸他去其人忽然奄便終亡
孫聞是已還收產業雖知財貨非其所作然
其收取無違護者何以故以恒一故須陁洹
陰亦復如是師子吼言如佛說偈
比丘若脩集　戒定及智慧　當知是不退　親近大涅槃
世尊云何脩戒云何脩定云何脩慧佛言善
男子若有人受持禁戒但為自利人天受樂
不為度脫一切衆生不為擁護无上正法但
為利養畏三惡道為命色力安无㝵辯畏懼
王法惡名譏嫌為世事業如是護戒則不得
名脩集戒也善男子云何名為真脩集戒受
持戒時若為度脫一切衆生為護正法度不
度故解未解故歸未歸故未入涅槃令得入
故如是脩時不見戒不見戒相不見持者不
見果報不觀毀犯善男子若能如是則名
為脩集戒也云何復名脩集三昧脩三昧時
為自度脫為於利養不為衆生不為護法為
見貪欲識食等過男女等根九孔不淨闘諍
打刺牙相殺害若為此事脩三昧者是則不
名脩集三昧善男子云何復名真脩三昧若
為衆生脩集三昧於衆生中得平等心為令
衆生得不退法為令衆生得聖心故為令衆
生得大乘故為欲護持无上法故為令衆生
不退菩提心故為令衆生得首楞嚴三昧故
為令衆生得金剛三昧故為令衆生得陁羅
尼故為令衆生得四无㝵故為令衆生見佛
性故作是行時不見三昧不見三昧相不見

生得大乘故為欲護持无上法故為令衆生
不退菩提心故為令衆生得首楞嚴三昧故
為令衆生得金剛三昧故為令衆生得陁羅
尼故為令衆生得四无㝵故為令衆生見佛
性故作是行時不見三昧不見三昧相不見
脩者不見果報善男子若能如是是則名為
脩集三昧云何復名脩於智慧若有脩者作
是思惟我若脩集得是智慧則得解脫度三
惡道誰能利益一切衆生誰能度人於生死
道佛出世難如優曇華我今能斷諸煩惱結
得解脫果是故我當懃脩智慧速斷煩惱早
得度脫如是脩者不得名為脩集智慧云何
名為真脩集者智者若觀生老死苦一切衆
生无明所覆不知脩集无上正道願我此身
悉代衆生受大苦惱衆生所有貧窮下賤破
戒之心貪瞋癡業願皆悉來集于我身願諸
衆生不生貪取不為名色之所繫縛願諸衆
生早度生死令我一身處之不猒願令一切
皆得阿耨多羅三藐三菩提如是脩時不見
智慧不見智慧相不見脩者不見果報是則
名為脩集智慧善男子脩集如是戒定智慧
是名菩薩不能如是脩戒定慧是名聲聞復
次善男子云何復名脩集於戒若能破壞一
切衆生十六惡律儀何等十六一者為利餧
養羔羊肥已轉賣二者為利買已屠殺三者
為利餧養豬豚肥已轉賣四者為利買已屠
殺五者為利餧養牛犢肥已轉賣六者為利
買已屠殺七者為利養雞令肥肥已轉賣八
者為利買已屠殺九者釣魚十者獵師十一

養羊肥已轉賣二者為利買已屠煞三者
為利餧養肥已轉賣四者為利買已屠
煞五者為利餧養牛犢肥已轉賣六者為利
買已屠煞七者為利養雞令肥肥已轉賣八
者為利買已屠煞九者釣魚十者獵師十一
者劫奪十二者魁膾十三者網捕飛鳥十四
者兩舌十五者獄卒十六者呪龍能為衆生
永斷如是十六惡業是名修戒云何修定能
斷一切世間三昧所謂无身三昧能令衆生
生顛倒心謂是涅槃有无邊心三昧淨聚三
昧世邊三昧世斷三昧世性三昧世丈夫三
昧非想非非想三昧如是等定能令衆生ㄑ
顛倒心謂是涅槃若能永斷如是三昧是則
名為修集三昧云何復名修集智慧能破世
間所有惡見一切衆生悉有惡見所謂色即
是我二是我所色中有我我中有色乃至識
二如是常即是我色滅我存色即是我色滅
我滅復有人言作者名我受者若色復有人
言作者名色受者名我復有人言无作无受
自生自滅悉非因緣復有人言无作无受悉
是自在之所造作復有人言无有作者无有
受者一切悉是時節所作復有人言作者受
者悉无所有地等五大名為衆生善男子若
能破壞一切衆生如是惡見是則名為修智
慧也善男子修集戒者為身寂靜修集三昧
為心寂靜修集智慧為壞疑心壞疑心者為
修集道修集道者為見佛性見佛性者為得
阿耨多羅三藐三菩提故得阿耨多羅三藐
三菩提者為得无上大涅槃故得大涅槃為

BD03027號　大般涅槃經（北本　異卷）卷二九　（17–9）

慧也善男子修集戒者為身寂靜修集三昧
為心寂靜修集智慧為壞疑心壞疑心者為
修集道修集道者為見佛性見佛性者為得
阿耨多羅三藐三菩提故得阿耨多羅三藐
三菩提者為得无上大涅槃故得大涅槃為
斷衆生一切生死一切煩惱一切諸有一切
諸界一切諸諦故斷於生死乃至斷諦為得
常樂我淨法故師子吼言世尊如佛所說若
不生滅名大涅槃生亦如是不生不滅何故
不得名為涅槃善男子如是如是如汝所言
是生雖復不生不滅而有始終世尊是生死
法亦无始終若无始終則名為常ㄑ即涅槃
何故不名生死為涅槃耶善男子是生死法
悉有因果有因果故不得名之為涅槃耶何
以故涅槃之體无因果故師子吼言世尊大
涅槃者亦有因果如佛所說
從因故生天　從因墮地獄　從因故涅槃　是故皆有因
如佛往昔告諸比丘我今當說沙門道果言
沙門者謂能具修戒定智慧道者謂八聖道
沙門果者所謂涅槃世尊涅槃如是豈非果
耶云何說言涅槃之性无因无果佛言善男
子我所宣說涅槃因者所謂佛性佛性之性
不生涅槃是故我言涅槃无因能破煩惱故
名大果不從道生故名无果是故涅槃无因
无果師子吼言世尊衆生佛性為悉共有為
各各有若共有者一人得阿耨多羅三藐三
菩提時一切衆生亦應同得世尊如二十人
同有一怨若一人能除餘十九人皆亦同除
佛性若尒一人得時餘亦應得若各各有則
[illegible]

BD03027號　大般涅槃經（北本　異卷）卷二九　（17–10）

无果師子吼言世尊衆生佛性為悉共有為
各各有若共有者一人得阿耨多羅三藐三
菩提時一切衆生亦應同得世尊如二十人
同有一怨若一人能除餘十九人皆亦同除
佛性若尒一人得時餘亦應得若各各有則
是无常何以故可筭數故然佛所說衆生佛
性不一不二若各各有不應說言諸佛平等
亦不應說佛性如空佛言善男子衆生佛性
不一不二諸佛平等猶如虚空一切衆生同
共有之若有能脩八聖道者當知是人則得
明見善男子雪山有草名曰忍辱牛若食之
則成醍醐衆生佛性亦復如是師子吼言如
佛所說忍辱草者一耶多耶如其一者牛食
則盡如其多者云何而言衆生佛性亦如是
耶如佛所說若有脩集八聖道者則見佛性
是義不然何以故道若一者如忍辱草則應
有盡如其有盡一人脩已餘則无分道若多
者云何得言具足脩集亦不得名薩婆若猶
佛言善男子如平坦路一切衆生悉於中行
无鄣者中路有樹其蔭清涼行人於下憩駕
心息然其樹蔭常住不異亦不消壞无持去
者路喻聖道蔭喻佛性善男子譬如大城唯
有一門雖有多人經由入出都无有能作鄣
㝵者亦復无人破壞毀落而賫持去善男子
譬如橋梁行人所由亦无有人遮止鄣㝵毀
壞持去善男子譬如良醫遍療衆病亦无有
能遮止是醫治此捨彼聖道佛性亦復如是
師子吼言世尊所引諸喻義不如是何以故

BD03027號　大般涅槃經（北本　異卷）卷二九　（17–11）

譬如橋梁行人所由亦无有人遮止鄣㝵毀
壞持去善男子譬如良醫遍療衆病亦无有
能遮止是醫治此捨彼聖道佛性亦復如是
師子吼言世尊所引諸喻義不如是何以故
先者夜路於後則防云何而言无有鄣㝵餘
亦皆尒聖道佛性若如是者一人脩時應防
餘者佛言善男子如汝所說義不相應我所
喻道是少分喻非一切喻善男子世間道者
則有鄣㝵此彼之異无有平等无漏道者則
不如是能令衆生无有鄣㝵平等无二无有
方處此彼之異如是正道能為一切衆生佛
性而作了因不作生因猶如明燈照了於物
善男子一切衆生皆同无明因緣於行不可
說言一人无明因緣行已其餘无應一切衆
生悉有无明因緣於行是故說言十二因緣
一切平等衆生所脩无漏正道亦復如是等
斷衆生煩惱四生諸界有道以是義故名為
平等甚有證者彼此知見无有鄣㝵是故得
名薩婆若猶師子吼言一切衆生身不一種
或有天身或有人身畜生餓鬼地獄之身如
是多身差別非一云何而言佛性為一佛言
善男子譬如有人置毒乳中乃至醍醐皆悉
有毒乳不名酪酪不名乳乃至醍醐亦復如
是名字雖變毒性不失遍五味中悉皆如是
若服醍醐亦能殺人實不置毒於醍醐中衆
生佛性亦復如是雖處五道受別異身而是
佛性常一无變師子吼言世尊十六大國有
六大城所謂舍婆提城婆枳多城瞻婆城毗

BD03027號　大般涅槃經（北本　異卷）卷二九　（17–12）

是名字雖變毒性不失遍五味中悉皆如是
若服提湖亦能煞人實不置毒於提湖中衆
生佛性亦復如是雖處五道受別異身而是
佛性常一无變師子吼言世尊十六大國有
六大城所謂舍衛婆枳多城瞻婆城毗
舍離城波羅㮈城王舍城如是六城世中最
大何故如來捨之在此邊地弊惡極陿小
拘尸那城入般涅槃善男子汝不應言拘尸
那城邊地弊惡隨陿小應言是城微妙功
德之所莊嚴何以故諸佛菩薩所行處故善
男子如賤人舍王若過者則應讚嘆是舍能
辦福德成就乃令大王迴駕臨顧善男子如
人重病服鐵弊藥服已病愈即應歡喜讚嘆
是藥最上最妙能愈我病善男子如人乘舩
在大海中其舩卒壞无所依倚依倚死屍得
到彼岸到彼岸已應大歡喜讚嘆是屍我賴
相遇而得安隱拘尸那城亦復如是乃是諸
佛菩薩行處云何而言邊地弊惡隨陿小城
善男子我念往昔過恒沙劫劫名善覺時有
聖王姓憍尸迦七寶成就千子具足其王始
初造立此城周匝縱廣十二由旬七寶莊嚴
土多有河其水清淨柔濡甘美所謂尼連禪
河伊羅跋提河熙連禪河伊摸未坻河毗婆
舍耶河如是等河其數五百河此彼岸樹木
鬱茂華果鮮潔尒時人民壽命无量時轉輪
聖王過百年已作是唱言如佛所說一切諸
法皆悉无常若能脩集十善法者能斷如是
无常大苦人民聞已咸共奉脩十善之法我
於尒時聞佛名字受持十善思惟脩集初數

BD03027 號　大般涅槃經（北本　異卷）卷二九　　（17–13）

聖王過百年已作是唱言如佛所說一切諸
法皆悉无常若能脩集十善法者能斷如是
无常大苦人民聞已咸共奉脩十善之法我
於尒時聞佛名字受持十善思惟脩集初數
阿耨多羅三藐三菩提心發是心已復以是
法轉教无量无邊衆生言一切法无常變壞
是故我今續於此處亦說諸法无常變壞唯
說佛身是常住法我憶往昔所行因緣是故
今來在此涅槃欲酬報此地往恩以是義
故我經中說我眷屬者更恩能報
復次善男子往昔衆生壽无量時尒時此城
名拘舍拔提周匝縱廣五由旬時閻浮提
居民階陛雞龍相及有轉輪王名曰善見七
寶成就千子具足王四天下第一太子思惟
正法得辟支佛時轉輪王見其太子成辟支
佛威儀詳序神通希有見是事已即捨王位
如棄涕唾出家在此娑羅樹間八万歲中脩
集慈心悲喜捨心各八万歲善男子欲知尒
時善見聖王則我身是是故我今常樂遊止
如是四法是四法者名為三昧善男子以是
義故如來之身常樂我淨善男子以是因緣
今來在此拘尸那城娑羅樹間三昧正受善
男子我念往昔過无量劫此城尒時名迦毗
羅衛其城有王名曰白淨其王夫人名曰摩
耶王有一子名悉達多尒時王子不由師教
自然思惟得阿耨多羅三藐三菩提有二弟
子一名舍利弗二名大目揵連給侍弟子名
曰阿難尒時世尊在雙樹間演說如是大涅

BD03027 號　大般涅槃經（北本　異卷）卷二九　　（17–14）

耶王有一子名悉達多尒時王子不由師教
自然思惟得阿耨多羅三藐三菩提有二弟
子一名舍利弗二名大目揵連給侍弟子名
曰阿難尒時世尊在雙樹間演說如是大涅
槃經我時在會得聞斯事聞諸衆生悉有佛
性聞是事已即於菩提得不退轉尋自發願
願未來世成佛之時父母國土名字弟子侍
使之人說法教化如今世尊等无有異以是
因緣今來在此敷揚演說大涅槃經善男子
我初出家未得阿耨多羅三藐三菩提時頻
婆娑羅王遣使而言悉達太子若為聖王我
當臣屬若不樂家得阿耨多羅三藐三菩提
者願先來至此王舍城說法度人受我供養
我時嘿然已受彼請善男子我初得阿耨多
羅三藐三菩提已向鴦闍國時伊連禪河有
婆羅門姓迦葉氏與五百弟子在彼河側求
无上道我為是人故往說法迦葉言瞿曇我
今年邁已百廿摩伽陀國所有人民及其大
王頻婆娑羅咸謂我已證羅漢果我今若當
在於汝前聽受法者一切人民或生倒心大
德迦葉非羅漢耶奔願瞿曇速往餘處若此
人民知瞿曇功德勝我我等无由復得供
養我時答言迦葉汝若於我不生惡重大瞋
恨者見容一宿明當早去迦葉言瞿曇我心
无他深相愛重但我住處有一毒龍其性暴
急恐相危害我言迦葉毒中之毒不過三毒
我今已斷世間之毒我所不畏迦葉復言苟
能不畏善哉聽住善男子我於尒時故為迦
葉現十八變如經中說尒時迦葉及其眷屬

BD03027 號　大般涅槃經（北本　異卷）卷二九　（17–15）

无他深相愛重但我住處有一毒龍其性暴
急恐相危害我言迦葉毒中之毒不過三毒
我今已斷世間之毒我所不畏迦葉復言苟
能不畏善哉聽住善男子我於尒時故為迦
葉現十八變如經中說尒時迦葉及其眷屬
五百等輩見聞是已證羅漢果是時迦葉復
有二弟一名伽耶迦葉二名那提迦葉師徒
眷屬復有五百亦皆證得阿羅漢果時王舍
城六師之徒聞是事已即於我所生大惡心
我時赴信受彼王請詣王舍城未至中路王
與无量百千之衆悉來奉迎我為說法時聞
法已欲界諸天八万六千發阿耨多羅三藐
三菩提心頻婆娑羅王所將眷從十二万人
得須陁洹果无量衆生成就忍心既入城已
度舍利弗大目揵連及其眷屬二百五十人
令捨本心出家學道我即住彼受王供養外
道六師相與集聚詣舍衛城時彼城中有一
長者名須達多為兒娉婦詣王舍城既達彼
城寄止長者珊檀那舍時此長者中夜而起
告諸眷屬仁等可起速共莊嚴掃洒舍宅辦
具餚饍須達聞已尋自思惟將非欲請摩伽
王耶為有婚姻歡樂會乎思惟是已尋前問
言大士欲請摩伽陀王頻婆娑羅耶為有婚
姻歡樂會乎緣務不安乃如是耶長者答言
不也居士我明請佛无上法王須達長者初
聞佛名身毛皆豎尋復問言何等為佛長者
答言汝不聞耶迦毗羅城有釋種子字悉達
多姓瞿曇氏父名白淨其生未久相師占之
定當得作轉輪聖王如菴羅菓已在手中心

BD03027 號　大般涅槃經（北本　異卷）卷二九　（17–16）

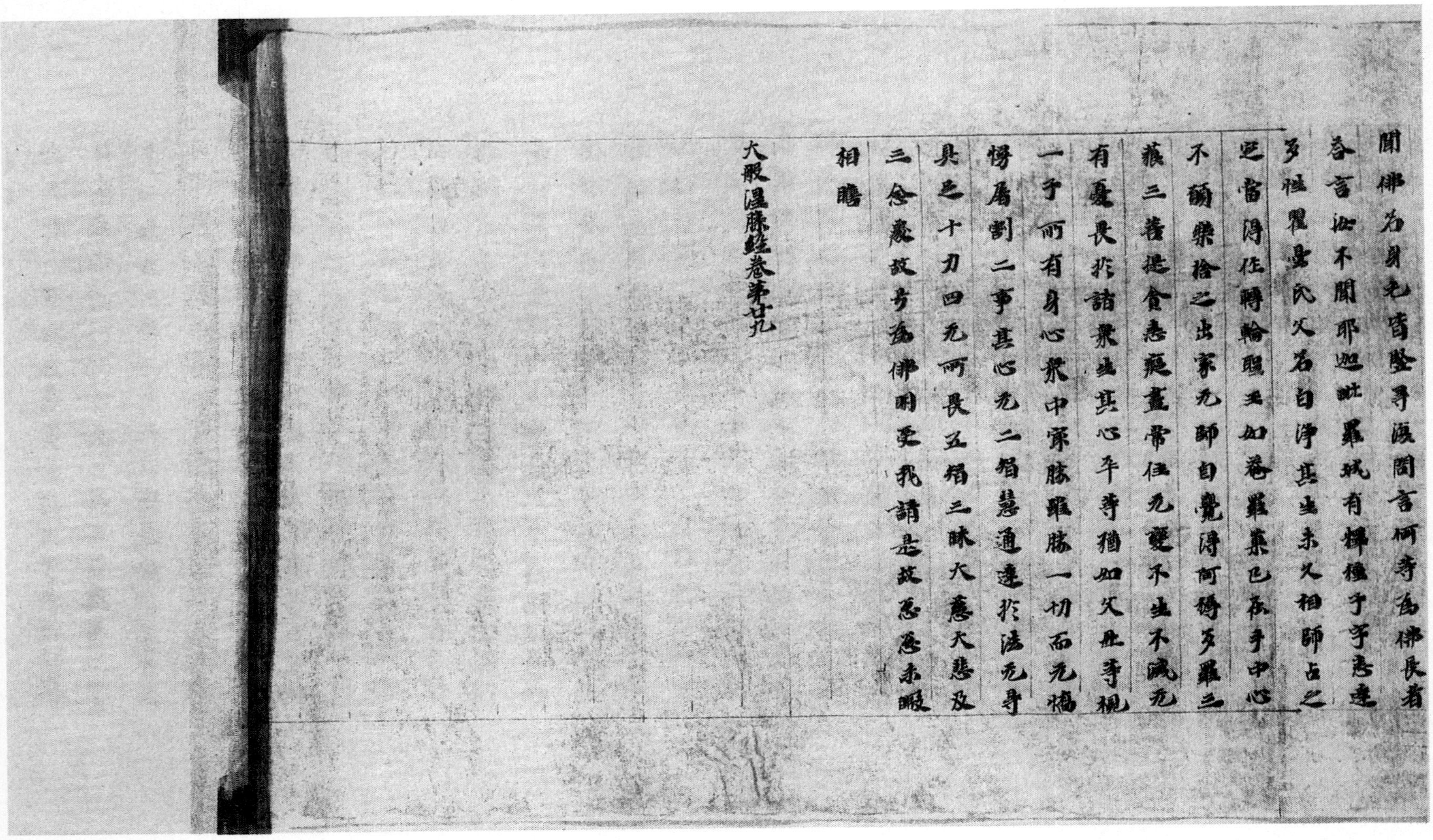

聞佛名身毛皆竪尋便問言何等為佛長者
答言汝不聞耶迦毗羅城有釋種子字悉達
多姓瞿曇氏父名白淨其生未久相師占之
必當得作轉輪聖王如菴羅菓已在手中心
不願樂捨之出家无師自覺得阿耨多羅三
藐三菩提貪恚癡盡常住无變不生不滅无
有憂畏於諸衆生其心平等猶如父母等視
一子所有身心衆中第勝雖勝一切而无憍
慢屠割二事其心无二智慧通達於法无导
具足十力四无所畏五智三昧大慈大悲及
三念處故号爲佛明旦我請是故悤悤未暇
相瞻

大般涅槃經卷第廿九

BD03027 號　大般涅槃經（北本　異卷）卷二九　（17–17）

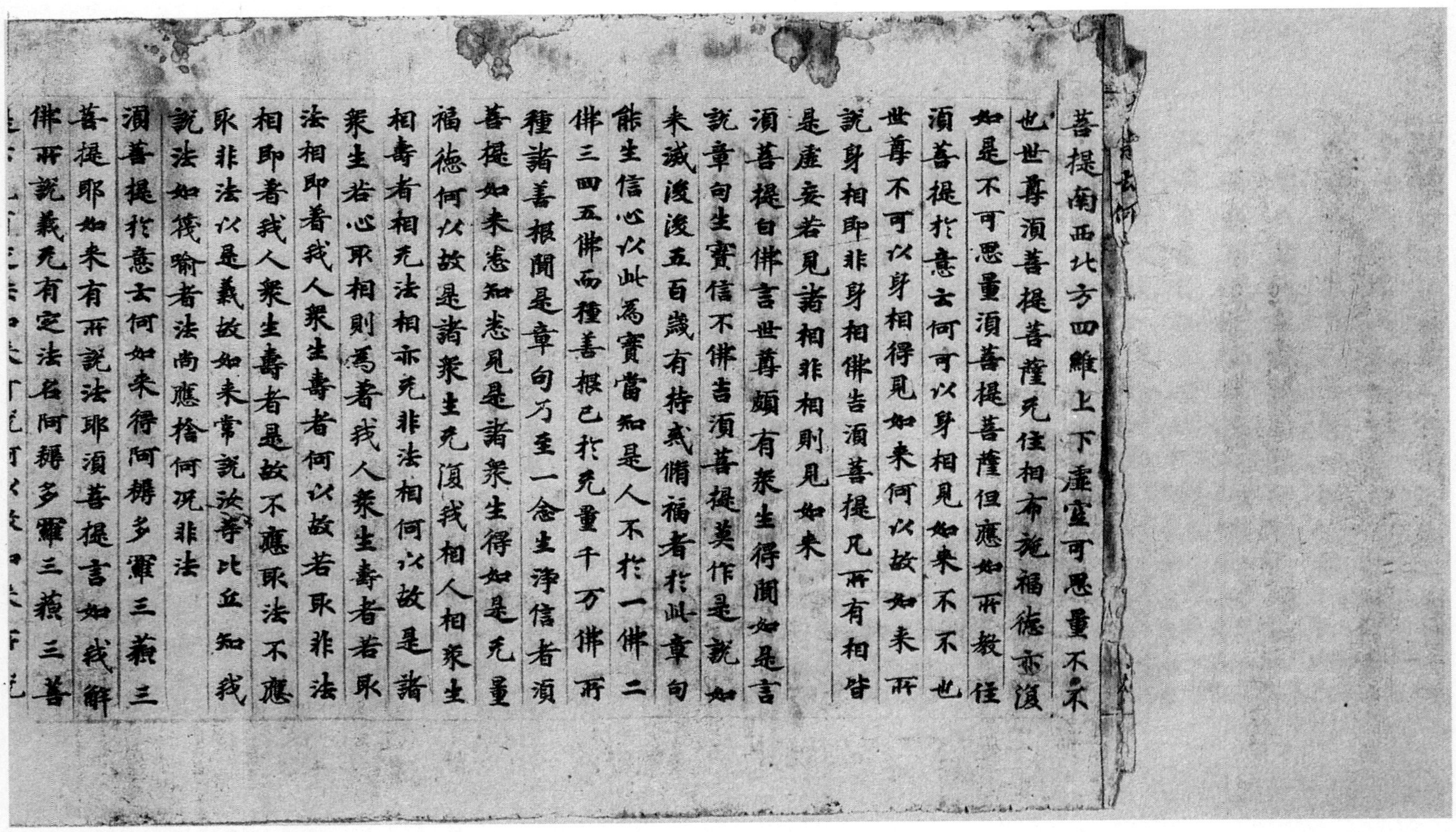

菩提南西北方四維上下虛空可思量不不
也世尊須菩提菩薩无住相布施福德亦復
如是不可思量須菩提菩薩但應如所教住
須菩提於意云何可以身相見如來不不也
世尊不可以身相得見如來何以故如來所
說身相即非身相佛告須菩提凡所有相皆
是虛妄若見諸相非相則見如來
須菩提白佛言世尊頗有衆生得聞如是言
說章句生實信不佛告須菩提莫作是說如
來滅後後五百歲有持戒脩福者於此章句
能生信心以此爲實當知是人不於一佛二
佛三四五佛而種善根已於无量千万佛所
種諸善根聞是章句乃至一念生淨信者須
菩提如來悉知悉見是諸衆生得如是无量
福德何以故是諸衆生无復我相人相衆生
相壽者相无法相亦无非法相何以故是諸
衆生若心取相則爲著我人衆生壽者若取
法相即著我人衆生壽者何以故若取非法
相即著我人衆生壽者是故不應取法不應
取非法以是義故如來常說汝等比丘知我
說法如筏喻者法尚應捨何況非法
須菩提於意云何如來得阿耨多羅三藐三
菩提耶如來有所說法耶須菩提言如我解
佛所說義无有定法名阿耨多羅三藐三菩

BD03028 號　金剛般若波羅蜜經　（12–1）

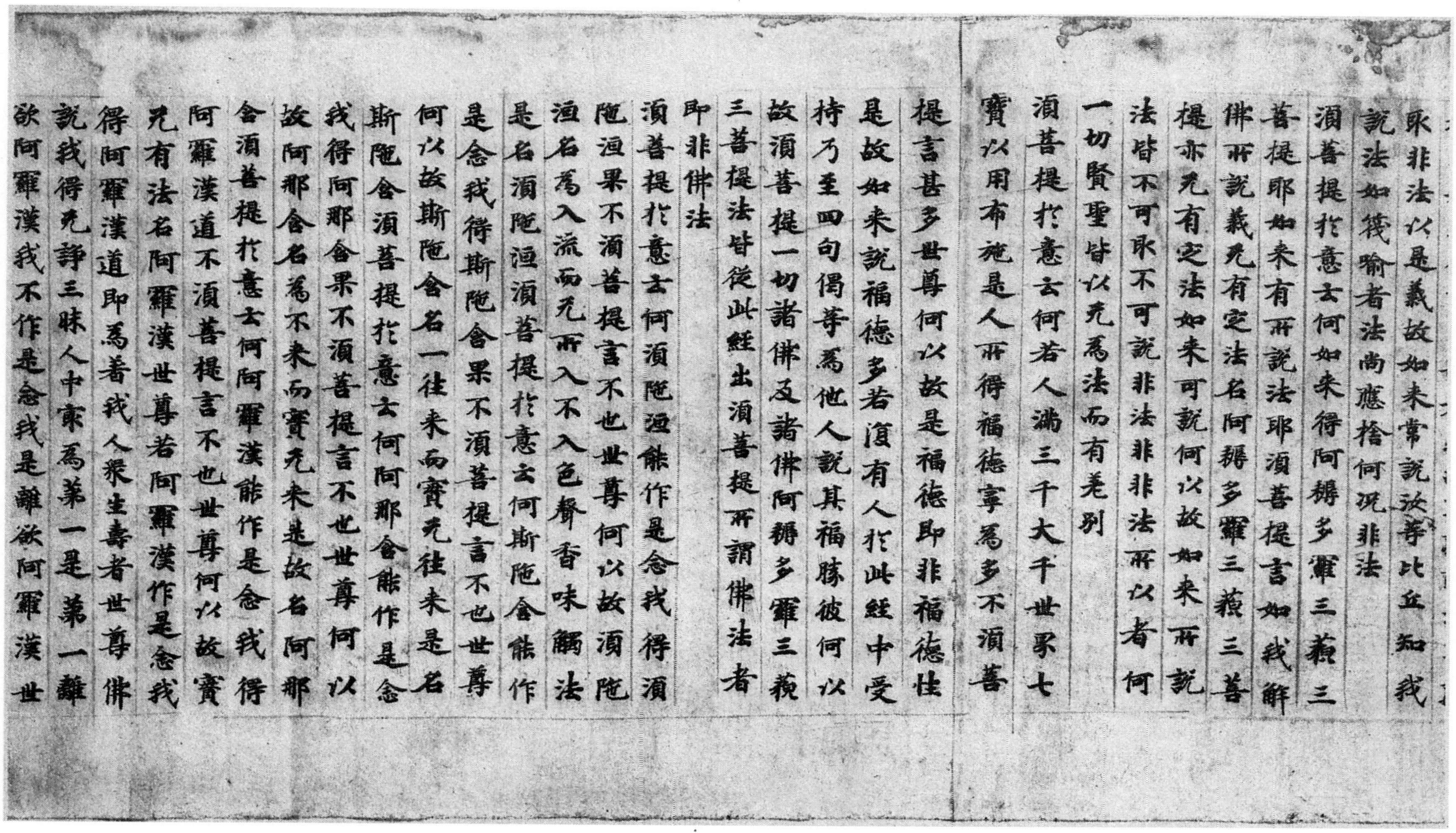
取非法以是義故如來常說汝等比丘知我
說法如筏喻者法尚應捨何況非法
須菩提於意云何如來得阿耨多羅三藐三
菩提耶如來有所說法耶須菩提言如我解
佛所說義无有定法名阿耨多羅三藐三菩
提亦无有定法如來可說何以故如來所說
法皆不可取不可說非法非非法所以者何
一切賢聖皆以无為法而有差別
須菩提於意云何若人滿三千大千世界七
寶以用布施是人所得福德寧為多不須菩
提言甚多世尊何以故是福德即非福德性
是故如來說福德多若復有人於此經中受
持乃至四句偈等為他人說其福勝彼何以
故須菩提一切諸佛及諸佛阿耨多羅三藐
三菩提法皆從此經出須菩提所謂佛法者
即非佛法
須菩提於意云何須陁洹能作是念我得須
陁洹果不須菩提言不也世尊何以故須陁
洹名為入流而无所入不入色聲香味觸法
是名須陁洹須菩提於意云何斯陁含能作
是念我得斯陁含果不須菩提言不也世尊
何以故斯陁含名一往來而實无往來是名
斯陁含須菩提於意云何阿那含能作是念
我得阿那含果不須菩提言不也世尊何以
故阿那含名為不來而實无來是故名阿那
含須菩提於意云何阿羅漢能作是念我得
阿羅漢道不須菩提言不也世尊何以故實
无有法名阿羅漢世尊若阿羅漢作是念我
得阿羅漢道即為著我人眾生壽者世尊佛
說我得无諍三昧人中最為第一是第一離
欲阿羅漢我不作是念我是離欲阿羅漢世

BD03028 號　金剛般若波羅蜜經　（12–2）

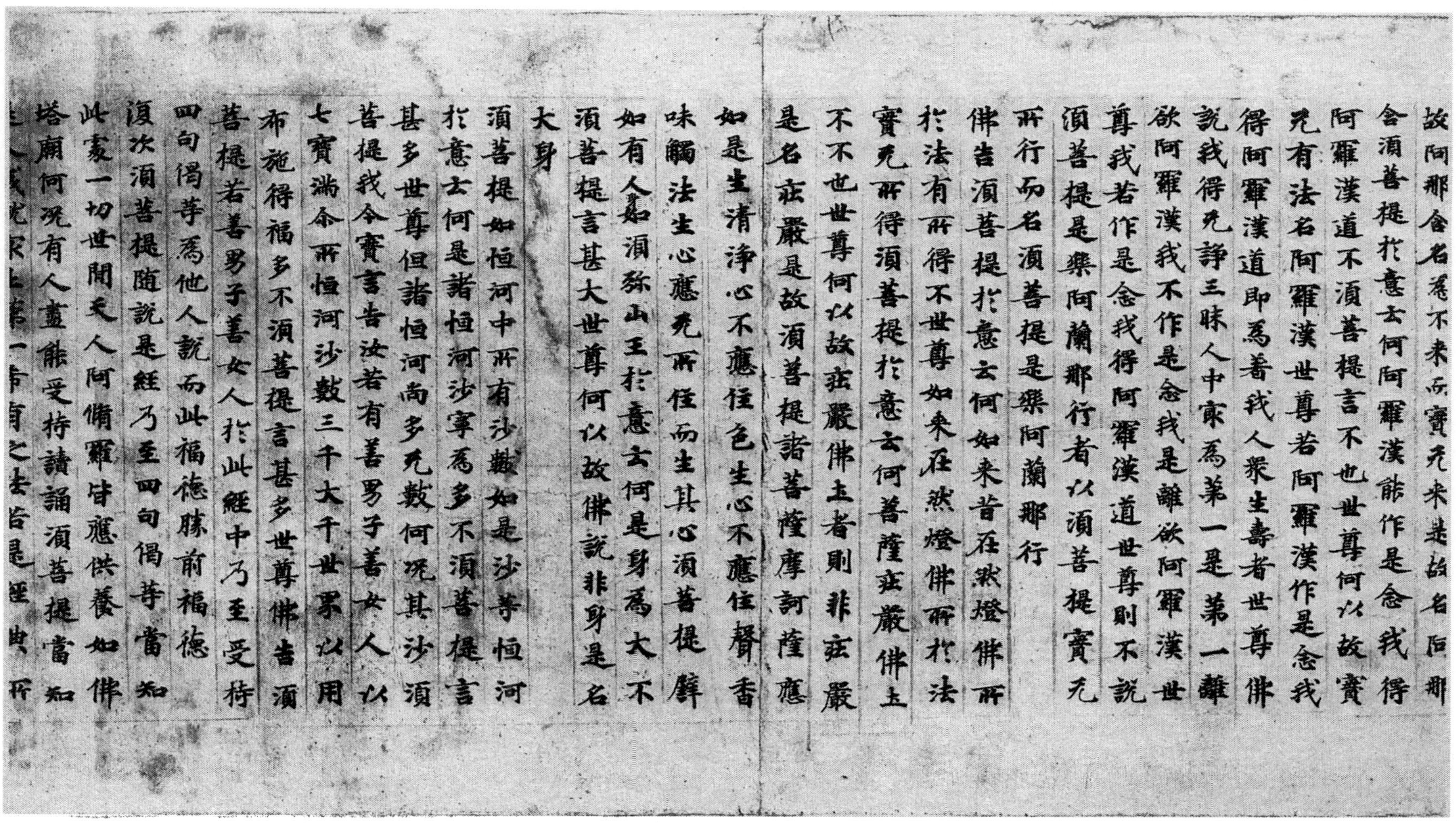
故阿那含名為不來而實无來是故名阿那
含須菩提於意云何阿羅漢能作是念我得
阿羅漢道不須菩提言不也世尊何以故實
无有法名阿羅漢世尊若阿羅漢作是念我
得阿羅漢道即為著我人眾生壽者世尊佛
說我得无諍三昧人中最為第一是第一離
欲阿羅漢我不作是念我是離欲阿羅漢世
尊我若作是念我得阿羅漢道世尊則不說
須菩提是樂阿蘭那行者以須菩提實无
所行而名須菩提是樂阿蘭那行
佛告須菩提於意云何如來昔在然燈佛所
於法有所得不世尊如來在然燈佛所於法
實无所得須菩提於意云何菩薩莊嚴佛土
不不也世尊何以故莊嚴佛土者則非莊嚴
是名莊嚴是故須菩提諸菩薩摩訶薩應
如是生清淨心不應住色生心不應住聲香
味觸法生心應无所住而生其心須菩提譬
如有人身如須彌山王於意云何是身為大不
須菩提言甚大世尊何以故佛說非身是名
大身
須菩提如恒河中所有沙數如是沙等恒河
於意云何是諸恒河沙寧為多不須菩提言
甚多世尊但諸恒河尚多无數何況其沙須
菩提我今實言告汝若有善男子善女人以
七寶滿尒所恒河沙數三千大千世界以用
布施得福多不須菩提言甚多世尊佛告須
菩提若善男子善女人於此經中乃至受持
四句偈等為他人說而此福德勝前福德
復次須菩提隨說是經乃至四句偈等當知
此處一切世間天人阿脩羅皆應供養如佛
塔廟何況有人盡能受持讀誦須菩提當知
是人成就最上第一希有之法若是經典所

BD03028 號　金剛般若波羅蜜經　（12–3）

菩提若善男子善女人於此經中乃至受持
四句偈等為他人說而此福德勝前福德
復次須菩提隨說是經乃至四句偈等當知
此處一切世間天人阿脩羅皆應供養如佛
塔廟何況有人盡能受持讀誦須菩提當知
是人成就最上第一希有之法若是經典所
在之處則為有佛若尊重弟子
尒時須菩提白佛言世尊當何名此經我等
云何奉持佛告須菩提是經名為金剛般若
波羅蜜以是名字汝當奉持所以者何須菩
提佛說般若波羅蜜則非般若波羅蜜須菩
提於意云何如來有所說法不須菩提白佛
言世尊如來无所說須菩提於意云何三千
大千世界所有微塵是為多不須菩提言甚
多世尊須菩提諸微塵如來說非微塵是名
微塵如來說世界非世界是名世界須菩提
於意云何可以三十二相見如來不不也世
尊何以故如來說三十二相即是非相是名
三十二相須菩提若有善男子善女人以恒
河沙等身命布施若復有人於此經中乃至
受持四句偈等為他人說其福甚多
尒時須菩提聞說是經深解義趣涕淚悲泣
而白佛言希有世尊佛說如是甚深經典我
從昔來所得慧眼未曾得聞如是之經世尊若
復有人得聞是經信心清淨則生實相當知
是人成就第一希有功德世尊是實相者則
是非相是故如來說名實相世尊我今得聞
如是經典信解受持不足為難若當來世
後五百歲其有眾生得聞是經信解受持是
人則為第一希有何以故此人无我相人相眾
生相壽者相所以者何我相即是非相人相

BD03028號　金剛般若波羅蜜經　（12–4）

是非相是故如來說名實相世尊我今得聞
如是經典信解受持不足為難若當來世
後五百歲其有眾生得聞是經信解受持是
人則為第一希有何以故此人无我相人相眾
生相壽者相所以者何我相即是非相人相
眾生相壽者相即是非相何以故離一切諸
相則名諸佛
佛告須菩提如是如是若復有人得聞是經
不驚不怖不畏當知是人甚為希有何以故
須菩提如來說第一波羅蜜非第一波羅蜜
是名第一波羅蜜須菩提忍辱波羅蜜如來
說非忍辱波羅蜜何以故須菩提如我昔為
歌利王割截身體我於尒時无我相无人相
无眾生相无壽者相何以故我於往昔節節
支解時若有我相人相眾生相壽者相應生
瞋恨須菩提又念過去於五百世作忍辱仙
人於尒所世无我相无人相无眾生相无壽
者相是故須菩提菩薩應離一切相發阿耨
多羅三藐三菩提心不應住色生心不應住
聲香味觸法生心應生无所住心若心有住
則為非住是故佛說菩薩心不應住色布施
須菩提菩薩為利益一切眾生應如是布施
如來說一切諸相即是非相又說一切眾生
則非眾生須菩提如來是真語者實語者如
語者不誑語者不異語者須菩提如來所得
法此法无實无虛須菩提若菩薩心住於法
而行布施如人入闇則无所見若菩薩心不
住法而行布施如人有目日光明照見種種色
須菩提當來之世若有善男子善女人能於
此經受持讀誦則為如來以佛智慧悉知是
人悉見是人皆得成就无量无邊功德

BD03028號　金剛般若波羅蜜經　（12–5）

而行布施如人入闇則无所見若菩薩心不
住法而行布施如人有目日光明照見種種色
須菩提當來之世若有善男子善女人能於
此經受持讀誦則為如來以佛智慧悉知是
人悉見是人皆得成就无量无邊功德
須菩提若有善男子善女人初日分以恒河
沙等身布施中日分復以恒河沙等身布施
後日分亦以恒河沙等身布施如是无量百
千万億劫以身布施若復有人聞此經典信
心不逆其福勝彼何況書寫受持讀誦為人
解說須菩提以要言之是經有不可思議不
可稱量无邊功德如來為發大乘者說為發
最上乘者說若有人能受持讀誦廣為人說
如來悉知是人悉見是人皆成就不可量不
可稱无有邊不可思議功德如是人等則為
荷擔如來阿耨多羅三藐三菩提何以故須
菩提若樂小法者著我見人見衆生見壽者
見則於此經不能聽受讀誦為人解說須菩
提在在處處若有此經一切世間天人阿脩
羅所應供養當知此處則為是塔皆應恭敬
作礼圍遶以諸華香而散其處
復次須菩提善男子善女人受持讀誦此經
若為人輕賤是人先世罪業應墮惡道以今
世人輕賤故先世罪業則為消滅當得阿耨
多羅三藐三菩提須菩提我念過去无量阿
僧祇劫於然燈佛前得值八百四千万億那
由他諸佛悉皆供養承事无空過者若復有
人於後末世能受持讀誦此經所得功德於
我所供養諸佛功德百分不及一千万億分
乃至筭數譬喻所不能及須菩提若善男子
善女人於後末世有受持讀誦此經所得功

BD03028 號　金剛般若波羅蜜經　（12–6）

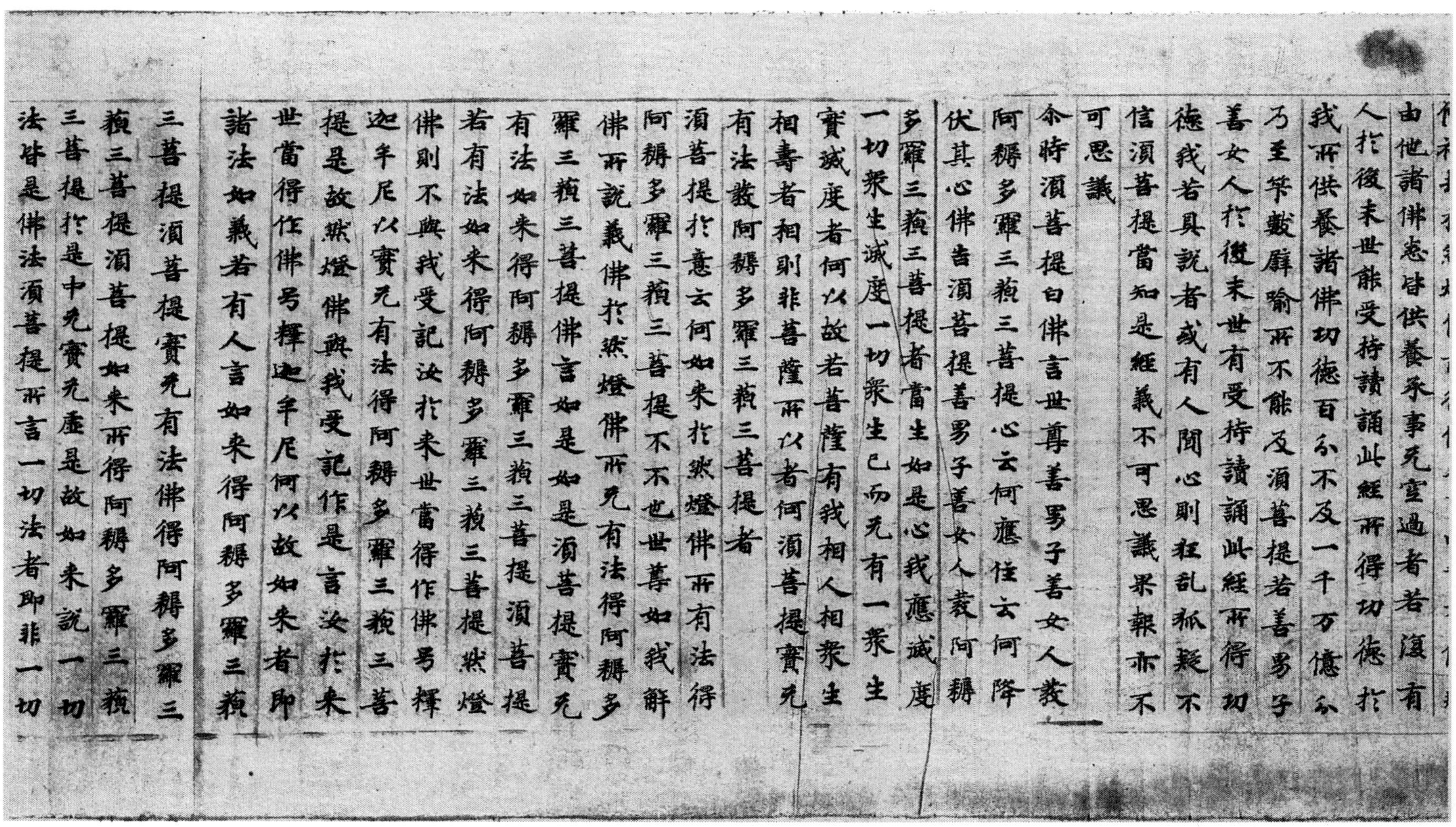

由他諸佛悉皆供養承事无空過者若復有
人於後末世能受持讀誦此經所得功德於
我所供養諸佛功德百分不及一千万億分
乃至筭數譬喻所不能及須菩提若善男子
善女人於後末世有受持讀誦此經所得功
德我若具說者或有人聞心則狂亂狐疑不
信須菩提當知是經義不可思議果報亦不
可思議
尒時須菩提白佛言世尊善男子善女人發
阿耨多羅三藐三菩提心云何應住云何降
伏其心佛告須菩提善男子善女人發阿耨
多羅三藐三菩提者當生如是心我應滅度
一切衆生滅度一切衆生已而无有一衆生
實滅度者何以故若菩薩有我相人相衆生
相壽者相則非菩薩所以者何須菩提實无
有法發阿耨多羅三藐三菩提者
須菩提於意云何如來於然燈佛所有法得
阿耨多羅三藐三菩提不不也世尊如我解
佛所說義佛於然燈佛所无有法得阿耨多
羅三藐三菩提佛言如是如是須菩提實无
有法如來得阿耨多羅三藐三菩提須菩提
若有法如來得阿耨多羅三藐三菩提然燈
佛則不與我受記汝於來世當得作佛号釋
迦牟尼以實无有法得阿耨多羅三藐三菩
提是故然燈佛與我受記作是言汝於來
世當得作佛号釋迦牟尼何以故如來者即
諸法如義若有人言如來得阿耨多羅三藐
三菩提須菩提實无有法佛得阿耨多羅三
藐三菩提須菩提如來所得阿耨多羅三藐
三菩提於是中无實无虛是故如來說一切
法皆是佛法須菩提所言一切法者即非一切

BD03028 號　金剛般若波羅蜜經　（12–7）

三菩提須菩提實无有法佛得阿耨多羅三
藐三菩提須菩提如來所得阿耨多羅三藐
三菩提於是中无實无虛是故如來說一切
法皆是佛法須菩提所言一切法者即非一切
法是名一切法
須菩提譬如人身長大須菩提言世尊如來
說人身長大則為非大身是名大身須菩提
菩薩亦如是若作是言我當滅度无量衆生
則不名菩薩何以故須菩提實无有法名為
菩薩是故佛說一切法无我无人无衆生无
壽者須菩提若菩薩作是言我當莊嚴佛土
是不名菩薩何以故如來說莊嚴佛土者則
非莊嚴是名莊嚴須菩提若菩薩通達无我
法者如來說名真是菩薩
須菩提於意云何如來有肉眼不如是世尊
如來有肉眼須菩提於意云何如來有天眼
不如是世尊如來有天眼須菩提於意云何
如來有慧眼不如是世尊如來有慧眼須菩
提於意云何如來有法眼不如是世尊如來
有法眼須菩提於意云何如來有佛眼不如
是世尊如來有佛眼
須菩提於意云何如恒河中所有沙佛說是
沙不如是世尊如來說是沙須菩提於意云
何如一恒河中所有沙有如是等恒河是諸
恒河所有沙數佛世界如是寧為多不甚多
世尊佛告須菩提尒所國土中所有衆生若
干種心如來悉知何以故如來說諸心皆為
非心是名為心所以者何須菩提過去心不
可得現在心不可得未來心不可得
須菩提於意云何若有人滿三千大千世界
七寶以用布施是人以是因緣得福多不如

BD03028號　金剛般若波羅蜜經　（12–8）

非心是名為心所以者何須菩提過去心不
可得現在心不可得未來心不可得
須菩提於意云何若有人滿三千大千世界
七寶以用布施是人以是因緣得福多不如
是世尊此人以是因緣得福甚多須菩提若
福德有實如來不說得福德多以福德无故
如來說得福德多
須菩提於意云何佛可以具足色身見不不
也世尊如來不應以色身見何以故如來說
具足色身即非具足色身是名具足色身須
菩提於意云何如來可以具足諸相見不不
也世尊如來不應以具足諸相見何以故如
來說諸相具足即非具足是名諸相具足須
菩提汝勿謂如來作是念我當有所說法莫作
是念何以故若人言如來有所說法即為謗
佛不能解我所說故須菩提說法者无法
可說是名說法
須菩提白佛言世尊佛得阿耨多羅三藐三
菩提為无所得耶如是如是須菩提我於阿
耨多羅三藐三菩提乃至无有少法可得是
名阿耨多羅三藐三菩提復次須菩提是法
平等无有高下是名阿耨多羅三藐三菩提
以无我无人无衆生无壽者脩一切善法則
得阿耨多羅三藐三菩提須菩提所言善
法者如來說非善法是名善法
須菩提若三千大千世界中所有諸須弥山
王如是等七寶聚有人持用布施若人以此
般若波羅蜜經乃至四句偈等受持為他人
說於前福德百分不及一百千万億分乃至
筭數譬喻所不能及須菩提於意云何汝
等勿謂如來作是念我當度衆生須菩提莫

BD03028號　金剛般若波羅蜜經　（12–9）

般若波羅蜜經乃至四句偈等受持爲他人
說於前福德百分不及一百千万億分乃至
筭數譬喻所不能及須菩提於意云何汝
等勿謂如來作是念我當度衆生須菩提莫
作是念何以故實无有衆生如來度者若有
衆生如來度者如來則有我人衆生壽者須
菩提如來說有我者則非有我而凡夫之人
以爲有我須菩提凡夫者如來說則非凡夫
須菩提於意云何可以三十二相觀如來不
須菩提言如是如是以三十二相觀如來佛
言須菩提若三十二相觀如來者轉輪聖王
則是如來須菩提白佛言世尊如我解佛所
說義不應以三十二相觀如來尒時世尊
而說偈言
若以色見我　以音聲求我　是人行邪道　不能見如來
須菩提汝若作是念如來不以具足相故得
阿耨多羅三藐三菩提須菩提莫作是念如
來不以具足相故得阿耨多羅三藐三菩提
須菩提汝若作是念發阿耨多羅三藐三菩
提者說諸法斷滅莫作是念何以故發阿耨
多羅三藐三菩提者於法不說斷滅相
須菩提若菩薩以滿恒河沙等世界七寶持
用布施若復有人知一切法无我得成於忍
此菩薩勝前菩薩所得功德須菩提以諸菩
薩不受福德故須菩提白佛言世尊云何菩
薩不受福德須菩提菩薩所作福德不應貪
著是故佛說不受福德須菩提若有人言如
來若來若去若坐若卧是人不解我所說義
何以故如來者无所從來亦无所去故名如
來須菩提若善男子善女人以三千大千世界
碎爲微塵於意云何是微塵衆寧爲多不甚
多世尊何以故若微塵衆實有者佛則不說

BD03028 號　金剛般若波羅蜜經　（12–10）

此菩薩勝前菩薩所得功德須菩提以諸菩
薩不受福德故須菩提白佛言世尊云何菩
薩不受福德須菩提菩薩所作福德不應貪
著是故佛說不受福德須菩提若有人言如
來若來若去若坐若卧是人不解我所說義
何以故如來者无所從來亦无所去故名如
來須菩提若善男子善女人以三千大千世界
碎爲微塵於意云何是微塵衆寧爲多不甚
多世尊何以故若微塵衆實有者佛則不說
是微塵衆所以者何佛說微塵衆則非微塵
衆是名微塵衆世尊如來所說三千大千世
界則非世界是名世界何以故若世界實有
者則是一合相如來說一合相則非一合相
是名一合相須菩提一合相者則是不可說
但凡夫之人貪著其事須菩提若人言佛說
我見人見衆生見壽者見須菩提於意云何
是人解我所說義不世尊是人不解如來所
說義何以故世尊說我見人見衆生見壽者
見即非我見人見衆生見壽者見是名我見
人見衆生見壽者見須菩提發阿耨多羅
三藐三菩提心者於一切法應如是知如是見
如是信解不生法相須菩提所言法相者如
來說即非法相是名法相須菩提若有人以
滿无量阿僧祇世界七寶持用布施若有善
男子善女人發菩薩心者持於此經乃至四
句偈等受持讀誦爲人演說其福勝彼云
何爲人演說不取於相如如不動何以故
一切有爲法　如夢幻泡影　如露亦如電　應作如是觀
佛說是經已長老須菩提及諸比丘比丘尼
優婆塞優婆夷一切世間天人阿脩羅聞佛
所說皆大歡喜信受奉行

BD03028 號　金剛般若波羅蜜經　（12–11）

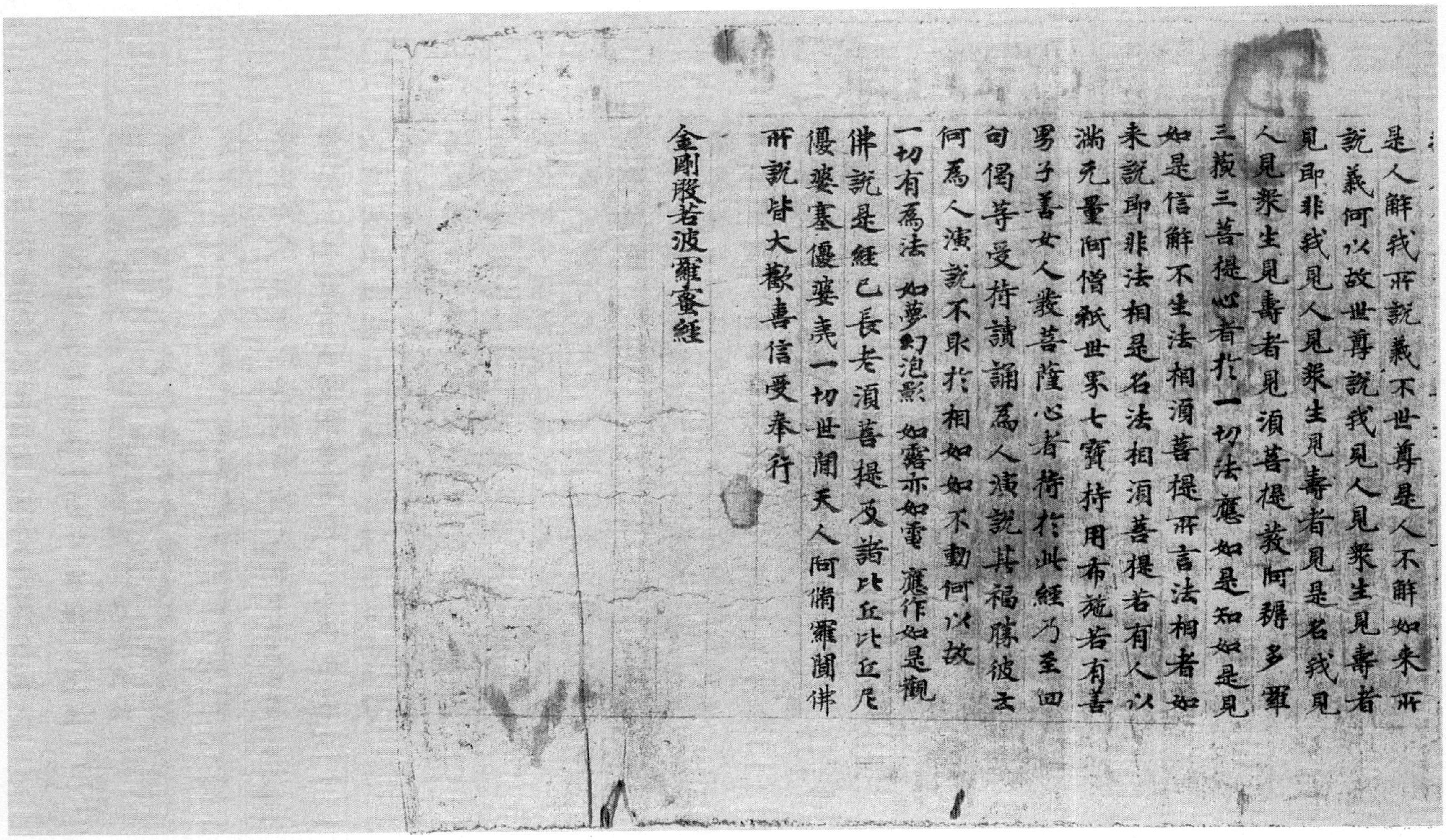

是人解我所說義不世尊是人不解如來所
說義何以故世尊說我見人見衆生見壽者
見即非我見人見衆生見壽者見是名我見
人見衆生見壽者見須菩提發阿耨多羅
三藐三菩提心者於一切法應如是知如是見
如是信解不生法相須菩提所言法相者如
來說即非法相是名法相須菩提若有人以
滿无量阿僧祇世界七寶持用布施若有善
男子善女人發菩薩心者持於此經乃至四
句偈等受持讀誦為人演說其福勝彼云
何為人演說不取於相如如不動何以故
一切有為法　如夢幻泡影　如露亦如電　應作如是觀
佛說是經已長老須菩提及諸比丘比丘尼
優婆塞優婆夷一切世間天人阿脩羅聞佛
所說皆大歡喜信受奉行
金剛般若波羅蜜經

BD03028號　金剛般若波羅蜜經　（12–12）

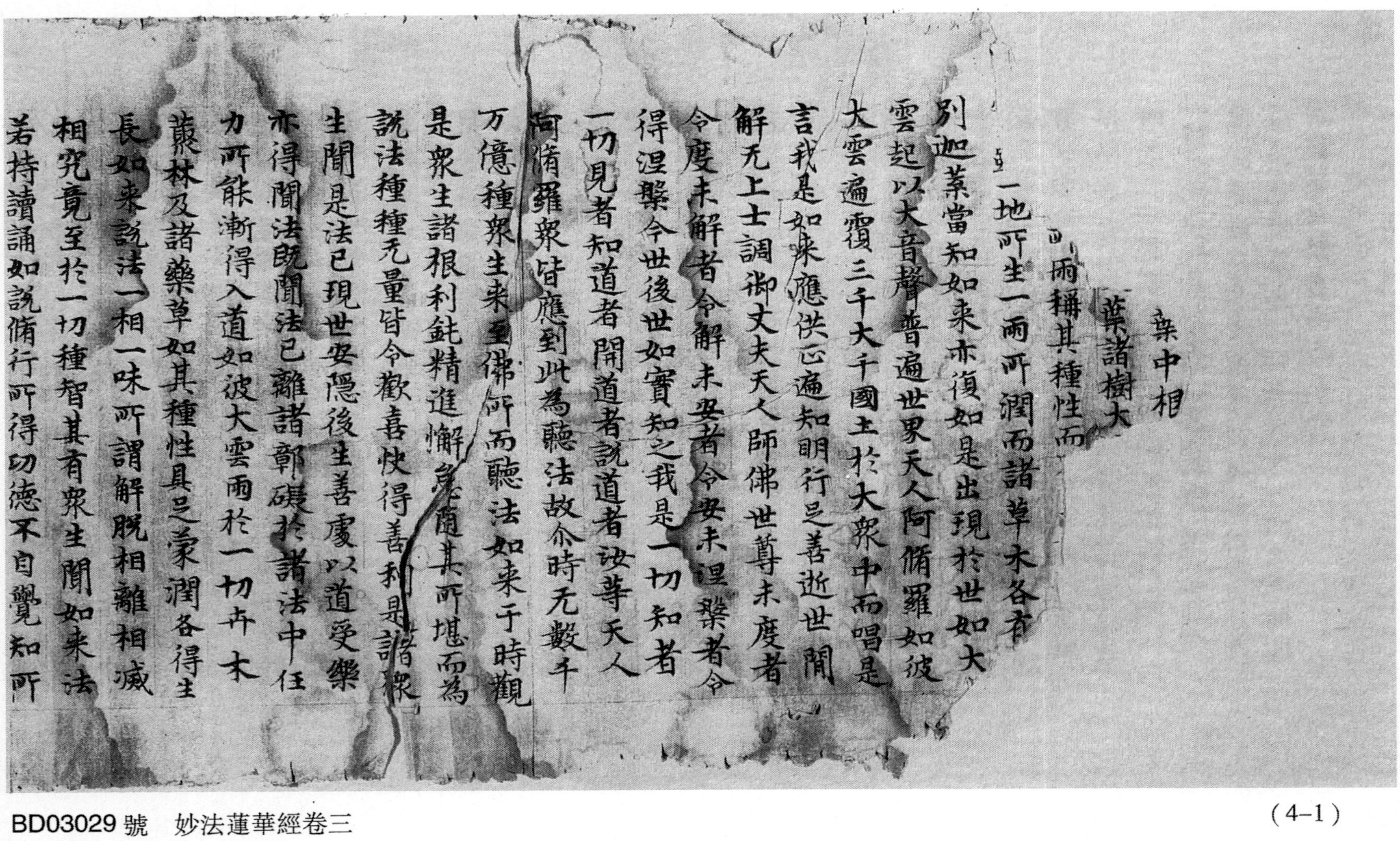

葉中相
葉諸樹大
雨稱其種性而
一地所生一雨所潤而諸草木各有
別迦葉當知如來亦復如是出現於世如大
雲起以大音聲普遍世界天人阿脩羅如彼
大雲遍覆三千大千國土於大衆中而唱是
言我是如來應供正遍知明行足善逝世間
解无上士調御丈夫天人師佛世尊未度者
令度未解者令解未安者令安未涅槃者令
得涅槃今世後世如實知之我是一切知者
一切見者知道者開道者說道者汝等天人
阿脩羅衆皆應到此為聽法故尒時无數千
万億種衆生來至佛所而聽法如來于時觀
是衆生諸根利鈍精進懈怠隨其所堪而為
說法種種无量皆令歡喜快得善利是諸衆
生聞是法已現世安隱後生善處以道受樂
亦得聞法既聞法已離諸鄣礙於諸法中任
力所能漸得入道如彼大雲雨於一切卉木
叢林及諸藥草如其種性具足蒙潤各得生
長如來說法一相一味所謂解脫相離相滅
相究竟至於一切種智其有衆生聞如來法
若持讀誦如說脩行所得功德不自覺知所

BD03029號　妙法蓮華經卷三　（4–1）

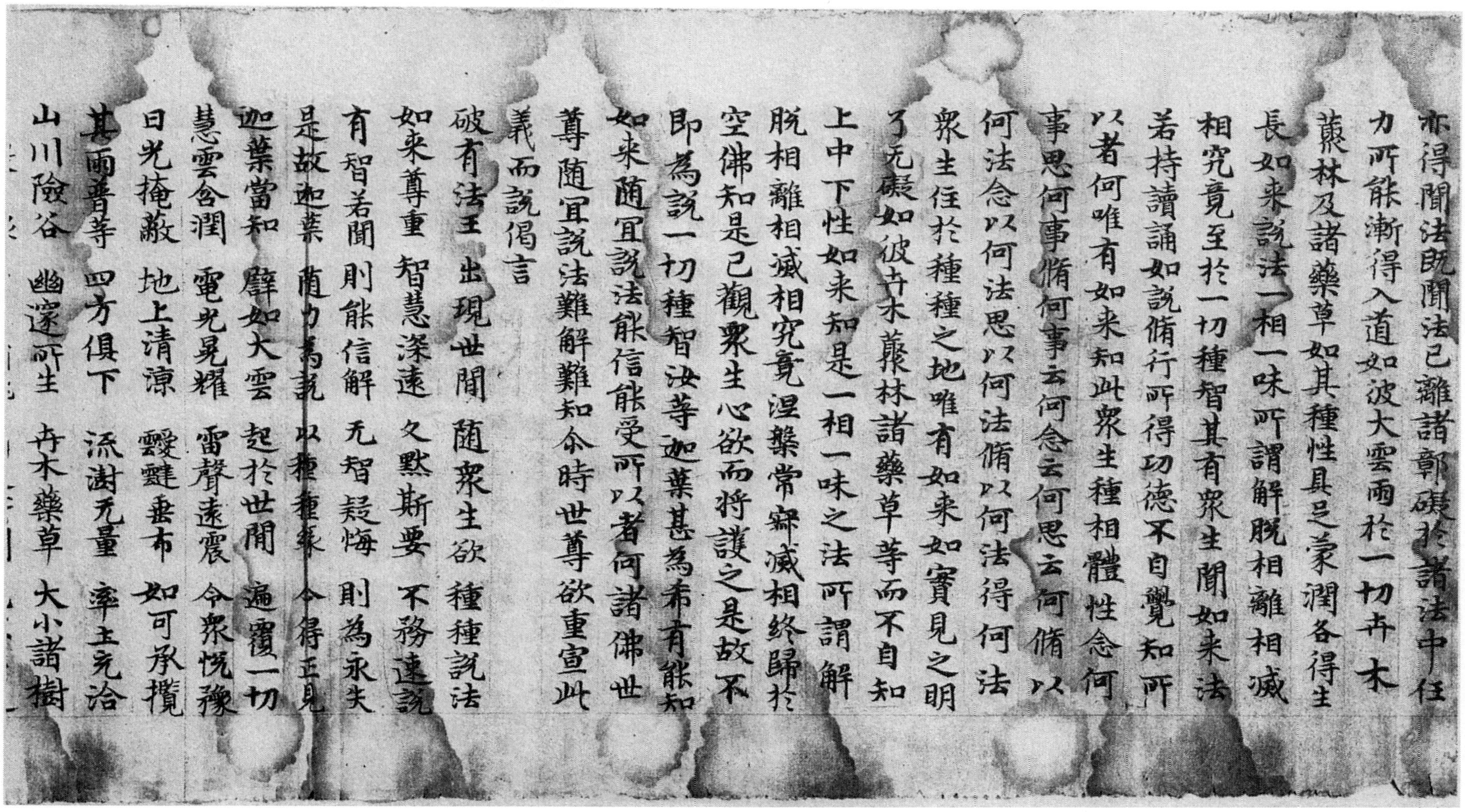
亦得聞法既聞法已離諸鄣礙於諸法中任
力所能漸得入道如彼大雲雨於一切卉木
叢林及諸藥草如其種性具足蒙潤各得生
長如來說法一相一味所謂解脫相離相滅
相究竟至於一切種智其有眾生聞如來法
若持讀誦如說脩行所得功德不自覺知所
以者何唯有如來知此眾生種相體性念何
事思何事脩何事云何念云何思云何脩以
何法念以何法思以何法脩以何法得何法
眾生住於種種之地唯有如來如實見之明
了无礙如彼卉木叢林諸藥草等而不自知
上中下性如來知是一相一味之法所謂解
脫相離相滅相究竟涅槃常寂滅相終歸於
空佛知是已觀眾生心欲而將護之是故不
即為說一切種智汝等迦葉甚為希有能知
如來隨宜說法能信能受所以者何諸佛世
尊隨宜說法難解難知尒時世尊欲重宣此
義而說偈言
破有法王　出現世間　隨眾生欲　種種說法
如來尊重　智慧深遠　久默斯要　不務速說
有智若聞　則能信解　无智疑悔　則為永失
是故迦葉　隨力為說　以種種緣　令得正見
迦葉當知　譬如大雲　起於世間　遍覆一切
慧雲含潤　電光晃耀　雷聲遠震　令眾悅豫
日光掩蔽　地上清涼　靉靆垂布　如可承攬
其雨普等　四方俱下　流澍无量　率土充洽
山川險谷　幽邃所生　卉木藥草　大小諸樹

BD03029 號　妙法蓮華經卷三　（4–2）

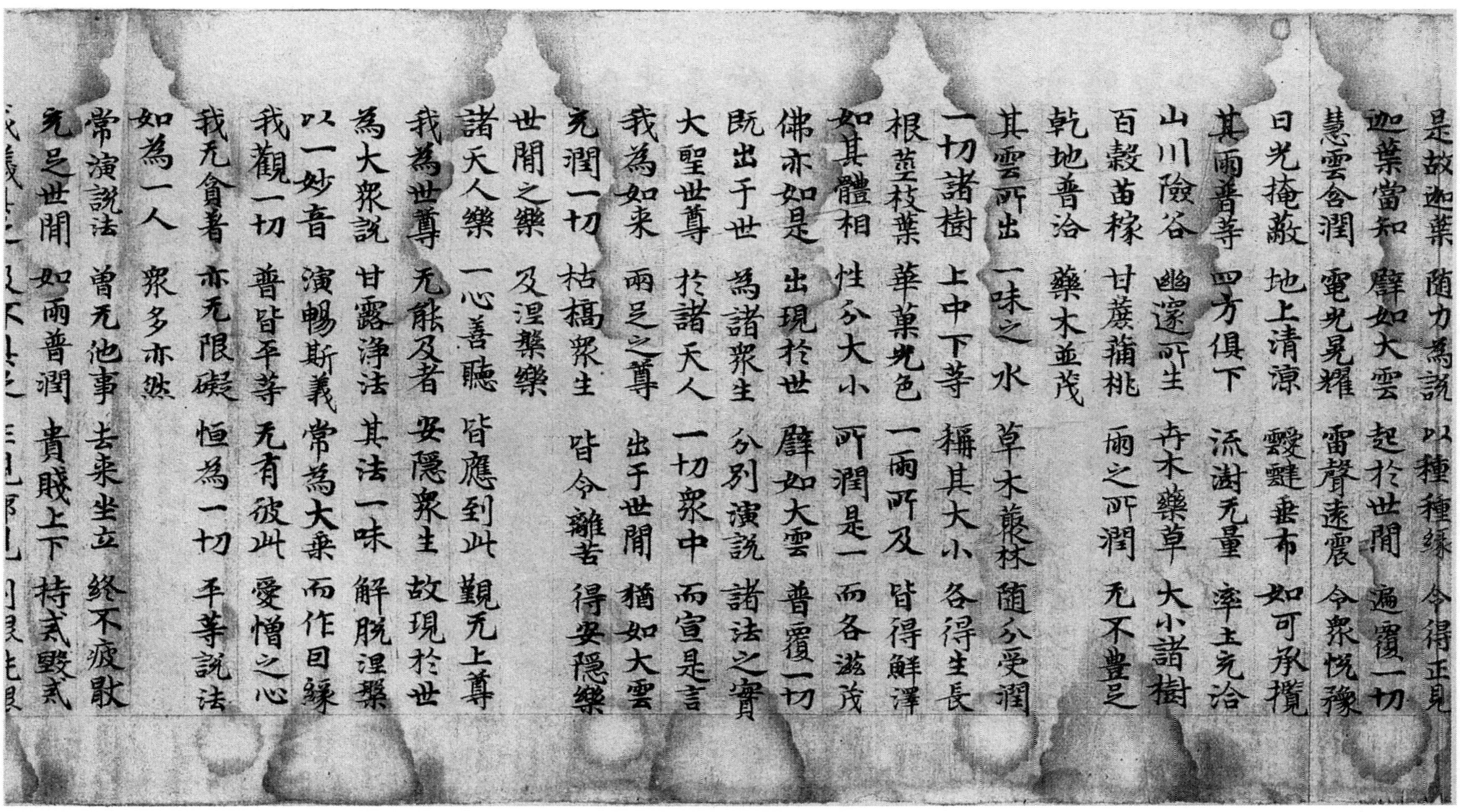
是故迦葉　隨力為說　以種種緣　令得正見
迦葉當知　譬如大雲　起於世間　遍覆一切
慧雲含潤　電光晃耀　雷聲遠震　令眾悅豫
日光掩蔽　地上清涼　靉靆垂布　如可承攬
其雨普等　四方俱下　流澍无量　率土充洽
山川險谷　幽邃所生　卉木藥草　大小諸樹
百穀苗稼　甘蔗蒲桃　雨之所潤　无不豐足
乾地普洽　藥木並茂
其雲所出　一味之水　草木叢林　隨分受潤
一切諸樹　上中下等　稱其大小　各得生長
根莖枝葉　華菓光色　一雨所及　皆得鮮澤
如其體相　性分大小　所潤是一　而各滋茂
佛亦如是　出現於世　譬如大雲　普覆一切
既出于世　為諸眾生　分別演說　諸法之實
大聖世尊　於諸天人　一切眾中　而宣是言
我為如來　兩足之尊　出于世間　猶如大雲
充潤一切　枯槁眾生　皆令離苦　得安隱樂
世間之樂　及涅槃樂
諸天人眾　一心善聽　皆應到此　覲无上尊
我為世尊　无能及者　安隱眾生　故現於世
為大眾說　甘露淨法　其法一味　解脫涅槃
以一妙音　演暢斯義　常為大乘　而作因緣
我觀一切　普皆平等　无有彼此　愛憎之心
我无貪著　亦无限礙　恒為一切　平等說法
如為一人　眾多亦然
常演說法　曾无他事　去來坐立　終不疲猒
充足世間　如雨普潤　貴賤上下　持戒毀戒

BD03029 號　妙法蓮華經卷三　（4–3）

一切諸樹 上中下等 稱其大小 各得生長
根莖枝葉 華菓光色 一雨所及 皆得鮮澤
如其體相 性分大小 所潤是一 而各滋茂
佛亦如是 出現於世 譬如大雲 普覆一切
既出于世 為諸眾生 分別演說 諸法之實
大聖世尊 於諸天人 一切眾中 而宣是言
我為如來 兩足之尊 出于世間 猶如大雲
充潤一切 枯槁眾生 皆令離苦 得安隱樂
世間之樂 及涅槃樂
諸天人眾 一心善聽 皆應到此 覲无上尊
我為世尊 无能及者 安隱眾生 故現於世
為大眾說 甘露淨法 其法一味 解脫涅槃
以一妙音 演暢斯義 常為大乘 而作因緣
我觀一切 普皆平等 无有彼此 愛憎之心
我无貪著 亦无限礙 恒為一切 平等說法
如為一人 眾多亦然
常演說法 曾无他事 去來坐立 終不疲猒
充足世間 如雨普潤 貴賤上下 持戒毀戒
威儀具足 及不具足 正見邪見 利根鈍根
等雨法雨 而无懈倦
一切眾生 聞我法者 隨力所受 住於諸地
或處人天 轉輪聖王 釋梵諸王 是小藥草

BD03029號　妙法蓮華經卷三　（4–4）

威德 …… 彼國王見此
者恭敬 …… 之齋
我等四王常為守護令諸 …… 父母一切天
是故我等并與无量藥叉諸神隨此經王所
布處潛身擁護令无留難亦當護念聽是
人諸國王等除其衰患悉令安隱他方怨賊
使退散若有人王聽是經時 鄰國怨敵興
是念當具四兵壞彼國土世尊以是經王威
神力故是時鄰敵更有異怨而來侵擾於其
境界多諸災變疫病流行時王見已即嚴四
兵發向彼國欲為討罰我等尒時當與眷
无量无邊藥叉諸神各自隱形為作護助令
彼怨敵自然降伏尚不敢來至其國界豈復
得有兵戈相罰
尒時佛告四天王善哉善哉汝等四王乃能
擁護如是經典我於過去百千俱胝那庾多
劫脩諸苦行得阿耨多羅三藐三菩提證一
切智今說是法若有人王受持是經恭敬供
養者為消衰患令其安隱亦復擁護城邑聚
落乃至怨賊悉令退散亦令一切贍部洲內
所有諸王永无衰惱鬪諍之事四王當知此
贍部洲八万四千城邑聚落八万四千諸人王
等各於其國受諸快樂皆得自在所有財寶

BD03030號　金光明最勝王經卷六　（17–1）

劫脩諸菩行得阿耨多羅三藐三菩提證一
切智今說是法若有人王受持是經恭敬供
養者為消衰患令其安隱亦復擁護城邑聚
落乃至怨賊悉令退散亦令一切贍部洲内
所有諸王永无衰惱鬪諍之事四王當知此
贍部洲八万四千城邑聚落八万四千諸人王
等各於其國受諸快樂皆得自在所有財寶
豐足受用不相侵奪隨彼宿因而受其報不
起惡念貪求他國咸生少欲利樂之心无有
鬪諍繫縛等苦其土人民自然受樂上下和
穆猶如水乳情相愛重歡喜遊戲慈悲謙讓
增長善根以是因緣此贍部洲安隱豐樂人
民熾盛大地沃壤寒暑調和時不乖序日月
星宿常度无虧風雨隨時離諸災橫資產財
寶皆悉豐盈心无慳鄙常行惠施具十善業
若人命終多生天上增益天衆大王若未來
世有諸人王聽受是經恭敬供養并受持經
四部之衆尊重稱讚復欲安樂饒益汝等及
諸眷屬无量百千諸藥叉衆是故彼王常當
聽受是妙經王由得聞此正法之水甘露上
味增益汝等身心勢力精進勇猛福德威光
悉令充滿是諸人王若能至心聽受是經則
為廣大希有供養供養於我釋迦牟尼應正
等覺若供養我則是供養過去未來現在百
千俱胝那庾多佛若能供養三世諸佛則得
无量不可思議功德之聚以是因緣汝等應
當擁護彼王后妃眷屬令无衰惱及宮宅神
常受安樂功德難思是諸國土所有人民亦
受種種五欲之樂一切惡事皆令消殄
尒時四天王白佛言世尊於未來世若有人
王樂聽如是金光明經為欲擁護自身后妃

BD03030號　金光明最勝王經卷六　（17–2）

无量不可思議功德之聚以是因緣汝等應
當擁護彼王后妃眷屬令无衰惱及宮宅神
常受安樂功德難思是諸國土所有人民亦
受種種五欲之樂一切惡事皆令消殄
尒時四天王白佛言世尊於未來世若有人
王樂聽如是金光明經為欲擁護自身后妃
王子乃至内宮諸婇女等城邑宮殿皆得第
一不可思議最上歡喜寂靜安樂於現世中
王位尊高自在昌盛常得增長復欲攝受无
量无邊難思福聚於自國土令无怨敵及諸
憂惱災厄事者世尊如是人王不應放逸令
心散亂當生恭敬至誠慇重聽受如是最勝
經王欲聽之時先當莊嚴最勝宮室王所愛
重顯敞之處香水灑地散衆名花安置師子
殊勝法座以諸珍寶而為校飾張施種種寶
蓋幢幡燒无價香奏諸音樂其王尒時當淨
澡浴以香塗身著新淨衣及諸瓔珞坐小卑
座不生高舉捨自在位離諸憍慢端心正念
聽是經王於法師所起大師想復於宮内后
妃王子婇女眷屬生慈愍心喜悅相視和顏
耎語於自身心大喜充遍作如是念我今獲
得難思殊勝廣大利益於此經王盛興供養
既敷設已見法師至當起虔敬渴仰之心
尒時佛告四天王不應如是不迎法師時彼
人王應著純淨鮮潔之衣種種瓔珞以為嚴
飾自持白蓋及以香花備整軍儀盛陳音樂
步出城闉迎彼法師運想虔恭為吉祥事四
王以何因緣令彼人王親作如是恭敬供養
由彼人王舉足下足步步即是恭敬供養承
事尊重百千万億那庾多諸佛世尊復得超
越如是劫數生死之苦復於未來世如是數劫

BD03030號　金光明最勝王經卷六　（17–3）

步出城闕迎彼法師運想虔恭為吉祥事四
王以何因緣令彼人王親作如是恭敬供養
由彼人王舉足下足步步即是恭敬供養承
事尊重百千万億那庾多諸佛世尊復得超
越如是劫數生死之苦復於來世如是數劫
當受輪王殊勝尊位隨其步步亦於現世福
德增長自在為王感應難思衆所欽重當於
无量百千億劫人天受用七寶宮殿所在生
處常得為王增益壽命言詞辯了人天信受
无所畏懼有大名稱咸共瞻仰天上人中受
勝妙樂獲大力勢有大威德身相奇妙端嚴
无比值天人師遇善知識成就具足无量福
聚四王當知彼諸人王見如是等種種无量
功德利益故應自往奉迎法師若一踰繕那
乃至百千踰繕那於說法師應生佛想還至
城邑作如是念今日釋迦牟尼如來應正等
覺入我宮中受我供養為我說法我聞法已
即於阿耨多羅三藐三菩提不復退轉即是
值遇百千万億那庾多諸佛世尊我於今日
即是種種廣大殊勝上妙樂具供養過去未
來現在諸佛我於今日即是永拔琰摩王界
地獄餓鬼傍生之苦便為已種无量百千万億
轉輪聖王釋梵天主善根種子當令无量百
千万億衆生出生死苦得涅槃樂積集无量
无邊不可思議福德之聚後宮眷屬及諸人
民皆蒙安隱國土清泰无諸災厄毒害惡人
他方怨敵不來侵擾遠離憂患四王當知時
彼人王應作如是尊重正法亦於受持是妙
經典苾芻苾芻尼鄔波索迦鄔波斯迦供養
恭敬尊重讚歎所獲善根先以勝福施與汝
等及諸眷屬彼之人王有大福德善業因緣

BD03030號　金光明最勝王經卷六　（17–4）

民皆蒙安隱國土清泰无諸災厄毒害惡人
他方怨敵不來侵擾遠離憂患四王當知時
彼人王應作如是尊重正法亦於受持是妙
經典苾芻苾芻尼鄔波索迦鄔波斯迦供養
恭敬尊重讚歎所獲善根先以勝福施與汝
等及諸眷屬彼之人王有大福德善業因緣
於現世中得大自在增益威光吉祥妙相皆
悉莊嚴一切怨敵能以正法而摧伏之尒時四天
王白佛言世尊若有人王能作如是恭敬正
法聽此經王并於四衆持經之人恭敬供養
尊重讚歎時彼人王欲為我等生歡喜故
當在一邊近於法座香水灑地散衆名花安
置處所設四王座我與彼王共聽正法其王
所有自利善根亦以福分施及我等世尊時
彼人王請說法者昇座之時便為我等燒衆
名香供養是經世尊時彼香烟於一念頃上昇
虛空即至我等諸天宮殿於虛空中變成香
蓋我等天衆聞彼妙香香有金光照曜我等
所居宮殿乃至梵宮及以帝釋大辯才天吉祥
天女堅牢地神正了知大將二十八部諸藥叉
神大自在天金剛藥叉寶賢大將訶利底母
五百眷屬无熱惱池龍王大海龍王所居之處
世尊如是等衆於自宮殿見彼香烟一剎那頃
變成香蓋聞香芬馥覩色光明遍至一切諸天神
宮佛告四王天是香光明非但至此宮殿變成
香蓋放大光明由彼人王手執香爐燒衆名香
供養經時其香烟氣於一念須遍至三千
大千世界百億日月百億妙高山王百億四
洲於此三千大千世界一切天龍藥叉健闥婆
阿蘇羅揭路荼緊那羅莫呼洛伽宮殿之所
[illegible]

BD03030號　金光明最勝王經卷六　（17–5）

香蓋放大光明由彼人王手執香爐燒衆名香
供養經時其香烟氣於一念頃遍至三千
大千世界百億日月百億妙高山王百億四
洲於此三千大千世界一切天龍藥叉揵闥婆
阿蘇羅揭路荼緊那羅莫呼洛伽宮殿之所
於虛空中充滿而住種種香烟變成雲蓋其蓋
金色普照天宮如是三千大千世界所有種
種香雲香蓋皆是金光明最勝王經威神之力
是諸人王手持香爐供養經時種種香氣非
但遍此三千大千世界於一念頃亦遍十方无
量无邊恒河沙等百千万億諸佛國土於諸
佛上虛空之中變成香蓋金色普照亦復如
是時彼諸佛聞此妙香覩斯雲蓋及以金色
於十方界恒河沙等諸佛世尊現神變已彼
諸世尊悉共觀察異口同音讚法師曰善哉
善哉善哉汝大丈夫能廣流布如是甚深微
妙經典則為成就无量无邊不可思議福德
之聚若有聽聞如是經者所獲功德其量甚
多何況書寫受持讀誦為他敷演如說脩行
何以故善男子若有衆生聞此金光明最勝
王經者即於阿耨多羅三藐三菩提不復退
轉
尒時十方有百千俱胝那庾多无量无數恒
河沙等諸佛刹土彼諸刹土一切如來異口
同音於法座上讚彼法師言善哉善哉善男
子汝於來世以精勤力當脩无量百千苦行
具足資粮超諸聖衆出過三界為最勝尊當
坐菩提樹王之下殊勝莊嚴能救三千大千
世界有緣衆生善能降伏可畏形儀諸魔軍
衆覺了諸法最勝清淨甚深无上正等菩提
善男子汝當坐於金剛之座轉於无上諸佛

BD03030 號　金光明最勝王經卷六

（17–6）

子汝於來世以精勤力當脩无量百千苦行
具足資粮超諸聖衆出過三界為最勝尊當
坐菩提樹王之下殊勝莊嚴能救三千大千
世界有緣衆生善能降伏可畏形儀諸魔軍
衆覺了諸法最勝清淨甚深无上正等菩提
善男子汝當坐於金剛之座轉於无上諸佛
所讚十二妙行甚深法輪能擊无上最大法
鼓能吹无上極妙法螺能建无上殊勝法幢
能然无上極明法炬能降无上甘露法雨能
斷无量煩惱怨結能令无量百千万億那庾
多有情度於无涯可畏大海解脫生死无際
輪迴值遇无量百千万億那庾多佛
尒時四天王復白佛言世尊是金光明最勝
王經能於未來現在成就如是无量功德是
故人王若得聞是微妙經典即是已於百千
万億无量佛所種諸善根於彼人王我當
護念復見无量福德利故我等四王及餘
眷屬无量百千万億諸神於自宮殿見是
種種香烟雲蓋神變之時我當隱蔽不現其
身為聽法故當至是王清淨嚴飾所止宮殿
講法之處如是乃至梵宮帝釋大辯才天大吉
祥天堅牢地神正了知神大將二十八部諸
藥叉神大自在天金剛密主寶賢大將訶利
底母五百眷屬无熱惱池龍王大海龍王无
量百千万億那庾多諸天藥叉如是等衆為
聽法故皆不現身至彼人王殊勝宮殿莊嚴
高座說法之所世尊我等四王及餘眷屬藥
叉諸神皆當一心共彼人王為善知識因是
无上大法施主以甘露味充足於我是故我
等當護是王除其衰患令得安隱及其宮
殿城邑國土諸惡災變悉令消滅尒時四王天

BD03030 號　金光明最勝王經卷六

（17–7）

高座說法之所世尊我等四王及餘眷屬藥
叉諸神皆當一心共彼人王為善知識因是
无上大法施主以甘露味充足於我是故我
等當護是王除其衰患令得安隱及其宮
殿城邑國土諸惡灾變悉令消滅尒時四王天
俱共合掌白佛言世尊若有人王於其國土
雖有此經未嘗流布心生捨離不聽衆聞亦
不供養尊重讚歎見四部衆持經之人亦復
不能尊重供養遂令我等及餘眷屬无量諸
天不得聞此甚深妙法背甘露味失正法流无
有威光及以勢力增長惡趣損減人天墜生
死河乖涅槃路世尊我等四王并諸眷屬及
藥叉等見如斯事捨其國土无擁護心非但
我等捨棄是王亦有无量守護國土諸大善
神悉皆捨去既捨離已其國當有種種灾禍
喪失國位一切人衆皆无善心唯有繫縛殺
害瞋諍互相讒諂枉及无辜疾疫流行彗
星數出兩日並現薄蝕无恒黑白二虹表不祥
相星流地動井內發聲暴雨惡風不依時節
常遭飢饉苗實不成多有他方怨賊侵掠國
內人民受諸苦惱土地无有可樂之處世尊
我等四王及與无量百千天神并護國土諸
舊善神遠離去時生如是等无量百千灾恠
惡事世尊若有人王欲護國土常受快樂欲
令衆生咸蒙安隱欲得摧伏一切外敵於自
國境永得昌盛欲令正教流布世間苦惱惡
法皆除滅者世尊是諸國主必當聽受是妙
經王亦應恭敬供養讀誦受持經者我等及
餘无量天衆以是聽法善根威力得服无上
甘露法味增益我等所有眷屬并餘天神皆

法皆除滅者世尊是諸國主必當聽受是妙
經王亦應恭敬供養讀誦受持經者我等及
餘无量天衆以是聽法善根威力得服无上
甘露法味增益我等所有眷屬并餘天神皆
得勝利何以故以是人王至心聽受是經典
故世尊如大梵天於諸有情常為宣說世出
世論帝釋復說種種諸論五通神仙亦說諸
論世尊梵天帝釋五通仙人雖有百千俱胝
那庾多无量諸論然佛世尊慈悲哀愍為人
天衆說金光明微妙經典比前所說勝彼百
千俱胝那庾多倍不可為喻何以故由此能
令諸贍部洲所有王等正法化世能與衆生安
樂之事為護自身及諸眷屬令无憂苦又无
他方怨賊侵害所有諸惡悉皆遠去亦令國
土灾厄屏除化以正法无有諍訟是故人王
各於國土當然法炬明照无邊增益天衆并
諸眷屬世尊我等四王无量天神藥叉之衆
贍部洲內所有天神以是因緣得服无上甘
露法味獲大威德勢力光明无不具足一切
衆生皆得安隱復於來世无量百千不可思
議那庾多劫常受快樂復得值遇无量諸
佛種諸善根然後證得阿耨多羅三藐三菩
提如是无量无邊勝利皆是如來應正等覺以
大慈悲過梵衆以大智慧逾帝釋脩諸苦行
勝五通仙百千万億那庾多倍不可稱計為
諸衆生演說如是微妙經典令贍部洲一切國
主及諸人衆明了世間所有法式治國化
人勸導之事由此經王流通力故普得安樂
此等福利皆是釋迦大師於此經典廣為流
通慈悲力故世尊以是因緣諸人王等皆應

諸衆生演說如是微妙經典令贍部洲一切國
主及諸人衆明了世間所有法式治國化
人勸導之事由此經王流通力故普得安樂
此等福利皆是釋迦大師於此經典廣為流
通慈悲力故世尊以是因緣諸人王等皆應
受持供養恭敬尊重讚歎此妙經王何以故
以如是等不可思議殊勝功德利益一切是
故名曰最勝經王
爾時世尊復告四天王汝等四王及餘眷屬無
量百千俱胝那庾多諸天大衆見彼人王若
能至心聽是經典供養恭敬尊重讚歎者應
當擁護除其衰患能令汝等亦受安樂若四
部衆能廣流布是經王者於人天中廣作佛
事普能利益無量衆生如是之人汝等四王
常當擁護如是四衆勿使他緣共相侵擾令
彼身心寂靜安樂於此經王廣宣流布令不
斷絕利益有情盡未來際
爾時多聞天王從座而起白佛言世尊我有
如意寶珠陀羅尼法若有衆生樂受持者
功德無量我常擁護令彼衆生離苦得樂能
成福智二種資糧欲受持者先當誦此護身之
呪即說呪曰
南謨薜室囉末拏也莫訶曷羅闍也但是也上之字皆須引聲
怛姪他　囉囉囉囉　矩怒矩怒
區怒區怒　窶怒窶怒　颯縛颯縛
羯囉羯囉　莫訶毗羯喇麼　莫訶毗羯喇麼
莫訶曷囉社　曷路叉曷路叉　覩湯自稱己名
薩婆薩埵難者　莎訶長引聲此之二字皆
世尊誦此呪者當以白線呪之七遍一遍一結
繫之肘後其事必成應取諸香所謂安息旃

羯囉羯囉　莫訶毗羯喇麼　莫訶毗羯喇麼
莫訶曷囉社　曷路叉曷路叉　覩湯自稱己名
薩婆薩埵難者　莎訶長引聲此之二字皆
世尊誦此呪者當以白線呪之七遍一遍一結
繫之肘後其事必成應取諸香所謂安息旃
檀龍腦蘇合多揭羅薰陸皆須等分和合一
處手執香爐燒香供養清淨澡浴著鮮潔
衣於一靜室可誦神呪
請我薜室囉末拏天王即說呪曰
南謨薜室囉　末拏引也　南謨檀那馱也
檀泥說囉引也　阿揭撦　阿鉢喇弭哆
檀泥說囉　鉢囉麼　迦嚕尼迦
薩婆薩埵　呬哆振哆　麼麼名己檀那
末拏鉢喇拽撦　碎闍摩揭撦　莎訶
此呪誦滿一七遍已次誦本呪欲誦呪時先當
稱名敬禮三寶及薜室羅末拏大王能施
財物令諸衆生所求願滿悉能成就與其安
樂如是礼已次誦薜室羅末拏王如意末尼
寶心神呪能施衆生隨意安樂爾時多聞天
王即於佛前說如意末尼寶心呪曰
南謨曷喇怛那　怛喇夜引也
南謨薜室囉末拏引也　莫訶囉闍引也
怛　姪　他　四弭四弭　蘇母蘇母
旃茶旃茶　折囉折囉　薩囉薩囉
羯囉羯囉　枳哩枳哩　矩嚕矩嚕
母嚕母嚕　主嚕主嚕　娑大也頞貪
我名某甲　昵店頞他　達達都莎訶
南謨薜室囉末拏也莎訶檀馱也莎訶

[illegible] 折羅 薩囉薩囉
羯囉羯囉 枳哩枳哩 矩嚕矩嚕
母嚕母嚕 主嚕主嚕 娑大也頞貪
我名某甲 暱店頞他 達達都莎訶
南謨薜室囉末拏也莎訶檀䭾也莎訶
曷奴喇他鉢喇脯喇迦引也莎訶
受持呪時先誦千遍然後於淨室中瞿摩塗
地作小壇場隨時飲食一心供養常然妙香
令烟不絕誦前心呪晝夜繫心唯自耳聞勿
令他解時有薜室囉末拏王子名禪膩師現
童子形來至其所問言何故須喚我父即可
報言我為供養三寶事須財物顧當施與時
禪膩師聞是語已即還父所白其父言今有
善人發至誠心供養三寶少乏財物為斯請
白其父報言汝可速去日日與彼一百迦利
沙波拏（此是根本梵音唯目貝齒而隨方不定或是貝齒或是金銀銅鐵等錢然摩揭陁現今通用一迦利沙波拏有一千六百貝齒總數可以准知若准物直隨處不定若人持呪得成就者獲物之時自知其數有本云每日與一百陳那羅即金錢也乃至盡形日日常得西方求者多有神驗除不至心也）
其持呪者見是相已知事得成當須獨處淨室
燒香而卧可於床邊置一香篋每至天曉觀
其篋中獲所求物每得物時當日即須供
養三寶香花飲食兼施貧乏皆令罄盡不得
停留於諸有情起慈悲念勿生瞋誑諂害之
心若起瞋者即失神驗常可護心勿令瞋恚
又持此呪者於每日中憶我多聞天王及男
女眷屬稱揚讚歎恒以十善共相資助令彼
天等神力增明衆善普臻證菩提處彼諸天
衆見是事已皆大歡喜共來擁衛持呪之人
又持呪者壽命長遠經无量歲永離三塗常
无灾厄亦令獲得如意寶珠及以伏藏神通
[illegible]

BD03030 號　金光明最勝王經卷六　（17–12）

女眷屬稱揚讚歎恒以十善共相資助令彼
天等神力增明衆善普臻證菩提處彼諸天
衆見是事已皆大歡喜共來擁衛持呪之人
又持呪者壽命長遠經无量歲永離三塗常
无灾厄亦令獲得如意寶珠及以伏藏神通
自在所願皆成若求官榮无不稱意亦解一
切禽獸之語
世尊若持呪時欲得見我自身現者可於月
八日或十五日於白疊上畫佛形像當用木
膠雜彩莊飾其畫像人為受八戒於佛左邊
作吉祥天女像於佛右邊作我多聞天像并
畫男女眷屬之類安置坐處咸令如法布列
花彩燒衆名香然燈續明晝夜无歇上妙飲
食種種珍奇發殷重心隨時供養受持神呪
不得輕心請召我時應誦此呪
南謨室利健那也 勃陁引也
南謨薜室囉末拏也 藥叉囉闍引也
莫訶囉闍 阿地囉闍也
南麼室喇耶㮈 莫訶提鞞引㮈
怛姪他 怛囉怛囉咄嚕咄嚕
末囉末囉 窣窣吐窣窣吐
漢娜漢娜 末尼羯諾迦
跋折囉薜琉璃也 目底迦楞訖㗚哆
設喇囉㮈 薄引薩婆薩埵
呬哆迦引摩 薜室囉末拏
室喇夜提鼻 跋㶩婆引也
醫呬醫呬麼毗藍婆 瞿㗚拏瞿㗚拏
袜（麻八反）喇婆袜喇婆 達䭾呬麼麼
阿目迦那末寫（自稱己名） 達哩設那迦末寫
達哩設南 麼麼末那

BD03030 號　金光明最勝王經卷六　（17–13）

…度　…羅室囉末拏
室唎夜提鼻　跋囇婆引也
醫四醫四麼毗薩婆　瞿嘌拏瞿嘌拏
袜又麻八喇婆袜喇婆　達馱四麼麼
阿目迦那末寫自稱己名　達哩設那迦末寫
達哩設南　麼麼末那
鉢喇曷邏羅大也　莎訶
世尊我若見此誦呪之人復見如是威興供
供養即生慈愛歡喜之心我即變身作小兒
形或作老人苾芻之像手持如意末尼寶珠
并持金囊入道場內身現恭敬口稱佛名語
持呪者曰隨汝所求皆令如願或隱林藪或造
寶珠或欲衆人愛寵或求金銀等物欲持諸
呪皆令有驗或欲神通壽命長遠及勝妙樂
无不稱心我今且說如是之事若更求餘皆
隨所願悉得成就寶藏无盡功德无窮假使
日月墮墮于地或可大地有時移轉我此實
語終不虛然常得安隱隨心快樂世尊若有
人能受持讀誦此經王者誦此呪時不假疲
勞法速成就世尊我今為彼貧窮困厄苦惱
衆生說此神呪令獲大利皆得富樂自在无
患乃至盡形我當擁護隨逐是人為除災厄
亦復令此持金光明最勝王經流通之者及
持呪人於百步內光明照燭我之所有千藥
叉神亦常侍衛隨欲駈使无不遂心我說實
語无有虛誑唯佛證知時多聞天王說此呪
已佛言善哉大士汝能破裂一切衆生貧窮
苦網令得富樂說是神呪復令此經廣行於
世時四天王俱從座起偏袒一肩頂礼雙足
右膝著地合掌恭敬以妙伽他讚佛功德
佛面猶如淨滿月　亦如千日放光明

語无有虛誑唯佛證知時多聞天王說此呪
已佛言善哉大士汝能破裂一切衆生貧窮
苦網令得富樂說是神呪復令此經廣行於
世時四天王俱從座起偏袒一肩頂礼雙足
右膝著地合掌恭敬以妙伽他讚佛功德
佛面猶如淨滿月　亦如千日放光明
目淨脩廣若青蓮　齒白齊密猶珂雪
佛德无邊如大海　无限妙寶積其中
智慧德水鎮恒盈　百千勝定咸充滿
足下輪相皆嚴飾　轂輞千輻悉齊平
手足鞔網遍莊嚴　猶如鵝王相具足
佛身光曜等金山　清淨殊特无倫疋
亦如妙高功德滿　故我稽首佛山王
相好如空不可測　逾於千月放光明
皆如燄幻不思議　故我稽首心无著
尒時四天王讚歎佛已世尊亦以伽他而荅
之曰
此金光明最勝經　无上十力之所說
汝等四王常擁衛　應生勇猛不退心
此妙經寶極甚深　能與一切有情樂
由彼有情安樂故　常得流通贍部洲
於此大千世界中　所有一切有情類
餓鬼傍生及地獄　如是苦趣悉皆除
住此南洲諸國王　及餘一切有情類
由經威力常歡喜　皆蒙擁護得安寧
亦使此中諸有情　除衆病苦无賊盜
賴此國土弘經故　安隱豐樂无違惱
若人聽受此經王　欲求尊貴及財利
國土豐樂无違諍　隨心所願悉皆從
能令他方賊退散　於自國界常安隱
由此最勝經王力　離諸苦惱无憂怖

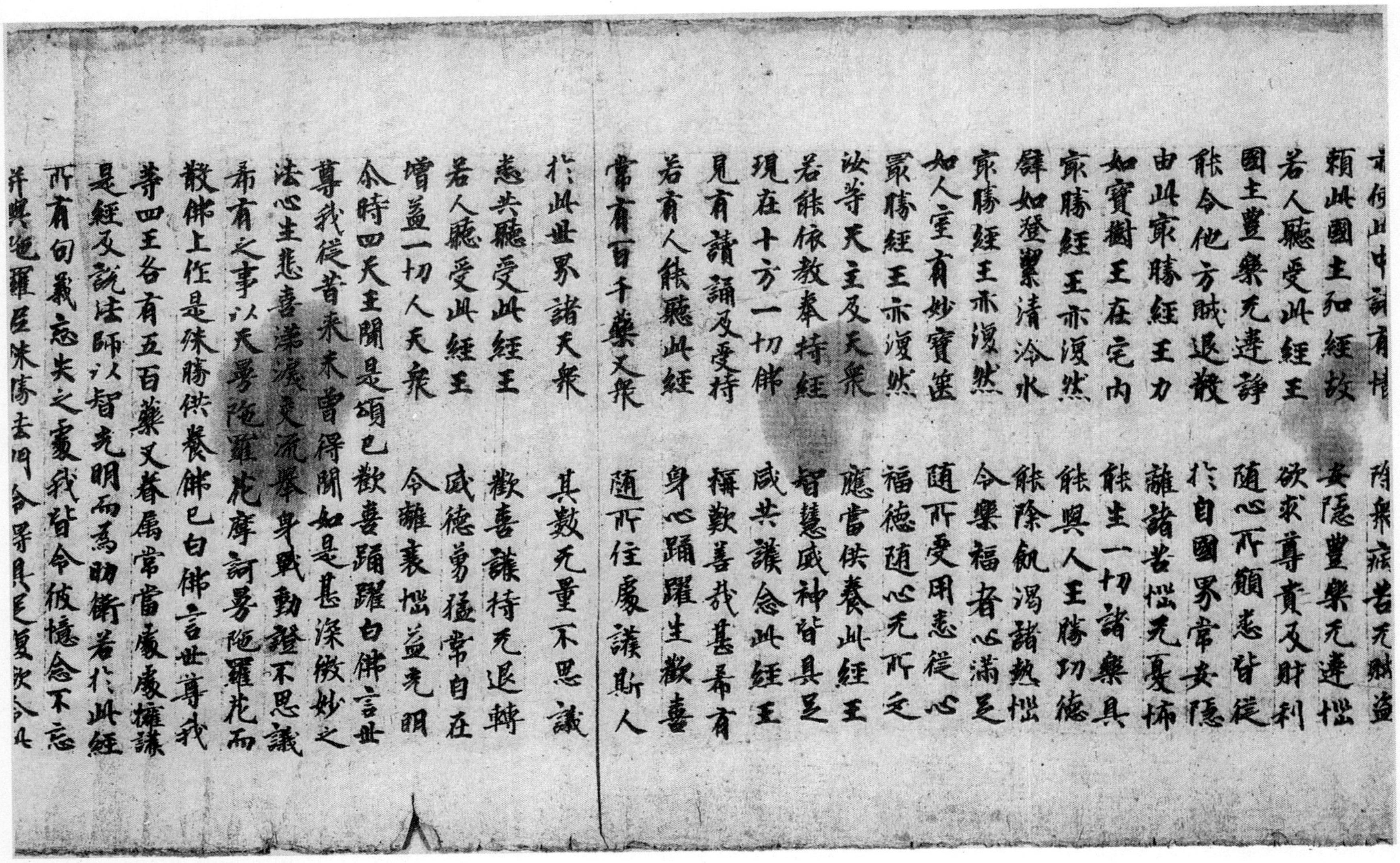
亦使此中諸有情　除衆病苦无賊盜
賴此國主知經故　安隱豐樂无違惱
若人聽受此經王　欲求尊貴及財利
國土豐樂无違諍　隨心所願悉皆從
能令他方賊退散　於自國界常安隱
由此最勝經王力　離諸苦惱无憂怖
如寶樹王在宅內　能生一切諸樂具
最勝經王亦復然　能與人王勝功德
譬如澄潔清冷水　能除飢渴諸熱惱
最勝經王亦復然　令樂福者心滿足
如人室有妙寶篋　隨所受用悉從心
最勝經王亦復然　福德隨心无所乏
汝等天主及天衆　應當供養此經王
若能依教奉持經　智慧威神皆具足
現在十方一切佛　咸共護念此經王
見有讀誦及受持　稱歎善哉甚希有
若有人能聽此經　身心踴躍生歡喜
常有百千藥叉衆　隨所住處護斯人
於此世界諸天衆　其數无量不思議
悉共聽受此經王　歡喜護持无退轉
若人聽受此經王　威德勇猛常自在
增益一切人天衆　令離衰惱益光明
尒時四天王聞是頌已歡喜踴躍白佛言世
尊我從昔來未曾得聞如是甚深微妙之
法心生悲喜涕淚交流舉身戰動證不思議
希有之事以天曼陁羅花摩訶曼陁羅花而
散佛上作是殊勝供養佛已白佛言世尊我
等四王各有五百藥叉眷屬常當處處擁護
是經及說法師以智光明而為助衛若於此經
所有句義忘失之處我皆令彼憶念不忘
并與陁羅尼殊勝法門令得具足復欲令此

BD03030號　金光明最勝王經卷六　（17–16）

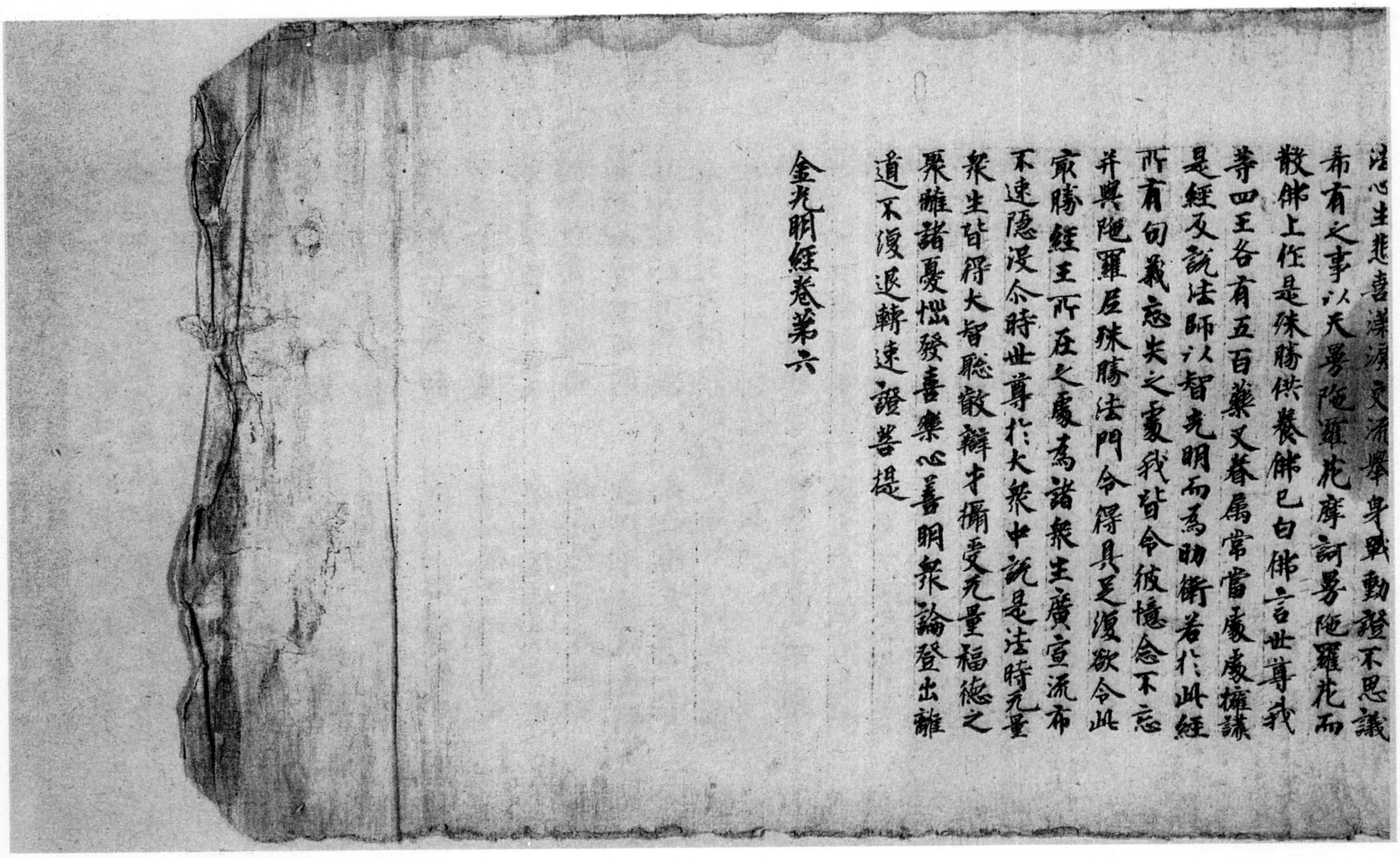
法心生悲喜涕淚交流舉身戰動證不思議
希有之事以天曼陁羅花摩訶曼陁羅花而
散佛上作是殊勝供養佛已白佛言世尊我
等四王各有五百藥叉眷屬常當處處擁護
是經及說法師以智光明而為助衛若於此經
所有句義忘失之處我皆令彼憶念不忘
并與陁羅尼殊勝法門令得具足復欲令此
最勝經王所在之處為諸衆生廣宣流布
不速隱沒尒時世尊於大衆中說是法時无量
衆生皆得大智聡叡辯才攝受无量福德之
聚離諸憂惱發喜樂心善明衆論登出離
道不復退轉速證菩提

金光明經卷第六

BD03030號　金光明最勝王經卷六　（17–17）

億四洲於此三千大
千世界一切天龍藥叉健闥婆阿蘇羅揭路
荼緊那羅莫呼洛伽宮殿之所於虛空中充
滿而住種種香烟變成雲蓋其蓋金色普
照天宮如是三千大千世界所有種種香雲
香蓋皆是金光明最勝王經威神之力是諸
人王手持香爐供養經時種種香氣非但遍
此三千大千世界於一念頃亦遍十方无量无
邊恒河沙等百千万億諸佛國土於諸佛上
虛空之中變成香蓋金色普照亦復如是時
彼諸佛聞此妙香覩斯雲蓋及以金色於十
方界恒河沙等諸佛世尊現神變已彼諸世
尊悉共觀察異口同音讚法師曰善哉善哉
汝大丈夫能廣流布如是甚深微妙經典則
為成就无量无邊不可思議福德之聚若有
聽聞如是經者所獲功德其量甚多何況書
寫受持讀誦為他敷演如說脩行何以故善
男子若有衆生聞此金光明最勝王經者即

BD03031 號　金光明最勝王經卷六　（8–1）

汝大丈夫能廣流布如是甚深微妙經典則
為成就无量无邊不可思議福德之聚若有
聽聞如是經者所獲功德其量甚多何況書
寫受持讀誦為他敷演如說脩行何以故善
男子若有衆生聞此金光明最勝王經者即
於阿耨多羅三藐三菩提不復退轉
尒時十方有百千俱胝那庾多无量无數恒
河沙等諸佛剎土彼諸剎土一切如來異口
同音於法座上讚彼法師言善哉善哉善男
子汝於未世以精勤力當脩无量百千苦行
具足資糧超諸聖衆出過三界為最勝尊當
坐菩提樹王之下殊勝莊嚴能救三千大千
世界有緣衆生善能摧伏可畏形儀諸魔軍
衆覺了諸法最勝清淨甚深无上正等菩提
善男子汝當坐於金剛之座轉於无上諸佛
所讚十二妙行甚深法輪能擊无上最大法
鼓能吹无上極妙法蠡能建无上殊勝法
幢能然无上極明法炬能降无上甘露法雨
斷无量煩惱怨結能令无量百千万億那庾
多有情度於无涯可畏大海解脫生死无際
輪迴值遇无量百千万億那庾多佛
尒時四天王復白佛言世尊是金光明最勝
王經能於未來現在成就如是无量功德是
故人王若得聞是微妙經典即是已於百千万
億无量佛所種諸善根於彼人王我當護念
復見无量福德利故我等四王及餘眷屬

BD03031 號　金光明最勝王經卷六　（8–2）

輪迴值遇无量百千万億那庾多佛
尒時四天王復白佛言世尊是金光明最勝
王經能於未來現在成就如是无量功德是
故人王若得聞是微妙經典即是已於百千万
億无量佛所種諸善根於彼人王我當護念
復見无量福德利故我等四王及餘眷屬
无量百千万億諸神於自宮殿見是種種香
烟雲蓋神變之時我當隱蔽不現其身為聽
法故當至是王清淨嚴飾所止宮殿講法之
處[illegible]乃至梵宮帝釋大辯才天大吉祥天堅
牢地神正了知神大將二十八部諸藥叉神大
自在天金剛密主寶賢大將訶利底母五百
眷屬无熱惱池龍王大海龍王无量百千万
億那庾多諸天藥叉如是等衆為聽法故皆
不現身至彼人王殊勝宮殿莊嚴高座說
法之所世尊我等四王及餘眷屬藥叉諸
神皆當一心共彼人王為善知識因是无上
大法施主以甘露味充足於我是故我等當
護是王除其衰患令得安隱及其宮殿城邑
國土諸惡災變悉令消滅尒時四天王俱共
合掌白佛言世尊若有人王於其國土雖有
此經未嘗流布心生捨離不樂聽聞亦不供
養尊重讚歎見四部衆持經之人亦復不能
尊重供養遂令我等及餘眷屬无量諸天不
得聞此甚深妙法背甘露味失正法流无有

BD03031 號　金光明最勝王經卷六　（8–3）

合掌白佛言世尊若有人王於其國土雖有
此經未嘗流布心生捨離不樂聽聞亦不供
養尊重讚歎見四部衆持經之人亦復不能
尊重供養遂令我等及餘眷屬无量諸天不
得聞此甚深妙法背甘露味失正法流无有
威光及以勢力增長惡趣損減人天墜生死
河乖涅槃路世尊我等四王并諸眷屬及藥
叉等見如斯事捨其國土无擁護心非但我
等捨棄是王亦有无量守護國土諸大善神
悉皆捨去既捨離已其國當有種種災禍喪
失國位一切人衆皆无善心唯有繫縛殺害瞋
諍互相讒諂枉及无辜疾疫流行彗星數
出兩日並現薄蝕無恒黑白二虹表不祥相
星流地動井內發聲暴雨惡風不依時節
常遭飢饉實不成多有他方怨賊侵掠國
內人民受諸苦惱土地无有可樂之處世尊
我等四王及與无量百千天神并護國土諸
舊善神遠離去時生如是等无量百千災
怪惡事世尊若有人王欲護國土常受快樂
欲令衆生咸蒙安隱欲得摧伏一切外敵於自
國境永得昌盛欲令正教流布世間苦惱惡法
皆除滅者世尊是諸國主必當聽受是妙經
王亦應恭敬供養讀誦受持經者我等及餘
无量天衆以是聽法善根威力得服无上甘露
法味增益我等所有眷屬并餘天神皆得

BD03031 號　金光明最勝王經卷六　（8–4）

國境永得昌盛欲令正教流布世間苦惱惡法
皆除滅者世尊是諸國主必當聽受是妙經
王亦應恭敬供養讀誦受持經者我等及餘
无量天衆以是聽法善根威力得服无上甘露
法味增益我等所有眷屬并餘天神皆得
勝利何以故以是人王至心聽受是經典故世
尊如大梵天於諸有情常為宣說世出世
論帝釋復說種種諸論五通神仙亦說諸論
世尊梵天帝釋五通仙人雖有百千俱胝那
庾多无量諸論然佛世尊慈悲哀愍為人天
衆說金光明微妙經典比前所說勝彼百千
俱胝那庾多倍不可為喻何以故由此能令
諸贍部洲所有王等正法化世能與衆生安
樂之事為護自身及諸眷屬令无苦惱又无
他方怨賊侵害所有諸惡悉皆遠去亦令國
土灾厄屏除化以正法无有諍訟是故人王
各於國土當然法炬明无邊增益天衆并
諸眷屬世尊我等四王无量天神藥叉之衆
贍部洲內所有天神以是因緣得服无上甘
露法味獲大威德勢力光明无不具足一切
衆生皆得安隱復於來世无量百千不可思
議那庾多劫常受快樂復得值遇无量諸佛
種諸善根然後證得阿耨多羅三藐三菩提
如是无量无邊勝利皆是如來應正等覺
以大慈悲過梵衆以大智慧逾帝釋脩諸苦

議那庾多劫常受快樂復得值遇无量諸佛
種諸善根然後證得阿耨多羅三藐三菩提
如是无量无邊勝利皆是如來應正等覺
以大慈悲過梵衆以大智慧逾帝釋脩諸苦
行勝五通仙百千万億那庾多倍不可稱計
為諸衆生演說如是微妙經典令贍部洲一切
國主及諸人衆明了世間所有法式治國化
人勸導之事由此經王流通力故普得安樂
此等福利皆是釋迦大師於此經典廣為流
通慈悲力故世尊以是因緣諸人王等皆應
受持供養恭敬尊重讚歎此妙經王何以故
以如是等不可思議殊勝功德利益一切是
故名曰最勝經王
尒時世尊復告四天王汝等四王及餘眷屬
无量百千俱胝那庾多諸天大衆見彼人王
若能至心聽是經典供養恭敬尊重讚歎
者應擁護除其衰患能令汝等亦受安樂若
四部衆能廣流布是經王者於人天中廣作
佛事普能利益无量衆生如是之人汝等四
王常當擁護如是四衆勿使他緣共相侵擾
令彼身心寂靜安樂於此經王廣宣流布令
不斷絕利益有情盡未來際
尒時多聞天王從座而起白佛言世尊我有
如意寶珠陁羅尼法若有衆生樂受持者功
德无量我常擁護令彼衆生離苦得樂能
成福智二種資糧欲受持者先當誦此護

不斷絶利益有情盡未來際
尒時多聞天王從座而起白佛言世尊我有
如意寶珠陁羅尼法若有衆生樂受持者功
德无量我常擁護令彼衆生離苦得樂能
成福智二種資糧欲受持者先當誦此護
身之呪即說呪曰
南謨薜室囉末拏也莫訶曷羅闍也但是世上之字皆須引聲
怛姪他　囉囉囉囉　矩怒矩怒矩怒
區怒區怒　窶怒窶怒　颯縛颯縛颯縛
羯囉羯囉　莫訶毗羯喇麼　莫訶毗羯喇麼
莫訶曷囉社　曷路叉曷路叉　覩漫自稱己名
薩婆薩埵難者　莎訶此之二字皆長引聲
世尊誦此呪者當以白線呪之七遍一遍一結
繫之肘後其事必成應取諸香所謂安息旃
檀龍腦蘇合多揭羅薰陸皆須等分和合
一處手執香鑪燒香供養清淨澡浴着鮮
衣於一靜室可誦神呪
請我薜室囉末拏天王即說呪曰
南謨薜室囉　末拏引也　南謨檀那馱也
檀泥說囉引也　阿揭撦　阿鉢喇弭哆
檀泥說囉　鉢囉麼　迦留尼迦
薩婆薩埵　呬哆振哆　麼麼己名　檀那
末拏鉢喇拽撦　硃閦摩揭撦　莎訶
此呪誦滿一七遍已次誦本呪欲誦呪時先
當稱名敬礼三寶及薜室羅末拏大王能
施財物令諸衆生所求願滿悉能成就與其

BD03031 號　金光明最勝王經卷六　（8–7）

檀泥說囉　鉢囉麼　迦留尼迦
薩婆薩埵　呬哆振哆　麼麼己名　檀那
末拏鉢喇拽撦　硃閦摩揭撦　莎訶
此呪誦滿一七遍已次誦本呪欲誦呪時先
當稱名敬礼三寶及薜室羅末拏大王能
施財物令諸衆生所求願滿悉能成就與其
安樂如是礼已次誦薜室羅末拏王如意
末尼寶心神呪能施衆生隨意安樂尒時多聞
天王即於佛前說如意末尼寶心呪曰
南謨曷喇怛那　怛喇夜引也
南謨薜室囉末拏引也　莫訶囉闍引也
怛姪他　四弭四弭　蘇母蘇母
旃荼旃荼　折囉折囉　薩囉薩囉
羯囉羯囉　枳哩枳哩　矩嚕矩嚕
母嚕母嚕　主嚕主嚕　娑大也頞貪
我名某甲　昵店頞他　達達覩莎
訶　南謨薜室囉末拏也莎訶　檀那馱
訶男奴喇他鉢喇脯喇迦引也　莎
受持呪時先誦千遍然後於淨
處地作小壇場隨時飲食一心供
香令烟不絶

BD03031 號　金光明最勝王經卷六　（8–8）

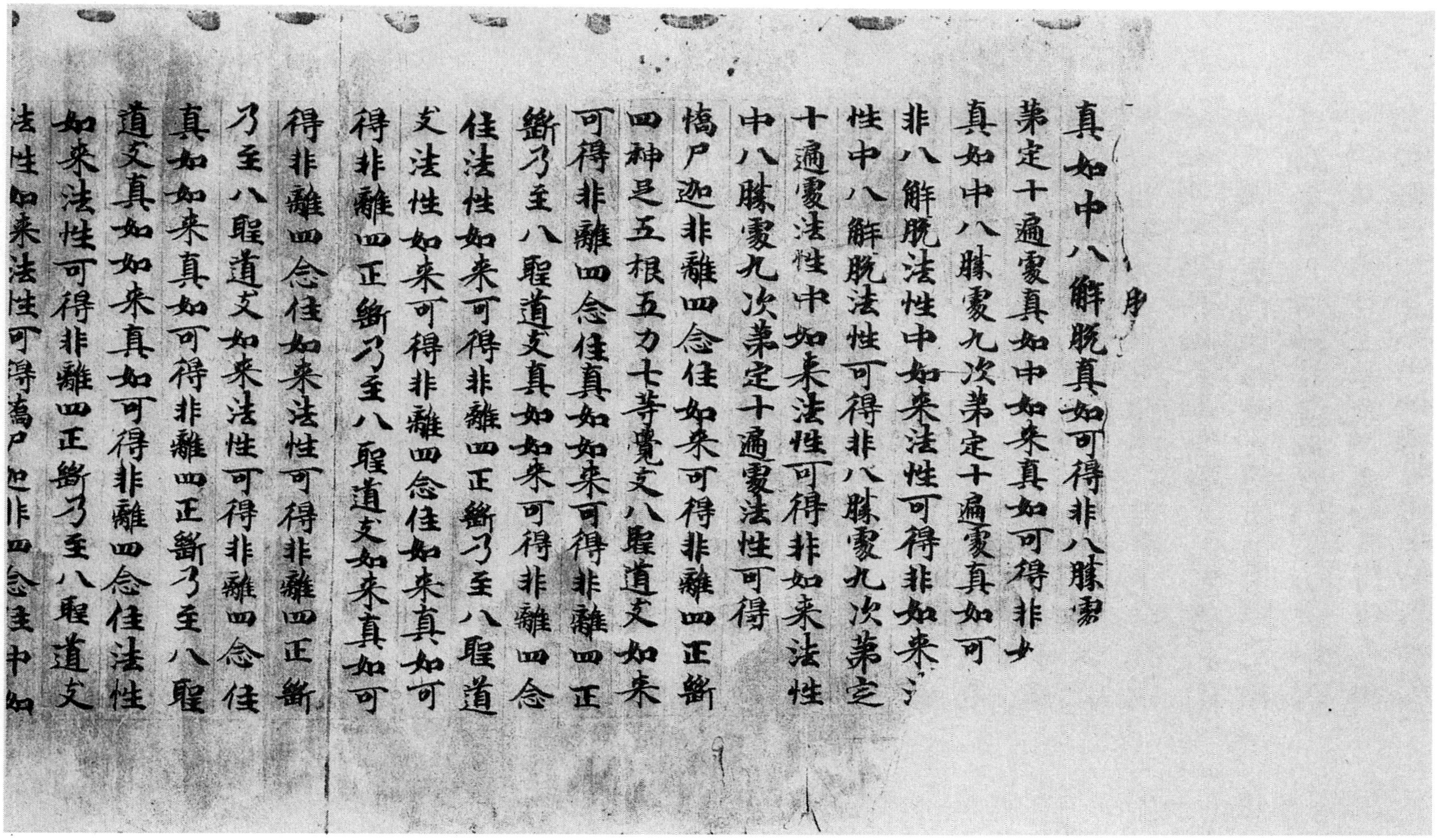
真如中八解脫真如可得非八勝處
弟定十遍處真如中如來真如可得非如
真如中八勝處九次弟定十遍處真如可
非八解脫法性中如來法性可得非如來
性中八解脫法性可得非八勝處九次弟定
十遍處法性中如來法性可得非如來法性
中八勝處九次弟定十遍處法性可得
憍尸迦非離四念住如來可得非離四正斷
四神足五根五力七等覺支八聖道支如來
可得非離四念住真如如來可得非離四正
斷乃至八聖道支真如如來可得非離四念
住法性如來可得非離四正斷乃至八聖道
支法性如來可得非離四念住如來真如可
得非離四正斷乃至八聖道支如來真如可
得非離四念住如來法性可得非離四正斷
乃至八聖道支如來法性可得非離四念住
真如如來真如可得非離四正斷乃至八聖
道支真如如來真如可得非離四念住法性
如來法性可得非離四正斷乃至八聖道支
法性如來法性可得憍尸迦非四念住中如

BD03032號　大般若波羅蜜多經卷九一　（13–1）

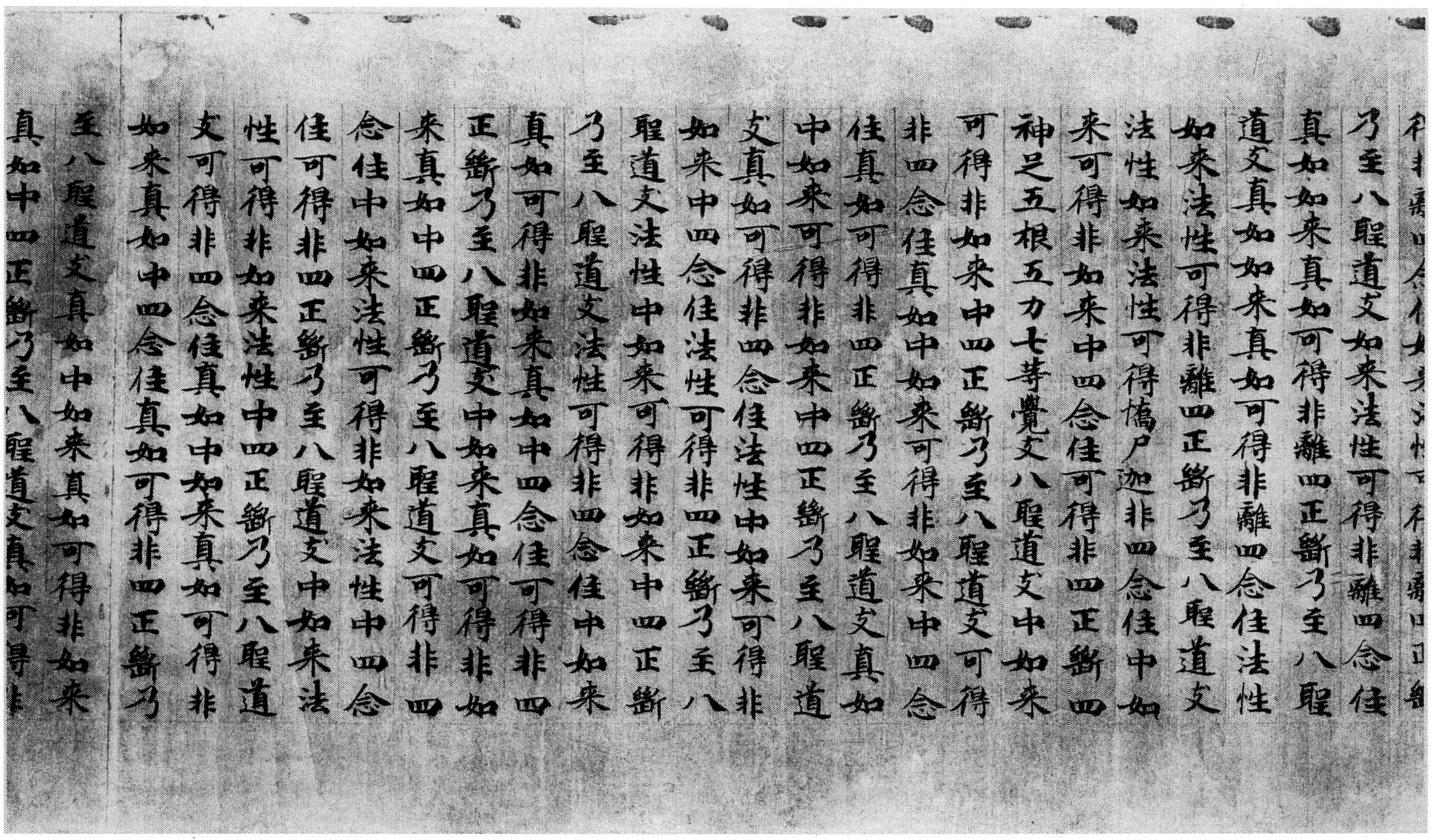
得非離四念住如來法性可得非離四正斷
乃至八聖道支如來法性可得非離四念住
真如如來真如可得非離四正斷乃至八聖
道支真如如來真如可得非離四念住法性
如來法性可得非離四正斷乃至八聖道支
法性如來法性可得憍尸迦非四念住中如
來可得非如來中四念住可得非四正斷四
神足五根五力七等覺支中如來
可得非如來中四正斷乃至八聖道支可得
非四念住真如中如來可得非如來中四念
住真如可得非四正斷乃至八聖道支真如
中如來可得非如來中四正斷乃至八聖道
支真如可得非四念住法性中如來可得非
如來中四念住法性可得非四正斷乃至八
聖道支法性中如來可得非如來中四正斷
乃至八聖道支法性可得非四念住中如來
真如可得非如來真如中四念住可得非四
正斷乃至八聖道支中如來真如可得非如
來真如中四正斷乃至八聖道支可得非四
念住中如來法性可得非如來法性中四念
住可得非四正斷乃至八聖道支中如來法
性可得非如來法性中四正斷乃至八聖道
支可得非四念住真如中如來真如可得非
如來真如中四念住真如可得非四正斷乃
至八聖道支真如中如來真如可得非如來
真如中四正斷乃至八聖道支真如可得非

BD03032號　大般若波羅蜜多經卷九一　（13–2）

性可得非如來法性中四正斷乃至八聖道
支可得非四念住真如中如來真如可得非
如來真如中四念住真如可得非四正斷乃
至八聖道支真如中如來真如可得非如來
真如中四正斷乃至八聖道支真如可得非
四念住法性中如來法性可得非如來法性
中四念住法性可得非四正斷乃至八聖道
支法性中如來法性可得非如來法性中四
正斷乃至八聖道支法性可得
憍尸迦非離空解脫門如來可得非離无相
无願解脫門如來可得非離空解脫門真如
如來可得非離无相无願解脫門真如如來
可得非離空解脫門法性如來可得非離无
相无願解脫門法性如來可得非離空解脫
門如來真如可得非離无相无願解脫門如
來真如可得非離空解脫門如來法性可得
非離无相无願解脫門如來法性可得非離
空解脫門真如如來真如可得非離无相无
願解脫門真如如來真如可得非離空解脫
門法性如來法性可得非離无相无願解脫
門法性如來法性可得憍尸迦非空解脫門
中如來可得非如來中空解脫門可得非无
相无願解脫門中如來可得非如來中无相
无願解脫門可得非空解脫門真如中如來
可得非如來中空解脫門真如可得非无相
无願解脫門真如中如來可得非如來中无

BD03032號　大般若波羅蜜多經卷九一　（13–3）

中如來可得非如來中空解脫門可得非无
相无願解脫門中如來可得非如來中无相
无願解脫門可得非空解脫門真如中如來
可得非如來中空解脫門真如可得非无相
无願解脫門真如中如來可得非如來中无
相无願解脫門真如可得非空解脫門法性
中如來可得非如來中空解脫門法性可得
非无相无願解脫門法性中如來可得非如
來中无相无願解脫門法性可得非空解脫
門中如來真如可得非如來真如中空解脫
門可得非无相无願解脫門中如來真如可
得非如來真如中无相无願解脫門可得非
空解脫門中如來法性可得非如來法性中
空解脫門可得非无相无願解脫門中如來
法性可得非如來法性中无相无願解脫門
可得非空解脫門真如中如來真如可得非
如來真如中空解脫門真如可得非无相无
願解脫門真如中如來真如可得非如來真
如中无相无願解脫門真如可得非空解脫
門法性中如來法性可得非如來法性中空
解脫門法性可得非无相无願解脫門法性
中如來法性可得非如來法性中无相无願
解脫門法性可得
憍尸迦非離五眼如來可得非離六神通如
來可得非離五眼真如如來可得非離六神
通真如如來可得非離五眼法性如來可得

BD03032號　大般若波羅蜜多經卷九一　（13–4）

解脱門法性可得
憍尸迦非離五眼如来可得非離六神通如
来可得非離五眼真如如来可得非離六神
通真如如来可得非離五眼法性如来可得
非離六神通法性如来可得非離五眼如来
真如可得非離六神通如来真如可得非離
五眼如来法性可得非離六神通如来法性
可得非離五眼真如如来真如可得非離六
神通真如如来真如可得非離五眼法性如
来法性可得非離六神通法性如来法性可
得憍尸迦非五眼中如来可得非如来中五
眼可得非六神通中如来可得非如来中六
神通可得非五眼真如中如来可得非如来
中五眼真如可得非六神通真如中如来可
得非如来中六神通真如可得非五眼法性
中如来可得非如来中五眼法性可得非六
神通法性中如来可得非如来中六神通法
性可得非五眼中如来真如可得非如来真
如中五眼可得非六神通中如来真如可得
非如来真如中六神通可得非五眼中如来
法性可得非如来法性中五眼可得非六神
通中如来法性可得非如来法性中六神通
可得非五眼真如中如来真如可得非如来
真如中五眼真如可得非六神通真如中如
来真如可得非如来真如中六神通真如可

BD03032號　大般若波羅蜜多經卷九一　（13–5）

通中如来法性可得非如来法性中六神通
可得非五眼真如中如来真如可得非如来
真如中五眼真如可得非六神通真如中如
来真如可得非如来真如中六神通真如可
得非五眼法性中如来法性可得非如来法
性中五眼法性可得非六神通法性中如来
法性可得非如来法性中六神通法性可得
憍尸迦非離佛十力如来可得非離四无所
畏四无礙解大慈大悲大喜大捨十八佛不
共法如来可得非離佛十力真如如来可得
非離四无所畏乃至十八佛不共法真如如
来可得非離佛十力法性如来可得非離四
无所畏乃至十八佛不共法法性如来可得
非離佛十力如来真如可得非離四无所畏
乃至十八佛不共法如来真如可得非離佛
十力如来法性可得非離四无所畏乃至十
八佛不共法如来法性可得非離佛十力真
如如来真如可得非離四无所畏乃至十八
佛不共法真如如来真如可得非離佛十力
法性如来法性可得非離四无所畏乃至十
八佛不共法法性如来法性可得憍尸迦非
佛十力中如来可得非如来中佛十力可得
非四无所畏四无礙解大慈大悲大喜大捨
十八佛不共法中如来可得非如来中四无
所畏乃至十八佛不共法可得非佛十力真
如中如来可得非如来中佛十力真如可得

BD03032號　大般若波羅蜜多經卷九一　（13–6）

非四无所畏四无礙解大慈大悲大喜大捨
十八佛不共法中如來可得非如來中四无
所畏乃至十八佛不共法可得非佛十力真
如中如來可得非如來中佛十力真如可得
非四无所畏乃至十八佛不共法真如中如
來可得非如來中四无所畏乃至十八佛不
共法真如可得非佛十力法性中如來可得
非如來中佛十力法性可得非四无所畏乃
至十八佛不共法法性中如來可得非如來
中四无所畏乃至十八佛不共法法性可得
非佛十力中如來真如可得非如來真如中
佛十力可得非四无所畏乃至十八佛不共
法中如來真如可得非如來真如中四无所
畏乃至十八佛不共法可得非佛十力中如來
法性可得非如來法性中佛十力可得非四
无所畏乃至十八佛不共法中如來法性可
得非如來法性中四无所畏乃至十八佛不
共法可得非佛十力真如中如來真如可
得非如來真如中佛十力真如可得非四无
所畏乃至十八佛不共法真如中如來真如
可得非如來真如中四无所畏乃至十八佛
不共法真如可得非佛十力法性中如來法
性可得非如來法性中佛十力法性可得非
四无所畏乃至十八佛不共法法性中如來
法性可得非如來法性中四无所畏乃至十
八佛不共法法性可得

BD03032號　大般若波羅蜜多經卷九一　（13–7）

共法真如可得非佛十力法性中如來法
性可得非如來法性中佛十力法性可得非
四无所畏乃至十八佛不共法法性中如來
法性可得非如來法性中四无所畏乃至十
八佛不共法法性可得
憍尸迦非離无忘失法如來可得非離恒住
捨性如來可得非離无忘失法真如如來可
得非離恒住捨性真如如來可得非離无忘
失法法性如來可得非離恒住捨性法性如
來可得非離无忘失法如來真如可得非離
恒住捨性如來真如可得非離无忘失法如
來法性可得非離恒住捨性如來法性可得
非離无忘失法真如如來真如可得非離恒
住捨性真如如來真如可得非離无忘失法
法性如來法性可得非離恒住捨性法性如
來法性可得憍尸迦非无忘失法中如來可
得非如來中无忘失法可得非恒住捨性中
如來可得非如來中恒住捨性可得非无忘
失法真如中如來可得非如來中无忘失法
真如可得非恒住捨性真如中如來可得非
如來中恒住捨性真如可得非无忘失法法
性中如來可得非如來中无忘失法法性可
得非恒住捨性法性中如來可得非如來中
恒住捨性法性可得非无忘失法中如來真
如可得非如來真如中无忘失法可得非恒
住捨性中如來真如可得非如來真如中恒

BD03032號　大般若波羅蜜多經卷九一　（13–8）

得非恒住捨性法性中如來可得非如來中
恒住捨性法性可得非无忘失法中如來真
如可得非如來真如中无忘失法可得非恒
住捨性中如來真如可得非如來真如中恒
住捨性可得非无忘失法中如來法性可得
非如來法性中无忘失法可得非恒住捨性
中如來法性可得非如來法性中恒住捨性
可得非无忘失法真如中如來真如可得非
如來真如中无忘失法真如可得非恒住捨
性真如中如來真如可得非如來真如中恒
住捨性真如可得非无忘失法法性中如來
法性可得非如來法性中无忘失法法性可
得非恒住捨性法性中如來法性可得非如
來法性中恒住捨性法性可得
憍尸迦非離一切智如來可得非離道相智
一切相智如來可得非離一切智真如如來
可得非離道相智一切相智真如如來可得
非離一切智法性如來可得非離道相智一
切相智法性如來可得非離一切智如來真
如可得非離道相智一切相智如來真如可
得非離一切智如來法性可得非離道相智
一切相智如來法性可得非離一切智真如
如來真如可得非離道相智一切相智真如
如來真如可得非離一切智法性如來法性
可得非離道相智一切相智法性如來法性

BD03032號　大般若波羅蜜多經卷九一　（13–9）

一切相智如來法性可得非離一切智真如
如來真如可得非離道相智一切相智真如
如來真如可得非離一切智法性如來法性
可得非離道相智一切相智法性如來法性
可得憍尸迦非一切智中如來可得非如來
中一切智可得非道相智一切相智中如來
可得非如來中道相智一切相智可得非一
切智真如中如來可得非如來中一切智真
如可得非道相智一切相智真如中如來可
得非一切智中如來法性可得非如來法性
中一切智可得非道相智一切相智中如來
法性可得非如來法性中道相智一切相智
可得非一切智真如中如來真如可得非如
來真如中一切智真如可得非道相智一切
相智真如中如來真如可得非如來真如中
道相智一切相智真如可得非一切智法性
中如來法性可得非如來法性中一切智法
性可得非道相智一切相智法性中如來法

BD03032號　大般若波羅蜜多經卷九一　（13–10）

道相智一切相智真如可得非一切智法性
中如來法性可得非如來法性中一切智法
性可得非道相智一切相智法性中如來法
性可得非如來法性中道相智一切相智法
性可得
憍尸迦非離一切陁羅尼門如來可得非離
一切三摩地門如來可得非離一切陁羅尼
門真如如來可得非離一切三摩地門真如
如來可得非離一切陁羅尼門法性如來可
得非離一切三摩地門法性如來可得非離
一切陁羅尼門如來真如可得非離一切三
摩地門如來真如可得非離一切陁羅尼門
如來法性可得非離一切三摩地門如來法
性可得非離一切陁羅尼門真如如來真如
可得非離一切三摩地門真如如來真如可
得非離一切陁羅尼門法性如來法性可得
非離一切三摩地門法性如來法性可得憍
尸迦非一切陁羅尼門中如來可得非如來
中一切陁羅尼門可得非一切三摩地門中
如來可得非如來中一切三摩地門可得非
一切陁羅尼門真如中如來可得非如來中
一切陁羅尼門真如可得非一切三摩地門
真如中如來可得非如來中一切三摩地門
真如可得非一切陁羅尼門法性中如來可
得非如來中一切陁羅尼門法性可得非一

BD03032號　大般若波羅蜜多經卷九一　（13–11）

一切陁羅尼門真如中如來可得非如來中
一切陁羅尼門真如可得非一切三摩地門
真如中如來可得非如來中一切三摩地門
真如可得非一切陁羅尼門法性中如來可
得非如來中一切陁羅尼門法性可得非一
切三摩地門法性中如來可得非如來中一
切三摩地門法性可得非一切陁羅尼門中
如來真如可得非如來真如中一切陁羅尼
門可得非一切三摩地門中如來真如可得
非如來真如中一切三摩地門可得非一切
陁羅尼門真如中如來真如可得非如來真
如中一切陁羅尼門真如可得非一切三摩
地門真如中如來真如可得非如來真如中
一切三摩地門真如可得非一切陁羅尼門
法性中如來法性可得非如來法性中一切
陁羅尼門法性可得非一切三摩地門法性
中如來法性可得非如來法性中一切三摩
地門法性可得
憍尸迦非離預流如來可得非離一來不還
阿羅漢如來可得非離預流真如如來可得
非離一來不還阿羅漢真如如來可得非離
預流法性如來可得非離一來不還阿羅漢
法性如來可得非離預流如來真如可得非
離一來不還阿羅漢如來真如可得非離預
流如來法性可得非離一來不還阿羅漢如

BD03032號　大般若波羅蜜多經卷九一　（13–12）

……得非離一來不還
阿羅漢如來可得非離預流真如如來可得
非離一來不還阿羅漢真如如來可得非離
預流法性如來可得非離一來不還阿羅漢
法性如來可得非離預流如來真如可得非
離一來不還阿羅漢如來真如可得非離預
流如來法性可得非離一來不還阿羅漢如
來法性可得非離預流真如如來真如可得
非離一來不還阿羅漢真如如來真如可得
非離預流法性如來法性可得非離一來不
還阿羅漢法性如來法性可得憍尸迦非預
流中如來可得非如來中預流可得非一來
不還阿羅漢中如來可得非如來中一來不
還阿羅漢可得非預流真如中如來可得非
如來中預流真如可得非一來不還阿羅漢
真如中如來可得非如來中一來不還阿羅
漢真如可得非預流法性中如來可得非如
來中預流法性可得非一來不還阿羅漢法
性中如來可得非如來中一來不還阿羅
法性可得非預流中如來真如……
真如中預流可得
來真如可得
漢……

BD03032號　大般若波羅蜜多經卷九一　（13–13）

我說真實語　我說……　……妙……
唯願天女來　令我語无滯　速入身口內
願令我舌根　當得如來辯　由彼語威力
我所出語時　隨事皆成就　聞者生恭敬
若我求辯才　事不成就者　天女之實語
有作无間罪　佛語令調伏　及以阿羅漢　所有報恩語
舍利子目連　世尊衆第一　斯等真實語　願我皆成就
我今皆召請　佛之聲聞衆　皆願速來至　成就我求心
所求真實語　皆願无虛誑　上從色究竟　及以淨居天
大梵及梵輔　一切梵王衆　乃至遍三千　索訶世界主
并及諸眷屬　我今皆請召　唯願降慈悲　哀憐同攝受
他化自在天　及以樂變化　覩史多天衆　慈氏當成佛
夜摩諸天衆　及三十三天　四大王衆天　一切諸天衆
地水火風神　依妙高山住　七海山神衆　所有諸眷屬
滿財及五頂　日月諸星辰　如是諸天衆　令世間安隱
斯等諸天神　不樂作罪業　敬佛鬼子母　及最小愛兒
天龍藥叉衆　乾闥阿蘇羅　及以緊那羅　莫呼洛伽等
我以世尊力　悉皆申請召　願降慈悲心　與我无导辯
一切人天衆　能了他心者　皆願加神力　與我妙辯才
乃至盡虛空　周遍於法界　所有含生類　與我妙辯才
爾時辯才天女聞是請已告婆羅門言善
哉大士若有男子女人能依如是呪及呪讚
如前所說受持法式歸敬三寶虔心正念於所

BD03033號　金光明最勝王經卷八　（18–1）

乃至盡虛空　周遍於法界　所有眾生類　與我妙辯才
爾時辯才天女聞是請已告婆羅門言善
哉大士若有男子女人能依如是呪及呪讚
如前所說受持法式歸敬三寶虔心正念於所
求事皆不唐捐兼復受持讀誦此金光明微
妙經典所願求者無不果遂速得成就除不至
心時婆羅門深心歡喜合掌頂受
爾時佛告辯才天女善哉善哉善女天汝能
流布是妙經王擁護所有受持經者及能利
益一切眾生令得安隱樂說如是法施與辯才
不可思議得福無量諸發心者速趣菩提
金光明最勝王經大吉祥天女品第十六
爾時大吉祥天女即從座起前礼佛足合掌
恭敬白佛言世尊我若見有苾芻苾芻尼鄔波
索迦鄔波斯迦受持讀誦為人解說是金光
明最勝王經者我當專心恭敬供養此等
法師所謂飲食衣服臥具醫藥及餘一切所
須資具皆令圓滿無有乏少若晝若夜於此
經王所有句義觀察思量安樂而住令此經
典於贍部洲廣行流布為彼有情已於無量
百千佛所種善根者常使得聞不速隱沒復
於無量百千億劫當受人天種種勝樂常得
豐稔永除飢饉一切有情恒受安樂亦得值
遇諸佛世尊於未來世速證無上大菩提果
永絕三塗輪迴苦難世尊我念過去有瑠璃
金山寶花光照吉祥功德海如來應正等覺

BD03033號　金光明最勝王經卷八　（18–2）

豐稔永除飢饉一切有情恒受安樂亦得值
遇諸佛世尊於未來世速證無上大菩提果
永絕三塗輪迴苦難世尊我念過去有瑠璃
金山寶花光照吉祥功德海如來應正等覺
十號具足我於彼所種諸善根由彼如來慈
悲愍念威神力故令我今日隨所念處隨所
視方隨所至國能令無量百千萬億眾生受
諸快樂乃至所須衣服飲食資生之具金銀
瑠璃車𤦲碼碯珊瑚虎珀真珠等寶悉令充
足若復有人至心讀誦是金光明最勝王經
亦當日日燒眾名香及諸妙花為我供養彼
瑠璃金山寶花光照吉祥功德海如來應正
等覺復當每日於三時中稱念我名別以香
花及諸美食供養於我亦當聽受此妙經王
得如是福而說頌曰
由能如是持經故　自身眷屬離諸衰
所須衣食無乏時　威光壽命難窮盡
能使地味常增長　諸天降雨隨時節
令彼天眾咸歡悅　及以園林穀果神
叢林果樹並滋榮　所有苗稼咸成熟
欲求珍財皆滿願　隨所念者遂其心
佛告大吉祥天女善哉善哉汝能如是憶念
昔因報恩供養利益安樂無邊眾生流布是
經功德無盡
金光明最勝王經大吉祥天女增長財物品第十七
爾時大吉祥天女復白佛言世尊北方薜室羅

BD03033號　金光明最勝王經卷八　（18–3）

佛告大吉祥天女善哉善哉汝能如是憶念
昔因報恩供養利益安樂无邊衆生流布是
經功德无盡
金光明最勝王經大吉祥天女增長財物品第十七
尒時大吉祥天女復白佛言世尊北方薜室羅
末拏天王城名有財去城不遠有園名曰
妙花福光中有勝殿七寶所成世尊我常住
彼若復有人欲求五穀日日增多倉庫盈溢
者應當發起敬信之心淨治一室瞿摩塗地
應畫我像種種瓔珞周帀莊嚴當洗浴身
著淨衣服塗以名香入淨室內發心為我每日
三時稱彼佛名及此經名号而申礼敬南謨
瑠璃金山寶花光照吉祥功德海如來持諸
香花及以種種甘美飲食至心奉獻亦以香
花及諸飲食供養我像復持飲食散擲餘
方施諸神等實言邀請大吉祥天發所求願
若如所言是不虛者於我所請勿令空尒時
吉祥天女知是事已便生愍念令其宅中財
穀增長即當誦呪請召於我先稱佛名及
菩薩名字一心敬礼
南謨一切十方三世諸佛　南謨寶髻佛
南謨无垢光明寶幢佛　南謨金幢光佛
南謨百金光藏佛　南謨金蓋寶積佛
南謨金花光幢佛　南謨大燈光佛
南謨大寶憧佛　南謨東方不動佛
南謨南方寶幢佛　南謨西方无量壽佛

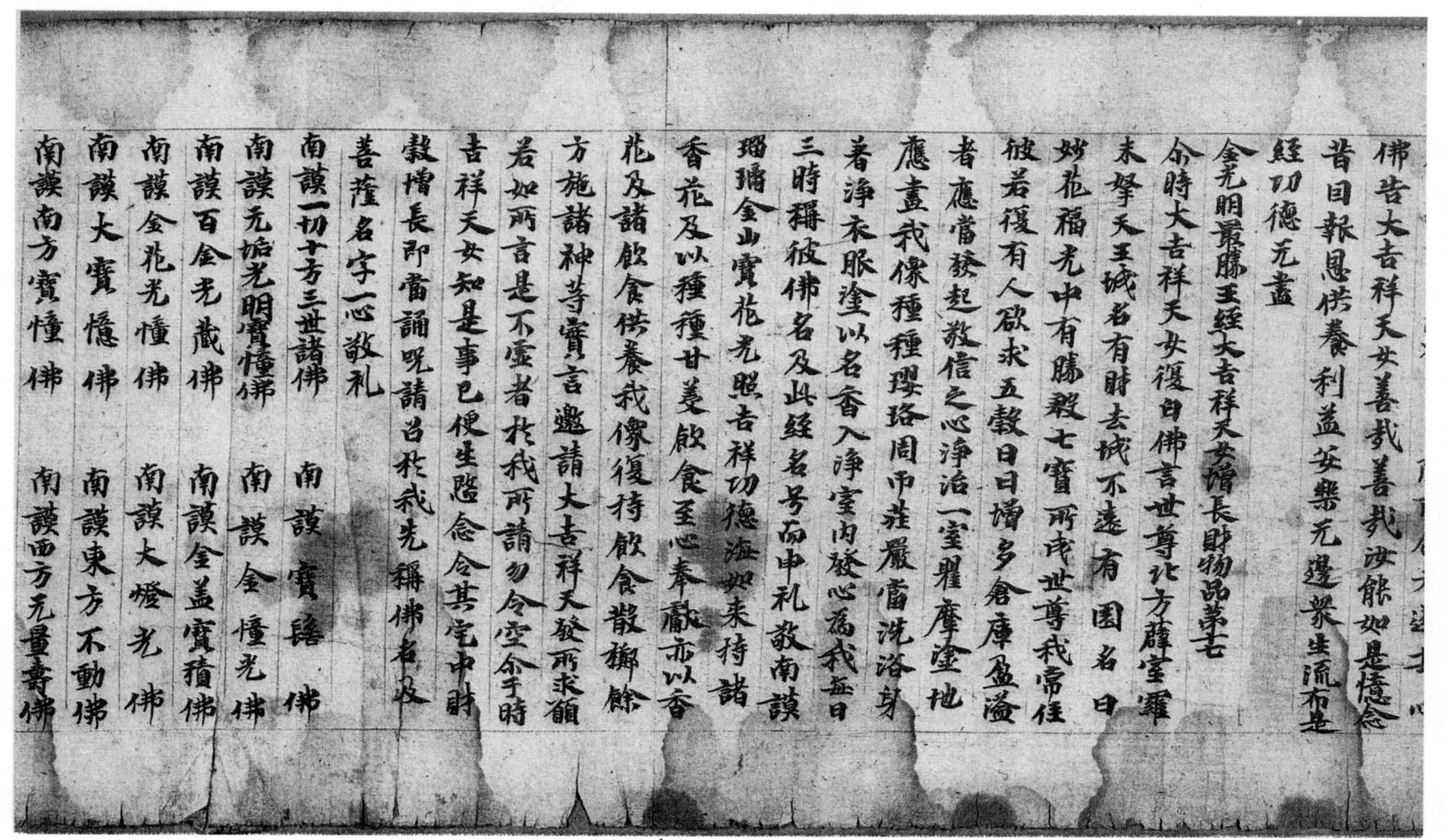

BD03033號　金光明最勝王經卷八　（18-4）

南謨百金光藏佛　南謨金蓋寶積佛
南謨金花光幢佛　南謨大燈光佛
南謨大寶憧佛　南謨東方不動佛
南謨南方寶幢佛　南謨西方无量壽佛
南謨北方天鼓音佛　南謨妙幢菩薩
南謨金光薩菩　南謨金藏菩薩
南謨常啼菩薩　南謨法上菩薩
南謨善安菩薩
敬礼如是佛菩薩已次當誦呪請召我大吉
祥天女由此呪力所求之事皆得成就即說
呪曰
南謨室唎莫訶天女　怛姪他
鉢唎脯嗶拏折囇　三曼頞
達喇設泥 去聲下皆同尒　莫訶毗訶羅揭帝
三曼哆毗曇末泥　莫訶迦里也
鉢喇底瑟侘鉢泥　薩婆頞他娑彈泥
蘓鉢喇底脯嚟　痾耶娜達摩多
莫訶毗俱比帝　莫訶迷咄嚕
鄔波僧呬羝　莫訶頡唎使
蘓僧迦入里呬羝　三曼多頞他
阿奴波喇泥　莎訶
世尊若人誦持如是神呪請召我時我聞請
已即至其所令願得遂世尊是灌頂法句定
成就句真實之句无虛誑句是平等行於諸
衆生是正善根若有受持讀誦呪者應七
日七夜受八支戒於晨朝時先嚼齒木淨

BD03033號　金光明最勝王經卷八　（18-5）

已即至其所令願得遂世尊是灌頂法句定
成就句真實之句无虛誑句是平等行於諸
衆生是正善根若有受持讀誦呪者應七
日七夜受八支戒於晨朝時先嚼齒木淨
澡漱已及於晡後香花供養一切諸佛自陳其
罪當為己身及諸含識迴向發願令所希求速
得成就淨治一室或在空閑阿蘭若處瞿摩
為壇燒旃檀香而為供養置一勝座幡蓋莊
嚴以諸名花布列壇內應當至心誦持前呪
希望我至我於尒時即便護念觀察是人來
入其室就座而坐受其供養從是以後當令
彼人於睡夢中得見於我隨所求事以實
告知若聚落空澤及僧住處隨所求者皆令
圓滿金銀財寶牛羊穀麥飲食衣服皆得隨心
受諸快樂既得如是勝妙果報當以上分供
養三寶及施於我廣修法會設諸飲食布列
香花既供養已所有供食貨之取直復為供
養我當終身常住於此擁護是人令无闕乏
隨所希求悉皆稱意亦當時時給濟貧乏不
應慳惜獨為己身常讀是經供養不絶當以
此福普施一切迴向菩提願出生死速得解脫
尒時世尊讚言善哉善吉祥天女汝能如是流
布此經不可思議自他俱益
金光明最勝王經堅牢地神品第十八
尒時堅牢地神即於衆中從座而起合掌恭
敬而白佛言世尊是金光明最勝王經若現

BD03033號　金光明最勝王經卷八　（18–6）

布此經不可思議自他俱益
金光明最勝王經堅牢地神品第十八
尒時堅牢地神即於衆中從座而起合掌恭
敬而白佛言世尊是金光明最勝王經若現
在世若未來世若在城邑聚落王宮樓觀及
阿蘭若山澤空林有此經王流布之處世尊
我當往詣其所供養恭敬擁護流通若有方
處為說法師敷置高座演說經者我以神
力不現本身在於座所頂戴其足我得聞法
深心歡喜得餐法味增益威光慶悅无量自
身既得如是利益亦令大地深十六万八千踰繕
那至金剛輪際令其地味悉皆增益乃至四
海所有土地亦使肥濃田疇沃壤倍勝常日
亦復令此贍部洲中江河池沼所有諸樹藥
草蘗林種種花果根莖枝葉及諸苗稼形
相可愛衆所樂觀色香具足皆堪受用若諸
有情受用如是勝飲食已長命色力諸根安
隱增益光輝无諸痛惱心慧勇健无不堪
能又此大地凡有所須百千事業悉皆周備
世尊以是因緣諸贍部洲安隱豐樂人民熾盛
无諸衰惱所有衆生皆受安樂既受如是身
心快樂於此經王深加愛敬所在之處皆願
受持供養恭敬尊重讚歎又復於彼說法大
師法座之處悉皆往彼為諸衆生勸請說是
最勝經王何以故世尊由說此經我之自身幷
諸眷屬咸蒙利益光輝氣力勇猛威勢顏

BD03033號　金光明最勝王經卷八　（18–7）

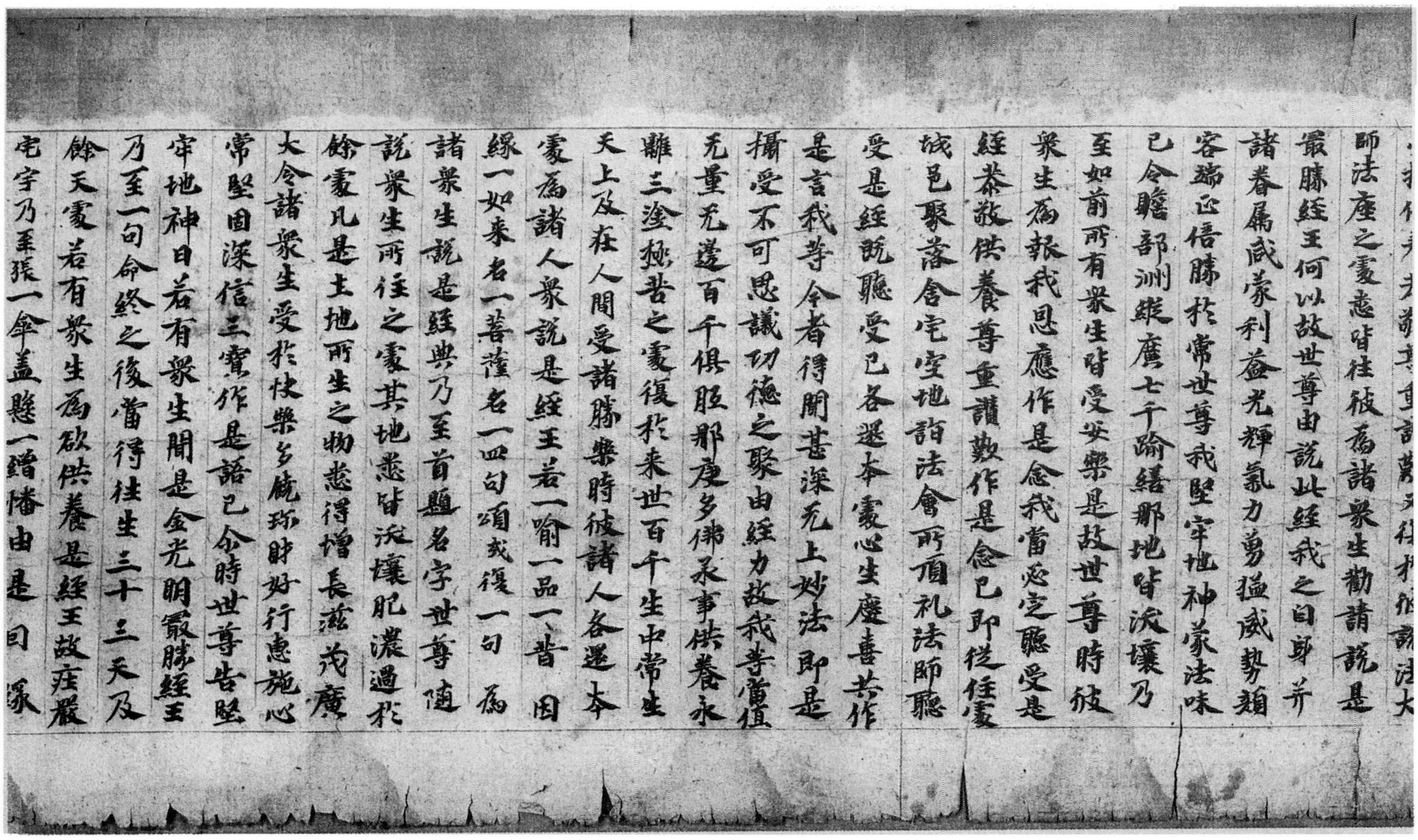

師法座之處悉皆往彼為諸衆生勸請說是
最勝經王何以故世尊由說此經我之自身并
諸眷屬咸蒙利益光輝氣力勇猛威勢顏
容端正倍勝於常世尊我堅牢地神蒙法味
已令贍部洲縱廣七千踰繕那地皆沃壤乃
至如前所有衆生皆受安樂是故世尊時彼
衆生為報我恩應作是念我當必定聽受是
經恭敬供養尊重讚歎作是念已即從住處
城邑聚落舍宅空地詣法會所頂禮法師聽
受是經既聽受已各還本處心生慶喜共作
是言我等今者得聞甚深無上妙法即是
攝受不可思議功德之聚由經力故我等當值
無量無邊百千俱胝那庾多佛承事供養永
離三塗極苦之處復於來世百千生中常生
天上及在人間受諸勝樂時彼諸人各還本
處為諸人衆說是經王若一喻一品一昔因
緣一如來名一菩薩名一四句頌或復一句 為
諸衆生說是經典乃至首題名字世尊隨
說衆生所住之處其地悉皆沃壤肥濃過於
餘處凡是土地所生之物悉得增長滋茂廣
大令諸衆生受於快樂多饒財好行惠施心
常堅固深信三寶作是語已爾時世尊告堅
牢地神曰若有衆生聞是金光明最勝經王
乃至一句命終之後當得往生三十三天及
餘天處若有衆生為欲供養是經王故莊嚴
宅宇乃至張一傘蓋懸一繒幡由是因緣

BD03033 號　金光明最勝王經卷八　（18–8）

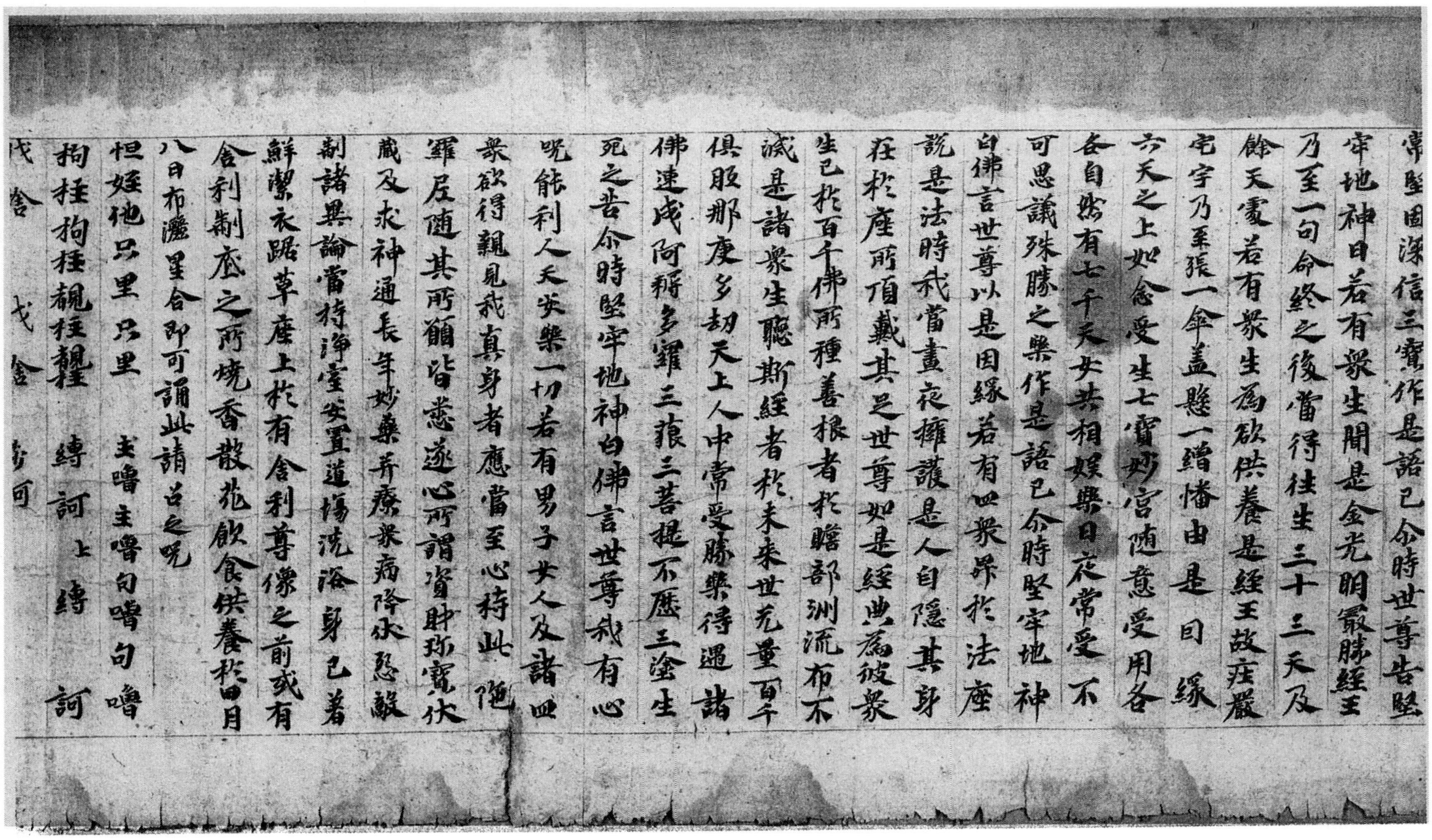

常堅固深信三寶作是語已爾時世尊告堅
牢地神曰若有衆生聞是金光明最勝經王
乃至一句命終之後當得往生三十三天及
餘天處若有衆生為欲供養是經王故莊嚴
宅宇乃至張一傘蓋懸一繒幡由是因緣
六天之上如念受生七寶妙宮隨意受用各
各自然有七千天女共相娛樂日夜常受不
可思議殊勝之樂作是語已爾時堅牢地神
白佛言世尊以是因緣若有四衆昇於法座
說是法時我當晝夜擁護是人自隱其身
在於座所頂戴其足世尊如是經典為彼衆
生已於百千佛所種善根者於贍部洲流布不
滅是諸衆生聽斯經者於未來世無量百千
俱胝那庾多劫天上人中常受勝樂得遇諸
佛速成阿耨多羅三藐三菩提不歷三塗生
死之苦爾時堅牢地神白佛言世尊我有心
呪能利人天安樂一切若有男子女人及諸四
衆欲得親見我真身者應當至心持此陀
羅尼隨其所願皆悉遂心所謂資財珍寶伏
藏及求神通長年妙藥并療衆病降伏怨敵
制諸異論當於淨室安置道場洗浴身已著
鮮潔衣踞草座上於有舍利尊像之前或有
舍利制底之所燒香散花飲食供養於白月
八日布灑星合即可誦此請召之呪
怛姪他 只里 只里 主嚕 主嚕 句嚕 句嚕
拘拄 拘拄 覩拄 覩拄 縛訶 上 縛訶
伐舍 伐舍 娑訶

BD03033 號　金光明最勝王經卷八　（18–9）

鮮潔衣踞草座上於有舍利尊像之前或有
舍利制底之所燒香散花飲食供養於白月
八日布灑星合即可誦此請召之呪
怛姪他 只里 只里 主嚕 主嚕 句嚕 句嚕
拘柱 拘柱 覩柱 覩柱 縛訶 上 縛 訶
伐捨 伐捨 莎訶
世尊此之神呪若四眾誦一百八遍請召於
我我爲是人即來赴請又復世尊若有眾
生欲得見我現身共語者亦應如前安置
法式誦此神呪
怛姪他 頻祈涅 去 謟力剎涅 室尸 達 哩
訶訶呬呬 盧 嚕 伐囉 莎訶
世尊若人持此呪時應一百八遍并誦前呪
我必現身隨其所願悉得成就終不虛然若
欲誦此呪時先誦護身呪曰
怛姪他 你 室 里 末捺羯撥 捺撥 娵撥
勃地 上 勃地 囉 底撥 婢撥 娵 句 撥
佉 婁 去 只里 莎訶
世尊誦此呪時取五色線誦呪二十一遍作二
十一結繫在左髆肘後即便護身无有所懼
若有至心誦此呪者所求必遂我不妄語我
以佛法僧寶而爲要契證知是實
尒時世尊告地神曰善哉善哉汝能以是實
語神呪護此經王及說法者以是因緣令汝獲
得无量福報
金光明冣勝王經僧慎尒耶藥叉大將品第十九

BD03033號　金光明最勝王經卷八　(18–10)

得无量福報
金光明冣勝王經僧慎尒耶藥叉大將品第十九
尒時僧慎尒耶藥叉大將并與二十八部藥
叉諸神於大眾中皆從座起偏袒右肩右膝
著地合掌向佛白言世尊此金光明冣勝經
王若現在世及未來世所在宣揚流布之處
若於城邑聚落山澤空林或王宮殿或僧住
處世尊我僧慎尒耶藥叉大將并與二十八
部藥叉諸神俱詣其所各自隱形隨處擁護
彼說法師令離衰惱常受安樂及聽法者若
男若女童男童女於此經中乃至受持一四
句頌或持一句或此經王首題名号及此經
中一如來名一菩薩名發心稱念恭敬供養者
我當救護攝受令无災橫離苦得樂世尊
何故我名正了知此之因緣是佛親證我知諸
法我曉一切法隨所有一切法如所有一法
諸法種類體性差別世尊如是諸法我能
了知我有難思智光我有難思智炬我有難
思智行我有難思智聚我有難思智境而能
通達世尊如我於一切法正知正曉正覺能正
觀察世尊以是因緣我藥叉大將名正了
知以是義故我能令彼說法之師言詞辯了
具足莊嚴亦令精氣從毛孔入身力充足威
光勇健難思智光皆得成就得正憶念无有
退屈增益彼身令无衰減諸根安樂常生歡
喜以是因緣爲彼有情已於百千佛所殖諸

BD03033號　金光明最勝王經卷八　(18–11)

具足莊嚴亦令精氣從毛孔入身力充足威
光勇健難思智光皆得成就得正憶念无有
退屈增益彼身令无衰減諸根安樂常生歡
喜以是因緣爲彼有情已於百千佛所殖諸
善根修福業者於贍部洲廣宣流布不速
隱沒彼諸有情聞是經已得不可思議大智光
明及以无量福智之聚於未來世當受无量
俱胝那庾多劫不可思量人天勝樂常與諸
佛共相值遇速證无上正等菩提閻羅之界
三塗極苦不復經過
尒時正了知藥叉大將白佛言世尊我有陁羅
尼今對佛前親自陳說爲欲饒益憐愍諸
有情故即說呪曰
南謨佛陁引也　南謨達摩引也
南謨僧伽引也　南謨跋囉𧹞大合摩也
南謨因達囉也　南謨折唎喃
莫易羅闍喃　怛姪他呬哩呬哩
弭里弭里瞿　里　莫訶瞿里健陁里
莫訶健陁　里　達羅須雉
莫訶達羅須雉　單荼曲勸馳閉第去
訶訶訶訶訶　呬呬呬呬呬
呼呼呼呼呼　漢魯曇謎瞿曇謎
者者者者　只只只只主主主主
旃荼攞涉之鉢攞　尸揭囉上尸揭囉
嗢底瑟侘呬　薄伽梵僧慎尒耶
莎訶
若復有人於此明呪能受持者我當給與資

BD03033號　金光明最勝王經卷八　（18–12）

者者者者　只只只只主主主主
旃荼攞涉之鉢攞　尸揭囉上尸揭囉
嗢底瑟侘呬　薄伽梵僧慎尒耶
莎訶
若復有人於此明呪能受持者我當給與資
生樂具飲食衣服花果珎異或求男女童男
童女金銀珎寶諸瓔珞具我皆供給隨所願
求令无闕乏此之明呪有大威力若誦呪時
我當速至其所令无障礙隨意成就若持此
呪時應知其法先畫一鋪僧慎尒耶藥叉形
像高四五尺手執鉾𥎊於此像前作四方壇
安四滿瓶蜜水或沙糖水塗香抹香燒香及
諸花鬘又於壇前作地火爐中安炭火以蘇
摩芥子燒於爐中口誦前呪一百八遍一遍
一燒乃至我藥叉大將自來現身問呪人曰
尒何所須意所求者即以事荅我即隨言於
所求事皆令滿足或須金銀及諸伏藏或欲
神仙乘空而去或求天眼通或知他心事於
一切有情隨意自在令斷煩惱速得解脫皆
得成就
尒時世尊告正了知藥叉大將曰善哉善哉
汝能如是利益一切衆生說此神呪擁護正
法福利无邊
金光明最勝王經王法正論品第廿
尒時此大地神女名曰堅牢於大衆中從座而
起頂礼佛足合掌恭敬白佛言世尊於諸國

BD03033號　金光明最勝王經卷八　（18–13）

金光明最勝王經王法正論品第廿

尒時此大地神女名曰堅牢於大衆中從座而
起頂礼佛足合掌恭敬白佛言世尊於諸國
中爲人王者若无正法不能治國安養衆生
及以自身長居勝位唯願世尊慈悲哀愍
當爲我說王法正論治國之要令諸人王得
聞法已如法脩行正化於世能令勝位永保
安寧國內居人咸蒙利益
尒時世尊於大衆中告堅牢地神曰汝當諦
聽過去有王名力尊幢其王有子名曰妙幢
受灌頂位未久之頃尒時父王告妙幢言有
王法正論名天主教法我於昔時受灌頂位
而爲國主我之父王名智力尊幢爲我說是
王法正論我依此論於二万歲善治國土我
不曾憶起一念心行於非法汝於今日亦應
如是勿以非法而治於國云何名爲王法正論
汝今善聽當爲汝說尒時力尊幢王即爲其
子以妙伽他說正論

我說王法論　利安諸有情　爲斷世間疑　滅除衆過失
一切諸天主　及以人中王　當生歡喜心　合掌聽我說
往昔諸天衆　集在金剛山　四王從座起　請問於大梵
梵王最勝尊　天中大自在　願哀愍我等　爲斷諸疑惑
云何處人世　而得名爲天　復以何因緣　号名曰天子
云何生人間　獨得爲人主　云何在天上　復得作天王
如是護世間　問彼梵王已　尒時梵天主　即便爲彼說
護世汝當知　爲利有情故　問我治國法　我說應善聽
由先善業力　生天得作王　若在於人中　統領爲人主

BD03033號　金光明最勝王經卷八　（18–14）

云何處人世　而得名爲天　復以何因緣　号名曰天子
云何生人間　獨得爲人主　云何在天上　復得作天王
如是護世間　問彼梵王已　尒時梵天主　即便爲彼說
護世汝當知　爲利有情故　問我治國法　我說應善聽
由先善業力　生天得作王　若在於人中　統領爲人主
諸天共加護　然後入母胎　既至母胎中　諸天復守護
雖生在人世　尊勝故名天　由諸天護持　亦得名天子
三十三天主　分力助人王　及一切諸天　亦資自在力
除滅諸非法　惡業令不生　教有情脩善　使得生天上
人及蘇羅衆　并揵闥婆等　羅刹旃荼羅　悉皆資半力
父母資半力　令捨惡脩善　諸天共護持　示其善惡報
若造善惡業　令於現世中　諸天共護持　示其善惡報
國人造惡業　王捨不禁制　斯非順正理　治擯當如法
若見惡不遮　非法便滋長　遂令王國內　姧詐日增多
王見國中人　造惡不遮止　三十三天衆　咸生忿怒心
因此損國政　諂偽行世間　被他怨敵侵　破壞其國土
居家及資具　積財皆散失　種種諂誑生　更互相侵奪
由正法得王　而不行其法　國人皆破散　如象蹋蓮池
惡風起无恒　暴雨非時下　妖星多變怪　日月蝕无光
五穀衆花果　苗實皆不成　國土遭饑饉　由王捨正法
若王捨正法　以惡法化人　諸天處本宮　見已生憂惱
彼諸天王衆　共作如是言　此王作非法　惡黨相親附
王位不久安　諸天皆忿恨　由彼懷忿故　其國當敗亡
以非法教人　流行於國內　鬪諍多姧偽　疫疾生衆苦
天主不護念　餘天咸捨棄　國土當滅亡　王身受苦厄
父母及妻子　兄弟并姊妹　俱遭愛別離　乃至身亡歿
變怪流星墮　二日俱時出　他方怨賊來　國人遭喪亂

BD03033號　金光明最勝王經卷八　（18–15）

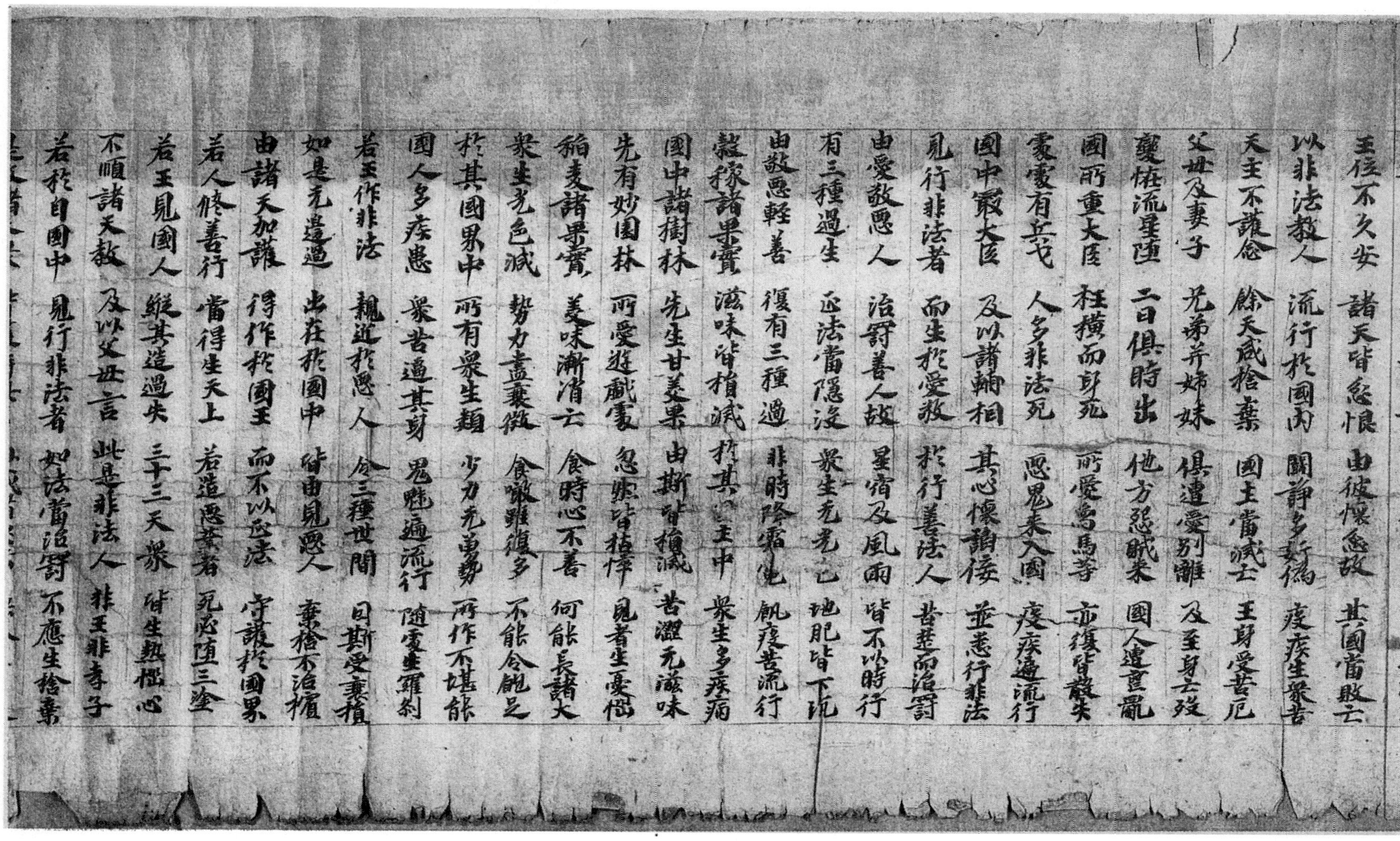

王位不久安　諸天皆忿恨　由彼懷忿故　其國當敗亡
以非法教人　流行於國內　鬪諍多姧偽　疫疾生衆苦
天主不護念　餘天咸捨棄　國土當滅亡　王身受苦厄
父母及妻子　兄弟并姊妹　俱遭愛別離　及至身亡歿
變怪流星墮　二日俱時出　他方怨賊來　國人遭喪亂
國所重大臣　枉橫而身死　所愛象馬等　亦復皆散失
處處有兵戈　人多非法死　惡鬼來入國　疫疾遍流行
國中最大臣　及以諸輔相　其心懷諂佞　並悉行非法
見行非法者　而生於愛敬　於行善法人　苦楚而治罰
由愛敬惡人　治罰善人故　星宿及風雨　皆不以時行
有三種過生　正法當隱沒　衆生无光色　地肥皆下沉
由敬惡輕善　復有三種過　非時降霜雹　飢疫苦流行
穀稼諸果實　滋味皆損減　於其國土中　衆生多疾病
國中諸樹林　先生甘美果　由斯皆損減　苦澀无滋味
先有妙園林　所愛遊戲處　忽然皆枯悴　見者生憂惱
稻麥諸果實　美味漸消亡　食時心不喜　何能長諸大
衆生光色減　勢力盡衰微　食噉雖復多　不能令飽足
於其國界中　所有衆生類　少力无勇勢　所作不堪能
國人多疾患　衆苦逼其身　鬼魅遍流行　隨處生羅剎
若王作非法　親近於惡人　令三種世間　因斯受衰損
如是无邊過　出在於國中　皆由見惡人　棄捨不治擯
由諸天加護　得作於國王　而不以正法　守護於國界
若人修善行　當得生天上　若造惡業者　死必墮三塗
若王見國人　縱其造過失　三十三天衆　皆生熱惱心
不順諸天教　及以父母言　此是非法人　非王非孝子
若於自國中　見行非法者　如法當治罰　不應生捨棄

BD03033 號　金光明最勝王經卷八　（18–16）

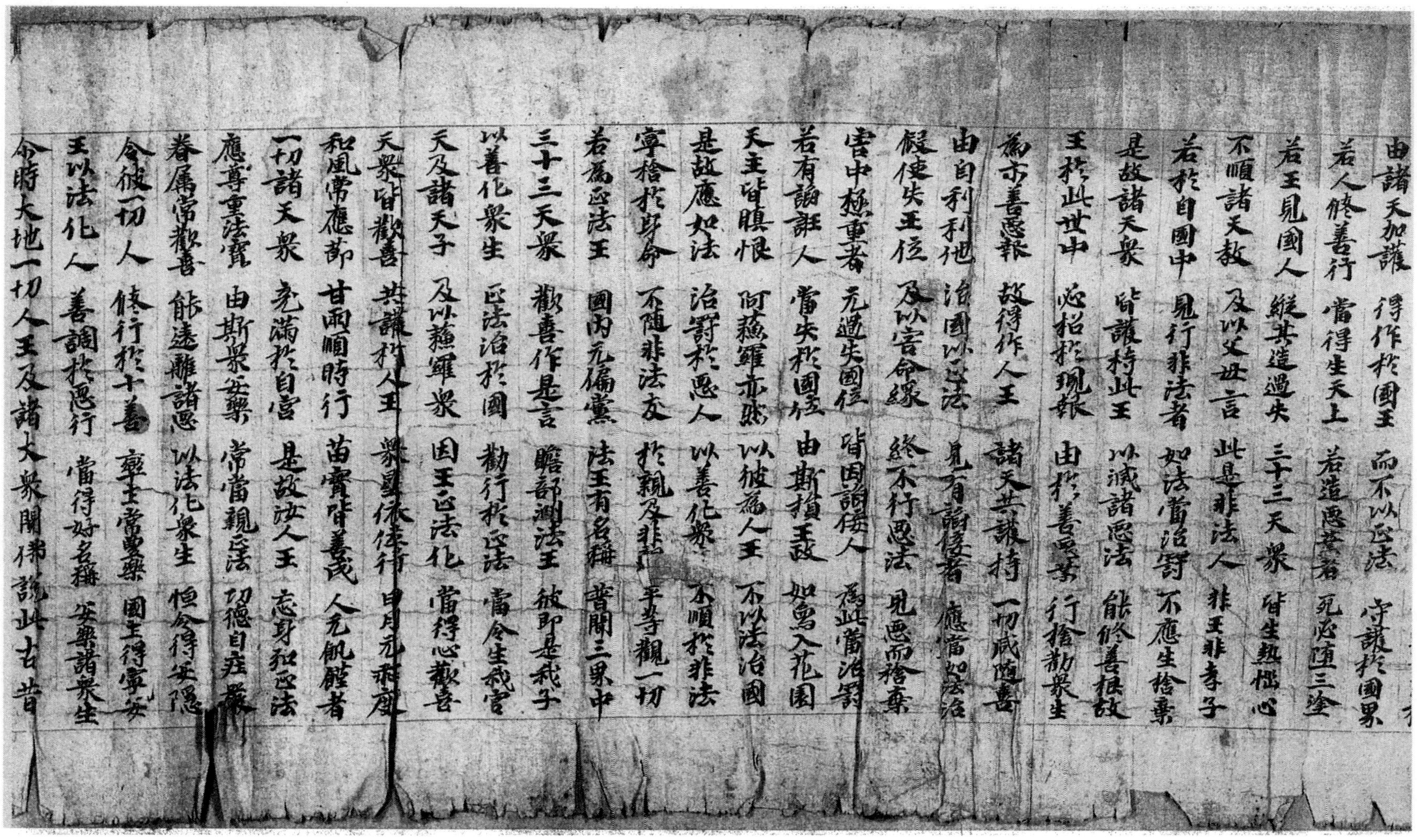

由諸天加護　得作於國王　而不以正法　守護於國界
若人修善行　當得生天上　若造惡業者　死必墮三塗
若王見國人　縱其造過失　三十三天衆　皆生熱惱心
不順諸天教　及以父母言　此是非法人　非王非孝子
若於自國中　見行非法者　如法當治罰　不應生捨棄
是故諸天衆　皆護持此王　以滅諸惡法　能修善根故
王於此世中　必招於現報　由於善惡業　行捨勸衆生
為示善惡報　故得作人王　諸天共護持　一切咸隨喜
由自利利他　治國以正法　見有諂佞者　應當如法治
假使失王位　及以害命緣　終不行惡法　見惡而捨棄
害中極重者　无過失國位　皆因諂佞人　為此當治罰
若有諂誑人　當失於國位　由斯損王政　如象入花園
天主皆瞋恨　阿蘇羅亦然　以彼為人王　不以法治國
是故應如法　治罰於惡人　以善化衆生　不順於非法
寧捨於身命　不隨非法友　於親及非親　平等觀一切
若為正法王　國內无偏黨　法王有名稱　普聞三界中
三十三天衆　歡喜作是言　贍部洲法王　彼即是我子
以善化衆生　正法治於國　勸行於正法　當令生我宮
天及諸天子　及以蘇羅衆　因王正法化　當得心歡喜
天衆皆歡喜　共護於人王　衆星依位行　日月无乖度
和風常應節　甘雨順時行　苗實皆善成　人无飢饉者
一切諸天衆　充滿於自宮　是故汝人王　忘身弘正法
應尊重法寶　由斯衆安樂　常當親正法　功德自莊嚴
眷屬常歡喜　能遠離諸惡　以法化衆生　恒令得安隱
令彼一切人　修行於十善　率土常豐樂　國土得寧安
王以法化人　善調於惡行　常得好名稱　安樂諸衆生
尒時大地一切人王及諸大衆聞佛說此古昔

BD03033 號　金光明最勝王經卷八　（18–17）

三十三天衆　歡喜作是言　贍部洲法王　彼即是我子
以善化衆生　正法治於國　勸行於正法　當令生我宮
天及諸天子　及以蘇羅衆　因王正法化　當得心歡喜
天衆皆歡喜　共讚於人王　衆星依位行　日月無乖度
和風常應節　甘雨順時行　苗實皆善成　人无飢饉者
一切諸天衆　充滿於自宮　是故汝人王　忘身弘正法
應尊重法寶　由斯衆安樂　常當親正法　功德自莊嚴
眷屬常歡喜　能遠離諸惡　以法化衆生　恒令得安隱
令彼一切人　脩行於十善　率土常豐樂　國土得寧安
王以法化人　善調於惡行　常得好名稱　安樂諸衆生
爾時大地一切人王及諸大衆聞佛說此古昔
人王治國要法得未曾有皆大歡喜信受奉
行
金光明最勝王經卷第八
撥陟　誅
𩕄　拄　王

BD03033 號　金光明最勝王經卷八　（18–18）

婆毗
時同聲說是无
三　須毗你柰指陀四　囉佐耶五　怛他羯他耶
迦底十　伽迦娜十一　莎婆毗輸底十二
月二十五姟佛一時同聲說是无量壽
波唎蜜哆二　阿喻紇硯娜三　須毗你柰指
他羯他耶六　怛姪他唵七　薩婆桒迦蒾迦囉八　波唎輸底九　達磨底
柰指迦底十二　薩婆婆毗輸底十三　摩訶娜耶十四　波唎婆嚟莎訶十五
姟佛一時同聲說是无量壽宗要經陀羅尼曰
誦　底一　阿唎蜜哆二　阿喻紇硯娜三　須毗你柰指陀四　囉佐耶五　怛他羯他耶
怛姪他唵七　薩婆桒迦蒾迦囉八　波唎輸底九　達磨底十　伽迦娜十一　莎訶某特迦底
薩婆婆毗輸底十三　摩訶娜耶十四　波唎婆嚟莎訶十五
善男子若有自書寫教人書寫是无量壽宗要經知其命盡復得長壽而滿百
年陀羅尼曰　南謨薄伽勃底一　阿波唎蜜哆二　阿喻紇硯娜三　須毗你柰指陀
囉佐耶五　怛他羯他耶六　怛姪他唵七　薩婆桒迦蒾迦囉八　波唎輸底九　達磨底十
伽迦娜十一　莎訶某特迦底十二　薩婆婆毗輸底十三　摩訶娜耶十四　波唎婆嚟莎訶十五
若有自書寫教人書寫是无量壽宗要經讀誦受持畢竟不墮地獄在在所生
得宿命智陀羅尼曰　南謨薄伽勃底一　阿波唎蜜哆二　阿喻紇硯娜三　須毗你柰指陀四
囉佐耶五　怛他羯他耶六　怛姪他唵七　薩婆桒迦蒾迦囉八　波唎輸底九　達磨底十　伽迦娜十一
莎訶某特迦底十二　薩婆婆毗輸底十三　摩訶娜耶十四　波唎婆嚟莎訶十五
若有自書教人書寫是无量壽宗要經受持讀誦如同書寫八万四千一切經典陀羅
尼曰　南謨薄伽勃底一　阿波唎蜜哆二　阿喻紇硯娜三　須毗你柰指陀四　囉佐耶五　怛他
羯他耶六　怛姪他唵七　薩婆桒迦蒾迦囉八　波唎輸底九　達磨底十　伽迦娜十一　莎訶某特迦底
薩婆婆毗輸底十三　摩訶娜耶十四　波唎婆嚟莎訶十五

BD03034 號　無量壽宗要經　（5–1）

囉佐耶五 怛他羯他耶六 怛姪他唵七 薩婆桑悉迦囉八 波唎輸底九 達磨底十 伽迦那十一
莎訶某特迦底十二 薩婆婆毗輸底十三 摩訶娜耶十四 波唎婆囉莎訶 十五
若有自書教人書寫是无量壽宗要經受持讀誦如同書寫八万四千一切經典施羅
尼曰 南謨薄伽勃底一 阿波唎蜜哆二 阿喻紇硯那三 須毗你悉指陁四 囉佐耶五 怛他
羯他耶六 怛姪他唵七 薩婆桑悉迦囉八 波唎輸底九 達磨底十 伽迦那十一 莎訶某特迦底
薩婆婆毗輸底十三 摩訶娜耶十四 波唎婆囉莎訶 十五
若有自書寫教人書寫是无量壽宗要經即是書寫八万四千部建立塔廟陁羅尼曰
南謨薄伽勃底一 阿波唎蜜哆二 阿喻紇硯那三 須毗你悉指陁四 囉佐耶五 怛他羯他
耶六 怛姪他唵七 薩婆桑悉迦囉八 波唎輸底九 達磨底十 伽迦那十一 莎訶某特迦底十二 薩
婆婆毗輸底十三 摩訶娜耶十四 波唎婆囉莎訶 十五
若有自書寫教人書寫是无量壽宗要經能消五无間等一切重罪陁羅尼曰
南謨薄伽勃底一 阿波唎蜜哆二 阿喻紇硯那三 須毗你悉指陁四 囉佐耶五 怛他羯他
耶六 怛姪他唵七 薩婆桑悉迦囉八 波唎輸底九 達磨底十 伽迦那十一 莎訶某特迦
底十二 薩婆婆毗輸底十三 摩訶娜耶十四 波唎婆囉莎訶 十五
若有自書寫教人書寫是无量壽宗要經受持讀誦有重罪猶如須弥盡能
除滅陁羅尼曰 南謨薄伽勃底一 阿波唎蜜哆二 阿喻紇硯那三 須毗你悉指陁
怛他羯他耶六 怛姪他唵七 薩婆桑悉迦囉八 波唎輸底九 達磨底十 伽迦那十一 莎訶
某特迦底十二 薩婆婆毗輸底十三 摩訶娜耶十四 波唎婆囉莎訶 十五
若有自書寫教人書寫是无量壽宗要經受持讀誦若魔魔之眷屬夜叉羅
剎不得其便終无枉死陁羅尼曰 南謨薄伽勃底一 阿波唎蜜哆二 阿喻紇硯那三
須毗你悉指陁四 囉佐耶五 怛他羯他耶六 怛姪他唵七 薩婆桑悉迦囉八 波唎輸底九
達磨底十 伽迦那十一 莎訶某特迦底十二 薩婆婆毗輸底十三 摩訶娜耶十四 波唎婆
囉莎訶 十五 若有自書教人書寫是无量壽宗要經受持讀誦當命終時有九十
九姟佛現其人前家千佛授手能遊一切佛剎莫於此經生於疑惑陁羅尼曰
南謨薄伽勃底一 阿波唎蜜哆二 阿喻紇硯那三 須毗你悉指陁四 囉佐耶五 怛他羯
他耶六 怛姪他唵七 薩婆桑悉迦囉八 波唎輸底九 達磨底十 伽迦那十一 莎訶某
特迦底十二 薩婆婆毗輸底十三 摩訶娜耶十四 波唎婆囉莎訶 十五
若有自書寫教人書寫是无量壽宗要經受持讀誦常得四天大王隨其衛護
他羅尼曰 南謨薄伽勃底一 阿波唎蜜哆二 阿喻紇硯那三 須毗你悉指陁四 囉佐
耶五 怛他羯他耶六 怛姪他唵七 薩婆桑悉迦囉八 波唎輸底九 達磨底十 伽迦那十一 莎
訶某特迦底十二 薩婆婆毗輸底十三 摩訶娜耶十四 波唎婆囉莎訶 十五

BD03034 號　無量壽宗要經　（5–2）

特迦底十二 薩婆婆毗輸底十三 摩訶娜耶十四 波唎婆囉莎訶 十五
若有自書寫教人書寫是无量壽宗要經受持讀誦常得四天大王隨其衛護
他羅尼曰 南謨薄伽勃底一 阿波唎蜜哆二 阿喻紇硯那三 須毗你悉指陁四 囉佐
耶五 怛他羯他耶六 怛姪他唵七 薩婆桑悉迦囉八 波唎輸底九 達磨底十 伽迦那十一 莎
訶某特迦底十二 薩婆婆毗輸底十三 摩訶娜耶十四 波唎婆囉莎訶 十五
若有自書教人書寫是无量壽宗要經受持讀誦當得往生西方極樂世界阿弥陁
淨土陁羅尼曰 南謨薄伽勃底一 阿波唎蜜哆二 阿喻紇硯那三 須毗你悉指陁四
囉佐耶五 怛他羯他耶六 怛姪他唵七 薩婆桑悉迦囉八 波唎輸底九 達磨底十 伽迦那十一
莎訶某特迦底十二 薩婆婆毗輸底十三 摩訶娜耶十四 波唎婆囉莎訶 十五
若有方阿自書寫使人書寫是无量壽經典之處則為是塔皆應恭敬作礼若是
畜生或為烏獸禽聞是經如是等類皆當不久得成一切種智陁羅尼曰
南謨薄伽勃底一 阿波唎蜜哆二 阿喻紇硯那三 須毗你悉指陁四 囉佐耶五 怛他羯
他耶六 怛姪他唵七 薩婆桑悉迦囉八 波唎輸底九 達磨底十 伽迦那十一 莎訶某特
迦底十二 薩婆婆毗輸底十三 摩訶娜耶十四 波唎婆囉莎訶 十五
若有於是无量壽經自書寫若使人書畢竟不受女人之身陁羅尼曰
南謨薄伽勃底一 阿波唎蜜哆二 阿喻紇硯那三 須毗你悉指陁四 囉佐耶五 怛他羯
他耶六 怛姪他唵七 薩婆桑悉迦囉八 波唎輸底九 達磨底十 伽迦那十一 莎訶某特迦底
薩婆婆毗輸底十三 摩訶娜耶十四 波唎婆囉莎訶 十五 若有能於是經少分
能惠施等於三千大千世界滿中七寶布施陁羅尼曰 南謨薄伽勃底一 阿波唎
蜜哆二 阿喻紇硯那三 須毗你悉指陁四 囉佐耶五 怛他羯他耶六 怛姪他唵七 薩婆桑
悉迦囉八 波唎輸底九 達磨底十 伽迦那十一 莎訶某特迦底十二 薩婆婆毗輸底十三
摩訶娜耶十四 波唎婆囉莎訶 十五 若有能供養是經者則是供養一切諸經等无
有異陁羅尼曰 南謨薄伽勃底一 阿波唎蜜哆二 阿喻紇硯那三 須毗你悉指陁四 囉
佐耶五 怛他羯他耶六 怛姪他唵七 薩婆桑悉迦囉八 波唎輸底九 達磨底十 伽迦那十一
莎訶某特迦底十二 薩婆婆毗輸底十三 摩訶娜耶十四 波唎婆囉莎訶 十五
若有能供養是經者則是供養一切諸經等无有異陁羅尼曰 南謨薄伽勃底一
阿波唎蜜哆二 阿喻紇硯那三 須毗你悉指陁四 囉佐耶五 怛他羯他耶六 怛姪他唵七
薩婆桑悉迦囉八 波唎輸底九 達磨底十 伽迦那十一 莎訶某特迦底十二 薩婆婆毗
輸底十三 摩訶娜耶十四 波唎婆囉莎訶 十五 如是毗婆尸佛 尸棄佛 毗舍浮佛 俱留
孫佛 俱那含牟尼佛 迦葉佛 釋迦牟尼佛 若有人以七寶供養 如是七佛其福
有限 書寫受持是无量壽經典所有功德不可限量陁羅尼曰 南謨薄伽勃

BD03034 號　無量壽宗要經　（5–3）

若有能供養是經者則是供養一切諸經等无有異陀羅尼曰 南謨薄伽勃底一
阿波唎蜜哆二 阿喻紇硯那三 須毗你悉指陀四 囉佐耶五 怛他羯他耶六 怛姪他唵七
薩婆桑悉迦囉八 波唎輸底九 達磨底十 伽迦那十一 莎訶莫特迦底十二 薩婆婆毗
輸底十三 摩訶那耶十四 波唎婆嚟莎訶十五 如是毗婆尸佛 尸棄佛 毗舍浮佛 俱留
孫佛 俱那含牟尼佛 迦葉佛 釋迦牟尼佛 若有人以七寶供養如是七佛 其福
有限 書寫受持是无量壽經典 所有功德不可限量 陀羅尼曰 南謨薄伽勃
底一 阿波唎蜜哆二 阿喻紇硯那三 須毗你悉指陀四 囉佐耶五 怛他羯他耶六 怛姪
他唵七 薩婆桑悉迦囉八 波唎輸底九 達磨底十 伽迦那十一 莎訶莫特迦底十二 薩婆婆
毗輸底十三 摩訶那耶十四 波唎婆嚟莎訶十五 若有七寶等於須弥以用布施 其福
上能知其限量 是无量壽經典其福不可知數 陀羅尼曰 南謨薄伽勃底一 阿波
唎蜜哆二 阿喻紇硯那三 須毗你悉指陀四 囉佐耶五 怛他羯他耶六 怛姪他唵七 薩婆桑
悉迦囉八 波唎輸底九 達磨底十 伽迦那十一 莎訶莫特迦底十二 薩婆婆毗輸底十三 摩
訶那耶十四 波唎婆嚟莎訶十五 如是四大海水可知滴數 是无量壽經典所生果報
不可數量 陀羅尼曰 南謨薄伽勃底一 阿波唎蜜哆二 阿喻紇硯那三 須你毗悉
指陀四 囉佐耶五 怛他羯他耶六 怛姪他唵七 薩婆桑悉迦囉八 波唎輸底九 達磨底
伽迦那十一 莎訶莫特迦底十二 薩婆婆毗輸底十三 摩訶那耶十四 波唎婆嚟莎訶十五
若有自書使人書寫是无量壽經典 又能護持供養 即如恭敬供養一切十方佛主如來
无有異別 陀羅尼曰 南謨薄伽勃底一 阿波唎蜜哆二 阿喻紇硯那三 須毗你悉指陀四
囉佐耶五 怛他羯他耶六 怛姪他唵七 薩婆桑悉迦囉八 波唎輸底九 達磨底十 伽迦那
莎訶莫特迦底十二 薩婆婆毗輸底十三 摩訶那耶十四 波唎婆嚟莎訶十五
若有人自書使人書寫是无量壽經典 又能護持供養 即如恭敬供養一切十方佛
主如來无有異別 陀羅尼曰 南謨薄伽勃底一 阿波唎蜜哆二 阿喻紇硯那三 須
毗你悉指陀四 囉佐耶五 怛他羯他耶六 怛姪他唵七 薩婆桑悉迦囉八 波唎輸底九
達磨底十 伽迦那十一 莎訶莫特迦底十二 薩婆婆毗輸底十三 摩訶那耶十四 波唎
婆嚟莎訶十五
布施力能成正覺 悟布施力師子 布施力能聲普聞 慈悲階漸最能入
持戒力能成正覺 悟持戒力人師子 持戒力能聲普聞 慈悲階漸最能入
忍辱力能成正覺 悟忍辱力人師子 忍辱力能聲普聞 慈悲階漸最能入
精進力能成正覺 悟精進力人師子 精進力能聲普聞 慈悲階漸最能入
禪定力能成正覺 悟禪定力人師子 禪定力能聲普聞 慈悲階漸最能入

BD03034號　無量壽宗要經　（5–4）

訶那耶十四 波唎婆嚟莎訶十五 如是四大海水可知滴數 是无量壽經典所生果報
不可數量 陀羅尼曰 南謨薄伽勃底一 阿波唎蜜哆二 阿喻紇硯那三 須你毗悉
指陀四 囉佐耶五 怛他羯他耶六 怛姪他唵七 薩婆桑悉迦囉八 波唎輸底九 達磨底
伽迦那十一 莎訶莫特迦底十二 薩婆婆毗輸底十三 摩訶那耶十四 波唎婆嚟莎訶十五
若有自書使人書寫是无量壽經典 又能護持供養 即如恭敬供養一切十方佛主如來
无有異別 陀羅尼曰 南謨薄伽勃底一 阿波唎蜜哆二 阿喻紇硯那三 須毗你悉指陀四
囉佐耶五 怛他羯他耶六 怛姪他唵七 薩婆桑悉迦囉八 波唎輸底九 達磨底十 伽迦那
莎訶莫特迦底十二 薩婆婆毗輸底十三 摩訶那耶十四 波唎婆嚟莎訶十五
若有人自書使人書寫是无量壽經典 又能護持供養 即如恭敬供養一切十方佛
主如來无有異別 陀羅尼曰 南謨薄伽勃底一 阿波唎蜜哆二 阿喻紇硯那三 須
毗你悉指陀四 囉佐耶五 怛他羯他耶六 怛姪他唵七 薩婆桑悉迦囉八 波唎輸底九
達磨底十 伽迦那十一 莎訶莫特迦底十二 薩婆婆毗輸底十三 摩訶那耶十四 波唎
婆嚟莎訶十五
布施力能成正覺 悟布施力師子 布施力能聲普聞 慈悲階漸最能入
持戒力能成正覺 悟持戒力人師子 持戒力能聲普聞 慈悲階漸最能入
忍辱力能成正覺 悟忍辱力人師子 忍辱力能聲普聞 慈悲階漸最能入
精進力能成正覺 悟精進力人師子 精進力能聲普聞 慈悲階漸最能入
禪定力能成正覺 悟禪定力人師子 禪定力能聲普聞 慈悲階漸最能入
智慧力能成正覺 悟智慧力人師子 智慧力能聲普聞 慈悲階漸最能入
爾時如來說是經已 一切世間天人阿脩羅乾闥婆等 聞佛所說 皆大歡喜 信受奉行
佛說无量壽宗要經

BD03034號　無量壽宗要經　（5–5）

百千萬億衆生受諸苦惱聞是觀世音菩薩
一心稱名觀世音菩薩即時觀其音聲皆得解脫
若有持是觀世音菩薩名者設入大火火不能燒由
是菩薩威神力故若為大水所漂稱其名號即得
淺處若有百千萬億衆生為求金銀琉璃車渠
馬腦珊瑚琥珀真珠等寶入于大海假使黑風
吹其船舫飄墮羅刹鬼國其中若有乃至一人
稱觀世音菩薩名者是諸人等皆得解脫羅刹
之難以是因緣名觀世音若復有人臨當被害
稱觀世音菩薩名者彼所執刀仗尋段段壞而得
解脫若三千大千國土滿中夜叉羅刹欲來惱人
聞其稱觀世音菩薩名者是諸惡鬼尚不能以惡
眼視之況復加害設復有人若有罪若无罪杻械
枷鎖檢繫其身稱觀世音菩薩名者皆悉斷壞即
得解脫若三千大千國土滿中怨賊有一商主將諸
商人齎持重寶經過嶮路其中一人作是唱言諸

BD03035號　妙法蓮華經（僞造）卷七　（6–1）

聞其稱觀世音菩薩名者是諸惡鬼尚不能以惡
眼視之況復加害設復有人若有罪若无罪杻械
枷鎖檢繫其身稱觀世音菩薩名者皆悉斷壞即
得解脫若三千大千國土滿中怨賊有一商主將諸
商人齎持重寶經過嶮路其中一人作是唱言諸
善男子勿得恐怖汝等應當一心稱觀世音菩薩
名號是菩薩能以无畏施於衆生汝等若稱名
者於此怨賊當得解脫衆商人聞俱發聲言
南无觀世音菩薩稱其名故即得解脫无盡意
觀世音菩薩摩訶薩威神之力巍巍如是若有
衆生多於婬欲常念恭敬觀世音菩薩便得離
欲若多瞋恚常念恭敬觀世音菩薩便得離瞋
若多愚癡常念恭敬觀世音菩薩便得離癡无
盡意觀世音菩薩有如是等大威神力多所饒益
是故衆生常應心念若有女人設欲求男禮拜供
養觀世音菩薩便生福德智慧之男設欲求女
便生端正有相之女宿植德本衆人愛敬无盡
意觀世音菩薩有如是力若有衆生恭敬禮拜觀
世音菩薩福不唐捐是故衆生皆應受持觀世
音菩薩名號无盡意若有人受持六十二億恒河沙
菩薩名字復盡形供養飲食衣服臥具醫藥於
汝意云何是善男子善女人功德多不无盡意言
甚多世尊佛言若復有人受持觀世音菩薩名號

BD03035號　妙法蓮華經（僞造）卷七　（6–2）

音菩薩名號无盡意若有人受持六十二億恒河沙
菩薩名字復盡形供養飲食衣服臥具醫藥於
汝意云何是善男子善女人功德多不无盡意言
甚多世尊佛言若復有人受持觀世音菩薩名號
乃至一時礼拜供養是二人福正等无異於百千
萬億劫不可窮盡无盡意受持觀世音菩薩名
號得如是无量无邊福德之利无盡意菩薩白
佛言世尊觀世音菩薩云何遊此娑婆世界云何
而為衆生說法方便之力其事云何佛告无盡
意善男子若有國土衆生應以佛身得度者
觀世音菩薩即現佛身而為說法應以辟支
佛身得度者即現辟支佛身而為說法應以
聲聞身得度者即現聲聞身而為說法應以梵
王身得度者即現梵王身而為說法應以帝釋
身得度者即現帝釋身而為說法應以自在天
身得度者即現自在天身而為說法應以大自
在天身得度者即現大自在天身而為說法應
以天大將軍身得度者即現天大將軍身而為
說法應以毗沙門身得度者即現毗沙門身而
為說法應以小王身得度者即現小王身而為
說法應以長者身得度者即現長者身而為說法
應以居士身得度者即現居士身而為說法應以
宰官身得度者即現宰官身而為說法應以婆羅

BD03035號　妙法蓮華經（僞造）卷七　（6–3）

為說法應以小王身得度者即現小王身而為
說法應以長者身得度者即現長者身而為說法
應以居士身得度者即現居士身而為說法應以
宰官身得度者即現宰官身而為說法應以婆羅
門身得度者即現婆羅門身而為說法應以比丘比
丘尼優婆塞優婆夷身得度者即現比丘比丘尼
優婆塞優婆夷身而為說法應以長者居士宰
官婆羅門婦女身得度者即現婦女身而為說法
應以童男童女身得度者即現童男童女身而為
說法應以天龍夜叉乾闥婆阿脩羅迦樓羅緊
那羅摩睺羅伽人非人等身得度者即皆現之而
為說法應以執金剛身得度者即現執金剛身
而為說法无盡意是觀世音菩薩成就如是功
德以種種形遊諸國土度脫衆生是故汝等應當
一心供養觀世音菩薩是觀世音菩薩摩訶薩於
怖畏急難之中能施无畏是故此娑婆世界皆號
之為施无畏者无盡意菩薩白佛言世尊我今當
供養觀世音菩薩即解頸衆寶珠瓔珞價直百千
兩金而以與之作是言仁者受此法施珍寶瓔珞時
觀世音菩薩不肯受之无盡意復白觀世音菩薩
言仁者愍我等故受此瓔珞尒時佛告觀世音菩薩
當愍此无盡意菩薩及四衆天龍夜叉乾闥婆
阿脩羅迦樓羅緊那羅摩睺羅伽人非人等故
受此瓔珞即時觀世音菩薩愍諸四衆及於天龍
人非人等受其瓔珞分作二分一分奉多寶佛
塔无盡意觀世音菩薩有如是自在神力遊
於娑婆世界

BD03035號　妙法蓮華經（僞造）卷七　（6–4）

當慈此无盡意菩薩及四眾天龍夜叉乾闥婆
阿脩羅迦樓羅緊那羅摩睺羅伽人非人等故
受此瓔珞即時觀世音菩薩愍諸四眾及於天龍
人非人等受其瓔珞分作二分一分奉多寶佛
塔无盡意觀世音菩薩有如是自在神力游
於娑婆世界
尒時无盡意菩薩以偈問曰
世尊妙相具 我今重問彼 佛子何因緣 名為觀世音
具足妙相尊 偈答无盡意 汝聽觀音行 善應諸方所
弘誓深如海 歷劫不思議 侍多千億佛 發大清淨願
我為汝略說 聞名及見身 心念不空過 能滅諸有苦
假使興害意 推落大火坑 念彼觀音力 火坑變成池
或漂流巨海 龍魚諸鬼難 念彼觀音力 波浪不能沒
或在須弥峯 為人所推墮 念彼觀音力 如日虛空住
或被惡人逐 墮落金剛山 念彼觀音力 不能損一毛
或值怨賊繞 各執刀加害 念彼觀音力 咸即起慈心
或遭王難苦 臨刑欲壽終 念彼觀音力 刀尋段段壞
或囚禁枷鎖 手足被杻械 念彼觀音力 釋然得解脫
呪詛諸毒藥 所欲害身者 念彼觀音力 還著於本人
或遇惡羅剎 毒龍諸鬼等 念彼觀音力 時悉不敢害
若惡獸圍繞 利牙爪可怖 念彼觀音力 疾走无邊方
蚖蛇及蝮蠍 氣毒煙火然 念彼觀音力 尋聲自迴去
雲雷鼓掣電 降雹澍大雨 念彼觀音力 應時得消散
眾生被困厄 无量苦逼身 觀音妙智力 能救世間苦
具足神通力 廣脩智方便 十方諸國土 无剎不現身
種種諸惡趣 地獄鬼畜生 生老病死苦 以漸悉令滅
真觀清淨觀 廣大智慧觀 悲觀及慈觀 常願常瞻仰
无垢清淨光 慧日破諸闇 能伏災風火 普明照世間
悲體戒雷震 慈意妙大雲 澍甘露法雨 滅除煩惱焰
諍訟經官處 怖畏軍陣中 念彼觀音力 眾怨悉退散

BD03035號　妙法蓮華經（偽造）卷七　（6–5）

或值怨賊繞 各執刀加害 念彼觀音力 咸即起慈心
或遭王難苦 臨刑欲壽終 念彼觀音力 刀尋段段壞
或囚禁枷鎖 手足被杻械 念彼觀音力 釋然得解脫
呪詛諸毒藥 所欲害身者 念彼觀音力 還著於本人
或遇惡羅剎 毒龍諸鬼等 念彼觀音力 時悉不敢害
若惡獸圍繞 利牙爪可怖 念彼觀音力 疾走无邊方
蚖蛇及蝮蠍 氣毒煙火然 念彼觀音力 尋聲自迴去
雲雷鼓掣電 降雹澍大雨 念彼觀音力 應時得消散
眾生被困厄 无量苦逼身 觀音妙智力 能救世間苦
具足神通力 廣脩智方便 十方諸國土 无剎不現身
種種諸惡趣 地獄鬼畜生 生老病死苦 以漸悉令滅
真觀清淨觀 廣大智慧觀 悲觀及慈觀 常願常瞻仰
无垢清淨光 慧日破諸闇 能伏災風火 普明照世間
悲體戒雷震 慈意妙大雲 澍甘露法雨 滅除煩惱焰
諍訟經官處 怖畏軍陣中 念彼觀音力 眾怨悉退散
妙音觀世音 梵音海潮音 勝彼世間音 是故須常念
念念勿生疑 觀世音淨聖 於苦惱死厄 能為作依怙
具一切功德 慈眼視眾生 福聚海无量 是故應頂禮
尒時持地菩薩即從座起前白佛言世尊若有眾
生聞是觀世音菩薩品自在之業普門示現神通
力者當知是人功德不少佛說是普門
品時眾中八萬四千眾生皆發
耨多羅三藐三菩提心

BD03035號　妙法蓮華經（偽造）卷七　（6–6）

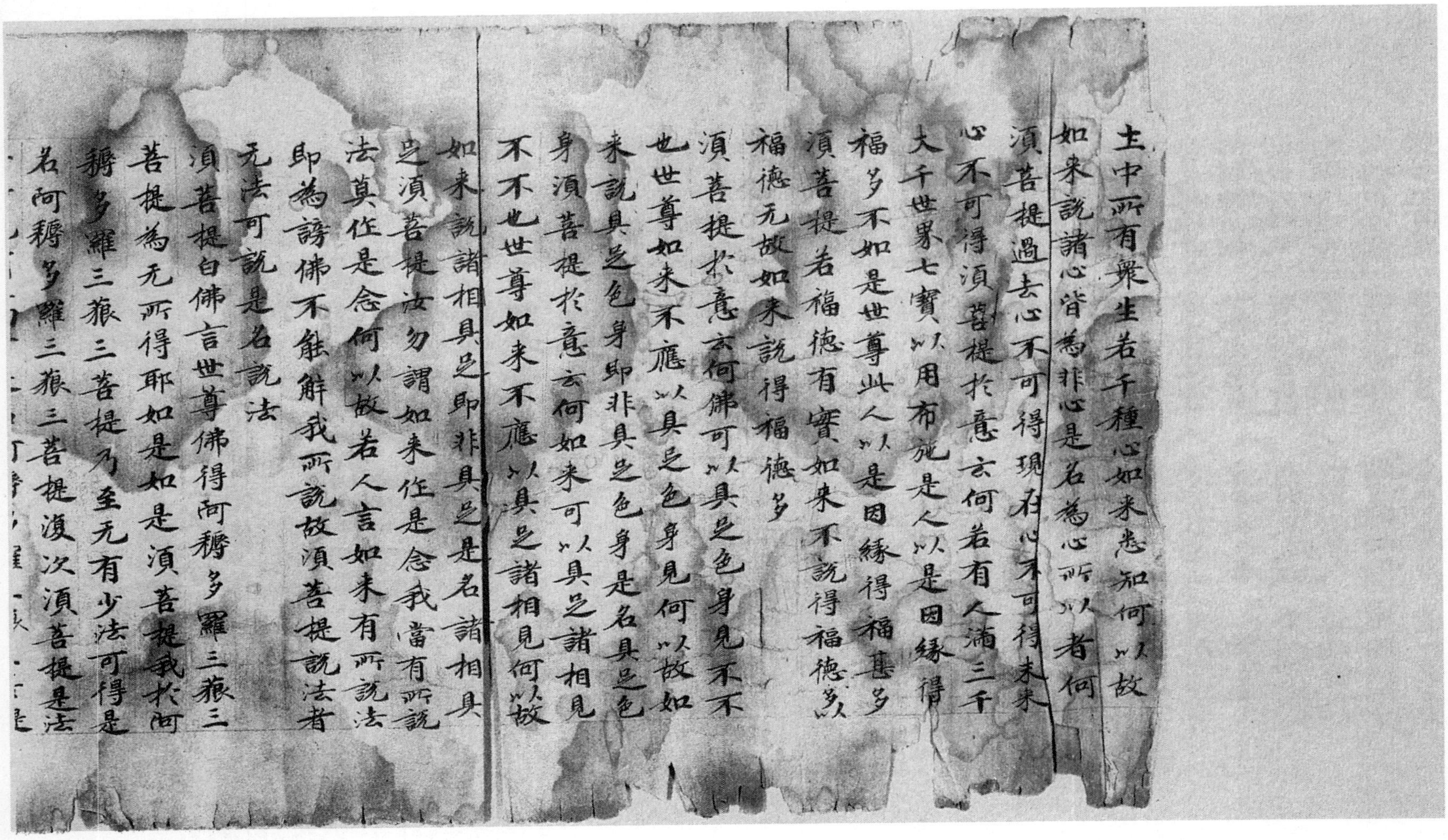

土中所有衆生若干種心如來悉知何以故
如來說諸心皆為非心是名為心所以者何
須菩提過去心不可得現在心不可得未來
心不可得須菩提於意云何若有人滿三千
大千世界七寶以用布施是人以是因緣得
福多不如是世尊此人以是因緣得福甚多
須菩提若福德有實如來不說得福德多以
福德无故如來說得福德多
須菩提於意云何佛可以具足色身見不不
也世尊如來不應以具足色身見何以故如
來說具足色身即非具足色身是名具足色
身須菩提於意云何如來可以具足諸相見
不不也世尊如來不應以具足諸相見何以故
如來說諸相具足即非具足是名諸相具
足須菩提汝勿謂如來作是念我當有所說
法莫作是念何以故若人言如來有所說法
即為謗佛不能解我所說故須菩提說法者
无法可說是名說法
須菩提白佛言世尊佛得阿耨多羅三藐三
菩提為无所得耶如是如是須菩提我於阿
耨多羅三藐三菩提乃至无有少法可得是
名阿耨多羅三藐三菩提復次須菩提是法

BD03036號　金剛般若波羅蜜經　（4–1）

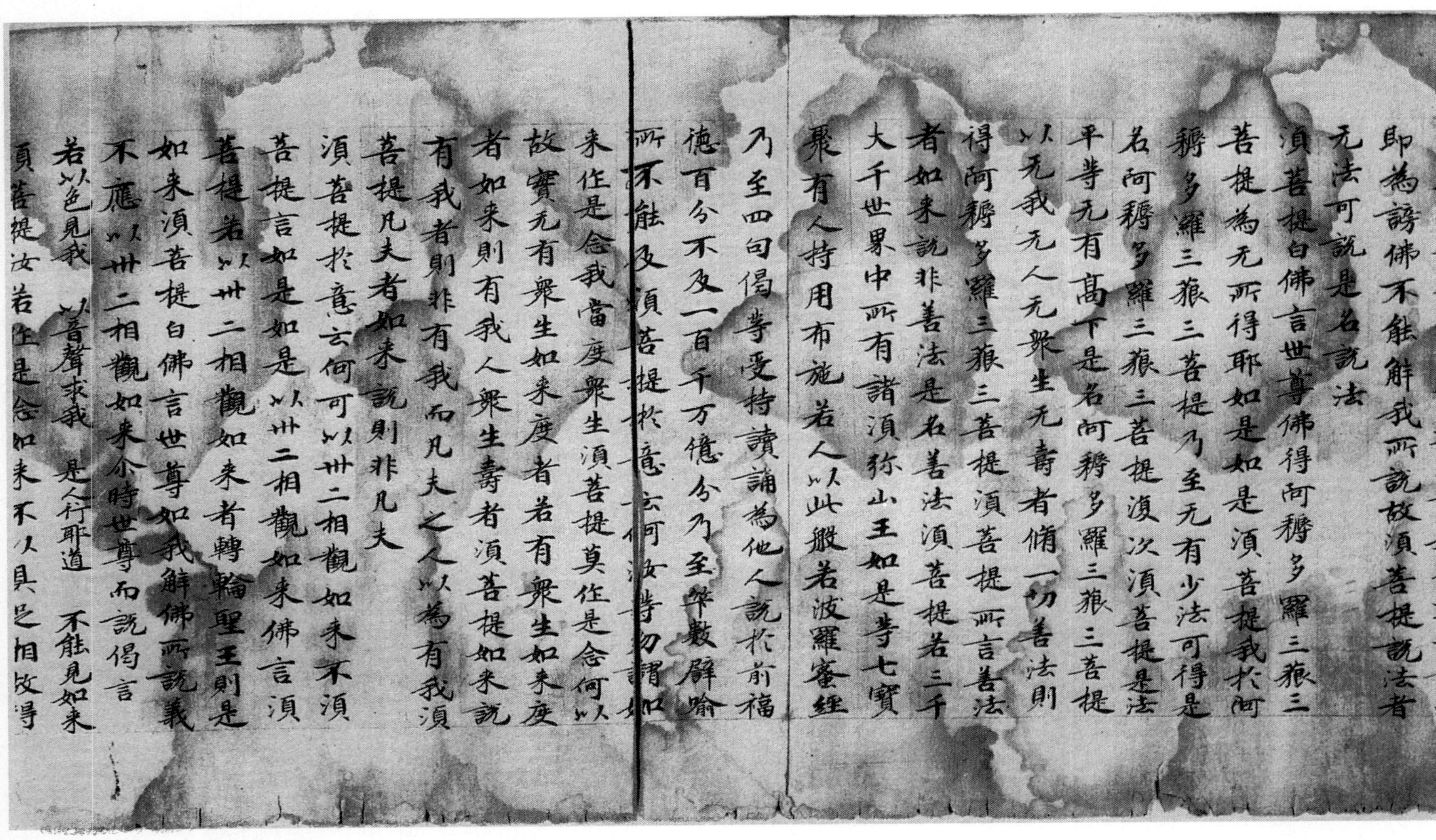

即為謗佛不能解我所說故須菩提說法者
无法可說是名說法
須菩提白佛言世尊佛得阿耨多羅三藐三
菩提為无所得耶如是如是須菩提我於阿
耨多羅三藐三菩提乃至无有少法可得是
名阿耨多羅三藐三菩提復次須菩提是法
平等无有高下是名阿耨多羅三藐三菩提
以无我无人无衆生无壽者脩一切善法則
得阿耨多羅三藐三菩提須菩提所言善法
者如來說非善法是名善法須菩提若三千
大千世界中所有諸須弥山王如是等七寶
聚有人持用布施若人以此般若波羅蜜經
乃至四句偈等受持讀誦為他人說於前福
德百分不及一百千万億分乃至筭數譬喻
所不能及須菩提於意云何汝等勿謂如
來作是念我當度衆生須菩提莫作是念何以
故實无有衆生如來度者若有衆生如來度
者如來則有我人衆生壽者須菩提如來說
有我者則非有我而凡夫之人以為有我須
菩提凡夫者如來說則非凡夫
須菩提於意云何可以卅二相觀如來不須
菩提言如是如是以卅二相觀如來佛言須
菩提若以卅二相觀如來者轉輪聖王則是
如來須菩提白佛言世尊如我解佛所說義
不應以卅二相觀如來爾時世尊而說偈言
若以色見我　以音聲求我　是人行耶道　不能見如來
須菩提汝若作是念如來不以具足相故得

BD03036號　金剛般若波羅蜜經　（4–2）

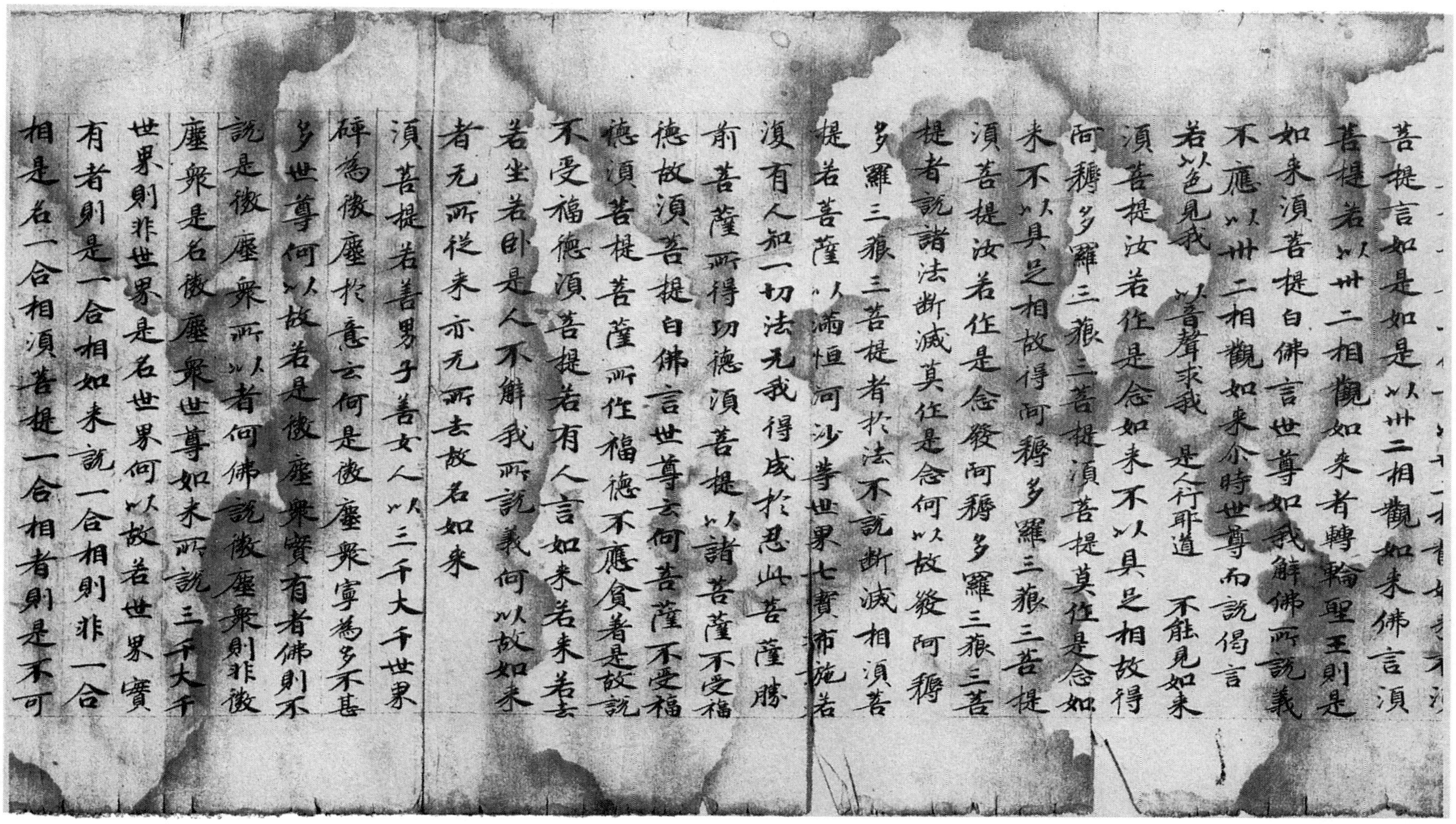
菩提言如是如是以卅二相觀如来佛言須
菩提若以卅二相觀如来者轉輪聖王則是
如来須菩提白佛言世尊如我解佛所說義
不應以卅二相觀如来尒時世尊而說偈言
若以色見我　以音聲求我　是人行耶道　不能見如来
須菩提汝若作是念如来不以具足相故得
阿耨多羅三藐三菩提須菩提莫作是念如
来不以具足相故得阿耨多羅三藐三菩提
須菩提汝若作是念發阿耨多羅三藐三菩
提者說諸法斷滅莫作是念何以故發阿耨
多羅三藐三菩提者於法不說斷滅相須菩
提若菩薩以滿恒河沙等世界七寶布施若
復有人知一切法无我得成於忍此菩薩勝
前菩薩所得功德須菩提以諸菩薩不受福
德故須菩提白佛言世尊云何菩薩不受福
德須菩提菩薩所作福德不應貪著是故說
不受福德須菩提若有人言如来若来若去
若坐若卧是人不解我所說義何以故如来
者无所從来亦无所去故名如来
須菩提若善男子善女人以三千大千世界
碎為微塵於意云何是微塵衆寧為多不甚
多世尊何以故若是微塵衆實有者佛則不
說是微塵衆所以者何佛說微塵衆則非微
塵衆是名微塵衆世尊如来所說三千大千
世界則非世界是名世界何以故若世界實
有者則是一合相如来說一合相則非一合
相是名一合相須菩提一合相者則是不可

BD03036 號　金剛般若波羅蜜經　（4–3）

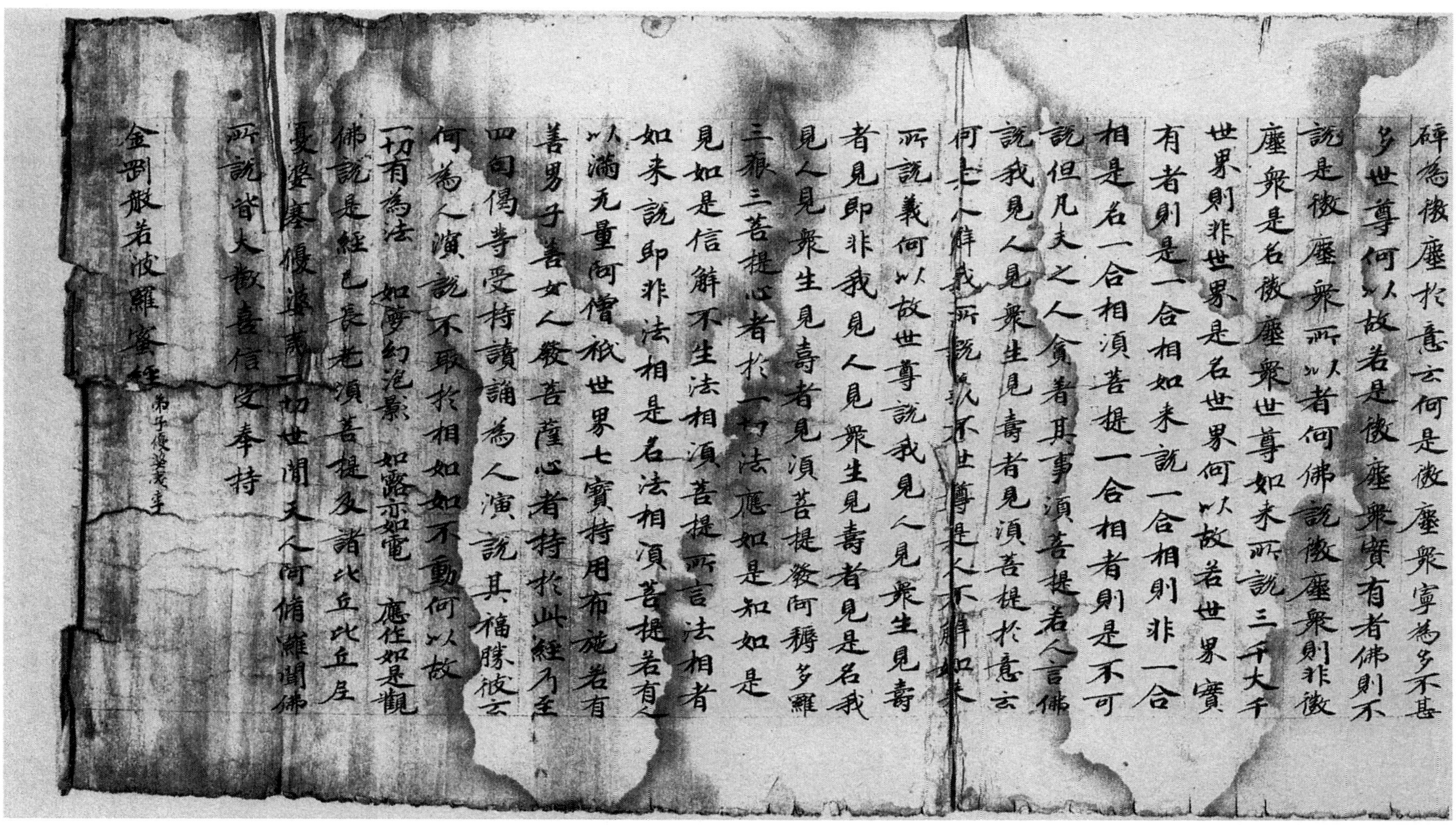
碎為微塵於意云何是微塵衆寧為多不甚
多世尊何以故若是微塵衆實有者佛則不
說是微塵衆所以者何佛說微塵衆則非微
塵衆是名微塵衆世尊如来所說三千大千
世界則非世界是名世界何以故若世界實
有者則是一合相如来說一合相則非一合
相是名一合相須菩提一合相者則是不可
說但凡夫之人貪著其事須菩提若人言佛
說我見人見衆生見壽者見須菩提於意云
何是人解我所說義不世尊是人不解如来
所說義何以故世尊說我見人見衆生見壽
者見即非我見人見衆生見壽者見是名我
見人見衆生見壽者見須菩提發阿耨多羅
三藐三菩提心者於一切法應如是知如是
見如是信解不生法相須菩提所言法相者
如来說即非法相是名法相須菩提若有人
以滿无量阿僧祇世界七寶持用布施若有
善男子善女人發菩薩心者持於此經乃至
四句偈等受持讀誦為人演說其福勝彼云
何為人演說不取於相如如不動何以故
一切有為法　如夢幻泡影　如露亦如電　應作如是觀
佛說是經已長老須菩提及諸比丘比丘尼
優婆塞優婆夷一切世間天人阿脩羅聞佛
所說皆大歡喜信受奉持
金剛般若波羅蜜經
弟子優婆夷李

BD03036 號　金剛般若波羅蜜經　（4–4）

共神通道力成等正覺廣度衆生皆因提婆
達多善知識故告諸四衆提婆達多却後過
无量劫當得成佛号曰天王如來應供正遍
知明行足善逝世間解无上士調御丈夫天
人師佛世尊世界名天道時天王佛住世二
十中劫廣為衆生說於妙法恒河沙衆生得
阿羅漢果无量衆生發緣覺心恒河沙衆生
發无上道心得无生忍至不退轉時天王佛
般涅槃後正法住世二十中劫全身舍利起
七寶塔高六十由旬縱廣四十由旬諸天人
民悉以雜華末香燒香塗香衣服瓔珞幢幡
寶蓋伎樂歌頌礼拜供養七寶妙塔无量衆
生得阿羅漢果无量衆生悟辟支佛不可思議
衆生發菩提心至不退轉佛告諸比丘未來
世中若有善男子善女人聞妙法蓮華經
提婆達多品淨心信敬不生疑惑者不墮地
獄餓鬼畜生生十方佛前所生之處常聞此
經若生人天中受勝妙樂若在佛前蓮華化
生於時下方多寶世尊所從菩薩名曰智積

BD03037號　妙法蓮華經卷四

（6–1）

衆生發菩提心至不退轉佛告諸比丘未來
世中若有善男子善女人聞妙法蓮華經
提婆達多品淨心信敬不生疑惑者不墮地
獄餓鬼畜生生十方佛前所生之處常聞此
經若生人天中受勝妙樂若在佛前蓮華化
生於時下方多寶世尊所從菩薩名曰智積
白多寶佛當還本土釋迦牟尼佛告智積曰
善男子且待須臾此有菩薩名文殊師利可
與相見論說妙法可還本土尒時文殊師利
坐千葉蓮華大如車輪俱來菩薩亦坐寶蓮
華於大海娑竭龍宮自然踊出住虛空中詣
靈鷲山從蓮華下至於佛前頭面敬礼二世
尊之脩敬已畢往智積所共相慰問却坐一
面智積菩薩問文殊師利仁往龍宮所化衆
生其數幾何文殊師利言其數无量不可稱
計非口所宣非心所測且待須臾自當有證
所言未竟无數菩薩坐寶蓮華從海踊出詣
靈鷲山住在虛空此諸菩薩皆是文殊師利
之所化度具菩薩行皆共論說六波羅蜜本
聲聞人在虛空中說聲聞行今皆脩行大乘
空義文殊師利謂智積曰於海教化其事如
是尒時智積菩薩以偈讚曰
大智德勇健　化度無量衆　今此諸大會　及我皆已見
演暢實相義　開闡一乘法　廣度諸衆生　令速成菩提
文殊師利言我於海中唯常宣說妙法華經智

BD03037號　妙法蓮華經卷四

（6–2）

空義文殊師利語智積曰於海教化其事如
是尒時智積菩薩以偈讚曰
大智德勇健　化度無量眾　今此諸大會　及我皆已見
演暢實相義　開闡一乘法　廣度諸眾生　令速成菩提
文殊師利言我於海中唯常宣說妙法華經智
積菩薩問文殊師利言此經甚深微妙諸經中
寶世所希有頗有眾生勤加精進修行此經
速得佛不文殊師利言有娑竭羅龍王女年
始八歲智慧利根善知眾生諸根行業得陀
羅尼諸佛所說甚深秘藏悉能受持深入禪
定了達諸法於剎那頃發菩提心得不退轉
辯才無礙慈念眾生猶如赤子功德具足心
念口演微妙廣大慈悲仁讓志意和雅能至
菩提智積菩薩言我見釋迦如來於無量劫
難行苦行積功累德求菩薩道未曾止息觀
三千大千世界乃至無有如芥子許非是菩
薩捨身命處為眾生故然後乃得成菩提
道不信此女於須臾頃便成正覺言論未訖
時龍王女忽現於前頭面禮敬却住一面以
偈讚曰
深達罪福相　遍照於十方　微妙淨法身　具相三十二
以八十種好　用莊嚴法身　天人所戴仰　龍神咸恭敬
一切眾生類　无不宗奉者　又聞成菩提　唯佛當證知
我闡大乘教　度脫苦眾生
時舍利弗語龍女言汝謂不久得無上道是

BD03037號　妙法蓮華經卷四　（6–3）

深達罪福相　遍照於十方　微妙淨法身　具相三十二
以八十種好　用莊嚴法身　天人所戴仰　龍神咸恭敬
一切眾生類　无不宗奉者　又聞成菩提　唯佛當證知
我闡大乘教　度脫苦眾生
時舍利弗語龍女言汝謂不久得無上道是
事難信所以者何女身垢穢非是法器云何
能得無上菩提佛道懸曠經無量劫勤苦積
行具修諸度然後乃成又女人身猶有五障
一者不得作梵天王二者帝釋三者魔王四
者轉輪聖王五者佛身云何女身速得成佛
尒時龍女有一寶珠價直三千大千世界持
以上佛佛即受之龍女謂智積菩薩尊者舍
利弗言我獻寶珠世尊納受是事疾不答言
甚疾女言以汝神力觀我成佛復速於此當
時眾會皆見龍女忽然之間變成男子具菩
薩行即往南方無垢世界坐寶蓮華成等正
覺三十二相八十種好普為十方一切眾生
演說妙法尒時娑婆世界菩薩聲聞天龍八
部人與非人皆遙見彼龍女成佛普為時會
人天說法心大歡喜悉遙敬禮無量眾生聞
法解悟得不退轉無量眾生得受道記無垢
世界六反震動娑婆世界三千眾生住不退
地三千眾生發菩提心而得受記智積菩薩
及舍利弗一切眾會嘿然信受
妙法蓮華經勸持品第十三

BD03037號　妙法蓮華經卷四　（6–4）

人天說法心大歡喜悉遙敬禮無量衆生聞
法解悟得不退轉無量衆生得受道記無垢
世界六反震動娑婆世界三千衆生住不退
地三千衆生發菩提心而得受記智積菩薩
及舍利弗一切衆會嘿然信受
妙法蓮華經勸持品第十三
尒時藥王菩薩摩訶薩及大樂說菩薩摩訶
薩與二萬菩薩眷屬俱皆於佛前作是誓言
唯願世尊不以為慮我等於佛滅後當奉持
讀誦說此經典後惡世衆生善根轉少多增
上慢貪利供養增不善根遠離解脫雖難可
教化我等當起大忍力讀誦此經持說書寫
種種供養不惜身命尒時衆中五百阿羅漢得
受記者白佛言世尊我等亦自誓願於異
國土廣說此經復有學無學八千人得受記
者從座而起合掌向佛作是誓言世尊我等
亦當於他國土廣說此經所以者何是娑婆
國中人多弊惡懷增上慢功德淺薄瞋濁諂
曲心不實故尒時佛姨母摩訶波闍波提比
丘尼與學無學比丘尼六千人俱從座而起
一心合掌瞻仰尊顏目不暫捨於時世尊告
憍曇弥何故憂色而視如來汝心將無謂我
不說汝名授阿耨多羅三藐三菩提記耶憍
曇弥我先揔說一切聲聞皆已授記今汝欲
知記者將來之世當於六萬八千億諸佛法

BD03037 號　妙法蓮華經卷四　（6–5）

曲心不實故尒時佛姨母摩訶波闍波提比
丘尼與學無學比丘尼六千人俱從座而起
一心合掌瞻仰尊顏目不暫捨於時世尊告
憍曇弥何故憂色而視如來汝心將無謂我
不說汝名授阿耨多羅三藐三菩提記耶憍
曇弥我先揔說一切聲聞皆已授記今汝欲
知記者將來之世當於六萬八千億諸佛法
中為大法師及六千學無學比丘尼俱為法
師汝如是漸漸具菩薩道當得作佛号一切
衆生惠見如來應供正遍知明行足善逝世
間解無上士調御丈夫天人師佛世尊憍曇
弥是一切衆生意見佛及六千菩薩轉次授
記得阿耨多羅三藐三菩提尒時羅睺羅母
耶輸陀羅比丘尼作是念世尊於授記中獨
不說我名佛告耶輸陀羅汝於來世百千萬億
諸佛法中脩菩薩行為大法師漸具佛道於
善國中當得作佛号具足千萬光相如來應
供正遍知明行足善逝世間解無上士調御
丈夫天人師佛世尊佛壽無量阿僧祇劫尒
時摩訶波闍波提比丘尼及耶輸陀羅比丘
尼并其眷屬皆大歡喜得未曾有即於佛
前而說偈言

BD03037 號　妙法蓮華經卷四　（6–6）

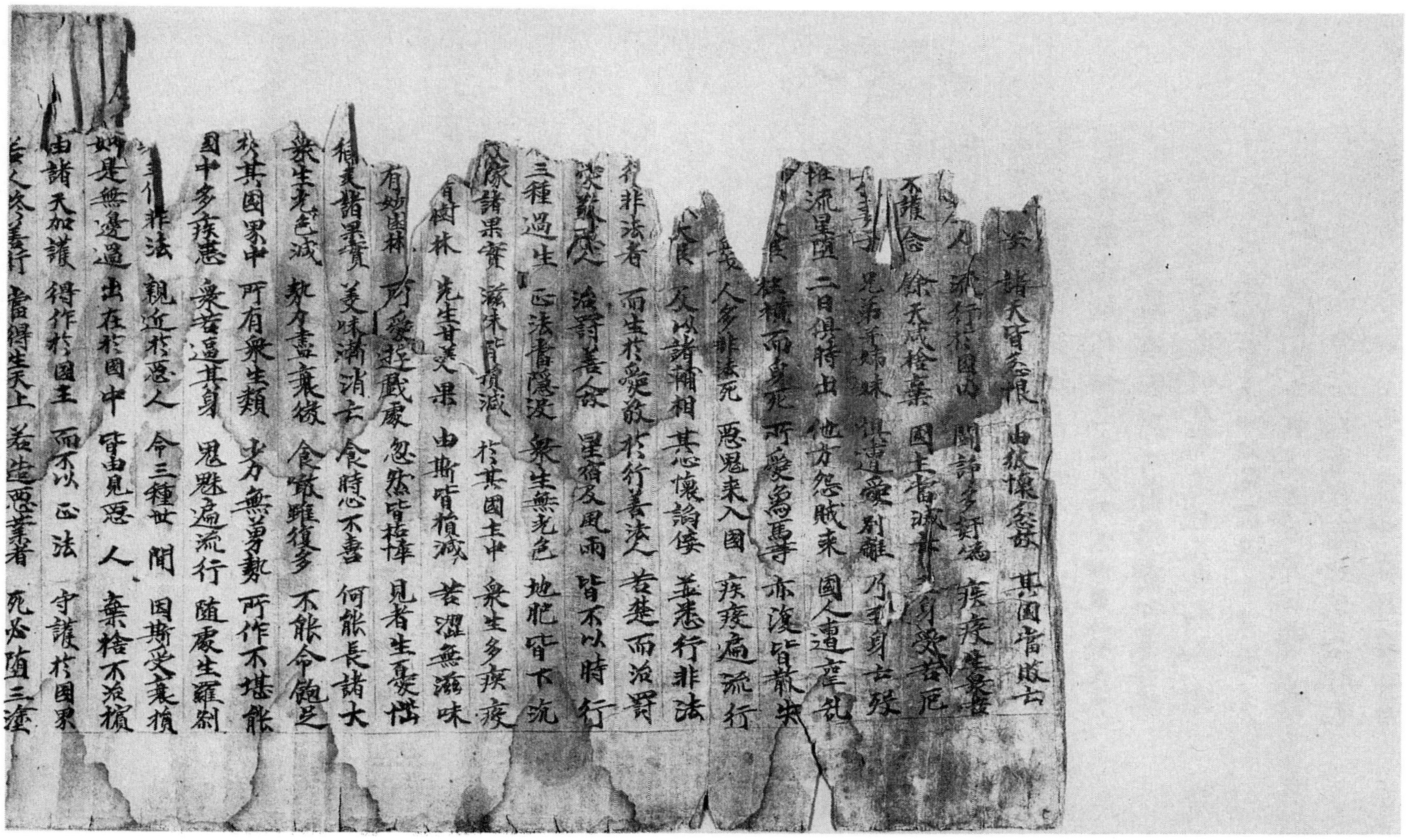

諸天皆忿恨　由彼懷忿故　其國當敗亡
非法行於國　鬪諍多奸偽　疾疫生眾苦
不護念　餘天咸捨棄　國土當滅亡　王身受苦厄
兄弟并姊妹　俱遭愛別離　乃至身亡歿
變怪流星墮　二日俱時出　他方怨賊來　國人遭喪亂
枉橫而身死　所愛象馬等　亦復皆散失
人多非法死　惡鬼來入國　疾疫遍流行
及以諸輔相　其心懷諂佞　並悉行非法
非法者　而生於愛敬　於行善法人　苦楚而治罰
治罰善人　星宿及風雨　皆不以時行
三種過生　正法當隱沒　眾生無光色　地肥皆下沉
稼諸果實　滋味皆損減　於其國土中　眾生多疾疫
有樹林　先生甘美果　由斯皆損減　苦澀無滋味
有妙園林　可愛遊戲處　忽然皆枯悴　見者生憂惱
稻麥諸果實　美味漸消亡　食時心不喜　何能長諸大
眾生光色減　勢力盡衰微　食噉雖復多　不能令飽足
於其國界中　所有眾生類　少力無勇勢　所作不堪能
國中多疾患　眾苦逼其身　鬼魅遍流行　隨處生羅剎
作非法　親近於惡人　令三種世間　因斯受衰損
如是無邊過　出在於國中　皆由見惡人　棄捨不治擯
由諸天加護　得作於國王　而不以正法　守護於國界
若人修善行　當得生天上　若造惡業者　死必墮三塗

BD03038 號 A　金光明最勝王經（兌廢稿）卷八　（2–1）

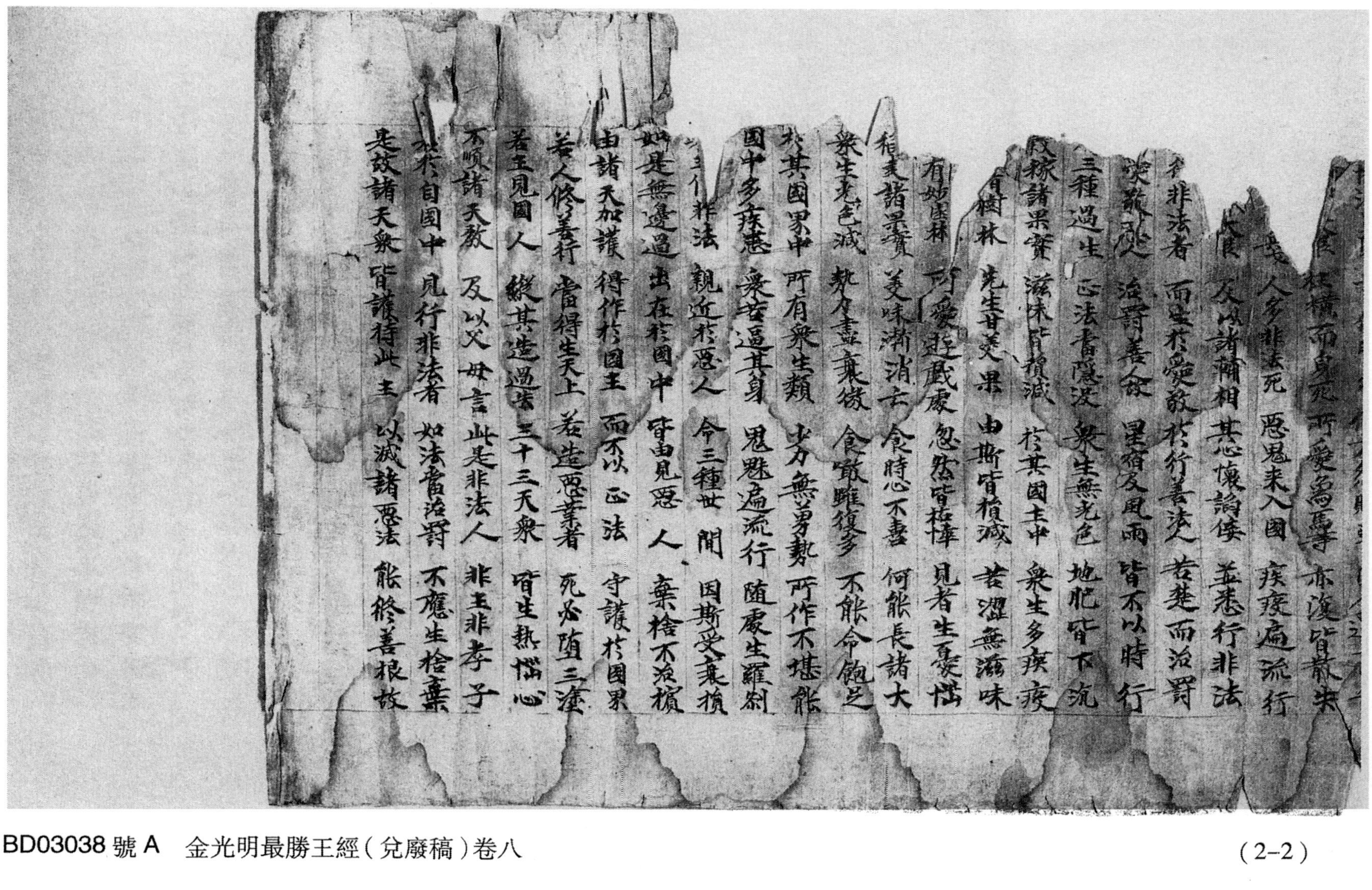

枉橫而身死　所愛象馬等　亦復皆散失
人多非法死　惡鬼來入國　疾疫遍流行
及以諸輔相　其心懷諂佞　並悉行非法
非法者　而生於愛敬　於行善法人　苦楚而治罰
治罰善人　星宿及風雨　皆不以時行
三種過生　正法當隱沒　眾生無光色　地肥皆下沉
稼諸果實　滋味皆損減　於其國土中　眾生多疾疫
有樹林　先生甘美果　由斯皆損減　苦澀無滋味
有妙園林　可愛遊戲處　忽然皆枯悴　見者生憂惱
稻麥諸果實　美味漸消亡　食時心不喜　何能長諸大
眾生光色減　勢力盡衰微　食噉雖復多　不能令飽足
於其國界中　所有眾生類　少力無勇勢　所作不堪能
國中多疾患　眾苦逼其身　鬼魅遍流行　隨處生羅剎
作非法　親近於惡人　令三種世間　因斯受衰損
如是無邊過　出在於國中　皆由見惡人　棄捨不治擯
由諸天加護　得作於國王　而不以正法　守護於國界
若人修善行　當得生天上　若造惡業者　死必墮三塗
若王見國人　縱其造過失　三十三天眾　皆生熱惱心
不順諸天教　及以父母言　此是非法人　非王非孝子
於自國中　見行非法者　如法當治罰　不應生捨棄
是故諸天眾　皆護持此王　以滅諸惡法　能修善根故

BD03038 號 A　金光明最勝王經（兌廢稿）卷八　（2–2）

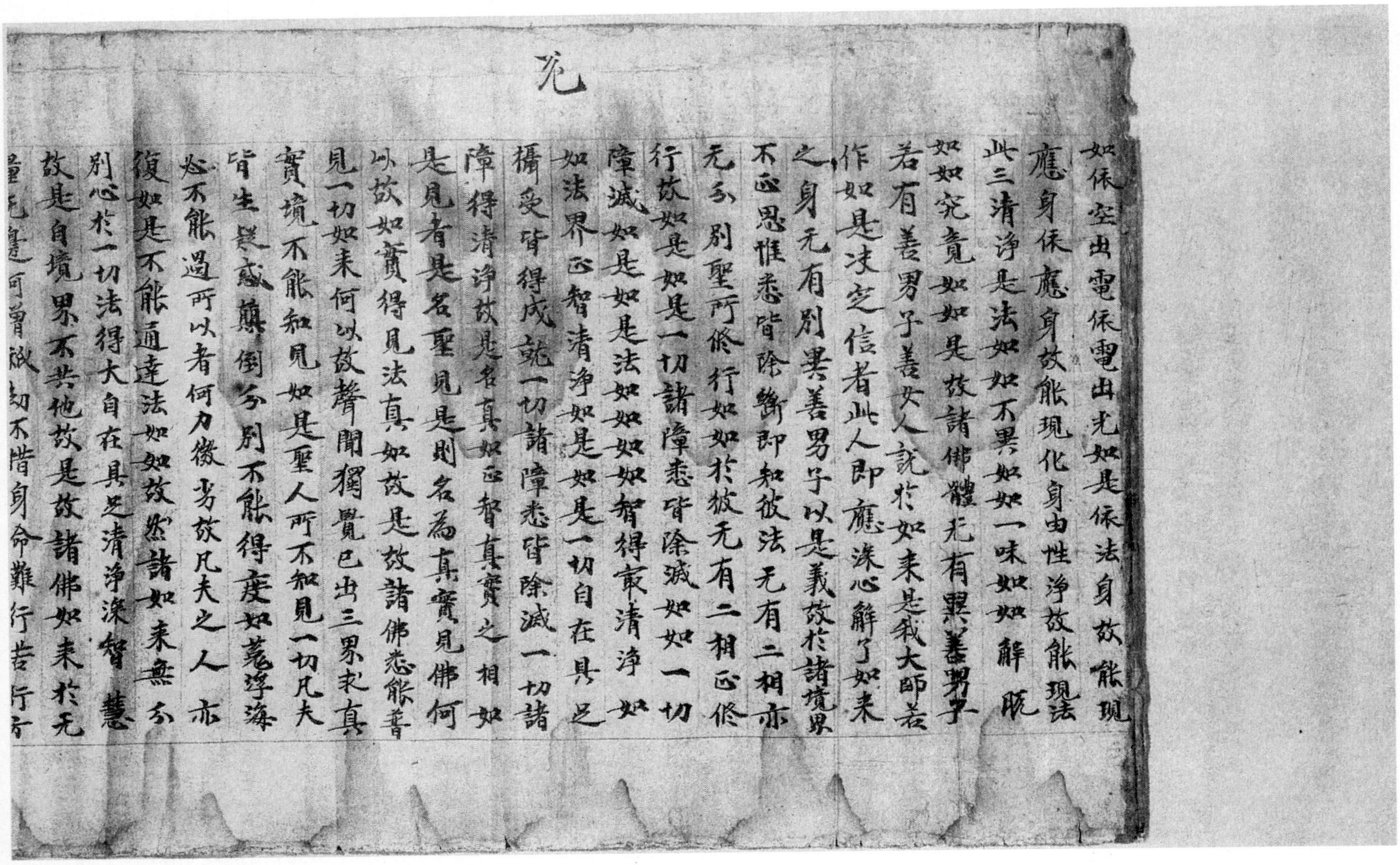
兊
如依空出電依電出光如是依法身故能現
應身依應身故能現化身由性淨故能現法
此三清淨是法如如不異如如一味如如解脫
如如究竟如如是故諸佛體无有異善男子
若有善男子善女人說於如來是我大師若
作如是決定信者此人即應深心解了如來
之身无有別異善男子以是義故於諸境界
不正思惟悉皆除斷即知彼法无有二相亦
无分別聖所脩行如如於彼无有二相正脩
行故如是如是一切諸障悉皆除滅如如一切
障滅如是如是法如如如如智得最清淨如
如法界正智清淨如是如是一切自在具足
攝受皆得成就一切諸障悉皆除滅一切諸
障得清淨故是名真如正智真實之相如
是見者是名聖見是則名為真實見佛何
以故如實得見法真如故是故諸佛悉能普
見一切如來何以故聲聞獨覺已出三界求真
實境不能知見如是聖人所不知見一切凡夫
皆生疑惑顛倒分別不能得度如兔浮海
必不能過所以者何力微劣故凡夫之人亦
復如是不能通達法如如故然諸如來無分
別心於一切法得大自在具足清淨深智慧
故是自境界不共他故是故諸佛如來於无
量无邊阿僧祇劫不惜身命難行苦行方

BD03038 號 B　金光明最勝王經（兊廢稿）卷二　　（2–1）

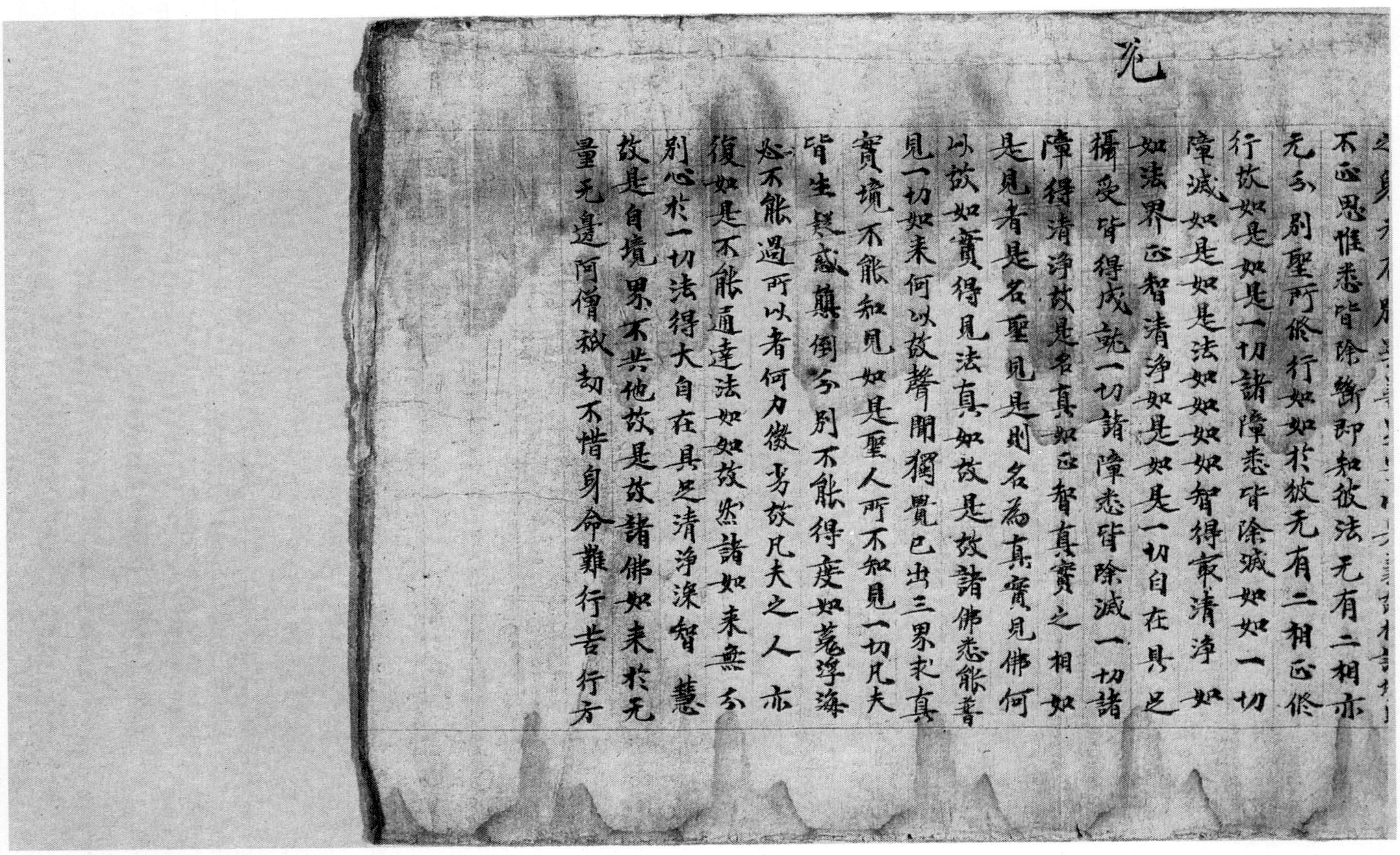
兊
不正思惟悉皆除斷即知彼法无有二相亦
无分別聖所脩行如如於彼无有二相正脩
行故如是如是一切諸障悉皆除滅如如一切
障滅如是如是法如如如如智得最清淨如
如法界正智清淨如是如是一切自在具足
攝受皆得成就一切諸障悉皆除滅一切諸
障得清淨故是名真如正智真實之相如
是見者是名聖見是則名為真實見佛何
以故如實得見法真如故是故諸佛悉能普
見一切如來何以故聲聞獨覺已出三界求真
實境不能知見如是聖人所不知見一切凡夫
皆生疑惑顛倒分別不能得度如兔浮海
必不能過所以者何力微劣故凡夫之人亦
復如是不能通達法如如故然諸如來無分
別心於一切法得大自在具足清淨深智慧
故是自境界不共他故是故諸佛如來於无
量无邊阿僧祇劫不惜身命難行苦行方

BD03038 號 B　金光明最勝王經（兊廢稿）卷二　　（2–2）

匕竟
南无无相如来　南无勇行步鳥如来
南无幢音如来　南无親意如来
南无大震聲如来　南无水天如来
[illegible]頞稍吒如来　南无毗樓勒如来
南无阿耆[illegible]吒如来　南无奢弥多[illegible]来
南无闍浮那陁如来　南无牟羅耶如来
南无憂缽羅耶如来　南无阿沙羅如来
南无婆羅如来　南无智勝如来
南无毗多摩尼如来　南无薩地利捨如来
南无熾盛如来　南无寂静如来
南无廣信如来　南无教化菩薩如来
南无寶功德如来
南无[illegible]瓔珞思惟如来
南无師子頻申力如来　南无離所有如来
南无與樂如来　南无甘露者如来
南无梵天者如来　南无聲震吼鳴如来
南无戚決了如来　南无破散魔力聲如来
南无定住如来　南无阿囉多耶如来（隋云樂）
南无熾盛者如来　南无瞿那衆勝如来
南无衆勝解脫如来　南无日所生如来

BD03039 號　五千五百佛名神咒除障滅罪經卷三　（11–1）

南无與樂如来　南无甘露者如来
南无梵天者如来　南无聲震吼鳴如来
南无戚決了如来　南无破散魔力聲如来
南无定住如来　南无阿囉多耶如来（隋云樂）
南无熾盛者如来　南无瞿那衆勝如来
南无衆勝解脫如来　南无日所生如来
南无真體法上如来
若有人於此得聞无邊阿僧祇所生諸佛如
来名号身自受持讀誦思惟憶念奉脩行者
彼无眼患无耳鼻患舌患身患一切鄣礙皆
悉清淨一切衆人不能調伏又於阿耨多羅
三藐三菩提得不退轉一切十方諸佛世尊
常當念彼彼爲彼衆生常作守護彼等諸佛乃
至夢中爲彼示現不可思議巧智方便速得
三昧陁羅尼門所生之處恒常不離諸佛世
尊在於佛教大寶蓮花而取化生所生之處
不曾捨離三十二大人相及以八十隨形之
好神通五眼教化衆生清淨佛剎行波羅蜜
及三十七助菩提法不離禪定无量三昧无
色定等不捨諸力无畏辯才十八不共法大
慈大悲大喜大捨无量阿僧祇（佛大隋上數法計一阿僧祇得億千京十）
諸佛法等皆悉不離彼如是諸佛世尊所有
功德彼還得如是功德具足即得安樂如是
當成阿耨多羅三藐三菩提
南无无垢如来若稱彼佛名者即得智无盡
南无日月燈如来若稱彼名者當得不退轉
若有女人聞此佛名者即爲最後女身更不

BD03039 號　五千五百佛名神咒除障滅罪經卷三　（11–2）

功德彼還得如是功德具足即得安樂如是
當成阿耨多羅三藐三菩提
南无无垢如来若稱彼佛名者即得智无盡
南无日月燈如来若稱彼名者當得不退轉
若有女人聞此佛名者即為㝡後女身更不
後受
南无甘露弥留如来若稱彼佛名者假令世
界金銀充滿及以七寶持用布施不及一歌
羅分
南无普香如来若稱彼佛如来名者一切毛
孔出无量香當受一切香薰佛剎復得无量
无邊福聚
南无淨光如来若稱彼佛如来名者假使滿
於恒河沙數世界之中七寶布施不及於其
一歌羅分口稱彼佛如来名号
南无法上如来若稱彼佛如来名者一切佛
法悉皆滿足
南无大衆者如来若稱彼佛如来名者一切
佛法皆悉滿足
南无无邊香光明如来若稱彼佛名者得不
退轉
南无火光如来若稱彼佛如来名者晝夜增
長无量福聚
南无月燈明如来若稱彼佛如来名者於世
界中堪為福田
南无藥師瑠璃光王如来若稱彼佛如来名
者一切殃罪悉皆除滅

長无量福聚
南无月燈明如来若稱彼佛如来名者於世
界中堪為福田
南无藥師瑠璃光王如来若稱彼佛如来名
者一切殃罪悉皆除滅
南无普光家上功德稱聚王如来
南无正住摩尼積聚王如来
若有女人聞此二佛如来名者於一切處得
捨女身復超四方俱致劫又生死流轉於阿
耨多羅三藐三菩提得不退轉常當不離見
佛聞法供養衆僧於後世中即得出家尋當
得成无礙辯才
南无寶光月莊嚴首威德明自在王如来
多緻地夜反他去一曷囉上怛涅去二曷囉上恒涅去三
曷囉上怛娜翅吉支反囉上涅去四曷囉怛娜鉾囉位
曷袟帝五曷囉上怛娜三婆粹六曷囉上怛娜
揭粹七曷囉上怛怒去鑠揭帝八莎呵
若有善男子善女人行菩薩乘者稱彼寶光
月莊嚴首威德明自在王如来阿羅訶三藐
三佛陁名者及此陁羅尼章句聞已信解彼
捨此生得轉輪王位值佛出世見如来已當
作无量供養供給脩於梵行達到一切神通
彼岸復得陁羅尼名曰十轉見如来已當作
不思議供養當見恒河沙等諸佛超越如是
俱致劫波生死流轉心不忘失於阿耨多羅
三藐三菩提得身牢實如那羅延直有一骨
難可屈折彼身金色以三十二大丈夫相而

不思議供養當見恒河沙等諸佛超越如是
倶致劫波生死流轉心不忘失於阿耨多羅
三藐三菩提得身牢實如那羅延直有一骨
難可屈折彼身金色以三十二大丈夫相而
自莊嚴得梵音聲離无閑處當得閑處而
說偈言
若於七日七夜中　稱彼如来佛名号
獲得清淨妙天眼　无邊淨眼佛所稱
獲得清淨天眼已　彼人肉眼亦清淨
當見无量无邊佛　其數猶如恒河沙
皆悉供養彼諸佛　所聞彼法皆受持
若眼所見諸人等　莫不善言相慰喻
往昔曾經供養佛　并及所作不思議
一切悉得心念持　皆由聞彼如来者
南无智炬如来　南无金光積形如来
南无寶言如来　南无常音震王諸如来等
尒時普賢菩薩文殊尸利童子陁羅尼自在
王菩薩執金剛手菩薩時四菩薩及智炬等
四如来住在日月宮殿尒時日月二天子詣
彼如来及菩薩所見彼如来等各坐寶莊嚴
師子之座在閻浮檀聲上及彼諸菩薩
尒時日月二天子各共思惟我等云何於此
如来邊及諸菩薩所當得陁羅尼名曰與一
切衆生光明散大黑闇冥妙冥上流布十方
以彼威力與諸衆生作大光明時彼如来共
彼菩薩即為說此陁羅尼呪
[illegible]

如来邊及諸菩薩所當得陁羅尼名曰與一
切衆生光明散大黑闇冥妙冥上流布十方
以彼威力與諸衆生作大光明時彼如来共
彼菩薩即為說此陁羅尼呪
僧耶(余歌反)渫婆(去一)斫蒭(欽盧反下同)斫蒭鉢囉婆(去三)
肚邏迷他(去四)迦邏他(去五)壹䶑(他頂反)躬(他甘反)
婆(三我反六)蘊囉(上)吒(去七)蘊囉(上)馱(八)
蘊炭婆(上九)壹䏰婆(上十)鞞囉(十一)鞞囉
鉢臓(女利反十二)遮留謨唎多(上)臓(十三)阿(長聲)囉臓(十四)
迦囉鉢臓(十五)迦囉鉢臓(十六)姤嚧徒四十七
姤嚧姤嚧徒四(十九)陁素底陁素底(廿)地唎
地唎(廿一)度嚧度嚧(並去聲廿二)豆囉豆囉(廿三)迦邏迦邏(廿四)
薩他(多)婆(去)薩他(多)婆(去廿五)耆邏耆邏(廿六)
耆囉(多)鉢夜(廿七)耆囉(多)鉢夜(廿八)陁素陁素(廿九)
絲度毛(蘊含反)步(卅)悉闍素(卅一)頻闍素(卅二)
野闍素(卅三)野闍婆(多)鉢泥(去卅四)樹(多)嚧唎(卅五)
題(多)薩唎(卅六)哥(去)囉哥囉(卅七)翅(吾鼓反)唎翅(如上卅八)唎
麻嚧摩麻嚧摩(卅九)迦磨鉢泥(去卌)雞魯瓢(節萄反)
雞魯瓢(卌一)雞羅鉢泥(去卌二)羯迦唎羯迦唎(卌三)
羅(多)嚕(卌四)復菓(卌五)㝠瓢(韓萄反)菓㝠
瓢菓(卌六)莫訶㝠瓢菓(卌七)歌邏歌邏(卌八)
翅利翅(並吉鼓反)利(卌九)比(比方之比)怖雷賜(五十)比怖雷
賜(五十一)馱嗽馱嗽(五十二)賀嗽賀嗽(五十三)賀婆
皷臓(五十四)莎(多)呵(五十五)
尒時普賢菩薩告日月二天言諸族姓子此
陁羅尼已曾八億八千万諸佛所說憐愍衆
生故諸族姓子優曇鉢花可為易得此陁羅

翅利翅䟦利比之比怖霤賜卒比怖霤
賜卒一馱嗽馱嗽卒二賀嗽賀嗽卒三賀婆
䟦臧四五十莎叐呵五十五
尒時普賢菩薩告日月二天言諸族姓子此
陁羅尼已曾八億八十万諸佛所說憐愍衆
生故諸族姓子優曇鉢花可為易得此陁羅
尼句實難出諸族姓子此陁羅尼句又為易
出若當受持此陁羅尼及讀誦者亦復甚難
諸族姓子佛出於世是為不難此陁羅尼出
現於世是為甚難諸族姓子若有人為在阿
鼻地獄衆生造无間者誹謗正法者経世一
劫為利益彼衆生故誦此陁羅尼句卄一日
晝三夜三日日温習於彼之時向鼻大地獄
以陁羅尼威神力故破毀百艮彼等衆生即
得解脫何况閻浮提人輩若𦖋耳門者彼等
應作如是知我等已被四如来攝受及四菩
薩并日月二天攝受於此中莫生疑惑
多緻他一　度致二　摩訶度那致三
素嚧素嚧四　莎呵
舛迦邏毗輸達臧一多羅多羅　莎呵
殊帝一鉢囉地閑二　姤嚧姤嚧　莎呵
鉢頭摩摩利臧一薩著典迦反　何邏多佛栗
胡嚧胡嚧　莎呵
薩著典迦反佛栗一薩著同上音　盧迦臧二翅吉䟦
反　唎翅唎三　莎呵四
陁羅尼佛栗一向波囉底呵多佛栗二
姤嚧姤嚧三　莎呵

BD03039號　五千五百佛名神咒除障滅罪經卷三　（11–7）

鉢頭摩摩利臧一薩著典迦反　何邏多佛栗
胡嚧胡嚧　莎呵二
薩著典迦反佛栗一薩著同上音　盧迦臧二翅吉䟦
反　唎翅唎三　莎呵四
陁羅尼佛栗一向波囉底呵多佛栗二
姤嚧姤嚧三　莎呵
羅引利那質底一徒摩鉢唎呵唎二叩
庫嚧庫嚧三　莎呵
陁邏陁邏摩訶陁邏一達囉達邏闍延
底襄二莎呵諸此莎聲皆平而長諸此呵聲恚去而急
藕拔囉底一藕多閑二阿波邏帝三呵多
佛栗四陁囉陁邏陁邏陁囉五延底襄
南无智炬如来　南无金剛積形如来
南无實言如来
南无可畏音震王諸如来等莎呵
南无月光童子　多緻他一
鉢囉婆引迦唎二　鉢囉婆引䟦帝三
達摩毗輸栗四　羯磨毗輸栗五
婆婆闍遠去六　莎呵
若有人日常誦者一切業鄣皆得清淨
南无䑛光王如来　多緻他一傷帝傷帝
二阿邏伽三叉引耶余歌反夜四余賀反諸耶夜恚同此反
傷底傷底五　埵徒結反䩭沙六叉耶引夜
七傷帝傷謨訶叉耶夜八多緻他一
畔路路二畔路路三陁婆呵畔路路
四毗闍叉耶夜五　莎呵
若人長誦此咒晝三夜三彼等衆罪速盡无

BD03039號　五千五百佛名神咒除障滅罪經卷三　（11–8）

傷底傷底五 埵徒結反 鞞沙六 叉耶引 夜
七 傷帝傷謨訶叉耶夜八 多緻他一
畔路略二 畔略路三 陁婆呵畔略略
四 毗闍叉耶夜五 莎呵
若人長誦此呪晝三夜三彼等衆罪速盡无
餘
南无勝栴檀香體如来 千五百六十
多緻夜他 諸此多音皆作怛緻音皆地夜反他皆去聲
脂囉長帝二 摩唎至翅皆吉反三 寠唎馱逮去四
途囉奴五 鉢囉鞞繁吒去六 栴檀囊長岐去七
栴檀那健平而長 苐八 栴檀那揭鞞九
栴檀那復攞十 毗輸達屋去十一
遮唎多引 囉引 拔帝十二 薩婆怛他伽多十三
提引 瑟顛帝三聲 聯十四 莎呵十五
此陁羅尼章句一切諸佛之所宣說解精隨
喜若有善男子善女人持此陁羅尼者諸鬼
神得无所畏轉此一生覩弥陁佛復得對面
見觀世音及見月光童子從一勝處至一勝
處諸善法中還善知識若其女人得轉女身
所謂是彼栴檀香體如来威力復得无邊
菩薩勝處
南无月上如来 南无作光明菩薩
多緻他一 達唎達唎二 陁囉膩三 脈女一反
陁膩四 阿婆夜羯邏閑五 迦鞞波
鞞伽帝六 暗烏臈反 米履多 米巳下三字疾急道七
迦鞞波八 胡多貫膩九 阿難多目伱十

BD03039號　五千五百佛名神咒除障滅罪經卷三　（11-9）

南无月上如来 南无作光明菩薩
多緻他一 達唎達唎二 陁囉膩三 脈女一反
陁膩四 阿婆夜羯邏閑五 迦鞞波
鞞伽帝六 暗烏臈反 米履多 米巳下三字疾急道七
迦鞞波八 胡多貫膩九 阿難多目伱十
阿難多斫𥎞伽帝十一 唵重聲長引 婦十二 莎呵十三
善男子此陁羅尼章句恒河沙諸佛世尊所
說住持隨喜爲令墮向諸惡衆生生利益故
善男子若有菩薩受持此陁羅尼彼人越越
八種恐怖所謂无邊地獄恐怖无邊畜生恐
怖无邊餓鬼恐怖无邊受胎恐怖无邊生恐
怖无邊老恐怖无邊病恐怖无邊死恐怖十
方諸佛皆念彼人命終之時心不錯亂面對
諸佛受生當得无盡之身亦復得於調伏諸
根
南无娑伽娑羅幢如来 南无寶火如来
南无大目如来 南无法界形如来
多緻他一 達唎達利上聲二 達摩陁姤三
鉢囉上 底瑟耻勑履反 帝四 莎呵
南无諸方燈明王如来
多緻他一 鉢囉遮閑鉢囉遮徒履反 閑二
折時列反 若女迦反 那引聲 鉢囉上 地閑三 莎呵四
南无悲威如来 多緻他一 埵伍 攞埵攞二
折時列反 若女迦反 那埵攞三 佛陁埵攞四 達摩埵
攞五 僧伽埵攞 莎呵
南无梵海如来 多緻他一 婆囉帝婆囉帝二

BD03039號　五千五百佛名神咒除障滅罪經卷三　（11-10）

多綖他一達唎達利聲上二達摩陁姤三
鉢囉上底瑟恥勑履反帝四 莎呵
南无諸方燈明王如来
多緻他一鉢囉遮閑鉢囉遮徒履反閑二
折時列反若女迦反耶引聲鉢囉上地閑三莎呵四
南无悲感如来 多緻他一垣伍擅垣擅二
折時列反若女迦反耶垣擅三佛陁垣擅四達摩垣
擅五僧伽垣擅 莎呵
南无梵海如来 多緻他一娑囉帝娑囉帝二
薩娑跋囉上 多鉢唎不平 唎泥去三
佛陁達唎舍泥四 莎呵五
南无忍圓端燈如来 十五百七十
多緻他一器耶器耶二薩婆達摩三婆囉
拏臧四字並去聲四佛陁薩鐘知栖反耶去五達摩
薩鐘耶 僧伽薩鐘耶 莎呵
南无法圓光如来
多緻他一栯達囉鉢囉羿二蘊利耶鉢囉
羿三栯達囉蘊利耶四設多索呵薩羅頞帝
五奠唎迦六鉢囉羿 毗輸陁夜闍女何反
斫盐 莎呵
南无无畏在嚴如来 多緻他一
達摩毗喻二字連聲道下同醯 伽伽耶毗喻醯 莎呵

BD03039 號　五千五百佛名神咒除障滅罪經卷三 （11–11）

迦葉當知 譬如大雲 起於世間 遍覆一切
慧雲含潤 電光晃耀 雷聲遠震 令衆悅豫
日光掩蔽 地上清涼 靉靆垂布 如可承攬
其雨普等 四方俱下 流澍无量 率土充洽
山川險谷 幽邃所生 卉木藥草 大小諸樹
百穀苗稼 甘蔗蒲萄 雨之所潤 无不豐足
乾地普洽 藥木並茂 其雨所出 一味之水
草木叢林 隨分受潤 一切諸樹 上中下等
稱其大小 各得生長 根莖枝葉 華菓光色
一雨所及 皆得鮮澤 如其體相 性分大小
所潤是一 而各滋茂 佛亦如是 出現於世
譬如大雲 普覆一切 既出于世 為諸衆生
分別演說 諸法之實 大聖世尊 於諸天人
一切衆中 而宣是言 我為如來 兩足之尊
出于世間 猶如大雲 充潤一切 枯槁衆生
皆令離苦 得安隱樂 世間之樂 及涅槃樂
諸天人衆 一心善聽 皆應到此 覲无上尊
我為世尊 无能及者 安隱衆生 故現於世
為大衆說 甘露淨法 其法一味 解脫涅槃
以一妙音 演暢斯義 常為大乘 而作因緣
我觀一切 普皆平等 无有彼此 愛憎之心

BD03040 號　妙法蓮華經卷三 （7–1）

我為世尊　无能及者　安隱衆生　故現於世
為大衆說　甘露淨法　其法一味　解脫涅槃
以一妙音　演暢斯義　常為大乘　而作因緣
我觀一切　普皆平等　无有彼此　愛憎之心
我无貪著　亦无限礙　恒為一切　平等說法
如為一人　衆多亦然　常演說法　曾无他事
來去坐立　終不疲猒　充足世間　如雨普潤
貴賤上下　持戒毀戒　威儀具足　及不具足
正見邪見　利根鈍根　等雨法雨　而无懈惓
一切衆生　聞我法者　隨力所受　住於諸地
或處人天　轉輪聖王　釋梵諸王　是小藥草
知无漏法　能得涅槃　起六神通　及得三明
獨處山林　常行禪定　得緣覺證　是中藥草
求世尊處　我當作佛　行精進定　是上藥草
有諸佛子　專心佛道　常行慈悲　自知作佛
決定无疑　是名小樹　安住神通　轉不退輪
度无量億　百千衆生　如是菩薩　名為大樹
佛平等說　如一味雨　隨衆生性　所受不同
如彼草木　所稟各異　佛以此喻　方便開示
種種言辭　演說一法　於佛智慧　如海一渧
我雨法雨　充滿世間　一味之法　隨力修行
如彼叢林　藥草諸樹　隨其大小　漸增茂好
諸佛之法　常以一味　令諸世間　普得具足
漸次修行　皆得道果　聲聞緣覺　處於山林

BD03040號　妙法蓮華經卷三　（7–2）

種種言辭　演說一法　於佛智慧　如海一渧
我雨法雨　充滿世間　一味之法　隨力修行
如彼叢林　藥草諸樹　隨其大小　漸增茂好
諸佛之法　常以一味　令諸世間　普得具足
漸次修行　皆得道果　聲聞緣覺　處於山林
住最後身　聞法得果　是名藥草　各得增長
若諸菩薩　智慧堅固　了達三界　求最上乘
是名小樹　而得增長　復有住禪　得神通力
聞諸法空　心大歡喜　放无數光　度諸衆生
是名大樹　而得增長　如是迦葉　佛所說法
譬如大雲　以一味雨　潤於人華　各得成實
迦葉當知　以諸因緣　種種譬喻　開示佛道
是我方便　諸佛亦然　今為汝等　說最實事
諸聲聞衆　皆非滅度　汝等所行　是菩薩道
漸漸修學　悉當成佛

妙法蓮華經授記品第六

尒時世尊說是偈已告諸大衆唱如是言
我此弟子摩訶迦葉於未來世當得奉覲
三百万億諸佛世尊供養恭敬尊重讚歎
廣宣諸佛无量大法於最後身得成為佛名
光明如來應供正遍知明行足善逝世間解
无上士調御丈夫天人師佛世尊國名光德
劫名大莊嚴佛壽十二小劫正法住世二十小劫
像法亦住二十小劫國界嚴飾无諸穢惡瓦礫
荊棘便利不淨其土平正无有高下坑坎堆

BD03040號　妙法蓮華經卷三　（7–3）

光明如來應供正遍知明行足善逝世間解
无上士調御丈夫天人師佛世尊國名光德
劫名大莊嚴佛壽十二小劫正法住世二十小劫
像法亦住二十小劫國界嚴飾无諸穢惡瓦礫
荊棘便利不淨其土平正无有高下坑坎堆
阜瑠璃為地寶樹行列黃金為繩以界道側
散諸寶華周遍清淨其國菩薩无量千億
諸聲聞衆亦復无數无有魔事雖有魔及
魔民皆護佛法尒時世尊欲重宣此義而說
偈言
告諸比丘 我以佛眼 見是迦葉 於未來世
過无數劫 當得作佛 而於來世 供養奉覲
三百万億 諸佛世尊 為佛智慧 淨脩梵行
供養最上 二足尊已 脩習一切 无上之慧
於最後身 得成為佛 其土清淨 瑠璃為地
多諸寶樹 行列道側 金繩界道 見者歡喜
常出好香 散衆名華 種種奇妙 以為莊嚴
其地平正 无有丘坑 諸菩薩衆 不可稱計
其心調柔 逮大神通 奉持諸佛 大乘經典
諸聲聞衆 无漏後身 法王之子 亦不可計
乃以天眼 不能數知 其佛當壽 十二小劫
正法住世 二十小劫 像法亦住 二十小劫
光明世尊 其事如是

BD03040號　妙法蓮華經卷三　（7–4）

諸聲聞衆 无漏後身 法王之子 亦不可計
乃以天眼 不能數知 其佛當壽 十二小劫
正法住世 二十小劫 像法亦住 二十小劫
光明世尊 其事如是
尒時大目揵連須菩提摩訶迦栴延等皆
悉悚慄一心合掌瞻仰世尊目不暫捨即
共同聲而說偈曰
大雄猛世尊 諸釋之法王 哀愍我等故 而賜佛音聲
若知我深心 見為授記者 如以甘露灑 除熱得清涼
如從飢國來 忽遇大王饍 心猶懷疑懼 未敢即便食
若復得王教 然後乃敢食 我等亦如是 每惟小乘過
不知當云何 得佛无上慧 雖聞佛音聲 言我等作佛
心尚懷憂懼 如未敢便食 若蒙佛授記 尒乃快安樂
大雄猛世尊 常欲安世間 願賜我等記 如飢須教食
尒時世尊知諸大弟子心之所念告諸比丘是須
菩提於當來世奉覲三百万億那由他佛供養
恭敬尊重讚歎常脩梵行具菩薩道於最後身
得成為佛号曰名相如來應供正遍知明行足
善逝世間解无上士調御丈夫天人師佛世尊
劫名有寶國名寶生其土平正頗梨為地
寶樹莊嚴无諸丘坑沙礫荊棘便利之穢
寶華覆地周遍清淨其土人民皆處寶

BD03040號　妙法蓮華經卷三　（7–5）

善逝世間解无上士調御丈夫天人師佛世尊
劫名有寶國名寶生其土平正頗梨為地
寶樹莊嚴无諸丘坑沙礫荊棘便利之穢
寶華覆地周遍清淨其土人民皆處寶
臺珍妙樓閣聲聞弟子无量无邊筭數譬喻
所不能知諸菩薩衆无數千万億那由他佛
壽十二小劫正法住世二十小劫像法亦住二十小
劫其佛常處虛空為衆說法度脫无量菩
薩及聲聞衆尒時世尊欲重宣此義而說
偈言
諸比丘衆　今告汝等　皆當一心　聽我所說
我大弟子　須菩提者　當得作佛　号曰名相
當供无數　万億諸佛　隨佛所行　漸具大道
最後身得　三十二相　端正殊妙　猶如寶山
其佛國土　嚴淨第一　衆生見者　无不愛樂
佛於其中　度无量衆　其佛法中　多諸菩薩
皆悉利根　轉不退輪　彼國常以　菩薩莊嚴
諸聲聞衆　不可稱數　皆得三明　具六神通
住八解脫　有大威德　其佛說法　現於无量
神通變化　不可思議　諸天人民　數如恒沙
皆共合掌　聽受佛語　其佛當壽　十二小劫
正法住世　二十小劫　像法亦住　二十小劫
尒時世尊復告諸比丘衆我今語汝是大迦旃延
於當來世以諸供具供養奉事八千億佛恭

BD03040號　妙法蓮華經卷三　（7–6）

皆悉利根　轉不退輪　彼國常以　菩薩莊嚴
諸聲聞衆　不可稱數　皆得三明　具六神通
住八解脫　有大威德　其佛說法　現於无量
神通變化　不可思議　諸天人民　數如恒沙
皆共合掌　聽受佛語　其佛當壽　十二小劫
正法住世　二十小劫　像法亦住　二十小劫
尒時世尊復告諸比丘衆我今語汝是大迦旃延
於當來世以諸供具供養奉事八千億佛恭
敬尊重諸佛滅後各起塔廟高千由旬縱廣
正等五百由旬以金銀琉璃車璖馬瑙真珠
玫瑰七寶合成衆華瓔珞塗香末香燒香
繒蓋幢幡供養塔廟過是已後當復供養二
万億佛亦復如是供養是諸佛已具菩薩道
當得作佛号曰閻浮那提金光如來應供正
遍知明行足善逝世間解无上士調御丈夫天人
師佛世尊其土平正頗梨為地寶樹莊嚴黃
金為地繩以界道側妙華覆地周遍清淨見者
歡喜无四惡道地獄餓鬼畜生阿脩羅道多

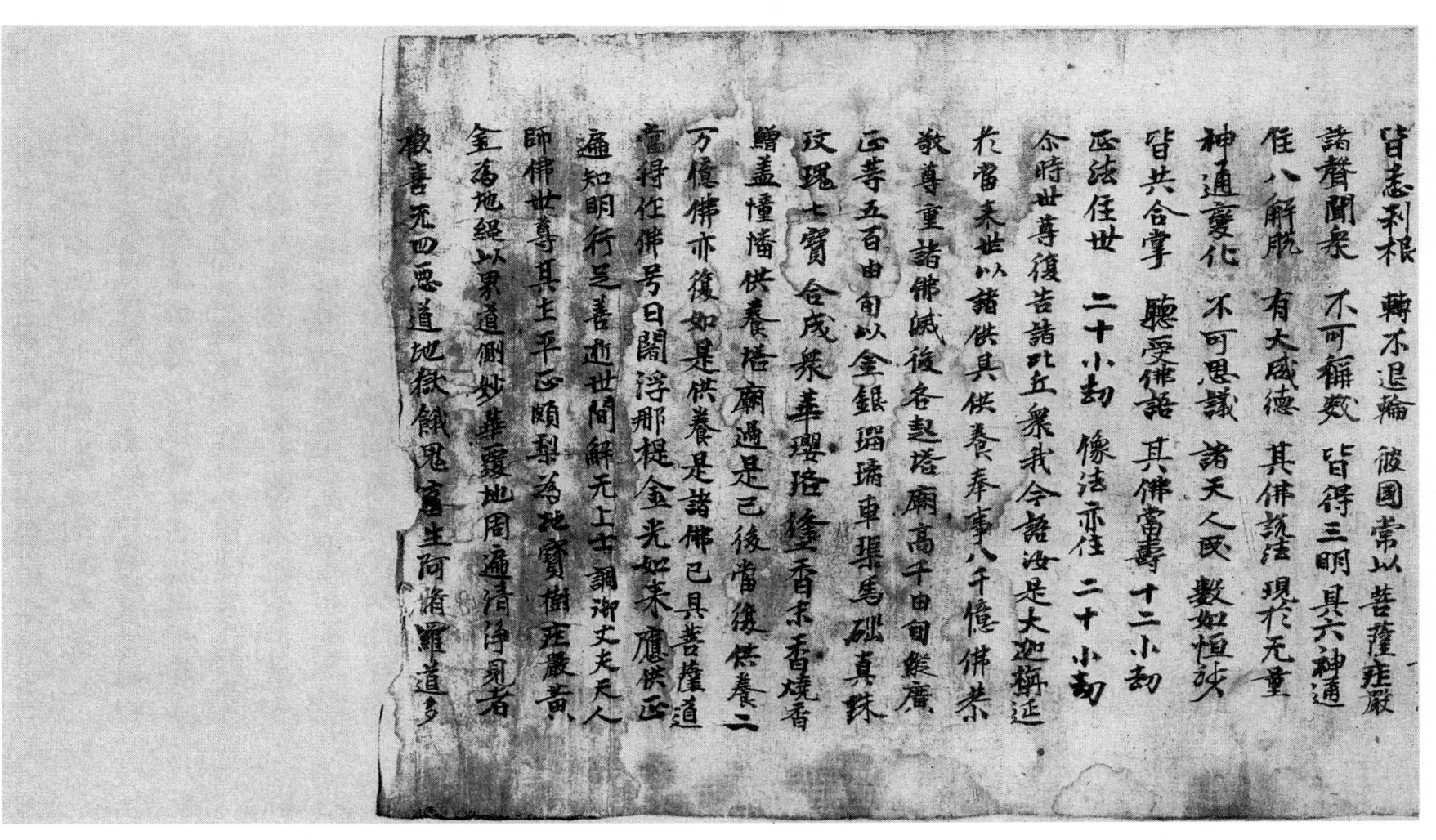

BD03040號　妙法蓮華經卷三　（7–7）

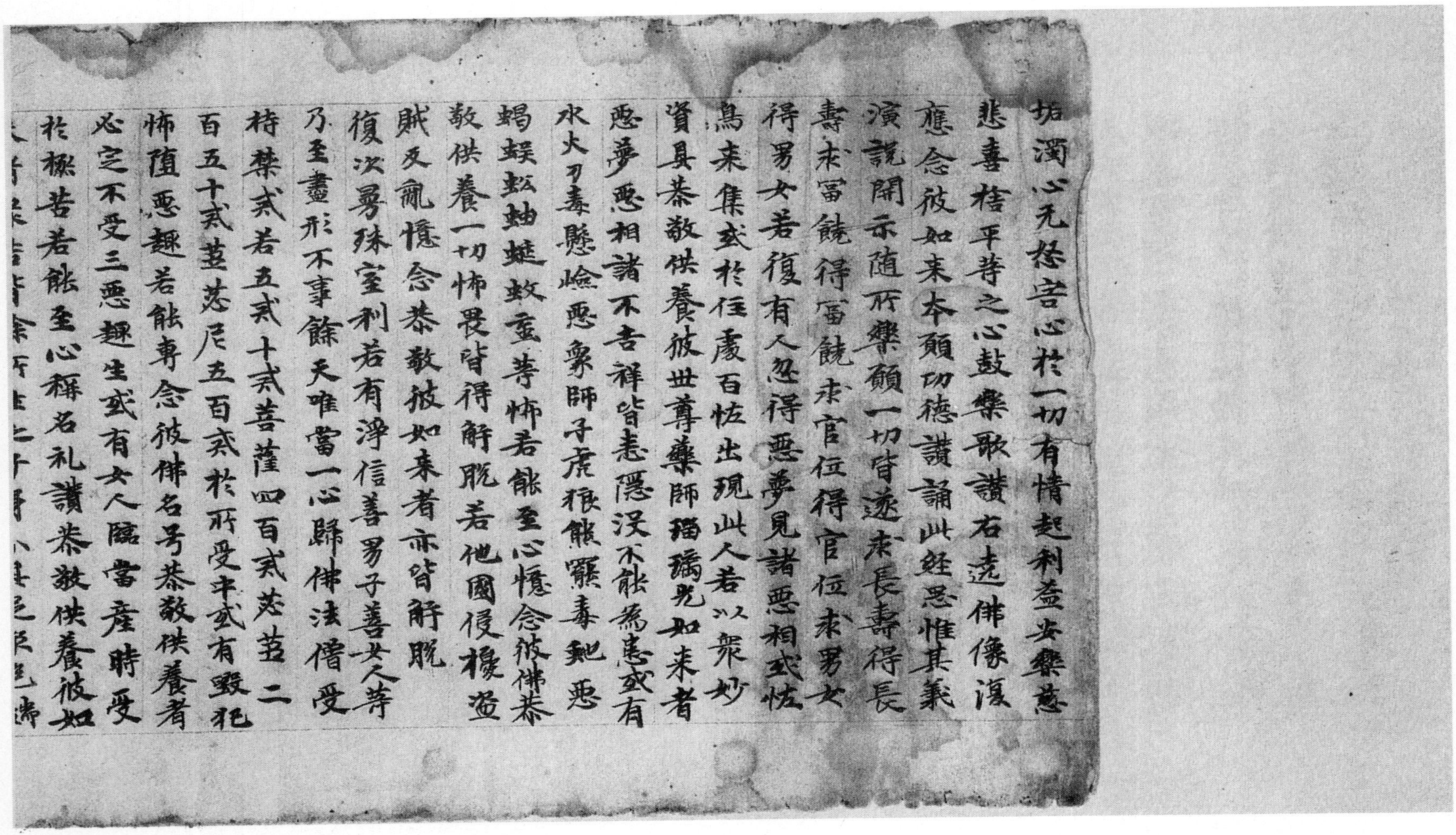
垢濁心無怒害心於一切有情起利益安樂慈
悲喜捨平等之心鼓樂歌讚右遶佛像復
應念彼如來本願功德讀誦此經思惟其義
演說開示隨所樂願一切皆遂求長壽得長
壽求富饒得富饒求官位得官位求男女
得男女若復有人忽得惡夢見諸惡相或怪
鳥來集或於住處百怪出現此人若以衆妙
資具恭敬供養彼世尊藥師瑠璃光如來者
惡夢惡相諸不吉祥皆悉隱沒不能爲患或有
水火刀毒懸嶮惡象師子虎狼熊羆毒虵惡
蝎蜈蚣蚰蜒蚊虻等怖若能至心憶念彼佛恭
敬供養一切怖畏皆得解脫若他國侵擾盜
賊反亂憶念恭敬彼如來者亦皆解脫
復次曼殊室利若有淨信善男子善女人等
乃至盡形不事餘天唯當一心歸佛法僧受
持禁戒若五戒十戒菩薩四百戒苾芻二
百五十戒苾芻尼五百戒於所受中或有毀犯
怖墮惡趣若能專念彼佛名号恭敬供養者
必定不受三惡趣生或有女人臨當產時受
於極苦若能至心稱名礼讚恭敬供養彼如

BD03041 號　藥師琉璃光如來本願功德經　（7–1）

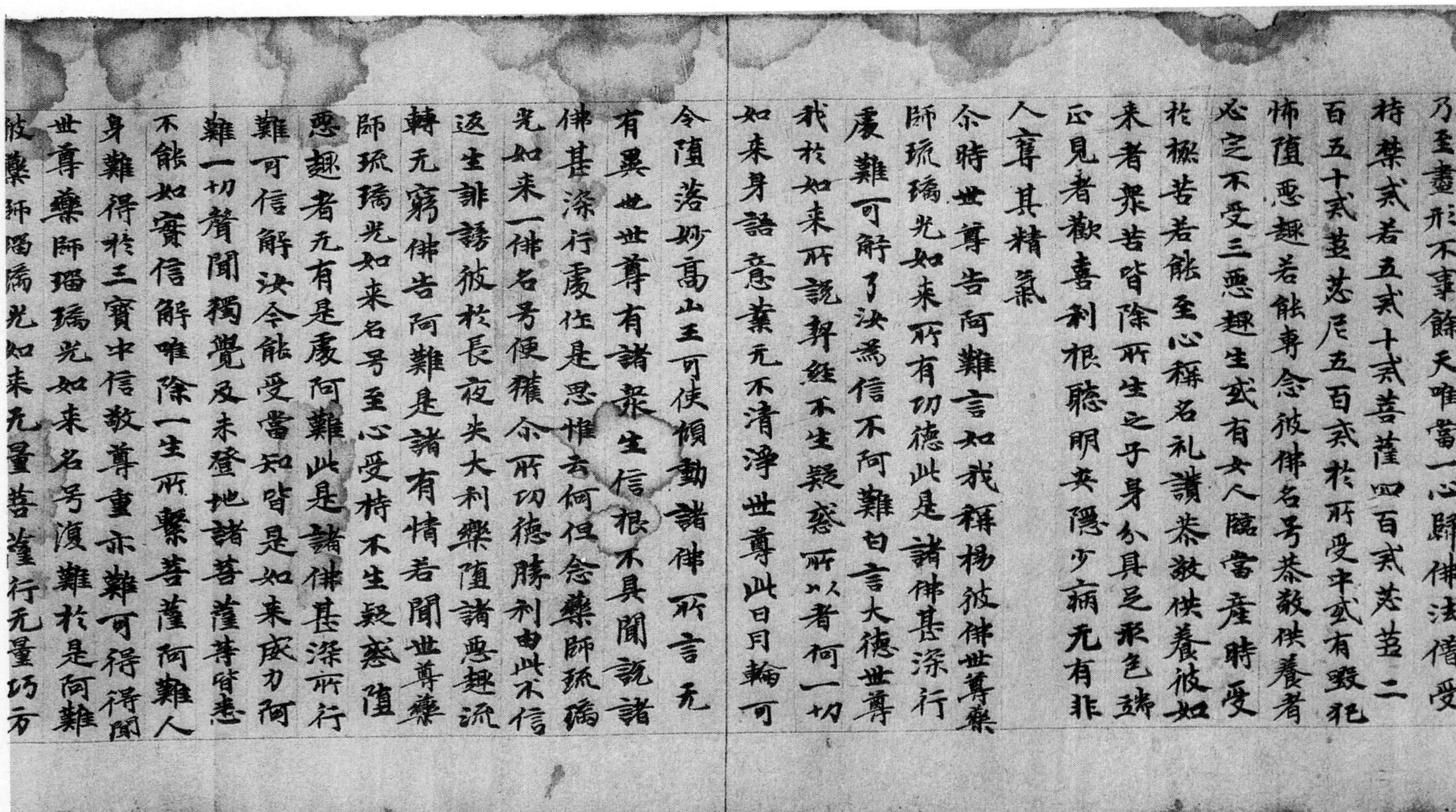
乃至盡形不事餘天唯當一心歸佛法僧受
持禁戒若五戒十戒菩薩四百戒苾芻二
百五十戒苾芻尼五百戒於所受中或有毀犯
怖墮惡趣若能專念彼佛名号恭敬供養者
必定不受三惡趣生或有女人臨當產時受
於極苦若能至心稱名礼讚恭敬供養彼如
來者衆苦皆除所生之子身分具足形色端
正見者歡喜利根聰明安隱少病無有非
人奪其精氣
尒時世尊告阿難言如我稱揚彼佛世尊藥
師琉璃光如來所有功德此是諸佛甚深行
處難可解了汝爲信不阿難白言大德世尊
我於如來所說契經不生疑惑所以者何一切
如來身語意業無不清淨世尊此日月輪可
令墮落妙高山王可使傾動諸佛所言無
有異也世尊有諸衆生信根不具聞說諸
佛甚深行處作是思惟云何但念藥師琉璃
光如來一佛名号便獲尒所功德勝利由此不信
返生誹謗彼於長夜失大利樂墮諸惡趣流
轉無窮佛告阿難是諸有情若聞世尊藥
師琉璃光如來名号至心受持不生疑惑墮
惡趣者無有是處阿難此是諸佛甚深所行
難可信解汝今能受當知皆是如來威力阿
難一切聲聞獨覺及未登地諸菩薩等皆悉
不能如實信解唯除一生所繫菩薩阿難人
身難得於三寶中信敬尊重亦難可得得聞
世尊藥師琉璃光如來名号復難於是阿難
彼藥師琉璃光如來無量菩薩行無量巧方

BD03041 號　藥師琉璃光如來本願功德經　（7–2）

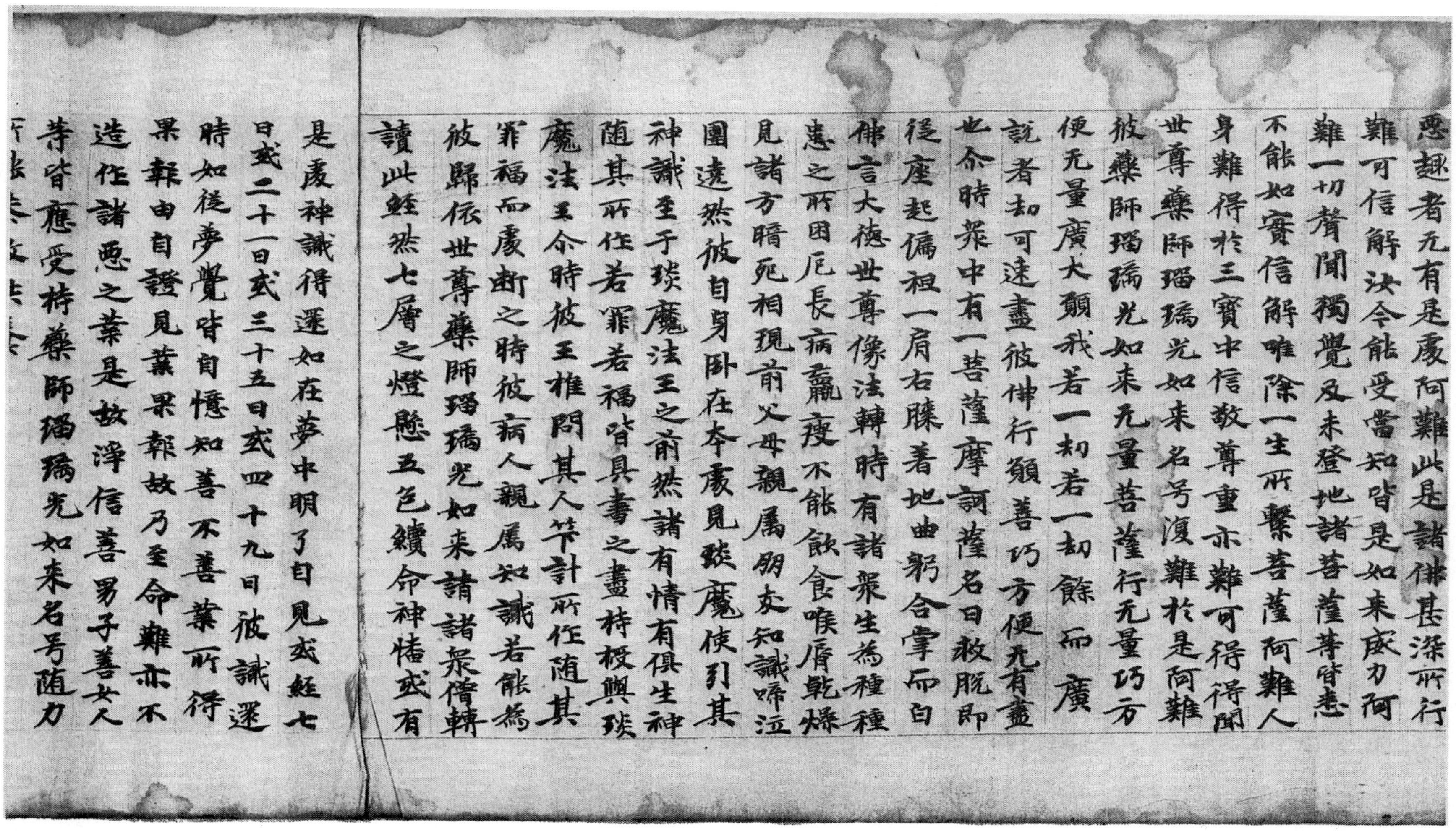
惡趣者无有是處阿難此是諸佛甚深所行
難可信解汝今能受當知皆是如來威力阿
難一切聲聞獨覺及未登地諸菩薩等皆悉
不能如實信解唯除一生所繫菩薩阿難人
身難得於三寶中信敬尊重亦難可得得聞
世尊藥師瑠璃光如來名号復難於是阿難
彼藥師瑠璃光如來无量菩薩行无量巧方
便无量廣大願我若一劫若一劫餘而廣
說者劫可速盡彼佛行願善巧方便无有盡
也尒時衆中有一菩薩摩訶薩名曰救脫即
從座起偏袒一肩右膝著地曲躬合掌而白
佛言大德世尊像法轉時有諸衆生為種種
患之所困厄長病羸瘦不能飲食喉脣乾燥
見諸方暗死相現前父母親屬朋友知識啼泣
圍遶然彼自身卧在本處見琰魔使引其
神識至于琰魔法王之前然諸有情有俱生神
隨其所作若罪若福皆具書之盡持授與琰
魔法王尒時彼王推問其人筭計所作隨其
罪福而處斷之時彼病人親屬知識若能為
彼歸依世尊藥師瑠璃光如來請諸衆僧轉
讀此經然七層之燈懸五色續命神幡或有
是處彼識得還如在夢中明了自見或經七
日或二十一日或三十五日或四十九日彼識還
時如從夢覺皆自憶知善不善業所得
果報由自證見業果報故乃至命難亦不
造作諸惡之業是故淨信善男子善女人
等皆應受持藥師瑠璃光如來名号隨力

BD03041 號　藥師琉璃光如來本願功德經　（7–3）

時如從夢覺皆自憶知善不善業所得
果報由自證見業果報故乃至命難亦不
造作諸惡之業是故淨信善男子善女人
等皆應受持藥師瑠璃光如來名号隨力
所能恭敬供養
尒時阿難問救脫菩薩曰善男子應云何
恭敬供養彼世尊藥師瑠璃光如來續命
幡燈復云何造救脫菩薩言大德若有病
人欲脫病苦當為其人七日七夜受持八分齋
戒應以飲食及餘資具隨力所辦供養苾蒭
僧晝夜六時礼拜供養彼世尊藥師瑠璃光
如來讀誦此經四十九遍然四十九燈造彼如
來形像七軀一一像前各置七燈一一燈量大
如車輪乃至四十九日光明不絕造五色綵
幡長四十九搩手應放雜類衆生至四十九
可得過度危厄之難不為諸橫惡鬼所持
復次阿難若刹帝利灌頂王等災難起時
所謂人衆疾疫難他國侵逼難自界叛逆難
星宿變怪難日月薄蝕難非時風雨難過
時不雨難彼刹帝利灌頂王等尒時應於一
切有情起慈悲心赦諸繫閉依前所說供養之
法供養彼世尊藥師瑠璃光如來由此善根
及彼如來本願力故令其國界即得安隱風
雨順時穀稼成熟一切有情无病歡樂於其
國中无有暴惡藥叉等神惱有情者一切惡
相皆即隱沒而刹帝利灌頂王等壽命
色力无病自在皆得增益阿難若帝后妃

BD03041 號　藥師琉璃光如來本願功德經　（7–4）

雨順時穀稼成熟一切有情无病歡樂於其
國中无有暴惡藥叉等神惱有情者一切惡
相皆即隱沒而剎帝利灌頂王等壽命
色力无病自在皆得增益阿難若帝后妃
主儲君王子大臣輔相中宮綵女百官黎庶
為病所苦及餘厄難亦應造立五色神幡然
燈續明放諸生命散雜色華燒衆名香病
得除愈衆難解脫
尒時阿難問救脫菩薩言善男子云何已盡
之命而可增益救脫菩薩言大德汝豈不聞
如來說有九橫死耶是故勸造續命幡燈
脩諸福德以脩福故盡其壽命不經苦患
阿難問言九橫云何救脫菩薩言若諸有情得
病雖輕然无醫藥及看病者設得遇醫授
以非藥實不應死而便橫死又信世間邪魔
外道妖孽之師妄說禍福便生恐動心不自
正卜問覓禍殺種種衆生解奏神明呼諸魍
魎請乞福祐欲冀延年終不能得愚癡迷
惑信邪倒見遂令橫死入於地獄无有出期
是名初橫二者橫被王法之所誅戮三者畋
獵嬉戲耽婬嗜酒放逸无度橫為非人奪其
精氣四者橫為火焚五者橫為水溺六者橫
為種種惡獸所噉七者橫墮山崖八者橫為
毒藥厭禱呪咀起屍鬼等之所中害九者飢
渴所困不得飲食而便橫死是為如來略說橫
死有此九種其餘復有无量諸橫難可具說
復次阿難彼琰魔王主領世間名籍之記若
諸有情不孝五逆破辱三寶壞君臣法毀於

BD03041號　藥師琉璃光如來本願功德經　（7–5）

為種種惡獸所噉七者橫墮山崖八者橫為
毒藥厭禱呪咀起屍鬼等之所中害九者飢
渴所困不得飲食而便橫死是為如來略說橫
死有此九種其餘復有无量諸橫難可具說
復次阿難彼琰魔王主領世間名籍之記若
諸有情不孝五逆破辱三寶壞君臣法毀於
信戒琰魔法王隨罪輕重考而罰之是故我
今勸諸有情然燈造幡放生脩福令度苦
厄不遭衆難
尒時衆中有十二藥叉大將俱在會坐所謂
宮毗羅大將　伐折羅大將　迷企羅大將　安底羅大將
頞你羅大將　珊底羅大將　因達羅大將　波夷羅大將
摩虎羅大將　真達羅大將　招杜羅大將　毗羯羅大將
此十二藥叉大將一一各有七千藥叉以為眷
屬同時舉聲白佛言世尊我等今者蒙佛
威力得聞世尊藥師瑠璃光如來名号不復
更有惡趣之怖我等相率皆同一心乃至盡
形歸佛法僧誓當荷負一切有情為作義
利饒益安樂隨於何等村城國邑空閑林
中若有流布此經或復受持藥師瑠璃光如
來名号恭敬供養者我等眷屬衛護是人
皆使解脫一切苦難諸有願求悉令滿足或
有疾厄求度脫者亦應讀誦此經以五色縷
結我名字得如願已然後解結
尒時世尊讚諸藥叉大將言善哉善哉大
藥叉將汝等念報世尊藥師瑠璃光如來恩
德者常應如是利益安樂一切有情
尒時阿難白佛言世尊當何名此法門我等

BD03041號　藥師琉璃光如來本願功德經　（7–6）

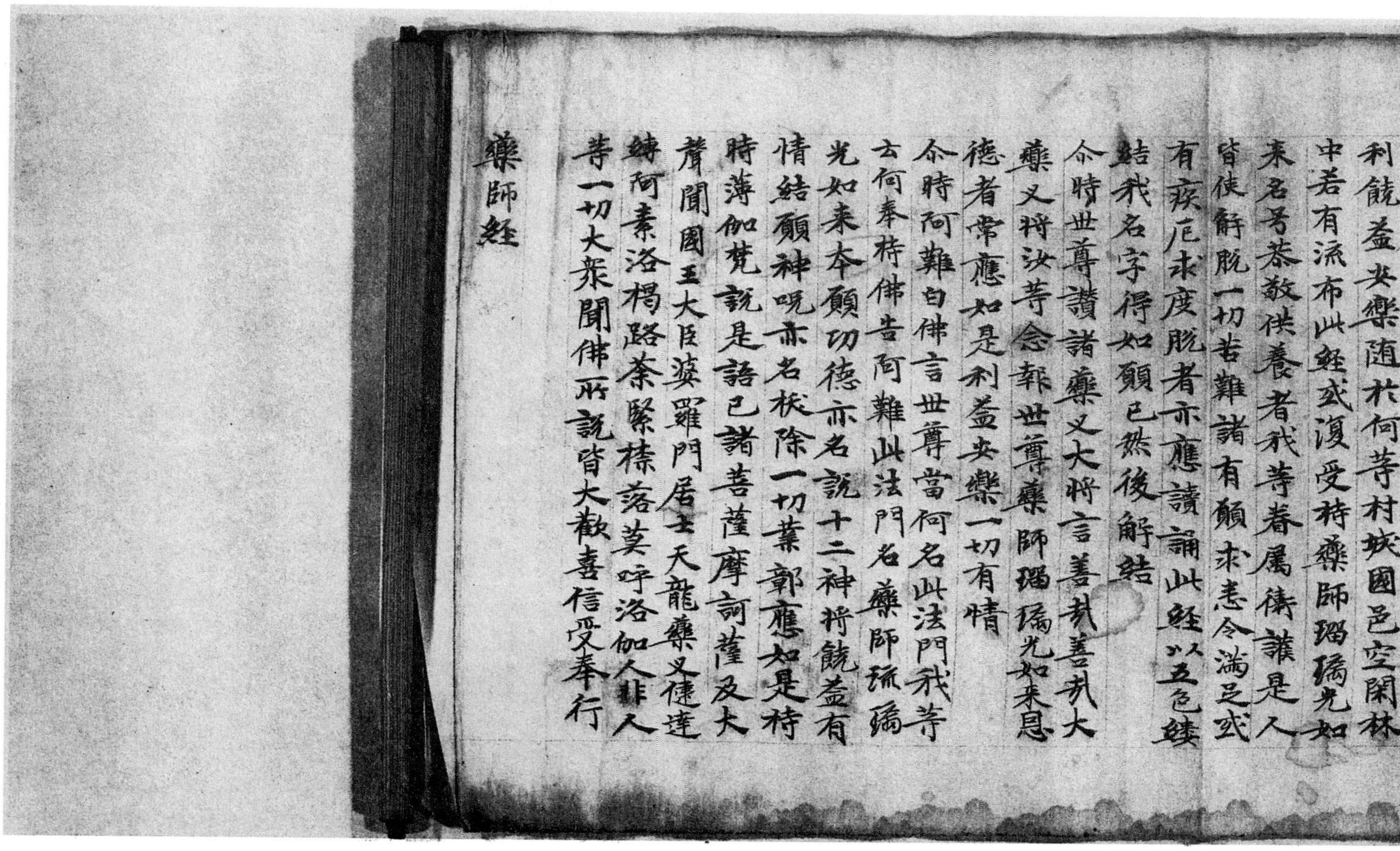

利饒益安樂隨於何等村城國邑空閑林
中若有流布此經或復受持藥師瑠璃光如
來名号恭敬供養者我等眷屬衛護是人
皆使解脫一切苦難諸有願求悉令滿足或
有疾厄求度脫者亦應讀誦此經以五色縷
結我名字得如願已然後解結
尒時世尊讚諸藥叉大將言善哉善哉大
藥叉將汝等念報世尊藥師瑠璃光如來恩
德者常應如是利益安樂一切有情
尒時阿難白佛言世尊當何名此法門我等
云何奉持佛告阿難此法門名藥師琉璃
光如來本願功德亦名說十二神將饒益有
情結願神呪亦名拔除一切業鄣應如是持
時薄伽梵說是語已諸菩薩摩訶薩及大
聲聞國王大臣婆羅門居士天龍藥叉揵達
縛阿素洛掲路荼緊捺落莫呼洛伽人非人
等一切大衆聞佛所說皆大歡喜信受奉行
藥師經

BD03041 號　藥師琉璃光如來本願功德經　（7–7）

須菩提若菩

BD03041 號背　雜寫　（1–1）

聞如是一時佛在拘尸那竭國娑羅雙樹
尒時世尊般涅槃時十方國土无鞅數衆天
龍八部悲悲歸嘆息禽狩雜類悲皆如是來
到佛所稽首作礼畢訖却坐世尊告曰若有
疑者今皆當問正覺滅度多所矜愍設有問
者為究竟說
尒時他方國土有一菩薩名曰普廣從坐而
起稽首作礼而白佛言四輩弟子臨終之日
若已終者願欲往生十方國土脩何功德而
得往生
佛告普廣菩薩摩訶薩汝能愍念四輩弟子
及未來世諸衆生等問此願生因緣之福汝
今諦聽吾當為汝而演說之佛告普廣菩薩
摩訶薩若四輩弟子若臨終時若未終者願
生東方香林剎者其佛号曰入精進菩薩无
鞅數國土莊嚴臨終之日願生彼者隨願往
生
佛告普廣菩薩摩訶薩若有善男子善女人
等臨終之日願生東南方金林剎者其佛号

BD03042 號　灌頂隨願往生十方淨土經　（13–1）

鞅數國土莊嚴臨終之日願生彼者隨願往
生
佛告普廣菩薩摩訶薩若有善男子善女人
等臨終之日願生東南方金林剎者其佛号
曰盡精進菩薩无鞅數國土莊嚴願生彼者
隨願往生
佛告普廣菩薩摩訶薩若有男子善女人等
臨終之日願生南方樂林剎者其佛号曰不
捨樂菩薩无鞅數國土莊嚴若人命終願生
彼者隨願往生
佛告普廣菩薩摩訶薩若有男子善女人等
臨終之日願生西南方寶林剎者其佛号曰
上精進菩薩无鞅數國土莊嚴若臨終者願
生彼者隨願往生
佛告普廣菩薩摩訶薩若有男子善女人等
臨終之日願生西方華林剎者其佛号曰習
精進菩薩无鞅數國土莊嚴若人臨終願生
彼者隨願往生
佛告普廣菩薩摩訶薩若有男子善女人等
臨終之日願生西北方道林剎者其佛号曰
一乘度菩薩无鞅數國土莊嚴若人臨終願
生彼者隨願往生
佛告普廣菩薩摩訶薩若有男子善女人等
臨終之日願生北方道林剎者其佛号曰行
精進菩薩无鞅數國土莊嚴若人臨終願生
彼者隨願往生
佛告普廣菩薩摩訶薩若有男子善女人等
臨終之日願生東北方[illegible]

BD03042 號　灌頂隨願往生十方淨土經　（13–2）

佛告普廣菩薩摩訶薩若有男子善女人等
臨終之日願生北方道林刹者其佛号日行
精進菩薩无鞅數國土莊嚴若人臨終願生
彼者隨願往生
佛告普廣菩薩摩訶薩若有男子善女人等
臨終之日願生東北方青蓮刹者其佛号日
悲精進菩薩无鞅數國土莊嚴若人臨終願
生彼者隨願往生
佛告普廣菩薩摩訶薩若有男子善女人等
臨終之日願生下方水精刹者其佛号日淨
命精進菩薩无鞅數國土莊嚴若人臨終願
生彼者隨願往生
佛告普廣菩薩摩訶薩若有男子善女人等
臨終之日願生上方欲林刹者其佛号日至
誠精進菩薩无鞅數國土莊嚴若人臨終願
生彼者隨願往生
佛告普廣菩薩摩訶薩若四衆男女臨終之
日願生十方佛刹土者當洗除身體着鮮潔
之衣燒衆名香懸繒幡蓋歌詠三寶讀誦尊
經廣為病者說因緣譬喻言辭微妙經義苦
空非身四大假合形如芭樹中无有實又如
電光不得久停故云色不久鮮當歸壞敗故
精誠行道可得度苦隨心所願无不獲果
佛又復告普廣菩薩摩訶薩十方妙土通洞
无窮不可度量諸佛如來所居淨土亦復无
量不可稱數今我於此大衆之中為諸四輩
未來之世像法衆生說是十方諸佛國土及
佛名号不可誦記略演少耳普廣菩薩摩訶

BD03042 號　灌頂隨願往生十方淨土經　（13–3）

精誠行道可得度苦隨心所願无不獲果
佛又復告普廣菩薩摩訶薩十方妙土通洞
无窮不可度量諸佛如來所居淨土亦復无
量不可稱數今我於此大衆之中為諸四輩
未來之世像法衆生說是十方諸佛國土及
佛名号不可誦記略演少耳普廣菩薩摩訶
薩又白佛言世尊十方佛刹清淨國土有何
別不佛言普廣无差別也普廣又言世尊何
故經中讚嘆阿弥陁刹七寶諸樹宮殿樓閣
諸願生者皆悉隨彼心中所欲應念而至佛
言普廣菩薩摩訶薩若不解我意娑婆世
界人多貪濁信向者少習耶者多不信正法
不能專一心亂无志實无差別令諸衆生專
心有在是故讚彼國土耳諸往生者悉隨
彼願无不獲果
普廣菩薩復白佛言若四輩男女若命未終
若已終者我今當勸脩何福業得生十方諸佛
刹也佛言善哉普廣菩薩摩訶薩隨意教
導十方人也普廣菩薩語四輩言若人臨終
未終之日當為燒香然燈續明於塔寺中表
刹之上懸命過幡轉讀尊經竟三七日所以
然者命終之人在中陰中身如小兒罪福未
定應為脩福願亡者神使生十方无量刹土
承此功德必得往生亡者在世若有罪愆應
隨八難幡燈功德必得解脫若善願應生父
母在異方不得疾生以幡燈功德皆得疾至
无復留難若得生已當為人作福德之子不
為耶鬼之所得便種族豪强是故應脩幡燈

BD03042 號　灌頂隨願往生十方淨土經　（13–4）

隨八難幡燈功德必得解脫若善願應生父
母在異方不得疾生以幡燈功德皆得疾至
无復留難若得生已當為人作福德之子不
為耶見之所得便種族豪强是故應脩幡燈
功德諸過命者脩行福業至心懇惻應代亡
者悔過衆罪罪垢即滅為亡者脩福如餉遠
人无不獲果譬如世間犯罪之人心中思惟望
諸親屬求諸大力救其危厄今日燒香望
得解脫為亡者稱其名号脩諸功德以福德
之力緣是解脫亦復如是逕生十方无願不
得普廣菩薩又白佛言若人在世不歸三寶
不行法誡若其命終應墮三塗受諸苦痛
其人臨終方欲精誠歸命三寶受行法誡悔
過罪釁發露誠謝改更脩善臨壽終時聞說
經法善師化導得聞法音欲絕之日生是善心得
解脫不佛言普廣菩薩摩訶薩若有男子
善女人等臨終之時得生此心无不解脫衆
苦者也所以者何如人負債依附王者債主
便畏不從求索此譬亦然天帝放赦閻羅除
遣及諸五官伺候之神及更恭敬不生惡心緣
此福故不隨惡道解脫厄難隨心所願皆得
往生
普廣菩薩復白佛言又有衆生不信三寶不
行法誡或時生信或時誹謗或是父母兄弟
親族卒得病苦緣此命終或墮在三塗八難
之中受諸苦惱无有休息父母兄弟及諸親
族為其脩福為得福不佛言廣為此人脩福

BD03042 號　灌頂隨願往生十方淨土經　（13–5）

行法誡或時生信或時誹謗或是父母兄弟
親族卒得病苦緣此命終或墮在三塗八難
之中受諸苦惱无有休息父母兄弟及諸親
族為其脩福為得福不佛言廣為此人脩福
七分之中為獲一也何故尒乎緣其前世不
信道德故使福德七分獲一若已亡者嚴身
之具堂宇室宅園林浴池以施三寶此福最勝
功德力強可得拔彼地獄之殃以是因緣使得
解脫憂苦之患長得度脫往生十方諸佛
淨土
普廣菩薩復白佛言若四輩男女善解法戒
知身如幻精懃脩習行菩薩道未終之時逆
脩三七然燈續明懸雜幡蓋請召衆僧轉讀
尊經脩諸福業得福多不佛言普廣其福无
量不可度量隨心所願獲其果實普廣菩薩
白佛言世尊若四輩男女若臨終時若已過命
是其亡日我今亦勸造作黃幡懸著剎上
使獲福德離八難苦得生十方諸佛淨土幡
蓋供養隨心所願至成菩提幡隨風轉破碎
都盡至成微塵風吹幡塵其福无量幡一轉
時轉輪王位乃至吹塵小王之位其報无量
燈卌九照諸幽冥苦痛衆生蒙此光明皆得
相見緣脩此福拔彼衆生悉得休息
佛告普廣若四輩男女若行齋戒心當在想
請十方僧不擇善惡持戒毀戒高下之行到
諸塔寺請僧之時次第供養无別異想其福
最多无量无邊若值羅漢四道果人及大心

BD03042 號　灌頂隨願往生十方淨土經　（13–6）

佛告普廣若四輩男女若行齋戒心當在想
諸十方僧不擇善惡持戒毀戒高下之行到
諸塔寺請僧之時次第供養无別異想其福
最多无量无邊若值羅漢四道果人及大心
者緣此功德受福无窮一聞說法可得至道
无上涅槃佛告普廣及大衆人天龍八部諸
鬼神等各各諦聽思惟吾言我今欲於此大
衆之中說那舍長者本昔因緣罪福之事此
大長者居羅閱祇國恒脩人義飢窮之者沙
門婆羅門諸求索者悉欲供養无所遺惜父
母大慳无供養心長者有緣行至他方晨朝
滌洗著衣結蔬已畢跪拜父母叉手白言今
有緣事往至他方有小財物分為三分一分供
養供給父母一分珍寶施諸沙門及貧乏者
餘有一分自欲持行父母言受於見行後脩
諸福德若有人來從求索者悉當施與於是
長者便辞父母遠至他方如是去後父母耶
見无念子心婆羅門沙門及貧乏者往從乞
匃慳貪耶見无施與心子行去後若干日數
應還到舍父母計其應還歸家往到市所取
諸羊骨頭蹄膏血葉菸雜糅持散家中那舍
長者從遠方還見其父母懽喜无量接足礼
拜問許起居父母亦復歡喜踊躍那舍母言
我於汝行後為汝設福沙門婆羅門國中孤
老貧窮乞者以汝財物悉施與之見聞設福
布施貧乏之心大歡喜又語見言我亦復請諸
沙門設福始竟今日家中草穢狼藉由未掃

BD03042 號　灌頂隨願往生十方淨土經　（13–7）

我於汝行後為汝設福沙門婆羅門國中孤
老貧窮乞者以汝財物悉施與之見聞設福
布施貧乏之心大歡喜又語見言我亦復請諸
沙門設福始竟今日家中草穢狼藉由未掃
除見見狼藉相狠如是信其父母為設福德
倍復歡喜踊躍无量久後之間父母衰老得
諸苦病便就後世那舍即便殯殮尸骸安厝
粗畢從父母命終轉讀尊經燒香礼拜歌詠
讃嘆无一時廢竟于三七經聲不絕作是思
惟我父母在世𢣌憂念我多脩福德今我又
復請諸聖衆想我父母緣此功德故應往生
十方剎土供養恭敬面見諸佛
於是那舍忽得重病奄便欲死惟心下暖家
中大小未便殯殮至七日後乃得蘇解家中
問言那舍長者病苦如是本死今蘇從何而
來長者那舍語其家言我數日中善神將我
示以福堂无極之樂又到地獄靡不經歷眼
中所覩唯苦痛耳今我得見餓鬼住處所生
父母在中受苦見我來看悲號懊惱欲求免
脫不能得出我思父母在世之時大脩福德
意謂生天而更墮在餓鬼中受諸苦惱那舍
長者說此語已向其家中懊惱流淚我今家
中當作何方功德之力拔我父母使得解脫
那舍長者又自思惟我父母昔病苦之時大
脩福德欲終未終及命終已然燈續明轉經
行道齋戒一心乃至三七未曾懈廢而今父
母而更生此罪苦地獄必當有意便問親族
及諸[illegible]

BD03042 號　灌頂隨願往生十方淨土經　（13–8）

脩福德欲終未終及命終已然燈續明轉經
行道齋戒一心乃至三七未曾懈癈而今父
母而更生此罪苦地獄必當有意便問親族
及諸耆宿耆宿荅言我不了此深妙之事可
往諸問佛世尊也於是長者便往到佛所頭
面作礼胡跪合掌而白佛言欲有啓請唯願
世尊慈愍不恡佛言便說長者那舍說向因
緣父母在世常脩福德及命終後為供三七
至安厝畢謂言生天而更墮在地獄中已問
耆宿耆宿不了今故問佛為我決疑緣我重
病悶便欲死七日乃蘇善神將我經歷地獄靡
不周遍以是因緣得見父母在苦劇地脩福
如此而更墮罪不解所以今故問佛唯願世
尊解釋我疑脩何福業令我父母解脫厄
難不遭患苦悉得生天封受自然快樂无極
得涅槃道
佛語長者汝一心諦聽我之所說汝前欲行
往至他方留財寶物與汝父母令汝父母脩
諸福德父母耶見欺誑於汝實不脩福妄言
為作脩諸福緣以慳貪故墮彼地獄長者聞
佛神口所說疑惑永除作如是言是我之過
非父母咎即於佛前代其父母悔過此罪慳
貪之殃長者父母於彼地獄少得休息佛語
長者令我借汝天眼天眼使更得見父母休息
長者於是承佛威神見其父母皆得休息那
舍長者又白佛言今者又當作何福業使
我父母解脫彼苦佛語長者令諸聖衆安居

BD03042號　灌頂隨願往生十方淨土經　（13–9）

貪之殃長者父母於彼地獄少得休息佛語
長者令我借汝天眼天眼使更得見父母休息
長者於是承佛威神見其父母皆得休息那
舍長者又白佛言今者又當作何福業使
我父母解脫彼苦佛語長者令諸聖衆安居
三月行道欲竟可還家中作百味飲食之具
種種甘美以好淨器盛持供養及好衣服種
種華香金銀珎寶雜碎供具以施於僧令汝
得福使汝父母解脫此難不復受苦餓鬼形
也長者那舍即如佛言還家供辦不違尊教
作供養已緣此生天封受自然无為快樂汝今
欲見汝父母所生宫殿處不令更以威神令
汝得見不復生苦長者承佛威神之力見
其父母生在天上諸天娛樂自在隨意无復
罣㝵佛告那舍罪福如是不可不慎如長者
眼所見心所聞故言自作自得非天與人如
長者父母雖在餓鬼其罪小輕一切餓鬼受
罪甚重不可具說長者父母其罪輕者有少
福德扶接所介長者脩福竟于三七於諸餓
鬼受罪輕也所以然者前章中言若人在世
不識三寶不脩齋戒无善師教過命已後兄
弟父母親屬知識其為脩福七分之中為獲
一也是故長者父母有罪雖在地獄餓鬼之
中受罪輕者緣脩福故七分獲一今脩福德
供養衆僧以是因緣解脫衆難故得生天佛
告普廣菩薩摩訶薩若人未終之日若已終竟
又是終日父母親族知識朋友為命終者脩
諸福業齋戒一心洗浴身體著解潔之衣一心

BD03042號　灌頂隨願往生十方淨土經　（13–10）

中受罪輕者緣脩福故七分獲一令脩福德
供養衆僧以是因緣解脫衆難故得生天佛
告普廣菩薩摩訶薩若人未終之日若已終竟
又是終日父母親族知識朋友為命終者脩
諸福業齋戒一心洗浴身體著鮮潔之衣一心
礼敬十方諸佛又當稱揚十方佛号別以華
香供養諸佛可得解脫憂苦之患得昇天上
入泥洹道
佛告普廣菩薩摩訶薩若未終時礼拜十方
諸佛命終之人所生之處常得值佛千劫万
劫億万劫數重罪之殃无不得脫亦復當為
說是灌頂无上章句三世諸佛天中之天各皆
順本三世如來說是无上惣持章句普廣
菩薩摩訶薩汝當諦聽我今為汝及一切衆生
諸病苦者若其臨終若已終竟復是終日聞
此章句所生之處當得見佛不墮八難遠於
惡道於是世尊在大衆中宣說諸佛无上章
句即作偈頌而說之曰
波利富婁那　遮利三曼陁　達舍尼羅佉　摩訶毗羅呵
伽帝三曼陁　毗陁摩伽帝　摩訶伽利波　波帝婆弥陁
婆婆婁伽提　脩鉾利富那　阿利那達摩　摩訶毗波提
帝梨毗波伽　脩勒波僧祇　醢帝三慱叉　摩訶三曼陁
阿陁摩羅尼　阿利摩羅多　毗䟦三曼陁　達尼佉羅陁
佛語普廣菩薩摩訶薩是為灌頂无上章句
必定不二解除亡者无量罪厄令過命者得
生天上隨心所願往生十方此大章句真實
之言在所生處常見十方微妙淨土若在世
時應當受持如是章句齋戒一心為過命者

BD03042號　灌頂隨願往生十方淨土經　（13–11）

佛語普廣菩薩摩訶薩是為灌頂无上章句
必定不二解除亡者无量罪厄令過命者得
生天上隨心所願往生十方此大章句真實
之言在所生處常見十方微妙淨土若在世
時應當受持如是章句齋戒一心為過命者
七日七夜受行八禁長齋菜食礼敬十方諸
佛世尊當發大願懴我獲得僧那僧涅諸衆
生輩使向无上正真大道
尒時世尊說是語已告諸大衆善男子善女
人等及天龍八部一切鬼神汝等衆輩聞說
十方淨佛國土復聞說是那舍長者因緣罪
福生信心不普廣菩薩復從坐起白世尊言
說是十方諸佛淨土无量功德莊嚴快樂復
得聞是那舍因緣世尊又說衆事因緣甚善
大善踴躍无量世尊說是多所利益後世衆
生緣此解脫以為軌則不復貪惜資生之物
聞此經言但生施心无所愛惜隨意施與貧
乏之使足國土豐饒施心平等如是漸漸積功
累德悉成佛道
普廣菩薩摩訶薩又白佛言若四輩男女欲
脩學是願生淨土灌頂經典有幾事行得此
經法佛言普廣有十二事可得脩學是經典
也一者不信九十五種耶見之道二者堅持禁
戒至終不犯三者懃學禪定教未學者四
者忍辱不瞋見惡不怒五者常樂布施愍念
孤老六者常懃精進晝夜不懈七者若行來
出入朝拜塔像及諸尊長然後捨去八者合
集衆人為作唱導普得信心九者不貪世業

BD03042號　灌頂隨願往生十方淨土經　（13–12）

普廣菩薩摩訶薩又白佛言若四輩男女欲
脩學是願生淨土灌頂經典有樂事行得此
經法佛言普廣有十二事可得脩學是經典
也一者不信九十五種耶見之道二者堅持禁
戒至終不犯三者懃學禪定教未學者四
者忍辱不瞋見惡不恚五者常樂布施慈念
孤老六者常懃精進晝夜不懈七者若行來
出入朝拜塔像及諸尊長然後捨去八者合
集衆人為作唱導普得信心九者不貪世業
衣服妓樂資生之物常好苦行依法十者行
此法時无所希望但欲利益諸衆生輩不於
其中希人利養十一者至終不諂耶命自活
十二者行此法時不擇富貴豪樂之心有若
求者等心看之无有異想是為十二正化之事
普廣聞此心大歡喜我當奉行至終不犯
佛說經竟是諸大衆无不歡喜阿難因從坐
起演說法竟當何名之佛語阿難此經名為
普廣所問十方淨土隨願往生亦名耶舍罪
福因緣又名灌頂无上章句佛說是已四衆
人民天龍八部聞佛所說作礼奉行
佛說普廣菩薩所問十方淨土隨願往生經

BD03042 號　灌頂隨願往生十方淨土經　（13–13）

故若菩薩不住相布施福德不可思量
須菩提於意云何東方虛空可思量不
不也世尊須菩提南西北方四維上下虛空
可思量不不也世尊須菩提菩薩无住
相布施福德亦復如是不可思量須菩提
菩薩但應如所教住須菩提於意云
何可以身相見如來不不也世尊不可以
身相得見如來何以故如來所說身相
即非身相佛告須菩提凡所有相皆是
虛妄若見諸相非相則見如來須菩提
白佛言世尊頗有生得聞如是言說章句
生實信不佛告須菩提莫作是說如來
滅後後五百歲有持戒脩福者於此章能
生信心以此為實當知是人不於一佛二佛三
四五佛而種善根已於无量千万佛所種諸
善根聞是章句乃至一念生淨信者須
菩提如來悉知悉見是諸衆生无復我
相人相衆生相壽者相无法相亦无非法
相何以故是諸衆生若心取相則為著我
人衆生壽者若取法相即著我人衆生壽
者何以故若取非法相即著我人衆生壽
者是故不應取法不應取非法以是義故如來

BD03043 號　金剛般若波羅蜜經　（14–1）

相人相衆生相壽者相无法相亦无非法
相何以故是諸衆生若心取相則為著我
人衆生壽者若取法相即著我人衆生壽
者何以故若取非法相即著我人衆生壽
者是故不應取法不應取非法以是義故如来
常說汝等比丘知我說法如筏喻者法尚
應捨何況非法
須菩提於意云何如来得阿耨多羅三藐三菩
提耶如来有所說法耶須菩提言如我解佛所
說義无有定法名阿耨多羅三藐三菩提亦无
有定法如来可說何以故如来所說法皆不可
取不可說非法非非法所以者何一切賢聖皆以
无為法而有差別
須菩提於意云何若人滿三千大千世界七寶
以用布施是人所得福德寧為多不須菩提言
甚多世尊何以故是福德即非福德性是
故如来說得福德多須菩提於意云何若
復有人於此經中受持乃至四句偈等為他人說
其福勝彼何以故須菩提一切諸佛及諸佛
阿耨多羅三藐三菩提法皆從此經出須
菩提所謂佛法者即非佛法
須菩提於意云何須陁洹能作是念我得
須陁洹果不須菩提言不也世尊何以故
須陁洹名為入流而无所入不入色聲香味
觸法是名須陁洹須菩提於意云何斯陁含能作
是念我得斯陁含果不須菩提言不也世
尊何以故斯陁含名一往来而實无往来是
名斯陁含須菩提於意云何阿那含能作
是念我得阿那含果不須菩提言不也世

觸法是名須陁洹須菩提於意云何斯陁含能作
是念我得斯陁含果不須菩提言不也世
尊何以故斯陁含名一往来而實无往来是
名斯陁含須菩提於意云何阿那含能作
是念我得阿那含果不須菩提言不也世
尊何以故阿那含名為不来而實无来
是故名阿那含須菩提於意云何阿羅漢
能作是念我得阿羅漢道不須菩提言
不也世尊何以故實无有法名阿羅漢世
尊若阿羅漢作是念我得阿羅漢道即
為着我人衆生壽者世尊佛說我得无
諍三昧人中最為第一是第一離欲阿羅
漢我不作是念我是離欲阿羅漢世尊我
若作是念我得阿羅漢道世尊則不說須
菩提是樂阿蘭那行者以須菩提實
无所行而名須菩提是樂阿蘭那行
佛告須菩提於意云何如来昔在然燈
佛所於法有所得不世尊如来在然燈佛
所於法實无所得須菩提於意云何菩薩
莊嚴佛土不不也世尊何以故莊嚴佛土者
則非莊嚴是名莊嚴是故須菩提諸菩薩
摩訶薩應如是生清淨心不應住色生心
不應住聲香味觸法應无所住而生其心
須菩提譬如有人身如須彌山王於意云
何是身為大不須菩提言甚大世尊何以
故佛說非身是名大身須菩提如恒河中所
有沙數如是沙等恒河於意云何是諸
恒河沙寧為多不須菩提言甚多世尊
但諸恒河尚多无數何況其沙須菩提我

何是身為大不須菩提言甚大世尊何以
故佛說非身是名大身須菩提如恒河中所
有沙數如是沙等恒河於意云何是諸
恒河沙寧為多不須菩提言甚多世尊
但諸恒河尚多无數何況其沙須菩提我
今實言告汝若有善男子善女人以七寶
滿尒所恒河沙數三千大千世界以用布施
得福多不須菩提言甚多世尊佛告須菩提
若善男子善女人於此經中乃至受持四句
偈等為他人說而此福德勝前福德復次須
菩提隨說是經乃至四句偈等當知此處一切
世間天人阿脩羅皆供養如佛塔廟何況有
人盡能受持讀誦須菩提當知是人成就最
上第一希有之法若是經典所在之處則
有佛若尊重弟子
尒時須菩提白佛言世尊當何名此經我
等云何奉持佛告須菩提是名為金剛般
若波羅蜜以是名字汝當奉持所以者何
須菩提佛說般若波羅蜜則非般若波
羅蜜須菩提於意云何如來有所說法
不須菩提白佛言世尊如來无所說須菩
提於意云何三千大千世界所有微塵是
為多不須菩提言甚多世尊須菩提諸微
塵如來說非微塵是名微塵如來說世
界非世界是名世界須菩提於意云何可
以三十二相見如來不不也世尊何以故如
來說三十二相即是非相是名三十二相須
菩提若有善男子善女人以恒河沙等

BD03043 號　金剛般若波羅蜜經　（14–4）

界非世界是名世界須菩提於意云何可
以三十二相見如來不不也世尊何以故如
來說三十二相即是非相是名三十二相須
菩提若有善男子善女人以恒河沙等
身命布施若復有人於此經中乃至受
持四句偈等為他人說其福甚多
尒時須菩提聞說是經深解義趣涕淚
悲泣而白佛言希有世尊佛說如是甚
深經典我從昔來所得慧眼未曾得聞
如是之經世尊若復有人得聞是經信
心清淨則生實相當知是人成就第一
希有功德世尊是實相者則是非相是故
如來說名實相世尊我今得聞如是經典
信解受持不足為難若當來世後五百
歲其有衆生得聞是經信解受持是人
則為第一希有何以故此人无我相人相衆
生壽者相所以者何我相即是非相人相
衆生相壽者相即是非相何以故離一切
諸相則名諸佛佛告須菩提如是如是
若復有人得聞此經不驚不怖不畏當知
人得聞此經何以故須菩提如來說第一波
羅蜜非第一波羅蜜是名第一波羅蜜
須菩提忍辱波羅蜜如來說非忍辱
波羅蜜何以故須菩提如我昔為歌利
王割截身體我於尒時无我相无人相无
衆生相无壽者相何以故我於往昔節
節支解時若有我相人相衆生相壽者
相應生瞋恨須菩提又念過去於五百
世作忍辱仙人於尒所世无我相无人相

BD03043 號　金剛般若波羅蜜經　（14–5）

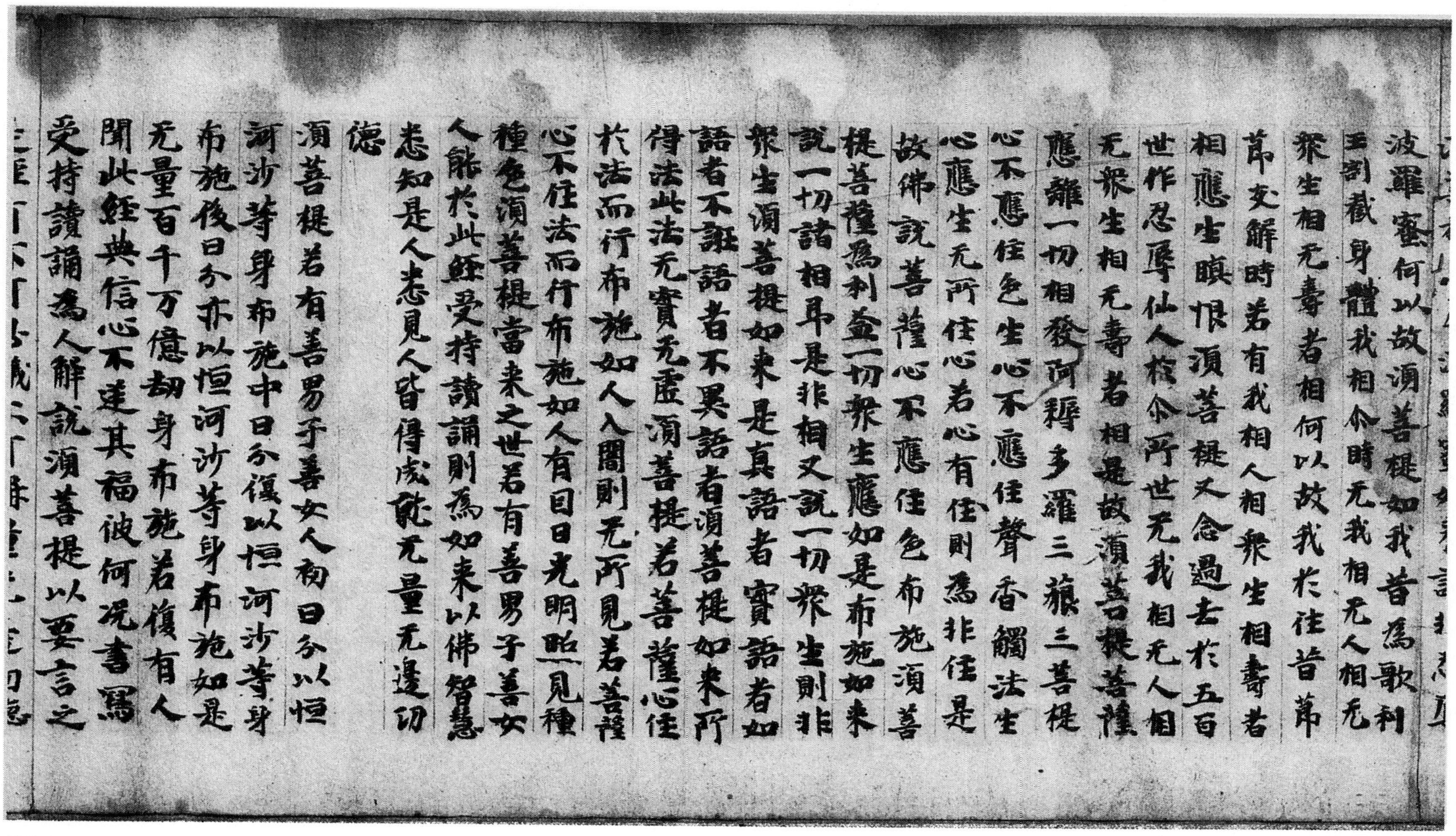
波羅蜜何以故須菩提如我昔為歌利
王割截身體我相尒時无我相无人相无
衆生相无壽者相何以故我於往昔節
節支解時若有我相人相衆生相壽者
相應生瞋恨須菩提又念過去於五百
世作忍辱仙人於尒所世无我相无人相
无衆生相无壽者相是故須菩提菩薩
應離一切相發阿耨多羅三藐三菩提
心不應住色生心不應住聲香觸法生
心應生无所住心若心有住則為非住是
故佛說菩薩心不應住色布施須菩
提菩薩為利益一切衆生應如是布施如來
說一切諸相即是非相又說一切衆生則非
衆生須菩提如來是真語者實語者如
語者不誑語者不異語者須菩提如來所
得法此法无實无虛須菩提若菩薩心住
於法而行布施如人入闇則无所見若菩薩
心不住法而行布施如人有目日光明照見種
種色須菩提當來之世若有善男子善女
人能於此經受持讀誦則為如來以佛智慧
悉知是人悉見人皆得成就无量无邊功
德
須菩提若有善男子善女人初日分以恒
河沙等身布施中日分復以恒河沙等身
布施後日分亦以恒河沙等身布施如是
无量百千万億劫身布施若復有人
聞此經典信心不逆其福彼何況書寫
受持讀誦為人解說須菩提以要言之

BD03043 號　金剛般若波羅蜜經　（14–6）

河沙等身布施中日分復以恒河沙等身
布施後日分亦以恒河沙等身布施如是
无量百千万億劫身布施若復有人
聞此經典信心不逆其福彼何況書寫
受持讀誦為人解說須菩提以要言之
是經有不可思議不可稱量无邊功德
如來為發大乘者說為發最上乘者
說若有人能受持讀誦廣為人說如來悉
知是人悉見是人皆成就不可量不可稱无
有邊不可思議功德如是人等則為荷擔
如來阿耨多羅三藐三菩提何以故須菩
若樂小法者著我見人見衆生見壽者
見則於此經不能聽受讀誦為人解說須
菩提在在處處若有此經一切世間天
人阿脩羅所應供養當知此處則為是
塔皆應恭敬作禮圍繞以諸華香而散其
處
復次須菩提若善男子善女人受持讀誦
此經若為人輕賤是人先世罪業應墮惡
道以今世人輕賤故先世罪業則為消滅
當得阿耨多羅三藐三菩提須菩提我念
過去无量阿僧祇劫於然燈佛前得八
百四千万億那由他諸佛悉皆供養承事
无空過者若復有人於後末世能受持讀
誦此經所得功德於我所供養諸佛功德
百分不及一千万億分乃至筭數譬喻
所不能及須菩提若善男子善女人於後
末世有受持讀誦此經所得功德我若具
說者或有人聞心則狂亂狐疑不信須菩

BD03043 號　金剛般若波羅蜜經　（14–7）

无空過者若復有人於後末世能受持讀
誦此經所得功德於我所供養諸佛功德
百分不及一千万億分乃至笇數譬喻
所不能及須菩提若善男子善女人於後
末世有受持讀誦此經所得功德我若具
說者或有人聞心則狂亂狐疑不信須菩
提當知是經義不可思議果報亦不可
思議
尒時須菩提白佛言世尊善男子善女人
發阿耨多羅三藐三菩提心云何應住云何降
伏其心佛告須菩提善男子善女人發阿耨
多羅三藐三菩提者當生如是心我應滅
度一切衆生滅度一切衆生已而无有一衆
生實滅度者何以故若菩薩有我相人
相衆生相壽者相則非菩薩所以者何須
菩提實无有法發阿耨多羅三藐三菩提
於意云何如来於然燈佛所有法得阿
耨多羅三藐三菩提不不也世尊如我解
佛所說義佛於然燈佛所无有法得阿耨
多羅三藐三菩提佛言如是須菩提實无
有法如来得阿耨多羅三藐三菩提若
有法如来得阿耨多羅三藐三菩提然燈佛
則不應我受記汝於来世當得作佛号釋
迦牟尼以實无有法得阿耨多羅三藐三
菩提是故然燈佛與我受記作是言汝
於来世當得作佛号釋迦牟尼何以故
如来者即諸法如義若有人言如来得
阿耨多羅三藐三菩提須菩提實无有
法佛得阿耨多羅三藐三菩提於是中无

BD03043號　金剛般若波羅蜜經　（14–8）

菩提是故然燈佛與我受記作是言汝
於来世當得作佛号釋迦牟尼何以故
如来者即諸法如義若有人言如来得
阿耨多羅三藐三菩提須菩提實无有
法佛得阿耨多羅三藐三菩提於是中无
實无虛是故如来說一切法皆是佛法
須菩提所言一切法者即非一切法是故
名一切法須菩提譬如人身長大須菩
提言世尊如来說人身長大身是名大
身須菩提菩薩亦如是若作是言我
當滅度无量衆生則不名菩薩何以
故須菩提實无有法名為菩薩是故
佛說一切法无我无人无衆生无壽者
須菩提若菩薩作是言我當莊嚴
佛土是不名菩薩何以故如来說莊
嚴佛土者即非莊嚴是名莊嚴須
菩提若菩薩通達无我法者如来說
名真是菩薩
須菩提於意云何如来有肉眼不如是世尊
如来有肉眼須菩提於意云何如来有天眼不如是
世尊如来有天眼須菩提於意云何如来有慧眼
不如是世尊如来有慧眼須菩提於意云何如
来有法眼不如是世尊如来有法眼須菩提於意云
何如来有佛眼不如是世尊如来有
佛眼須菩提於意云何恒河中所有沙佛說
是沙不如是世尊如来說是沙有如是恒河是諸恒
河所有沙數佛世界如是寧為多不甚多世尊佛
告須菩提於意云何如一恒河中所有沙有如是
等恒河是諸恒河所有沙數佛世尊如是寧

BD03043號　金剛般若波羅蜜經　（14–9）

何如来有佛眼不如是世尊如来有佛眼如来有
佛眼須菩提於意云何恒河中所有沙數佛說
是沙不如是世尊如来說是沙有如是恒河是諸恒
河所有沙數佛世界如是寧爲多不甚多世尊佛
告菩須提於意云何如一恒河中所有沙有如是
寺恒河是諸恒河所有沙數佛世界如是寧
爲多不甚多世尊佛告須菩提尒所國土中所
有衆生若干種心如来悉知何以故如来說諸
心皆爲非心是名爲心所以者何須菩提過去心
不可得現在心不可得未来心不可得須菩提
於意云何若有人滿三千大千世界七寶以用布
施是以是因緣得福多不如是世尊此人以是因緣
得福多不如是世尊此人以是因緣得福甚多須
菩提若福德有實如来不說得福德多以福
德无故如来說得福德須菩提於意云何佛
可以具足色身見不不也世尊如来不應以色身
見何以故如来說具足色身即非具足色身
是名具足色身須菩提於意云何如来可
以具足諸相見不不也世尊如来不應以具足
諸相見何以故如来說諸相具足即非具足
是名諸相具足須菩提汝勿謂如来作是念我
當有所說法莫作是念何以故若人言如来有所
說法即爲謗佛不能解我所說故須菩提說
法者无法可說是名說法須菩提白佛言世尊
佛得阿耨多羅三藐三菩提爲无所得耶如是
須菩提我於阿耨多羅三藐三菩提乃至无有
少法可得阿耨多羅三藐三菩提復次須菩
提是法平等无有高下是名阿耨多羅三藐三菩
提以无我无人无衆生无壽者脩一切善法

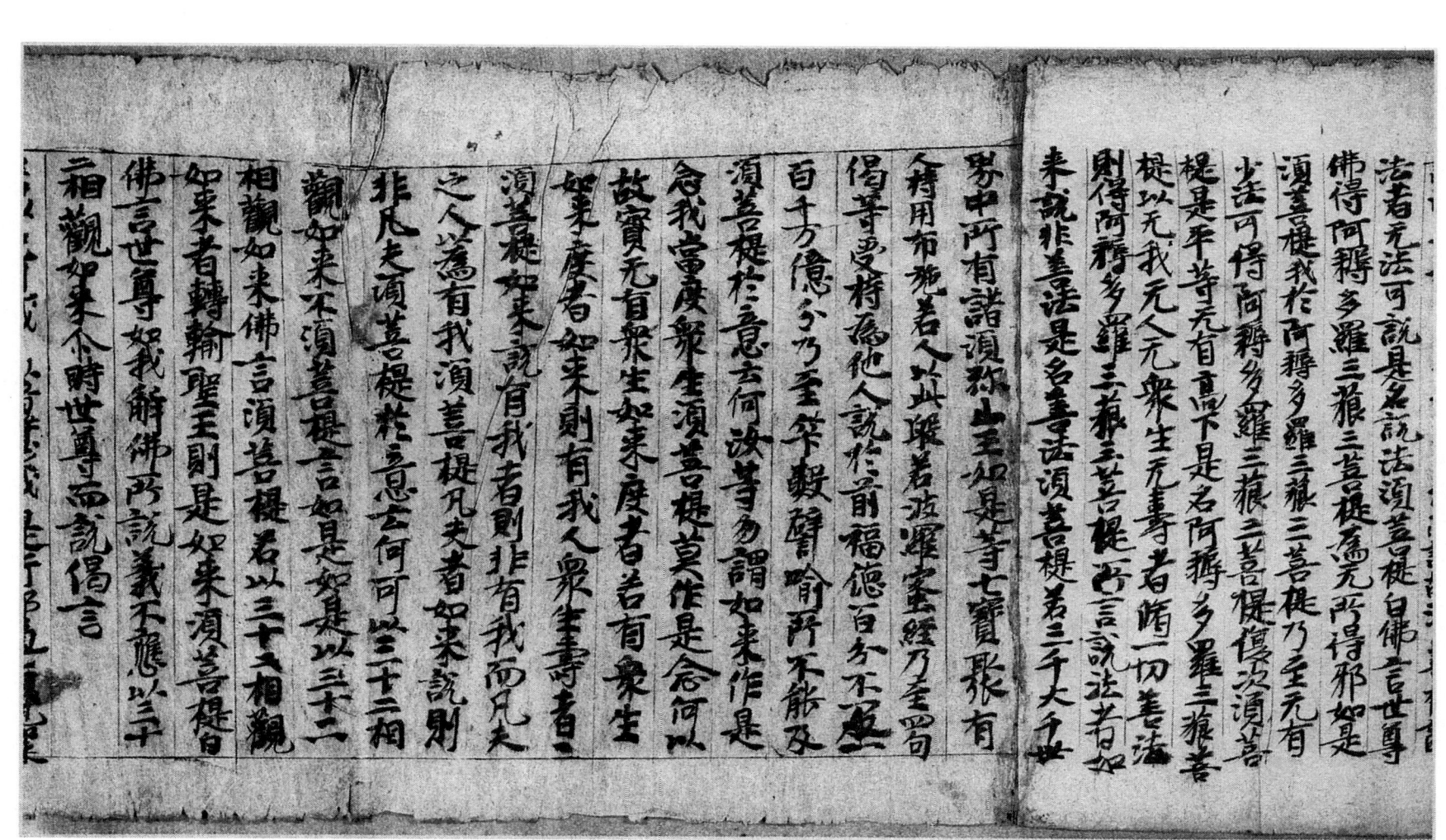

BD03043 號　金剛般若波羅蜜經　（14–10）

法者无法可說是名說法須菩提白佛言世尊
佛得阿耨多羅三藐三菩提爲无所得耶如是
須菩提我於阿耨多羅三藐三菩提乃至无有
少法可得阿耨多羅三藐三菩提復次須菩
提是法平等无有高下是名阿耨多羅三藐三菩
提以无我无人无衆生无壽者脩一切善法
則得阿耨多羅三藐三菩提所言說法者如
来說非善法是名善法須菩提若三千大千世
界中所有諸須弥山王如是等七寶聚有
人持用布施若人以此般若波羅蜜經乃至四句
偈等受持爲他人說於前福德百分不及一
百千万億分乃至筭數譬喻所不能及
須菩提於意云何汝等勿謂如来作是
念我當度衆生須菩提莫作是念何以
故實无有衆生如来度者若有衆生
如来度者如来則有我人衆生壽者
須菩提如来說有我者則非有我而凡夫
之人以爲有我須菩提凡夫者如来說則
非凡夫須菩提於意云何可以三十二相
觀如来不須菩提言如是如是以三十二
相觀如来佛言須菩提若以三十二相觀
如来者轉輪聖王則是如来須菩提白
佛言世尊如我解佛所說義不應以三十
二相觀如来尒時世尊而說偈言

BD03043 號　金剛般若波羅蜜經　（14–11）

相觀如來佛言須菩提若以三十二相觀
如來者轉輪聖王則是如來須菩提白
佛言世尊如我解佛所說義不應以三十
二相觀如來尒時世尊而說偈言
若以色見我　以音聲求我　是人行邪道　不能見如來
須菩提汝若作是念如來不以具足相故得阿
耨多羅三藐三菩提須菩提莫作是念如來不以
具足相故得阿耨多羅三藐三菩提須菩
提汝若作是念發阿耨多羅三藐三菩提者
說諸法斷滅相莫作是念何以故發阿耨多羅
三藐三菩提者於法不說斷滅相
須菩提若菩薩以滿恒河沙等世界七寶
布施若復有人知一切法无我得成於忍而
此菩薩勝前菩薩所得功德須菩提以諸
菩薩不受福德故須菩提白佛言世尊云
何菩薩不受福德須菩提菩薩所作福德
不應貪著是故說不受福德須菩提若有人
言如來若來若去若坐若卧是人不解我所說
義何以故如來者无所從來亦无所去故
名如來
須菩提若善男子善女人以三千大千世界
碎為微塵於意云何是微塵眾寧為多
不甚多世尊何以故若是微塵眾實有者
佛則不說是微塵眾所以者何佛說微塵眾

BD03043 號　金剛般若波羅蜜經

（14–12）

須菩提若善男子善女人以三千大千世界
碎為微塵於意云何是微塵眾寧為多
不甚多世尊何以故若是微塵眾實有者
佛則不說是微塵眾所以者何佛說微塵眾
則非微塵眾是名微塵眾世尊如來所說
三千大千世界則非世界是名世界何以故若
世界實有者則是一合相如來說一合相則
非一合相是名一合相須菩提一合相者則是
不可說但凡夫之人貪著其事
須菩提若人言佛說我見人見眾生見壽者見須
菩提於意云何是人解我所說義不世尊是人不
解如來所說義何以故世尊說我見人見眾生見
壽者見即非我見人見眾生見壽者見是名我見
人見眾生見壽者見須菩提發阿耨多羅三
藐三菩提心者於一切法應如是知如是見如
是信解不生法相須菩提所言法相者如來說
即非法相是名法相須菩提若人有滿无量阿僧
祇世界七寶持用布施若有善男子善女人發
菩薩心者持於此經乃至四句偈等受持讀誦
為人演說其福勝彼云何為人演說不取於相如
如不動何以故
一切有為法　如夢幻泡影　如露亦如電　應作如是觀
佛說是經已長老須菩提及諸比丘比丘尼優
婆塞優婆夷一切世間天人阿脩羅聞佛所說
皆大歡喜信受奉行

BD03043 號　金剛般若波羅蜜經

（14–13）

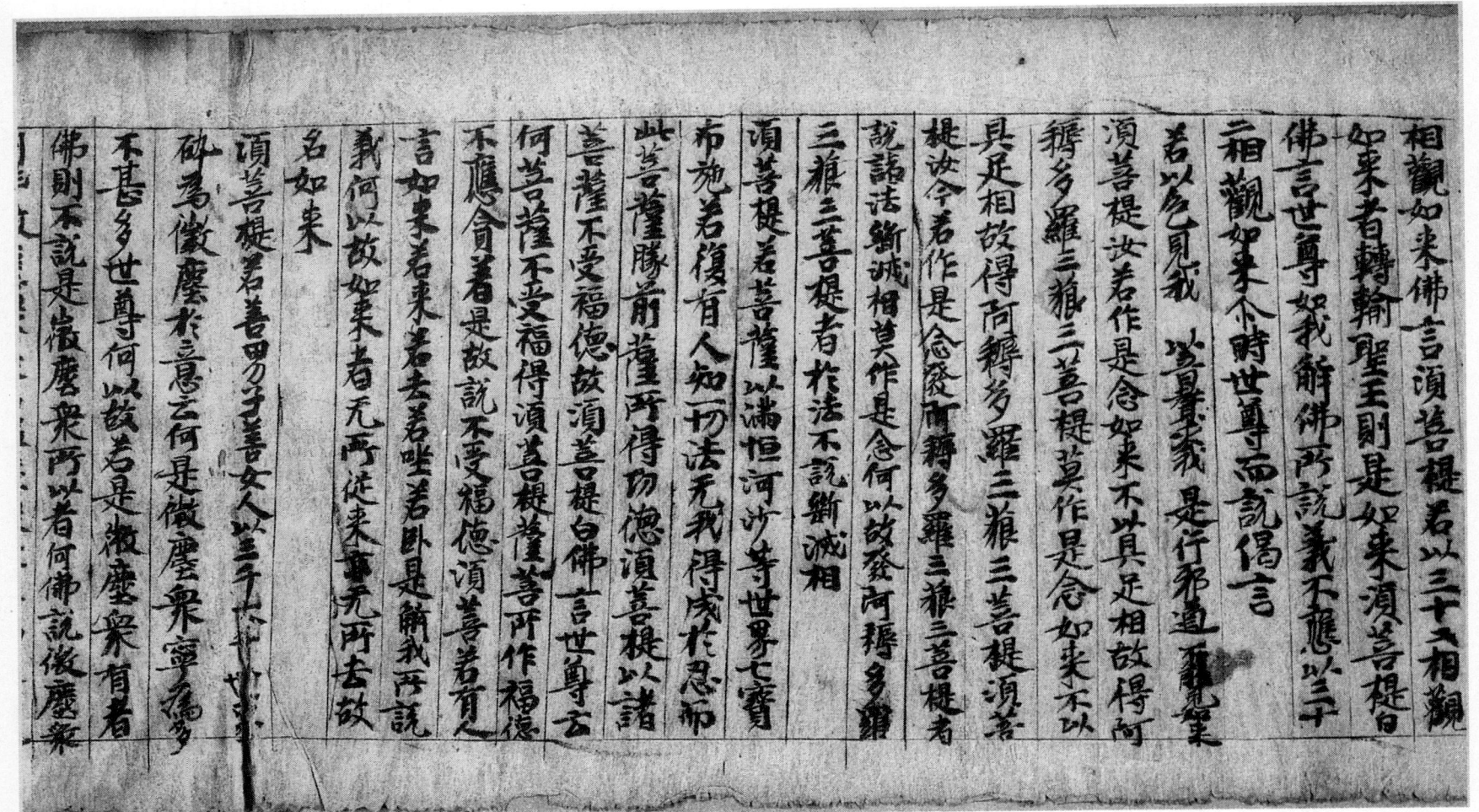

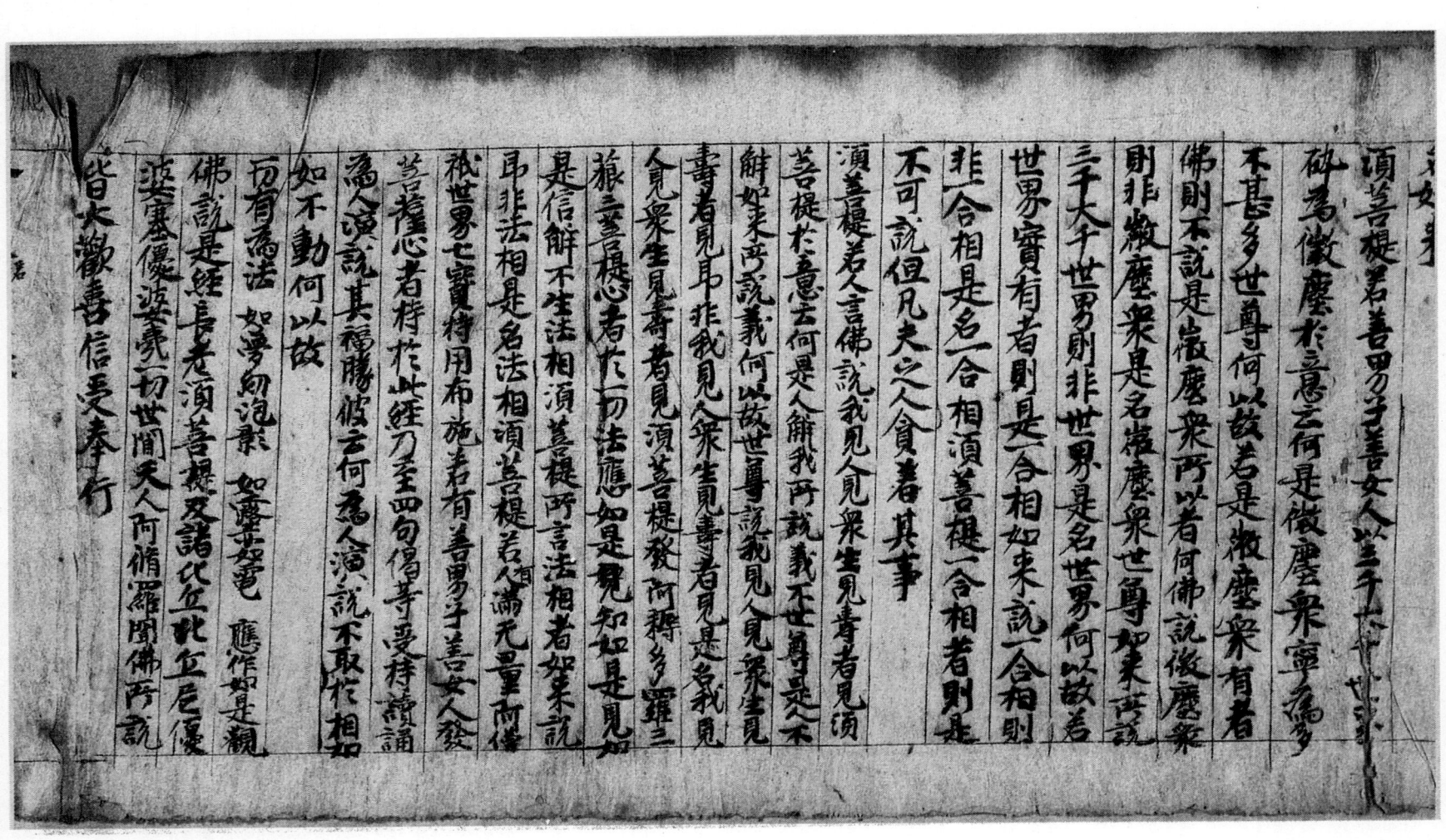

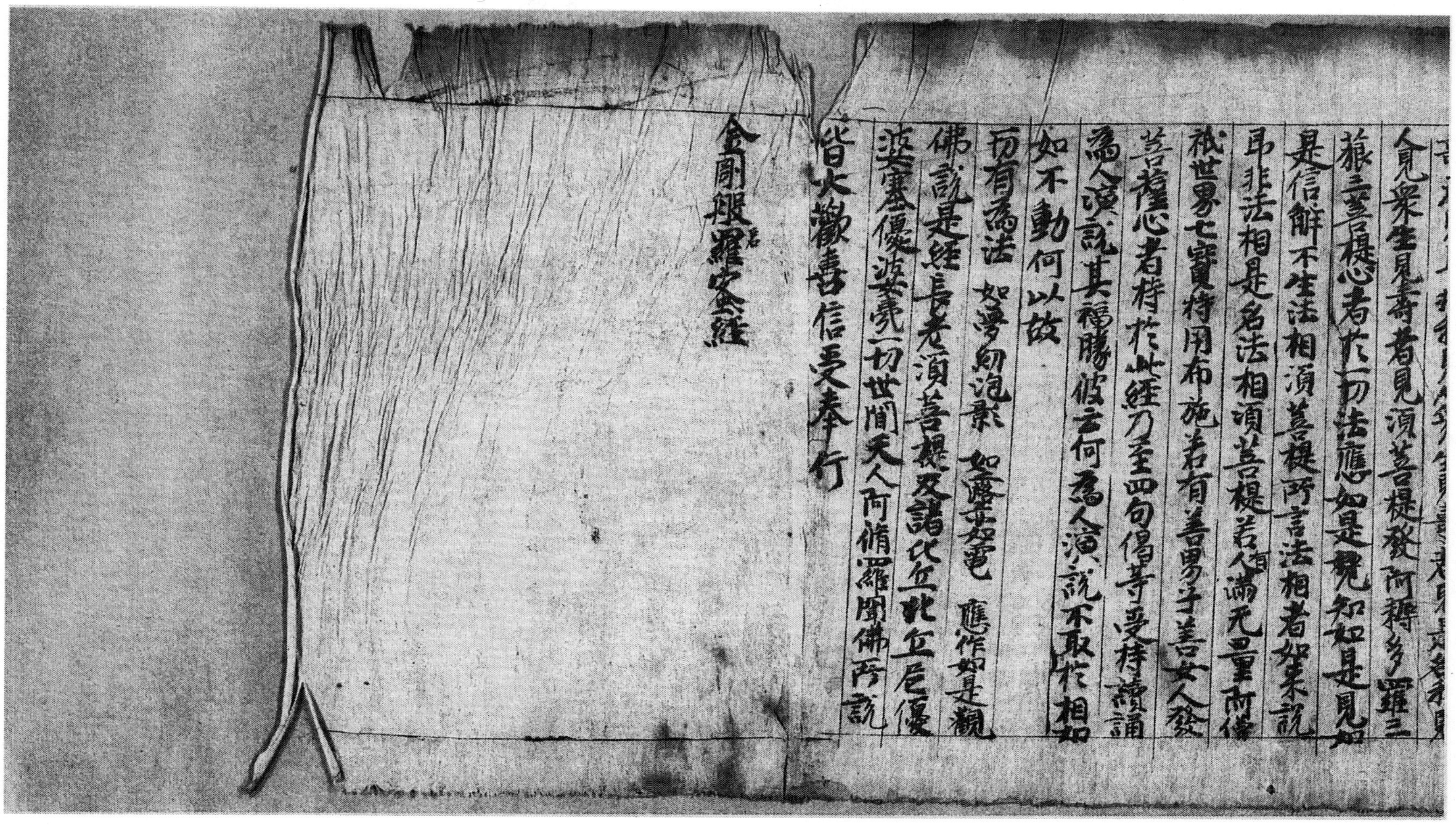

人見衆生見壽者見須菩提發阿耨多羅三
藐三菩提心者於一切法應如是知如是見如
是信解不生法相須菩提所言法相者如來說
即非法相是名法相須菩提若有人以滿无量阿僧
祇世界七寶持用布施若有善男子善女人發
菩薩心者持於此經乃至四句偈等受持讀誦
為人演說其福勝彼云何為人演說不取於相如
如不動何以故
一切有為法　如夢幻泡影　如露亦如電　應作如是觀
佛說是經已長老須菩提及諸比丘比丘尼優
婆塞優婆夷一切世間天人阿修羅聞佛所說
皆大歡喜信受奉行
金剛般若波羅蜜經

BD03043 號　金剛般若波羅蜜經　（14–14）

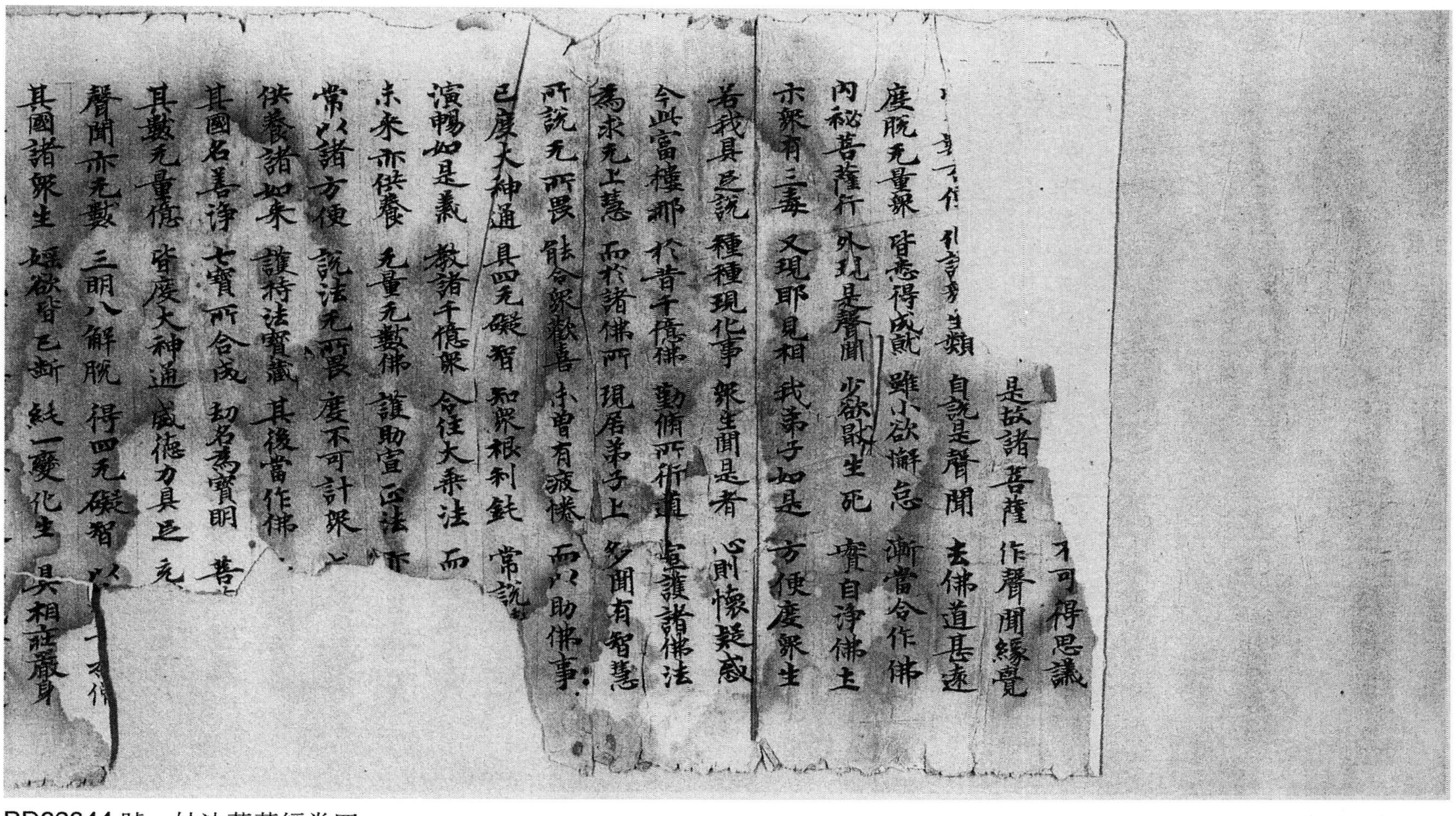

不可得思議
是故諸菩薩　作聲聞緣覺
衆生類　自說是聲聞　去佛道甚遠
度脫无量衆　皆悉得成就　雖小欲懈怠　漸當令作佛
內祕菩薩行　外現是聲聞　少欲厭生死　實自淨佛土
示衆有三毒　又現邪見相　我弟子如是　方便度衆生
若我具足說　種種現化事　衆生聞是者　心則懷疑惑
今此富樓那　於昔千億佛　勤修所行道　宣護諸佛法
為求无上慧　而於諸佛所　現居弟子上　多聞有智慧
所說无所畏　能令衆歡喜　未曾有疲惓　而以助佛事
已度大神通　具四无礙智　知衆根利鈍　常說
演暢如是義　教諸千億衆　令住大乘法　而
未來亦供養　无量无數佛　護助宣正法　亦
常以諸方便　說法无所畏　度不可計衆
供養諸如來　護持法寶藏　其後當作佛
其國名善淨　七寶所合成　劫名為寶明　菩
其數无量億　皆度大神通　威德力具足　充
聲聞亦无數　三明八解脫　得四无礙智　以
其國諸衆生　婬欲皆已斷　純一變化生　具相莊嚴身

BD03044 號　妙法蓮華經卷四　（30–1）

常以諸方便 說法无所畏 度不可計眾
供養諸如來 護持法寶藏 其後當作佛
其國名善淨 七寶所合成 劫名為寶明 菩
其數无量億 皆度大神通 威德力具足 充
聲聞亦无數 三明八解脫 得四无礙智 以
其國諸眾生 婬欲皆已斷 純一變化生 具相莊嚴身
法喜禪悅食 更无餘食想 无有諸女人 亦无諸惡道
富樓那比丘 功德悉成滿 當得斯淨土 賢聖眾甚多
如是无量事 我今但略說
尒時千二百阿羅漢心自在者作是念我等
歡喜得未曾有若世尊各見授記如餘大弟
子者不亦快乎佛知此等心之所念告摩訶
迦葉是千二百阿羅漢我今當現前次第與
受阿耨多羅三藐三菩提記於此眾中我大
弟子憍陳如比丘當供養六万二千億佛然
後得成為佛号曰普明如來應供正遍知明
行足善逝世間解无上士調御丈夫天人師
佛世尊其五百阿羅漢優樓頻螺迦葉伽耶
迦葉那提迦葉迦留陁夷優陁夷阿㝹樓馱
離婆多劫賓那薄拘羅周陁莎伽陁等皆當
得阿耨多羅三藐三菩提盡同一号名曰普
明尒時世尊欲重宣此義而說偈言
憍陳如比丘 當見无量佛 過阿僧祇劫 乃成等正覺
常放大光明 具足諸神通 名聞遍十方 一切之所敬
常說无上道 故号為普明 其國土清淨 菩薩皆勇猛

BD03044號　妙法蓮華經卷四

（30–2）

得阿耨多羅三藐三菩提盡同一号名曰普
明尒時世尊欲重宣此義而說偈言
憍陳如比丘 當見无量佛 過阿僧祇劫 乃成等正覺
常放大光明 具足諸神通 名聞遍十方 一切之所敬
常說无上道 故号為普明 其國土清淨 菩薩皆勇猛
咸昇妙樓閣 遊諸十方國 以无上供具 奉獻於諸佛
作是供養已 心懷大歡喜 須臾還本國 有如是神力
佛壽六万劫 正法住倍壽 像法復倍是 法滅天人憂
其五百比丘 次第當作佛 同号曰普明 轉次而授記
我滅度之後 某甲當作佛 其所化世間 亦如我今日
國土之嚴淨 及諸神通力 菩薩聲聞眾 正法及像法
壽命劫多少 皆如上所說 迦葉汝已知 五百自在者
餘諸聲聞眾 亦當復如是 其不在此會 汝當為宣說
尒時五百阿羅漢於佛前得受記已歡喜踊
躍即從座起到於佛前頭面禮足悔過自責世
尊我等常作是念自謂已得究竟滅度今
乃知之如无智者所以者何我等應得如來
智慧而便自以小智為足世尊譬如有人至親
友家醉酒而卧是時親友官事當行以无
價寶珠繫其衣裏與之而去其人醉卧都不
覺知起已遊行到於他國為衣食故勤力求
索甚大艱難若少有所得便以為足於後親
友會遇見之而作是言咄哉丈夫何為衣食
乃至如是我昔欲令汝得安樂五欲自恣於
某年日月以无價寶珠繫汝衣裏今故現在

BD03044號　妙法蓮華經卷四

（30–3）

覺知起已遊行到於他國為衣食故勤力求
索甚大艱難若少有所得便以為足於後親
友會遇見之而作是言咄哉丈夫何為衣食
乃至如是我昔欲令汝得安樂五欲自恣於
某年日月以无價寶珠繫汝衣裏今故現在
而汝不知勤苦憂惱以求自活甚為癡也汝
今可以此寶貿易所須常可如意无所乏短
佛亦如是為菩薩時教化我等令發一切智
心而尋廢忘不知不覺既得阿羅漢道自謂
滅度資生艱難得少為足一切智願猶在不
失今者世尊覺悟我等作如是言諸比丘汝
等所得非究竟滅我久令汝等種佛善根以
方便故示涅槃相而汝謂為實得滅度世尊
我今乃知實是菩薩得受阿耨多羅三藐三
菩提記以是因緣甚大歡喜得未曾有尒時
阿若憍陳如等欲重宣此義而說偈言
我等聞无上　安隱授記聲　歡喜未曾有　礼无量智佛
今於世尊前　自悔諸過咎　於无量佛寶　得少涅槃分
如无智愚人　便自以為足　譬如貧窮人　往至親友家
其家甚大富　具設諸餚饍　以无價寶珠　繫著內衣裏
默與而捨去　時卧不覺知　是人既已起　遊行詣他國
求衣食自濟　資生甚艱難　得少便為足　更不願好者
不覺內衣裏　有无價寶珠　與珠之親友　後見此貧人
苦切責之已　示以所繫珠　貧人見此珠　其心大歡喜
富有諸財物　五欲而自恣　我等亦如是　世尊於長夜

BD03044 號　妙法蓮華經卷四　（30–4）

默與而捨去　時卧不覺知　是人既已起　遊行詣他國
求衣食自濟　資生甚艱難　得少便為足　更不願好者
不覺內衣裏　有无價寶珠　與珠之親友　後見此貧人
苦切責之已　示以所繫珠　貧人見此珠　其心大歡喜
富有諸財物　五欲而自恣　我等亦如是　世尊於長夜
常愍見教化　令種无上願　我等无智故　不覺亦不知
得少涅槃分　自足不求餘　今佛覺悟我　言非實滅度
得佛无上慧　尒乃為真滅　我今從佛聞　授記莊嚴事
及轉次受決　身心遍歡喜
妙法蓮華經授學无學人記品第九
尒時阿難羅睺羅而作是念我等每自思惟
設得受記不亦快乎即從座起到於佛前頭
面礼足俱白佛言世尊我等於此亦應有分
唯有如來我等所歸又我等為一切世間天
人阿脩羅所見知識阿難常為侍者護持法
藏羅睺羅是佛之子若佛見授阿耨多羅三
藐三菩提記者我願既滿衆望亦足尒時學
无學聲聞弟子二千人皆從座起偏袒右肩
到於佛前一心合掌瞻仰世尊如阿難羅睺羅
所願住立一面尒時佛告阿難汝於來世當
得作佛号山海慧自在通王如來應供正
遍知明行足善逝世間解无上士調御丈夫
天人師佛世尊當供養六十二億諸佛護持
法藏然後得阿耨多羅三藐三菩提教化二
十千万億恒河沙諸菩薩等令成阿耨多羅

BD03044 號　妙法蓮華經卷四　（30–5）

得作佛号山海慧自在通王如来應供正
遍知明行足善逝世間解无上士調御丈夫
天人師佛世尊當供養六十二億諸佛護持
法藏然後得阿耨多羅三藐三菩提教化二
十千万億恒河沙諸菩薩等令成阿耨多羅
三藐三菩提國名常立勝幡其土清淨琉璃
為地劫名妙音遍滿其佛壽命无量千万億
阿僧祇劫若人於千万億无量阿僧祇劫中
筭數挍計不能得知正法住世倍於壽命像
法住世復倍正法阿難是山海慧自在通王
佛為十方无量千万億恒河沙等諸佛如来
所共讚歎稱其功德尒時世尊欲重宣此義
而說偈言
我今僧中說　阿難持法者　當供養諸佛　然後成正覺
号曰山海慧　自在通王佛　其國土清淨　名常立勝幡
教化諸菩薩　其數如恒沙　佛有大威德　名聞滿十方
壽命无有量　以愍衆生故　正法倍壽命　像法復倍是
如恒河沙等　无數諸衆生　於此佛法中　種佛道因緣
尒時會中新發意菩薩八千人咸作是念我
等尚不聞諸大菩薩得如是記有何因緣而
諸聲聞得如是決尒時世尊知諸菩薩心之
所念而告之曰諸善男子我與阿難等於空
王佛所同時發阿耨多羅三藐三菩提心阿
難常樂多聞我常勤精進是故我已得成阿
耨多羅三藐三菩提而阿難護持我法亦護
將来諸佛法藏教化成就諸菩薩衆其本願

BD03044 號　妙法蓮華經卷四　（30–6）

所念而告之曰諸善男子我與阿難等於空
王佛所同時發阿耨多羅三藐三菩提心阿
難常樂多聞我常勤精進是故我已得成阿
耨多羅三藐三菩提而阿難護持我法亦護
將来諸佛法藏教化成就諸菩薩衆其本願
如是故獲斯記阿難面於佛前自聞授記及
國土莊嚴所願具足心大歡喜得未曾有即
時憶念過去无量千万億諸佛法藏通達无
礙如今所聞亦識本願尒時阿難而說偈言
世尊甚希有　令我念過去　无量諸佛法　如今日所聞
我今无復疑　安住於佛道　方便為侍者　護持諸佛法
尒時佛告羅睺羅汝於来世當得作佛号蹈
七寶華如来應供正遍知明行足善逝世間
解无上士調御丈夫天人師佛世尊當供養
十世界微塵等數諸佛如来常為諸佛而作
長子猶如今也是蹈七寶華佛國土莊嚴壽
命劫數所化弟子正法像法亦如山海慧自
在通王如来无異亦為此佛而作長子過是
已後當得阿耨多羅三藐三菩提尒時世尊欲
重宣此義而說偈言
我為太子時　羅睺為長子　我今成佛道　受法為法子
於未来世中　見无量億佛　皆為其長子　一心求佛道
羅睺羅密行　唯我能知之　現為我長子　以示諸衆生
无量億千万　功德不可數　安住於佛法　以求无上道
尒時世尊見學无學二千人其意柔軟寂然

BD03044 號　妙法蓮華經卷四　（30–7）

於未來世中　見无量億佛　皆為其長子　一心求佛道
羅睺羅密行　唯我能知之　現為我長子　以示諸衆生
无量億千万　功德不可數　安住於佛法　以求无上道
尒時世尊見學无學二千人其意柔軟寂然
清淨一心觀佛佛告阿難汝見是學无學二
千人不唯然已見阿難是諸人等當供養五
十世界微塵數諸佛如來恭敬尊重護持法
藏末後同時於十方國各得成佛皆同一号
名曰寶相如來應供正遍知明行足善逝世
間解无上士調御丈夫天人師佛世尊壽命
一劫國土莊嚴聲聞菩薩正法像法皆悉同等
尒時世尊欲重宣此義而說偈言
是二千聲聞　今於我前住　悉皆與受記　未來當成佛
所供養諸佛　如上說塵數　護持其法藏　後當成正覺
各於十方國　悉同一名号　俱時坐道場　以證无上慧
皆名為寶相　國土及弟子　正法與像法　悉等无有異
咸以諸神通　度十方衆生　名聞普周遍　漸入於涅槃
尒時學无學二千人聞佛授記歡喜踊躍而
說偈言
世尊慧燈明　我聞授記音　心歡喜充滿　如甘露見灌
妙法蓮華經法師品第十
尒時世尊因藥王菩薩告八万大士藥王汝
見是大衆中无量諸天龍王夜叉乾闥婆阿脩
羅迦樓羅緊那羅摩睺羅伽人與非人及比
丘比丘尼優婆塞優婆夷求聲聞者求辟

BD03044號　妙法蓮華經卷四　（30–8）

妙法蓮華經法師品第十
尒時世尊因藥王菩薩告八万大士藥王汝
見是大衆中无量諸天龍王夜叉乾闥婆阿脩
羅迦樓羅緊那羅摩睺羅伽人與非人及比
丘比丘尼優婆塞優婆夷求聲聞者求辟
支佛者求佛道者如是等類咸於佛前聞妙
法華經一偈一句乃至一念隨喜者我皆與
受記當得阿耨多羅三藐三菩提佛告藥王
又如來滅度之後若有人聞妙法華經乃至
一偈一句一念隨喜者我亦與受阿耨多羅
三藐三菩提記若復有人受持讀誦解說書
寫妙法華經乃至一偈於此經卷敬視如佛種
種供養華香瓔珞末香塗香燒香繒蓋幢
幡衣服伎樂乃至合掌恭敬藥王當知是諸
人等已曾供養十万億佛於諸佛所成就大
願愍衆生故生此人間藥王若有人問何等
衆生於未來世當得作佛應示是諸人等於
未來世必得作佛何以故若善男子善女人
於法華經乃至一句受持讀誦解說書寫種
種供養經卷華香瓔珞末香塗香燒香繒蓋
幢幡衣服伎樂合掌恭敬是人一切世間所
應瞻奉應以如來供養而供養之當知此人
是大菩薩成就阿耨多羅三藐三菩提哀愍
衆生願生此間廣演分別妙法華經何況盡
能受持種種供養者藥王當知是人自捨清

BD03044號　妙法蓮華經卷四　（30–9）

應瞻奉應以如來供養而供養之當知此人
是大菩薩成就阿耨多羅三藐三菩提哀愍
衆生願生此間廣演分別妙法華經何況盡
能受持種種供養者藥王當知是人自捨清
淨業報於我滅度後愍衆生故生於惡世廣
演此經若是善男子善女人我滅度後能竊
為一人說法華經乃至一句當知是人則如
來使如來所遣行如來事何況於大衆中廣
為人說藥王若有惡人以不善心於一劫中
現於佛前常毀罵佛其罪尚輕若人以一惡
言毀呰在家出家讀誦法華經者其罪甚重
藥王其有讀誦法華經者當知是人以佛莊
嚴而自莊嚴則為如來肩所荷擔其所至方
應隨向礼一心合掌恭敬供養尊重讚歎華
香瓔珞末香塗香燒香繒蓋幢幡衣服餚饌
作諸伎樂人中上供而供養之應持天寶而
以散之天上寶聚應以奉獻所以者何是人
歡喜說法須臾聞之即得究竟阿耨多羅三
藐三菩提故尒時世尊欲重宣此義而說偈
言
若欲住佛道　成就自然智　當當勤供養　受持法華者
其有欲疾得　一切種智慧　當受持是經　并供養持者
若有能受持　妙法華經者　當知佛所使　愍念諸衆生
諸有能受持　妙法華經者　捨於清淨土　愍衆故生此
當知如是人　自在所欲生　能於此惡世　廣說无上法

BD03044 號　妙法蓮華經卷四

（30–10）

其有欲疾得　一切種智慧　當受持是經　并供養持者
若有能受持　妙法華經者　當知佛所使　愍念諸衆生
諸有能受持　妙法華經者　捨於清淨土　愍衆故生此
當知如是人　自在所欲生　能於此惡世　廣說无上法
應以天華香　及天寶衣服　天上妙寶聚　供養說法者
吾滅後惡世　能持是經者　當合掌礼敬　如供養世尊
上饌衆甘美　及種種衣服　供養是佛子　兾得須臾聞
若能於後世　受持是經者　我遣在人中　行於如來事
若於一劫中　常懷不善心　作色而罵佛　獲无量重罪
其有讀誦持　是法華經者　須臾加惡言　其罪復過彼
有人求佛道　而於一劫中　合掌在我前　以无數偈讚
由是讚佛故　得无量功德　歎美持經者　其福復過彼
於八十億劫　以最妙色聲　及與香味觸　供養持經者
如是供養已　若得須臾聞　則應自欣慶　我今獲大利
藥王今告汝　我所說諸經　而於此經中　法華最第一
尒時佛復告藥王菩薩摩訶薩我所說經典
无量千億已說今說當說而於其中此法華
經最為難信難解藥王此經是諸佛祕要之
藏不可分布妄授與人諸佛世尊之所守護
從昔已來未曾顯說而此經者如來現在猶
多怨嫉況滅度後藥王當知如來滅後其能
書持讀誦供養為他人說者如來則為以衣
覆之又為他方現在諸佛之所護念是人有
大信力及志願力諸善根力當知是人與如
來共宿則為如來手摩其頭藥王在在處處

BD03044 號　妙法蓮華經卷四

（30–11）

書持讀誦供養為他人說者如來則為以衣
覆之又為他方現在諸佛之所護念是人有
大信力及志願力諸善根力當知是人與如
來共宿則為如來手摩其頭藥王在在處處
若說若讀若誦若書若經卷所住處皆應起
七寶塔極令高廣嚴飾不須復安舍利所以者
何此中已有如來全身此塔應以一切華香
瓔珞繒蓋幢幡伎樂歌頌供養恭敬尊重
讚歎若有人得見此塔礼拜供養當知是等
皆近阿耨多羅三藐三菩提藥王多有人在
家出家行菩薩道若不能得見聞讀誦書持
供養是法華經者當知是人未善行菩薩道
若有得聞是經典者乃能善行菩薩之道其
有衆生求佛道者若見若聞是法華經聞已
信解受持者當知是人得近阿耨多羅三藐
三菩提藥王譬如有人渴乏須水於彼高原
穿鑿求之猶見乾土知水尚遠施功不已轉
見濕土遂漸至泥其心決定知水必近菩薩
亦復如是若未聞未解未能修習是法華經
當知是人去阿耨多羅三藐三菩提尚遠若
得聞解思惟修習必知得近阿耨多羅三藐
三菩提所以者何一切菩薩阿耨多羅三藐
三菩提皆屬此經此經開方便門示真實相
是法華經藏深固幽遠无人能到今佛教化成
就菩薩而為開示藥王若有菩薩聞是法

BD03044號　妙法蓮華經卷四

(30–12)

三菩提所以者何一切菩薩阿耨多羅三藐
三菩提皆屬此經此經開方便門示真實相
是法華經藏深固幽遠无人能到今佛教化成
就菩薩而為開示藥王若有菩薩聞是法華
經驚疑怖畏當知是為新發意菩薩若聲
聞人聞是經驚疑怖畏當知是為增上慢者
藥王若有善男子善女人如來滅後欲為四
衆說是法華經者云何應說是善男子善女
人入如來室著如來衣坐如來座尒乃應為
四衆廣說斯經如來室者一切衆生中大慈
悲心是如來衣者柔和忍辱心是如來座者一
切法空是安住是中然後以不懈怠心為諸
菩薩及四衆廣說是法華經藥王我於餘
國遣化人為其集聽法衆亦遣化比丘比丘
尼優婆塞優婆夷聽其說法是諸化人聞法
信受隨順不逆若說法者在空閑處我時廣
遣天龍鬼神乾闥婆阿修羅等聽其說法我
雖在異國時時令說法者得見我身若於此經
忘失句逗我還為說令得具足尒時世尊欲
重宣此義而說偈言
欲捨諸懈怠　應當聽此經　是經難得聞　信受者亦難
如人渴須水　穿鑿於高原　猶見乾燥土　知去水尚遠
漸見濕土泥　決定知近水　藥王汝當知　如是諸人等
不聞法華經　去佛智甚遠　若聞是深經　決了聲聞法

BD03044號　妙法蓮華經卷四

(30–13)

欲捨諸懈怠 應當聽此經 是經難得聞 信受者亦難
如人渴須水 穿鑿於高原 猶見乾燥土 知去水尚遠
漸見濕土泥 決定知近水 藥王汝當知 如是諸人等
不聞法華經 去佛智甚遠 若聞是深經 決了聲聞法
是諸經之王 聞已諦思惟 當知此人等 近於佛智慧
若人說此經 應入如來室 著於如來衣 而坐如來座
處衆无所畏 廣為分別說 大慈悲為室 柔和忍辱衣
諸法空為座 處此為說法 若說此經時 有人惡口罵
加刀杖瓦石 念佛故應忍 我千万億土 現淨堅固身
於无量億劫 為衆生說法 若我滅度後 能說此經者
我遣化四衆 比丘比丘尼 及清信士女 供養於法師
引導諸衆生 集之令聽法 若人欲加惡 刀杖及瓦石
則遣變化人 為之作衛護 若說法之人 獨在空閑處
寂漠无人聲 讀誦此經典 我尒時為現 清淨光明身
若忘失章句 為說令通利 若人具是德 或為四衆說
空處讀誦經 皆得見我身 若人在空閑 我遣天龍王
夜叉鬼神等 為作聽法衆 是人樂說法 分別无罣礙
諸佛護念故 能令大衆喜 若親近法師 速得菩薩道
隨順是師學 得見恒沙佛

妙法蓮華經見寶塔品第十一

尒時佛前有七寶塔高五百由旬縱廣二百
五十由旬從地踊出住在空中種種寶物而
莊校之五千欄楯龕室千万无數幢幡以為
嚴飾垂寶瓔珞寶鈴万億而懸其上四面皆
出多摩羅跋栴檀之香充遍世界其諸幡蓋
以金銀琉璃車璖馬瑙真珠玫瑰七寶合成高

BD03044 號　妙法蓮華經卷四　（30–14）

嚴飾垂寶瓔珞寶鈴万億而懸其上四面皆
出多摩羅跋栴檀之香充遍世界其諸幡蓋
以金銀琉璃車璖馬瑙真珠玫瑰七寶合成高
至四天王宮三十三天雨天曼陀羅華供養
寶塔餘諸天龍夜叉乾闥婆阿脩羅迦樓羅
緊那羅摩睺羅伽人非人等千万億衆以一
切華香瓔珞幡蓋伎樂供養寶塔恭敬尊
重讚歎尒時寶塔中出大音聲歎言善哉善
哉釋迦牟尼世尊能以平等大慧教菩薩法
佛所護念妙法華經為大衆說如是如是釋
迦牟尼世尊如所說者皆是真實尒時四衆
見大寶塔住在空中又聞塔中所出音聲皆
得法喜恠未曾有從座而起恭敬合掌却住
一面尒時有菩薩摩訶薩名大樂說知一切
世間天人阿脩羅等心之所疑而白佛言世尊
以何因緣有此寶塔從地踊出又於其中發
是音聲尒時佛告大樂說菩薩此寶塔中有
如來全身乃往過去東方无量千万億阿
僧祇世界國名寶淨彼中有佛号曰多寶其
佛行菩薩道時作大誓願若我成佛滅度之
後於十方國土有說法華經處我之塔廟為
聽是經故踊現其前為作證明讚言善哉彼
佛成道已臨滅度時於天人大衆中告諸比
丘我滅度後欲供養我全身者應起一大塔
其佛神通願力十方世界在在處處若有說

BD03044 號　妙法蓮華經卷四　（30–15）

聽是經故踊現其前為作證明讚言善哉彼
佛成道已臨滅度時於天人大衆中告諸比
丘我滅度後欲供養我全身者應起一大塔
其佛神通願力十方世界在在處處若有說
法華經者彼之寶塔皆踊出其前全身在於
塔中讚言善哉善哉大樂說今多寶如來塔
聞說法華經故從地踊出讚言善哉善哉是
時大樂說菩薩以如來神力故白佛言世尊
我等願欲見此佛身佛告大樂說菩薩摩訶
薩是多寶佛有深重願若我寶塔為聽法華
經故出於諸佛前時其有欲以我身示四衆
者彼佛分身諸佛在於十方世界說法盡還
集一處然後我身乃出現耳大樂說我分身
諸佛在於十方世界說法者今應當集大樂
說白佛言世尊我等亦願欲見世尊分身諸
佛禮拜供養尒時佛放白毫一光即見東方
五百万億那由他恒河沙等國土諸佛彼諸
國土皆以頗梨為地寶樹寶衣以為莊嚴无
數千万億菩薩充滿其中遍張寶幔寶網羅
上彼國諸佛以大妙音而說諸法及見无量万
億菩薩遍滿諸國為衆說法南西北方四維
上下白毫相光所照之處亦復如是尒時十方
諸佛各告衆菩薩言善男子我今應往
娑婆世界釋迦牟尼佛所并供養多寶如來寶
塔時娑婆世界即變清淨瑠璃為地寶樹

BD03044 號　妙法蓮華經卷四　（30–16）

億菩薩遍滿諸國為衆說法南西北方四維
上下白毫相光所照之處亦復如是尒時十方
諸佛各告衆菩薩言善男子我今應往
娑婆世界釋迦牟尼佛所并供養多寶如來寶
塔時娑婆世界即變清淨瑠璃為地寶樹
莊嚴黃金為繩以界八道无諸聚落村營城邑
大海江河山川林藪燒大寶香曼陀羅華遍
布其地以寶網幔羅覆其上懸諸寶鈴唯
留此會衆移諸天人置於他土是時諸佛各
將一大菩薩以為侍者至娑婆世界各到寶
樹下一一寶樹高五百由旬枝葉華菓次第
莊嚴諸寶樹下皆有師子之座高五由旬亦
以大寶而挍飾之尒時諸佛各於此座結加趺
坐如是展轉遍滿三千大千世界而於釋迦
牟尼佛一方所分之身猶故未盡時釋迦牟
尼佛欲容受所分身諸佛故八方各更變二
百万億那由他國皆令清淨无有地獄餓鬼
畜生及阿脩羅又移諸天人置於他土所化
之國亦以瑠璃為地寶樹莊嚴樹高五百由
旬枝葉華菓次第嚴飾樹下皆有寶師子
座高五由旬種種諸寶以為莊挍亦无大海
江河及目真隣陀山摩訶目真隣陀山鐵圍
山大鐵圍山須弥山等諸山王通為一佛國土
寶地平正寶交露幔遍覆其上懸諸幡蓋
燒大寶香諸天寶華遍布其地釋迦牟尼佛

BD03044 號　妙法蓮華經卷四　（30–17）

江河及目真隣陁山摩訶目真隣陁山鐵圍
山大鐵圍山須弥山等諸山王通為一佛國土
寶地平正寶交露幔遍覆其上懸諸幡蓋
燒大寶香諸天寶華遍布其地釋迦牟尼佛
為諸佛當来坐故復於八方各變二百万億
那由他國皆令清淨无有地獄餓鬼畜生及
阿脩羅又移諸天人置於他土所化之國亦
以瑠璃為地寶樹莊嚴樹高五百由旬枝葉
華菓次第莊嚴樹下皆有寶師子座高五由
旬亦以大寶而挍飾之亦无大海江河及目
真隣陁山摩訶目真隣陁山鐵圍山大鐵圍
山須弥山等諸山王通為一佛國土寶地平正
寶交露幔遍覆其上懸諸幡蓋燒大寶香
諸天寶華遍布其地尒時東方釋迦牟尼所
分之身百千万億那由他恒河沙等國土中諸
佛各各說法来集於此如是次第十方諸佛
皆悉来集坐於八方尒時一一方四百万億
那由他國土諸佛如来遍滿其中是時諸
佛各在寶樹下坐師子座皆遣侍者問訊釋
迦牟尼佛各賫寶華滿掬而告之言善男子
汝往詣耆闍崛山釋迦牟尼佛所如我辭曰
少病少惱氣力安樂及菩薩聲聞衆悉安隱
不以此寶華散佛供養而作是言彼某甲佛
與欲開此寶塔諸佛遣使亦復如是尒時釋

BD03044號　妙法蓮華經卷四

(30–18)

少病少惱氣力安樂及菩薩聲聞衆悉安隱
不以此寶華散佛供養而作是言彼某甲佛
與欲開此寶塔諸佛遣使亦復如是尒時釋
迦牟尼佛見所分身佛悉已来集各各坐於
師子之座皆聞諸佛與欲同開寶塔即從座
起住虛空中一切四衆起立合掌一心觀佛
於是釋迦牟尼佛以右指開七寶塔戶出大
音聲如却關鑰開大城門即時一切衆會皆
見多寶如来於寶塔中坐師子座全身不散
如入禪定又聞其言善哉善哉釋迦牟尼佛
快說是法華經我為聽是經故而来至此尒
時四衆等見過去无量千万億劫滅度佛說
如是言歎未曾有以天寶華聚散多寶佛及
釋迦牟尼佛上尒時多寶佛於寶塔中分半
座與釋迦牟尼佛而作是言釋迦牟尼佛可
就此座即時釋迦牟尼佛入其塔中坐其半
座結跏趺坐尒時大衆見二如来在七寶塔
中師子座上結跏趺坐各作是念佛座高遠
唯願如来以神通力令我等輩俱處虛空即
時釋迦牟尼佛以神通力接諸大衆皆在虛
空以大音聲普告四衆誰能於此娑婆國土
廣說妙法華經今正是時如来不久當入涅
槃佛欲以此法華經付囑有在尒時世尊欲
重宣此義而說偈言
聖主世尊　雖久滅度　在寶塔中　尚為法来

BD03044號　妙法蓮華經卷四

(30–19)

廣說妙法華經今正是時如來不久當入涅
槃佛欲以此法華經付囑有在介時世尊欲
重宣此義而說偈言
聖主世尊 雖久滅度 在寶塔中 尚為法來
諸人云何 不勤為法 此佛滅度 无央數劫
處處聽法 以難遇故 彼佛本願 我滅度後
在在所往 常為聽法 又我分身 无量諸佛
如恒沙等 來欲聽法 及見滅度 多寶如來
各捨妙土 及弟子衆 天人龍神 諸供養事
令法久住 故來至此 為坐諸佛 以神通力
移无量衆 令國清淨 諸佛各各 詣寶樹下
如清涼池 蓮華莊嚴 其寶樹下 諸師子座
佛坐其上 光明嚴飾 如夜闇中 然大炬火
身出妙香 遍十方國 衆生蒙薰 喜不自勝
譬如大風 吹小樹枝 以是方便 令法久住
告諸大衆 我滅度後 誰能護持 讀說斯經
今於佛前 自說誓言 其多寶佛 雖久滅度
以大誓願 而師子吼 多寶如來 及與我身
所集化佛 當知此意 諸佛子等 誰能護法
當發大願 令得久住 其有能護 此經法者
則為供養 我及多寶 此多寶佛 處於寶塔
常遊十方 為是經故 亦復供養 諸來化佛
莊嚴光飾 諸世界者 若說此經 則為見我
多寶如來 及諸化佛 諸善男子 各諦思惟

BD03044 號　妙法蓮華經卷四　（30–20）

則為供養 我及多寶 此多寶佛 處於寶塔
常遊十方 為是經故 亦復供養 諸來化佛
莊嚴光飾 諸世界者 若說此經 則為見我
多寶如來 及諸化佛 諸善男子 各諦思惟
此為難事 宜發大願 諸餘經典 數如恒沙
雖說此等 未足為難 若接須弥 擲置他方
无數佛土 亦未為難 若以足指 動大千界
遠擲他國 亦未為難 若立有頂 為衆演說
无量餘經 亦未為難 若佛滅後 於惡世中
能說此經 是則為難 假使有人 手把虛空
而以遊行 亦未為難 於我滅後 若自書持
若使人書 是則為難 若以大地 置足甲上
昇於梵天 亦未為難 佛滅度後 於惡世中
暫讀此經 是則為難 假使劫燒 擔負乾草
入中不燒 亦未為難 我滅度後 若持此經
為一人說 是則為難 若持八万 四千法藏
十二部經 為人演說 令諸聽者 得六神通
雖能如是 亦未為難 於我滅後 聽受此經
問其義趣 是則為難 若人說法 令千万億
无量无數 恒沙衆生 得阿羅漢 具六神通
雖有是益 亦未為難 於我滅後 若能奉持
如斯經典 是則為難 我為佛道 於无量土
從始至今 廣說諸經 而於其中 此經第一
若有能持 則持佛身 諸善男子 於我滅後
誰能護持 讀誦此經 今於佛前 自說誓言

BD03044 號　妙法蓮華經卷四　（30–21）

雖有是益　亦未為難　於我滅後　若能奉持
如斯經典　是則為難　我為佛道　於无量土
從始至今　廣說諸經　而於其中　此經第一
若有能持　則持佛身　諸善男子　於我滅後
誰能護持　讀誦此經　今於佛前　自說誓言
此經難持　若暫持者　我則歡喜　諸佛亦然
如是之人　諸佛所歎　是則勇猛　是則精進
是名持戒　行頭陀者　則為疾得　无上佛道
能於來世　讀持此經　是真佛子　住淳善地
佛滅度後　能解其義　是諸天人　世間之眼
於恐畏世　能須臾說　一切天人　皆應供養

妙法蓮華經提婆達多品第十二

尒時佛告諸菩薩及天人四衆，吾於過去无
量劫中求法華經无有懈惓，於多劫中常作
國王，發願求於无上菩提，心不退轉。為欲滿
足六波羅蜜，勤行布施，心无悋惜，象馬七珎
國城妻子、奴婢僕從、頭目髓腦、身肉手足，不
惜軀命。時世人民壽命无量，為於法故，捐捨
國位，委政太子，擊鼓宣令，四方求法：誰能為
我說大乘者，吾當終身供給走使。時有仙人
來白王言：我有大乘，名妙法華，若不違我，當
為宣說。王聞仙言，歡喜踊躍，即隨仙人，供給
所須，採菓汲水，拾薪設食，乃至以身而為床
座，身心无惓。于時奉事，經於千歲，為於法故
精勤給侍，令无所乏。尒時世尊欲重宣此義

來白王言：我有大乘，名妙法華，若不違我，當
為宣說。王聞仙言，歡喜踊躍，即隨仙人，供給
所須，採菓汲水，拾薪設食，乃至以身而為床
座，身心无惓。于時奉事，經於千歲，為於法故
精勤給侍，令无所乏。尒時世尊欲重宣此義
而說偈言：
我念過去劫　為求大法故　雖作世國王　不貪五欲樂
搥鍾告四方　誰有大法者　若為我解說　身當為奴僕
時有阿私仙　來白於大王　我有微妙法　世間所希有
若能脩行者　吾當為汝說　時王聞仙言　心生大喜悅
即便隨仙人　供給於所須　採薪及菓蓏　隨時恭敬與
情存妙法故　身心无懈惓　普為諸衆生　勤求於大法
亦不為己身　及以五欲樂　故為大國王　勤求獲此法
遂致得成佛　今故為汝說
佛告諸比丘：尒時王者，則我身是；時仙人者，
今提婆達多是。由提婆達多善知識故，令我
具足六波羅蜜，慈悲喜捨，三十二相，八十種
好，紫磨金色，十力，四无所畏，四攝法，十八不
共神通道力，成等正覺，廣度衆生，皆因提婆
達多善知識故。告諸四衆：提婆達多却後過
无量劫，當得成佛，號曰天王如來、應供、正遍知、
明行足、善逝、世間解、无上士、調御丈夫、天人
師、佛世尊，世界名天道。時天王佛住世二
十中劫，廣為衆生說於妙法，恒河沙衆生得
阿羅漢果，无量衆生發緣覺心，恒河沙衆生

明行足善逝世間解无上士調御丈夫天人
師佛世尊世界名天道時天王佛住世二
十中劫廣為衆生説於妙法恒河沙衆生得
阿羅漢果无量衆生發緣覺心恒河沙衆生
發无上道心得无生忍至不退轉時天王佛
般涅槃後正法住世二十中劫全身舍利起
七寶塔高六十由旬縱廣四十由旬諸天人
民悉以雜華末香燒香塗香衣服瓔珞幢幡
寶蓋伎樂歌頌礼拜供養七寶妙塔无量衆
生得阿羅漢无量衆生悟辟支佛不可思議
衆生發菩提心至不退轉佛告諸比丘未來
世中若有善男子善女人聞妙法華經提婆
達多品淨心信敬不生疑惑者不墮地獄餓鬼
畜生生十方佛前所生之處常聞此經若
生人天中受勝妙樂若在佛前蓮華化生
於時下方多寶世尊所從菩薩名曰智積白
寶佛當還本土釋迦牟尼佛告智積曰善男
子且待須臾此有菩薩名文殊師利可與相
見論説妙法可還本土尒時文殊師利坐千
葉蓮華大如車輪俱來菩薩亦坐寶華從於
大海娑竭龍宮自然踊出住虚空中詣靈鷲
山從蓮華下至於佛所頭面敬礼二世尊足
脩敬已畢往智積所共相慰問却坐一面智
積菩薩問文殊師利仁往龍宮所化衆生其
數幾何文殊師利言其數无量不可稱計非

BD03044號　妙法蓮華經卷四　（30–24）

山從蓮華下至於佛所頭面敬礼二世尊足
脩敬已畢往智積所共相慰問却坐一面智
積菩薩問文殊師利仁往龍宮所化衆生其
數幾何文殊師利言其數无量不可稱計非
口所宣非心所測且待須臾自當有證所言未
竟无數菩薩坐寶蓮華從海踊出詣靈鷲
山住在虚空此諸菩薩皆是文殊師利之所
化度具菩薩行皆共論説六波羅蜜本聲聞
人在虚空中説聲聞行今皆脩行大乘空義
文殊師利謂智積曰於海教化其事如是尒
時智積菩薩以偈讚曰
大智德勇健　化度无量衆　今此諸大會　及我皆已見
演暢實相義　開闡一乘法　廣度諸群生　令速成菩提
文殊師利言我於海中唯常宣説妙法華經
智積問文殊師利言此經甚深微妙諸經中
寶世所希有頗有衆生勤加精進脩行此經速
得佛不文殊師利言有娑竭羅龍王女年
始八歲智慧利根善知衆生諸根行業得陀
羅尼諸佛所説甚深祕藏悉能受持深入禪
定了達諸法於剎那頃發菩提心得不退轉
辯才无礙慈念衆生猶如赤子功德具足心念
口演微妙廣大慈悲仁讓志意和雅能至
菩提智積菩薩言我見釋迦如來於无量劫
難行苦行積功累德求菩薩道未曾止息觀

BD03044號　妙法蓮華經卷四　（30–25）

口演微妙廣大慈悲仁讓志意和雅能至
菩提智積菩薩言我見釋迦如來於无量劫
難行苦行積功累德求菩薩道未曾止息觀
三千大千世界乃至无有如芥子許非是菩
薩捨身命處為衆生故然後乃得成菩提道
不信此女於須臾頃便成正覺言論未訖時
龍王女忽現於前頭面礼敬却住一面以偈
讚曰
深達罪福相　遍照於十方　微妙淨法身　具相三十二
以八十種好　用莊嚴法身　天人所戴仰　龍神咸恭敬
一切衆生類　无不宗奉者　又聞成菩提　唯佛當證知
我闡大乘教　度脫苦衆生
時舍利弗語龍女言汝謂不久得无上道是
事難信所以者何女身垢穢非是法器云何
能得无上菩提佛道懸曠經无量劫勤苦積
行具脩諸度然後乃成又女人身猶有五鄣
一者不得作梵天王二者帝釋三者魔王四
者轉輪聖王五者佛身云何女身速得成佛
尒時龍女有一寶珠價直三千大千世界持以
上佛佛即受之龍女謂智積菩薩尊者舍利
弗言我獻寶珠世尊納受是事疾不荅言
甚疾女言以汝神力觀我成佛復速於此當時
衆會皆見龍女忽然之間變成男子具菩薩
行即往南方无垢世界坐寶蓮華成等正
覺三十二相八十種好普為十方一切衆生

BD03044號　妙法蓮華經卷四　（30–26）

衆會皆見龍女忽然之間變成男子具菩薩
行即往南方无垢世界坐寶蓮華成等正
覺三十二相八十種好普為十方一切衆生
演說妙法尒時娑婆世界菩薩聲聞天龍八
部人與非人皆遥見彼龍女成佛普為時會
人天說法心大歡喜悉遥敬礼无量衆生聞
法解悟得不退轉无量衆生得受道記无垢
世界六反震動娑婆世界三千衆生住不退
地三千衆生發菩提心而得受記智積菩薩
及舍利弗一切衆會嘿然信受
妙法蓮華經持品第十三
尒時藥王菩薩摩訶薩及大樂說菩薩摩訶
薩與二万菩薩眷屬俱皆於佛前作是誓言
唯願世尊不以為慮我等於佛滅後當奉持
讀誦說此經典後惡世衆生善根轉少多增
上慢貪利供養增不善根遠離解脫雖難可
教化我等當起大忍力讀誦此經持說書寫
種種供養不惜身命尒時衆中五百阿羅漢
得受記者白佛言世尊我等亦自誓願於異
國土廣說此經復有學无學八千人得受記
者從座而起合掌向佛作是誓言世尊我等
亦當於他國土廣說此經所以者何是娑婆國
中人多弊惡懷增上慢功德淺薄瞋濁諂曲
心不實故尒時佛姨母摩訶波闍波提比丘

BD03044號　妙法蓮華經卷四　（30–27）

者從座而起合掌向佛作是誓言世尊我等
亦當於他國土廣說此經所以者何是娑婆國
中人多弊惡懷增上慢功德淺薄瞋濁諂曲
心不實故尒時佛姨母摩訶波闍波提比丘
尼與學无學比丘尼六千人俱從座而起
一心合掌瞻仰尊顏目不暫捨於時世尊告
憍曇弥何故憂色而視如來汝心將无謂我
不說汝名授阿耨多羅三藐三菩提記耶憍
曇弥我先惣說一切聲聞皆已授記今汝欲
知記者將來之世當於六万八千億諸佛法
中為大法師及六千學无學比丘尼俱為法
師汝如是漸漸具菩薩道當得作佛号一切
眾生憙見如來應供正遍知明行足善逝世
間解无上士調御丈夫天人師佛世尊憍曇
弥是一切眾生憙見佛及六千菩薩轉次授
記得阿耨多羅三藐三菩提尒時羅睺羅母耶
輸陁羅比丘尼作是念世尊於授記中獨不
說我名佛告耶輸陁羅汝於來世百千万億
諸佛法中脩菩薩行為大法師漸具佛道於
善國中當得作佛号具足千万光相如來應
供正遍知明行足善逝世間解无上士調御丈
夫天人師佛世尊佛壽无量阿僧祇劫尒時
摩訶波闍波提比丘尼及耶輸陁羅比丘尼
并其眷屬皆大歡喜得未曾有即於佛前
而說偈言

供正遍知明行足善逝世間解无上士調御丈
夫天人師佛世尊佛壽无量阿僧祇劫尒時
摩訶波闍波提比丘尼及耶輸陁羅比丘尼
并其眷屬皆大歡喜得未曾有即於佛前
而說偈言
世尊導師　安隱人天　我等聞記　心安具足
諸比丘尼說是偈已白佛言世尊我等亦能
於他方國土廣宣此經尒時世尊視八十万億
那由他諸菩薩摩訶薩是諸菩薩皆是阿
惟越致轉不退法輪得諸陁羅尼即從座起
至於佛前一心合掌而作是念若世尊告勑
我等持說此經者當如佛教廣宣斯法復作
是念佛今嘿然不見告勑我當云何時諸菩
薩敬順佛意并欲自滿本願便於佛前作師
子吼而發誓言世尊我等於如來滅後周旋
往反十方世界能令眾生書寫此經受持讀
誦解說其義如法脩行正憶念皆是佛之威
力唯願世尊在於他方遙見守護即時諸菩
薩俱同發聲而說偈言
唯願不為慮　於佛滅度後　恐怖惡世中　我等當廣說
有諸无智人　惡口罵詈等　及加刀杖者　我等皆當忍
惡世中比丘　耶智心諂曲　未得謂為得　我慢心充滿
或有阿練若　納衣在空閑　自謂行真道　輕賤人間者
貪著利養故　與白衣說法　為世所恭敬　如六通羅漢
是人懷惡心　常念世俗事　假名阿練若　好出我等過

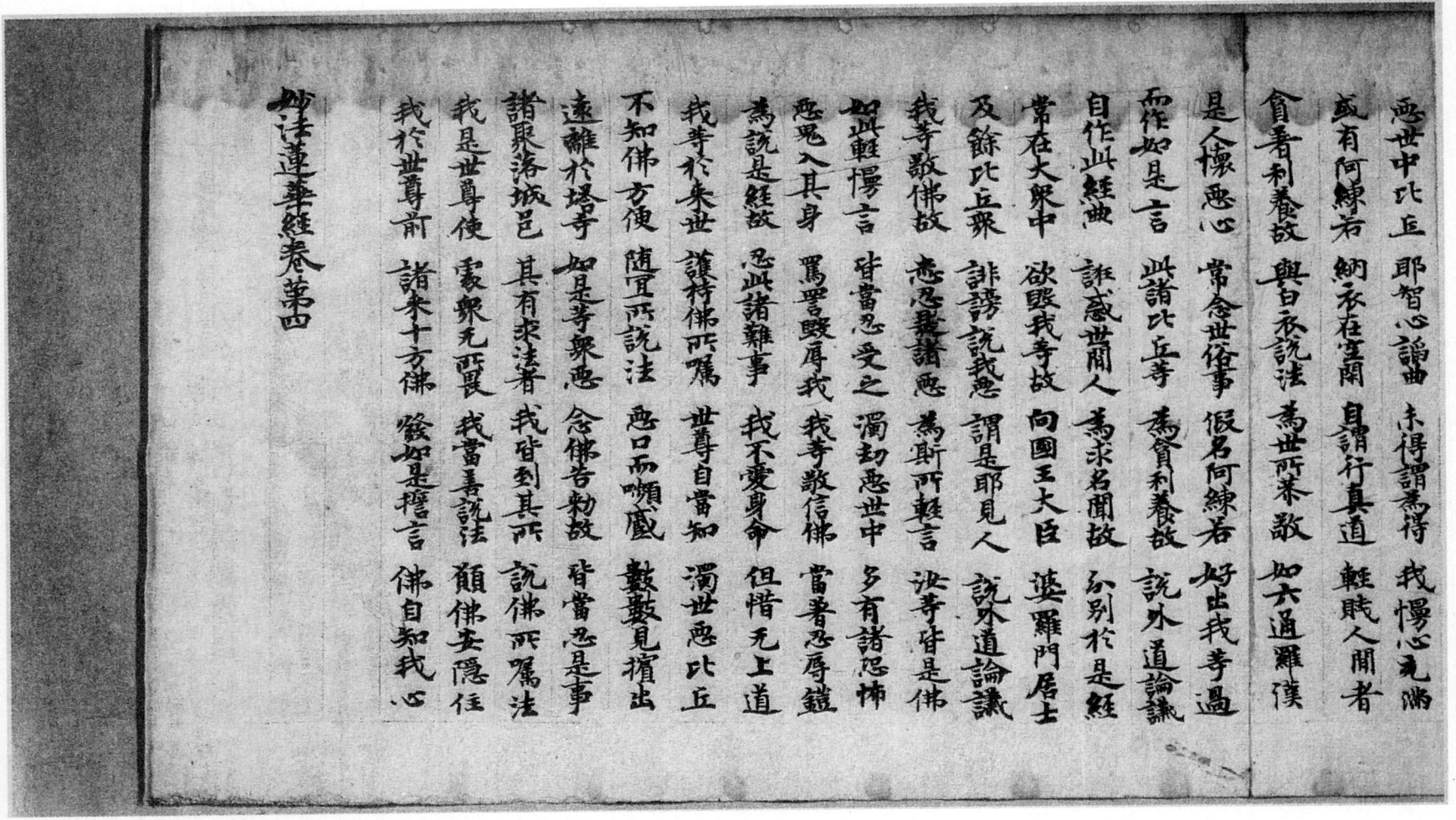

惡世中比丘　邪智心諂曲　未得謂為得　我慢心充滿
或有阿練若　納衣在空閑　自謂行真道　輕賤人間者
貪著利養故　與白衣說法　為世所恭敬　如六通羅漢
是人懷惡心　常念世俗事　假名阿練若　好出我等過
而作如是言　此諸比丘等　為貪利養故　說外道論議
自作此經典　誑惑世間人　為求名聞故　分別於是經
常在大眾中　欲毀我等故　向國王大臣　婆羅門居士
及餘比丘眾　誹謗說我惡　謂是邪見人　說外道論議
我等敬佛故　悉忍是諸惡　為斯所輕言　汝等皆是佛
如此輕慢言　皆當忍受之　濁劫惡世中　多有諸恐怖
惡鬼入其身　罵詈毀辱我　我等敬信佛　當著忍辱鎧
為說是經故　忍此諸難事　我不愛身命　但惜无上道
我等於來世　護持佛所囑　世尊自當知　濁世惡比丘
不知佛方便　隨宜所說法　惡口而顰蹙　數數見擯出
遠離於塔寺　如是等眾惡　念佛告勅故　皆當忍是事
諸聚落城邑　其有求法者　我皆到其所　說佛所囑法
我是世尊使　處眾无所畏　我當善說法　願佛安隱住
我於世尊前　諸來十方佛　發如是誓言　佛自知我心

妙法蓮華經卷第四

BD03044 號　妙法蓮華經卷四　（30–30）

坐若
如來以小乘法
世所以者何若我等待
羅三藐三菩提者必以大
等不解方便隨宜所說
思惟取證世尊我從昔來
責而今從佛聞所未聞未曾有
身意泰然快得安隱今日乃知真是佛子從
佛口生從法化生得佛法分尒時舍利弗欲
重宣此義而說偈言
我聞是法音　得所未曾有　心懷大歡喜　疑網皆已除
昔來蒙佛教　不失於大乘　佛音甚希有　能除眾生惱
我已得漏盡　聞亦除憂惱　我處於山谷　或在林樹下
若坐若經行　常思惟是事　嗚呼深自責　云何而自欺
我等亦佛子　同入無漏法　不能於未來　演說無上道
金色三十二　十力諸解脫　同共一法中　而不得此事
八十種妙好　十八不共法　如是等功德　而我皆已失
我獨經行時　見佛在大眾　名聞滿十方　廣饒益眾生
自惟失此利　我為自欺誑　我常於日夜　每思惟是事
欲以問世尊　為失為不失　我常見世尊　稱讚諸菩薩
以是於日夜　籌量如此事　今聞佛音聲　隨宜而說法
無漏難思議　令眾至道場　我本著邪見　為諸梵志師
世尊知我心　拔邪說涅槃　我悉除邪見　於空法得證

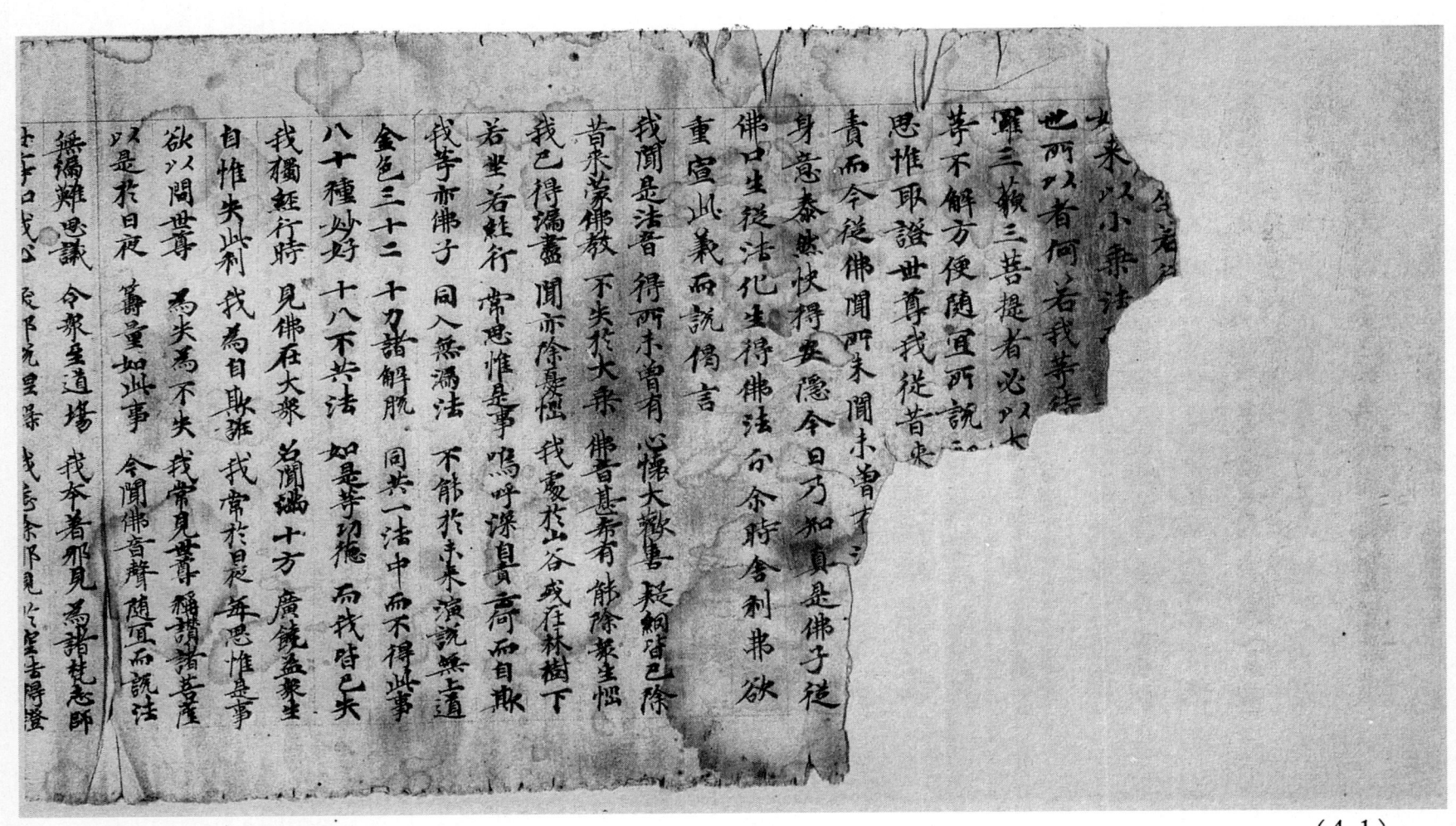

BD03045 號　妙法蓮華經卷二　（4–1）

八十種妙好 十八不共法 如是等功德 而我皆已失
我獨經行時 見佛在大衆 名聞滿十方 廣饒益衆生
自惟失此利 我為自欺誑 我常於日夜 每思惟是事
欲以問世尊 為失為不失 我常見世尊 稱讚諸菩薩
以是於日夜 籌量如此事 今聞佛音聲 隨宜而說法
無漏難思議 令衆至道場 我本著邪見 為諸梵志師
世尊知我心 拔邪說涅槃 我悉除邪見 於空法得證
尒時心自謂 得至於滅度 而今乃自覺 非是實滅度
若得作佛時 具三十二相 天人夜叉衆 龍神等恭敬
是時乃可謂 永盡滅無餘 佛於大衆中 說我當作佛
聞如是法音 疑悔悉已除 初聞佛所說 心中大驚疑
將非魔作佛 惱亂我心耶 佛以種種緣 譬喻巧言說
其心安如海 我聞疑網斷 佛說過去世 無量滅度佛
安住方便中 亦皆說是法 現在未來佛 其數無有量
亦以諸方便 演說如是法 如今者世尊 從生及出家
得道轉法輪 亦以方便說 世尊說實道 波旬無此事
以是我定知 非是魔作佛 我墮疑網故 謂是魔所為
聞佛柔軟音 深遠甚微妙 演暢清淨法 我心大歡喜
疑悔永已盡 安住實智中 我定當作佛 為天人所敬
轉無上法輪 教化諸菩薩
尒時佛告舍利弗吾今於天人沙門婆羅門
等大衆中說我昔曾於二萬億佛所為無上
道故常教化汝汝亦長夜隨我受學我以方
便引導汝故生我法中舍利弗我昔教汝志
願佛道汝今悉忘而便自謂已得滅度我今
還欲令汝憶念本願所行道故為諸聲聞說
是大乘經名妙法蓮華教菩薩法佛所護念

BD03045號　妙法蓮華經卷二　（4–2）

道故常教化汝汝亦長夜隨我受學我以方
便引導汝故生我法中舍利弗我昔教汝志
願佛道汝今悉忘而便自謂已得滅度我今
還欲令汝憶念本願所行道故為諸聲聞說
是大乘經名妙法蓮華教菩薩法佛所護念
舍利弗汝於未來世過無量無邊不可思議
劫供養若干千万億佛奉持正法具足菩薩
所行之道當得作佛號曰華光如來應供正
遍知明行足善逝世間解無上士調御丈夫
天人師佛世尊國名離垢其土平正清淨嚴
飾安隱豐樂天人熾盛瑠璃為地有八交道
黃金為繩以界其側其傍各有七寶行樹常
有華菓華光如來亦以三乘教化衆生舍利
弗彼佛出時雖非惡世以本願故說三乘法
其劫名大寶莊嚴何故名曰大寶莊嚴其國
中以菩薩為大寶故彼諸菩薩無量無邊不
可思議筭數譬喻所不能及非佛智力無能
知者若欲行時寶華承足此諸菩薩非初發
意皆久植德本於無量百千万億佛所淨修
梵行恒為諸佛之所稱歎常修佛慧具大神
通善知一切諸法之門質直無偽志念堅固
如是菩薩充滿其國舍利弗華光佛壽十二
小劫除為王子未作佛時其國人民壽八小
劫華光如來過十二小劫授堅滿菩薩阿耨
多羅三藐三菩提記告諸比丘是堅滿菩薩
次當作佛號曰華足安行多陀阿伽度阿羅
訶三藐三佛陁其佛國土亦復如是舍利弗

BD03045號　妙法蓮華經卷二　（4–3）

意皆久殖德本於無量百千万億佛所淨脩
梵行恒為諸佛之所稱歎常脩佛慧具大神
通善知一切諸法之門質直無偽志念堅固
如是菩薩充滿其國舍利弗華光佛壽十二
小劫除為王子未作佛時其國人民壽八小
劫華光如來過十二小劫授堅滿菩薩阿耨
多羅三藐三菩提記告諸比丘是堅滿菩薩
次當作佛号曰華足安行多陁阿伽度阿羅
訶三藐三佛陁其佛國土亦復如是舍利弗
是華光佛滅度之後正法住世三十二小劫
像法住世亦三十二小劫尒時世尊欲重宣
此義而說偈言
舍利弗來世　成佛普智尊　号名曰華光　當度無量眾
供養無數佛　具足菩薩行　十力等功德　證於無上道
過無量劫已　劫名大寶嚴　世界名離垢　清淨無瑕穢
以瑠璃為地　金繩界其道　七寶雜色樹　常有華菓實
彼國諸菩薩　志念常堅固　神通波羅蜜　皆已悉具足
於無數佛所　善學菩薩道　如是等大士　華光佛所化
佛為王子時　棄國捨世榮　於㝡末後身　出家成佛道
華光佛住世　壽十二小劫　其國人民眾　壽命八小劫
佛滅度之後　正法住於世　三十二小劫　廣度諸眾生

BD03045號　妙法蓮華經卷二　　（4–4）

□五无間罪若□□□□□□諸有未發菩提心者因
是則得發菩提心何以故是妙經典諸經中王如彼藥樹諸
藥中王若有脩習是大涅槃及不脩者若聞有是經典名
字聞已敬信所有一切煩惱重病皆悉除滅唯不能令一
闡提輩安止住於阿耨多羅三藐三菩提如彼妙藥雖能
愈種種重病而不能治必死之人復次善男子如人手瘡
捉持毒藥毒則隨入若无瘡者毒則不入一闡提輩亦復
如是无菩提因如无瘡者毒則不入所謂瘡者即是无上菩
提因緣毒者即是第一妙藥完无瘡者謂一闡提復次善
男子譬如金剛无能壞者而能破壞一切之物唯除龜甲及
白羊角是大涅槃微妙經典亦復如是悉能安止无量眾生
於菩提道唯不能令一闡提輩立菩提因復次善男子如
馬齒草娑羅翅樹尼迦羅樹雖斷枝莖續生如故不如多
羅斷已不生是諸眾生亦復如是若得聞是大涅槃經雖
犯四禁及五无間猶故能生菩提因緣一闡提輩則不如
是雖得聽受是妙經典而不能生菩提道因復次善男子如
佉陁羅樹鎮頭迦樹斷已不生及諸焦種一闡提輩亦復如
是雖得聞是大涅槃經而不能發菩提因緣猶如焦種復次
善男子譬如大雨終不住空是大涅槃微妙經者曲亦復如

BD03046號　大般涅槃經（北本）卷九　　（12–1）

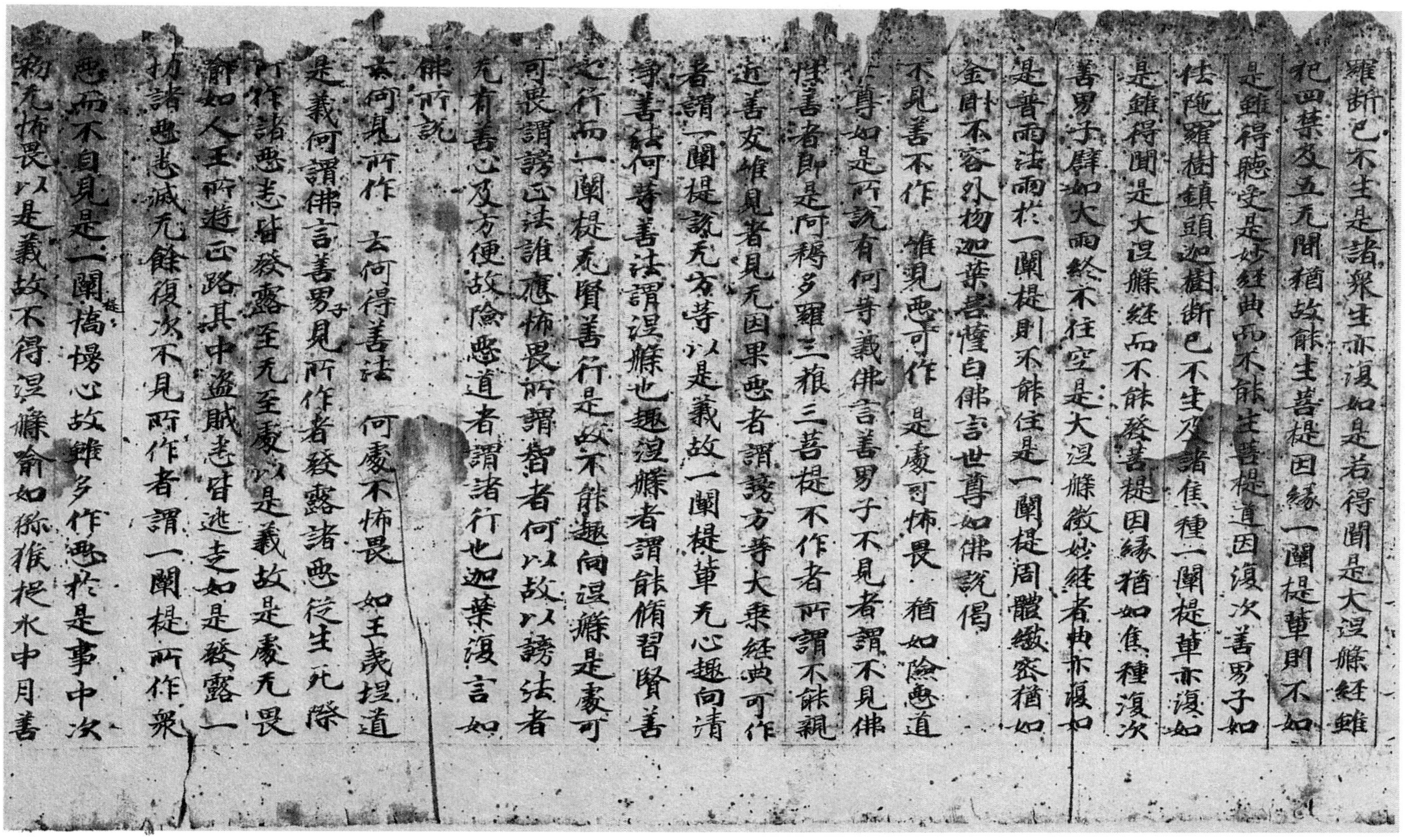

羅斷已不生是諸衆生亦復如是若得聞是大涅槃經雖
犯四禁及五无間猶故能生菩提因緣一闡提輩則不如
是雖得聽受是妙經典而不能生菩提道因復次善男子如
佉陀羅樹鎮頭迦樹斷已不生及諸焦種一闡提輩亦復如
是雖得聞是大涅槃經而不能發菩提因緣猶如焦種復次
善男子譬如大雨終不住空是大涅槃微妙經者亦復如
是普雨法雨於一闡提則不能住是一闡提周體緻密猶如
金剛不容外物迦葉菩薩白佛言世尊如佛說偈
不見善不作　唯見惡可作　是處可怖畏　猶如險惡道
世尊如是所說有何等義佛言善男子不見者謂不見佛
性善者即是阿耨多羅三藐三菩提不作者所謂不能親
近善友唯見者見无因果惡者謂謗方等大乘經典可作
者謂一闡提說无方等以是義故一闡提輩无心趣向清
淨善法何等善法謂涅槃也趣涅槃者謂能脩習賢善
之行而一闡提无賢善行是故不能趣向涅槃是處可
可畏謂謗正法誰應怖畏所謂智者何以故以謗法者
无有善心及方便故險惡道者謂諸行也迦葉復言如
佛所說
云何見所作　云何得善法　何處不怖畏　如王夷坦道
是義何謂佛言善男子見所作者發露諸惡從生死際
所作諸惡悉皆發露至无至處以是義故是處无畏
譬如人王所遊正路其中盜賊悉皆逃走如是發露一
切諸惡悉滅无餘復次不見所作者謂一闡提所作衆
惡而不自見是一闡提憍慢心故雖多作惡於是事中次
初无怖畏以是義故不得涅槃喻如獼猴捉水中月善

BD03046 號　大般涅槃經（北本）卷九　（12–2）

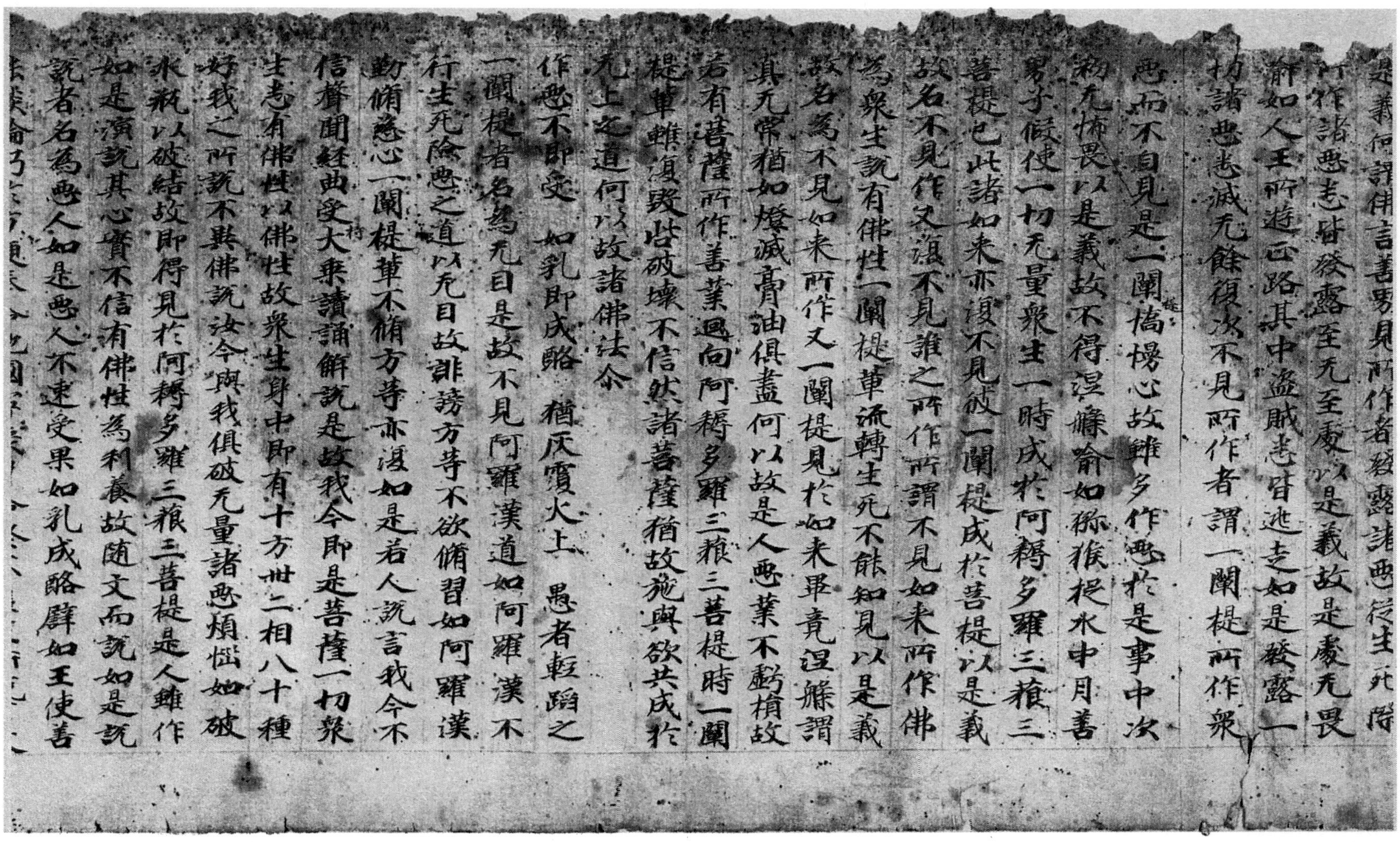

是義何謂佛言善男子見所作者發露諸惡從生死際
所作諸惡悉皆發露至无至處以是義故是處无畏
譬如人王所遊正路其中盜賊悉皆逃走如是發露一
切諸惡悉滅无餘復次不見所作者謂一闡提所作衆
惡而不自見是一闡提憍慢心故雖多作惡於是事中次
初无怖畏以是義故不得涅槃喻如獼猴捉水中月善
男子假使一切无量衆生一時成於阿耨多羅三藐三
菩提已此諸如來亦復不見彼一闡提成於菩提以是義
故名不見作又復不見誰之所作所謂不見如來所作佛
爲衆生說有佛性一闡提輩流轉生死不能知見以是義
故名爲不見如來所作又一闡提見於如來畢竟涅槃謂
眞无常猶如燈滅膏油俱盡何以故是人惡業不虧損故
若有菩薩所作善業迴向阿耨多羅三藐三菩提時一闡
提輩雖復毀呰破壞不信然諸菩薩猶故施與欲共成於
无上之道何以故諸佛法尒
作惡不即受　如乳即成酪　猶灰覆火上　愚者輕蹈之
一闡提者名爲无目是故不見阿羅漢道如阿羅漢不
行生死險惡之道以无目故誹謗方等不欲脩習如阿羅漢
勤脩慈心一闡提輩不脩方等亦復如是若人說言我今不
信聲聞經典受持大乘讀誦解說是故我今即是菩薩一切衆
生悉有佛性以佛性故衆生身中即有十方卅二相八十種
好我之所說不異佛說汝今與我俱破无量諸惡煩惱如破
冰瓶以破結故即得見於阿耨多羅三藐三菩提是人雖作
如是演說其心實不信有佛性爲利養故隨文而說如是說
者名爲惡人如是惡人不速受果如乳成酪譬如王使善
[illegible]

BD03046 號　大般涅槃經（北本）卷九　（12–3）

永斷以破結故即得見於阿耨多羅三藐三菩提是人雖作
如是演説其心實不信有佛性為利養故隨文而説如是説
説者名為惡人如是惡人不速受果如乳成酪譬如王使善
能談論巧於方便奉命他國寧喪身命終不匿王所説言教
智者亦今於凡夫中不惜身命要必宣説大乘方等如來
秘藏一切衆生皆有佛性善男子有一闡提作羅漢像住
於空處誹謗方等大乘經典諸凡夫人見已皆謂真阿羅
漢是大菩薩摩訶薩是一闡提惡比丘輩住阿蘭若處
壞阿蘭若法見他得利心生嫉妬作如是言所有方等大乘
經典悉是天魔波旬所説亦説如來是无常法毀滅正法
破壞衆僧復作是言波旬所説非善順説作是宣説邪惡
之法是人作惡不即受報如乳成酪灰覆火上愚輕蹈
之如是人者謂一闡提是故當知大乘方等微妙經典必定
清淨如摩尼珠投之濁水水即為清大乘經典亦復如是復
次善男子譬如蓮華為日所照无不開敷一切衆生亦復如
是若得見聞大涅槃日未發心者皆悉發心為菩提因是
故我説大涅槃光所入毛孔必為妙因彼一闡提雖有佛
性而為无量罪垢所纏不能得出如蠶處繭以是業緣
不能生於菩提妙因流轉生死无有窮已復次善男子如
優鉢羅華鉢頭摩華拘牟頭華分陁利華生於淤泥而終
不為彼泥所汙若有衆生修大涅槃微妙經典亦復如是雖
有煩惱終不為是煩惱所汙何以故以知如來性相力故善
男子譬如有國多清冷風若觸衆生身諸毛孔能除一切鬱
蒸之惱此大乘典大涅槃經亦復如是遍入一切衆生毛孔
為作菩提微妙因緣除一闡提何以故非法器故復次善男

BD03046 號　大般涅槃經（北本）卷九　（12–4）

不為彼泥所汙若有衆生修大涅槃微妙經典亦復如是雖
有煩惱終不為是煩惱所汙何以故以知如來性相力故善
男子譬如有國多清冷風若觸衆生身諸毛孔能除一切鬱
蒸之惱此大乘典大涅槃經亦復如是遍入一切衆生毛孔
為作菩提微妙因緣除一闡提何以故非法器故復次善男
子譬如良醫解八種藥滅一切病唯除必死一切契經禪定
三昧亦復如是能治一切貪恚愚癡諸煩惱病能拔煩
惱毒刺箭而不能治犯四重禁五无間罪善男子復有良
醫過八種術能除衆生所有病苦唯不能治必死之病是大
涅槃大乘經典亦復如是能除衆生一切煩惱安住如來清
淨妙因未發心者令得發心唯除必死一闡提輩復次善
男子譬如良醫能以妙藥治諸盲人令見日月星宿諸明一
切色像唯不能治生盲之人是大乘典大涅槃經亦復如
是能為聲聞緣覺之人開發慧眼令其安住无量无邊大
乘經典未發心者謂犯四禁五无間罪悉能令發菩提之心
唯除生盲一闡提輩復次善男子譬如良醫善解八術為
治衆生一切病苦與種種方吐下諸藥及以塗身熏藥灌
鼻散藥丸藥若有愚人不能服之良醫慈念即將是人還
其舍宅強與令服以藥力故所患得除女人産時兒不出與
之令服服已即出并令嬰兒安樂无患是大乘典大涅槃經
亦復如是所至之處若至舍宅能令衆生无量煩惱犯四重
禁五无間罪未發心者悉令發心除一闡提迦葉菩薩白佛
言世尊犯四重禁及五无間名極重惡譬如斷截多羅樹頭
更不復生是等未發菩提之心云何能與作菩提因佛言
善男子是諸衆生若於夢中夢墮地獄受諸苦惱即生悔
心嗚呼我等自招此罪若我今得脱是罪者必定當發菩
提之心我今所見最為極惡從是覺已即知正法有大果

BD03046 號　大般涅槃經（北本）卷九　（12–5）

言世尊犯四重禁及五无間名極重惡譬如斷截多羅樹頭
更不復生是等未發菩提之心云何能與作菩提因佛言
善男子是諸衆生若於夢中夢墮地獄受諸苦惱即生悔
心哀哉我等自招此罪若我今得脫是罪者必定當發菩
提之心我今所見最為極惡從是覺已即知正法有大果
報如彼嬰兒漸漸長大常作是念是醫最良善解方藥我
本處胎與我母藥母以藥故身得安隱以是因緣我命得
全奇哉我母受大苦惱滿足十月懷抱我胎既生之後推
乾去濕除去不淨大小便利乳餔長養將護我身以是義
故我當報恩色養侍衛隨順供養犯四重禁及无間罪臨
命終時念是大乘大涅槃經雖墮地獄畜生餓鬼天上人
中如是經典亦為是人作菩提因除一闡提復次善男子譬
如良醫及良醫子所知深奧出過諸醫善知除毒无上呪術
若惡毒蛇若龍若蝮以諸呪術呪藥令良復以此藥用塗革
屣以此革屣觸諸毒蟲毒為之消唯除一毒名曰大龍是
乘典大涅槃經亦復如是若有衆生犯四重禁五无間罪悉
能消滅令住菩提如藥革屣能消衆毒未發心者能令發心
安止住於菩提之道是彼大乘大涅槃經威神藥故令諸
衆生住於安樂唯除大龍一闡提輩復次善男子譬如有
人以新毒藥用塗大鼓於衆人中擊之發聲雖无心欲聞聞
之皆死唯除一人不橫死者是大乘典大涅槃經亦復如是
在在處處諸行衆中有聲聞者所有貪欲瞋恚愚癡
悉皆滅盡其中雖有无心思念是大涅槃因緣力故能
滅煩惱而結自滅犯四重禁及五无間聞是經已亦作无
上菩提因緣漸漸煩惱除不橫死一闡提也

BD03046號　大般涅槃經（北本）卷九　（12–6）

悉皆滅盡其中雖有无心思念是大涅槃因緣力故能
滅煩惱而結自滅犯四重禁及五无間聞是經已亦作无
上菩提因緣漸漸煩惱除不橫死一闡提也
復次善男子譬如闇夜諸所營作一切皆息若未訖者要
待日明學大乘者雖修契經一切諸定要待大乘大涅槃
日聞於如來微密之教然後乃當造菩提業安住正法猶
如天雨潤益增長一切諸種成就果實悉除飢饉多受
豐樂如來秘藏无量法雨亦復如是悉能除滅八種熱病
是經出世如彼果實多所利益安樂一切能令衆生見於
佛性如法華中八千聲聞得受記莂成大果實如秋收冬
藏更无所作一闡提輩亦復如是於諸善法无所營作復
次善男子譬如良醫聞他人子非人所持尋以妙藥并遣一
使勅語使言卿持此藥速與彼人彼人若遇諸惡鬼神以藥
力故悉當遠去卿若遲晚吾當自往終不令彼枉橫死也
若彼病人得見使者及吾威德諸苦當除得安隱樂是大
乘典大涅槃經亦復如是若比丘比丘尼優婆塞優婆夷
及諸外道有能受持如是經典讀誦通利復為他人分別廣
說若自書寫令他書寫斯等皆為菩提因緣若犯四禁及
五逆罪若為邪鬼毒惡所持聞是經典所有諸惡悉皆消
滅如見良醫惡鬼遠去當知是人是真菩薩摩訶薩也
何以故暫得聞是大涅槃故亦以生念如來常故暫得聞
者得如是何況書寫受持讀誦除一闡提其餘皆是菩薩
摩訶薩復次善男子譬如聾人不聞音聲一闡提輩亦復如
是雖復欲聽是妙經典而不得聞所以者何无因緣故復次
善男子譬如良醫一切醫方无不通達兼復廣知无量呪術

BD03046號　大般涅槃經（北本）卷九　（12–7）

者得如是何况書寫受持讀誦除一闡提其餘皆是菩薩
摩訶薩復次善男子譬如聾人不聞音聲一闡提輩亦復如
是雖復欲聽是妙經典而不得聞所以者何无因緣故復次
善男子譬如良醫一切醫方无不通達兼復廣知无量呪術
是醫見王作如是言大王今者有必死病其王答言卿不見
我腹中之事云何而言有必死病醫即答言若不見信應服
下藥既下之後王自驗之王不肯服尒時良醫以呪術力令
王糞門遍生瘡疱兼復痢下蟲血雜出王見是已生大怖
懅讚歎良醫善哉善哉卿先所白吾不用之今乃知卿於吾
此身作大利益恭敬是醫猶如父母是大乘典大涅槃經
亦復如是於諸衆生有欲无欲悉能令彼煩惱崩落是諸衆
生乃至夢中夢見是經恭敬供養喻如大王恭敬良醫是
良醫知必死者終不治之是大乘典大涅槃經亦復如是
終不能治一闡提輩復次善男子譬如良醫善知八種悉
能療治一切諸病唯不能治必死之人諸佛菩薩亦復如
是悉能療救一切有罪唯不能治必死之人一闡提輩復
次善男子譬如良醫善知八種微妙經術復次能博達過
於八種以己所知先教其子若水若陸山間藥草悉令識知
如是漸漸教八事已次復教餘最上妙術如來應正遍知亦
復如是先教其子諸比丘等方便除滅一切煩惱脩學淨身
不堅固想謂水陸山間水者喻身受苦如水上泡陸者喻身
不堅如芭蕉樹其山間者喻煩惱中脩无我想以是義故
身名无我如來如是於諸弟子漸漸教學九部經法令善
通利然後教學如來秘藏為其子故如來常如來如是說
大乘典大涅槃經為諸衆生已發心者及未發心作菩提

BD03046號　大般涅槃經（北本）卷九　（12–8）

不堅如芭蕉樹其山間者喻煩惱中脩无我想以是義故
身名无我如來如是於諸弟子漸漸教學九部經法令善
通利然後教學如來秘藏為其子故如來常如來如是說
大乘典大涅槃經為諸衆生已發心者及未發心作菩提
因除一闡提如是善男子是大乘典大涅槃經无量无數不
可思議未曾有也當知即是无上良醫最尊最勝衆經中王
復次善男子譬如大船從海此岸至於彼岸復從彼岸還
至此岸如來應正遍知亦復如是乘大涅槃大乘寶船周
旋往返濟度衆生在在處處有應度者悉令得見如來之
身以是義故如來名曰无上船師譬如有船則有船師以有
船師則有衆生度於大海如來常住化度衆生亦復如是復
次善男子譬如有人在大海中乘船欲度若得順風須臾之間
則能得過无量由延若不得者雖復久住經无量歲不離本
處有時船壞沒水而死衆生如是在於愚癡生死大海之中
乘諸行船若得值遇大般涅槃猛利之風則能疾到无上道
岸若不值遇當久流轉无量生死或時破壞墮於地獄餓鬼
畜生復次善男子譬如有人不遇風王久住大海作是思惟我
等今者必在此死如是念時忽遇利風隨順度海復作是言
快哉是風未曾有也令我等輩安隱得出大海之難衆生如
是久處愚癡生死大海困苦窮悴未遇如是大涅槃風則應
生念我等必定墮於地獄畜生餓鬼是諸衆生思惟是時忽
遇大乘大涅槃風隨順吹向入於阿耨多羅三藐三菩提方
知真實生奇特想歎言快哉我從昔來未曾見聞如是如來
微密之藏尒乃於是大涅槃經方生清淨信復次善男子
如蛇脫皮為死滅耶不也世尊善男子如來亦尒方便示現
棄捨毒身可言如來无常滅耶不也世尊如來於閻浮提
中方便捨身如彼毒蛇捨於故皮是故如來名為常住復次

BD03046號　大般涅槃經（北本）卷九　（12–9）

如虵蛻皮為死滅耶不也世尊善男子如來亦尒方便示現
棄捨毒身可言如來无常滅耶不也世尊如來於閻浮提
中方便捨身如彼毒虵捨於故皮是故如來名為常住復次
善男子譬如金師得好真金隨意造作種種諸器如來亦尒
於廿五有悉能示現種種色身為化眾生拔生死故是故如
來名无邊身雖復示現種種諸身亦名常住无有變易復
次善男子如菴羅樹及閻浮提樹一年三變有時生華光
色敷榮有時生葉滋茂蓊欝有時彫落狀似枯死善男子
於意云何是樹為枯滅不耶不也世尊善男子如來亦尒於
三界中示三種身有時初生有時長大有時涅槃而如來身
實非无常迦葉菩薩讚言善哉善哉如誠如聖教如來常住
无有變易善男子如來密語甚深難解譬如大王告諸群臣
先陁婆來先陁婆者一名四實一者鹽二者器三者水四者
馬如是四法皆同此名有智之臣善知此名若王洗時索先
陁婆即奉水若王食時索先陁婆即便奉鹽若王食已將欲
飲漿索先陁婆即便奉器若王欲遊索先陁婆即便奉馬
如是智臣善解大王四種密語是大乘經亦復如是有四
无常大乘智臣應當善知若佛出世為眾生說如來涅槃
智臣當知此是如來為計常者說无常相欲令比丘脩无
常想或復說言正法當滅智臣應知此是如來為計樂者
說於苦相欲令比丘多脩苦想或復說言我今病苦眾僧
破壞智臣當知此是如來為計我者說无我相欲令比丘脩
无我想或復說言所謂空者是正解脫智臣當知此是如
來說正解脫无廿五有欲令比丘脩學空相以是義故是
正解脫則名為空亦名不動謂不動者是解脫中无有苦
故是不動是正解脫為无有相謂无相者无有聲色香味

BD03046 號　大般涅槃經（北本）卷九　（12–10）

說於苦相欲令比丘多脩苦想或復說言我今病苦眾僧
破壞智臣當知此是如來為計我者說无我相欲令比丘脩
无我想或復說言所謂空者是正解脫智臣當知此是如
來說正解脫无廿五有欲令比丘脩學空相以是義故是
正解脫則名為空亦名不動謂不動者是解脫中无有苦
故是不動是正解脫為无有相謂无相者无有聲色香味
觸等故名无相是正解脫常不變易是解脫中无有无常
熱惱變易是故解脫名曰常住不變清涼或復說言一
切眾生有如來性智臣當知此是如來說於常法欲令比
丘脩正常法是謂諸比丘若能如是隨順脩學者當知是
人真我弟子善知如來微密之藏如彼大王智慧之臣善
知王意善男子如是大王亦有如是密語之法何況如來
而當无也善男子是故如來微密之語難可得知唯有智
者乃能解我甚深佛法非是世間凡夫品類所能信也
復次善男子如波羅奢樹迦尼迦樹阿叔迦樹值天亢旱
不生華實及餘水陸所生之物皆悉枯悴无有潤澤不
能增長一切諸藥无復勢力善男子是大乘典大涅槃
經亦復如是於我滅後有諸眾生不能恭敬无有威德
何以故是諸眾生不知如來微密藏故所以者何以是眾
生薄福德故復次善男子如來正法將欲滅盡尒時多
有行惡比丘不知如來微密之藏懶墮懈怠不能讀誦宣
揚分別如來正法譬如癡賊棄捨真寶擔負草蒭不解如
來微密藏故於是經中懈怠不勤哀哉大險當來之世甚
可怖畏苦哉眾生不勤聽受是大乘典大涅槃經唯諸菩
薩摩訶薩能於是經取真實義不著文字隨順不逆為眾
生說復次善男子如牧牛女為欲賣乳貪多利故加二分

BD03046 號　大般涅槃經（北本）卷九　（12–11）

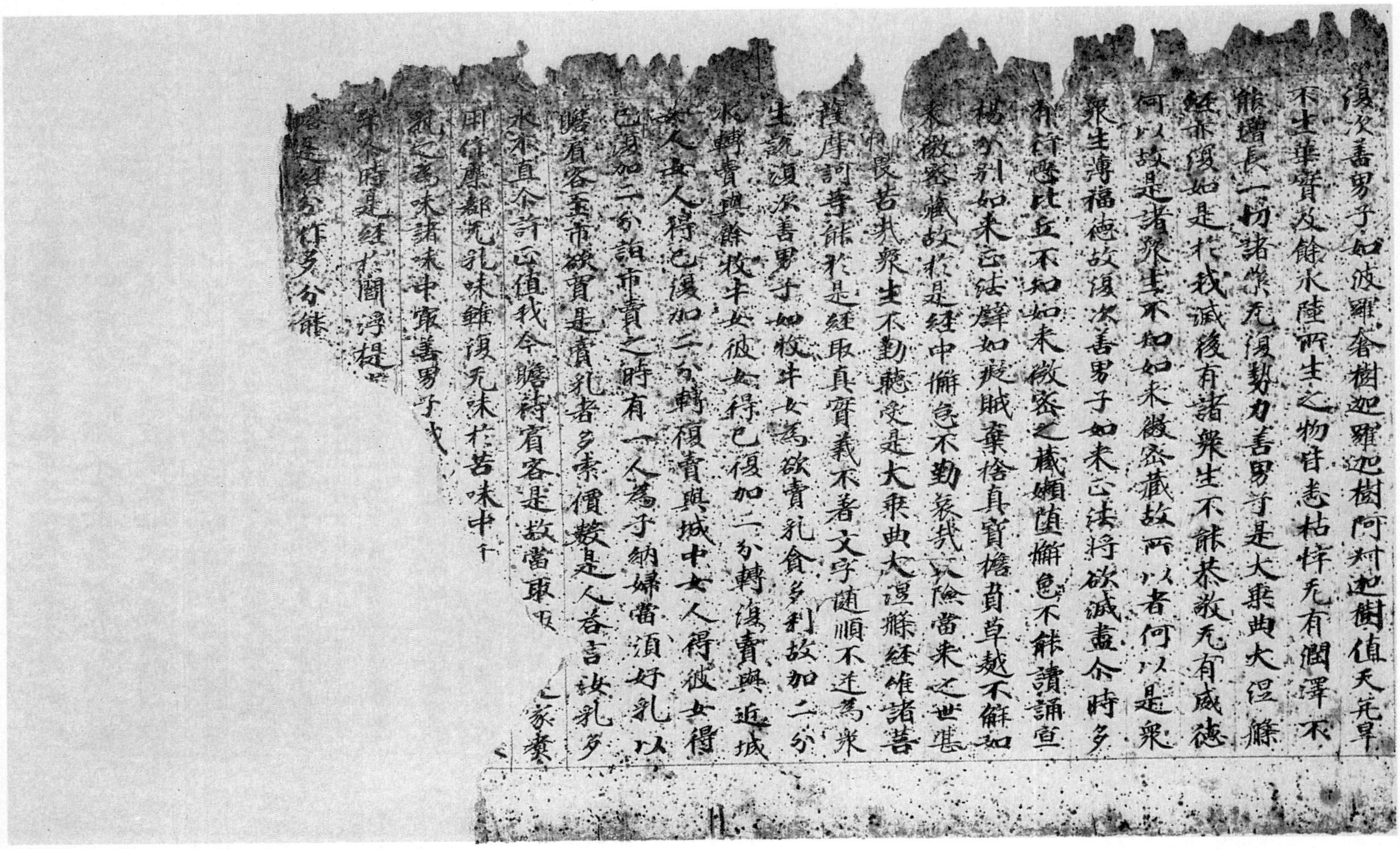

復次善男子如波羅奢樹迦羅迦樹阿叔迦樹值天亢旱
不生華實及餘水陸所生之物皆悉枯悴無有潤澤不
能增長一切諸藥無復勢力善男子是大乘典大涅槃
經亦復如是於我滅後有諸衆生不能恭敬無有威德
何以故是諸衆生不知如來微密藏故所以者何以是衆
生薄福德故復次善男子如來正法將欲滅盡尒時多
有行惡比丘不知如來微密之藏懶墮懈怠不能讀誦宣
揚分別如來正法譬如癡賊棄捨真寶擔負草䔖不解如
來微密藏故於是經中懈怠不勤哀哉大險當來之世甚
可怖畏苦哉衆生不勤聽受是大乘典大涅槃經唯諸菩
薩摩訶薩等能於是經取真實義不著文字隨順不逆爲衆
生說復次善男子如牧牛女爲欲賣乳貪多利故加二分
水轉賣與餘牧牛女彼女得已復加二分轉復賣與近城
女人女人得已復加二分轉賣與城中女人彼女得
已復加二分詣市賣之時有一人爲子納婦當須好乳以
瞻賓客至市欲買是賣乳者多索價數是人答言汝乳多
水不直尒許正值我今贍待賓客是故當取取……家煮
用作糜都無乳味雖復無味於苦味中千……
乳之爲味諸味中最善男子我……
……年尒時是經於閻浮提……
……是經分作多分能……

BD03046 號　大般涅槃經（北本）卷九　　　　（12–12）

BD03046 號背　雜寫　　　　（1–1）

正法滅盡已　像法三十二　舍利廣流布　天人普供養
華光佛所爲　其事皆如是　其兩足聖尊　㝡勝無倫匹
彼即是汝身　宜應自欣慶
尒時四部衆比丘比丘尼優婆塞優婆夷天
龍夜叉乾闥婆阿脩羅迦樓羅緊那羅摩睺
羅伽等大衆見舍利弗於佛前受阿耨多羅
三藐三菩提記心大歡喜踊躍無量各各脫
身所著上衣以供養佛釋提桓因梵天王等
與無數天子亦以天妙衣天曼陁羅華摩訶
曼陁羅華等供養於佛所散天衣住虛空中
而自迴轉諸天伎樂百千万種於虛空中一
時俱作雨衆天華而作是言佛昔於波羅柰
初轉法輪今乃復轉無上㝡大法輪尒時諸天
子欲重宣此義而說偈言
昔於波羅柰　轉四諦法輪　分別說諸法　五衆之生滅
今復轉㝡妙　無上大法輪　是法甚深奧　少有能信者
我等從昔來　數聞世尊說　未曾聞如是　深妙之上法
世尊說是法　我等皆隨喜　大智舍利弗　今得受尊記
我等亦如是　必當得作佛　於一切世間　㝡尊無有上
佛道叵思議　方便隨宜說　我所有福業　今世若過世
及見佛功德　盡迴向佛道
尒時舍利弗白佛言世尊我今無復疑悔親

BD03047號　妙法蓮華經卷二　（23–1）

世尊說是法　我等皆隨喜　大智舍利弗　今得受尊記
我等亦如是　必當得作佛　於一切世間　㝡尊無有上
佛道叵思議　方便隨宜說　我所有福業　今世若過世
及見佛功德　盡迴向佛道
尒時舍利弗白佛言世尊我今無復疑悔親
於佛前得受阿耨多羅三藐三菩提記是諸
千二百心自在者昔住學地佛常教化言我
法能離生老病死究竟涅槃是學無學人亦
各自以離我見及有無見等謂得涅槃而今
於世尊前聞所未聞皆墮疑惑善哉世尊願
爲四衆說其因緣令離疑悔尒時佛告舍利弗
我先不言諸佛世尊以種種因緣譬喻言辭
方便說法皆爲阿耨多羅三藐三菩提耶是
諸所說皆爲化菩薩故然舍利弗今當復以
譬喻更明此義諸有智者以譬喻得解舍利
弗若國邑聚落有大長者其年衰邁財富無
量多有田宅及諸僮僕其家廣大唯有一門
多諸人衆一百二百乃至五百人止住其中
堂閣朽故墻壁頹落柱根腐敗梁棟傾危周
帀俱時欻然火起焚燒舍宅長者諸子若十
二十或至三十在此宅中長者見是大火從
四面起即大驚怖而作是念我雖能於此所
燒之門安隱得出而諸子等於火宅內樂着
嬉戲不覺不知不驚不怖火來逼身苦痛切
己心不猒患無求出意舍利弗是長者作是
思惟我身手有力當以衣祴若以几案從舍

BD03047號　妙法蓮華經卷二　（23–2）

四面起即大驚怖而作是念我雖能於此所
燒之門安隱得出而諸子等於火宅內樂著
嬉戲不覺不知不驚不怖火來逼身苦痛切
己心不猒患無求出意舍利弗是長者作是
思惟我身手有力當以衣裓若以几案從舍
出之復更思惟是舍唯有一門而復狹小諸
子幼稚未有所識戀著戲處或當墮落為火
所燒我當為說怖畏之事此舍已燒宜時疾
出無令為火之所燒害作是念已如所思惟
具告諸子汝等速出父雖憐愍善言誘諭而
諸子等樂著嬉戲不肯信受不驚不畏了無
出心亦復不知何者是火何者為舍云何為
失但東西走戲視父而已尒時長者即作是
念此舍已為大火所燒我及諸子若不時出
必為所焚我今當設方便令諸子等得免斯
害父知諸子先心各有所好種種珍玩奇異
之物情必樂著而告之言汝等所可玩好希
有難得汝若不取後必憂悔如此種種羊車
鹿車牛車今在門外可以遊戲汝等於此火
宅宜速出來隨汝所欲皆當與汝尒時諸子
聞父所說珍玩之物適其願故心各勇銳互
相推排競共馳走爭出火宅是時長者見諸
子等安隱得出皆於四衢道中露地而坐無
復障礙其心泰然歡喜踊躍時諸子等各白
父言父先所許玩好之具羊車鹿車牛車願
時賜與舍利弗尒時長者各賜諸子等一大
車其車高廣眾寶莊校周帀欄楯四面懸鈴

BD03047號　妙法蓮華經卷二　　（23–3）

子等安隱得出皆於四衢道中露地而坐無
復障礙其心泰然歡喜踊躍時諸子等各白
父言父先所許玩好之具羊車鹿車牛車願
時賜與舍利弗尒時長者各賜諸子等一大
車其車高廣眾寶莊校周帀欄楯四面懸鈴
又於其上張設幰蓋亦以珍奇雜寶而嚴飾
之寶繩交絡垂諸華纓重敷綩綖安置丹枕
駕以白牛膚色充潔形體姝好有大筋力行
步平正其疾如風又多僕從而侍衛之所以
者何是大長者財富無量種種諸藏悉皆充
溢而作是念我財物無極不應以下劣小車
與諸子等今此幼童皆是吾子愛無偏黨我
有如是七寶大車其數無量應當等心各各
與之不宜差別所以者何以我此物周給一
國猶尚不匱何況諸子是時諸子各乘大車
得未曾有非本所望舍利弗於汝意云何是
長者等與諸子珍寶大車寧有虛妄不舍利
弗言不也世尊是長者但令諸子得免火難
全其軀命非為虛妄何以故若全身命便為
已得玩好之具況復方便於彼火宅而拔濟
之世尊若是長者乃至不與最小一車猶不
虛妄何以故是長者先作是意我以方便令
子得出以是因緣無虛妄也何況長者自知
財富無量欲饒益諸子等與大車佛告舍利
弗善哉善哉如汝所言舍利弗如來亦復如
是則為一切世間之父於諸怖畏衰惱憂患
無明闇蔽永盡無餘而悉成就無量知見力

BD03047號　妙法蓮華經卷二　　（23–4）

子得出以是因緣無虛妄也何況長者自知
財富無量欲饒益諸子等與大車佛告舍利
弗善哉善哉如汝所言舍利弗如來亦復如
是則為一切世間之父於諸怖畏衰惱憂患
無明闇蔽永盡無餘而悉成就無量知見力
無所畏有大神力及智慧力具足方便智慧
波羅蜜大慈大悲常無懈惓恒求善事利益
一切而生三界朽故火宅為度眾生生老病
死憂悲苦惱愚癡闇蔽三毒之火教化令得
阿耨多羅三藐三菩提見諸眾生為生老病
死憂悲苦惱之所燒煮亦以五欲財利故受
種種苦又以貪著追求故現受眾苦後受地
獄畜生餓鬼之苦若生天上及在人間貧窮
困苦愛別離苦怨憎會苦如是等種種諸苦
眾生沒在其中歡喜遊戲不覺不知不驚不
怖亦不生厭不求解脫於此三界火宅東西
馳走雖遭大苦不以為患舍利弗佛見此已
便作是念我為眾生之父應拔其苦難與無
量無邊佛智慧樂令其遊戲舍利弗如來復
作是念若我但以神力及智慧力捨於方便
為諸眾生讚如來知見力無所畏者眾生不
能以是得度所以者何是諸眾生未免生老
病死憂悲苦惱而為三界火宅所燒何由能
解佛之智慧舍利弗如彼長者雖復身手有
力而不用之但以慇懃方便勉濟諸子火
宅之難然後各與珍寶大車如來亦復如是
雖有力無所畏而不用之但以智慧方便於

解佛之智慧舍利弗如彼長者雖復身手有
力而不用之但以慇懃方便勉濟諸子火
宅之難然後各與珍寶大車如來亦復如是
雖有力無所畏而不用之但以智慧方便於
三界火宅拔濟眾生為說三乘聲聞辟支佛
佛乘而作是言汝等莫得樂住三界火宅勿
貪麤弊色聲香味觸也若貪著生愛則為所
燒汝速出三界當得三乘聲聞辟支佛佛乘
我今為汝保任此事終不虛也汝等但當勤
脩精進如來以是方便誘進眾生復作是言
汝等當知此三乘法皆是聖所稱歎自在無
繫無所依求乘是三乘以無漏根力覺道禪
定解脫三昧等而自娛樂便得無量安隱快
樂舍利弗若有眾生內有智性從佛世尊聞
法信受慇懃精進欲速出三界自求涅槃是
名聲聞乘如彼諸子為求羊車出於火宅若
有眾生從佛世尊聞法信受慇懃精進求自
然慧樂獨善寂深知諸法因緣是名辟支佛
乘如彼諸子為求鹿車出於火宅若有眾生
從佛世尊聞法信受勤脩精進求一切智佛
智自然智無師智如來知見力無所畏愍念
安樂無量眾生利益天人度脫一切是名大
乘菩薩求此乘故名為摩訶薩如彼諸子為
求牛車出於火宅舍利弗如彼長者見諸子
等安隱得出火宅到無畏處自惟財富無量
等以大車而賜諸子如來亦復如是為一切
眾生之父若見無量億千眾生以佛教門出

乘菩薩求此乘故名為摩訶薩如彼諸子為
求牛車出於火宅舍利弗如彼長者見諸子
等安隱得出火宅到無畏處自惟財富無量
等以大車而賜諸子如來亦復如是為一切
衆生之父若見無量億千衆生以佛教門出
三界苦怖畏險道得涅槃樂如來爾時便作
是念我有無量無邊智慧力無畏等諸佛法
藏是諸衆生皆是我子等與大乘不令有人
獨得滅度皆以如來滅度而滅度之是諸衆
生脫三界者悉與諸佛禪定解脫等娛樂之
具皆是一相一種聖所稱歎能生淨妙第一
之樂舍利弗如彼長者初以三車誘引諸子
然後但與大車寶物莊嚴安隱第一然彼長
者無虛妄之咎如來亦復如是無有虛妄初
說三乘引導衆生然後但以大乘而度脫之
何以故如來有無量智慧力無所畏諸法之
藏能與一切衆生大乘之法但不盡能受舍
利弗以是因緣當知諸佛方便力故於一佛
乘分別說三佛欲重宣此義而說偈言
譬如長者 有一大宅 其宅久故 而復頓弊
堂舍高危 柱根摧朽 梁棟傾斜 基陛頹毀
墻壁圮坼 泥塗褫落 覆苫亂墜 椽梠差脫
周障屈曲 雜穢充遍 有五百人 止住其中
鵄梟鵰鷲 烏鵲鳩鴿 蚖蛇蝮蠍 蜈蚣蚰蜒
守宮百足 狖狸鼷鼠 諸惡蟲輩 交橫馳走
屎尿臭處 不淨流溢 蜣蜋諸蟲 而集其上
狐狼野干 咀嚼踐蹋 嚌齧死屍 骨肉狼藉

鵄梟鵰鷲 烏鵲鳩鴿 蚖蛇蝮蠍 蜈蚣蚰蜒
守宮百足 狖狸鼷鼠 諸惡蟲輩 交橫馳走
屎尿臭處 不淨流溢 蜣蜋諸蟲 而集其上
狐狼野干 咀嚼踐蹋 嚌齧死屍 骨肉狼藉
由是群狗 競來搏撮 飢羸慞惶 處處求食
鬪諍摣掣 啀喍嘷吠 其舍恐怖 變狀如是
處處皆有 魑魅魍魎 夜叉惡鬼 食噉人肉
毒蟲之屬 諸惡禽獸 孚乳產生 各自藏護
夜叉競來 爭取食之 食之既飽 惡心轉熾
鬪諍之聲 甚可怖畏 鳩槃荼鬼 蹲踞土埵
或時離地 一尺二尺 往返遊行 縱逸嬉戲
捉狗兩足 撲令失聲 以腳加頸 怖狗自樂
復有諸鬼 其身長大 裸形黑瘦 常住其中
發大惡聲 叫呼求食 復有諸鬼 其咽如針
復有諸鬼 首如牛頭 或食人肉 或復噉狗
頭髮蓬亂 殘害凶險 飢渴所逼 叫喚馳走
夜叉餓鬼 諸惡鳥獸 飢急四向 窺看窓牖
如是諸難 恐畏無量 是朽故宅 屬于一人
其人近出 未久之間 於後舍宅 欻然火起
四面一時 其焰俱熾 棟梁椽柱 爆聲震裂
摧折墮落 墻壁崩倒 諸鬼神等 揚聲大叫
鵰鷲諸鳥 鳩槃荼等 周慞惶怖 不能自出
惡獸毒蟲 藏竄孔穴 毗舍闍鬼 亦住其中
薄福德故 為火所逼 共相殘害 飲血噉肉
野干之屬 並已前死 諸大惡獸 競來食噉
臭烟熢㶻 四面充塞 蜈蚣蚰蜒 毒蛇之類
為火所燒 爭走出穴 鳩槃荼鬼 隨取而食

薄福德故　為火所逼　共相殘害　飲血噉肉
野干之屬　並已前死　諸大惡獸　競來食噉
臭烟熢㶿　四面充塞　蜈蚣蚰蜒　毒蛇之類
為火所燒　爭走出穴　鳩槃荼鬼　隨取而食
又諸餓鬼　頭上火然　飢渴熱惱　周章悶走
其宅如是　甚可怖畏　毒害火災　衆難非一
是時宅主　在門外立　聞有人言　汝諸子等
先因遊戲　來入此宅　稚小無知　歡娛樂著
長者聞已　驚入火宅　方宜救濟　令無燒害
告喻諸子　說衆患難　惡鬼毒蟲　災火蔓莚
衆苦次第　相續不絕　毒蛇蚖蝮　及諸夜叉
鳩槃荼鬼　野干狐狗　鵰鷲鵄梟　百足之屬
飢渴惱急　甚可怖畏　此苦難處　況復大火
諸子無知　雖聞父誨　猶故樂著　嬉戲不已
是時長者　而作是念　諸子如此　益我愁惱
今此舍宅　無一可樂　而諸子等　耽湎嬉戲
不受我教　將為火害　即便思惟　設諸方便
告諸子等　我有種種　珍玩之具　妙寶好車
羊車鹿車　大牛之車　今在門外　汝等出來
吾為汝等　造作此車　隨意所樂　可以遊戲
諸子聞說　如此諸車　即時奔競　馳走而出
到於空地　離諸苦難　長者見子　得出火宅
住於四衢　坐師子座　而自慶言　我今快樂
此諸子等　生育甚難　愚小無知　而入險宅
多諸毒蟲　魑魅可畏　大火猛焰　四面俱起
而此諸子　貪樂嬉戲　我已救之　令得脫難
是故諸人　我今快樂　爾時諸子　知父安坐

BD03047號　妙法蓮華經卷二　（23–9）

此諸子等　生育甚難　愚小無知　而入險宅
多諸毒蟲　魑魅可畏　大火猛焰　四面俱起
而此諸子　貪樂嬉戲　我已救之　令得脫難
是故諸人　我今快樂　爾時諸子　知父安坐
皆詣父所　而白父言　願賜我等　三種寶車
如前所許　諸子出來　當以三車　隨汝所欲
今正是時　唯垂給與　長者大富　庫藏衆多
金銀琉璃　車璖馬瑙　以衆寶物　造諸大車
莊校嚴飾　周帀欄楯　四面懸鈴　金繩交絡
真珠羅網　張施其上　金華諸瓔　處處垂下
衆綵雜飾　周帀圍繞　柔軟繒纊　以為茵蓐
上妙細疊　價直千億　鮮白淨潔　以覆其上
有大白牛　肥壯多力　形體姝好　以駕寶車
多諸儐從　而侍衛之　以是妙車　等賜諸子
諸子是時　歡喜踊躍　乘是寶車　遊於四方
嬉戲快樂　自在無礙　告舍利弗　我亦如是
衆聖中尊　世間之父　一切衆生　皆是吾子
深著世樂　無有慧心　三界無安　猶如火宅
衆苦充滿　甚可怖畏　常有生老　病死憂患
如是等火　熾然不息　如來已離　三界火宅
寂然閑居　安處林野　今此三界　皆是我有
其中衆生　悉是吾子　而今此處　多諸患難
唯我一人　能為救護　雖復教詔　而不信受
於諸欲染　貪著深故　是以方便　為說三乘
令諸衆生　知三界苦　開示演說　出世間道
是諸子等　若心決定　具足三明　及六神通
有得緣覺　不退菩薩　汝舍利弗　我為衆生

BD03047號　妙法蓮華經卷二　（23–10）

於諸欲染　貪著深故　是以方便　為說三乘
令諸眾生　知三界苦　開示演說　出世間道
是諸子等　若心決定　具足三明　及六神通
有得緣覺　不退菩薩　汝舍利弗　我為眾生
以此譬喻　說一佛乘　汝等若能　信受是語
一切皆當　得成佛道　是乘微妙　清淨第一
於諸世間　為無有上　佛所悅可　一切眾生
所應稱讚　供養礼拜　無量億千　諸力解脫
禪定智慧　及佛餘法　得如是乘　令諸子等
日夜劫數　常得遊戲　與諸菩薩　及聲聞眾
乘此寶乘　直至道場　以是因緣　十方諦求
更無餘乘　除佛方便　告舍利弗　汝諸人等
皆是吾子　我則是父　汝等累劫　眾苦所燒
我皆濟拔　令出三界　我雖先說　汝等滅度
但盡生死　而實不滅　今所應作　唯佛智慧
若有菩薩　於是眾中　能一心聽　諸佛實法
諸佛世尊　雖以方便　所化眾生　皆是菩薩
若人小智　深著愛欲　為此等故　說於苦諦
眾生心喜　得未曾有　佛說苦諦　真實無異
若有眾生　不知苦本　深著苦因　不能暫捨
為是等故　方便說道　諸苦所因　貪欲為本
若滅貪欲　無所依止　滅盡諸苦　名第三諦
為滅諦故　修行於道　離諸苦縛　名得解脫
是人於何　而得解脫　但離虛妄　名為解脫
其實未得　一切解脫　佛說是人　未實滅度
斯人未得　無上道故　我意不欲　令至滅度

BD03047號　妙法蓮華經卷二　（23–11）

為滅諦故　修行於道　離諸苦縛　名得解脫
是人於何　而得解脫　但離虛妄　名為解脫
其實未得　一切解脫　佛說是人　未實滅度
斯人未得　無上道故　我意不欲　令至滅度
我為法王　於法自在　安隱眾生　故現於世
汝舍利弗　我此法印　為欲利益　世間故說
在所遊方　勿妄宣傳　若有聞者　隨喜頂受
當知是人　阿鞞跋致　若有信受　此經法者
是人已曾　見過去佛　恭敬供養　亦聞是法
若人有能　信汝所說　則為見我　亦見於汝
及比丘僧　并諸菩薩　斯法華經　為深智說
淺識聞之　迷惑不解　一切聲聞　及辟支佛
於此經中　力所不及　汝舍利弗　尚於此經
以信得入　況餘聲聞　其餘聲聞　信佛語故
隨順此經　非己智分　又舍利弗　憍慢懈怠
計我見者　莫說此經　凡夫淺識　深著五欲
聞不能解　亦勿為說　若人不信　毀謗此經
則斷一切　世間佛種　或復顰蹙　而懷疑惑
汝當聽說　此人罪報　若佛在世　若滅度後
其有誹謗　如斯經典　見有讀誦　書持經者
輕賤憎嫉　而懷結恨　此人罪報　汝今復聽
其人命終　入阿鼻獄　具足一劫　劫盡更生
如是展轉　至無數劫　從地獄出　當墮畜生
若狗野干　其形頊瘦　黧黮疥癩　人所觸嬈
又復為人　之所惡賤　常困飢渴　骨肉枯竭
生受楚毒　死被瓦石　斷佛種故　受斯罪報
若作駱駝　或生驢中　身常負重　加諸杖捶

BD03047號　妙法蓮華經卷二　（23–12）

若狗野干 其形𩨯瘦 黧黮疥癩 人所觸嬈
又復為人 之所惡賤 常困飢渴 骨肉枯竭
生受楚毒 死被瓦石 斷佛種故 受斯罪報
若作駱駝 或生驢中 身常負重 加諸杖捶
但念水草 餘無所知 謗斯經故 獲罪如是
有作野干 來入聚落 身體疥癩 又無一目
為諸童子 之所打擲 受諸苦痛 或時致死
於此死已 更受蟒身 其形長大 五百由旬
聾騃無足 蜿轉腹行 為諸小虫 之所唼食
晝夜受苦 無有休息 謗斯經故 獲罪如是
若得為人 諸根闇鈍 矬陋攣躄 盲聾背傴
有所言說 人不信受 口氣常臭 鬼魅所著
貧窮下賤 為人所使 多病痟瘦 無所依怙
雖親附人 人不在意 若有所得 尋復忘失
若脩醫道 順方治病 更增他疾 或復致死
若自有病 無人救療 設服良藥 而復增劇
若他反逆 抄劫竊盜 如是等罪 橫羅其殃
如斯罪人 永不見佛 眾聖之王 說法教化
如斯罪人 常生難處 狂聾心亂 永不聞法
於無數劫 如恒河沙 生輒聾瘂 諸根不具
常處地獄 如遊園觀 在餘惡道 如己舍宅
駝驢猪狗 是其行處 謗斯經故 獲罪如是
若得為人 聾盲瘖瘂 貧窮諸衰 以自莊嚴
水腫乾痟 疥癩癰疽 如是等病 以為衣服
身常臭處 垢穢不淨 深著我見 增益瞋恚
婬欲熾盛 不擇禽獸 謗斯經故 獲罪如是
告舍利弗 謗斯經者 若說其罪 窮劫不盡

身常臭處 垢穢不淨 深著我見 增益瞋恚
婬欲熾盛 不擇禽獸 謗斯經故 獲罪如是
告舍利弗 謗斯經者 若說其罪 窮劫不盡
以是因緣 我故語汝 無智人中 莫說此經
若有利根 智慧明了 多聞強識 求佛道者
如是之人 乃可為說 若人曾見 億百千佛
植諸善本 深心堅固 如是之人 乃可為說
若人精進 常脩慈心 不惜身命 乃可為說
若人恭敬 無有異心 離諸凡愚 獨處山澤
如是之人 乃可為說 又舍利弗 若見有人
捨惡知識 親近善友 如是之人 乃可為說
若見佛子 持戒清潔 如淨明珠 求大乘經
如是之人 乃可為說 若人無瞋 質直柔軟
常愍一切 恭敬諸佛 如是之人 乃可為說
復有佛子 於大眾中 以清淨心 種種因緣
譬喻言辭 說法無礙 如是之人 乃可為說
若有比丘 為一切智 四方求法 合掌頂受
但樂受持 大乘經典 乃至不受 餘經一偈
如是之人 乃可為說 如人至心 求佛舍利
如是求經 得已頂受 其人不復 志求餘經
亦未曾念 外道典籍 如是之人 乃可為說
告舍利弗 我說是相 求佛道者 窮劫不盡
如是等人 則能信解 汝當為說 妙法華經

妙法蓮華經信解品第四

尒時慧命須菩提摩訶迦旃延摩訶迦葉摩
訶目揵連從佛所聞未曾有法世尊授舍利
弗阿耨多羅三藐三菩提記發希有心歡喜

妙法蓮華經信解品第四
尒時慧命須菩提摩訶迦旃延摩訶迦葉摩
訶目揵連從佛所聞未曾有法世尊授舍利
弗阿耨多羅三藐三菩提記發希有心歡喜
踊躍即從座起整衣服偏袒右肩右膝著地
一心合掌曲躬恭敬瞻仰尊顏而白佛言我
等居僧之首年並朽邁自謂已得涅槃無所
堪任不復進求阿耨多羅三藐三菩提世尊
往昔說法既久我時在座身體疲懈但念空
無相無作於菩薩法遊戲神通淨佛國土成
就衆生心不喜樂所以者何世尊令我等出
於三界得涅槃證又今我等年已朽邁於佛
教化菩薩阿耨多羅三藐三菩提不生一念
好樂之心我等今於佛前聞授聲聞阿耨
多羅三藐三菩提記心甚歡喜得未曾有不
謂於今忽然得聞希有之法深自慶幸獲大
善利無量珎寶不求自得世尊我等今者樂
說譬喻以明斯義譬若有人年既幼稚捨父
逃逝久住他國或十二十至五十歲年既長
大加復窮困馳騁四方以求衣食漸漸遊行
遇向本國其父先來求子不得中止一城其
家大富財寶無量金銀琉璃珊瑚虎珀頗梨
珠等其諸倉庫悉皆盈溢多有僮僕臣佐吏
民象馬車乘牛羊無數出入息利乃遍他國
商估賈客亦甚衆多時貧窮子遊諸聚落
經歷國邑遂到其父所止之城父每念子與
子離別五十餘年而未曾向人說如此事但

BD03047號　妙法蓮華經卷二　（23–15）

民象馬車乘牛羊無數出入息利乃遍他國
商估賈客亦甚衆多時貧窮子遊諸聚落
經歷國邑遂到其父所止之城父每念子與
子離別五十餘年而未曾向人說如此事但
自思惟心懷悔恨自念老朽多有財物金銀
珎寶倉庫盈溢無有子息一旦終沒財物散失
無所委付是以慇懃每憶其子復作是念我
若得子委付財物坦然快樂無復憂慮世尊
尒時窮子傭賃展轉遇到父舍住立門側遙
見其父踞師子床寶几承足諸婆羅門剎利
居士皆恭敬圍繞以真珠瓔珞價直千万莊
嚴其身吏民僮僕手執白拂侍立左右覆以
寶帳垂諸華幡香水灑地散衆名華羅列寶
物出內取與有如是等種種嚴飾威德特尊
窮子見父有大力勢即懷恐怖悔來至此竊
作是念此或是王或是王等非我傭力得
物之處不如往至貧里肆力有地衣食易得
若久住此或見逼迫強使我作作是念已疾
走而去時富長者於師子座見子便識心大歡喜
即作是念我財物庫藏今有所付我常思念
此子無由見之而忽自來甚適我願我雖年
朽猶故貪惜即遣傍人急追將還尒時使者
疾走往捉窮子驚愕稱怨大喚我不相犯何
為見捉使者執之愈急強牽將還于時窮子
自念无罪而被囚執此必定死轉更惶怖悶
絕躄地父遙見之而語使言不須此人勿強
將來以冷水灑面令得醒悟莫復與語所以

BD03047號　妙法蓮華經卷二　（23–16）

自念无罪而被囚執此必定死轉更惶怖悶
絶躃地父遥見之而語使言不須此人勿強
將來以冷水灑面令得醒悟莫復與語所以
者何父知其子志意下劣自知豪貴為子所
難審知是子而以方便不語他人云是我子
使者語之我今放汝随意所趣窮子歡喜得
未曾有從地而起往至貧里以求衣食尒時
長者將欲誘引其子而設方便密遣二人形
色憔悴無威德者汝可詣彼徐語窮子此有
作處倍與汝直窮子若許將來使作若言欲
何所作便可語之雇汝除糞我等二人亦共
汝作時二使人即求窮子既已得之具陳上
事尒時窮子先取其價尋與除糞其父見子
愍而怪之又以他日於窓牖中遥見子身羸
瘦憔悴糞土塵坌汙穢不淨即脱瓔珞細軟
上服嚴飾之具更著麁弊垢膩之衣塵土坌
身右手執持除糞之器狀有所畏語諸作人
汝等勤作勿得懈息以方便故得近其子後
復告言咄男子汝常此作勿復餘去當加汝
價諸有所須瓫器米麵塩酢之屬莫自疑難
亦有老弊使人須者相給好自安意我如汝
父勿復憂慮所以者何我年老大而汝少壯
汝常作時無有欺怠瞋恨怨言都不見汝有
此諸悪如餘作人自今已後如所生子即時
長者更與作字名之為兒尒時窮子雖欣此
遇猶故自謂客作賤人由是之故於二十年
中常令除糞過是已後心相體信入出無難

BD03047號　妙法蓮華經卷二　（23–17）

此諸悪如餘作人自今已後如所生子即時
長者更與作字名之為兒尒時窮子雖欣此
遇猶故自謂客作賤人由是之故於二十年
中常令除糞過是已後心相體信入出無難
然其所止猶在本處世尊尒時長者有疾自
知將死不久語窮子言我今多有金銀珎寶
倉庫盈溢其中多少所應取與汝悉知之我
心如是當體此意所以者何今我與汝便為
不異宜加用心無令漏失尒時窮子即受教
勑領知衆物金銀珎寶及諸庫藏而無悕取
一飡之意然其所止故在本處下劣之心亦
未能捨復經少時父知子意漸已通泰成就
大志自鄙先心臨欲終時而命其子并會親
族國王大臣刹利居士皆悉已集即自宣言
諸君當知此是我子我之所生於某城中捨
吾逃走跉跰辛苦五十餘年其本字某我名
某甲昔在本城懐憂推覓忽於此間遇會得
之此實我子我實其父今我所有一切財物皆
是子有先所出内是子所知世尊是時窮
子聞父此言即大歡喜得未曾有而作是念
我本無心有所悕求今此寶藏自然而至世
尊大富長者則是如來我等皆似佛子如來
常說我等為子世尊我等以三苦故於生死
中受諸熱惱迷惑無知樂著小法今日世尊
令我等思惟蠲除諸法戲論之糞我等於中
勤加精進得至涅槃一日之價既得此已心
大歡喜自以為足便自謂於佛法中勤精進

BD03047號　妙法蓮華經卷二　（23–18）

常說我等為子世尊我等以三苦故於生死
中受諸熱惱迷惑無知樂著小法今日世尊
令我等思惟蠲除諸法戲論之糞我等於中
勤加精進得至涅槃一日之價既得此已心
大歡喜自以為足便自謂於佛法中勤精進
故所得弘多然世尊先知我等心著弊欲樂
於小法便見縱捨不為分別汝等當有如來
知見寶藏之分世尊以方便力說如來智慧
我等從佛得涅槃一日之價以為大得於此
大乘無有志求我等又因如來智慧為諸菩
薩開示演說而自於此無有志願所以者何
佛知我等心樂小法以方便力隨我等說而
我等不知真是佛子今我等方知世尊於佛
智慧無所悋惜所以者何我等昔來真是佛
子而但樂小法若我等有樂大之心佛則為
我說大乘法於此經中唯說一乘而昔於菩薩
前毀呰聲聞樂小法者然佛實以大乘教化
是故我等說本無心有所悕求今法王大寶
自然而至如佛子所應得者皆已得之尒時
摩訶迦葉欲重宣此義而說偈言
我等今日　聞佛音教　歡喜踊躍　得未曾有
佛說聲聞　當得作佛　無上寶聚　不求自得
譬如童子　幼稚無識　捨父逃逝　遠到他土
周流諸國　五十餘年　其父憂念　四方推求
求之既疲　頓止一城　造立舍宅　五欲自娛
其家巨富　多諸金銀　車𤦲馬瑙　真珠琉璃
象馬牛羊　輦輿車乘　田業僮僕　人民眾多

譬如童子　幼稚無識　捨父逃逝　遠到他土
周流諸國　五十餘年　其父憂念　四方推求
求之既疲　頓止一城　造立舍宅　五欲自娛
其家巨富　多諸金銀　車𤦲馬瑙　真珠琉璃
象馬牛羊　輦輿車乘　田業僮僕　人民眾多
出入息利　乃遍他國　商估賈人　無處不有
千万億眾　圍繞恭敬　常為王者　之所愛念
群臣豪族　皆共宗重　以諸緣故　往來者眾
豪富如是　有大力勢　而年朽邁　益憂念子
夙夜惟念　死時將至　癡子捨我　五十餘年
庫藏諸物　當如之何　尒時窮子　求索衣食
從邑至邑　從國至國　或有所得　或無所得
飢餓羸瘦　體生瘡癬　漸次經歷　到父住城
傭賃展轉　遂至父舍　尒時長者　於其門內
施大寶帳　處師子座　眷屬圍繞　諸人侍衛
或有計筭　金銀寶物　出內財產　注記券疏
窮子見父　豪貴尊嚴　謂是國王　若是王等
驚怖自怪　何故至此　覆自念言　我若久住
或見逼迫　強驅使作　思惟是已　馳走而去
借問貧里　欲往傭作　長者是時　在師子座
遙見其子　嘿而識之　即勑使者　追捉將來
窮子驚喚　迷悶躄地　是人執我　必當見殺
何用衣食　使我至此　長者知子　愚癡狹劣
不信我言　不信是父　即以方便　更遣餘人
眇目矬陋　無威德者　汝可語之　云當相雇
除諸糞穢　倍與汝價　窮子聞之　歡喜隨來
為除糞穢　淨諸房舍　長者於牖　常見其子

不信我言　不信是父　即以方便　更遣餘人
眇目痤陋　無威德者　汝可語之　云當相雇
除諸糞穢　倍與汝價　窮子聞之　歡喜隨來
為除糞穢　淨諸房舍　長者於牖　常見其子
念子愚劣　樂為鄙事　於是長者　著弊垢衣
執除糞器　往到子所　方便附近　語令勤作
既益汝價　并塗足油　飲食充足　薦席厚暖
如是苦言　汝當勤作　又以軟語　若如我子
長者有智　漸令入出　經二十年　執作家事
示其金銀　真珠頗梨　諸物出入　皆使令知
猶處門外　止宿草菴　自念貧事　我無此物
父知子心　漸已曠大　欲與財物　即聚親族
國王大臣　剎利居士　於此大眾　說是我子
捨我他行　經五十歲　自見子來　已二十年
昔於某城　而失是子　周行求索　遂來至此
凡我所有　舍宅人民　悉以付之　恣其所用
子念昔貧　志意下劣　今於父所　大獲珍寶
并及舍宅　一切財物　甚大歡喜　得未曾有
佛亦如是　知我樂小　未曾說言　汝等作佛
而說我等　得諸無漏　成就小乘　聲聞弟子
佛勅我等　說最上道　修習此者　當得成佛
我承佛教　為大菩薩　以諸因緣　種種譬喻
若干言辭　說無上道　諸佛子等　從我聞法
日夜思惟　精勤修習　是時諸佛　即授其記
汝於來世　當得作佛　一切諸佛　祕藏之法
但為菩薩　演其實事　而不為我　說斯真要
如彼窮子　得近其父　雖知諸物　心不悕取

汝於來世　當得作佛　一切諸佛　祕藏之法
但為菩薩　演其實事　而不為我　說斯真要
如彼窮子　得近其父　雖知諸物　心不悕取
我等雖說　佛法寶藏　自無志願　亦復如是
我等內滅　自謂為足　唯了此事　更無餘事
我等若聞　淨佛國土　教化眾生　都無欣樂
所以者何　一切諸法　皆悉空寂　無生無滅
無大無小　無漏無為　如是思惟　不生喜樂
我等長夜　於佛智慧　無貪無著　無復志願
而自於法　謂是究竟　我等長夜　修習空法
得脫三界　苦惱之患　住最後身　有餘涅槃
佛所教化　得道不虛　則為已得　報佛之恩
我等雖為　諸佛子等　說菩薩法　以求佛道
而於是法　永無願樂　導師見捨　觀我心故
初不勸進　說有實利　如富長者　知子志劣
以方便力　柔伏其心　然後乃付　一切財物
佛亦如是　現希有事　知樂小者　以方便力
調伏其心　乃教大智　我等今日　得未曾有
非先所望　而今自得　如彼窮子　得無量寶
世尊我今　得道得果　於無漏法　得清淨眼
我等長夜　持佛淨戒　始於今日　得其果報
法王法中　久修梵行　今得無漏　無上大果
我等今者　真是聲聞　以佛道聲　令一切聞
我等今者　真阿羅漢　於諸世間　天人魔梵
普於其中　應受供養　世尊大恩　以希有事
憐愍教化　利益我等　無量億劫　誰能報者

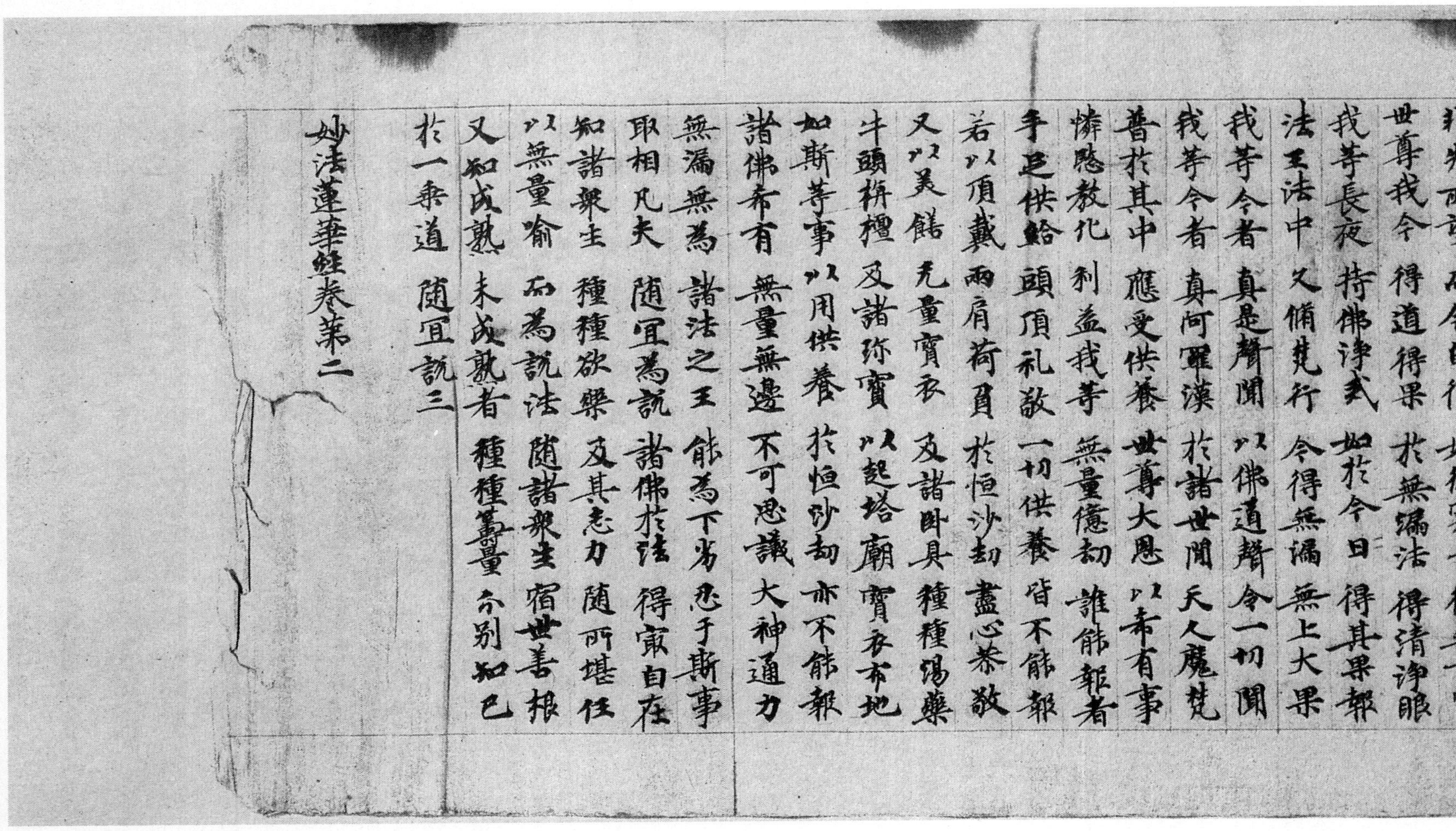

非先所望　而今自得　如彼窮子　得無量寶
世尊我今　得道得果　於無漏法　得清淨眼
我等長夜　持佛淨戒　始於今日　得其果報
法王法中　久脩梵行　今得無漏　無上大果
我等今者　真是聲聞　以佛道聲　令一切聞
我等今者　真阿羅漢　於諸世間　天人魔梵
普於其中　應受供養　世尊大恩　以希有事
憐愍教化　利益我等　無量億劫　誰能報者
手足供給　頭頂禮敬　一切供養　皆不能報
若以頂戴　兩肩荷負　於恒沙劫　盡心恭敬
又以美饍　无量寶衣　及諸臥具　種種湯藥
牛頭栴檀　及諸珍寶　以起塔廟　寶衣布地
如斯等事　以用供養　於恒沙劫　亦不能報
諸佛希有　無量無邊　不可思議　大神通力
無漏無為　諸法之王　能為下劣　忍于斯事
取相凡夫　隨宜為說　諸佛於法　得最自在
知諸眾生　種種欲樂　及其志力　隨所堪任
以無量喻　而為說法　隨諸眾生　宿世善根
又知成熟　未成熟者　種種籌量　分別知已
於一乘道　隨宜說三
妙法蓮華經卷第二

BD03047 號　妙法蓮華經卷二　　（23–23）

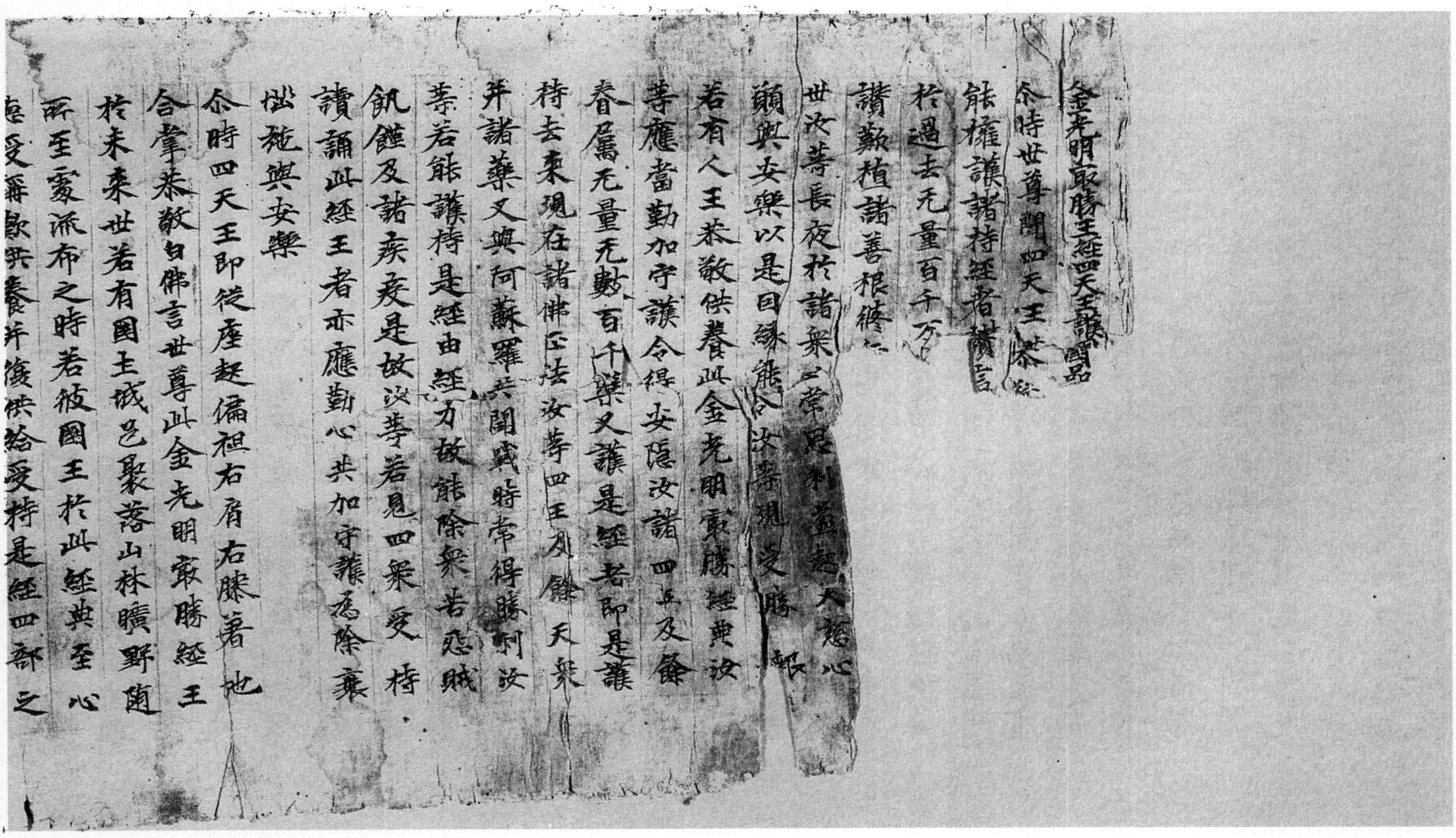

金光明最勝王經四天王護國品
尒時世尊聞四天王恭敬
能擁護諸持經者讚言
於過去无量百千万
讚歎植諸善根修
世汝等長夜於諸衆生常起利益大慈心
願與安樂以是因緣能令汝等現受勝報
若有人王恭敬供養此金光明最勝經典汝
等應當勤加守護令得安隱汝諸四王及餘
眷屬无量无數百千藥叉護是經者即是護
持去來現在諸佛正法汝等四王及餘天衆
并諸藥叉與阿蘇羅共闘戰時常得勝利汝
等若能護持是經由經力故能除衆苦怨賊
飢饉及諸疾疫是故汝等若見四衆受持
讀誦此經王者亦應勤心共加守護為除衰
惱施與安樂
尒時四天王即從座起偏袒右肩右膝著地
合掌恭敬白佛言世尊此金光明最勝經王
於未來世若有國土城邑聚落山林曠野隨
所至處流布之時若彼國王於此經典至心
聽受稱歎供養并復供給受持是經四部之

BD03048 號　金光明最勝王經卷六　　（20–1）

尒時四天王即從座起偏袒右肩右膝著地
合掌恭敬白佛言世尊此金光明最勝經王
於未來世若有國土城邑聚落山林曠野隨
所至處流布之時若彼國王於此經典至心
聽受稱歎供養并復供給受持是經四部之
衆深心擁護令離衰惱以是因緣我護彼王
及諸人衆皆令安隱遠離憂苦增益壽命
威德具足世尊若彼國王見於四衆受持
經者恭敬守護猶如父母一切所須悉皆供
給我等四王常為守護令諸有情无不尊敬
是故我等并與无量藥叉諸神隨此經王所流
布處潛身擁護令无留難亦當護念聽是經人
諸國王等除其衰患悉令安隱他方怨賊皆
使退散若有人王聽是經時鄰國怨敵興如是
念當具四兵壞彼國土世尊以是經王威神
力故是時鄰敵更有異怨而來侵擾於
其境界多諸災變疫病流行時王見已即嚴
四兵發向彼國欲為討罰我等尒時當與眷
屬无量无邊藥叉諸神各自隱形為作護助
令彼怨敵自然降伏尚不敢來至其國界豈
復得有兵戈相罰
尒時佛告四天王善哉善哉汝等四王乃能
擁護如是經典我於過去百千俱胝那庾多
劫修諸苦行得阿耨多羅三藐三菩提證一
切智今說是法若有人王受持是經恭敬供
養者為消衰患令其安隱亦復擁護城邑聚

BD03048 號　金光明最勝王經卷六　（20–2）

尒時佛告四天王善哉善哉汝等四王乃能
擁護如是經典我於過去百千俱胝那庾多
劫修諸苦行得阿耨多羅三藐三菩提證一
切智今說是法若有人王受持是經恭敬供
養者為消衰患令其安隱亦復擁護城邑聚
落乃至怨賊悉令退散亦令一切贍部洲内
所有諸王永无衰惱鬪諍之事四王當知此贍
部洲八万四千城邑聚落八万四千諸人王等
各於其國受諸快樂皆得自在所有財寶豐
足受用不相侵奪隨彼宿因而受其報
不起惡念貪求他國咸生少欲利樂之心无
有鬪戰繫縛等苦其土人民自然愛樂上下
和穆猶如水乳情相愛重歡喜遊戲慈悲謙
讓增長善根以是因緣此贍部洲安隱豐樂
人民熾盛大地沃壤寒暑調和時不乖序日
月星宿常度无虧風雨隨時離諸災橫資
產財寶皆悉豐盈心无慳鄙常行惠施具十
善業若人命終多生天上增益天衆大王若未
來世有諸人王聽受是經恭敬供養并受持
經四部之衆尊重稱讚復欲安樂饒益汝等
及諸眷屬无量百千諸藥叉衆是故彼王常
當聽受是妙經王由得聞此正法之水甘露
上味增益汝等身心勢力精進勇猛福德
威光悉令充滿是諸人王若能至心聽受是
經則為廣大希有供養供養於我釋迦牟尼應
正等覺若供養我則是供養過去未來現在
百千俱胝那庾多佛若能供養三世諸佛則

BD03048 號　金光明最勝王經卷六　（20–3）

威光悉令充滿是諸人王若能至心聽受是
經則為廣大希有供養供養於我釋迦牟尼應
正等覺若供養我則是供養過去未來現在
百千俱胝那庾多佛若能供養三世諸佛則
得无量不可思議功德之聚以是因緣汝等
應當擁護彼王后妃眷屬令无衰惱及宮宅
神常受安樂功德難思是諸國土所有人民
亦受種種五欲之樂一切惡事皆令消殄
尒時四天王白佛言世尊若有人
王樂聽如是金光明經為欲擁護自身后妃
王子乃至內宮諸婇女等城邑宮殿皆得第
一不可思議最上歡喜寂靜安樂於現世中
王位尊高自在昌盛常得增長復欲攝受无
量无邊難思福聚於自國土令无怨敵
及諸憂惱灾厄事者世尊如是人王不應放逸
令心散亂當生恭敬至誠殷重聽受如是最
勝經王欲聽之時先當莊嚴最上宮室王所
愛重顯敞之處香水灑地散衆名花安置師
子殊勝法座以諸珍寶而為挍飾張施種種寶
蓋幢幡燒无價香奏諸音樂其王尒時當淨
澡浴以香塗身著新淨衣及諸瓔珞坐小卑
座不生高舉捨自在位離諸憍慢端心正
念聽是經王於法師所起大師想復於宮內后
妃王子婇女眷屬生慈悲心喜悅相視和顏
耎語於自身心大喜充遍作如是念我今獲
得難思殊勝廣大利益於此經王盛興供養既

BD03048號　金光明最勝王經卷六　（20–4）

念聽是經王於法師所起大師想復於宮內后
妃王子婇女眷屬生慈悲心喜悅相視和顏
耎語於自身心大喜充遍作如是念我今獲
得難思殊勝廣大利益於此經王盛興供養既
敷設已見法師至當起虔敬渴仰之心
尒時佛告四天王不應如是不迎法師時彼人
王應著純淨鮮潔之衣種種瓔珞以為嚴飾
自持白蓋及以香花備整軍儀盛陳音樂
步出城闕迎彼法師運想虔恭為吉祥事
四王以何因緣令彼人王親作如是恭敬供
養由彼人王舉足下足步步即是恭敬供養
承事尊重百千万億那庾多諸佛世尊復得
超越如是劫數生死之苦復於來世如是數
劫當受輪王殊勝尊位隨其步步亦於現世
福德增長自在為王感應難思衆所欽重當
於无量百千億劫人天受用七寶宮殿所在
生處常得為王增益壽命言詞辯了人天信受无
所畏懼有大名稱咸共瞻仰天上人中受勝
妙樂獲大力勢有大威德身相奇妙端嚴无
比值天人師遇善知識成就具足无量福聚
四王當知彼諸人王見如是等種種无量功
德利益故應自往奉迎法師若一踰繕那乃
至百千踰繕那於說法師應生佛想還至城
已作如是念今日釋迦牟尼如來應正等覺
入我宮中受我供養為我說法我聞法已即
於阿耨多羅三藐三菩提不復退轉即是
值遇百千万億那庾多諸佛世尊我於今日

BD03048號　金光明最勝王經卷六　（20–5）

已作如是念今日釋迦牟尼如來應正等覺
入我宮中受我供養為我說法我聞法已即
於阿耨多羅三藐三菩提不復退轉即是
值遇百千万億那庾多諸佛世尊我於今日
即是種種廣大殊勝上妙樂具供養過去未
來現在諸佛我於今日即是永拔琰摩王界
地獄餓鬼傍生之苦便為已種无量百千万
億轉輪聖王釋梵天主善根種子當令无量
百千万億衆生出生死苦得涅槃樂積集无
量无邊不可思議福德之聚後宮眷屬及諸人
民皆蒙安隱國土清泰无諸災厄毒害惡人
他方怨敵不來侵擾遠離憂患四王當知時
彼人王應作如是尊重正法亦於受持是妙
經典苾芻苾芻尼鄔波索迦鄔波斯迦供
養恭敬尊重讚歎所獲善根先以勝福施
與汝等及諸眷屬彼之人王有大福德善業
因緣於現世中得大自在增益威光吉祥妙
相皆悉莊嚴一切怨敵能以正法而摧伏之尒
時四天王白佛言世尊若有人王能作如是恭
敬正法聽此經王并於四衆持經之人恭
敬供養尊重讚歎時彼人王欲為我等生
歡喜故當在一邊近於法座香水灑地散衆
名花安置處所設四王座我與彼王共聽正
法其王所有自利善根亦以福分施及我等
世尊時彼人王請說法者昇座之時便為我
等燒衆名香供養是經世尊時彼香烟於一
念頃上昇虛空即至我等諸天宮殿於虛空

歡喜故當在一邊近於法座香水灑地散衆
名花安置處所設四王座我與彼王共聽正
法其王所有自利善根亦以福分施及我等
世尊時彼人王請說法者昇座之時便為我
等燒衆名香供養是經世尊時彼香烟於一
念頃上昇虛空即至我等諸天宮殿於虛空
中變成香蓋我等天衆聞彼妙香香有金
光照曜我等所居宮殿乃至梵宮及以帝釋
大辯才天大吉祥天堅牢地神正了知大將二
十八部諸藥叉神大自在天金剛密主寶賢大
將訶利底母五百眷屬无熱惱池龍王大
海龍王所居之處世尊如是等衆於自宮殿
見彼香烟一刹那頃變成香蓋聞香芬馥覩
色光明遍至一切諸天神宮佛告四天王是
香光明非但至此宮殿變成香蓋放大光明
由彼人王手執香爐燒衆名香供養經時其
香烟氣於一念頃遍至三千大千世界百億
日月百億妙高山王百億四洲於此三千大
千世界一切天龍藥叉揵闥婆阿蘇羅揭路
荼緊那羅莫呼洛伽宮殿之所於虛空中充
滿而住種種香烟變成雲蓋其蓋金色普照
天宮如是三千大千世界所有種種香雲
香蓋皆是金光明最勝王經威神之力是諸
人王手持香爐供養經時種種香氣非但
遍此三千大千世界於一念頃亦遍十方无
量无邊恒河沙等百千万億諸佛國土於諸

天宮如是三千大千世界所有種種香雲
香蓋皆是金光明最勝王經威神之力是諸
人王手持香爐供養經時種種香氣非但
遍此三千大千世界於一念頃亦遍十方无
量无邊恒河沙等百千万億諸佛國土於諸
佛上虛空之中變成香蓋金色普照亦復如
是時彼諸佛聞此妙香觀斯雲蓋及以金色
於十方界恒河沙等諸佛世尊現神變已彼
諸世尊悉共觀察異口同音讚法師曰善哉
善哉汝大丈夫能廣流布如是甚深微妙
經典則為成就无量无邊不可思議福德
之聚若有聽聞如是經者所獲功德其量甚
多何況書寫受持讀誦為他敷演如說修行何以
故善男子若有衆生聞此金光明最勝王經者
即於阿耨多羅三藐三菩提不復退轉
尒時十方有百千俱胝那庾多无量无數恒
河沙等諸佛刹土彼諸刹土一切如來異口
同音於法座上讚彼法師言善哉善哉善
男子汝於来世以精勤力當修无量百千苦
行具足資糧超諸聖衆出過三界為最勝尊
當坐菩提樹王之下殊勝莊嚴能救三千大千
世界有緣衆生善能降伏可畏形儀諸
魔軍衆覺了諸法最勝清淨甚深无上正等
菩提善男子汝當坐於金剛之座轉於无
上諸佛所讚十二妙行甚深法輪能擊无上
最大法鼓能吹无上極妙法蠡能建无上殊

BD03048 號　金光明最勝王經卷六　（20–8）

世界有緣衆生善能降伏可畏形儀諸
魔軍衆覺了諸法最勝清淨甚深无上正等
菩提善男子汝當坐於金剛之座轉於无
上諸佛所讚十二妙行甚深法輪能擊无上
最大法鼓能吹无上極妙法蠡能建无上殊
勝法幢能然无上極明法炬能降无上甘露法
雨能斷无量煩惱惡結能令无量百千万億那
庾多有情度於无涯可畏大海解脫生死无
際輪迴值遇无量百千万億那庾多佛
尒時四天王復白佛言世尊是金光明最勝
王經能於未來現在成就如是无量功德是
故人王若得聞是微妙經典即是已於百千万
億无量佛所種諸善根於彼人王我當護念
復見无量福德利故我等四王及餘眷屬无
量百千万億諸神於自宮殿見是種種香烟
雲蓋神變之時我當隱蔽不現其身為聽
法故當至是王清淨嚴飾所止宮殿講法之
處如是乃至梵宮帝釋大辯才天大吉祥天
堅牢地神正了知神大將二十八部諸藥叉
神大自在天金剛密主寶賢大將訶利底母
五百眷屬无熱惱池龍王大海龍王无量百千
万億那庾多諸天藥叉如是等衆為聽法故
皆不現身至彼人王殊勝宮殿莊嚴高座說法
之所世尊我等四王及餘眷屬藥叉諸神皆
當一心共彼人王為善知識因是无上大法施
主以甘露味充足於我是故我等當護是王
除其衆患令得安隱及其宮殿城邑國土諸

BD03048 號　金光明最勝王經卷六　（20–9）

之所世尊我等四王及餘眷屬藥叉諸神皆
當一心共彼人王為善知識因是无上大法施
主以甘露味充足於我是故我等當護是王
除其衰患令得安隱及其宮殿城邑國土諸
惡災變悉令消滅尒時四天王俱共合掌白
佛言世尊若有人王於其國主雖有此經未
嘗流布心生捨離不樂聽聞亦不供養尊重
讚歎見四部衆持經之人亦復不能尊重
供養遂令我等及餘眷屬无量諸天不得聞
此甚深妙法背甘露味失正法流无有威光
及以勢力增長惡趣損減人天墜生死河乖
涅槃路世尊我等四王并諸眷屬及藥叉等
見如斯事捨其國土无擁護心非但我等捨
棄是王亦有无量守護國土諸大善神悉
皆捨去既捨離已其國當有種種災禍喪失
國位一切人衆皆无善心唯有繫縛殺害瞋
諍互相讒諂枉及无辜疾疫流行彗星數出
兩日並現薄蝕无恒黑白二虹表不祥相星
流地動井內發聲暴雨惡風不依時節常
遭飢饉苗實不成多有他方怨賊侵掠國
內人民受諸苦惱土地无有可樂之處世尊我
等四王及與无量百千天神并護國土諸舊
善神遠離去時生如是等无量百千災恠惡
事世尊若有人王欲護國土常受快樂欲令
衆生咸蒙安隱欲得摧伏一切外敵於自國
境永得昌盛欲令正教流布世間苦惱惡法
皆除滅者世尊是諸國主必當聽受是妙

BD03048號　金光明最勝王經卷六　（20–10）

善神遠離去時生如是等无量百千災恠惡
事世尊若有人王欲護國土常受快樂欲令
衆生咸蒙安隱欲得摧伏一切外敵於自國
境永得昌盛欲令正教流布世間苦惱惡法
皆除滅者世尊是諸國主必當聽受是妙
經王亦應恭敬供養讀誦受持經者我等
及餘无量天衆以是聽法善根威力得服
无上甘露法味增益我等所有眷屬并餘天
神皆得勝利何以故以是人王至心聽受是經
典故世尊如大梵天於諸有情常為宣說世
出世論帝釋復說種種諸論五通神仙亦說諸
論世尊梵天帝釋五通仙人雖有百千俱胝那
庾多无量諸論然佛世尊慈悲哀愍為人天
衆說金光明微妙經典比前所說勝彼百千
俱胝那庾多倍不可為喻何以故由此能令
諸贍部洲所有王等正法化世能與衆生安
樂之事為護自身及諸眷屬令无苦惱又无
他方怨賊侵害所有諸惡悉皆遠去亦令國
土災厄屏除化以正法无有諍訟是故人王
各於國土當然法炬明照无邊增益天衆并
諸眷屬世尊我等四王无量天神藥叉之
衆贍部洲內所有天神以是因緣得服无上
甘露法味獲大威德勢力光明无不具足一
切衆生皆得安隱復於來世无量百千不可
思議那庾多劫常受快樂復得值遇无量諸
佛種諸善根然後證得阿耨多羅三藐三菩

BD03048號　金光明最勝王經卷六　（20–11）

衆贍部洲内所有天神以是因緣得服无上
甘露法味獲大威德勢力光明无不具足一
切衆生皆得安隱復於來世无量百千不可
思議那庾多劫常受快樂復得值遇无量諸
佛種諸善根然後證得阿耨多羅三藐三菩
提如是无量无邊勝利皆是如來應正等覺以
大慈悲過梵衆以大智慧逾帝釋修諸苦行
勝五通仙百千万億那庾多倍不可稱計為
諸衆生演說如是微妙經典令贍部洲一切
國主及諸人衆明了世間所有法式治國化
人勸導之事由此經王流通力故普得安樂
此等福利皆是釋迦大師於此經典廣為流
通慈悲力故世尊以是因緣諸人王等皆應
受持供養恭敬尊重讚歎此妙經王何以故以
如是等不可思議殊勝功德利益一切是故
名曰最勝經王
尒時世尊復告四天王汝等四王及餘眷屬
无量百千俱胝那庾多諸天大衆見彼人王
若能至心聽是經典供養恭敬尊重讚歎者
應當擁護除其衰患能令汝等亦受安樂若
四部衆能廣流布是經王者於人天中廣作
佛事普能利益无量衆生如是之人汝等四
王常當擁護如是四衆勿使他緣共相侵擾
令彼身心寂静安樂於此經王廣宣流布令不
斷絶利益有情盡未來際
尒時多聞天王從座而起白佛言世尊我有
如意寶珠陁羅尼法若有衆生樂受持者功

BD03048號　金光明最勝王經卷六

（20–12）

王常當擁護如是四衆勿使他緣共相侵擾
令彼身心寂静安樂於此經王廣宣流布令不
斷絶利益有情盡未來際
尒時多聞天王從座而起白佛言世尊我有
如意寶珠陁羅尼法若有衆生樂受持者功
德无量我常擁護令彼衆生離苦得樂能成
福智二種資糧欲受持者先當誦此護身之
呪即說呪曰
南謨薜室囉末拏也莫訶曷囉闍也（但是也上之字聲須引聲）
怛姪他　囉囉囉　矩怒矩怒
區怒區怒　窶怒窶怒　颯縛颯縛
羯囉羯囉　莫訶毗羯喇麼　莫訶毗羯喇麼
莫訶曷囉社　曷路叉曷路叉　覩湧（自稱己名）
薩婆薩埵難者　莎訶（此人二字皆長引聲）
世尊誦此呪者當以白線呪之七遍一遍一結
繫之肘後其事必成應取諸香所謂安息栴
檀龍腦蘇合多揭羅薰陸皆須等分和合一
處手執香爐燒香供養清淨澡浴著鮮潔衣
於一静室可誦神呪
請我薜室囉末拏天王即說呪曰
南謨薜室囉末拏（引）也　南謨檀那馱也
檀泥說囉（引）也　阿揭撦　阿鉢喇弭哆
檀泥說囉　鉢囉麼　迦嚕尼　迦
薩婆薩埵　呬哆振哆　麼麼（己名）　檀那
末拏鉢喇稽　薜闍摩揭撦　莎訶
此呪誦滿一七遍已次誦本呪欲誦呪時先

BD03048號　金光明最勝王經卷六

（20–13）

檀泥說囉引也　阿楬㩻　阿鉢喇弭哆
檀泥說囉　鉢囉麼　迦留　尼迦
薩婆薩埵　呬哆根哆　麼麼名已　檀那
末拏鉢喇鞞㩻　硨闍摩楬㩻　莎訶
此呪誦滿一七遍已次誦本呪欲誦呪時先
當稱名敬礼三寶及薜室羅末拏大王能施
財物令諸衆生所求願滿悉能成就與其安
樂如是礼已次誦薜室羅末拏王如意末
尼寶心神呪能施衆生隨意安樂尒時多聞
天王即於佛前說如意末尼寶心呪曰
南謨曷喇怛娜　怛喇夜引也
南謨薜室羅末拏引也　莫訶囉闍引也
但　姪　他　四弭四弭　蘇母蘇母
旃荼旃荼　折囉折囉　薩囉薩囉
羯囉羯囉　枳哩枳哩　矩嚕矩嚕
母嚕母嚕　主嚕主嚕　娑大也頞貪
我名某甲　昵店頞他　達達都莎訶
南謨薜室囉末拏也莎訶檀那馱也莎訶
曼奴喇他鉢喇脯喇迦引也莎訶
受持呪時先誦千遍然後於淨室中瞿摩
塗地作小壇場隨時飲食一心供養常然妙
香令烟不絕誦前心呪晝夜繫心惟自耳聞
勿令他解時有薜室羅末拏王子名禪膩師
現童子形來至其所問言何故須喚我父即
可報言我為供養三寶事須財物願當施與
時禪膩師聞是語已即還父所白其文言今
有善人發至誠心供養三寶少乏財物為斯請

BD03048號　金光明最勝王經卷六　（20–14）

現童子形來至其所問言何故須喚我父即
可報言我為供養三寶事須財物願當施與
時禪膩師聞是語已即還父所白其文言今
有善人發至誠心供養三寶少乏財物為斯請
白其父報曰何可速去日日與彼一百迦利
沙波拏此是根本梵音種自貝齒而隨方不定或是貝齒 或是金銀銅鐵等錢然摩揭陁現今通用一迦利沙波 拏有一千六百貝齒然數可以准知若准物直隨處不定若人持呪 得成就者攸物之時自知其數有本云每日與一百陳那羅即金錢也 乃至盡形日日常得西方來者 多有神驗除不至心也
其持呪者見是相已知事得成須獨處淨
室燒香而卧可於牀邊置一香篋每至天曉觀
其篋中獲所求物每得物時當日即須供
養三寶香花飲食兼施貧乏皆令聲盡不得
停留於諸有情起慈悲念勿生瞋誑諂害之
心若起瞋者即失神驗常可護心勿令瞋恚
又持此呪者於每日中億我多聞天王及男
女眷屬稱揚讚歎恒以十善共相資助令彼
天等福力增明衆善普臻證菩提處彼諸天
衆見是事已皆大歡喜共來擁衛持呪之人
又持呪者壽命長遠經无量歲永離三塗常
无災厄亦令獲得如意寶珠及以伏藏神通
自在所願皆成若求官榮无不稱意亦解一
切禽獸之語
世尊若持呪時欲得見我自身現者可於月
八日或十五日於白疊上畫佛形像當用木
膠雜彩莊飾其畫像人為受八戒於佛左邊
作吉祥天女像於佛右邊作我多聞天像并畫

BD03048號　金光明最勝王經卷六　（20–15）

世尊若持呪時欲得見我自身現者可於月
八日或十五日於白疊上畫佛形像當用木
膠雜彩莊飾其畫像人為受八戒於佛左邊
作吉祥天女像於佛右邊作我多聞天像并畫
男女眷屬之類安置坐處咸令如法布烈
花彩燒眾名香然燈續明晝夜无歇上妙
飲食種種珍奇發殷重心隨時供養受持神
呪不得輕心請召我時應誦此呪
南謨室利健那也 勃 陁 引 也
南謨薛室囉末拏也 藥叉囉 闍 引 也
莫 訶 囉 闍 阿地囉闍也
南 麼 室 唎 耶 囊 莫 訶 提 鞞 引 囊
怛 姪 他 怛囉怛囉 咄嚕咄嚕
末 囉 末 囉 窣窣咄窣窣吐
漢 娜 漢 娜 末 尼 羯 諾 迦
跋折囉薛琉璃也 目底迦楞訖嘌哆
設 唎 囉 囊 薄 引 薩 婆 薩 埵
呬 哆 迦 引 摩 薛 室 囉 末 拏
室 唎 夜 提 鼻 跋 囉 婆 引 也
醫呬醫呬麼毗藍婆 瞿嘌拏瞿嘌拏
抹麻八反喇娑抹喇娑 達 馱 呬 麼 麼
阿目迦那末寫 自稱已名 達哩設那迦末寫
達 哩 設 南 麼 麼 末 那
鉢 喇 過 囉奈也 莎 訶
世尊我若見此誦呪之人復見如是盛興供
養即生慈愛歡喜之心我即變身作小兒形
或作老人苾芻之像手持如意末尼寶珠并
持金囊入道場內身現恭敬口稱佛名語持

BD03048號 金光明最勝王經卷六

(20–16)

麼 麼 末 那
鉢 喇 過 囉奈也 莎 訶
世尊我若見此誦呪之人復見如是盛興供
養即生慈愛歡喜之心我即變身作小兒形
或作老人苾芻之像手持如意末尼寶珠并
持金囊入道場內身現恭敬口稱佛名語持
呪者曰隨汝所求皆令如願或隱林藪或
造寶珠或欲眾人愛寵或求金銀等物欲持
諸呪皆令有驗或欲神通壽命長遠及勝
妙樂无不稱心我今且說如是之事若更求
餘皆隨所願悉得成就寶藏无盡功德无窮假使
日月墜墮于地或可大地有時移轉我此
實語終不虛然常得安隱隨心快樂世尊
若有人能受持讀誦是經王者誦此呪時不
假疲勞法速成就世尊我今為彼貧窮困厄
苦惱眾生說此神呪令獲大利皆得富樂自
在无患乃至盡形我當擁護隨逐是人為除
災厄亦復令此持金光明最勝王經流通之
者及持呪人於百步內光明照燭我之所有
千藥叉神亦常侍衛隨欲驅使无不遂心我說實
語无有虛誑唯佛證知時多聞天王說此呪已
佛言善哉大王汝能破裂一切眾生貧
窮苦網令得富樂說是神呪復令此經廣行
於世時四天王俱從座起偏袒一肩頂禮雙
足右膝著地合掌恭敬以妙伽他讚佛功德
佛面猶如淨滿月 亦如千日放光明
目淨脩廣若青蓮 齒白齊密猶珂雪
佛德无邊如大海 无限妙寶積其中
智慧德水鎮恒盈 百千勝定咸充滿

BD03048號 金光明最勝王經卷六

(20–17)

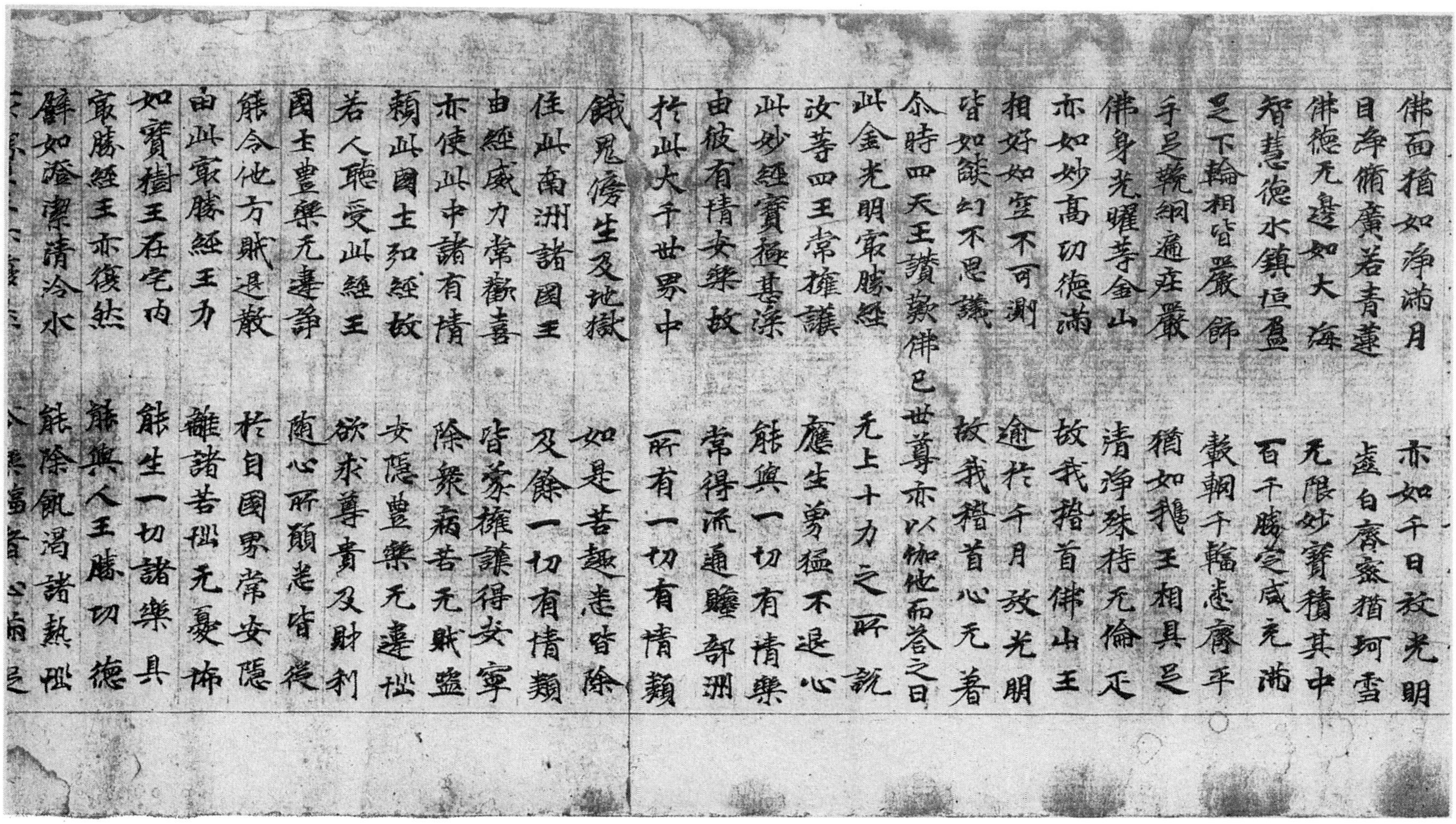
佛面猶如淨滿月　亦如千日放光明
目淨脩廣若青蓮　齒白齊密猶珂雪
佛德无邊如大海　无限妙寶積其中
智慧德水鎮恒盈　百千勝定咸充滿
足下輪相皆嚴飾　轂輞千輻悉齊平
手足鞔網遍莊嚴　猶如鵝王相具足
佛身光曜等金山　清淨殊特无倫匹
亦如妙高功德滿　故我稽首佛山王
相好如空不可測　逾於千月放光明
皆如焰幻不思議　故我稽首心无着
尒時四天王讚歎佛已世尊亦以伽他而荅之曰
此金光明最勝經　无上十力之所說
汝等四王常擁護　應生勇猛不退心
此妙經寶極甚深　能與一切有情樂
由彼有情安樂故　常得流通贍部洲
於此大千世界中　所有一切有情類
餓鬼傍生及地獄　如是苦趣悉皆除
住此南洲諸國王　及餘一切有情類
由經威力常歡喜　皆蒙擁護得安寧
亦使此中諸有情　除衆病苦无賊盜
賴此國土弘經故　安隱豐樂无違惱
若人聽受此經王　欲求尊貴及財利
國土豐樂无違諍　隨心所願悉皆從
能令他方賊退散　於自國界常安隱
由此最勝經王力　離諸苦惱无憂怖
如寶樹王在宅內　能生一切諸樂具
最勝經王亦復然　能與人王勝功德
譬如澄潔清冷水　能除飢渴諸熱惱

BD03048號　金光明最勝王經卷六　（20–18）

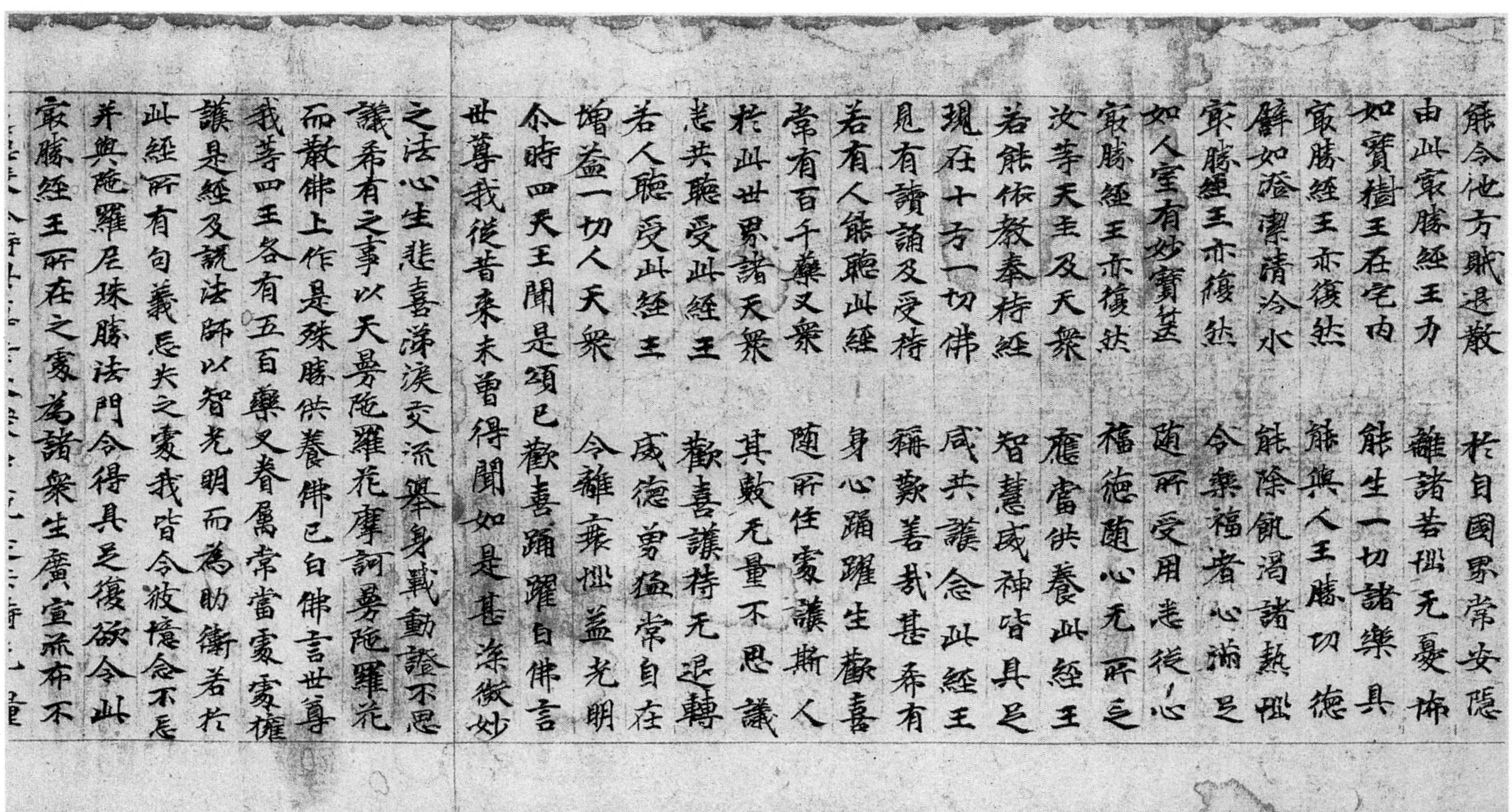
能令他方賊退散　於自國界常安隱
由此最勝經王力　離諸苦惱无憂怖
如寶樹王在宅內　能生一切諸樂具
最勝經王亦復然　能與人王勝功德
譬如澄潔清冷水　能除飢渴諸熱惱
最勝經王亦復然　令樂福者心滿足
如人室有妙寶篋　隨所受用悉從心
最勝經王亦復然　福德隨心无所乏
汝等天主及天衆　應當供養此經王
若能依教奉持經　智慧威神皆具足
現在十方一切佛　咸共護念此經王
見有讀誦及受持　稱歎善哉甚希有
若有人能聽此經　身心踊躍生歡喜
常有百千藥叉衆　隨所住處護斯人
於此世界諸天衆　其數无量不思議
悉共聽受此經王　歡喜護持无退轉
若人聽受此經王　威德勇猛常自在
增益一切人天衆　令離衰惱益光明
尒時四天王聞是頌已歡喜踊躍白佛言
世尊我從昔來未曾得聞如是甚深微妙
之法心生悲喜涕淚交流舉身戰動證不思
議希有之事以天曼陁羅花摩訶曼陁羅花
而散佛上作是殊勝供養佛已白佛言世尊
我等四王各有五百藥叉眷屬常當處處擁
護是經及說法師以智光明而為助衛若於
此經所有句義忘失之處我皆令彼憶念不忘
并與陁羅尼殊勝法門令得具足復欲令此
最勝經王所在之處為諸衆生廣宣流布不

BD03048號　金光明最勝王經卷六　（20–19）

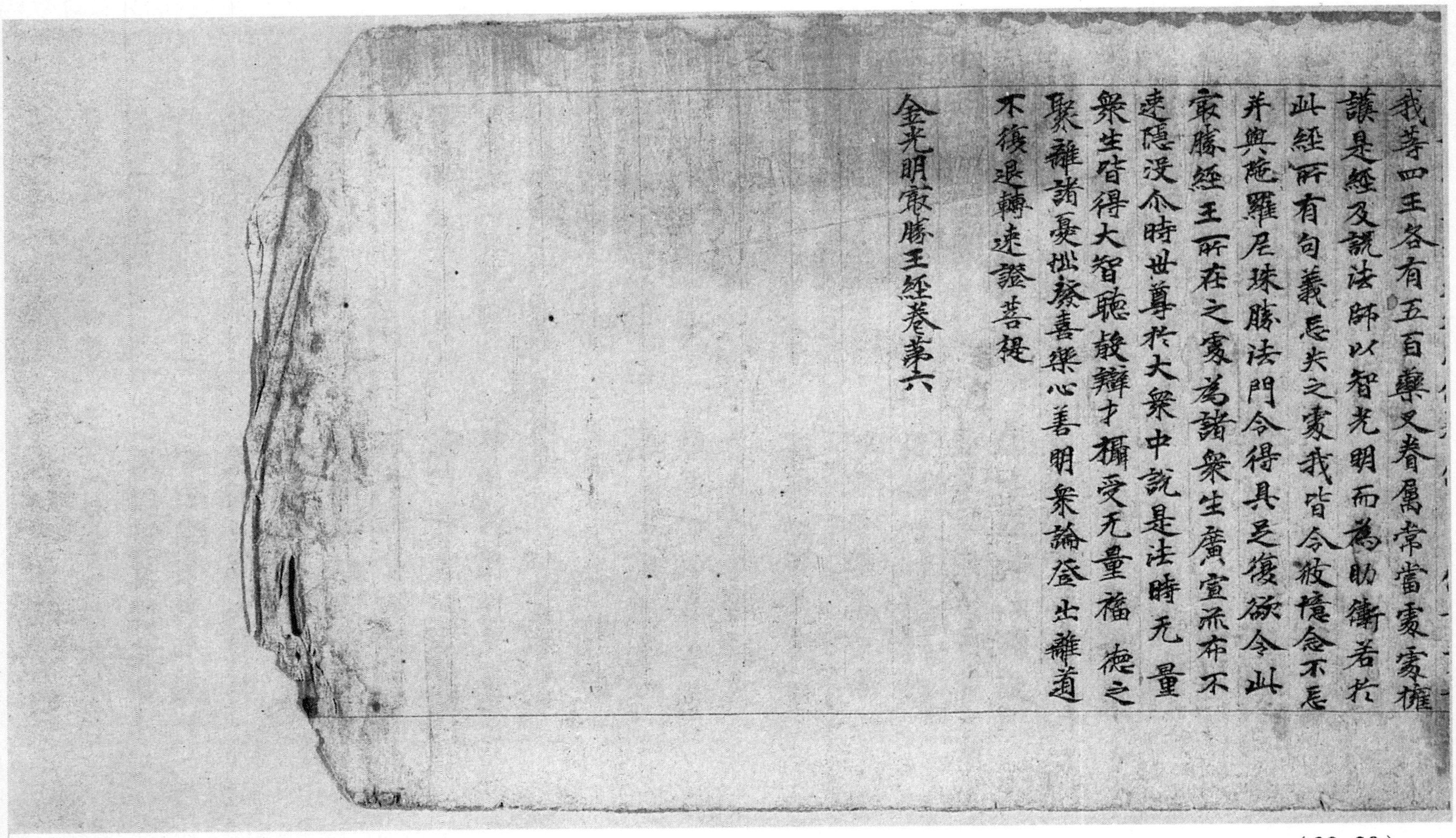

我等四王各有五百藥叉眷屬常當處處擁
護是經及說法師以智光明而為助衛若於
此經所有句義忘失之處我皆令彼憶念不忘
并與陁羅尼殊勝法門令得具足復欲令此
最勝經王所在之處為諸衆生廣宣流布不
速隱沒尒時世尊於大衆中說是法時无量
衆生皆得大智聰叡辯才攝受无量福德之
聚離諸憂惱發喜樂心善明衆論登出離道
不復退轉速證菩提

金光明最勝王經卷第六

BD03048號　金光明最勝王經卷六　（20–20）

月久之

BD03048號背　雜寫　（10–1）

BD03048 號背　雜寫　　　　（10–2）

BD03048 號背　雜寫　　　　（10–3）

BD03048號背　雜寫

（10–4）

BD03048號背　雜寫

（10–5）

BD03048 號背　雜寫　　　　（10–6）

BD03048 號背　雜寫　　　　（10–7）

BD03048號背　雜寫　　（10–8）

BD03048號背　雜寫　　（10–9）

BD03048 號背　雜寫　　　　　　（10–10）

七
漸漸更
觀雲騰鳥飛風動塵起樹木山川草芥人畜
咸物非汝阿難是諸近遠諸有物性雖復差
殊同汝見精清淨所矚則諸物類自有差別
見性无殊此精妙明誠汝見性若見是物則
汝亦可見吾之見若同見者名為見吾吾不
不見時何不見吾不見之處若見不見自然
非彼不見之相若不見吾不見之地自然非
物云何非汝又則汝今見物之時汝既見物物
亦見汝體性紛雜則汝與我并諸世間不
成安立阿難若汝見時是汝非我見性周
遍非汝而誰云何自疑汝之真性性汝不真
取我求實
阿難白佛言世尊若此見性必我非餘我與
如來觀四天王勝藏寶居及日月宮此見周
遍娑婆國土退歸精舍祇見伽藍清心戶堂

BD03049 號　大佛頂如來密因修證了義諸菩薩萬行首楞嚴經卷二　　　　　　（6–1）

成安立阿難若汝見時是汝非我見性周
遍非汝而誰云何自疑汝之真性性汝不真
取我求實
阿難白佛言世尊若此見性必我非餘我與
如來觀四天王勝藏寶殿居日月宮此見周
遍娑婆國土退歸精舍祇見伽藍清心戶堂
但瞻簷廡世尊此見如是其體本來周遍一
界今在室中唯滿一室為復此見縮大為小
為當牆宇夾令斷絕我今不知斯義所在
願垂弘慈為我敷演
佛告阿難一切世間大小內外諸所事業各屬
前塵不應說言見有舒縮譬如方器中見
方空吾復問汝此方器中所見方空為復定
方為不定方若定方者別安圓器空應不圓
若不定者在方器中應無方空汝言不知斯
義所在義性如是云何為在阿難若復欲令
入無方圓但除器方空體無方不應說言更
除虛空方相所在若如汝問入室之時縮見
令小仰觀日時汝豈挽見齊於日面若築牆
宇能夾見斷穿為小竇寧無竇迹是義不
然一切眾生從無始來迷己為物失於本心
為物所轉故於是中觀大觀小若能轉物則同
如來身心圓明不動道場於一毛端遍能含
受十方國土
阿難白佛言世尊若此見精必我妙性令此

BD03049 號　大佛頂如來密因修證了義諸菩薩萬行首楞嚴經卷二　（6–2）

然一切眾生從無始來迷己為物失於本心為
物所轉故於是中觀大觀小若能轉物則同
如來身心圓明不動道場於一毛端遍能含
受十方國土
阿難白佛言世尊若此見精必我妙性令此
妙性現在我前見必我真我今身心復是何
物而今身心分別有實彼見無別分辨我身
若實我心令我今見見性實我而身非我何
殊如來先所難言物能見我唯垂大慈開發
未悟
佛告阿難今汝所言見在汝前是義非實若
實汝前汝實見者則此見精既有方所非無指
示且今與汝坐祇陀林遍觀林渠及與殿
堂上至日月前對恒河汝今於我師子座前舉
手指陳是種種相陰者是林明者是日礙者是
壁通者是空如是乃至草樹纖毫大小雖殊
但可有形無不指著若必其見現在汝前汝應
以手確實指陳何者是見阿難當知若空是
見既已成見何者是空若物是見既已是見何
者為物汝可微細披剝萬象析出精明淨
妙見元指陳示我同彼諸物分明無惑阿
難言我今於此重閣講堂遠泊恒河上觀
日月舉手所指縱目所觀指皆是物無是見
者世尊如佛所說況我有漏初學聲聞乃至
菩薩亦不能於萬物象前剖出精見離一切

BD03049 號　大佛頂如來密因修證了義諸菩薩萬行首楞嚴經卷二　（6–3）

難言我今於此重閣講堂遠泊恒河上觀
日月舉手所指縱目所觀指皆是物无是見
者世尊如佛所說况我有漏初學聲聞乃至
菩薩亦不能於萬物象前剖出精見離一切
物別有自性佛言如是如是
佛復告阿難如汝所言无有精見離一切物別
有自性則汝所指是物之中无是見者今復告
汝汝與如來坐祇陁林更觀林苑乃至日月
種種象殊必无見精受汝所指汝又發明
此諸物中何者非見阿難言我實遍見此祇
陁林不知是中何者非見何以故若樹非見
云何見樹若樹即見復云何樹如是乃至若空
非見云何為空若空即見復云何空我又思惟
是万象中微細發明无非見者佛言如是如
是
於是大眾非无學者聞佛此言茫然不知是義
終始一時惶悚失其所守如來知其魂慮變
慴心生憐愍安慰阿難及諸大眾諸善男子
无上法王是真實語如所如說不誑不妄
非末伽梨四種不死矯亂論議汝諦思惟无
忝哀慕
是時文殊師利法王子愍諸四眾在大眾中
即從座起頂禮佛足合掌恭敬而白佛言世
尊此諸大眾不悟如來發明二種精見色空
是非是義世尊若此前緣色空等象若是見

BD03049 號　大佛頂如來密因修證了義諸菩薩萬行首楞嚴經卷二　（6–4）

忝哀慕
是時文殊師利法王子愍諸四眾在大眾中
即從座起頂禮佛足合掌恭敬而白佛言世
尊此諸大眾不悟如來發明二種精見色空
是非是義世尊若此前緣色空等象若是見
者應有所指若非見者應无所矚而今不知
是義所歸故有驚怖非是疇昔善根輕尠唯
願如來大慈發明此諸物象與此見精元是何物
於其中間无是非是
佛告文殊師利及諸大眾十方如來及大菩薩
於其自性三摩地中見與見緣并所想相如虛
空花本无所有此見及緣元是菩提妙淨明
體云何於中有是非是文殊吾今問汝如汝文
殊更有文殊是文殊者為无文殊如是世尊
我真文殊无是文殊何以故若有是者則二
文殊然我今日非无文殊於中實无是非
二種佛言此相見妙明與諸空塵亦復如是
本是妙明无上菩提淨圓真心妄為色空及
與聞見如第二月誰為是月又誰非月文殊
但一月真中間自无是月非月是以汝今觀
見與塵種種發明名為妄想不能於中出是
非是由是精真妙覺明性故能令汝出指非
指阿難白佛言世尊誠如法王所說覺緣遍十
界湛然常住性非生滅與先梵志娑毗迦羅
所談冥諦及投灰等諸外道種說有真我
遍滿十方有何差別世尊亦曾於楞伽山為
大慧等敷演斯義彼外道等常說[illegible]

BD03049 號　大佛頂如來密因修證了義諸菩薩萬行首楞嚴經卷二　（6–5）

空花本无所有此見及緣元是菩提妙淨明
體云何於中有是非是文殊吾今問汝如汝文
殊更有文殊是文殊者為无文殊如是世尊
我真文殊无是文殊何以故若有是者則二
文殊然我今日非无文殊於中實无是非
二種佛言此相見妙明與諸空塵亦復如是
本是妙明无上菩提淨圓真心妄為色空及
與聞見如第二月誰為是月又誰非月文殊
但一月真中間自无是月非月是以汝今觀
見與塵種種發明名為妄想不能於中出是
非是由是精真妙覺明性故能令汝出指非
指阿難白佛言世尊誠如法王所說覺緣遍十
界湛然常住性非生滅與先梵志娑毗迦羅
所談冥諦及投灰等諸外道種說有真我
遍滿十方有何差別世尊亦曾於楞伽山為
大慧等敷演斯義彼外道等常說自然我說

BD03049 號　大佛頂如來密因修證了義諸菩薩萬行首楞嚴經卷二　（6–6）

因緣非彼境界我今觀此覺性自然非生非
滅遠離一切虛妄顛倒似非因緣與彼自然
云何開示不入群邪獲真實心妙覺明性
佛告阿難我今如是開示方便真實告汝汝
猶未悟惑為自然阿難若必自然自須甄明
有自然體汝且觀此妙明見中以何為自此
見為復以明為自以暗為自以空為自以塞
為自阿難若明為自應不見暗若復以空為
自體者應不見塞如是乃至諸暗等相以為
自者則於明時見性斷滅云何見明
阿難言必此妙見性非自然我今發明是因
緣生心猶未明諮詢如來是義云何合因緣
性佛言汝言因緣吾復問汝汝今同見見性現
前此見為復因明有見因暗有見因空有見
因塞有見阿難若因明有應不見暗如因
暗有應不見明如是乃至因空因塞同於明
暗復次阿難此見又復緣明有見緣暗有見
緣空有見緣塞有見阿難若緣空有應不見
塞若緣塞有應不見空如是乃至緣明緣暗
同於空塞當知如是精覺妙明非因非緣亦

BD03050 號　大佛頂如來密因修證了義諸菩薩萬行首楞嚴經卷二　（7–1）

暗有應不見明如是乃至因空因塞同於明
暗復次阿難此見又復緣明有見緣暗有見
緣空有見緣塞有見阿難若緣空有應不見
塞若緣塞有應不見空如是乃至緣明緣暗
同於空塞當知如是精覺妙明非因非緣亦
非自然无非不自然无非不非无是非是離一
切相即一切法汝今云何於中措心以諸世間戲
論名相而得分別如以手掌撮摩虛空秖益自
勞虛空云何隨汝執捉
阿難白佛言世尊必妙覺性非因非緣世尊
云何常與比丘宣說見性具四種緣所謂因空
因明因心因眼是義云何
佛言阿難我說世間諸因緣相非第一義阿
難吾復問汝諸世間人說我能見云何名見
云何不見阿難言世人因於日月燈光見種
種相名之為見若復无此三種光明則不能
見阿難若无明時名不見者應不見暗若必
見暗此但无明云何无見阿難若在暗時不
見明故名為不見今在明時不見暗相還名
不見如是二相俱名不見若復二相自相淩奪
非汝見性於中暫无如是則知二知二俱名見
云何不見是故阿難汝今當知見明之時見非
是明見暗之時見非是暗見空之時見非是
空見塞之時見非是塞四義成就汝復應
知見見之時見非是見見猶離見見不能及
云何復說因緣自然及和合相汝等聲聞狹

BD03050號　大佛頂如來密因修證了義諸菩薩萬行首楞嚴經卷二　（7–2）

非汝見性於中暫无如是則知二知二俱名見
云何不見是故阿難汝今當知見明之時見非
是明見暗之時見非是暗見空之時見非是
空見塞之時見非是塞四義成就汝復應
知見見之時見非是見見猶離見見不能及
云何復說因緣自然及和合相汝等聲聞狹
劣无識不能通達清淨實相吾今誨汝當
善思惟无得疲怠妙菩提路
阿難白佛言世尊如佛世尊為我等輩宣說
因緣及與自然諸和合相與不和合心猶未開
而今更聞見見非見重增迷悶伏願和慈
施大慧目開示我等覺心明淨作是語已悲
淚頂礼承受聖旨
尒時世尊憐愍阿難及諸大眾將欲敷演大
陀羅尼諸三摩提妙脩行路告阿難言汝雖
強記但益多聞於奢摩他微密觀照心猶未
了汝今諦聽吾當為汝分別開示亦令將來
諸有漏者獲菩提果阿難一切眾生輪迴世間
由二顛倒分別見妄當處發生當業輪轉云
何二見一者眾生別業妄見二者眾生同分
妄見
云何名為別業妄見阿難如世間人目有眚
赤夜見燈光別有圓影五色重疊於意云
何此夜燈明所現圓光為是燈色為當見色
阿難此若燈色則非眚人何不同見而此圓影
唯眚之觀若是見色見已成色則彼眚人
圓影者名為何等復次阿難若此圓影離燈

BD03050號　大佛頂如來密因修證了義諸菩薩萬行首楞嚴經卷二　（7–3）

赤夜見燈光別有圓影五色重疊於意云
何此夜燈明所現圓光為是燈色為當見色
阿難此若燈色則非眚人何不同見而此圓影
唯眚之觀若是見色見已成色則彼眚人
圓影者名為何等復次阿難若此圓影離燈
別有則合旁觀屏帳几筵有圓影出離見別
有應非眼矚云何眚人目見圓影是故當知
色實在燈見病為影影見俱眚見眚非病終不
應言是燈是見於是中有非燈非見如第
二月非體非影何以故第二之觀揑所成故諸
有智者不應說言此揑根元是形非形離見
非見此亦如是目眚所成今欲名誰是燈是
見何況分別非燈非見
云何名為同分妄見阿難此閻浮提除大海
水中間平陸有三千洲正中大洲東西括量
大國凡有二千三百其餘小洲在諸海中其間
或有三兩百國或一或二至于卅卌五十阿
難若復此中有一小洲秖有兩國唯一國人同
感惡緣則彼小洲當土眾生覩諸一切不祥
境界或見二日或見兩月其中乃至暈
適珮玦彗勃飛流負耳虹蜺種種惡相但此
國見彼國眾生本所不見亦復不聞阿難吾
今為汝以此二事進退合明阿難如彼眾生
別業妄見矚燈光中所現圓影雖現似境終
彼見者目眚所成眚即見勞非色所造然見
眚者終无見咎例汝今日以目觀見山河國
土及諸眾生皆是无始見病所成見與見緣

BD03050 號　大佛頂如來密因修證了義諸菩薩萬行首楞嚴經卷二　（7–4）

今為汝以此二事進退合明阿難如彼眾生
別業妄見矚燈光中所現圓影雖現似境終
彼見者目眚所成眚即見勞非色所造然見
眚者終无見咎例汝今日以目觀見山河國
土及諸眾生皆是无始見病所成見與見緣
似現前境元我覺明見所緣眚覺見即眚
本覺明心覺緣非眚覺所覺眚覺非眚中
此實見見云何復名覺聞知見是故汝今見我
及汝并諸世間十類眾生皆即見眚非見眚者
彼見真精性非眚者故不名見阿難如彼眾生
同分妄見例彼妄見別業一人一病目人同彼
一國彼見圓影眚妄所生此眾同分所現不
祥同見業中瘴惡所起俱是无始見妄所生
例閻浮提三千洲中兼四大海娑婆世界并
洎十方諸有漏國及諸眾生同是覺明无
漏妙心見聞覺知虛妄病緣和合妄生和
合妄死若能遠離諸和合緣及不和合則復
滅除諸生死因圓滿菩提不生滅性清淨本
心本覺常住
阿難汝雖先悟本覺妙明性非因緣非自然
性而猶未明如是覺元非和合生及不和合
阿難吾今復以前塵問汝汝今猶以一切世
間妄想和合諸因緣性而自疑惑證菩提心
和合起者則汝今者妙淨見精為與明和為
與暗和為與通和為與塞和若明和者且汝
觀明當明現前何處雜見見相可辨雜何

BD03050 號　大佛頂如來密因修證了義諸菩薩萬行首楞嚴經卷二　（7–5）

聞妄想和合諸因緣性而自疑惑證菩提心
和合起者則汝今者妙淨見精為與明和為
與暗和為與通和為與塞和若明和者且汝
觀明當明現前何處雜見見相可辨雜何
形像若非見者云何見明若即見者云何見
見必見圓滿何處和明若明圓滿不合見和
見必異明雜則失彼性明名字雜失明性和
明非義彼暗與通及諸群塞亦復如是
復次阿難又汝今者妙淨見精為與明合為
與暗合為與通合為與塞合若明合者至
於暗時明相已滅此見即不與諸暗合云何
見暗若見暗時不與暗合與明合者應非見明
既不見明云何明合了明非暗彼暗與通及
諸群塞亦復如是
阿難白佛言世尊如我思惟此妙覺元與諸
緣塵及心念慮非和合耶佛言汝今又言覺
非和合吾復問汝此妙見精非和合者為非明
和為非暗和為非通和為非塞和若非明和
則見與明必有邊畔汝且諦觀何處是明
何處是見在見在明自何為畔阿難若明際
中必无見者則不相及自不知其明相所在
畔云何成彼暗與通及諸群塞亦復如是
又妙見精非和合者為非明合為非暗合為
非通合為非塞合若非明合則見與明性相
乖角如耳與明了不相觸見且不知明相所
在云何甄明合非合理彼暗與通及諸群塞

BD03050號　大佛頂如來密因修證了義諸菩薩萬行首楞嚴經卷二　（7–6）

何處是見在見在明自何為畔阿難若明際
中必无見者則不相及自不知其明相所在
畔云何成彼暗與通及諸群塞亦復如是
又妙見精非和合者為非明合為非暗合為
非通合為非塞合若非明合則見與明性相
乖角如耳與明了不相觸見且不知明相所
在云何甄明合非合理彼暗與通及諸群塞
亦復如是
阿難汝猶未明一切浮塵諸幻化相當處出
生隨處滅盡幻妄稱相其性真為妙覺明體
如是乃至五陰六入從十二處至十八界因緣
和合虛妄有生因緣別離虛妄名滅殊不
能知生滅去來本如來藏常住妙明不動周
圓妙真如性性真常中求於去來迷悟死生
了无所得
阿難云何五陰本如來藏妙真如性阿難譬
如有人以清淨目觀晴明空唯一精虛迥无
所有其人无故不動目睛瞪以發勞則於虛
空別見狂花復有一切狂亂非相色陰當知
亦復如是阿難是諸狂花非從空來非從目
出如是阿難若空來者既從空來還從空入

BD03050號　大佛頂如來密因修證了義諸菩薩萬行首楞嚴經卷二　（7–7）

彼罪性不[illegible]
垢故衆生垢[illegible]不在
外不在中間[illegible]罪垢亦然諸法亦
然不出於如如優波離以心相得解脫時寧
有垢不我言不也維摩詰言一切衆生心相
无垢亦復如是唯優波離妄想是垢无妄想
是淨顛倒是垢无顛倒是淨取我是垢不取
我是淨優波離一切法生滅不住如幻如電
諸法不相待乃至一念不住諸法皆妄見如夢
如炎如水中月如鏡中像以妄相生 其知此
者是名奉律其知此者是名善解於
丘言上智哉是優波離所不能及持律之上而
不能說我荅言自舍如來未有聲聞及菩薩
能制其樂說之辯其知慧明達爲若此也時
二比丘疑悔即除發阿耨多羅三狼三菩提

BD03051 號　維摩詰所說經卷上　（5–1）

如炎如水中月如鏡中像以妄相生 其知此
者是名奉律其知此者是名善解於
丘言上智哉是優波離所不能及持律之上而
不能說我荅言自舍如來未有聲聞及菩薩
能制其樂說之辯其知慧明達爲若此也時
二比丘疑悔即除發阿耨多羅三狼三菩提
心作是願言令一切衆生皆得是辯故我不
任詣彼問疾
佛告羅睺羅汝行詣維摩詰問疾羅睺羅
白佛言世尊我不堪任詣彼問疾所以者何
憶念昔時毗耶離諸長者子來詣我所稽首
作礼問我言唯羅睺羅汝佛之子捨轉輪王
位出家爲道其出家者有何等利我即如法
爲說出家功德之利時維摩詰來謂我言唯
羅睺羅不應說出家功德之利所以者何无
利无功德是爲出家有爲法者可說有利有
功德夫出家者爲无爲法无爲法中无利无
功德羅睺羅夫出家者无彼无此亦无中間離
六十二見處於涅槃知者所受聖所行處降
伏衆魔度五道淨五眼得五力立五根不惱
於彼離衆雜惡摧諸外道超越假名出於淤
无繫著无我所无所受无擾亂內懷喜護彼
意隨禪定離衆過若能如是是真出家於是
維摩詰語諸長者子汝等於正法中宜共出

BD03051 號　維摩詰所說經卷上　（5–2）

伏衆魔變五道淨五眼得五力立五根不惱
於彼離衆雜惡摧諸外道超越假名出於淤泥
无繫著无我所无所受无擾亂內懷喜護彼
意隨禪定離衆過若能如是是真出家於是
維摩詰語諸長者子汝等於正法中宜共出
家所以者何佛世難值諸長者子言居士我
聞佛言父母不聽不得出家維摩詰言然汝
等便發阿耨多羅三藐三菩提心即是出家
是即具足尒時三十二長者子皆發阿耨多
羅三藐三菩提心故我不任詣彼問疾
佛告阿難汝行詣維摩詰問疾阿難白佛言
世尊我不堪任詣彼問疾所以者何憶念昔
時世尊身小有疾當用牛乳我即持詣大
婆羅門家門下立時維摩詰來謂我言唯阿
難何為晨朝持鉢住此我言居士世尊身小
有疾當用牛乳故來至此維摩詰言止止阿
難莫作是語如來身者金剛之體諸惡已斷
衆善普會當有何疾當有何惱嘿往阿難勿
謗如來莫使異人聞此麤言无令大威德諸
天及他方淨土諸來菩薩得聞斯語阿難轉
輪聖王以少福故尚得无病豈況如來无量
福會普勝者哉行矣阿難勿使我等受斯
耻也外道梵志若聞此語當作是念何名為
師自疾不能救而能救諸疾人可密速去勿

BD03051 號　維摩詰所說經卷上　（5–3）

輪聖王以少福故尚得无病豈況如來无量
福會普勝者哉行矣阿難勿使我等受斯
耻也外道梵志若聞此語當作是念何名為
師自疾不能救而能救諸疾人可密速去勿
使人聞當知阿難諸如來身即是法身非思
欲身佛為世尊過於三界佛身无漏諸漏已
盡佛身无為不墮諸數如此之身當有何疾
時我世尊實懷慚愧得无近佛而謬聽耶即
聞空中聲曰阿難如居士言但為佛出五濁惡
世現行其法度脫衆生行矣阿難取乳勿慚
世尊維摩詰智慧辯才為若此也是故不任
詣彼問疾如是五百大弟子各各向佛說其
本緣稱述維摩詰所言皆曰不任詣彼問疾
菩薩品第四
於是佛告彌勒菩薩汝行詣維摩詰問疾
彌勒白佛言世尊我不堪任詣彼問疾所以
者何憶念我昔為兜率天王及其眷屬說不
退轉地之行時維摩詰來謂我言彌勒世尊
授仁者記一生當得阿耨多羅三藐三菩提
為用何生得受記乎過去耶未來耶現在耶
若過去生過去生已滅若未來生未來生未至
若現在生現在生无住如佛所說比丘汝今即
時亦生亦老亦滅若以无生得受記者无生
即是正位於正位中亦无受記亦无得阿耨

BD03051 號　維摩詰所說經卷上　（5–4）

於是佛告弥勒菩薩汝行詣維摩詰問疾
弥勒白佛言世尊我不堪任詣彼問疾所以
者何憶念我昔為兜率天王及其眷屬說不
退轉地之行時維摩詰來謂我言弥勒世尊
授仁者記一生當得阿耨多羅三藐三菩提
為用何生得受記乎過去耶未來耶現在耶
若過去生過去生已滅若未來生未來生未至
若現在生現在生无住如佛所說比丘汝今即
時亦生亦老亦滅若以无生得受記者无生
即是正位於正位中亦无受記亦无得阿耨
多羅三藐三菩提云何弥勒受一生記乎為
從如生得受記耶為從如滅得受記耶若以
如生得受記者如无有生若以如滅得受記
者如无有滅一切衆生皆如也一切法亦如
也衆賢聖亦如也至於弥勒亦如也若弥勒
得受記者一切衆生亦應受記所以者何夫

BD03051號　維摩詰所說經卷上　（5–5）

空病空病亦空是有疾菩薩以无所
受而受諸受未具佛法亦不滅受而取證也
設身有苦念惡趣衆生起大悲心我既調伏
亦當調伏一切衆生但除其病而不除法為
斷病本而教導之何謂病本謂有攀緣從有
攀緣則為病本何所攀緣謂之三界云何斷
攀緣以无所得若无所得則无攀緣何謂无
所得謂二見何謂二見謂內見外見是无所
得文殊師利是為有疾菩薩調伏其心為斷
老病死苦是菩薩菩提若不如是已所修治
為无慧利譬如勝怨乃可為勇如是兼除老
病死者菩薩之謂也彼有疾菩薩應復作是
念如我此病非真非有衆生病亦非真非有
作是觀時於諸衆生若起愛見大悲即應
捨離所以者何菩薩斷除客塵煩惱而起大
悲愛見悲者則於生死有疲厭心若能離此
无有疲厭在在所生不為愛見之所覆也所
生无縛能為衆生說法解縛如佛所說若自

BD03052號　維摩詰所說經卷中　（11–1）

住是觀時於諸衆生若起愛見大悲即應
捨離所以者何菩薩斷除客塵煩惱而起大
悲愛見悲者則於生死有疲厭心若能離此
无有疲厭在在所生不為愛見之所覆也所
生无縛能為衆生說法解縛如佛所說若自
有縛能解彼縛无有是處若自无縛能解彼
縛斯有是處是故菩薩不應起縛何謂縛何謂
解貪著禪味是菩薩縛以方便生是菩薩解
又无方便慧縛有方便慧解无慧方便縛有
慧方便解何謂无方便慧縛謂菩薩以愛見
心莊嚴佛土成就衆生於空无相无作法中
而自調伏是名无方便慧縛何謂有方便慧
解謂不以愛見心莊嚴佛土成就衆生於
空无相无作法中以自調伏而不疲厭是名
有方便慧解何謂无慧方便縛謂菩薩住貪
欲瞋恚邪見等諸煩惱而殖衆德本是名无
慧方便縛何謂有慧方便解謂離諸貪欲瞋
恚邪見等諸煩惱而殖衆德本迴向阿耨多
羅三藐三菩提心是名有慧方便解文殊師
利彼有疾菩薩應如是觀諸法又復觀身无
常苦空非我是名為慧雖身有疾常在生死
饒益一切而不厭惓是名方便又復觀身身不
離病病不離身是病是身非新非故是名為
慧設身有疾而不永滅是名方便文殊師利
有疾菩薩應如是調伏其心不住其中亦復

常苦空非我是名為慧雖身有疾常在生死
饒益一切而不厭惓是名方便又復觀身身不
離病病不離身是病是身非新非故是名為
慧設身有疾而不永滅是名方便文殊師利
有疾菩薩應如是調伏其心不住其中亦復
不住不調伏心所以者何若住不調伏心是
愚人法若住調伏心是聲聞法是故菩薩不
當住於調伏不調伏心離此二法是菩薩行
在於生死不為汙行住於涅槃不永滅度是
菩薩行非凡夫行非賢聖行是菩薩行非垢
行非淨行是菩薩行雖過魔行而現降衆魔
是菩薩行求一切智无非時求是菩薩行雖
觀諸法不生而不入正位是菩薩行雖觀十
二緣起而入諸邪見是菩薩行雖攝一切衆
生而不愛著是菩薩行雖樂遠離而不依身
心盡是菩薩行雖行三界而不壞法性是菩
薩行雖行於空而殖衆德本是菩薩行雖行
无相而度衆生是菩薩行雖行无作而現受
身是菩薩行雖行无起而起諸善法是菩薩
行雖行六波羅蜜而遍知衆生心心數法是
菩薩行雖行六通而不盡漏是菩薩行雖行
四无量心而不貪著生於梵世是菩薩行雖
行禪定解脫三昧而不隨禪生是菩薩行雖
行四念處而不永離身受心法是菩薩行雖
行四正勤而不捨身心精進是菩薩行雖行

四无量心而不貪著生於梵世是菩薩行雖
行禪定解脫三昧而不隨禪生是菩薩行雖
行四念處而不永離身受心法是菩薩行雖
行四正勤而不捨身心精進是菩薩行雖行
四如意足而得自在神通是菩薩行雖行五
根而分別衆生諸根利鈍是菩薩行雖行五
力而樂求佛十力是菩薩行雖行七覺分而
分別佛之智慧是菩薩行雖行八正道而樂
行无量佛道是菩薩行雖行止觀助道之法
而不畢竟墮於寂滅是菩薩行雖行諸法不
生不滅而以相好莊嚴其身是菩薩行雖現
聲聞辟支佛威儀而不捨佛法是菩薩行雖
隨諸法究竟淨相而隨所應爲現其身是菩
薩行雖觀諸佛國土永寂如空而現種種清
淨佛土是菩薩行雖得佛道轉於法輪入
於涅槃而不捨於菩薩之道是菩薩行說
是語時文殊師利所將大衆其中八千天
子皆發阿耨多羅三藐三菩提心

不思議品第六

尒時舍利弗見此室中无有床坐作是念斯
諸菩薩大弟子衆當於何坐長者維摩詰知
其意語舍利弗言云何仁者爲法來耶求床
坐耶舍利弗言我爲法來非爲床坐維摩詰
言唯舍利弗夫求法者不貪軀命何况床坐
夫求法者非有色受想行識之求非有界入

BD03052號　維摩詰所說經卷中　（11–4）

諸菩薩大弟子衆當於何坐長者維摩詰知
其意語舍利弗言云何仁者爲法來耶求床
坐耶舍利弗言我爲法來非爲床坐維摩詰
言唯舍利弗夫求法者不貪軀命何况床坐
夫求法者非有色受想行識之求非有界入
之求非有欲色无色之求唯舍利弗夫求法
者不著佛求不著法求不著衆求夫求法者
无見苦求无斷集求无造盡證脩道之求所
以者何法无戲論若言我當見苦斷集滅證
脩道是則戲論非求法也唯舍利弗法名寂
滅若行生滅是求生滅非求法也法名无染
若染於法乃至涅槃是則染著非求法也法
无行處若行於法是則行處非求法也法无
取捨若取捨法則是取捨非求法也法无處
所若著處所是則著處非求法也法名无相
若隨相識是則求相非求法也法不可住若
住於法是則住法非求法也法不可見聞覺
知若行見聞覺知是則見聞覺知非求法也
法名无爲若行有爲是求有爲非求法也是
故舍利弗若求法者於一切法應无所求說
是語時五百天子於諸法中得法眼淨
尒時長者維摩詰問文殊師利仁者遊於无
量千万億阿僧祇國何等佛土有好上妙功
德成就師子之坐文殊師利言居士東方度

BD03052號　維摩詰所說經卷中　（11–5）

是語時五百天子於諸法中得法眼淨
尒時長者維摩詰問文殊師利仁者遊於无
量千万億阿僧祇國何等佛土有好上妙功
德成就師子之坐文殊師利言居士東方度
三十六恒河沙國有世界名須弥相其佛号
須弥燈王今現在彼佛身長八万四千由旬
其師子座高八万四千由旬嚴飾第一於是
長者維摩詰現神通力即時彼佛遣三万二
千師子座高廣嚴淨來入維摩詰室諸菩薩
大弟子釋梵四天王等昔所未見其室廣博
悉包容三万二千師子座无所妨閡於毗耶
離城及閻浮提四天下亦不迫迮悉見如故
尒時維摩詰語文殊師利就師子座與諸菩
薩上人俱坐當自立身如彼坐像其得神通
菩薩即自變形為四万二千由旬坐師子座
諸新發意菩薩及大弟子皆不能昇尒時維
摩詰語舍利弗就師子座舍利弗言居士此
座高廣吾不能昇維摩詰言唯舍利弗為須
弥燈王如來作礼乃可得坐於是新發意菩
薩及大弟子即為須弥燈王如來作礼便得
坐師子座舍利弗言居士未曾有也如是小
室乃容受此高廣之座於毗耶離城无所妨
閡又於閻浮提聚落城邑及四天下諸天龍
王鬼神宮殿亦不迫迮維摩詰言唯舍利弗
諸佛菩薩有解脫名不可思議若菩薩住是

BD03052 號　維摩詰所說經卷中　（11-6）

坐師子座舍利弗言居士未曾有也如是小
室乃容受此高廣之座於毗耶離城无所妨
閡又於閻浮提聚落城邑及四天下諸天龍
王鬼神宮殿亦不迫迮維摩詰言唯舍利弗
諸佛菩薩有解脫名不可思議若菩薩住是
解脫者以須弥之高廣內芥子中无所增減
須弥山王本相如故而四天王忉利諸天不
覺不知己之所入唯應度者乃見須弥入芥
子中是名不可思議解脫法門又以四大海
水入一毛孔不嬈魚鼈黿鼉水性之屬而彼
大海本相如故諸龍鬼神阿脩羅等不覺不
知己之所入於此衆生亦无所嬈又舍利弗
住不可思議解脫菩薩斷取三千大千世界
如陶家輪著右掌中擲過恒河沙世界之外
其中衆生不覺不知己之所往又復還置本
處都不使人有往來想而此世界本相如故
又舍利弗或有衆生樂久住世而可度者菩
薩即演七日以為一劫令彼衆生謂之一劫
或有衆生不樂久住而可度者菩薩即促一
劫以為七日令彼衆生謂之七日又舍利弗住
住不可思議解脫菩薩以一切佛土嚴飾之
事集在一國示於衆生又菩薩以佛土衆
生置之右掌飛到十方遍示一切而不動本
處又舍利弗十方衆生供養諸佛之具菩薩
於一毛孔皆令得見又十方國土所有日月

BD03052 號　維摩詰所說經卷中　（11-7）

事集在一國示於衆生又菩薩以佛土衆
生置之右掌飛到十方遍示一切而不動本
處又舍利弗十方衆生供養諸佛之具菩薩
於一毛孔皆令得見又十方國土所有日月
星宿於一毛孔普使見之又舍利弗十方世
界所有諸風菩薩悉能吸著口中而身无損
外諸樹木亦不摧折又十方世界劫盡燒
時以一切火内於腹中火事如故而不為害又
於下方過恒河沙等諸佛世界取一佛土舉著
上方過恒河沙无數世界如持針鋒舉一棗
葉而无所嬈又舍利弗住不可思議解脫菩
薩能以神通現作佛身或現辟支佛身或現
聲聞身或現帝釋身或現梵王身或現世主
身或現轉輪王身又十方世界所有衆聲上
中下音皆能變之令作佛聲演出无常苦空
无我之音及十方諸佛所說種種之法皆
於其中普令得聞舍利弗我今略說菩薩不可
思議解脫之力若廣說者窮劫不盡是時大
迦葉聞說菩薩不可思議解脫法門歎未曾
有謂舍利弗譬如有人於盲者前現衆色像
非彼所見一切聲聞聞是不可思議解脫法
門不能解了為若此也智者聞是其誰不發
阿耨多羅三藐三菩提心我等何為永絕其
根於此大乘已如敗種一切聲聞聞是不可
思議解脫法門皆應號泣聲震三千大千世

BD03052 號　維摩詰所說經卷中　（11–8）

門不能解了為若此也智者聞是其誰不發
阿耨多羅三藐三菩提心我等何為永絕其
根於此大乘已如敗種一切聲聞聞是不可
思議解脫法門皆應號泣聲震三千大千世
界一切菩薩應大欣慶頂受此法若有菩薩
信解不可思議解脫法門者一切魔衆无如之
何大迦葉說是語時三万二千天子皆發阿
耨多羅三藐三菩提心尒時維摩詰語大迦
葉仁者十方无量阿僧祇世界中作魔王者
多是住不可思議解脫菩薩以方便力教化衆
生現作魔王又迦葉十方无量菩薩或有人
從乞手足耳鼻頭目髓腦血肉皮骨聚落
城邑妻子奴婢象馬車乘金銀琉璃車𤦲馬
瑙珊瑚琥珀真珠珂貝衣服飲食如此乞者
多是住不可思議解脫菩薩以方便力而往
試之令其堅固所以者何住不可思議解脫
菩薩有威德力故行逼迫示諸衆生如是難事凡夫
下劣无有力勢不能如是逼迫菩薩譬如龍
象蹴踏非驢所堪是名住不可思議解脫菩
薩智慧方便之門

觀衆生品第七

尒時文殊師利問維摩詰言菩薩云何觀於
衆生維摩詰言譬如幻師見所幻人菩薩觀
衆生為若此如智者見水中月如鏡中見其面
像如熱時炎如呼聲響如空中雲如水聚沫

BD03052 號　維摩詰所說經卷中　（11–9）

尒時文殊師利問維摩詰言菩薩云何觀於
衆生維摩詰言譬如幻師見所幻人菩薩觀
衆生爲若此如智者見水中月如鏡中見其面
像如熱時炎如呼聲響如空中雲如水聚沫
如水上泡如芭蕉堅如電久住如第五大如
第六陰如第七情如十三入如十九界菩薩
觀衆生爲若此如无色界色如燋穀牙如
須陁洹身見如阿那含入胎如阿羅漢三毒
如得忍菩薩貪恚毁禁如佛煩惱習如盲者
見色如入滅定出入息如空中鳥跡如石女
兒如化人煩惱如夢所見已寤如滅度者受
身如无烟之火菩薩觀衆生爲若此也
文殊師利言若菩薩作是觀者云何行慈維
摩詰言菩薩作是觀已自念我當爲衆生説
如斯法是則真實慈也行寂滅慈无所生故
行不熱慈无煩惱故行等之慈等三世故行
无諍慈无所起故行不二慈内外不合故行
不壊慈畢竟盡故行堅固慈心无毁故行清
淨慈諸法性淨故行无邊慈如虚空故行阿羅
漢慈破結賊故行菩薩慈安衆生故行如來慈
得如相故行佛之慈覺衆生故行自然慈无
因得故行菩提慈等一味故行无比慈斷諸
愛故行大悲慈導以大乘故行无猒慈觀空
无我故行法施慈无遺借故行持戒慈化毁
禁故行忍辱慈護彼我故行精進慈荷負衆

BD03052 號　維摩詰所說經卷中　（11–10）

文殊師利言若菩薩作是觀者云何行慈維
摩詰言菩薩作是觀已自念我當爲衆生説
如斯法是則真實慈也行寂滅慈无所生故
行不熱慈无煩惱故行等之慈等三世故行
无諍慈无所起故行不二慈内外不合故行
不壊慈畢竟盡故行堅固慈心无毁故行清
淨慈諸法性淨故行无邊慈如虚空故行阿羅
漢慈破結賊故行菩薩慈安衆生故行如來慈
得如相故行佛之慈覺衆生故行自然慈无
因得故行菩提慈等一味故行无比慈斷諸
愛故行大悲慈導以大乘故行无猒慈觀空
无我故行法施慈无遺借故行持戒慈化毁
禁故行忍辱慈護彼我故行精進慈荷負衆
生故行禪定慈不受味故行智慧慈无不知時
故行方便慈一切示現故行无隱慈直心清
淨故行深心慈无雜行故行无誑慈不虚假
故行安樂慈令得佛樂故菩薩之慈爲若此
也文殊師利又問何謂爲悲荅曰菩薩所作功
德皆與一切衆生共之何謂爲喜荅曰有所
饒益歡喜无悔何謂爲捨荅曰所作福祐无
所悕望文殊師利又問生死有畏菩薩當何

BD03052 號　維摩詰所說經卷中　（11–11）

量衆生令立阿耨多羅三藐三菩
土故常勤精進教化衆生漸漸具足菩薩之
道過无量阿僧祇劫當於此土得阿耨多羅
三藐三菩提号曰法明如來應供正遍知明
行足善逝世間解无上士調御丈夫天人師
佛世尊其佛以恒河沙等三千大千世界為
一佛土七寶為地地平如掌无有山陵谿澗
溝壑七寶臺觀充滿其中諸天宮殿近處虛
空人天交接兩得相見无諸惡道亦无女人
一切衆生皆以化生无有婬欲得大神通身
出光明飛行自在志念堅固精進智慧普皆
金色三十二相而自莊嚴其國衆生常以二
食一者法喜食二者禪悅食有无量阿僧祇
千万億那由他諸菩薩衆得大神通四无礙
智善能教化衆生之類其聲聞衆筭數校計
所不能知皆得具足六通三明及八解脫其
佛國土有如是等无量功德莊嚴成就劫名
寶明國名善淨其佛壽命无量阿僧祇劫法
住甚久佛滅度後起七寶塔遍滿其國尒時
世尊欲重宣此義而說偈言

BD03053號　妙法蓮華經卷四　（29–1）

智善能教化衆生之類其聲聞衆筭數校計
所不能知皆得具足六通三明及八解脫其
佛國土有如是等无量功德莊嚴成就劫名
寶明國名善淨其佛壽命无量阿僧祇劫法
住甚久佛滅度後起七寶塔遍滿其國尒時
世尊欲重宣此義而說偈言
諸比丘諦聽　佛子所行道　善學方便故　不可得思議
知衆樂小法　而畏於大智　是故諸菩薩　作聲聞緣覺
以无數方便　化諸衆生類　自說是聲聞　去佛道甚遠
度脫无量衆　皆悉得成就　雖小欲懈怠　漸當令作佛
內秘菩薩行　外現是聲聞　少欲厭生死　實自淨佛土
示衆有三毒　又現邪見相　我弟子如是　方便度衆生
若我具足說　種種現化事　衆生聞是者　心則懷疑惑
今此富樓那　於昔千億佛　勤脩所行道　宣護諸佛法
為求无上慧　而於諸佛所　現居弟子上　多聞有智慧
所說无所畏　能令衆歡喜　未曾有疲倦　而以助佛事
已度大神通　具四无礙智　知諸根利鈍　常說清淨法
演暢如是義　教諸千億衆　令住大乘法　而自淨佛土
未來亦供養　无量无數佛　護助宣正法　亦自淨佛土
常以諸方便　說法无所畏　度不可計衆　成就一切智
供養諸如來　護持法寶藏　其後當作佛　号名曰法明
其國名善淨　七寶所合成　劫名為寶明　菩薩衆甚多
其數无量億　皆度大神通　威德力具足　充滿其國土
聲聞亦无數　三明八解脫　得四无礙智　以是等為僧
其國諸衆生　婬欲皆已斷　純一變化生　具相莊嚴身
法喜禪悅食　更无餘食想　无有諸女人　亦无諸惡道
富樓那比丘　功德悉成滿　當得斯淨土　賢聖衆甚多

BD03053號　妙法蓮華經卷四　（29–2）

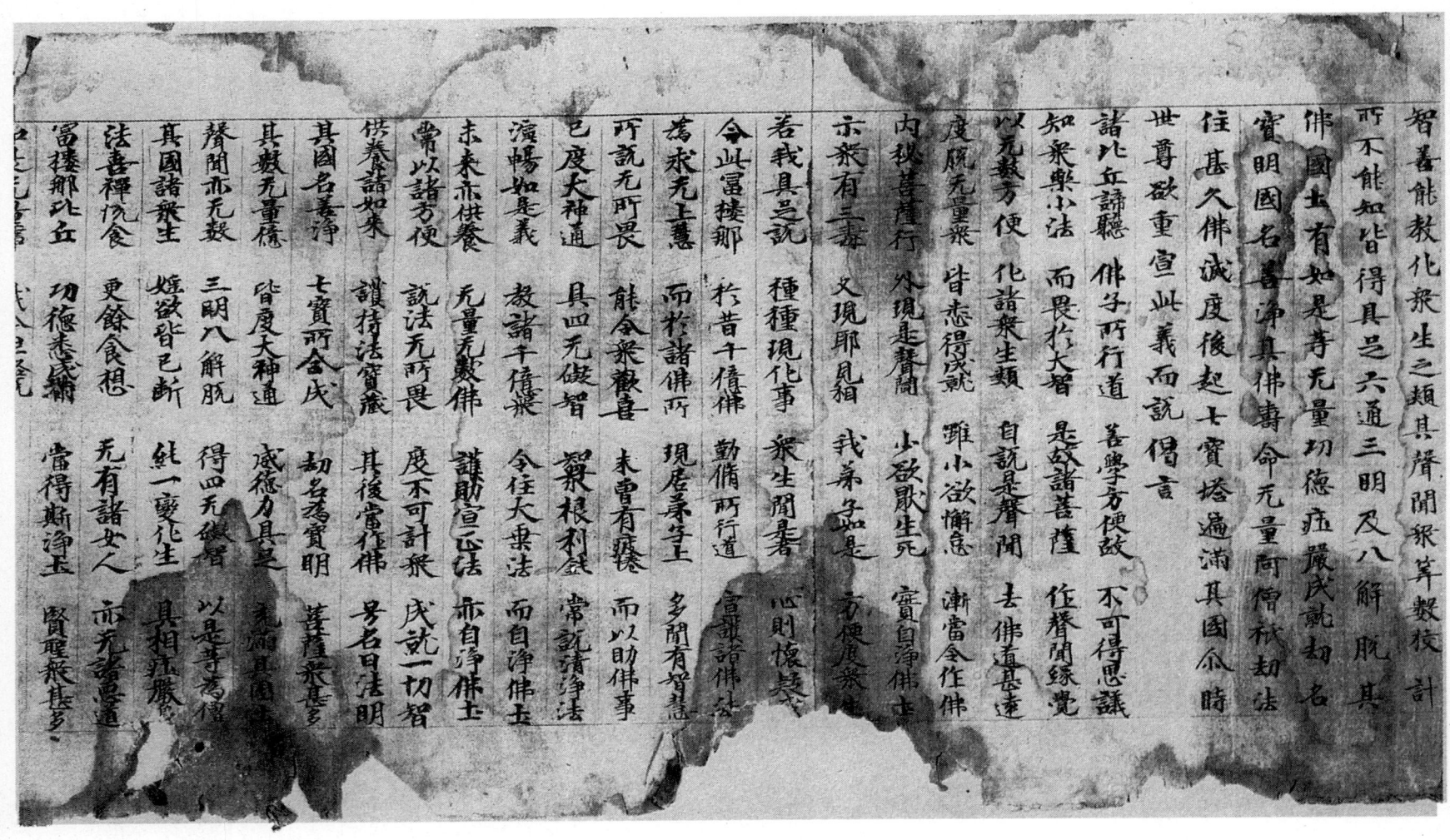

其數无量億　皆度大神通　威德力具足　充滿其國土
聲聞亦无數　三明八解脫　得四无礙智　以是等為僧
其國諸衆生　婬欲皆已斷　純一變化生　具相莊嚴身
法喜禪悅食　更無餘食想　无有諸女人　亦无諸惡道
富樓那比丘　功德悉成滿　當得斯淨土　賢聖衆甚多
如是无量事　我今但略說
尒時千二百阿羅漢心自在者作是念我等
歡喜得未曾有若世尊各見授記如餘大弟
子者不亦快乎佛知此等心之所念告摩訶
迦葉是千二百阿羅漢我今當現前次第與
受阿耨多羅三藐三菩提記於此衆中我大
弟子憍陳如比丘當供養六万二千億佛然
後得成為佛号曰普明如來應供正遍知明
行足善逝世間解无上士調御丈夫天人師
佛世尊其五百阿羅漢優樓頻螺迦葉伽耶
迦葉那提迦葉迦留陁夷優陁夷阿㝹樓馱
離婆多劫賓那薄拘羅周陁莎伽陁等皆當
得阿耨多羅三藐三菩提盡同一号名曰普
明尒時世尊欲重宣此義而說偈言
憍陳如比丘　當見无量佛　過阿僧祇劫　乃成等正覺
常放大光明　具足諸神通　名聞遍十方　一切之所敬
常說无上道　故号為普明　其國土清淨　菩薩皆勇猛
咸昇妙樓閣　遊諸十方國　以无上供具　奉獻於諸佛
作是供養已　心懷大歡喜　須臾還本國　有如是神力
佛壽六万劫　正法住倍壽　像法復倍是　法滅天人憂
其五百比丘　次第當作佛　同号曰普明　轉次而授記
我滅度之後　某甲當作佛　其所化世間　亦如我今日

BD03053號　妙法蓮華經卷四　（29–3）

作是供養已　心懷大歡喜　須臾還本國　有如是神力
佛壽六万劫　正法住倍壽　像法復倍是　法滅天人憂
其五百比丘　次第當作佛　同号曰普明　轉次而授記
我滅度之後　某甲當作佛　其所化世間　亦如我今日
國土之嚴淨　及諸神通力　菩薩聲聞衆　正法及像法
壽命劫多少　皆如上所說　迦葉汝已知　五百自在者
餘諸聲聞衆　亦當復如是　其不在此會　汝當為宣說
尒時五百阿羅漢於佛前得受記已歡喜踊
躍即從座起到於佛前頭面礼足悔過自責
世尊我等常作是念自謂已得究竟滅度今
乃知之如无智者所以者何我等應得如來
智慧而便自以小智為足世尊譬如有人至
親友家醉酒而卧是時親友官事當行以无
價寶珠繫其衣裏與之而去其人醉卧都不
覺知起已遊行到於他國為衣食故勤力求
索甚大艱難若少有所得便以為足於後親
友會遇見之而作是言咄哉丈夫何為衣食
乃至如是我昔欲令汝得安樂五欲自恣於
某年日月以无價寶珠繫汝衣裏今故現在
而汝不知勤苦憂惱以求自活甚為癡也汝
今可以此寶貿易所須常可如意无所乏短
佛亦如是為菩薩時教化我等令發一切智
心而尋廢忘不知不覺既得阿羅漢道自謂
滅度資生艱難得少為足一切智願猶在不
失今者世尊覺悟我等作如是言諸比丘汝
等所得非究竟滅我久令汝等種佛善根以
方便故示涅槃相而汝謂為實得滅度世尊

BD03053號　妙法蓮華經卷四　（29–4）

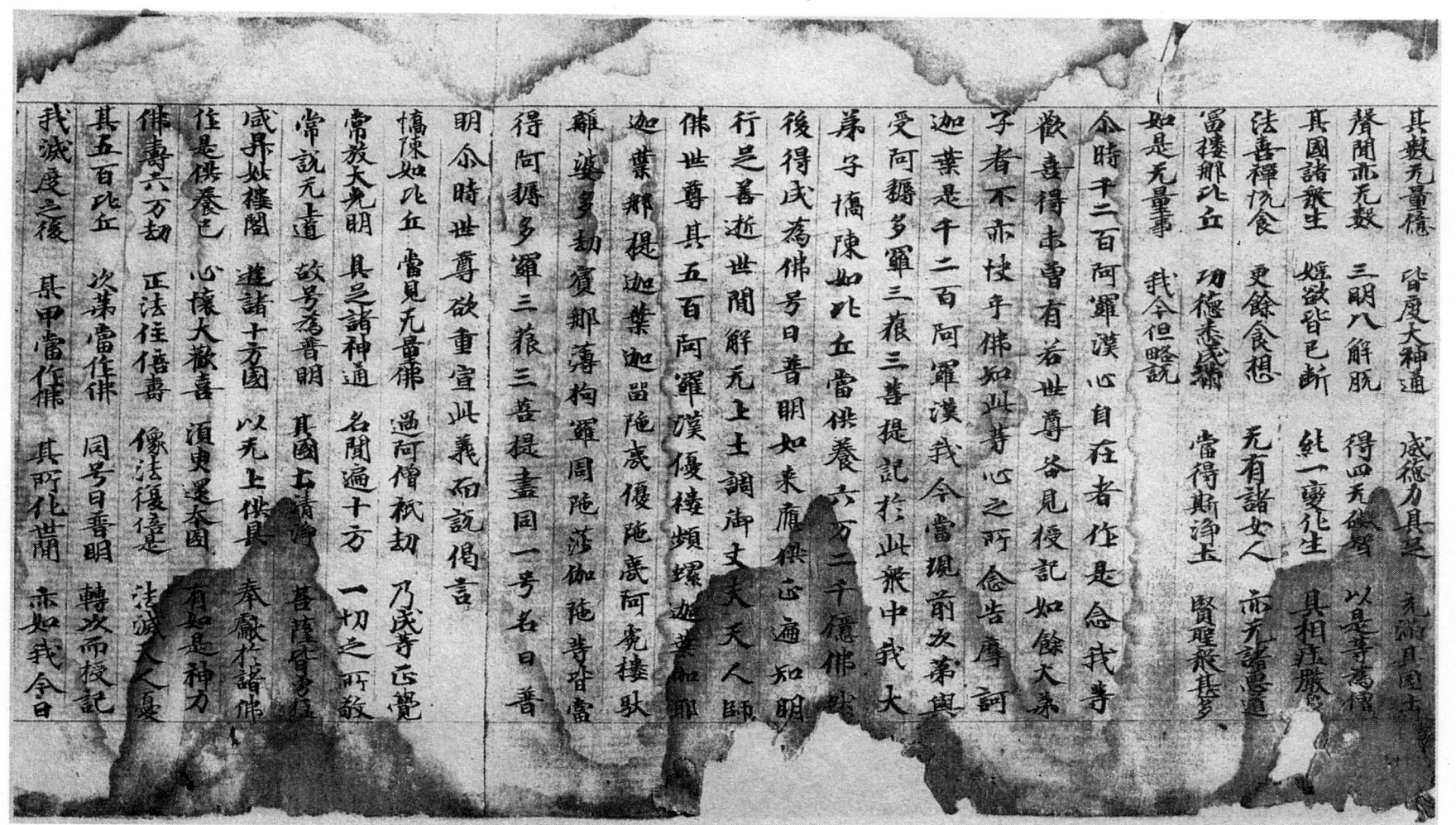

佛亦如是為菩薩時教化我等令發一切智
心而尋廢忘不知不覺既得阿羅漢道自謂
滅度資生艱難得少為足一切智願猶在不
失今者世尊覺悟我等作如是言諸比丘汝
等所得非究竟滅我久令汝等種佛善根以
方便故示涅槃相而汝謂為實得滅度世尊
我今乃知實是菩薩得受阿耨多羅三藐三
菩提記以是因緣甚大歡喜得未曾有尒時
阿若憍陳如等欲重宣此義而說偈言

我等聞无上　安隱授記聲　歡喜未曾有　礼无上智佛
今於世尊前　自悔諸過咎　於无量佛寶　得少涅槃分
如无智愚人　便自以為足　譬如貧窮人　往至親友家
其家甚大富　具設諸餚饍　以无價寶珠　繫著內衣裏
嘿與而捨去　時臥不覺知　是人既已起　遊行詣他國
求衣食自濟　資生甚艱難　得少便為足　更不願好者
不覺內衣裏　有无價寶珠　與珠之親友　後見此貧人
苦切責之已　示以所繫珠　貧人見此珠　其心大歡喜
富有諸財物　五欲而自恣　我等亦如是　世尊於長夜
常愍見教化　令種无上願　我等无智故　不覺亦不知
得少涅槃分　自足不求餘　今佛覺悟我　言非實滅度
得佛无上慧　尒乃為真滅　我今從佛聞　授記莊嚴事
及轉次受決　身心遍歡喜

妙法蓮華經授學无學人記品第九

尒時阿難羅睺羅而作是念我等每自思惟
設得受記不亦快乎即從座起到於佛前頭
面礼足俱白佛言世尊我等於此亦應有分
唯有如來我等所歸又我等為一切世間天

BD03053號　妙法蓮華經卷四　（29–5）

尒時阿難羅睺羅而作是念我等每自思惟
設得受記不亦快乎即從座起到於佛前頭
面礼足俱白佛言世尊我等於此亦應有分
唯有如來我等所歸又我等為一切世間天
人阿脩羅所見知識阿難常為侍者護持法
藏羅睺羅是佛之子若佛見授阿耨多羅三
藐三菩提記者我願既滿衆望亦足尒時學
无學聲聞弟子二千人皆從座起偏袒右肩
到於佛前一心合掌瞻仰世尊如阿難羅睺
羅所願住立一面尒時佛告阿難汝於來世
當得作佛号山海慧自在通王如來應供正
遍知明行足善逝世間解无上士調御丈夫
天人師佛世尊當供養六十二億諸佛護持
法藏然後得阿耨多羅三藐三菩提教化二
十千万億恒河沙諸菩薩等令成阿耨多羅
三藐三菩提國名常立勝幡其土清淨瑠璃
為地劫名妙音遍滿其佛壽命无量千万億
阿僧祇劫若人於千万億无量阿僧祇劫中
筭數校計不能得知正法住世倍於壽命像
法住世復倍正法阿難是山海慧自在通王
佛為十方无量千万億恒河沙等諸佛如來
所共讚歎稱其功德尒時世尊欲重宣此義
而說偈言

我今僧中說　阿難持法者　當供養諸佛　然後成正覺
号曰山海慧　自在通王佛　其國土清淨　名常立勝幡
教化諸菩薩　其數如恒沙　佛有大威德　名聞滿十方
壽命无有量　以愍衆生故　正法倍壽命　像法復倍是

BD03053號　妙法蓮華經卷四　（29–6）

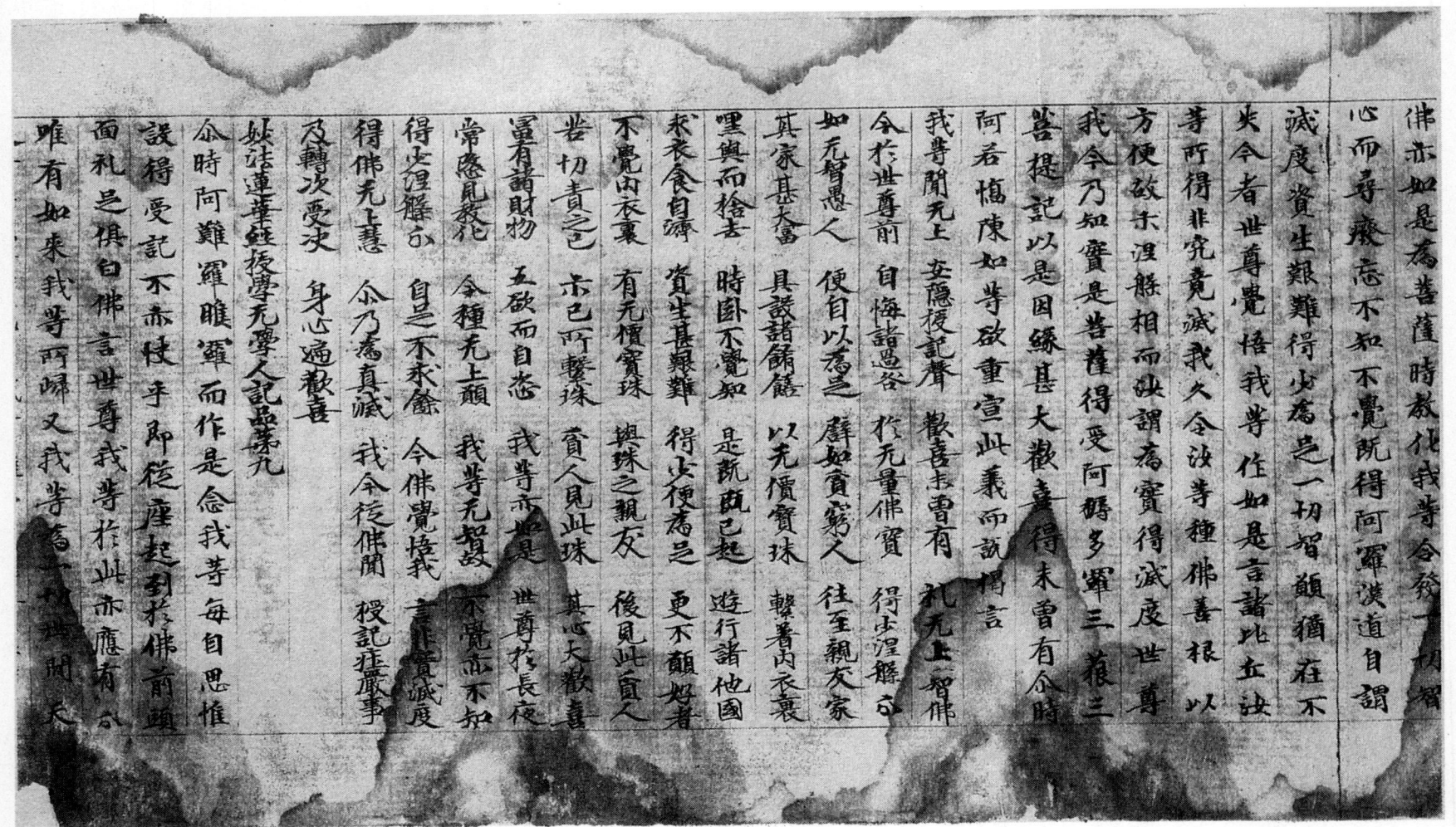

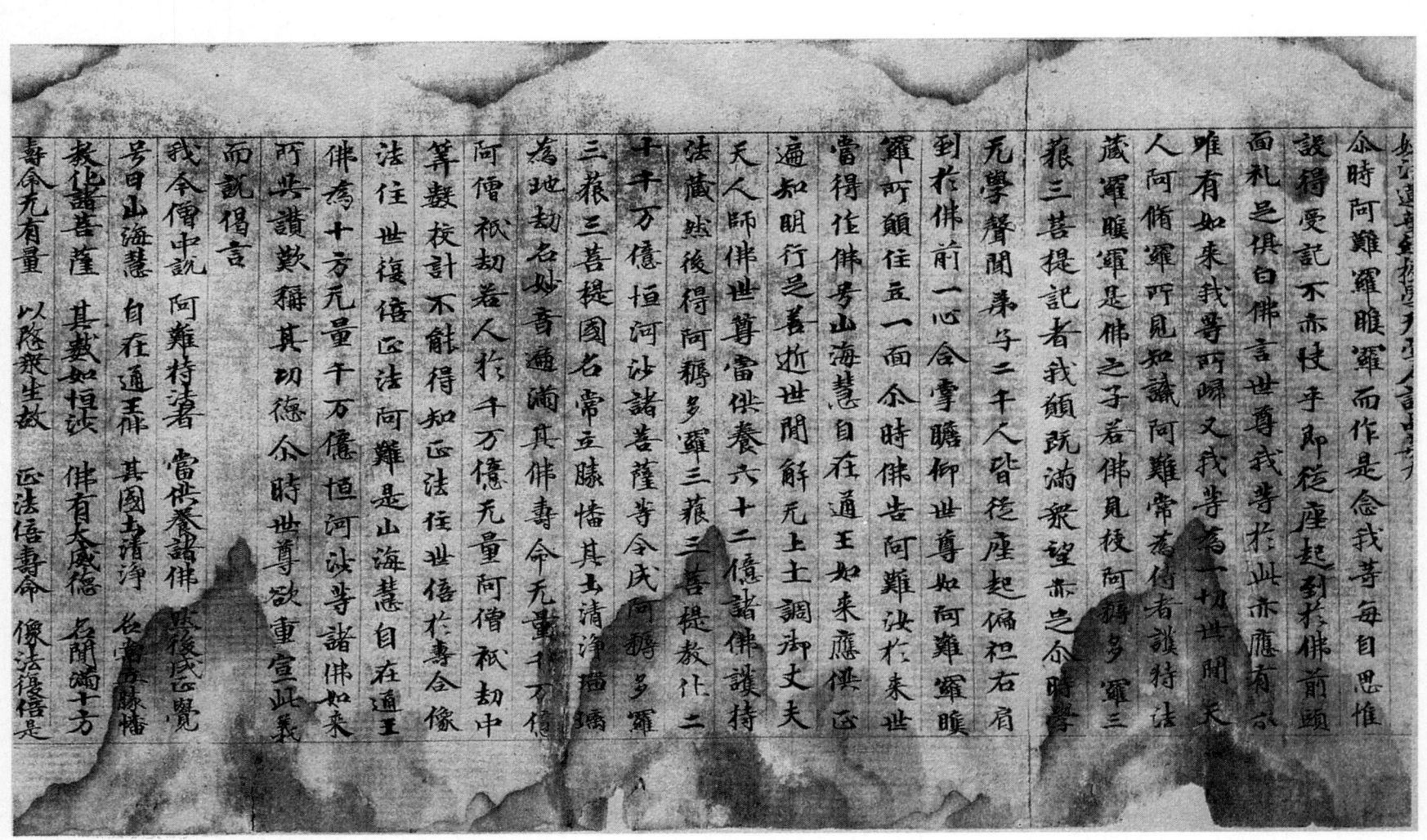

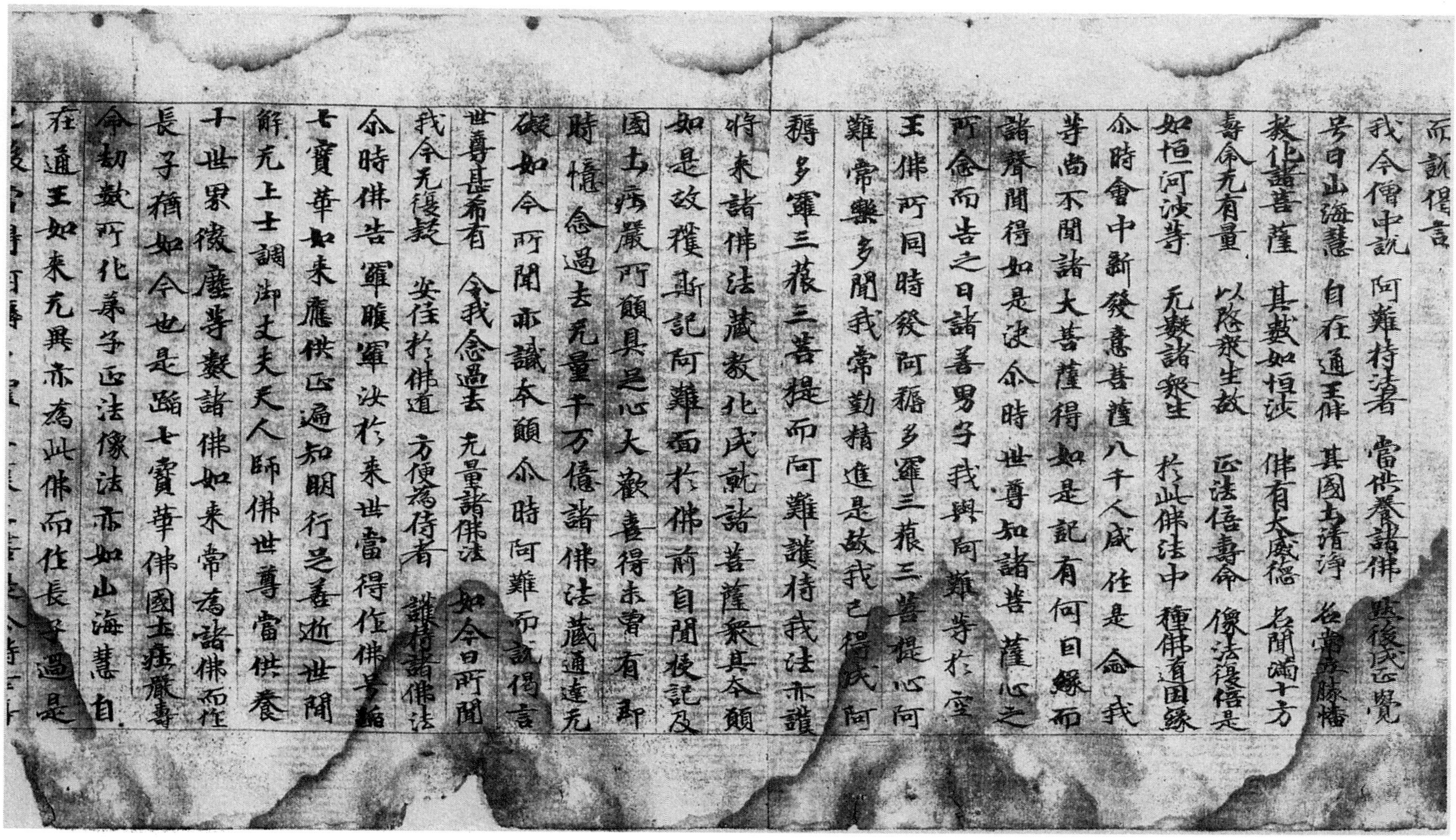

而說偈言
我今僧中說　阿難持法者　當供養諸佛　然後成正覺
号曰山海慧　自在通王佛　其國土清淨　名常立勝幡
教化諸菩薩　其數如恒沙　佛有大威德　名聞滿十方
壽命无有量　以愍衆生故　正法倍壽命　像法復倍是
如恒河沙等　无數諸衆生　於此佛法中　種佛道因緣
尒時會中新發意菩薩八千人咸作是念我
等尚不聞諸大菩薩得如是記有何因緣而
諸聲聞得如是決尒時世尊知諸菩薩心之
所念而告之曰諸善男子我與阿難等於空
王佛所同時發阿耨多羅三藐三菩提心阿
難常樂多聞我常勤精進是故我已得成阿
耨多羅三藐三菩提而阿難護持我法亦護
将来諸佛法藏教化成就諸菩薩衆其本願
如是故獲斯記阿難面於佛前自聞授記及
國土莊嚴所願具足心大歡喜得未曾有即
時憶念過去无量千万億諸佛法藏通達无
礙如今所聞亦識本願尒時阿難而說偈言
世尊甚希有　令我念過去　无量諸佛法　如今日所聞
我今无復疑　安住於佛道　方便為侍者　護持諸佛法
尒時佛告羅睺羅汝於来世當得作佛号蹈
七寶華如来應供正遍知明行足善逝世間
解无上士調御丈夫天人師佛世尊當供養
十世界微塵等數諸佛如来常為諸佛而作
長子猶如今也是蹈七寶華佛國土莊嚴壽
命劫數所化弟子正法像法亦如山海慧自
在通王如来无異亦為此佛而作長子過是

BD03053 號　妙法蓮華經卷四　（29–7）

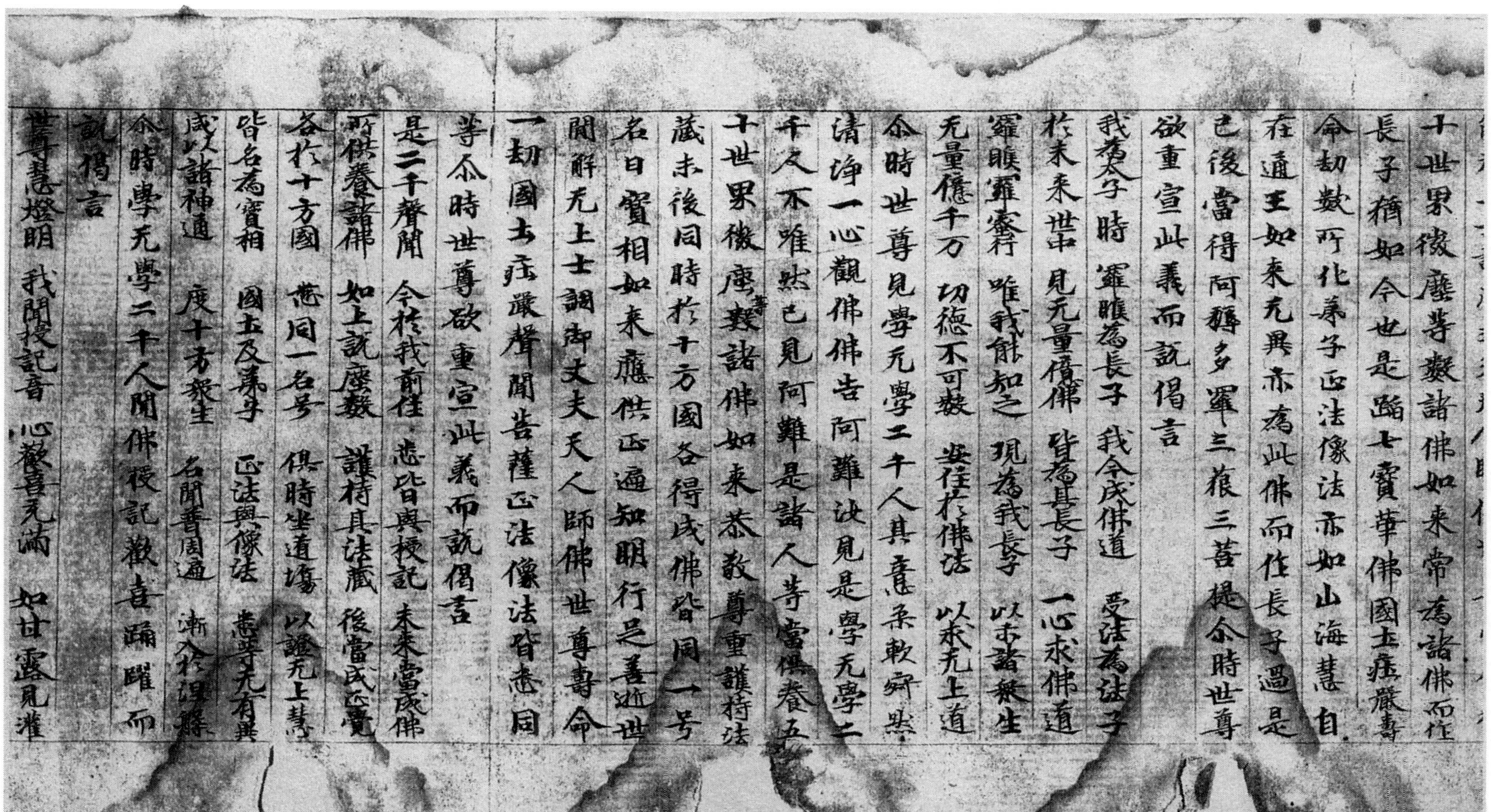

十世界微塵等數諸佛如来常為諸佛而作
長子猶如今也是蹈七寶華佛國土莊嚴壽
命劫數所化弟子正法像法亦如山海慧自
在通王如来无異亦為此佛而作長子過是
已後當得阿耨多羅三藐三菩提尒時世尊
欲重宣此義而說偈言
我為太子時　羅睺為長子　我今成佛道　受法為法子
於未来世中　見无量億佛　皆為其長子　一心求佛道
羅睺羅密行　唯我能知之　現為我長子　以示諸衆生
无量億千万　功德不可數　安住於佛法　以求无上道
尒時世尊見學无學二千人其意柔軟寂然
清淨一心觀佛佛告阿難汝見是學无學二
千人不唯然已見阿難是諸人等當供養五
十世界微塵等數諸佛如来恭敬尊重護持法
藏末後同時於十方國各得成佛皆同一号
名曰寶相如来應供正遍知明行足善逝世
間解无上士調御丈夫天人師佛世尊壽命
一劫國土莊嚴聲聞菩薩正法像法皆悉同
等尒時世尊欲重宣此義而說偈言
是二千聲聞　今於我前住　悉皆與授記　未来當成佛
所供養諸佛　如上說塵數　護持其法藏　後當成正覺
各於十方國　悉同一名号　俱時坐道場　以證无上慧
皆名為寶相　國土及弟子　正法與像法　悉等无有異
咸以諸神通　度十方衆生　名聞普周遍　漸入於涅槃
尒時學无學二千人聞佛授記歡喜踊躍而
說偈言
世尊慧燈明　我聞授記音　心歡喜充滿　如甘露見灌

BD03053 號　妙法蓮華經卷四　（29–8）

咸以諸神通　度十方衆生　名聞普周遍　漸入於涅槃
尒時學无學二千人聞佛授記歡喜踊躍而
説偈言
世尊慧燈明　我聞授記音　心歡喜充滿　如甘露見灌
妙法蓮華經法師品第十
尒時世尊因藥王菩薩告八万大士藥王　汝見
是大衆中无量諸天龍王夜叉乹闥婆阿
脩羅迦樓羅緊那羅摩睺羅伽人與非人及
比丘比丘尼優婆塞優婆夷求聲聞者求辟
支佛者求佛道者如是等類咸於佛前聞妙
法華經一偈一句乃至一念隨喜者我皆與
授記當得阿耨多羅三藐三菩提佛告藥王
又如來滅度之後若有人聞妙法華經乃至
一偈一句一念隨喜者我亦與授阿耨多羅
三藐三菩提記若復有人受持讀誦解説書
寫妙法華經乃至一偈於此經卷敬視如佛
種種供養華香瓔珞末香塗香燒香繒蓋幢
幡衣服伎樂乃至合掌恭敬藥王當知是諸
人等已曾供養十万億佛於諸佛所成就大
願愍衆生故生此人間藥王若有人問何等衆
生於未來世當得作佛應示是諸人等於
未來世必得作佛何以故若善男子善女人
於法華經乃至一句受持讀誦解説書寫種
種供養經卷華香瓔珞末香塗香燒香繒蓋
幢幡衣服伎樂合掌恭敬是人一切世間所
應瞻奉應以如來供養而供養之當知此人
是大菩薩成就阿耨多羅三藐三菩提哀愍

BD03053號　妙法蓮華經卷四　（29–9）

於法華經乃至一句受持讀誦解説書寫種
種供養經卷華香瓔珞末香塗香燒香繒蓋
幢幡衣服伎樂合掌恭敬是人一切世間所
應瞻奉應以如來供養而供養之當知此人
是大菩薩成就阿耨多羅三藐三菩提哀愍
衆生願生此間廣演分別妙法華經何況盡
能受持種種供養者藥王當知是人自捨清
淨業報於我滅度後愍衆生故生於惡世廣
演此經若是善男子善女人我滅度後能竊
爲一人説法華經乃至一句當知是人則如
來使如來所遣行如來事何況於大衆中廣
爲人説藥王若有惡人以不善心於一劫中
現於佛前常毀罵佛其罪尚輕若人以一惡
言毀呰在家出家讀誦法華經者其罪甚重
藥王其有讀誦法華經者當知是人以佛莊
嚴而自莊嚴則爲如來肩所荷擔其所至方
應隨向礼一心合掌恭敬供養尊重讚歎華
香瓔珞末香塗香燒香繒蓋幢幡衣服餚饍
作諸伎樂人中上供而供養之應持天寶而
以散之天上寶聚應以奉獻所以者何是人
歡喜説法須臾聞之即得究竟阿耨多羅三
藐三菩提故尒時世尊欲重宣此義而説偈
言
若欲住佛道　成就自然智　常當勤供養　受持法華者
其有欲疾得　一切種智慧　當受持是經　并供養持者
若有能受持　妙法華經者　當知佛所使　愍念諸衆生
諸有能受持　妙法華經者　捨於清淨土　愍衆故生此

BD03053號　妙法蓮華經卷四　（29–10）

言

若欲住佛道　成就自然智　常當勤供養　受持法華者
其有欲疾得　一切種智慧　當受持是經　并供養持者
若有能受持　妙法華經者　當知佛所使　愍念諸衆生
諸有能受持　妙法華經者　捨於清淨土　愍衆故生此
當知如是人　自在所欲生　能於此惡世　廣說无上法
應以天華香　及天寶衣服　天上妙寶聚　供養說法者
吾滅後惡世　能持是經者　當合掌礼敬　如供養世尊
上饌衆甘美　及種種衣服　供養是佛子　兾得須臾聞
若能於後世　受持是經者　我遣在人中　行於如來事
若於一劫中　常懷不善心　作色而罵佛　獲无量重罪
其有讀誦持　是法華經者　須臾加惡言　其罪復過彼
有人求佛道　而於一劫中　合掌在我前　以无數偈讚
由是讚佛故　得无量功德　歎美持經者　其福復過彼
於八十億劫　以最妙色聲　及與香味觸　供養持經者
如是供養已　若得須臾聞　則應自欣慶　我今獲大利
藥王今告汝　我所說諸經　而於此經中　法華最第一
尒時佛復告藥王菩薩摩訶薩我所說經典
无量千万億已說今說當說而於其中此法華
經最為難信難解藥王此經是諸佛祕要之
藏不可分布妄授與人諸佛世尊之所守護
從昔已來未曾顯說而此經者如來現在猶
多怨嫉况滅度後藥王當知如來滅後其能
書持讀誦供養為他人說者如來則為以衣
覆之又為他方現在諸佛之所護念是人有
大信力及志願力諸善根力當知是人與如
来共宿則為如来手摩其頭藥王在在處處
若說若讀若誦若書若經卷所住之處皆應起

BD03053號　妙法蓮華經卷四　（29-11）

多怨嫉况滅度後藥王當知如來滅後其能
書持讀誦供養為他人說者如来則為以衣
覆之又為他方現在諸佛之所護念是人有
大信力及志願力諸善根力當知是人與如
来共宿則為如来手摩其頭藥王在在處處
若說若讀若誦若書若經卷所住之處皆應起
七寶塔極令高廣嚴飾不須復安舍利所以
者何此中已有如來全身此塔應以一切華
香瓔珞繒蓋幢幡伎樂歌頌供養恭敬尊重
讚歎若有人得見此塔礼拜供養當知是等
皆近阿耨多羅三藐三菩提藥王多有人在
家出家行菩薩道若不能得見聞讀誦書持
供養是法華經者當知是人未善行菩薩道
若有得聞是經典者乃能善行菩薩之道其
有衆生求佛道者若見若聞是法華經聞已
信解受持者當知是人得近阿耨多羅三藐
三菩提藥王譬如有人渴乏須水於彼高原
穿鑿求之猶見乾土知水尚遠施功不已轉
見濕土遂漸至泥其心決定知水必近菩薩
亦復如是若未聞未解未能修習是法華經
當知是人去阿耨多羅三藐三菩提尚遠若
得聞解思惟修習必知得近阿耨多羅三藐
三菩提所以者何一切菩薩阿耨多羅三藐
三菩提皆屬此經此經開方便門示真實相
是法華經藏深固幽遠无人能到今佛教化
成就菩薩而為開示藥王若有菩薩聞是法
華經驚疑怖畏當知是為新發意菩薩若聲
聞人聞是經驚疑怖畏當知是為增上慢者

BD03053號　妙法蓮華經卷四　（29-12）

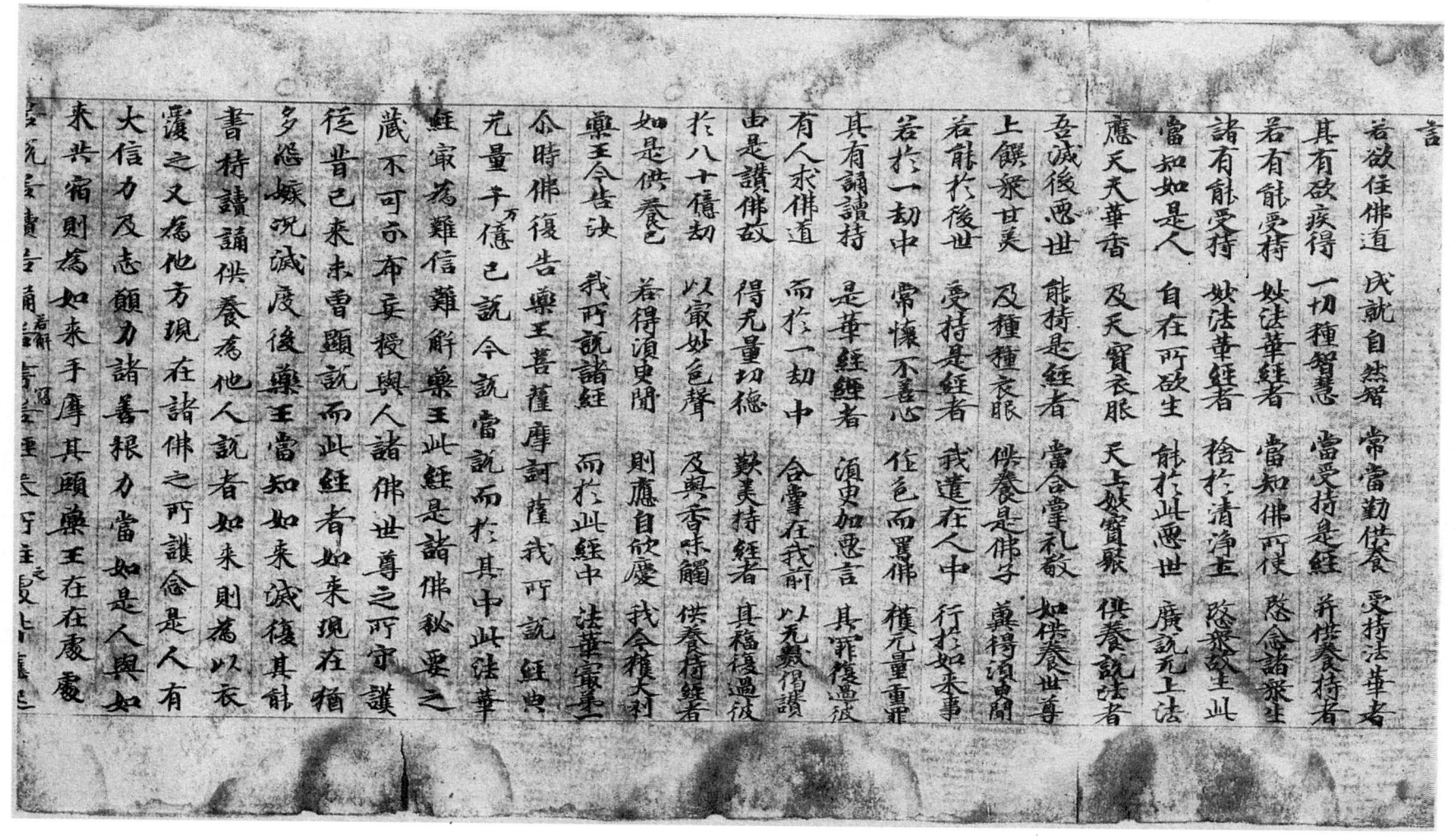

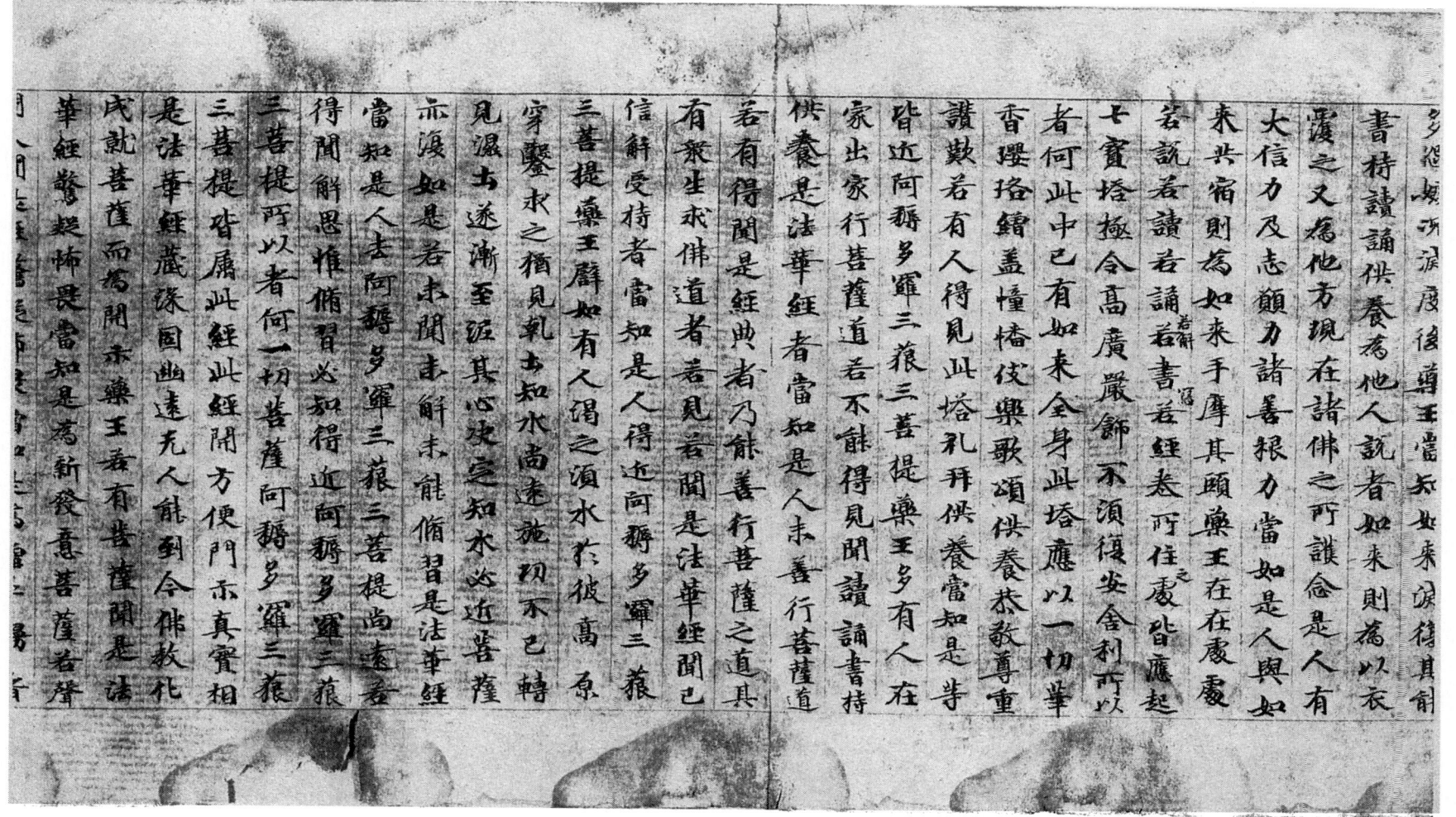

是法華經藏深固幽遠无人能到今佛教化
成就菩薩而為開示藥王若有菩薩聞是法
華經驚疑怖畏當知是為新發意菩薩若聲
聞人聞是經驚疑怖畏當知是為增上慢者
藥王若有善男子善女人如來滅後欲為四
衆說是法華經者云何應說是善男子善女
人入如來室著如來衣坐如來座尒乃應為
四衆廣說斯經如來室者一切衆生中大慈
悲心是如來衣者柔和忍辱心是如來座者
一切法空是安住是中然後以不懈怠心為
諸菩薩及四衆廣說是法華經藥王我於餘
國遣化人為其集聽法衆亦遣化比丘比丘
尼優婆塞優婆夷聽其說法是諸化人聞法
信受隨順不逆若說法者在空閑處我時廣
遣天龍鬼神乾闥婆阿脩羅等聽其說法我
雖在異國時時令說法者得見我身若於此
經忘失句逗我還為說令得具足尒時世尊
欲重宣此義而說偈言

欲捨諸懈怠　應當聽此經　是經難得聞　信受者亦難
如人渴須水　穿鑿於高原　猶見乾燥土　知去水尚遠
漸見濕土泥　決定知近水　藥王汝當知　如是諸人等
不聞法華經　去佛智甚遠　若聞是深經　決了聲聞法
是諸經之王　聞已諦思惟　當知此人等　近於佛智慧
若人說此經　應入如來室　著於如來衣　而坐如來座
處衆无所畏　廣為分別說　大慈悲為室　柔和忍辱衣
諸法空為座　處此為說法　若說此經時　有人惡口罵
加刀杖瓦石　念佛故應忍　我千万億土　現淨堅固身

是諸經之王　聞已諦思惟　當知此人等　近於佛智慧
若人說此經　應入如來室　著於如來衣　而坐如來座
處衆无所畏　廣為分別說　大慈悲為室　柔和忍辱衣
諸法空為座　處此為說法　若說此經時　有人惡口罵
加刀杖瓦石　念佛故應忍　我千万億土　現淨堅固身
於无量億劫　為衆生說法　若我滅度後　能說此經者
我遣化四衆　比丘比丘尼　及清信士女　供養於法師
引導諸衆生　集之令聽法　若人欲加惡　刀杖及瓦石
則遣變化人　為之作衛護　若說法之人　獨在空閑處
寂漠无人聲　讀誦此經典　我尒時為現　清淨光明身
若忘失章句　為說令通利　若人具是德　或為四衆說
空處讀誦經　皆得見我身　若人在空閑　我遣天龍王
夜叉鬼神等　為作聽法衆　是人樂說法　分別无罣礙
諸佛護念故　能令大衆喜　若親近法師　速得菩薩道
隨順是師學　得見恒沙佛

妙法蓮華經見寶塔品第十一

尒時佛前有七寶塔高五百由旬縱廣二百
五十由旬從地踊出住在空中種種寶物而
莊校之五千欄楯龕室千万无數幢幡以為
嚴飾垂寶瓔珞寶鈴万億而懸其上四面皆
出多摩羅跋栴檀之香充遍世界其諸幡蓋
以金銀琉璃車𤦲馬瑙真珠玫瑰七寶合成
高至四天王宮三十三天雨天曼陁羅華供
養寶塔餘諸天龍夜叉乾闥婆阿脩羅迦樓
羅緊那羅摩睺羅伽人非人等千万億衆以
一切華香瓔珞幡蓋伎樂供養寶塔恭敬尊
重讚歎尒時寶塔中出大音聲歎言善哉善

高至四天王宮三十三天雨天曼陁羅華供
養寶塔餘諸天龍夜叉乾闥婆阿脩羅迦樓
羅緊那羅摩睺羅伽人非人等千万億衆以
一切華香瓔珞幡蓋伎樂供養寶塔恭敬尊
重讚歎尒時寶塔中出大音聲歎言善哉善
哉釋迦牟尼世尊能以平等大慧教菩薩法
佛所護念妙法華經為大衆說如是如是釋
迦牟尼世尊如所說者皆是真實尒時四衆
見大寶塔住在空中又聞塔中所出音聲皆
得法喜怪未曾有從座而起恭敬合掌却住
一面尒時有菩薩摩訶薩名大樂說知一切
世間天人阿脩羅等心之所疑而白佛言世
尊以何因緣有此寶塔從地踊出又於其中
發是音聲尒時佛告大樂說菩薩此寶塔中
有如來全身乃往過去東方无量千万億阿
僧祇世界國名寶淨彼中有佛号曰多寶其
佛行菩薩道時作大誓願若我成佛滅度之
後於十方國土有說法華經處我之塔廟為
聽是經故踊現其前為作證明讚言善哉彼
佛成道已臨滅度時於天人大衆中告諸比
丘我滅度後欲供養我全身者應起一大塔
其佛以神通願力十方世界在在處處若有說
法華經者彼之寶塔皆踊出其前全身在於
塔中讚言善哉善哉大樂說今多寶如來塔
聞說法華經故從地踊出讚言善哉善哉是
時大樂說菩薩以如來神力故白佛言世尊
我等願欲見此佛身佛告大樂說菩薩摩訶

BD03053號　妙法蓮華經卷四　（29-15）

塔中讚言善哉善哉大樂說今多寶如來塔
聞說法華經故從地踊出讚言善哉善哉是
時大樂說菩薩以如來神力故白佛言世尊
我等願欲見此佛身佛告大樂說菩薩摩訶
薩是多寶佛有深重願若我寶塔為聽法華
經故出於諸佛前時其有欲以我身示四衆
者彼佛分身諸佛在於十方世界說法盡還
集一處然後我身乃出現耳大樂說我分身
諸佛在於十方世界說法者今應當集大樂
說白佛言世尊我等亦願欲見世尊分身諸
佛禮拜供養尒時佛放白毫一光即見東方
五百万億那由他恒河沙等國土諸佛彼諸
國土皆以頗梨為地寶樹寶衣以為莊嚴无
數千万億菩薩充滿其中遍張寶幔寶網羅
上彼國諸佛以大妙音而說諸法及見无量
千万億菩薩遍滿諸國為衆說法南西北方四
維上下白毫相光所照之處亦復如是尒時
十方諸佛各告衆菩薩言善男子我今應往
娑婆世界釋迦牟尼佛所并供養多寶如來
寶塔時娑婆世界即變清淨琉璃為地寶樹
莊嚴黄金為繩以界八道无諸聚落村營城
邑大海江河山川林藪燒大寶香曼陁羅華
遍布其地以寶網幔羅覆其上懸諸寶鈴唯
留此會衆移諸天人置於他土是時諸佛各
將一大菩薩以為侍者至娑婆世界各到寶
樹下一一寶樹高五百由旬枝葉華菓次第
莊嚴諸寶樹下皆有師子之座高五由旬亦

BD03053號　妙法蓮華經卷四　（29-16）

留此會衆移諸天人置於他土是時諸佛各
將一大菩薩以為侍者至娑婆世界各到寶
樹下一一寶樹高五百由旬枝葉華菓次苐
莊嚴諸寶樹下皆有師子之座高五由旬亦
以大寶而挍飾之尒時諸佛各於此座結加
趺坐如是展轉遍滿三千大千世界而於釋
迦牟尼佛一方所分之身猶故未盡時釋迦
牟尼佛欲容受所分身諸佛故八方各更變
二百万億那由他國皆令清淨无有地獄餓
鬼畜生及阿脩羅又移諸天人置於他土所
化之國亦以瑠璃為地寶樹莊嚴樹高五百
由旬枝葉華果次苐嚴飾樹下皆有寶師子
座高五由旬種種諸寶以為莊挍亦无大海
江河及目真隣陁山摩訶目真隣陁山鐵圍
山大鐵圍山須弥山等諸山王通為一佛國
土寶地平正寶交露幔遍覆其上懸諸幡蓋
燒大寶香諸天寶華遍布其地釋迦牟尼佛
為諸佛當來坐故復於八方各變二百万億
那由他國皆令清淨无地獄餓鬼畜生及
阿脩羅又移諸天人置於他土所化之國亦
以琉璃為地寶樹莊嚴樹高五百由旬枝葉
華果次苐莊嚴樹下皆有寶師子座高五由
旬亦以大寶而挍飾之亦无大海江河及目
真隣陁山摩訶目真隣陁山鐵圍山大鐵圍
山須弥山等諸山王通為一佛國土寶地平
正寶交露幔遍覆其上懸諸幡蓋燒大寶香
諸天寶華遍布其地尒時東方釋迦牟尼所

BD03053號　妙法蓮華經卷四　（29–17）

真隣陁山摩訶目真隣陁山鐵圍山大鐵圍
山須弥山等諸山王通為一佛國土寶地平
正寶交露幔遍覆其上懸諸幡蓋燒大寶香
諸天寶華遍布其地尒時東方釋迦牟尼所
分之身百千万億那由他恒河沙等國土中
諸佛各各說法來集於此如是次苐十方諸
佛皆悉來集坐於八方尒時一一方四百万
億那由他國土諸佛如來遍滿其中是時諸
佛各各寶樹下坐師子座皆遣侍者問訊釋
迦牟尼佛各賷寶華滿掬而告之言善男子
汝往詣耆闍崛山釋迦牟尼佛所如我辭曰
少病少惱氣力安樂及菩薩聲聞衆悉安隱
不以此寶華散佛供養而作是言彼某甲佛
與欲開此寶塔諸佛遣使亦復如是尒時釋
迦牟尼佛見所分身佛悉已來集各各坐於
師子之座皆聞諸佛與欲同開寶塔即從座
起住虛空中一切四衆起立合掌一心觀佛
於是釋迦牟尼佛以右指開七寶塔戶出大
音聲如却關鑰開大城門即時一切衆會皆
見多寶如來於寶塔中坐師子座全身不散
如入禪定又聞其言善哉善哉釋迦牟尼佛
快說是法華經我為聽是經故而來至此尒
時四衆等見過去无量千万億劫滅度佛說
如是言歎未曾有以天寶華聚散多寶佛及
釋迦牟尼佛上尒時多寶佛於寶塔中分半
座與釋迦牟尼佛而作是言釋迦牟尼佛可
就此座即時釋迦牟尼佛入其塔中坐其半

BD03053號　妙法蓮華經卷四　（29–18）

如入禪定又聞其言善哉善哉釋迦牟尼佛
快說是法華經我為聽是經故而來至此尒
時四衆等見過去无量千万億劫滅度佛說
如是言歎未曾有以天寶華聚散多寶佛及
釋迦牟尼佛上尒時多寶佛於寶塔中分半
座與釋迦牟尼佛而作是言釋迦牟尼佛可
就此座即時釋迦牟尼佛入其塔中坐其半
座結加趺坐尒時大衆見二如來在七寶塔
中師子座上結加趺坐各作是念佛座高遠
唯願如來以神通力令我等輩俱處虛空即
時釋迦牟尼佛以神通力接諸大衆皆在虛
空以大音聲普告四衆誰能於此娑婆國土
廣說妙法華經今正是時如來不久當入涅
槃佛欲以此妙法華經付囑有在尒時世尊
欲重宣此義而說偈言
聖主世尊 雖久滅度 在寶塔中 尚為法來
諸人云何 不勤為法 此佛滅度 无央數劫
處處聽法 以難遇故 彼佛本願 我滅度後
在在所往 常為聽法 又我分身 无量諸佛
如恒沙等 來欲聽法 及見滅度 多寶如來
各捨妙土 及弟子衆 天人龍神 諸供養事
令法久住 故來至此 為坐諸佛 以神通力
移无量衆 令國清淨 諸佛各各 詣寶樹下
如清淨池 蓮華莊嚴 其寶樹下 諸師子座
佛坐其上 光明嚴飾 如夜暗中 然大炬火
身出妙香 遍十方國 衆生蒙薰 喜不自勝
譬如大風 吹小樹枝 以是方便 令法久住

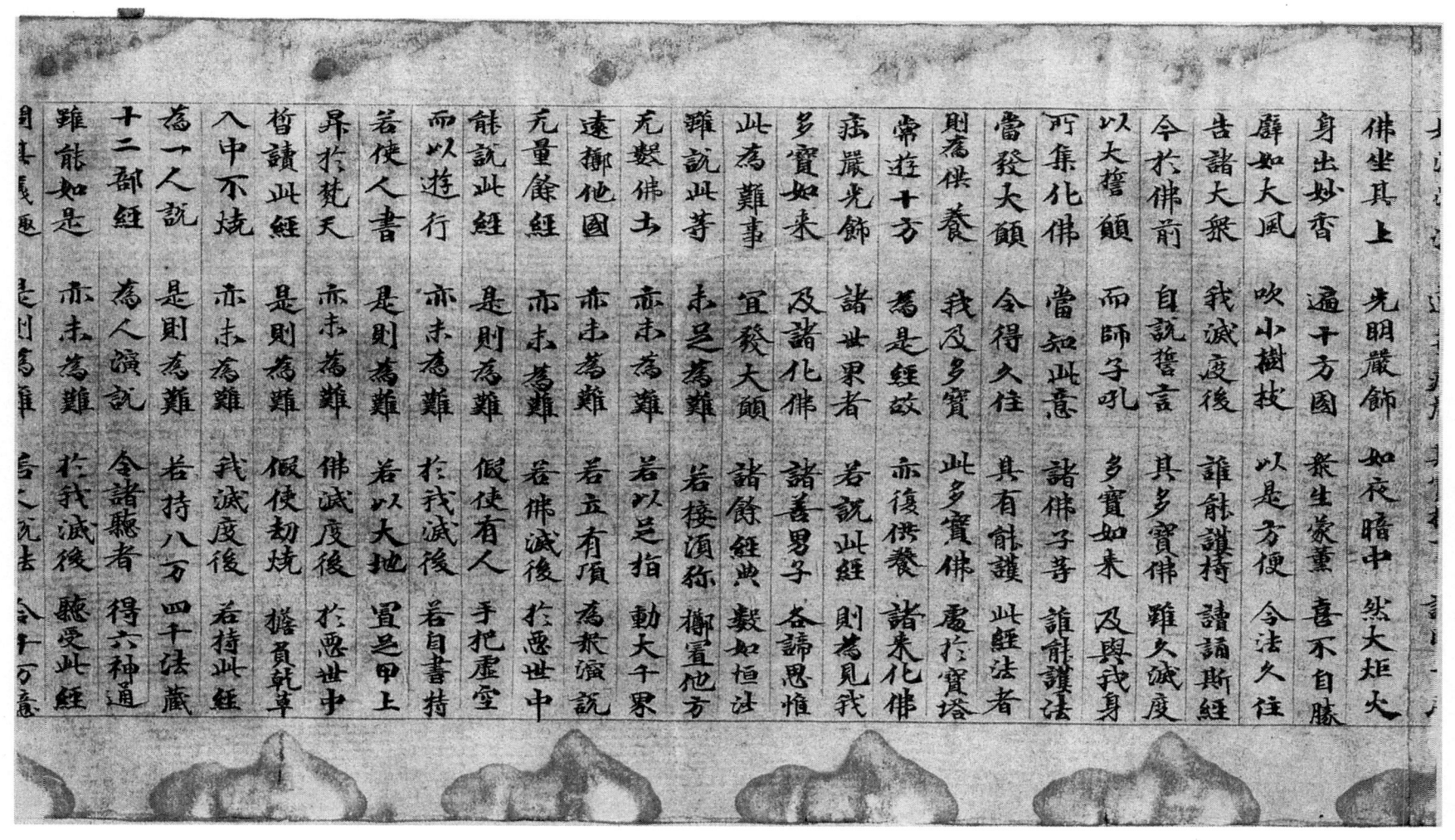

BD03053號　妙法蓮華經卷四　（29–19）

佛坐其上 光明嚴飾 如夜暗中 然大炬火
身出妙香 遍十方國 衆生蒙薰 喜不自勝
譬如大風 吹小樹枝 以是方便 令法久住
告諸大衆 我滅度後 誰能護持 讀誦斯經
今於佛前 自說誓言 其多寶佛 雖久滅度
以大誓願 而師子吼 多寶如來 及與我身
所集化佛 當知此意 諸佛子等 誰能護法
當發大願 令得久住 其有能護 此經法者
則為供養 我及多寶 此多寶佛 處於寶塔
常遊十方 為是經故 亦復供養 諸來化佛
莊嚴光飾 諸世界者 若說此經 則為見我
多寶如來 及諸化佛 諸善男子 各諦思惟
此為難事 宜發大願 諸餘經典 數如恒沙
雖說此等 未足為難 若接須彌 擲置他方
无數佛土 亦未為難 若以足指 動大千界
遠擲他國 亦未為難 若立有頂 為衆演說
无量餘經 亦未為難 若佛滅後 於惡世中
能說此經 是則為難 假使有人 手把虛空
而以遊行 亦未為難 於我滅後 若自書持
若使人書 是則為難 若以大地 置足甲上
昇於梵天 亦未為難 佛滅度後 於惡世中
暫讀此經 是則為難 假使劫燒 擔負乾草
入中不燒 亦未為難 我滅度後 若持此經
為一人說 是則為難 若持八万 四千法藏
十二部經 為人演說 令諸聽者 得六神通
雖能如是 亦未為難 於我滅後 聽受此經
問其義趣 是則為難 若人說法 令千万億

BD03053號　妙法蓮華經卷四　（29–20）

為一人說　是則為難　若持八万四千法藏
十二部經　為人演說　令諸聽者　得六神通
雖能如是　亦未為難　於我滅後　聽受此經
問其義趣　是則為難　若人說法　令千万億
无量无數　恒沙衆生　得阿羅漢　具六神通
雖有是益　亦未為難　於我滅後　若能奉持
如斯經典　是則為難　我為佛道　於无量土
從始至今　廣說諸經　而於其中　此經第一
若有能持　則持佛身　諸善男子　於我滅後
誰能護持　讀誦此經　今於佛前　自說誓言
此經難持　若暫持者　我則歡喜　諸佛亦然
如是之人　諸佛所歎　是則勇猛　是則精進
是名持戒　行頭陀者　則為疾得　无上佛道
能於來世　讀持此經　是真佛子　住淳善地
佛滅度後　能解其義　是諸天人　世間之眼
於恐畏世　能須臾說　一切天人　皆應供養

妙法蓮華經提婆達多品第十二

尒時佛告諸菩薩及天人四衆吾於過去无
量劫中求法華經无有懈惓於多劫中常作
國王發願求於无上菩提心不退轉為欲滿
足六波羅蜜勤行布施心无悋惜象馬七珎
國城妻子奴婢僕從頭目髓腦身肉手足不
惜軀命時世人民壽命无量為於法故捐捨
國位委政太子擊鼓宣令四方求法誰能為
我說大乘者吾當終身供給走使時有仙人
來白王言我有大乘名妙法華經若不違我當
為宣說王聞仙言歡喜踊躍即隨仙人供給

BD03053號　妙法蓮華經卷四　（29–21）

我說大乘者吾當終身供給走使時有仙人
來白王言我有大乘名妙法華經若不違我當
為宣說王聞仙言歡喜踊躍即隨仙人供給
所須採菓汲水拾薪設食乃至以身而為牀
座身心无惓于時奉事經於千歲為於法故
精勤給侍令无所乏尒時世尊欲重宣此義
而說偈言
我念過去劫　為求大法故　雖作世國王　不貪五欲樂
搥鍾告四方　誰有大法者　若為我解說　身當為奴僕
時有阿私仙　來白於大王　我有微妙法　世間所希有
若能脩行者　吾當為汝說　時王聞仙言　心生大喜悅
即便隨仙人　供給於所須　採薪及果蓏　隨時恭敬與
情存妙法故　身心无懈惓　普為諸衆生　勤求於大法
亦不為己身　及以五欲樂　故為大國王　勤求獲此法
遂致得成佛　今故為汝說
佛告諸比丘尒時王者則我身是時仙人者
今提婆達多是由提婆達多善知識故令我
具足六波羅蜜慈悲喜捨三十二相八十種
好紫磨金色十力四无所畏四攝法十八不
共神通道力成等正覺廣度衆生皆因提婆
達多善知識故告諸四衆提婆達多却後過
无量劫當得成佛号曰天王如來應供正遍
知明行足善逝世間解无上士調御丈夫天
人師佛世尊世界名天道時天王佛住世二
十中劫廣為衆生說於妙法恒河沙衆生得
阿羅漢果无量衆生發緣覺心恒河沙衆生

BD03053號　妙法蓮華經卷四　（29–22）

人師佛世尊世界名天道時天王佛住世二
十中劫廣為衆生說於妙法恒河沙衆生得
阿羅漢果无量衆生發緣覺心恒河沙衆生
發无上道心得无生忍至不退轉時天王佛
般涅槃後正法住世二十中劫全身舍利起
七寶塔高六十由旬縱廣四十由旬諸天人
民悉以雜華末香燒香塗香衣服瓔珞幢幡
寶蓋伎樂歌頌礼拜供養七寶妙塔无量衆
生得阿羅漢无量衆生悟辟支佛不可思議
衆生發菩提心至不退轉佛告諸比丘未來
世中若有善男子善女人聞妙法華經提婆
達多品淨心信敬不生疑惑者不墮地獄餓
鬼畜生生十方佛前所生之處常聞此經若
生人天中受勝妙樂若在佛前蓮華化生於
時下方多寶世尊所從菩薩名曰智積白多
寶佛當還本土釋迦牟尼佛告智積曰善男
子且待須臾此有菩薩名文殊師利可與相
見論說妙法可還本土尒時文殊師利坐千
葉蓮華大如車輪俱來菩薩亦坐寶華從於
大海娑竭龍宮自然踊出住虛空中詣靈鷲
山從蓮華下至於佛所頭面敬礼二世尊足
脩敬已畢往智積所共相慰問却坐一面智
積菩薩問文殊師利仁往龍宮所化衆生其
數幾何文殊師利言其數无量不可稱計非
口所宣非心所測且待須臾自當有證所言
未竟无數菩薩坐寶蓮華從海踊出詣靈鷲

口所宣非心所測且待須臾自當有證所言
未竟无數菩薩坐寶蓮華從海踊出詣靈鷲
山住在虛空此諸菩薩皆是文殊師利之所化
度具菩薩行皆共論說六波羅蜜本聲聞
人在虛空中說聲聞行今皆脩行大乘空義
文殊師利謂智積曰於海教化其事如是尒時
智積菩薩以偈讚曰
大智德勇健　化度无量衆　今此諸大會　及我皆已見
演暢實相義　開闡一乘法　廣度諸羣生　令速成菩提
文殊師利言我於海中唯常宣說妙法華經
智積問文殊師利言此經甚深微妙諸經中
寶世所希有頗有衆生勤加精進脩行此經
速得佛不文殊師利言有娑竭羅龍王女年
始八歲智慧利根善知衆生諸根行業得陁
羅尼諸佛所說甚深祕藏悉能受持深入禪
定了達諸法於剎那頃發菩提心得不退轉
辯才无礙慈念衆生猶如赤子功德具足心
念口演微妙廣大慈悲仁讓志意和雅能至
菩提智積菩薩言我見釋迦如來於无量劫
難行苦行積功累德求菩提道未曾止息觀
三千大千世界乃至无有如芥子許非是菩
薩捨身命處為衆生故然後乃得成菩提道
不信此女於須臾頃便成正覺言論未訖時
龍王女忽現於前頭面礼敬却住一面以偈
讚曰
深達罪福相　遍照於十方　微妙淨法身　具相三十二
以八十種好　用莊嚴法身　天人所戴仰　龍神咸恭敬

龍王女忽現於前頭面礼敬却住一面以偈
讚曰
深達罪福相　遍照於十方　微妙淨法身　具相三十二
以八十種好　用莊嚴法身　天人所戴仰　龍神咸恭敬
一切衆生類　无不宗奉者　又聞成菩提　唯佛當證知
我闡大乘教　度脫苦衆生
時舍利弗語龍女言汝謂不久得无上道是
事難信所以者何女身垢穢非是法器云何
能得无上菩提佛道懸曠經无量劫勤苦積
行具脩諸度然後乃成又女人身猶有五障
一者不得作梵天王二者帝釋三者魔王四者
轉輪聖王五者佛身云何女身速得成佛
爾時龍女有一寶珠價直三千大千世界持
以上佛佛即受之龍女謂智積菩薩尊者舍
利弗言我獻寶珠世尊納受是事疾不答言
甚疾女言以汝神力觀我成佛復速於此當
時衆會皆見龍女忽然之間變成男子具菩
薩行即往南方无垢世界坐寶蓮華成等正
覺三十二相八十種好普為十方一切衆生
演說妙法爾時娑婆世界菩薩聲聞天龍八
部人與非人皆遙見彼龍女成佛普為時會
人天說法心大歡喜悉遙敬礼无量衆生聞
法解悟得不退轉无量衆生得受道記无垢
世界六反震動娑婆世界三千衆生住不退
地三千衆生發菩提心而得受記智積菩薩
及舍利弗一切衆會嘿然信受
妙法蓮華經勧持品第十三

BD03053號　妙法蓮華經卷四　（29–25）

世界六反震動娑婆世界三千衆生住不退
地三千衆生發菩提心而得受記智積菩薩
及舍利弗一切衆會嘿然信受
妙法蓮華經勧持品第十三
爾時藥王菩薩摩訶薩及大樂說菩薩摩訶
薩與二万菩薩眷屬俱皆於佛前作是誓言
唯願世尊不以為慮我等於佛滅後當奉持
讀誦說此經典後惡世衆生善根轉少多增
上慢貪利供養增不善根遠離解脫雖難可
教化我等當起大忍力讀誦此經持說書寫
種種供養不惜身命爾時衆中五百阿羅漢
得受記者白佛言世尊我等亦自誓願於異
國土廣說此經復有學无學八千人得受記
者從座而起合掌向佛作是誓言世尊我等
亦當於他國土廣說此經所以者何是娑婆
國中人多弊惡懷增上慢功德淺薄瞋濁諂
曲心不實故爾時佛姨母摩訶波闍波提比
丘尼與學无學比丘尼六千人俱從座而起
一心合掌瞻仰尊顏目不暫捨於時世尊告
憍曇弥何故憂色而視如來汝心將无謂我
不說汝名授阿耨多羅三藐三菩提記耶憍
曇弥我先揔說一切聲聞皆已授記今汝欲
知記者將來之世當於六万八千億諸佛法
中為大法師及六千學无學比丘尼俱為法
師汝如是漸漸具菩薩道當得作佛号一切
衆生喜見如來應供正遍知明行足善逝世
間解无上士調御丈夫天人師佛世尊憍曇

BD03053號　妙法蓮華經卷四　（29–26）

與記者將來之世當於六万八千億諸佛法
中為大法師及六千學无學比丘尼俱為法
師汝如是漸漸具菩薩道當得作佛号一切
衆生喜見如來應供正遍知明行足善逝世
間解无上士調御丈夫天人師佛世尊憍曇
弥是一切衆生喜見佛及六千菩薩轉次授
記得阿耨多羅三藐三菩提尒時羅睺羅母
耶輸陀羅比丘尼作是念世尊於授記中獨
不說我名佛告耶輸陀羅汝於來世百千万億
諸佛法中脩菩薩行為大法師漸具佛道於
善國中當得作佛号具足千万光相如來應
供正遍知明行足善逝世間解无上士調御
丈夫天人師佛世尊佛壽无量阿僧祇劫尒
時摩訶波闍波提比丘尼及耶輸陀羅比丘
尼并其眷屬皆大歡喜得未曾有即於佛前
而說偈言
世尊導師　安隱天人　我等聞記　心安具足
諸比丘尼說是偈已白佛言世尊我等亦能
於他方國土廣宣此經尒時世尊視八十万
億那由他諸菩薩摩訶薩是諸菩薩皆是
阿惟越致轉不退法輪得諸陀羅尼即從座起
至於佛前一心合掌而作是念若世尊告勅
我等持說此經者當如佛教廣宣斯法復作
是念佛今嘿然不見告勅我當云何時諸菩
薩敬順佛意并欲自滿本願便於佛前作師
子吼而發誓言世尊我等於如來滅後周旋
往反十方世界能令衆生書寫此經受持讀

BD03053號　妙法蓮華經卷四　（29–27）

是念佛今嘿然不見告勅我當云何時諸菩
薩敬順佛意并欲自滿本願便於佛前作師
子吼而發誓言世尊我等於如來滅後周旋
往反十方世界能令衆生書寫此經受持讀
誦解說其義如法脩行正憶念皆是佛之威
力唯願世尊在於他方遥見守護即時諸菩
薩俱同發聲而說偈言
唯願不為慮　於佛滅度後　恐怖惡世中　我等當廣說
有諸无智人　惡口罵詈等　及加刀杖者　我等皆當忍
惡世中比丘　邪智心諂曲　未得謂為得　我慢心充滿
或有阿練若　納衣在空閑　自謂行真道　輕賤人間者
貪著利養故　與白衣說法　為世所恭敬　如六通羅漢
是人懷惡心　常念世俗事　假名阿練若　好出我等過
而作如是言　此諸比丘等　為貪利養故　說外道論義
自作此經典　誑惑世間人　為求名聞故　分別於是經
常在大衆中　欲毀我等故　向國王大臣　婆羅門居士
及餘比丘衆　誹謗說我惡　謂是邪見人　說外道論議
我等敬佛故　悉忍是諸惡　為斯所輕言　汝等皆是佛
如此輕慢言　皆當忍受之　濁劫惡世中　多有諸恐怖
惡鬼入其身　罵詈毀辱我　我等敬信佛　當著忍辱鎧
為說是經故　忍此諸難事　我不愛身命　但惜无上道
我等於來世　護持佛所囑　世尊自當知　濁世惡比丘
不知佛方便　隨宜所說法　惡口而顰蹙　數數見擯出
遠離於塔寺　如是等衆惡　念佛告勅故　皆當忍是事
諸聚落城邑　其有求法者　我皆到其所　說佛所囑法
我是世尊使　處衆无所畏　我當善說法　願佛安隱住
我於世尊前　諸來十方佛　發如是誓言　佛自知我心

BD03053號　妙法蓮華經卷四　（29–28）

如此輕慢言　皆當忍受之　濁劫惡世中　多有諸恐怖
惡鬼入其身　罵詈毀辱我　我等敬信佛　當著忍辱鎧
為說是經故　忍此諸難事　我不愛身命　但惜无上道
我等於來世　護持佛所囑　世尊自當知　濁世惡比丘
不知佛方便　隨宜所說法　惡口而頻蹙　數數見擯出
遠離於塔寺　如是等衆惡　念佛告勑故　皆當忍是事
諸聚落城邑　其有求法者　我皆到其所　說佛所囑法
我是世尊使　處衆无所畏　我當善說法　願佛安隱住
我於世尊前　諸來十方佛　發如是誓言　佛自知我心

妙法蓮華經卷第四

BD03053號　妙法蓮華經卷四　（29–29）

有戒三者親近善友四者内善思惟五者具
足精進六者具足正念七者具足智慧八者
具足正語九者樂於正法十者憐愍衆生善
男子菩薩具足如是十法不与世諍不為世
法之所沾汙如優鉢羅華迦葉菩薩白佛言
世尊如佛所說世智說有我亦說有世智說
我无亦說无何等名為世智有无佛言善男
子世智若說色是无常苦空无我乃至識亦
如是善男子是名世間智者說有我亦說有
善男子世間智者說色无有常樂我淨受想
行識亦復如是善男子是名世間智者說无
我亦說无迦葉菩薩白佛言世尊世間智者
即佛菩薩一切聖人若諸聖人色是无常苦
空无我云何如來說佛色身常恒无變世間
智者所說无法云何如來說言是有如來世
尊作如是說云何復言不與世諍不為世法
之所沾汙如來已離三種顛倒所謂想倒心
倒見倒應說佛色實是无常今乃說常云何
得名遠離顛倒不與世諍佛言善男子凡夫
之色從煩惱生是故智說色是无常苦空无

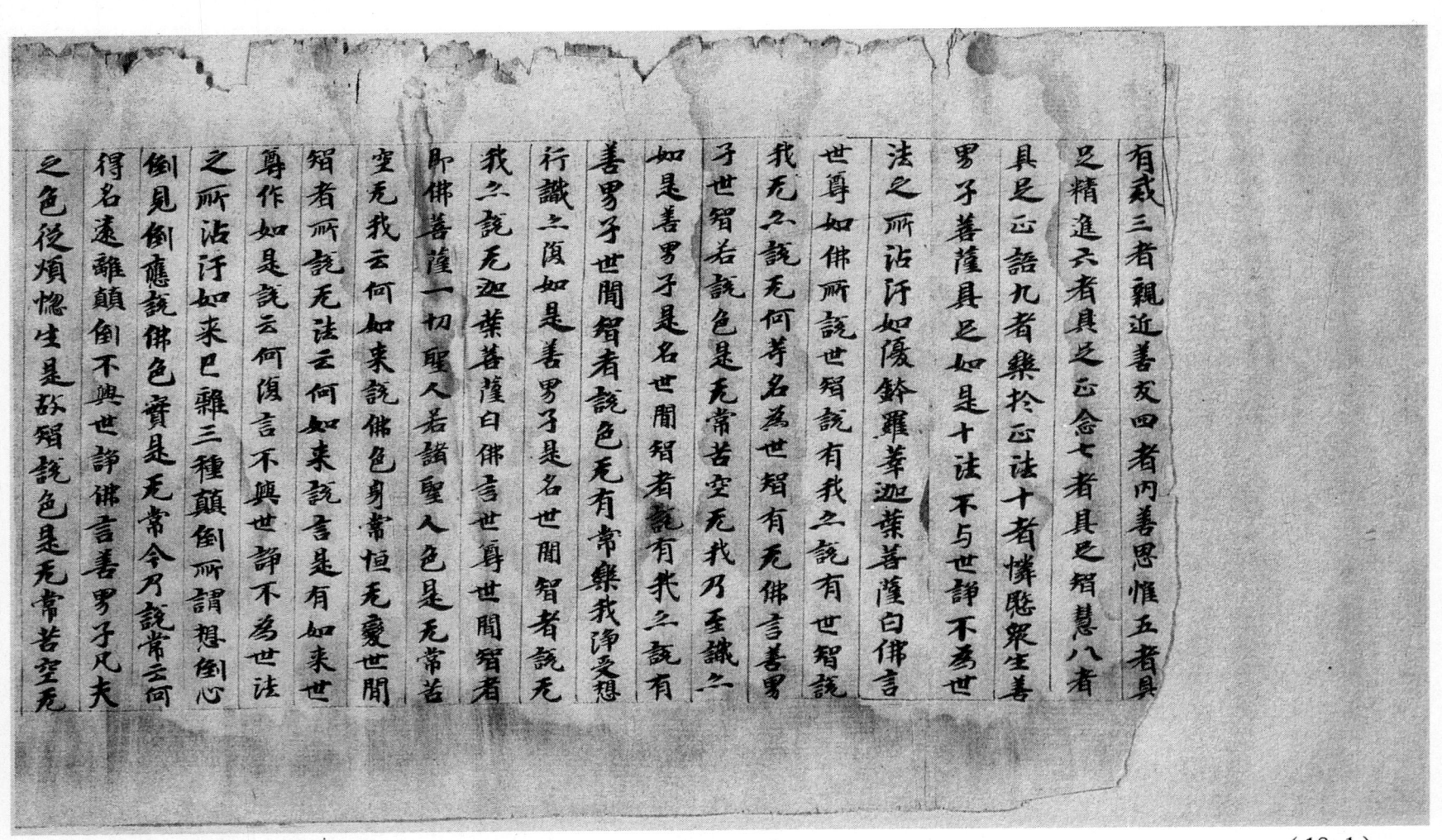

BD03054號　大般涅槃經（北本　異卷）卷三七　（18–1）

智者所說无法云何如来說言是有如来世
尊作如是說云何復言不與世諍不為世法
之所沾汙如来已離三種顛倒所謂想倒心
倒見倒應說佛色實是无常今乃說常云何
得名遠離顛倒不與世諍佛言善男子凡夫
之色從煩惱生是故智說色是无常苦空无
我如来色者遠離煩惱是故說言常恒无變
迦葉菩薩言世尊云何為色從煩惱生善男
子煩惱三種所謂欲漏有漏无明漏智者應
當觀是三漏所有罪過所以者何知罪過已
則能遠離辟如醫師先診病脉知病所在然
後授藥善男子如人將盲至蕀林中捨之而
還盲人於後甚難得出設得出者身體壞盡
世間凡夫亦復如是不能知見三漏過患則
隨逐行如其見者則能遠離知罪過已雖受
果報果報輕微善男子有四種人一作業時
重受報時輕二作業時輕受報時重三作業
時重受報時俱重四作業時輕受報亦輕善
男子是人能觀煩惱罪過是人作業受果俱
輕善男子有智之人作如是念我應遠離如
是等漏又復不應作如是等鄙惡之事何以
故我今未得脫於地獄餓鬼畜生人天報故
我若循道當因是力破壞諸苦是人觀已貪
欲瞋恚愚癡微弱既見貪欲瞋癡輕已其心
歡喜復作是念我今如是皆由循道因緣力
故令我得離不善之法親近善法是故現在

BD03054號　大般涅槃經（北本　異卷）卷三七　　（18–2）

故我今未得脫於地獄餓鬼畜生人天報故
我若循道當因是力破壞諸苦是人觀已貪
欲瞋恚愚癡微弱既見貪欲瞋癡輕已其心
歡喜復作是念我今如是皆由循道因緣力
故令我得離不善之法親近善法是故現在
得見正道應當懃加而循習之是人因是懃
循道力遠離无量諸惡煩惱及離地獄餓鬼
畜生人天果報是故我於契經中說當觀一
切有漏煩惱及有漏因何以故有智之人若
但觀漏不觀漏因則不能斷諸煩惱也何以
故智者觀漏從是因生我今斷因漏則不生
善男子如彼醫師先斷病因病則不生智者
先斷煩惱因者亦復如是有智之人先當觀
因次觀果報知從善因生於善果知從惡因
生於惡果觀果報已遠離惡因觀果報已復
當次觀煩惱輕重觀輕重已先離重者既離
重已輕者自去善男子智者若知煩惱煩惱
因煩惱果報煩惱輕重是人尒時精懃循道
不息不悔親近善友至心聽法為滅如是諸
煩惱故善男子辟如病者自知病輕必可除
差雖得苦藥服之不悔有智之人亦復如是
懃循聖道歡喜不愁不息不悔善男子若人
能知煩惱煩惱因煩惱果報煩惱輕重為除
煩惱故懃循聖道是人不從煩惱生色受想
行識亦復如是若不能知煩惱煩惱因煩惱

BD03054號　大般涅槃經（北本　異卷）卷三七　　（18–3）

懃循聖道循善不懈不息不怯善男子若人
能知煩惱煩惱因煩惱果報煩惱輕重為除
煩惱故懃循聖道是人不從煩惱生色受想
行識之復如是若不能知煩惱煩惱因煩惱
果報煩惱輕重不懃循習是人即從煩惱生
色受想行識之復如是善男子知煩惱煩惱
因煩惱果報煩惱輕重為斷煩惱循行道者
即是如来以是因緣如来色常乃至識常善
男子不知煩惱煩惱因煩惱果報煩惱輕重
不能循道即是凡夫是故凡夫色是无常受
行想識悉是无常善男子世間智者一切聖
人菩薩諸佛說是二義我之如是說是二義
是故我說不與世間智者共諍不為世法之
所沾汙迦葉菩薩復白佛言世尊如佛所說
三有漏者云何名為欲漏有漏无明漏耶佛
言善男子欲漏者內惡覺觀因於外緣生於
欲漏是故我昔在王舍城告阿難言阿難汝
今受此女人所說偈頌是偈乃是過去諸佛
之所宣說是故一切內惡覺觀外諸因緣名
之為欲是名欲漏有漏者色无色界內諸惡
法外諸因緣除欲界中外諸因緣內諸覺觀
是名有漏无明漏者不能了知我及我所不
別內外名无明漏善男子无明即是一切諸
漏根本何以故一切眾生无明因緣於陰入
界憶想作相名為眾生是名想倒心倒見倒
以是因緣生一切漏是故我於十二部經說

BD03054號　大般涅槃經（北本　異卷）卷三七　（18–4）

別內外名无明漏善男子无明即是一切諸
漏根本何以故一切眾生无明因緣於陰入
界憶想作相名為眾生是名想倒心倒見倒
以是因緣生一切漏是故我於十二部經說
无明者即是貪因瞋因癡因迦葉菩薩言世
尊如来昔於十二部經說言不善思惟因緣
生於貪欲瞋癡今何因緣乃說无明善男子
如是二法互為因果互相增長不善思惟生
於无明无明因緣生不善思惟
善男子其能生長諸煩惱者皆悉名為煩惱因緣
親近如是煩惱因緣名為无明不善思惟如子生
牙子是近因四大遠因煩惱之介迦葉菩薩
白佛言世尊如佛所說无明即漏云何復言因
无明故生於諸漏佛言善男子如我所說无
明漏者是內无明因於无明生諸漏者是內
外因若說无明漏是名內倒不識无常苦空
无我若說一切煩惱因緣是名不知外我我
所若說无明漏是名无始无終從无明生陰
入界等迦葉菩薩白佛言世尊如佛所說有
智之人知於漏因云何名為知於漏因善男
子智者當觀何因緣故生是煩惱造作何行
生此煩惱於何時中生此煩惱共誰住時生
此煩惱何處止住生此煩惱觀何事已生於
煩惱受誰房舍臥具飲食衣服湯藥而生煩
惱何因緣故轉下作中轉中作上下業作中

BD03054號　大般涅槃經（北本　異卷）卷三七　（18–5）

生此煩惱於何時中生此煩惱共誰住生
此煩惱何處止住生此煩惱觀何事已生於
煩惱受誰房舍卧具飲食衣服湯藥而生煩
惱何因緣故轉下作中轉中作上下業作中
中業作上菩薩摩訶薩作是觀時則得遠離
生漏因緣如是觀時未生煩惱遮令不生已
生煩惱便得除滅是故我於契經中說智者
當觀生煩惱因迦葉菩薩白佛言世尊衆生
一身云何能起種種煩惱佛言善男子如一
器中有種種子得水雨已各各自生衆生亦
尒器雖是一愛因緣故而能生長種種煩惱
迦葉菩薩言世尊智者云何觀於果報善男
子智者當觀諸漏因緣能生地獄餓鬼畜生
是漏因緣得人天身即是无常苦空无我是
身器中得三種苦三種无常是漏因緣能令
衆生作五逆罪受諸惡報能斷善根犯四重
禁誹謗三寶智者當觀我既受得如是之身
不應生起如是煩惱受諸惡果迦葉菩薩言
世尊有无漏果復言智者斷諸果報无漏果
報在斷中不諸得道人有无漏果如其智者
求无漏果云何佛說一切智者應斷果報如
其斷者今諸聖人云何得有善男子如来或
時因中說果果中說因如世間人說泥即是
瓶縷即是衣是名因中說果果中說因者牛
即水草人即是食我亦如是因中說果先於
經中作是說言我從身心至梵天處是名因

其斷者今諸聖人云何得有善男子如来或
時因中說果果中說因如世間人說泥即是
瓶縷即是衣是名因中說果果中說因者牛
即水草人即是食我亦如是因中說果先於
經中作是說言我從身心至梵天處是名因
中說果果中說因此六入者名過去業是名
果中說因善男子一切聖人真實无有无漏
果報一切聖人脩道果報更不生漏是故名
為无漏果報善男子有智之人如是觀時則
得永滅煩惱果報善男子智者觀已為斷如
是煩惱果報脩習聖道聖道者即空无相願
脩是道已能滅一切煩惱果報迦葉菩薩白
佛言世尊一切衆生皆從煩惱而得果報言
煩惱者所謂惡也從惡煩惱所生煩惱之名
為惡如是煩惱則有二種一因二果因惡故
果惡果惡故子惡如紝婆菓其子苦故華菓
莖葉一切皆苦猶如毒樹其子毒故菓亦是
毒因亦衆生菓亦衆生因亦煩惱果亦煩惱
煩惱因果即是衆生衆生即是煩惱果因若
從是義云何如来先喻雪山亦有毒草微妙
藥王若言煩惱即是衆生衆生即是煩惱云
何而言衆生身中有妙藥王佛言善哉善哉
善男子无量衆生咸同此疑汝今能為啓請
求解我亦能斷諦聽諦聽善思念之今當為
汝分別解說善男子雪山喻者即是衆生言
毒草者即是煩惱妙藥王者即淨梵行善男

求解我之能斷諦聽諦聽善思念之今當爲
汝分別解說善男子雪山者即是衆生言
𦼮草者即是煩惱妙藥王者即淨梵行善男
子若有衆生能循如是清淨梵行是名身中
有妙藥王迦葉菩薩白佛言世尊云何衆生
有清淨梵行善男子猶如世間從子生菓是
菓有能與子作因有不能者有能作者是名
菓子若不能作雖得名菓不得名子一切衆
生亦復如是皆有二種一者有煩惱果是煩
惱因二者有煩惱果非煩惱因是煩惱果非
煩惱因是則名爲清淨梵行善男子衆生觀
受知是一切漏之近因所謂內外漏受因緣
故不能斷絶一切諸漏亦不能出三界牢獄
衆生因受著我我所生於心倒想倒見倒是
故衆生先當觀受如是受者爲一切愛而作
近因是故智者欲斷愛者當先觀受善男子
一切衆生十二因緣所作善惡皆因受時是
故我爲阿難說言阿難一切衆生所作善惡
皆是受時是故智者先當觀受旣觀受已復
當更觀如是受者何因緣生若因緣生如是
因緣復從何生若无因生无因何故不生无
愛復觀是受不因自在天生不因士夫生不
因微塵生非時節生不因想生不因性生不
從自生不從他生非自他生非无因生是受
皆從緣合而生因緣者即是愛也是和合中

從自生不從他生非自他生非无因生是受
皆從緣合而生因緣者即是愛也是和合中
非有愛非无愛是故我當斷是和合斷和合
中則不生愛善男子智者觀因已次觀果報
衆生因受受於地獄餓鬼畜生乃至三界无
量苦惱受因緣故受无常樂受因緣故斷於
善根受因緣故獲得解脫作是觀時不作受
因云何爲不作受因謂分別受何等受能
作愛何等愛能作受善男子衆生若能如是
深觀愛因受因則便能斷我及我所善男子
若人能作如是等觀則應分別愛之与受在
何處滅即見愛受有少滅處當知亦應有畢
竟滅尒時即於解脫生信生信心已是解脫
處何由而得知從八正即便循習云何名爲
八正道耶是道觀受有三種相一者苦二者
樂三者不苦不樂如是三種俱能增長身之
与心何因緣故能增長耶因緣也是因三
種一者无明因二者明因三者非明无明因
言明因者即八正道其餘二因增長身心及
三種受是故我應斷二種因因緣因斷不生
三受善男子如是受者亦名爲因亦名爲果
智者當觀亦因亦果云何爲因因受生愛名
之爲因云何名果因因生故名之爲果是故
此受亦因亦果智者如是觀是受已次觀復

三種受是故我說起二種[illegible]集起不生
三受善男子如是受者亦名為因亦名為果
智者當觀亦因亦果云何為因因受生愛名
之為因云何名果因集生故名之為果是故
此受亦因亦果智者如是觀是受已次觀復
愛受果報故名之為愛智者觀愛復有二種一
者雜食二者无食雜食愛者因生老病死一
切諸有无食愛者斷生老病死一切諸有貪
无漏道智者復當作如是念我若生是雜食
之愛則不能斷生老病死我今雖貪无漏之
道不斷受因則不能得无漏道果是故應當
先斷是集集既斷已受則自滅受既滅已愛
亦隨滅是名八正道善男子若有眾生能如
是觀雖有毒身其中亦有微妙藥王如雪山
中雖有毒草亦有妙藥善男子如是眾生雖
從煩惱而得果報而是果報更不復為煩惱
作因是則名為清淨梵行復次善男子智者
當觀受愛二事何因緣生知因想生何以故
眾生見色亦不生貪及觀受時亦不生貪若
於色中生顛倒想謂色即是常樂我淨受是
常恒无有變易因是倒想生貪恚癡是故智
者應當觀想云何觀想當作是念一切眾生
未得正道皆有倒想云何倒想於非常中生
於常想於非樂中生於樂想於非淨中生於
淨想於空法中生於我想於非男女大小晝
夜歲月衣服房舍臥具生於男女至臥具想

BD03054號　大般涅槃經（北本　異卷）卷三七　（18–10）

未得正道皆有倒想云何倒想於非常中生
於常想於非樂中生於樂想於非淨中生於
淨想於空法中生於我想於非男女大小晝
夜歲月衣服房舍臥具生於男女至臥具想
是想三種一者小二者大三者无邊小因緣
故生於小想大因緣故生於大想无量緣故
生无量想復有小想謂未入定復有大想謂
已入定復有无量想謂十一切入復有小想
所謂欲界一切想等復有大想所謂色界一
切想等復有无量想謂无色界一切想等三
想滅故受則自滅想受滅故名為解脫迦葉
菩薩言世尊滅一切法名為解脫如來云何
說想受滅名解脫耶佛言善男子如來或時
因眾生說聞者解法或時因法說於眾生聞
者亦解說於眾生云何名為因眾生說聞者
解法如我先為大迦葉說迦葉眾生滅時善
法則滅是名眾生說聞者解法云何因法說
於眾生聞者亦解說於眾生如我先為阿難
說言我亦不說親近一切法亦復不說不親
近一切法若近已善法衰羸不善熾盛如是
法者不應親近若法近已不善衰滅善法增
長如是法者是應親近是名因法說於眾生
聞者亦解說於眾生善男子如來雖說想受
二滅則已總說一切可斷智者既觀如是想
[illegible]觀想因是[illegible]想因何而生[illegible]因觸生

BD03054號　大般涅槃經（北本　異卷）卷三七　（18–11）

法者不應親近若法近已不善襄滅善法增
長如是法者是應親近是名因法說於衆生
聞者二解說於衆生善男子如來雖說想受
二滅則已總說一切可斷智者既觀如是想
已次觀想因是无量想因何而生知因觸生
是觸二種一者因煩惱觸二者因解脫觸因
无明生名煩惱觸因明生者名解脫觸因煩
惱觸生於倒想因解脫觸生不倒想觀想因
已次觀果報迦葉菩薩白佛言世尊若以因
此煩惱之想生於倒想一切聖人實有倒想
而无煩惱是義云何佛言善男子云何聖人
而有倒想迦葉菩薩言世尊一切聖人牛作
牛想亦說是牛馬作馬想亦說是馬男女大
小舍宅車乘去來亦尒是名倒想善男子一
切凡夫有二種想一者世流布想二者著想
一切聖人唯有世流布想无有著想一切凡
夫惡覺觀故於世流布生著想一切聖人
善覺觀故於世流布不生著想是故凡夫生
於倒想聖人雖知不名倒想智者如是觀想
因已次觀果報是惡想果在於地獄餓鬼畜
生人天中受如我因斷惡覺故无明觸斷
是故想斷因想斷故果報亦斷智者為斷如
是想因脩八正道善男子若有能作如是等
觀則得名為清淨梵行善男子是名衆生毒
身之中有妙藥王如雪山中雖有毒草亦有
妙藥復次善男子智者觀欲欲者即是色聲

BD03054號　大般涅槃經（北本　異卷）卷三七　　（18–12）

是故想斷因想斷故果報亦斷智者為斷如
是想因脩八正道善男子若有能作如是等
觀則得名為清淨梵行善男子是名衆生毒
身之中有妙藥王如雪山中雖有毒草亦有
妙藥復次善男子智者觀欲欲者即是色聲
香味觸善男子即是如來因中說果從此五
事生於欲耳實非欲也善男子愚癡之人貪
求受之於是色中生顛倒想乃至觸中亦生
倒想倒想因緣便生於受是故世間說因倒
想生十種想欲因緣故在於世間受惡果報
以惡加於父母沙門婆羅門等所不應作而
故作之不惜身命是故智者觀是惡想因緣
故生於欲心智者如是觀欲因已次觀果報
是欲多有諸惡果報所謂地獄餓鬼畜生人
中天上是名觀果報若是惡想得除滅者終
不生於此欲心也无欲心故不受惡受无惡
受故則无惡果是故我應先斷惡想斷惡想
已如是等法自然而滅是故智者為滅惡想
脩八正道是則名為清淨梵行是名衆生身
之中有妙藥王如雪山中雖有毒草亦有妙
藥復次善男子智者如是觀是欲已次當觀
業何以故有智之人當作是念受想觸欲即
是煩惱是煩惱者能作生業不作受業如是
煩惱与業共行則有二種一作生業二作受
業是故智者當觀於業業是三種謂身口意

BD03054號　大般涅槃經（北本　異卷）卷三七　　（18–13）

業何以故有智之人當作是念受想觸欲即
是煩惱是煩惱者能作生業不作受業如是
煩惱與業共行則有二種一作生業二作受
業是故智者當觀於業是業三種謂身口意
善男子身口二業亦名為業亦名業果意唯
名業不名為果以業因故則名為業善男子
身口二業名為外業意業名內是三種業共
煩惱行故作二種業一者生業二者受業善
男子正業者即意業也期業者謂身口業先
發故名意業從意業生名身口業是故意業
得名為正智者觀業已次觀業因業因者即
无明觸因无明觸眾生求有求有因緣即是
愛也愛因緣故造作三種身口意業善男子
智者如是觀業因已次觀果報果報有四一
者黑黑果報二者白白果報三者雜雜果報
四者不黑不白不黑不白果報黑黑果報者
作業時垢果報亦垢白白果報者作業時淨
果報亦淨雜雜果報者作業時雜果報亦雜
不白不黑不白不黑果報者名无漏業迦葉
菩薩白佛言世尊先說无漏无有果報今云
何言不白不黑有果報耶佛言善男子是義
有二一者亦果亦報二者唯果非報黑黑果
報亦名為果亦名為報黑因生故得名為果
能作因故復名為報淨雜亦尔无漏果者因
有漏生故名為果不作他因不名為報是故

BD03054號　大般涅槃經（北本　異卷）卷三七　（18–14）

有二一者亦果亦報二者唯果非報黑黑果
報亦名為果亦名為報黑因生故得名為果
能作因故復名為報淨雜亦尔无漏果者因
有漏生故名為果不作他因不名為報是故
名果不名為報迦葉菩薩白佛言世尊是无
漏業非是黑法何因緣故不名為白善男子
无有報故不名為白對治黑故故名為白我
今乃說受果報者名為黑白是无漏業不受
報故不名為白名為寂靜如是業者有定受
報處如十惡法定在地獄餓鬼畜生十善之
業定在人天十不善法有上中下上因緣故
受地獄身中因緣故受畜生身下因緣故受
餓鬼身人業十善復有四種一者下二者中
三者上四者上上下因緣故生鬱單曰中因
緣故生弗婆提上因緣故生瞿耶尼上上因
緣生閻浮提有智之人作是觀已即作是念
我當云何斷是果報復作是念是業因緣无
明觸生我若斷除无明與觸如是業果則滅
不生是故智者為斷无明觸因緣故脩八正
道是則名為清淨梵行善男子是名眾生毒
身之中有妙藥王如雪山中雖有毒草之有
妙藥復次善男子智者觀業觀煩惱已次觀
是二所得果報是二果報即是苦也既知是
苦則能捨離一切受生智者復觀煩惱因緣
生於煩惱業因緣故亦生煩惱煩惱因緣復

BD03054號　大般涅槃經（北本　異卷）卷三七　（18–15）

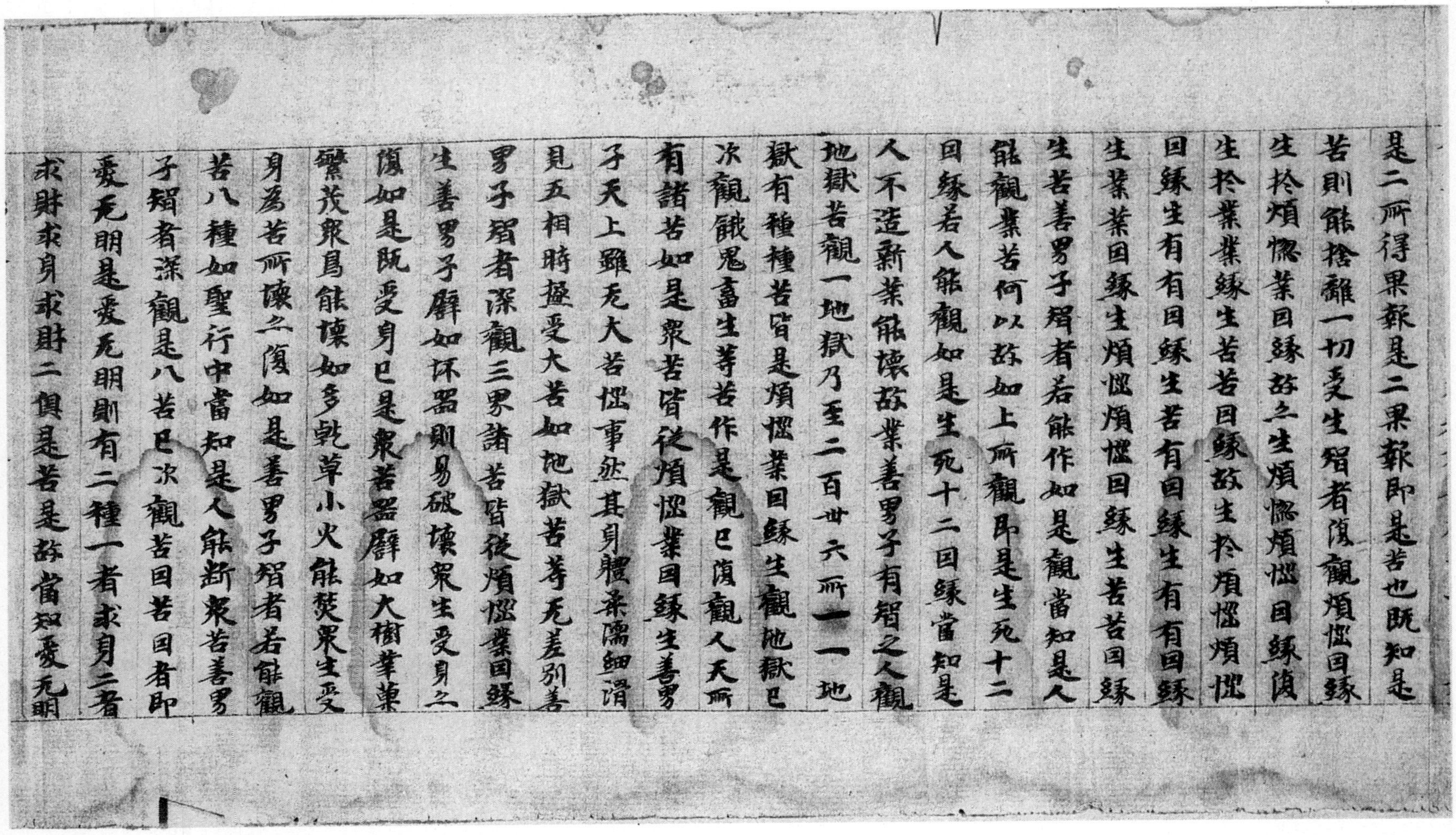
是二所得果報是二果報即是苦也既知是
苦則能捨離一切受生智者復觀煩惱因緣
生於煩惱業因緣故亦生煩惱煩惱因緣復
生於業業緣生苦苦因緣故生於煩惱煩惱
因緣生有有因緣生苦有因緣生有有因緣
生業業因緣生煩惱煩惱因緣生苦苦因緣
生苦善男子智者若能作如是觀當知是人
能觀業苦何以故如上所觀即是生死十二
因緣若人能觀如是生死十二因緣當知是
人不造新業能壞故業善男子有智之人觀
地獄苦觀一地獄乃至二百卅六所一一地
獄有種種苦皆是煩惱業因緣生觀地獄已
次觀餓鬼畜生等苦作是觀已復觀人天所
有諸苦如是衆苦皆從煩惱業因緣生善男
子天上雖无大苦惱事然其身體柔濡細滑
見五相時極受大苦如地獄苦等无差別善
男子智者深觀三界諸苦皆從煩惱業因緣
生善男子譬如坏器則易破壞衆生受身亦
復如是既受身已是衆苦器譬如大樹葉菓
繁茂衆鳥能壞如多乾草小火能焚衆生受
身爲苦所壞亦復如是善男子智者若能觀
苦八種如聖行中當知是人能斷衆苦善男
子智者深觀是八苦已次觀苦因苦因者即
愛无明是愛无明則有二種一者求身二者
求財求身求財二俱是苦是故當知愛无明

BD03054 號　大般涅槃經（北本　異卷）卷三七　（18–16）

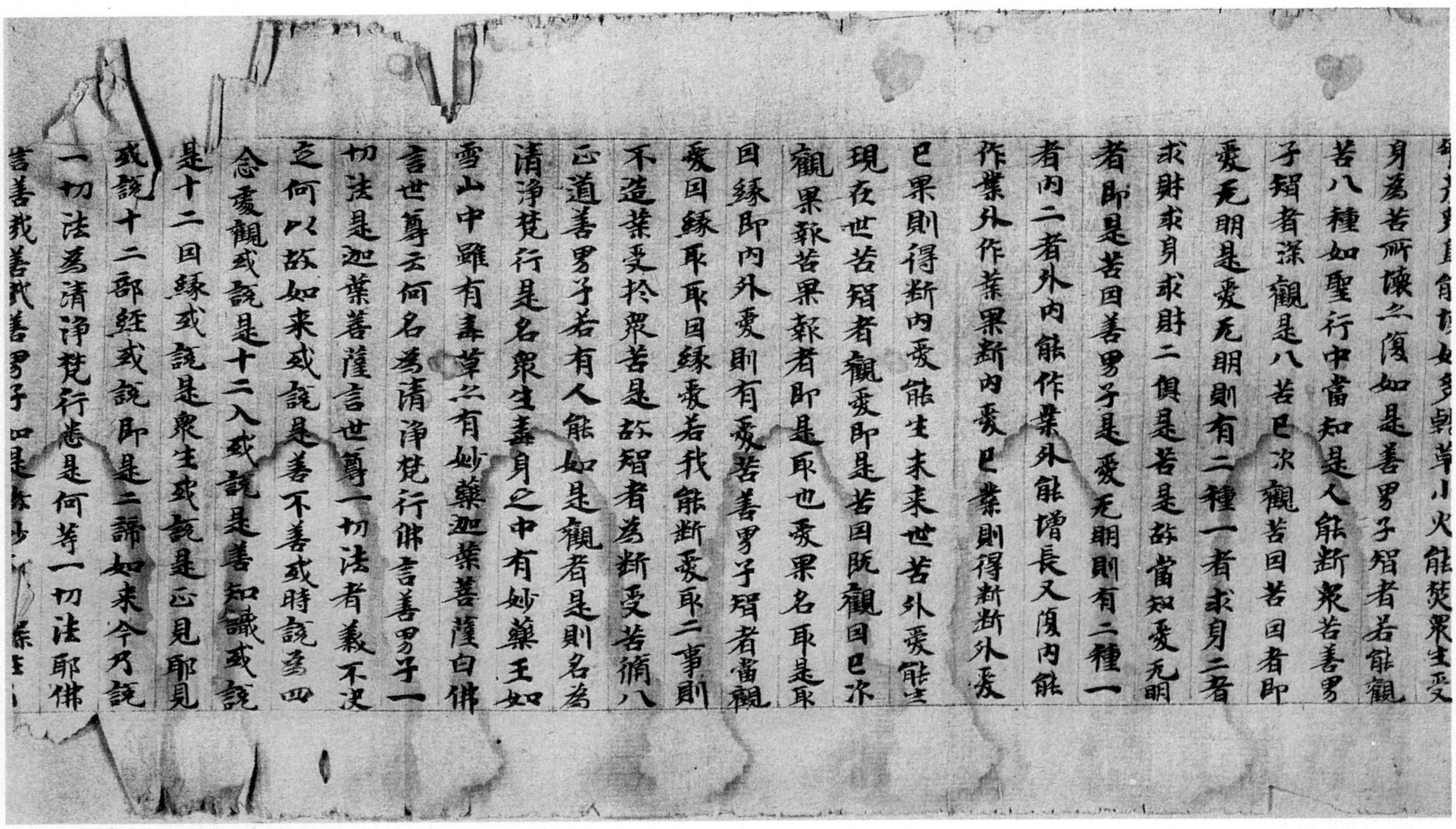
繁茂衆鳥能壞如多乾草小火能焚衆生受
身爲苦所壞亦復如是善男子智者若能觀
苦八種如聖行中當知是人能斷衆苦善男
子智者深觀是八苦已次觀苦因苦因者即
愛无明是愛无明則有二種一者求身二者
求財求身求財二俱是苦是故當知愛无明
者即是苦因善男子是愛无明則有二種一
者內二者外內能作業外能增長又復內能
作業外作業果斷內愛已業則得斷斷外愛
已果則得斷內愛能生未來世苦外愛能生
現在世苦智者觀愛即是苦因既觀因已次
觀果報苦果報者即是取也愛果名取是取
因緣即內外愛則有愛苦善男子智者當觀
愛因緣取取因緣愛若我能斷愛取二事則
不造業受於衆苦是故智者爲斷愛苦修八
正道善男子若有人能如是觀者是則名爲
清淨梵行是名衆生善身之中有妙藥王如
雪山中雖有毒草亦有妙藥迦葉菩薩白佛
言世尊云何名爲清淨梵行佛言善男子一
切法是迦葉菩薩言世尊一切法者義不決
定何以故如來或說是善不善或時說爲四
念處觀或說是十二入或說是善知識或說
是十二因緣或說是衆生或說是正見邪見
或說十二部經或說即是二諦如來今乃說
一切法爲清淨梵行爲是何等一切法耶佛
言善哉善哉善男子

BD03054 號　大般涅槃經（北本　異卷）卷三七　（18–17）

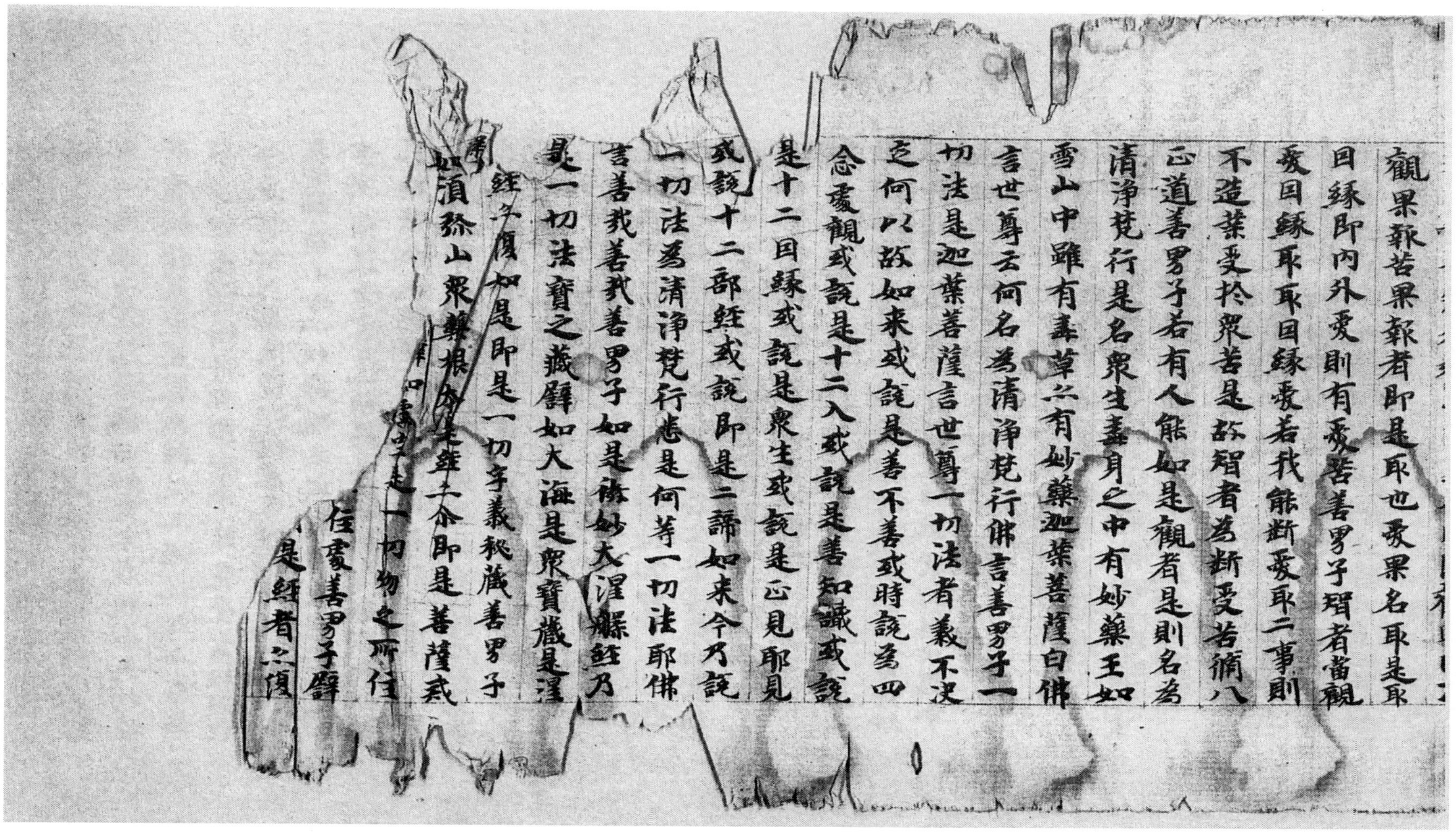

觀果報苦果報者即是取也愛果名取是取
因緣即內外愛則有愛善男子智者當觀
愛因緣取取因緣愛若我能斷愛取二事則
不造業受於眾苦是故智者為斷愛苦脩八
正道善男子若有人能如是觀者是則名為
清淨梵行是名眾生毒身之中有妙藥王如
雪山中雖有毒草亦有妙藥迦葉菩薩白佛
言世尊云何名為清淨梵行佛言善男子一
切法是迦葉菩薩言世尊一切法者義不決
定何以故如來或說是善不善或時說為四
念處觀或說是十二入或說是善知識或說
是十二因緣或說是眾生或說是正見耶見
或說十二部經或說即是二諦如來今乃說
一切法為清淨梵行悲是何等一切法耶佛
言善哉善哉善男子如是微妙大涅槃經乃
是一切法寶之藏譬如大海是眾寶藏是涅
經亦復如是即是一切字義祕藏善男子
本如須弥山眾藥根本是經亦爾即是菩薩戒
[illegible]是一切物之所住
住處善男子譬
是經者亦復

BD03054號　大般涅槃經（北本　異卷）卷三七　（18–18）

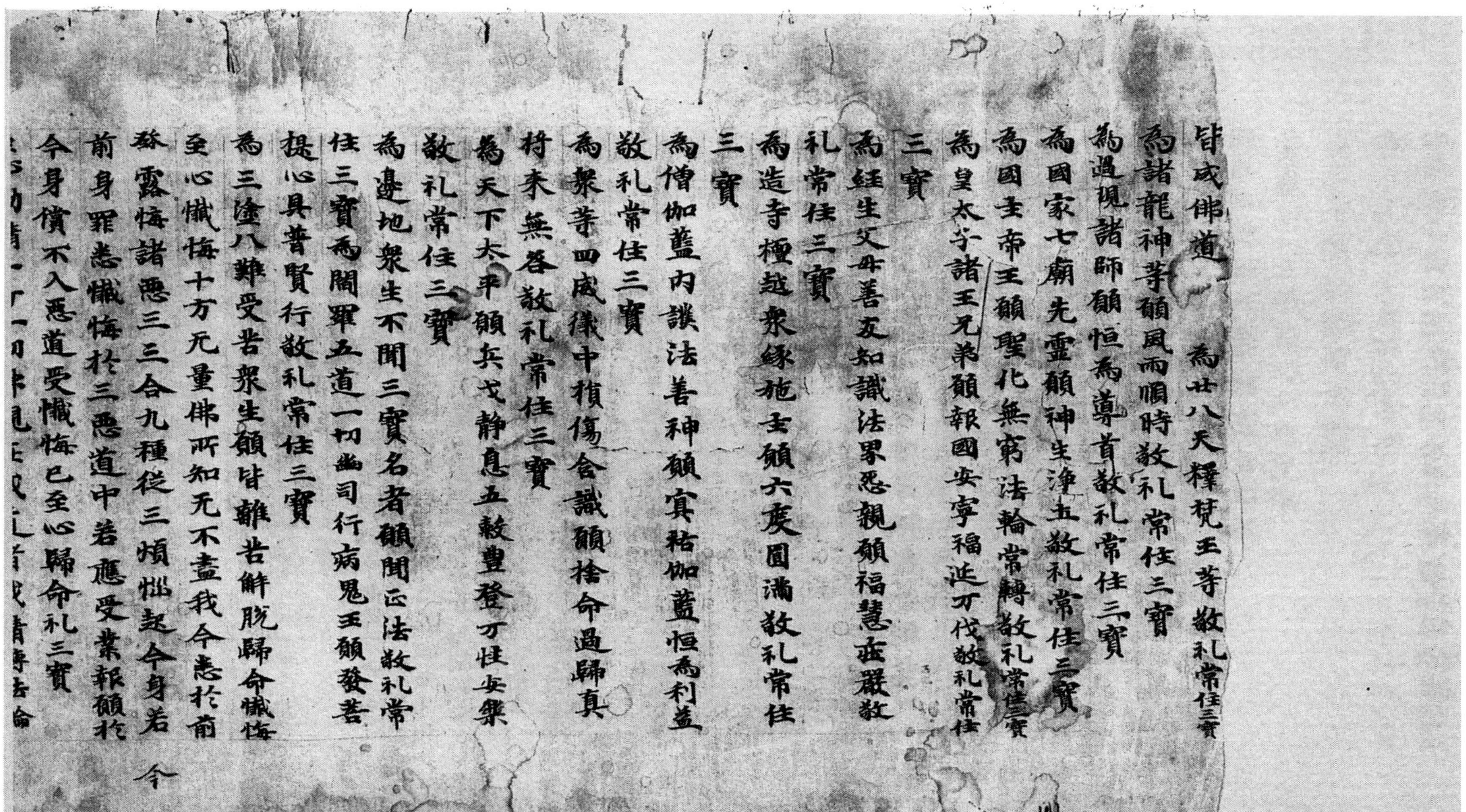

皆成佛道　為廿八天釋梵王等敬礼常住三寶
為諸龍神等願風雨順時敬礼常住三寶
為過現諸師願恒為導首敬礼常住三寶
為國家七廟先靈願神生淨土敬礼常住三寶
為國主帝王願聖化無窮法輪常轉敬礼常住三寶
為皇太子諸王兄弟願報國安寧福延万代敬礼常住
三寶
為經生父母善友知識法界惡親願福慧莊嚴敬
礼常住三寶
為造寺檀越眾緣施主願六度圓滿敬礼常住
三寶
為僧伽藍內護法善神願冥祐伽藍恒為利益
敬礼常住三寶
為眾等四威儀中損傷含識願捨命過歸真
將來無咎敬礼常住三寶
為天下太平願兵戈靜息五穀豐登万姓安樂
敬礼常住三寶
為邊地眾生不聞三寶名者願聞正法敬礼常
住三寶為閻羅五道一切幽司行病鬼王願發菩
提心具普賢行敬礼常住三寶
為三塗八難受苦眾生願皆離苦解脫歸命懺悔
至心懺悔十方无量佛所知无不盡我今悉於前
發露懺悔諸惡三三合九種從三煩惱起今身若今
前身罪悉懺悔於三惡道中若應受業報願於
今身償不入惡道受懺悔已至心歸命礼三寶
[illegible]

BD03055號　七階佛名經　（7–1）

提心具普賢行敬礼常住三寶
為三塗八難受苦衆生願皆離苦解脫歸命懺悔
至心懺悔十方无量佛所知无不盡我今悉於前
發露悔諸惡三三合九種從三煩惱起今身若
前身罪悉懺悔於三惡道中若應受業報願於
今身償不入惡道受懺悔已至心歸命礼三寶
至心勸請十方一切佛現在成道者我請轉法輪
安樂諸衆生十方一切佛若欲捨壽命我今頭面
礼勸請令久住勸請已至心歸命礼三寶
至心隨喜所有布施福持戒脩禪慧從身口意生
去來今所有習學三乘人具足三乘人具三乘
者无量人天福我等皆隨喜已至歸命礼三寶
至心迴向我所作福一切皆和合為度諸衆生故
正迴向菩提迴向已至心歸命礼三寶
至心發願願諸衆生等悉發菩提心繫心常思
念十方一切佛復願諸衆生永破諸煩惱了了見
佛性猶如文殊等發願已至心歸命礼三寶
諸衆等聽說晨朝清淨偈欲求寂滅樂當學沙
門法衣食支身命精麁隨衆等諸衆等今日晨朝
清淨僧各記六念六念已一切恭敬所脩功德奉
報四恩迴施六道和南聖衆
食時三礼
為梵釋四王天龍八部敬礼常住三寶
為國主帝王師僧父母信施檀越敬礼常住三寶
為三塗八難受苦衆生願皆解脫和南聖衆
午後略礼
如來妙色身一切德无輪迄　我今少稱嘆　宙勝天中天
嘆仏善根　與衆生共　同悟无為　俱成佛道
南无盡虛空遍法界微塵刹土中十方三世一切
諸佛

BD03055號　七階佛名經　（7–2）

午後略礼
如來妙色身一切德无輪迄　我今少稱嘆　宙勝天中天
嘆仏善根　與衆生共　同悟无為　俱成佛道
南无盡虛空遍法界微塵刹土中十方三世一切
諸佛
南无盡虛空遍法界微塵刹土中十方三世一切舍
利形像浮啚寶塔
南无盡虛空遍法界微塵刹土中十方三世一切十
二部尊經真淨妙法
南无盡虛空遍法界微塵刹土中十方三世一切
諸大菩薩摩訶薩衆
南无盡虛空遍法界微塵刹土中十方三世一切緣
覺聲聞一切賢
南无盡虛空遍法界微塵刹土中十方三世一切聖凡
僧寶
普為四恩三有法界衆生斷除三障歸命懺悔
至心懺悔我等從无量劫恒為六賊欺於一相如
中而強生分別眼根常愛色耳分別書聲鼻
惑著諸香舌鎮貪衆味身根衆受觸意想
遍攀緣由斯顛倒心故沉輪生死海願我從今始
說至證菩提六賊翻成於六通三毒變為三解
脫同一真如平等相不捨生死證涅槃恒於六趣濟
群生同登无上菩提道懺悔已至心歸命礼三寶
白衆等聽說午時无常偈人生不精進喻若樹
无根採花置日中能得幾時鮮人命亦如是无常
須臾間勸諸行衆脩道至涅槃
黃昏礼
南无本師釋迦牟尼佛
南无當來下生弥勒尊佛
南无東方須弥燈光明如來十方佛等一切諸佛

BD03055號　七階佛名經　（7–3）

白衆等聽說午時无常偈人生不精進喻若樹
无根採花置日中能得幾時鮮人命亦如是无常
須臾間勸諸行衆脩道至涅洹
黄昏礼
南无本師釋迦牟尼佛
南无當來下生彌勒尊佛
南无東方須弥燈光明如來十方佛等一切諸佛
南无毗婆尸如來過去七佛等一切諸佛
南无普光如來五十三佛等一切諸佛
南无善德如來十方佛等一切諸佛
南无拘那提如來賢劫千佛等一切諸佛
南无釋迦如來廿五佛等一切諸佛
南无阿閦如來一万五千佛等一切諸佛
南无寶集如來廿五佛等一切諸佛
南无大通智勝如來十六王子佛
南无虛空功德清淨微塵等端正相光明華婆頭摩
琉璃光寶軆香冣上香供養訖種々莊嚴頂髻
无量无邊日月光明願力莊嚴變化莊嚴法界出
生无鄣王如來
南无豪相日月光明華寶蓮華堅如金剛身毗盧
遮那无鄣㝵眼圓滿十方放光照一切佛刹相王如來
南无極樂世界阿弥陁佛
南无十二上願藥師琉璃光佛
南无十方三世一切諸佛
南无舍利形像天上人間无量寶塔
南无十二部尊經真淨妙法
南无諸大菩薩摩訶薩衆
南无緣覺聲聞一切賢聖僧
至心普為上界天仙龍梵八部帝主人王師僧父母
十方信施檀越六道四生衆生願皆離苦解脫歸命

BD03055號　七階佛名經　（7–4）

南无豪相日月光明華寶蓮華堅如金剛身毗盧
遮那无鄣㝵眼圓滿十方放光照一切佛刹相王如來
南无極樂世界阿弥陁佛
南无十二上願藥師琉璃光佛
南无十方三世一切諸佛
南无舍利形像天上人間无量寶塔
南无十二部尊經真淨妙法
南无諸大菩薩摩訶薩衆
南无緣覺聲聞一切賢聖僧
至心普為上界天仙龍梵八部帝主人王師僧父母
十方信施檀越六道四生衆生願皆離苦解脫歸命
懺悔
至心懺悔唯願十方諸大慈尊證知護念我今懺
悔不復更造願我及一切衆生速得滅除无量劫
來十惡四重五逆顛倒謗毀三寶一闡提應思惟
如是罪性但從虛妄顛倒心起无有定實而可得
者本唯空寂願我及一切衆生速達心本永滅罪
根懺悔已至心歸命礼三寶
至心勸請願令十方諸大菩薩未成正覺願速
成正覺若已成正覺者常住在世轉正法輪不入
涅槃勸請已至心歸命礼三寶
至心隨喜願我及一切衆生畢竟永捨嫉妬之心
於三世中一切刹土所有脩學一切功德及成就者
悉皆隨喜已至心歸命礼三寶
至心迴向願我所脩一切功德資益一切衆生等
同趣佛智證涅槃城迴向已至心歸命礼三寶
至心發願我及一切衆生從今日乃至无上菩提於
一切生處常得值遇十方諸佛諸大菩薩普文
殊觀音勢至令我恒得親覲供養發菩提心永
不退轉生々常處淨佛國土斷除三障永離衆
難成无上道發願已至心歸命礼三寶

BD03055號　七階佛名經　（7–5）

[illegible]
同趣佛智證涅槃城迴向已至心歸命礼三寶
至心發願我及一切衆生從今日乃至无上菩提於
一切生處常得值遇十方諸佛諸大菩薩普文
殊觀音勢至令我恒得覲覲供養發菩提心永
不退轉生生常處淨佛國土斷除三障永離衆
難成无上道發願已至心歸命礼三寶
一切誦 處世界 如虛空 如蓮華 不著水
心清淨 超於彼 稽首礼 无上尊 說偈發願
願以此切 普及於一切 我等与衆生 皆共成佛道
礼懺 一切恭敬
自歸依佛當願衆生體解大道發无上意 四歸依
說偈
諸衆等聽說三時无常偈 西方日已沒塵穽由未
除老病死時至相看不久居念念催年盡由如
少水魚勸諸行道衆精道至无餘
初夜礼
南无本師釋迦牟尼佛 南无當來下生弥勒尊佛
南无東方善德佛 南无南方旃檀德佛
南无西南方无量明佛 南无北方相德佛
南无東南方无憂德佛 南无西方寶施佛
南无西北方華德佛 南无東北方三乘行佛
南无上方廣衆德佛 南无下方明德佛
南无大通智勝如來十六王子佛 南无十二上願藥師琉璃光佛
南无極樂世界阿弥陀佛 南无過現未來一切諸佛
南无舍利形像天上人間无量寶塔 南无十二部尊經真
淨妙塔
南无緣覺聲聞一切賢聖僧 南无諸大菩薩摩訶薩衆
普為四恩三有法界衆生斷除三部歸命懺悔
至心懺悔南无佛南无法南无比丘僧[illegible]是等一切

BD03055號 七階佛名經 （7–6）

心清淨 超於彼 稽首礼 无上尊 說偈發願
願以此切 普及於一切 我等与衆生 皆共成佛道
礼懺 一切恭敬
自歸依佛當願衆生體解大道發无上意 四歸依
說偈
諸衆等聽說三時无常偈 西方日已沒塵穽由未
除老病死時至相看不久居念念催年盡由如
少水魚勸諸行道衆精道至无餘
初夜礼
南无本師釋迦牟尼佛 南无當來下生弥勒尊佛
南无東方善德佛 南无南方旃檀德佛
南无西南方无量明佛 南无北方相德佛
南无東南方无憂德佛 南无西方寶施佛
南无西北方華德佛 南无東北方三乘行佛
南无上方廣衆德佛 南无下方明德佛
南无大通智勝如來十六王子佛 南无十二上願藥師琉璃光佛
南无極樂世界阿弥陀佛 南无過現未來一切諸佛
南无舍利形像天上人間无量寶塔 南无十二部尊經真
淨妙塔
南无緣覺聲聞一切賢聖僧 南无諸大菩薩摩訶薩衆
普為四恩三有法界衆生斷除三部歸命懺悔
至心懺悔南无佛南无法南无比丘僧[illegible]是等一切

BD03055號 七階佛名經 （7–7）

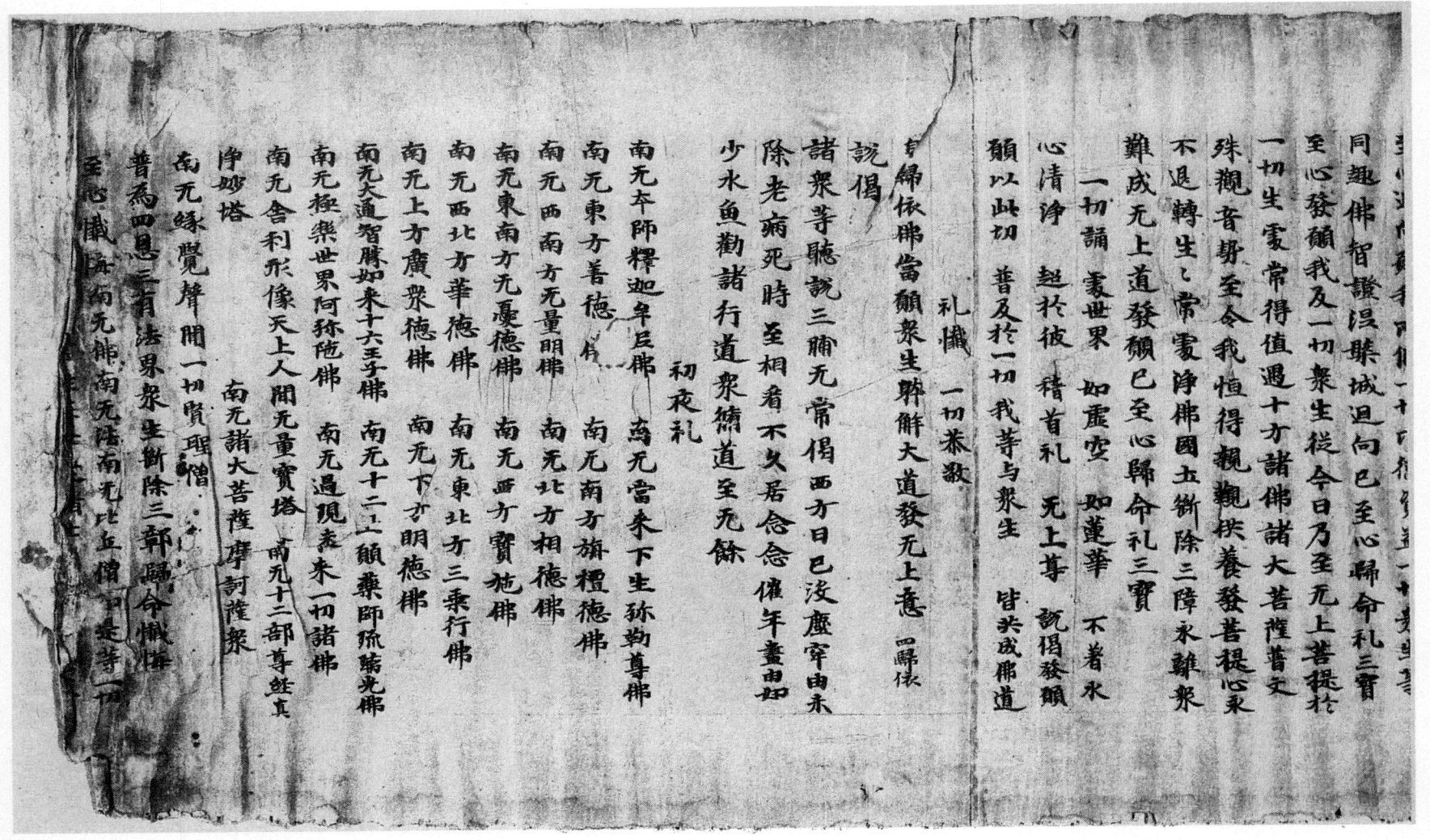

後五百
人則為苐一希有何
衆生相壽者相所以
相衆生相壽者相即
諸相則名諸佛佛告須菩
若復
有人得聞此經不驚不怖不畏當知是人甚
為希有何以故須菩提如来說苐一波羅蜜
非苐一波羅蜜是名苐一波羅蜜
須菩提忍辱波羅蜜如来說非忍辱波羅蜜
何以故須菩提如我昔為歌利王割截身體
我於尒時无我相无人相无衆生相无壽者
相何以故我於往昔節節支解時若有我相
人相衆生相壽者相應生瞋恨須菩提又念
過去於五百世作忍辱仙人於尒所世无我
相无人相无衆生相无壽者相是故須菩提
菩薩應離一切相發阿耨多羅三藐三菩提
心不應住色生心不應住聲香味觸法生心
應生无所住心若心有住則為非住是故佛
說菩薩心不應住色布施須菩提菩薩為利

BD03056號　金剛般若波羅蜜經　（4–1）

相无人相无衆生相无壽者相是故須菩提
菩薩應離一切相發阿耨多羅三藐三菩提
心不應住色生心不應住聲香味觸法生心
應生无所住心若心有住則為非住是故佛
說菩薩心不應住色布施須菩提菩薩為利
益一切衆生應如是布施如来說一切諸相
即是非相又說一切衆生則非衆生須菩提
如来是真語者實語者如語者不誑語者不
異語者須菩提如来所得法此法无實无虛
須菩提若菩薩心住於法而行布施如人入
闇則无所見若菩薩心不住法而行布施如
人有目日光明照見種種色須菩提當来之
世若有善男子善女人能於此經受持讀誦
則為如来以佛智慧悉知是人悉見是人皆
得成就无量无邊功德
須菩提若有善男子善女人初日分以恒河
沙等身布施中日分復以恒河沙等身布施
後日分亦以恒河沙等身布施如是无量百
千万億劫以身布施若復有人聞此經典信
心不逆其福勝彼何況書寫受持讀誦為人
解說須菩提以要言之是經有不可思議不
可稱量无邊功德如来為發大乘者說為發
最上乘者說若有人能受持讀誦廣為人說
如来悉知是人悉見是人皆得成就不可量
不可稱无有邊不可思議功德如是人等則

BD03056號　金剛般若波羅蜜經　（4–2）

沙等身布施中日分復以恒河沙等身布施
後日分亦以恒河沙等身布施如是无量百
千万億劫以身布施若復有人聞此經典信
心不逆其福勝彼何況書寫受持讀誦為人
解說須菩提以要言之是經有不可思議不
可稱量无邊功德如來為發大乘者說為發
最上乘者說若有人能受持讀誦廣為人說
如來悉知是人悉見是人皆得成就不可量
不可稱无有邊不可思議功德如是人等則
為荷擔如來阿耨多羅三藐三菩提何以故
須菩提若樂小法者著我見人見衆生見壽
者見則於此經不能聽受讀誦為人解說須
菩提在在處處若有此經一切世間天人阿
脩羅所應供養當知此處則為是塔皆應恭
敬作禮圍繞以諸華香而散其處
復次須菩提若善男子善女人受持讀誦此
經若為人輕賤是人先世罪業應墮惡道以
今世人輕賤故先世罪業則為消滅當得阿
耨多羅三藐三菩提須菩提我念過去无量
阿僧祇　然燈佛前得值八百四千万億
皆供養承事无空過者若復
能受持讀誦此經所得功德
佛功德百分不及一千万億
所不能及須菩提若善男
有受持讀誦此經所得

BD03056號　金剛般若波羅蜜經　（4–3）

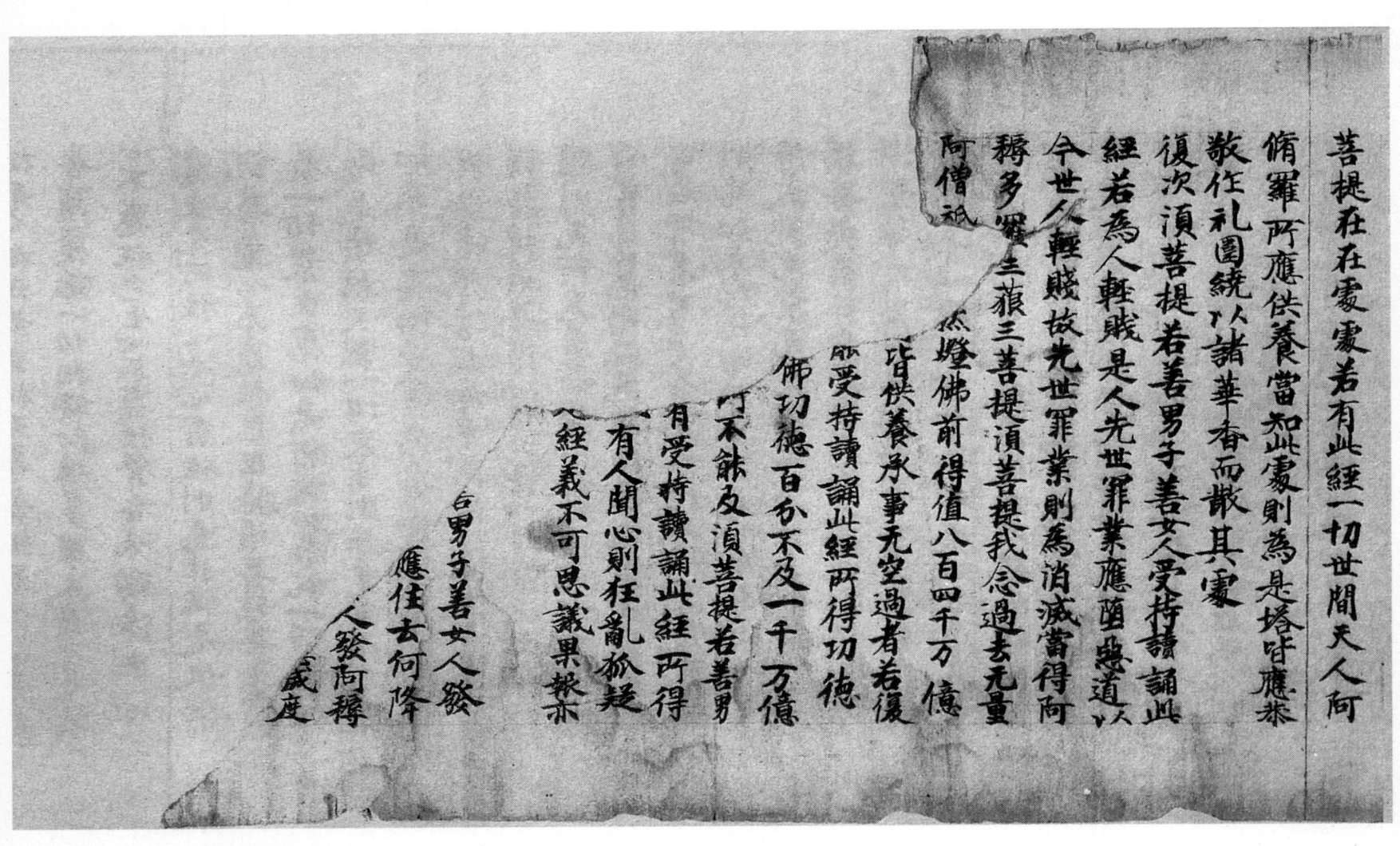

菩提在在處處若有此經一切世間天人阿
脩羅所應供養當知此處則為是塔皆應恭
敬作禮圍繞以諸華香而散其處
復次須菩提若善男子善女人受持讀誦此
經若為人輕賤是人先世罪業應墮惡道以
今世人輕賤故先世罪業則為消滅當得阿
耨多羅三藐三菩提須菩提我念過去无量
阿僧祇　然燈佛前得值八百四千万億
皆供養承事无空過者若復
能受持讀誦此經所得功德
佛功德百分不及一千万億
所不能及須菩提若善男
有受持讀誦此經所得
有人聞心則狂亂狐疑
經義不可思議果報亦
善男子善女人發
應住云何降
人發阿耨
滅度

BD03056號　金剛般若波羅蜜經　（4–4）

十二袟一百五

BD03057 號背　勘記　（1–1）

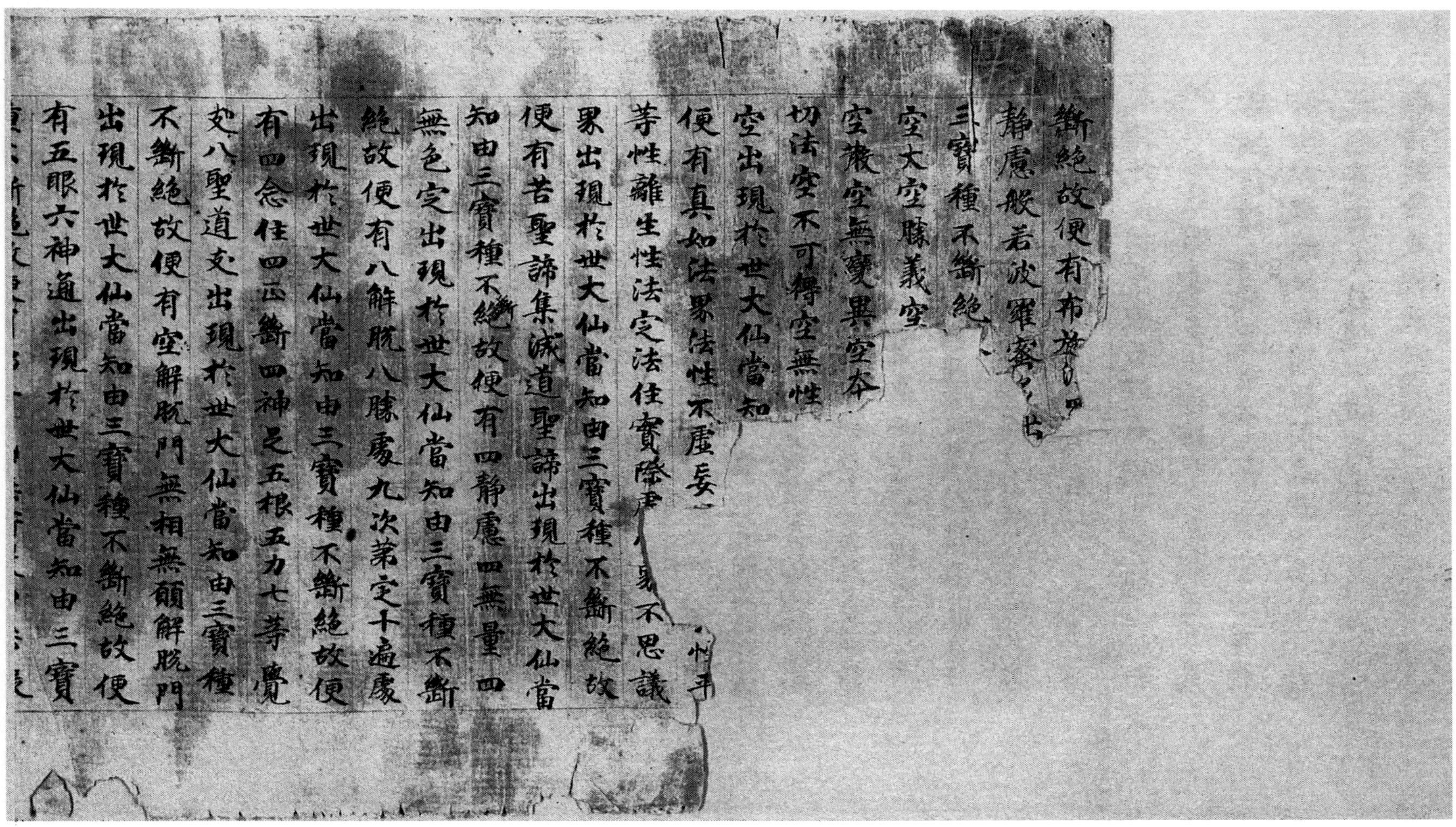

斷絕故便有布施
靜慮般若波羅蜜
三寶種不斷絕
空大空勝義空
空散空無變異空本
切法空不可得空無性
空出現於世大仙當知
便有真如法界法性不虛妄
等性離生性法定法住實際
界出現於世大仙當知由三寶種不斷絕故
便有苦聖諦集滅道聖諦出現於世大仙當
知由三寶種不斷絕故便有四靜慮四無量四
無色定出現於世大仙當知由三寶種不斷
絕故便有八解脫八勝處九次第定十遍處
出現於世大仙當知由三寶種不斷絕故便
有四念住四正斷四神足五根五力七等覺
支八聖道支出現於世大仙當知由三寶種
不斷絕故便有空解脫門無相無願解脫門
出現於世大仙當知由三寶種不斷絕故便
有五眼六神通出現於世大仙當知由三寶

BD03057 號　大般若波羅蜜多經卷一〇五　（20–1）

有四念住四正斷四神足五根五力七等覺
支八聖道支出現於世大仙當知由三寶種
不斷絕故便有空解脫門無相無願解脫門
出現於世大仙當知由三寶種不斷絕故便
有五眼六神通出現於世大仙當知由三寶
種不斷絕故便有佛十力四無所畏四無礙
解大慈大悲大喜大捨十八佛不共法出現
於世大仙當知由三寶種不斷絕故便有無
忘失法恒住捨性出現於世大仙當知由三
寶種不斷絕故便有一切陁羅尼門一切三
摩地門出現於世大仙當知由三寶種不斷絕
故便有一切智道相智一切相智出現於世
大仙當知由三寶種不斷絕故便有聲聞乘
獨覺乘無上乘出現於世大仙當知由三寶
種不斷絕故便有預流一來不還阿羅漢出
現於世大仙當知由三寶種不斷絕故便有
預流向預流果一來向一來果不還向不還
果阿羅漢向阿羅漢果出現於世大仙當知
由三寶種不斷絕故便有獨覺及獨覺向獨
覺果出現於世大仙當知由三寶種不斷絕
故便有菩薩摩訶薩三藐三佛陁出現於世
大仙當知由三寶種不斷絕故便有菩薩摩
訶薩及菩薩摩訶薩十地等法出現於世大
仙當知由三寶種不斷絕故便有如來應正
等覺及阿耨多羅三藐三菩提出現於世是
故大仙應受持讀誦精勤脩學如理思惟供

BD03057 號　大般若波羅蜜多經卷一〇五　（20–2）

大仙當知由三寶種不斷絕故便有菩薩摩
訶薩及菩薩摩訶薩十地等法出現於世大
仙當知由三寶種不斷絕故便有如來應正
等覺及阿耨多羅三藐三菩提出現於世是
故大仙應受持讀誦精勤脩學如理思惟供
養恭敬尊重讚歎如是般若波羅蜜多
尒時佛告天帝釋言憍尸迦汝應受此甚深
般若波羅蜜多汝應持此甚深般若波羅蜜
多汝應讀此甚深般若波羅蜜多汝應誦此
甚深般若波羅蜜多汝應精勤脩學此甚深
般若波羅蜜多汝應如理思惟此甚深般若
波羅蜜多汝應供養恭敬尊重讚歎此甚深
般若波羅蜜多何以故憍尸迦若阿素洛凶
悖徒黨興是惡念我等當與三十三天交陣
戰諍尒時汝等諸天眷屬應各誠心念誦如
是甚深般若波羅蜜多供養恭敬尊重讚歎
時阿素洛凶悖徒黨惡心即滅不復更生憍
尸迦若諸天子或諸天女五衰相現其心驚
惶恐墮惡趣尒時汝等諸天眷屬應住其前
至心念誦如是般若波羅蜜多時諸天子
或諸天女聞是般若波羅蜜多善根力故於
此般若波羅蜜多生淨信故五衰相沒身意
泰然設復命終還生本處受富樂倍勝於
前何以故憍尸迦聞信般若波羅蜜多功德
威力甚廣大故憍尸迦若善男子善女人等
或諸天子及諸天女由此般若波羅蜜多一

BD03057 號　大般若波羅蜜多經卷一〇五　（20–3）

此般若波羅蜜多生淨信故五衰相沒身意
泰然設復命終還生本處受天富樂倍勝於
前何以故憍尸迦聞信般若波羅蜜多功德
威力甚廣大故憍尸迦若善男子善女人等
或諸天子及諸天女由此般若波羅蜜多一
經其耳善根力故決定當證阿耨多羅三藐
三菩提何以故憍尸迦過去諸佛及諸弟子
一切皆學如是般若波羅蜜多已證無上正
等菩提入無餘依般涅槃未來諸佛及諸
弟子一切皆學如是般若波羅蜜多當證無
上正等菩提入無餘依般涅槃現在十方
無量諸佛及諸弟子一切皆學如是般若波
羅蜜多現證無上正等菩提入無餘依般涅
槃何以故憍尸迦由此般若波羅蜜多普
攝一切菩提分法若聲聞法若獨覺法若菩
薩法若如來法皆具攝故
尒時天帝釋白佛言世尊如是般若波羅蜜
多是大神呪如是般若波羅蜜多是大明呪
如是般若波羅蜜多是無上呪如是般若波
羅蜜多是無等等呪如是般若波羅蜜多是
一切呪王最上最妙能伏一切不為一切之
所降伏何以故世尊如是般若波羅蜜多能
除一切惡不善法能攝生長諸善法故尒時
佛告天帝釋言如是如是如汝所說憍尸迦
如是般若波羅蜜多是大神呪是大明呪是
無上呪是無等等呪是一切呪王最上最妙

BD03057 號　大般若波羅蜜多經卷一〇五　（20–4）

除一切惡不善法能攝生長諸善法故尒時
佛告天帝釋言如是如是如汝所說憍尸迦
如是般若波羅蜜多是大神呪是大明呪是
無上呪是無等等呪是一切呪王最上最妙
能伏一切不為一切之所降伏何以故過去
諸佛皆依如是甚深般若波羅蜜多大呪王
故已證無上正等菩提未來諸佛皆依如是
甚深般若波羅蜜多大呪王故當證無上正
等菩提現在十方無量諸佛皆依如是甚深
般若波羅蜜多大呪王故今證無上正等菩
提何以故憍尸迦依因如是甚深般若波羅
蜜多大呪王故十善業道出現世間憍尸迦
依因如是甚深般若波羅蜜多大呪王故惠
施受齋持戒等法出現世間憍尸迦依因如
是甚深般若波羅蜜多大呪王故四靜慮四
無量四無色定五神通等出現世間憍尸迦
依因如是甚深般若波羅蜜多大呪王故布
施波羅蜜多淨戒安忍精進靜慮般若波羅
蜜多出現世間憍尸迦依因如是甚深般若
波羅蜜多大呪王故內空外空內外空空空
大空勝義空有為空無為空畢竟空無際空
散空無變異空本性空自相空共相空一切
法空不可得空無性空自性空無性自性空
出現世間憍尸迦依因如是甚深般若波羅
蜜多大呪王故真如法界法性不虛妄性不
變異性平等性離生性法定法住實際虛空

BD03057 號　大般若波羅蜜多經卷一〇五　（20–5）

散空無變異空本性空自相空共相空一切
法空不可得空無性空自性空無性自性空
出現世間憍尸迦依曰如是甚深般若波羅
蜜多大呪王故真如法界法性不虛妄性不
變異性平等性離生性法定法住實際虛空
界不思議界出現世間憍尸迦依曰如是甚
深般若波羅蜜多大呪王故若聖諦集聖諦
滅聖諦道聖諦出現世間憍尸迦依曰如是
甚深般若波羅蜜多大呪王故八解脫八勝
處九次第定十遍處出現世間
憍尸迦依曰如是甚深般若波羅蜜多大呪
王故四念住四正斷四神足五根五力七等
覺支八聖道支出現世間憍尸迦依曰如是
甚深般若波羅蜜多大呪王故空解脫門無
相解脫門無願解脫門出現世間憍尸迦依曰
如是甚深般若波羅蜜多大呪王故五眼六
神通出現世間憍尸迦依曰如是甚深般若
波羅蜜多大呪王故佛十力四無所畏四無
礙解大慈大悲大喜大捨十八佛不共法出現
世間憍尸迦依曰如是甚深般若波羅蜜多
大呪王故無忘失法恒住捨性出現世間憍
尸迦依曰如是甚深般若波羅蜜多大呪王
故一切陁羅尼門一切三摩地門出現世間
憍尸迦依曰如是甚深般若波羅蜜多大呪
王故一切智道相智一切相智出現世間憍
尸迦依曰如是甚深般若波羅蜜多大呪王
故預流一來不還阿羅漢出現世間憍尸迦

故一切陁羅尼門一切三摩地門出現世間
憍尸迦依曰如是甚深般若波羅蜜多大呪
王故一切智道相智一切相智出現世間憍
尸迦依曰如是甚深般若波羅蜜多大呪王
故預流一來不還阿羅漢出現世間憍尸迦
依曰如是甚深般若波羅蜜多大呪王故預
流向預流果一來向一來果不還向不還果
阿羅漢向阿羅漢果出現世間憍尸迦依曰
如是甚深般若波羅蜜多大呪王故獨覺及
獨覺菩提出現世間憍尸迦依曰如是甚深
般若波羅蜜多大呪王故菩薩摩訶薩及菩
薩摩訶薩十地等行出現世間憍尸迦依曰
如是甚深般若波羅蜜多大呪王故如來應
正等覺及阿耨多羅三藐三菩提出現世間
復次憍尸迦依曰如是甚深般若波羅蜜多
大呪王故有菩薩摩訶薩世間顯現憍尸迦
依曰菩薩摩訶薩故十善業道世間顯現憍
尸迦依曰菩薩摩訶薩故惠施受齋持戒等
法世間顯現憍尸迦依曰菩薩摩訶薩故四
靜慮四無量四無色定五神通等世間顯現
憍尸迦依曰菩薩摩訶薩故布施淨戒安忍
精進靜慮般若波羅蜜多世間顯現憍尸迦
依曰菩薩摩訶薩故內空外空內外空空空
大空勝義空有為空無為空畢竟空無際空
散空無變異空本性空自相空共相空一切
法空不可得空無性空自性空無性自性空

憍尸迦依因菩薩摩訶薩故布施淨戒安忍
精進靜慮般若波羅蜜多世間顯現憍尸迦
依因菩薩摩訶薩故內空外空內外空空空
大空勝義空有為空無為空畢竟空無際空
散空無變異空本性空自相空共相空一切
法空不可得空無性空自性空無性自性空
世間顯現憍尸迦依因菩薩摩訶薩故真如
法界法性不虛妄性不變異性平等性離生
性法定法住實際虛空界不思議界世間顯
現憍尸迦依因菩薩摩訶薩故苦聖諦集聖
諦滅聖諦道聖諦世間顯現憍尸迦依因菩
薩摩訶薩故八解脫八勝處九次第定十遍
處世間顯現憍尸迦依因菩薩摩訶薩故四
念住四正斷四神足五根五力七等覺支八
聖道支世間顯現憍尸迦依因菩薩摩訶薩
故空解脫門無相解脫門無願解脫門世間
顯現憍尸迦依因菩薩摩訶薩故五眼六神
通世間顯現憍尸迦依因菩薩摩訶薩故佛
十力四無所畏四無礙解大慈大悲大喜大
捨十八佛不共法世間顯現憍尸迦依因菩
薩摩訶薩故無忘失法恒住捨性世間顯現
憍尸迦依因菩薩摩訶薩故一切陀羅尼門
一切三摩地門世間顯現憍尸迦依因菩薩
摩訶薩故一切智道相智一切相智世間顯
現憍尸迦依因菩薩摩訶薩故預流一來不
還阿羅漢世間顯現憍尸迦依因菩薩摩訶

BD03057號　大般若波羅蜜多經卷一〇五　（20–8）

摩訶薩故一切智道相智一切相智世間顯
現憍尸迦依因菩薩摩訶薩故預流一來不
還阿羅漢世間顯現憍尸迦依因菩薩摩訶
薩故預流向預流果一來向一來果不還向
不還果阿羅漢向阿羅漢果世間顯現憍尸
迦依因菩薩摩訶薩故獨覺及獨覺菩提世
間顯現憍尸迦依因菩薩摩訶薩故菩薩摩
訶薩及菩薩摩訶薩十地等行世間顯現憍
尸迦依因菩薩摩訶薩故如來應正等覺及
阿耨多羅三藐三菩提世間顯現
憍尸迦譬如依因滿月輪故一切藥物星辰
山海皆得增明如是依因菩薩摩訶薩滿月
輪故一切世間十善業道藥草物類皆得增
明如是依因菩薩摩訶薩滿月輪故一切世
間惠施受齋持戒等法藥草物類皆得增明
如是依因菩薩摩訶薩滿月輪故一切世間
四靜慮四無量四無色定五神通等藥草物
類皆得增明如是依因菩薩摩訶薩滿月輪
故一切世間布施淨戒安忍精進靜慮般若
波羅蜜多藥草物類皆得增明如是依因菩
薩摩訶薩滿月輪故一切世間內空外空內
外空空空大空勝義空有為空無為空畢竟
空無際空散空無變異空本性空自相空共
相空一切法空不可得空無性空自性空無
性自性空藥草物類皆得增明如是依因菩
薩摩訶薩滿月輪故一切世間真如法界法

BD03057號　大般若波羅蜜多經卷一〇五　（20–9）

薩摩訶薩滿月輪故一切世間內空外空內
外空空空大空勝義空有為空無為空畢竟
空無際空散空無變異空本性空自相空共
相空一切法空不可得空無性空自性空無
性自性空藥草物類皆得增明如是依因菩
薩摩訶薩滿月輪故一切世間真如法界法
性不虛妄性不變異性平等性離生性法定
法住實際虛空界不思議界藥草物類皆得
增明如是依因菩薩摩訶薩滿月輪故一切
世間苦聖諦集聖諦滅聖諦道聖諦藥草物
類皆得增明如是依因菩薩摩訶薩滿月輪
故一切世間八解脫八勝處九次第定十遍
處藥草物類皆得增明如是依因菩薩摩訶
薩滿月輪故一切世間四念住四正斷四神
足五根五力七等覺支八聖道支藥草物類
皆得增明如是依因菩薩摩訶薩滿月輪故
一切世間空解脫門無相解脫門無願解脫
門藥草物類皆得增明如是依因菩薩摩訶
薩滿月輪故一切世間五眼六神通藥草物
類皆得增明如是依因菩薩摩訶薩滿月輪
故一切世間佛十力四無所畏四無礙解大慈
大悲大喜大捨十八佛不共法藥草物類皆
得增明如是依因菩薩摩訶薩滿月輪故一
切世間無忘失法恒住捨性藥草物類皆得
增明如是依因菩薩摩訶薩滿月輪故一切
世間一切陀羅尼門一切三摩地門藥草物
類皆得增明如是依因菩薩摩訶薩滿月輪

BD03057號　大般若波羅蜜多經卷一〇五　（20–10）

得增明如是依因菩薩摩訶薩滿月輪故一
切世間無忘失法恒住捨性藥草物類皆得
增明如是依因菩薩摩訶薩滿月輪故一切
世間一切陀羅尼門一切三摩地門藥草物
類皆得增明如是依因菩薩摩訶薩滿月輪
故一切世間一切智道相智一切相智藥草
物類皆得增明如是依因菩薩摩訶薩滿月
輪故一切世間預流向預流果一來向一來
果不還向不還果阿羅漢向阿羅漢果獨覺
向獨覺菩提藥草物類皆得增明如是依因
菩薩摩訶薩滿月輪故一切世間菩薩摩訶
薩十地等行及阿耨多羅三藐三菩提藥草
物類皆得增明如是依因菩薩摩訶薩滿月
輪故一切世間聲聞獨覺有學無學星宿辰
象皆得增明如是依因菩薩摩訶薩滿月輪
故一切世間菩薩摩訶薩及如來應正等覺
諸山大海皆得增明
憍尸迦若諸如來應正等覺未出世時唯菩
薩摩訶薩具方便善巧為諸有情無倒宣說
一切世間出世間法何以故憍尸迦當知菩
薩摩訶薩能世生一切人乘天乘聲聞乘獨
覺乘無上乘故憍尸迦菩薩摩訶薩所有方
便善巧皆從如是甚深般若波羅蜜多而得
生長憍尸迦菩薩摩訶薩成就方便善巧力
故能行布施波羅蜜多能行淨戒安忍精進
靜慮般若波羅蜜多憍尸迦菩薩摩訶薩成

BD03057號　大般若波羅蜜多經卷一〇五　（20–11）

覺乘無上乘故憍尸迦菩薩摩訶薩所有方
便善巧皆從如是甚深般若波羅蜜多而得
生長憍尸迦菩薩摩訶薩成就方便善巧力
故能行布施波羅蜜多能行淨戒安忍精進
靜慮般若波羅蜜多憍尸迦菩薩摩訶薩成
就方便善巧力故能行內空能行外空內外
空空空大空勝義空有為空無為空畢竟空
無際空散空無變異空本性空自相空共相
空一切法空不可得空無性空自性空無性
自性空憍尸迦菩薩摩訶薩成就方便善巧
力故能行真如能行法界法性不虛妄性不
變異性平等性離生性法定法住實際虛空
界不思議界憍尸迦菩薩摩訶薩成就方便
善巧力故能行苦聖諦能行集滅道聖諦憍
尸迦菩薩摩訶薩成就方便善巧力故能行
四靜慮能行四無量四無色定憍尸迦菩薩
摩訶薩成就方便善巧力故能行八解脫能
行八勝處九次第定十遍處憍尸迦菩薩摩
訶薩成就方便善巧力故能行四念住能行
四正斷四神足五根五力七等覺支八聖道
支憍尸迦菩薩摩訶薩成就方便善巧力故
脩行空解脫門能行無相無願解脫門憍尸
迦菩薩摩訶薩成就方便善巧力故能得五
眼能得六神通憍尸迦菩薩摩訶薩成就方
便善巧力故能得佛十力能得四無所畏四
無礙解大慈大悲大喜大捨十八佛不共法
憍尸迦菩薩摩訶薩成就方便善巧力故能

BD03057號　大般若波羅蜜多經卷一〇五　（20–12）

迦菩薩摩訶薩成就方便善巧力故能得五
眼能得六神通憍尸迦菩薩摩訶薩成就方
便善巧力故能得佛十力能得四無所畏四
無礙解大慈大悲大喜大捨十八佛不共法
憍尸迦菩薩摩訶薩成就方便善巧力故能
得無忘失法能得恒住捨性憍尸迦菩薩摩
訶薩成就方便善巧力故能得一切陀羅尼
門能得一切三摩地門憍尸迦菩薩摩訶薩
成就方便善巧力故能得一切智能得道相
智一切相智憍尸迦菩薩摩訶薩成就方便
善巧力故能得三十二大士相能得八十種
隨形好憍尸迦菩薩摩訶薩成就方便善巧
力故不墮聲聞地不證獨覺地憍尸迦菩薩
摩訶薩成就方便善巧力故能成熟有情能
嚴淨佛土憍尸迦菩薩摩訶薩成就方便善
巧力故能攝取壽量圓滿能攝取眾具圓滿
淨土圓滿種姓圓滿色力圓滿眷屬圓滿憍尸
迦菩薩摩訶薩成就方便善巧力故能行菩
薩十地等行能得無上正等菩提憍尸迦如
是菩薩摩訶薩及所有方便善巧皆由般若
波羅蜜多而得成就
復次憍尸迦若善男子善女人等於此般若
波羅蜜多至心聽聞受持讀誦精勤脩學如
理思惟書寫解說廣令流布當得成就現在
未來功德勝利尒時天帝釋白佛言世尊若
善男子善女人等於此般若波羅蜜多至心
聽聞受持讀誦精勤脩學如理思惟書寫解

BD03057號　大般若波羅蜜多經卷一〇五　（20–13）

波羅蜜多至心聽聞受持讀誦精勤脩學如
理思惟書寫解說廣令流布當得成就現在
未來功德勝利尒時天帝釋白佛言世尊若
善男子善女人等於此般若波羅蜜多至心
聽聞受持讀誦精勤脩學如理思惟書寫解
說廣令流布云何當得成就現在功德勝利
佛言憍尸迦若善男子善女人等於此般若
波羅蜜多至心聽聞受持讀誦精勤脩學如
理思惟書寫解說廣令流布是善男子善女
人等現在不為毒藥所中刀兵所害火所焚
燒水所漂溺乃至不為四百四病之所殘殁
除先定業現世應受憍尸迦是善男子善女
人等若遭官事怨賊逼迫至心念誦如是般
若波羅蜜多若到其所終不為彼譴罰加害
何以故如是般若波羅蜜多威德勢力法令
尒故憍尸迦是善男子善女人等若有往至
國王王子大臣等處至心念誦如是般若波
羅蜜多必為王等歡喜問訊恭敬讚美何以
故是善男子善女人等常於有情不離慈悲
喜捨心故憍尸迦若善男子善女人等於此
般若波羅蜜多至心聽聞受持讀誦精勤脩
學如理思惟書寫解說廣令流布當得成就
諸如是等現世種種功德勝利時天帝釋復
白佛言世尊若善男子善女人等於此般若
波羅蜜多至心聽聞受持讀誦精勤脩學如
理思惟書寫解說廣令流布當得成就

般若波羅蜜多至心聽聞受持讀誦精勤脩
學如理思惟書寫解說廣令流布當得成就
諸如是等現世種種功德勝利時天帝釋復
白佛言世尊若善男子善女人等於此般若
波羅蜜多至心聽聞受持讀誦精勤脩學如
理思惟書寫解說廣令流布云何當得成就
未來功德勝利佛言憍尸迦若善男子善女
人等於此般若波羅蜜多至心聽聞受持讀
誦精勤脩學如理思惟書寫解說廣令流布
是善男子善女人等隨所生處常不遠離十
善業道是善男子善女人等隨所生處常不
遠離惠施受齋持戒等法是善男子善女人
等隨所生處常不遠離四靜慮四無量四無
色定五神通等是善男子善女人等隨所生
處常不遠離布施波羅蜜多淨戒波羅蜜多
安忍波羅蜜多精進波羅蜜多靜慮波羅蜜
多般若波羅蜜多是善男子善女人等隨所
生處常不遠離內空外空內外空空空大空
勝義空有為空無為空畢竟空無際空散
空無變異空本性空自相空共相空一切法空
不可得空無性空自性空無性自性空是善
男子善女人等隨所生處常不遠離真如法
界法性不虛妄性不變異性平等性離生性
法定法住實際虛空界不思議界是善男子
善女人等隨所生處常不遠離苦聖諦集聖
諦滅聖諦道聖諦是善男子善女人等隨所
生處常不遠離八解脫八勝處九次第定十

界法性不虛妄性不變異性平等性離生性
法定法住實際虛空界不思議界是善男子
善女人等隨所生處常不遠離苦聖諦集聖
諦滅聖諦道聖諦是善男子善女人等隨所
生處常不遠離八解脫八勝處九次第定十
遍處是善男子善女人等隨所生處常不遠
離四念住四正斷四神足五根五力七等覺
支八聖道支是善男子善女人等隨所生處
常不遠離空解脫門無相解脫門無願解脫
門是善男子善女人等當得成就五眼六神
通是善男子善女人等當得成就佛十力四無
所畏四無礙解大慈大悲大喜大捨十八佛
不共法是善男子善女人等當得成就無忘
失法恒住捨性是善男子善女人等當得成
就一切陀羅尼門一切三摩地門是善男子
善女人等當得成就一切智道相智一切相
智是善男子善女人等永不墜墮一切地獄
傍生鬼界除乘願力往生彼趣成熟有情是
善男子善女人等隨所生處常具諸根支體
無缺是善男子善女人等永不生於貧窮下
賤工師雜類補羯娑家是善男子善女人等
永不生於屠膾漁獵貧賊獄吏旃荼羅家是
善男子善女人等常生豪貴或刹帝利或婆
羅門或諸長者居士等家終不生彼戍達羅
家是善男子善女人等隨所生處三十二相
八十隨好莊嚴其身一切有情見者歡喜是

永不生於屠膾漁獵貧賊獄吏旃荼羅家是
善男子善女人等常生豪貴或刹帝利或婆
羅門或諸長者居士等家終不生彼戍達羅
家是善男子善女人等隨所生處三十二相
八十隨好莊嚴其身一切有情見者歡喜是
善男子善女人等多生有佛嚴淨土中蓮花
化生不造惡業是善男子善女人等常不遠
離速疾神通隨心所願遊諸佛土從一佛國
至一佛國供養恭敬尊重讚歎諸佛世尊聽
聞正法成熟有情嚴淨佛土漸證無上正等
菩提憍尸迦若善男子善女人等於此般若
波羅蜜多至心聽聞受持讀誦精勤脩學如
理思惟書寫解說廣令流布當得成就諸如
是等未來種種功德勝利以是故憍尸迦若
善男子善女人等欲得如是現在未來功德
勝利乃至無上正等菩提常不離者應以一
切智智相應之心用無所得為方便於此般若
波羅蜜多至心聽聞受持讀誦精勤脩學如
理思惟書寫解說廣令流布復以種種上妙
花鬘塗散等香衣服瓔珞寶幢幡蓋眾妙珍
奇伎樂燈明而為供養
尒時眾多外道梵志為求佛過來詣佛所時
天帝釋見已念言今此眾多外道梵志來趣
法會伺求佛短將非般若難事耶我當念
誦從佛所受甚深般若波羅蜜多令彼邪徒
復道而去念已便誦甚深般若波羅蜜多於

天帝釋見已念言今此衆多外道梵志来趣
法會伺求佛短將非般若難事耶我當念
誦從佛所受甚深般若波羅蜜多令彼耶徒
復道而去念已便誦甚深般若波羅蜜多於
是諸来外道梵志遥現敬相右繞世尊退還
本所時舍利子見已念言彼有何緣故来還
去佛知其意告舍利子彼外道等為求我便
相率而来由天帝釋念誦般若波羅蜜多大
呪王力令彼還去舍利子我都不見彼外道
等有一善法惡懷惡心為求我便来趣我所
舍利子我都不見一切世間若天若魔若梵
若沙門若婆羅門若異道等諸有情類敢懷
惡意来求般若波羅蜜多而能得便何以故
舍利子於此三千大千世界一切四大王衆
天三十三天夜魔天都史多天樂變化天他
化自在天一切梵衆天梵輔天梵會天大梵
天光天少光天無量光天極光淨天淨天少
淨天無量淨天遍淨天廣天少廣天無量廣
天廣果天無繁天無熱天善現天善見天色
究竟天一切聲聞一切獨覺一切菩薩摩訶
薩我及一切具大威力龍神藥叉健達縛阿
素洛揭路荼緊㮈洛莫呼洛伽人非人等皆
共守護如是般若波羅蜜多不令衆惡而作
留難何以故舍利子是諸天等皆從般若波
羅蜜多而出生故又舍利子十方各如殑伽
沙等諸佛世界一切如来應正等覺一切聲

BD03057號　大般若波羅蜜多經卷一〇五　　（20–18）

素洛揭路荼緊㮈洛莫呼洛伽人非人等皆
共守護如是般若波羅蜜多不令衆惡而作
留難何以故舍利子是諸天等皆從般若波
羅蜜多而出生故又舍利子十方各如殑伽
沙等諸佛世界一切如来應正等覺一切聲
聞一切獨覺一切菩薩摩訶薩及一切天龍
神藥叉健達縛阿素洛揭路荼緊㮈洛莫呼
洛伽人非人等皆共守護如是般若波羅蜜
多不令衆惡而作留難何以故舍利子彼諸
佛等皆從般若波羅蜜多而出生故
尒時惡魔作是念今如来應正等覺四衆圍
繞及欲色界諸天人等皆同集會宣說般若
波羅蜜多是中必有菩薩摩訶薩受記當得
阿耨多羅三藐三菩提我應往到破壞其眼
作是念已化作四兵奮威勇銳来詣佛所時
天帝釋見已念言將非惡魔化為此事来欲
惱佛并與般若波羅蜜多而作留難何以故
如是四兵嚴飾殊麗摩揭陁國影堅大王四
種勝兵所不能及憍薩羅國勝軍大王四種勝
兵亦不能及劫比羅國釋迦王種四種勝兵
亦不能及吠舍釐國栗呫毗種四種勝兵亦
不能及吉祥茅國力士王種四種勝兵亦不
能及由斯觀察如是四兵定是惡魔之所化
作惡魔長夜常伺佛短壞諸有情所脩勝業
我當念誦從佛所受甚深般若波羅蜜多令
彼惡魔復道而去時天帝釋念已便誦甚深

BD03057號　大般若波羅蜜多經卷一〇五　　（20–19）

性佛并與般若波羅蜜多而作留難何以故
如是四兵嚴飾殊麗摩揭陀國影堅大王四
種勝兵所不能及憍薩羅國勝軍大王四種勝
兵亦不能及劫比羅國釋迦王種四種勝兵
亦不能及吠舍釐國栗呫毗種四種勝兵亦
不能及吉祥茅國力士王種四種勝兵亦不
能及由斯觀察如是四兵定是惡魔之所化
作惡魔長夜常伺佛短壞諸有情所脩勝業
我當念誦從佛所受甚深般若波羅蜜多令
彼惡魔復道而去時天帝釋念已便誦甚深
般若波羅蜜多於是惡魔退還本所甚深般
若波羅蜜多大神呪王力所遣故

大般若波羅蜜多經卷第一百五

BD03057號　大般若波羅蜜多經卷一〇五　（20–20）

无有形貌无有言語乃有去来无有喜悅无
有得相乃无言語无有妄想分別諸法授記
法應作如是相然得如性夫授記法如虛空
无色久无虛空无形如浮云无實如風无體
空以聞聲不見其形如水聚沫无有實義如
野馬炎乾闥婆城當知如是諸法无有如義
大菩薩摩訶薩授記法應如是觀諸法相若
能如是觀者乃名授阿耨多羅三藐三菩提
記舍利弗問文殊師利法王子言若一切法
性空法者如来以何法授我等阿耨多羅三
藐三菩提記文殊師利答舍利弗言如来以
如如性授汝等記舍利弗言如文殊師利所
說中无有如性汝今語我如来以如如性授
汝等記文殊師利答文舍利弗言如来授記
不即是如不離是如舍利弗言如上所說无
有形貌而今與法有形貌无文殊師利言不
有不无不離一不離二不離色不即是色舍
利弗言且置此事我近問汝文殊師利如来
此二相有形貌无文殊師利答言不即是形
貌復不離形貌是此二相舍利弗問文殊師
利言如来授我等三菩提記寧虛空乎文殊
答言不即是虛妄不離是虛妄舍利弗言當

BD03058號　大方等陀羅尼經卷二　（3–1）

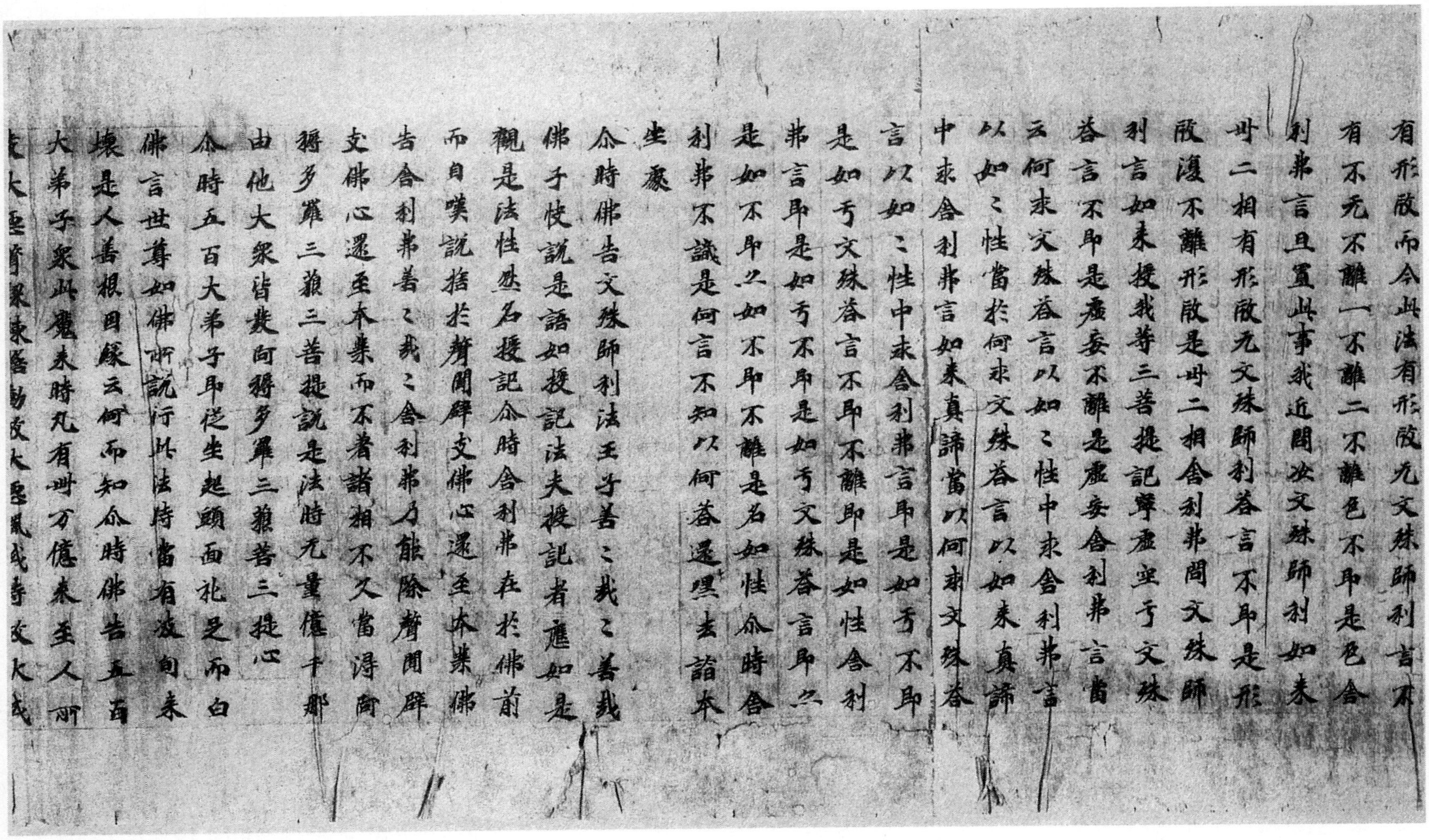

有形敢而令此法有形敢无文殊師利言不
有不无不離一不離二不離色不即是色舍
利弗言且置此事我近問汝文殊師利如來
卌二相有形敢无文殊師利答言不即是形
敢復不離形敢是卌二相舍利弗問文殊師
利言如來授我等三菩提記譬虛空乎文殊
答言不即是虛妄不離是虛妄舍利弗言當
云何求文殊答言以如之性中求舍利弗言
以如之性當於何求文殊答言以如來真諦
中求舍利弗言如來真諦當以何求文殊答
言以如之性中求舍利弗言即是如乎不即
是如乎文殊答言不即是如性舍利
弗言即是如乎不即是如乎文殊答言即之
是如不即之如不即不離是名如性爾時舍
利弗不識是何言不知以何答還嘿去詣本
坐處
爾時佛告文殊師利法王子善之哉之善哉
佛子快說是語如授記法夫授記者應如是
觀是法性然名授記爾時舍利弗在於佛前
而自嘆說指於聲聞辟支佛心還至本業佛
告舍利弗善之哉之舍利弗乃能除聲聞辟
支佛心還至本業而不著諸相不久當得阿
耨多羅三藐三菩提說是法時无量億千那
由他大衆皆發向耨多羅三藐三菩提心
爾時五百大弟子即從坐起頭面礼足而白
佛言世尊如佛所說行此法時當有何來
壞是人善根因緣云何而知爾時佛告五百
大弟子衆此魔來時凡有卌万億來至人所
發大惡聲動放大惡風或時放火或

BD03058號　大方等陀羅尼經卷二　（3–2）

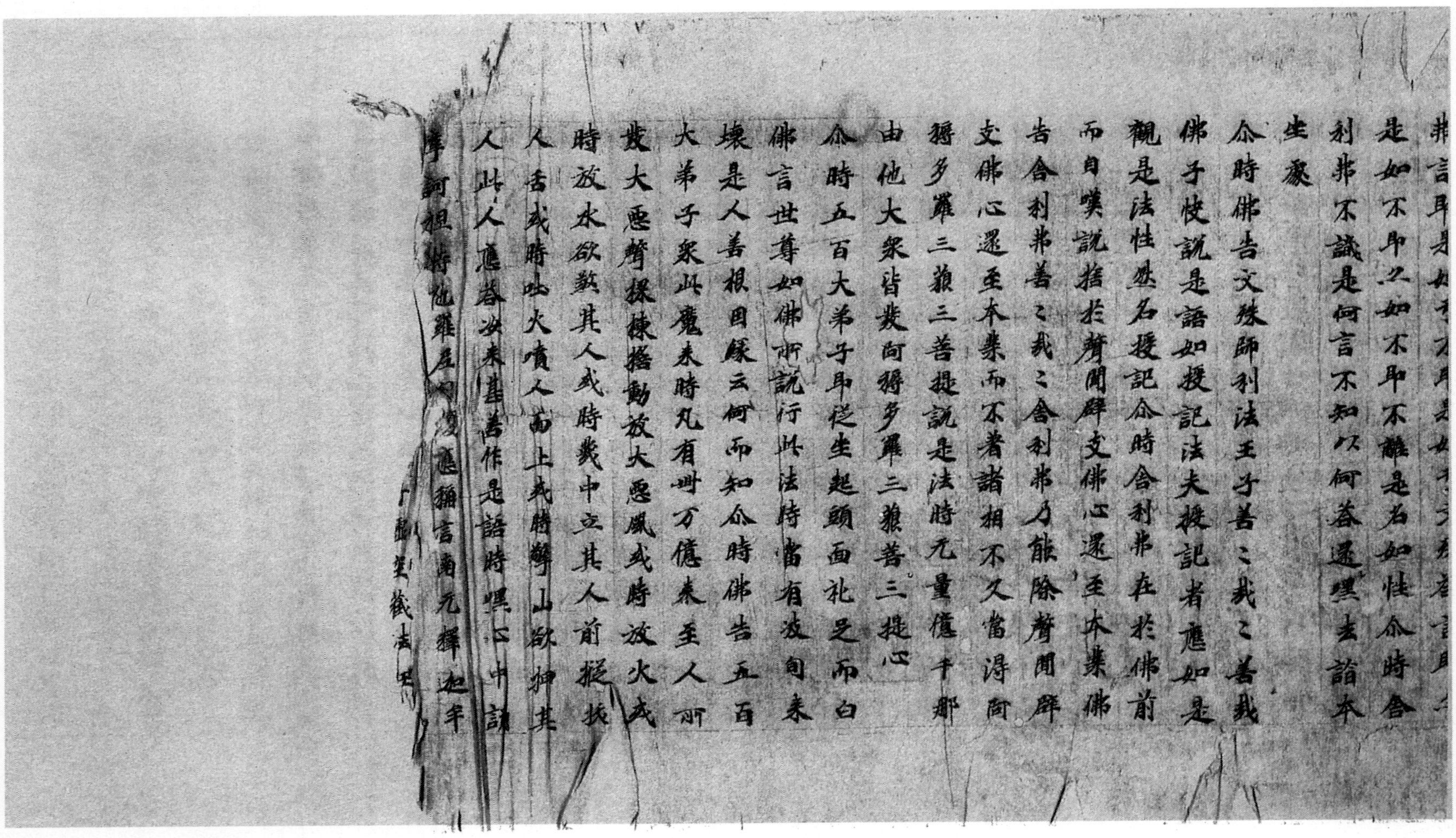

言即是如乎不即是如乎文殊答言即之
是如不即之如不即不離是名如性爾時舍
利弗不識是何言不知以何答還嘿去詣本
坐處
爾時佛告文殊師利法王子善之哉之善哉
佛子快說是語如授記法夫授記者應如是
觀是法性然名授記爾時舍利弗在於佛前
而自嘆說指於聲聞辟支佛心還至本業佛
告舍利弗善之哉之舍利弗乃能除聲聞辟
支佛心還至本業而不著諸相不久當得阿
耨多羅三藐三菩提說是法時无量億千那
由他大衆皆發向耨多羅三藐三菩提心
爾時五百大弟子即從坐起頭面礼足而白
佛言世尊如佛所說行此法時當有何來
壞是人善根因緣云何而知爾時佛告五百
大弟子衆此魔來時凡有卌万億來至人所
發大惡聲揉揀搖動放大惡風或時放火或
時放水欲歎其人或時幾中立其人前擬抵
人舌或時吐火噴人面上或時擧山欲抑其
人此人應答汝來甚善作是語時嘿亡中誦
摩訶袒持陀羅尼[illegible]處應稱言南无釋迦牟

BD03058號　大方等陀羅尼經卷二　（3–3）

法不與无為法不捨有為法所以者
善現若佛出世若不出世如是諸法常无
變易法性法界法定法住一切如來等覺現
觀既自等覺自現觀已為諸有情宣說開示
分別顯了令同悟入離諸妄想分別顛倒
尒時无量百千天子住虛空中歡喜踊躍以
天所有嗢鉢羅華鉢特摩花拘母陁華奔
荼利華微妙香華及諸香末而散佛上采相
慶慰同聲唱言我等今者於贍部洲見佛第
二轉妙法輪此中无量百千天子聞說般若波
羅蜜多俱時證得无生法忍
尒時佛告具壽善現言如是法輪非第一轉
非第二轉所以者何善現如是般若波羅蜜
多於一切法不為轉故不為還故出現於世
何以故以无性自性空故具壽善現白佛言
世尊以何等性无性自性空故如是般若波羅
蜜多於一切法不為轉故不為還故出現於
世佛言善現以般若波羅蜜多般若波羅
蜜多性空故靜慮精進安忍淨戒布施波羅
蜜多靜慮乃至布施波羅蜜多性空故善現
以內空內空性空故外空內外空空空大空

BD03059 號　大般若波羅蜜多經卷二九六　（2–1）

慶慰同聲唱言我等今者於贍部洲見佛第
二轉妙法輪此中无量百千天子聞說般若波
羅蜜多俱時證得无生法忍
尒時佛告具壽善現言如是法輪非第一轉
非第二轉所以者何善現如是般若波羅蜜
多於一切法不為轉故不為還故出現於世
何以故以无性自性空故具壽善現白佛言
世尊以何等性无性自性空故如是般若波羅
蜜多於一切法不為轉故不為還故出現於
世佛言善現以般若波羅蜜多般若波羅
蜜多性空故靜慮精進安忍淨戒布施波羅
蜜多靜慮乃至布施波羅蜜多性空故善現
以內空內空性空故外空內外空空空大空
勝義空有為空无為空畢竟空无際空散空
無變異空本性空自相空共相空一切法空
不可得空無性空自性空無性自性空外空
乃至無性自性空性空故善現以真如真如
性空故法界法性不虛妄性不變異性平等
性離生性法定法住實際虛空界不思議界
法界乃至不思議界性空故善現苦聖諦苦
空故集滅道聖諦集滅道聖諦性空
四靜慮四靜慮性空故四無量四
無量四無色定生空故善現以八
空故
遍

BD03059 號　大般若波羅蜜多經卷二九六　（2–2）

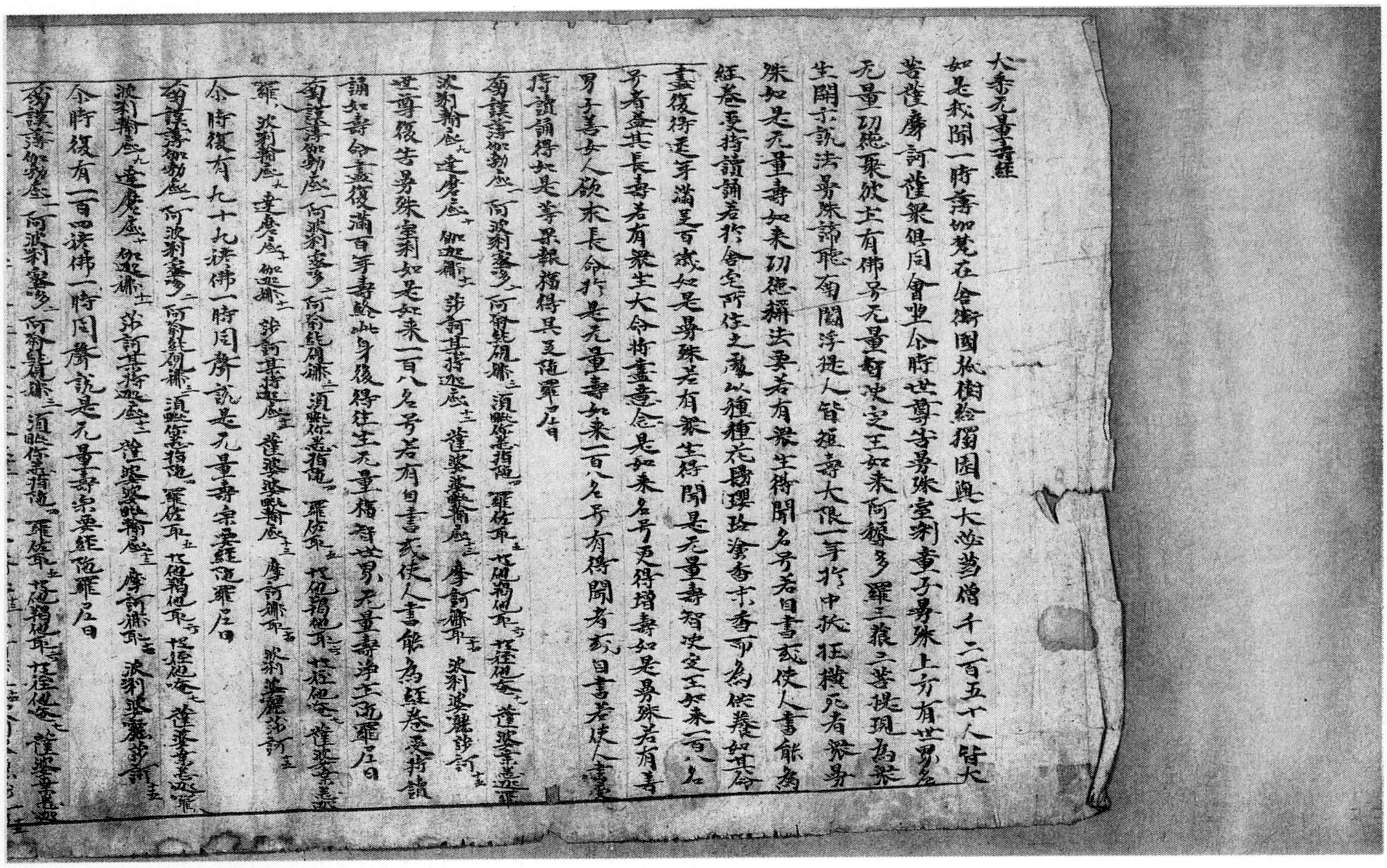

大乘无量壽經
如是我聞一時薄伽梵在舍衛國祇樹給孤獨園與大比丘僧千二百五十人俱大
菩薩摩訶薩衆俱同會坐尒時世尊告曼殊室利童子曼殊上方有世界名
无量功德聚彼土有佛号无量智決定王如來阿耨多羅三藐三菩提現為衆
生開示說法曼殊諦聽南閻浮提人皆短壽大限百年於中夭枉橫死者衆多曼
殊如是无量壽如來功德稱讚法要若有衆生得聞名号若自書或使人書能為
經卷受持讀誦者於舍宅所住之處以種種花鬘瓔珞塗香末香而為供養如其命
盡復得延年滿足百歲如是曼殊若有衆生得聞是无量壽智決定王如來一百八名
号者益其長壽若有衆生大命將盡憶念是如來名号更得增壽如是曼殊若有善
男子善女人欲求長命於是无量壽如來一百八名号有得聞者或自書若使人書受
持讀誦得如是等果報福得具足陀羅尼曰
南謨薄伽勃底一 阿波唎蜜多二 阿喻紇硯那三 須毗你悉指陀四 囉佐耶五 怛他羯他耶六 怛姪他七 薩婆桑悉迦囉八
波唎輸底九 達磨底十 伽伽那十一 莎訶娑持迦底十二 薩婆婆毗輸底十三 摩訶娜耶十四 波唎婆麗莎訶十五
世尊復告曼殊室利如是如來一百八名号若有自書或使人書能為經卷受持讀
誦如壽命盡復滿百年壽終此身復得往生无量福智世界无量壽淨土陀羅尼曰
南謨薄伽勃底一 阿波唎蜜多二 阿喻紇硯那三 須毗你悉指陀四 囉佐耶五 怛他羯他耶六 怛姪他七 薩婆桑悉迦
囉八 波唎輸底九 達磨底十 伽伽那十一 莎訶娑持迦底十二 薩婆婆毗輸底十三 摩訶娜耶十四 波唎婆麗莎訶十五
尒時復有九十九殑伽沙佛一時同聲說是无量壽宗要經陀羅尼曰
南謨薄伽勃底一 阿波唎蜜多二 阿喻紇硯那三 須毗你悉指陀四 囉佐耶五 怛他羯他耶六 怛姪他七 薩婆桑悉迦囉八
波唎輸底九 達磨底十 伽伽那十一 莎訶娑持迦底十二 薩婆婆毗輸底十三 摩訶娜耶十四 波唎婆麗莎訶十五
尒時復有一百四殑伽沙佛一時同聲說是无量壽宗要經陀羅尼曰
南謨薄伽勃底一 阿波唎蜜多二 阿喻紇硯那三 須毗你悉指陀四 囉佐耶五 怛他羯他耶六 怛姪他七 薩婆桑悉迦

BD03060 號　無量壽宗要經　（5–1）

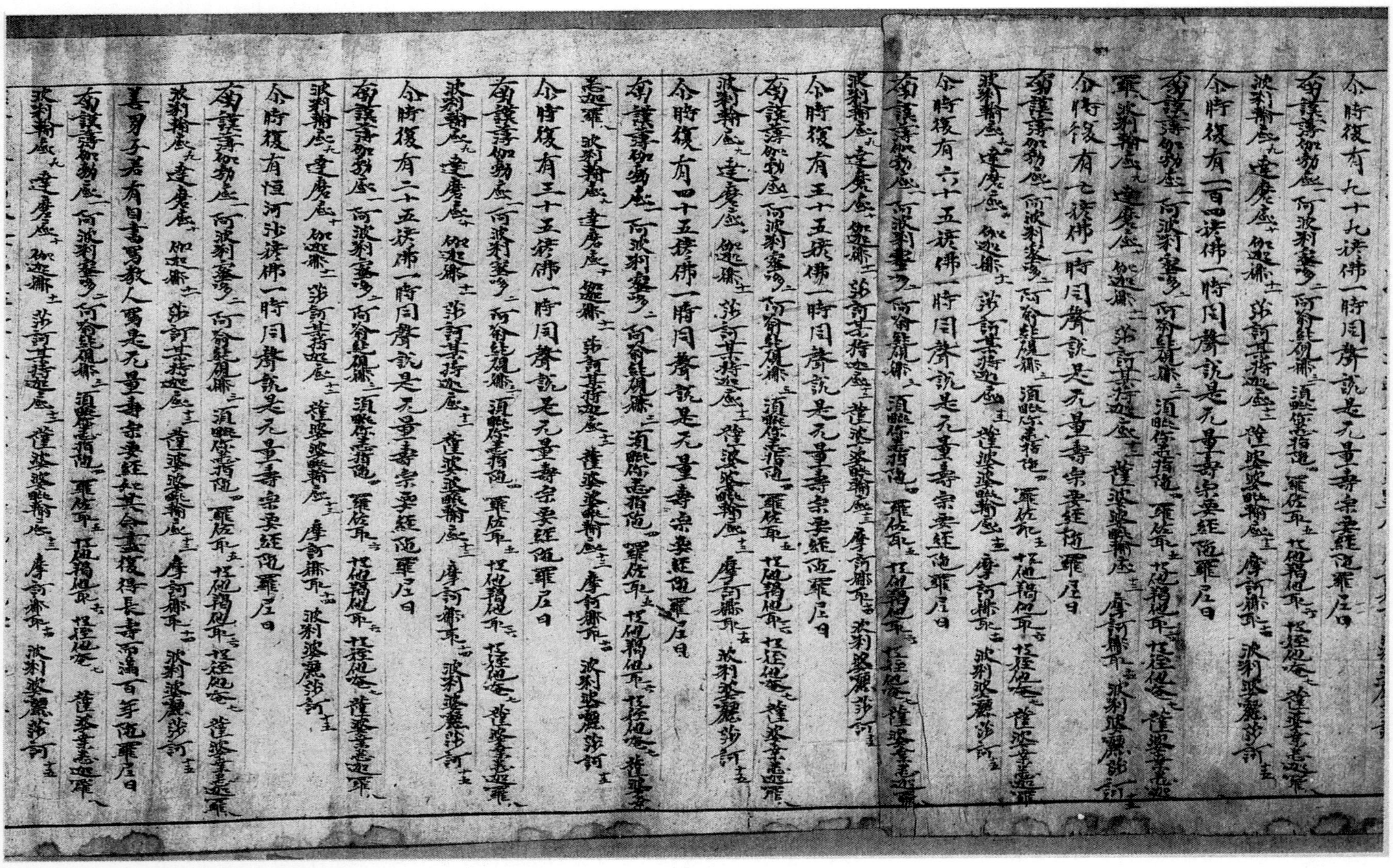

尒時復有九十九殑伽沙佛一時同聲說是无量壽宗要經陀羅尼曰
南謨薄伽勃底一 阿波唎蜜多二 阿喻紇硯那三 須毗你悉指陀四 囉佐耶五 怛他羯他耶六 怛姪他七 薩婆桑悉迦囉八
波唎輸底九 達磨底十 伽伽那十一 莎訶娑持迦底十二 薩婆婆毗輸底十三 摩訶娜耶十四 波唎婆麗莎訶十五
尒時復有一百四殑伽沙佛一時同聲說是无量壽宗要經陀羅尼曰
南謨薄伽勃底一 阿波唎蜜多二 阿喻紇硯那三 須毗你悉指陀四 囉佐耶五 怛他羯他耶六 怛姪他七 薩婆桑悉迦
囉八 波唎輸底九 達磨底十 伽伽那十一 莎訶娑持迦底十二 薩婆婆毗輸底十三 摩訶娜耶十四 波唎婆麗莎訶十五
尒時復有七殑伽沙佛一時同聲說是无量壽宗要經陀羅尼曰
南謨薄伽勃底一 阿波唎蜜多二 阿喻紇硯那三 須毗你悉指陀四 囉佐耶五 怛他羯他耶六 怛姪他七 薩婆桑悉迦囉八
波唎輸底九 達磨底十 伽伽那十一 莎訶娑持迦底十二 薩婆婆毗輸底十三 摩訶娜耶十四 波唎婆麗莎訶十五
尒時復有六十五殑伽沙佛一時同聲說是无量壽宗要經陀羅尼曰
南謨薄伽勃底一 阿波唎蜜多二 阿喻紇硯那三 須毗你悉指陀四 囉佐耶五 怛他羯他耶六 怛姪他七 薩婆桑悉迦囉八
波唎輸底九 達磨底十 伽伽那十一 莎訶娑持迦底十二 薩婆婆毗輸底十三 摩訶娜耶十四 波唎婆麗莎訶十五
尒時復有五十五殑伽沙佛一時同聲說是无量壽宗要經陀羅尼曰
南謨薄伽勃底一 阿波唎蜜多二 阿喻紇硯那三 須毗你悉指陀四 囉佐耶五 怛他羯他耶六 怛姪他七 薩婆桑悉迦囉八
波唎輸底九 達磨底十 伽伽那十一 莎訶娑持迦底十二 薩婆婆毗輸底十三 摩訶娜耶十四 波唎婆麗莎訶十五
尒時復有四十五殑伽沙佛一時同聲說是无量壽宗要經陀羅尼曰
南謨薄伽勃底一 阿波唎蜜多二 阿喻紇硯那三 須毗你悉指陀四 囉佐耶五 怛他羯他耶六 怛姪他七 薩婆桑
悉迦囉八 波唎輸底九 達磨底十 伽伽那十一 莎訶娑持迦底十二 薩婆婆毗輸底十三 摩訶娜耶十四 波唎婆麗莎訶十五
尒時復有三十五殑伽沙佛一時同聲說是无量壽宗要經陀羅尼曰
南謨薄伽勃底一 阿波唎蜜多二 阿喻紇硯那三 須毗你悉指陀四 囉佐耶五 怛他羯他耶六 怛姪他七 薩婆桑悉迦囉八
波唎輸底九 達磨底十 伽伽那十一 莎訶娑持迦底十二 薩婆婆毗輸底十三 摩訶娜耶十四 波唎婆麗莎訶十五
尒時復有二十五殑伽沙佛一時同聲說是无量壽宗要經陀羅尼曰
南謨薄伽勃底一 阿波唎蜜多二 阿喻紇硯那三 須毗你悉指陀四 囉佐耶五 怛他羯他耶六 怛姪他七 薩婆桑悉迦囉八
波唎輸底九 達磨底十 伽伽那十一 莎訶娑持迦底十二 薩婆婆毗輸底十三 摩訶娜耶十四 波唎婆麗莎訶十五
尒時復有恒河沙殑佛一時同聲說是无量壽宗要經陀羅尼曰
南謨薄伽勃底一 阿波唎蜜多二 阿喻紇硯那三 須毗你悉指陀四 囉佐耶五 怛他羯他耶六 怛姪他七 薩婆桑悉迦囉八
波唎輸底九 達磨底十 伽伽那十一 莎訶娑持迦底十二 薩婆婆毗輸底十三 摩訶娜耶十四 波唎婆麗莎訶十五
善男子若有自書寫教人書寫是无量壽宗要經如其命盡復得長壽而滿百年陀羅尼曰
南謨薄伽勃底一 阿波唎蜜多二 阿喻紇硯那三 須毗你悉指陀四 囉佐耶五 怛他羯他耶六 怛姪他七 薩婆桑悉迦囉八
波唎輸底九 達磨底十 伽伽那十一 莎訶娑持迦底十二 薩婆婆毗輸底十三 摩訶娜耶十四 波唎婆麗莎訶十五

BD03060 號　無量壽宗要經　（5–2）

南謨薄伽勃底一 阿波唎蜜多二 阿喻紇硯那三 須毗你悉指陀四 囉佐耶五 怛他羯他耶六 怛姪他唵七 薩婆桑悉迦囉八
波唎輸底九 達磨底十 伽迦那十一 莎訶某持迦底十二 薩婆婆毗輸底十三 摩訶娜耶十四 波唎婆隸莎訶十五
善男子若有自書寫教人寫是无量壽宗要經如其命盡復得長壽而滿百年陀羅尼曰
南謨薄伽勃底一 阿波唎蜜多二 阿喻紇硯那三 須毗你悉指陀四 囉佐耶五 怛他羯他耶六 怛姪他唵七 薩婆桑悉迦囉八
波唎輸底九 達磨底十 伽迦那十一 莎訶某持迦底十二 薩婆婆毗輸底十三 摩訶娜耶十四 波唎婆隸莎訶十五
若有自書寫教人書寫是无量壽宗要經受持讀誦畢竟不墮地獄在在所生得宿智陀羅尼曰
南謨薄伽勃底一 阿波唎蜜多二 阿喻紇硯那三 須毗你悉指陀四 囉佐耶五 怛他羯他耶六 怛姪他唵七 薩婆桑悉迦囉八
波唎輸底九 達磨底十 伽迦那十一 莎訶某持迦底十二 薩婆婆毗輸底十三 摩訶娜耶十四 波唎婆隸莎訶十五
若有書寫教人書寫是无量壽宗要經受持讀誦如同書寫八万四千一切經典陀羅尼曰
南謨薄伽勃底一 阿波唎蜜多二 阿喻紇硯那三 須毗你悉指陀四 囉佐耶五 怛他羯他耶六 怛姪他唵七 薩婆桑悉迦囉八
波唎輸底九 達磨底十 伽迦那十一 莎訶某持迦底十二 薩婆婆毗輸底十三 摩訶娜耶十四 波唎婆隸莎訶十五
若有自書寫教人書寫是无量壽宗要經即是書寫八万四千部建立塔廟陀羅尼曰
南謨薄伽勃底一 阿波唎蜜多二 阿喻紇硯那三 須毗你悉指陀四 囉佐耶五 怛他羯他耶六 怛姪他唵七 薩婆桑悉迦囉八
波唎輸底九 達磨底十 伽迦那十一 莎訶某持迦底十二 薩婆婆毗輸底十三 摩訶娜耶十四 波唎婆隸莎訶十五
若有自書寫教人書寫是无量壽宗要經能消五无間等一切重罪陀羅尼曰
南謨薄伽勃底一 阿波唎蜜多二 阿喻紇硯那三 須毗你悉指陀四 囉佐耶五 怛他羯他耶六 怛姪他唵七 薩婆桑悉迦囉八
波唎輸底九 達磨底十 伽迦那十一 莎訶某持迦底十二 薩婆婆毗輸底十三 摩訶娜耶十四 波唎婆隸莎訶十五
若有自書寫教人書寫是无量壽宗要經受持讀誦若有重罪如須弥山盡能除滅陀羅尼曰
南謨薄伽勃底一 阿波唎蜜多二 阿喻紇硯那三 須毗你悉指陀四 囉佐耶五 怛他羯他耶六 怛姪他唵七 薩婆桑悉迦囉八
波唎輸底九 達磨底十 伽迦那十一 莎訶某持迦底十二 薩婆婆毗輸底十三 摩訶娜耶十四 波唎婆隸莎訶十五
若有自書寫教人書寫是无量壽宗要經受持讀誦若魔子之眷屬夜叉羅剎不得其便終
无枉死陀羅尼曰
南謨薄伽勃底一 阿波唎蜜多二 阿喻紇硯那三 須毗你悉指陀四 囉佐耶五 怛他羯他耶六 怛姪他唵七 薩婆桑悉迦囉八
波唎輸底九 達磨底十 伽迦那十一 莎訶某持迦底十二 薩婆婆毗輸底十三 摩訶娜耶十四 波唎婆隸莎訶十五
若有自書寫教人書寫是无量壽宗要經受持讀誦當得命終時有九十九俱胝佛現其人
前後千佛授手能遊一切剎莫於此經生於疑惑陀羅尼曰
南謨薄伽勃底一 阿波唎蜜多二 阿喻紇硯那三 須毗你悉指陀四 囉佐耶五 怛他羯他耶六 怛姪他唵七 薩婆桑悉迦囉八
波唎輸底九 達磨底十 伽迦那十一 莎訶某持迦底十二 薩婆婆毗輸底十三 摩訶娜耶十四 波唎婆隸莎訶十五
若有自書寫教人書寫是无量壽宗要經受持讀誦常得四天大王隨其衛護陀羅尼曰
南謨薄伽勃底一 阿波唎蜜多二 阿喻紇硯那三 須毗你悉指陀四 囉佐耶五 怛他羯他耶六 怛姪他唵七 薩婆桑悉迦囉八

BD03060號　無量壽宗要經　（5–3）

……受持讀誦當得命終時有九十九俱胝佛現其人
前後千佛授手能遊一切剎莫於此經生於疑惑陀羅尼曰
南謨薄伽勃底一 阿波唎蜜多二 阿喻紇硯那三 須毗你悉指陀四 囉佐耶五 怛他羯他耶六 怛姪他唵七 薩婆桑悉迦囉八
波唎輸底九 達磨底十 伽迦那十一 莎訶某持迦底十二 薩婆婆毗輸底十三 摩訶娜耶十四 波唎婆隸莎訶十五
若有自書寫教人書寫是无量壽宗要經受持讀誦常得四天大王隨其衛護陀羅尼曰
南謨薄伽勃底一 阿波唎蜜多二 阿喻紇硯那三 須毗你悉指陀四 囉佐耶五 怛他羯他耶六 怛姪他唵七 薩婆桑悉迦囉八
波唎輸底九 達磨底十 伽迦那十一 莎訶某持迦底十二 薩婆婆毗輸底十三 摩訶娜耶十四 波唎婆隸莎訶十五
若有自書寫教人書寫是无量壽宗要經受持讀誦當得往生西方極樂世界阿弥陀淨土陀羅尼曰
南謨薄伽勃底一 阿波唎蜜多二 阿喻紇硯那三 須毗你悉指陀四 囉佐耶五 怛他羯他耶六 怛姪他唵七 薩婆桑悉迦囉八
波唎輸底九 達磨底十 伽迦那十一 莎訶某持迦底十二 薩婆婆毗輸底十三 摩訶娜耶十四 波唎婆隸莎訶十五
若有方所自書寫使人書是无量壽經典之處則為是塔皆應恭敬礼作若是畜生
或為鳥獸得聞是經如是等類皆當不久得成一切種智陀羅尼曰
南謨薄伽勃底一 阿波唎蜜多二 阿喻紇硯那三 須毗你悉指陀四 囉佐耶五 怛他羯他耶六 怛姪他唵七 薩婆桑悉迦囉八
波唎輸底九 達磨底十 伽迦那十一 莎訶某持迦底十二 薩婆婆毗輸底十三 摩訶娜耶十四 波唎婆隸莎訶十五
若有於是无量壽經自書寫若使人書寫畢竟不受女人之身陀羅尼曰
南謨薄伽勃底一 阿波唎蜜多二 阿喻紇硯那三 須毗你悉指陀四 囉佐耶五 怛他羯他耶六 怛姪他唵七 薩婆桑悉迦囉八
波唎輸底九 達磨底十 伽迦那十一 莎訶某持迦底十二 薩婆婆毗輸底十三 摩訶娜耶十四 波唎婆隸莎訶十五
若有能於是經少分能惠施者等於三千大千世界滿中七寶布施陀羅尼曰
南謨薄伽勃底一 阿波唎蜜多二 阿喻紇硯那三 須毗你悉指陀四 囉佐耶五 怛他羯他耶六 怛姪他唵七 薩婆桑悉迦囉八 波唎輸底九
達磨底十 伽迦那十一 莎訶某持迦底十二 薩婆婆毗輸底十三 摩訶娜耶十四 波唎婆隸莎訶十五
若有能供養是經者則是供養一切諸經等无有異陀羅尼曰
南謨薄伽勃底一 阿波唎蜜多二 阿喻紇硯那三 須毗你悉指陀四 囉佐耶五 怛他羯他耶六 怛姪他唵七 薩婆桑悉迦囉八
波唎輸底九 達磨底十 伽迦那十一 莎訶某持迦底十二 薩婆婆毗輸底十三 摩訶娜耶十四 波唎婆隸莎訶十五
如是毗婆尸佛尸棄佛毗舍浮佛俱留孫佛俱那含牟尼佛迦葉佛釋迦牟尼佛若有
人以七寶供養如是七佛其福有限書寫受持讀誦是无量壽經典所有功德不可限量陀羅尼曰
南謨薄伽勃底一 阿波唎蜜多二 阿喻紇硯那三 須毗你悉指陀四 囉佐耶五 怛他羯他耶六 怛姪他唵七 薩婆桑
悉迦囉八 波唎輸底九 達磨底十 伽迦那十一 莎訶某持迦底十二 薩婆婆毗輸底十三 摩訶娜耶十四 波唎婆隸莎訶十五
若有七寶等於須弥山用布施其福上能知其限量是无量壽經典其福不可知數陀羅尼曰
南謨薄伽勃底一 阿波唎蜜多二 阿喻紇硯那三 須毗你悉指陀四 囉佐耶五 怛他羯他耶六 怛姪他唵七 薩婆桑悉迦囉八
波唎輸底九 達磨底十 伽迦那十一 莎訶某持迦底十二 薩婆婆毗輸底十三 摩訶娜耶十四 波唎婆隸莎訶十五
如是四大海水可知滴數是无量壽經典所生果報不可數量陀羅尼曰

BD03060號　無量壽宗要經　（5–4）

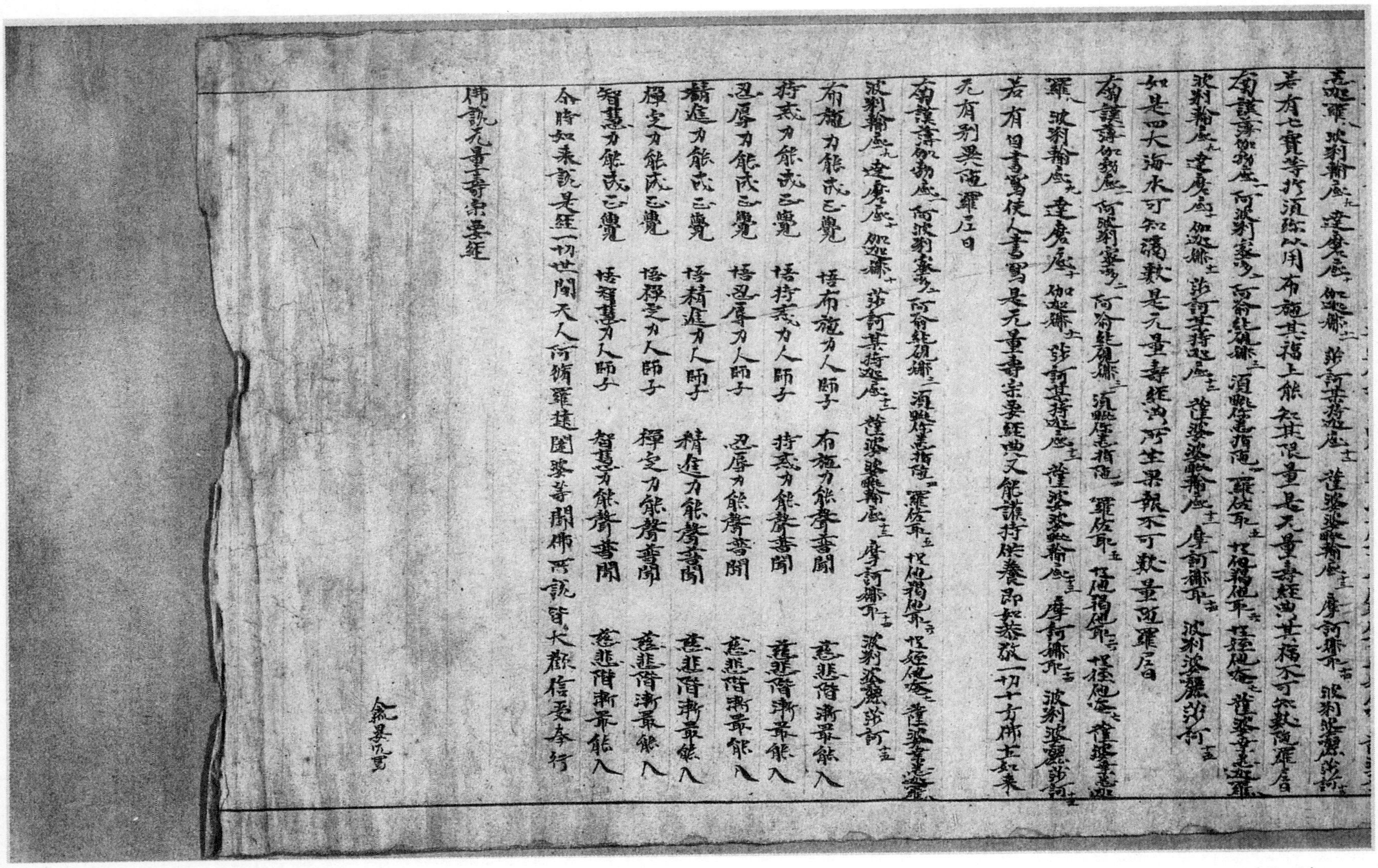

羅八 波唎輸底九 達磨底十 伽迦那十一 莎訶莫揭底十二 薩婆婆毗輸底十三 摩訶那耶十四 波唎婆縛莎訶十五
若有七寶等於須弥以用布施其福上能知其限量是无量壽經典其福不可知數陁羅尼曰
南謨薄伽勃底一 阿波唎蜜多二 阿喻紇硯那三 須毗你失指陁四 囉佐耶五 怛他羯他耶六 怛侄他七 薩婆桑塞迦羅
波唎輸底九 達磨底十 伽迦那十一 莎訶莫揭底十二 薩婆婆毗輸底十三 摩訶那耶十四 波唎婆縛莎訶十五
如是四大海水可知滴數是无量壽經典所生果報不可數量陁羅尼曰
南謨薄伽勃底一 阿波唎蜜多二 阿喻紇硯那三 須毗你失指陁四 囉佐耶五 怛他羯他耶六 怛侄他七 薩婆桑塞迦羅
羅八 波唎輸底九 達磨底十 伽迦那十一 莎訶莫揭底十二 薩婆婆毗輸底十三 摩訶那耶十四 波唎婆縛莎訶十五
若有自書寫使人書寫是无量壽宗要經典又能護持供養即如恭敬一切十方佛土如來
无有別異陁羅尼曰
南謨薄伽勃底一 阿波唎蜜多二 阿喻紇硯那三 須毗你失指陁四 囉佐耶五 怛他羯他耶六 怛侄他七 薩婆桑塞迦羅
波唎輸底九 達磨底十 伽迦那十一 莎訶莫揭底十二 薩婆婆毗輸底十三 摩訶那耶十四 波唎婆縛莎訶十五
布施力能成正覺 悟布施力人師子 布施力能聲普聞 慈悲階漸最能入
持戒力能成正覺 悟持戒力人師子 持戒力能聲普聞 慈悲階漸最能入
忍辱力能成正覺 悟忍辱力人師子 忍辱力能聲普聞 慈悲階漸最能入
精進力能成正覺 悟精進力人師子 精進力能聲普聞 慈悲階漸最能入
禪定力能成正覺 悟禪定力人師子 禪定力能聲普聞 慈悲階漸最能入
智慧力能成正覺 悟智慧力人師子 智慧力能聲普聞 慈悲階漸最能入
尒時如來說是經已一切世間天人阿脩羅乾闥婆等聞佛所說皆大歡喜信受奉行
佛說无量壽宗要經
[illegible]寫

BD03060 號　無量壽宗要經　　（5–5）

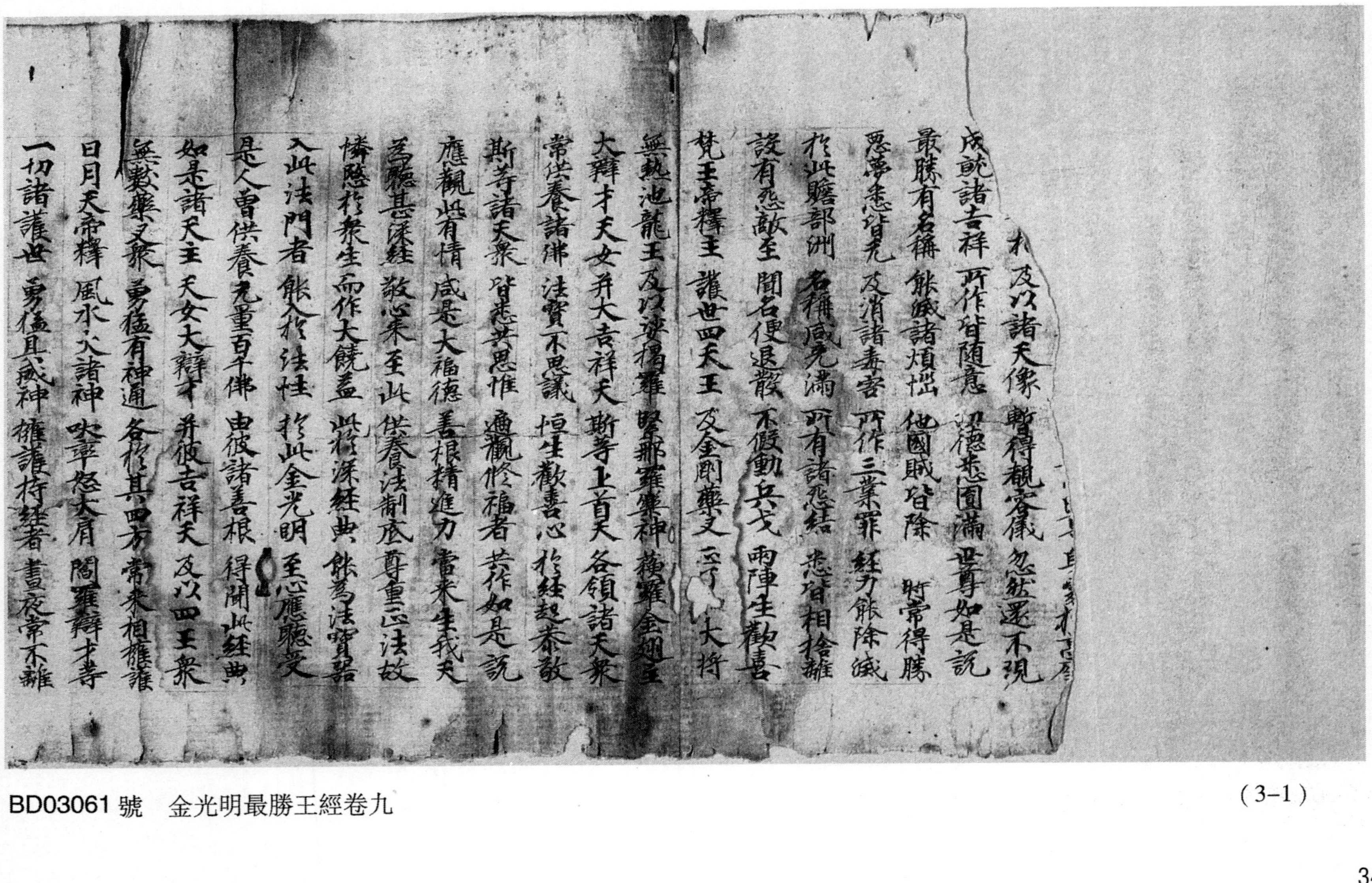

於 及以諸天像 暫得觀容儀 忽然還不現
成就諸吉祥 所作皆隨意 功德悉圓滿 世尊如是說
最勝有名稱 能滅諸煩惱 他國賊皆除 時常得勝
惡夢悉皆无 及消諸毒害 所作三業罪 經力能除滅
於此贍部洲 名稱咸充滿 所有諸怨結 悉皆相捨離
設有怨敵至 聞名便退散 不假動兵戈 兩陣生歡喜
梵王帝釋主 護世四天王 及金剛藥叉 正了知大將
無熱池龍王 及以娑羯羅 緊那羅樂神 蘇羅金翅王
大辯才天女 并大吉祥天 斯等上首天 各領諸天衆
常供養諸佛 法寶不思議 恒生歡喜心 於經起恭敬
斯等諸天衆 皆悉共思惟 遍觀修福者 共作如是說
應觀此有情 咸是大福德 善根精進力 當來生我天
為聽甚深經 敬心來至此 供養法制底 尊重正法故
憐愍於衆生 而作大饒益 於此深經典 能為法寶器
入此法門者 能入於法性 於此金光明 至心應聽受
是人曾供養 无量百千佛 由彼諸善根 得聞此經典
如是諸天主 天女大辯才 并彼吉祥天 及以四王衆
無數藥叉衆 勇猛有神通 各於其四方 常來相擁護
日月天帝釋 風水火諸神 吠率怒大肩 閻羅辯才等
一切諸護世 勇猛具威神 擁護持經者 晝夜常不離

BD03061 號　金光明最勝王經卷九　　（3–1）

成就此者 皆是大福德 善根精進力 當來生我天
爲聽甚深經 敬心來至此 供養法制底 尊重正法故
憐愍於眾生 而作大饒益 於深經典 能爲法寶器
入此法門者 能入於法性 於此金光明 至心應聽受
是人曾供養 無量百千佛 由彼諸善根 得聞此經典
如是諸天主 天女大辯才 并彼吉祥天 及以四王眾
無數藥叉眾 勇猛有神通 各於其四方 常來相擁護
日月天帝釋 風水火諸神 吠率怒大自 閻羅辯才等
一切諸護世 勇猛具威神 擁護持經者 晝夜常不離
大力藥叉王 那羅延自在 正了知爲首 二十八藥叉
餘藥叉百千 神通有大力 恒於怖畏處 常來護此人
金剛藥叉王 并五百眷屬 諸大菩薩眾 常來護此人
寶王藥叉王 及以滿賢王 曠野金毗羅 賓度羅黃色
此等藥叉王 各五百眷屬 見聽此經者 皆來共擁護
彩軍乾闥婆 葦王常戰勝 珠頸及青頸 并勃里沙王
大最勝大黑 蘊跋拏雞舍 半之迦羊足 及以大婆伽
小渠并護法 及以獼猴王 針毛及日支 寶髮皆來護
大渠諸掬羅 栴檀欲中勝 舍羅及雪山 及以娑多山
皆有大神通 雄猛具大力 見持此經者 皆來相擁護
阿那婆答多 及以娑揭羅 目真醯羅葉 難陀小難陀
於百千龍中 神通具威德 共護持經人 晝夜常不離
婆稚羅睺羅 毗摩質多羅 母首止跋羅 大肩及歡喜
及餘蘇羅王 并無數天眾 大力有勇健 皆來護是人
訶利底母神 五百藥叉眾 於彼人睡覺 常來相擁護
旃荼旃荼利 藥叉旃稚女 昆當枸吒齒 吸眾生精氣
如是諸神眾 大力有神通 常護持經者 晝夜恒不離

BD03061號　金光明最勝王經卷九　（3–2）

寶王藥叉王 及以滿賢王 曠野金毗羅 賓度羅黃色
此等藥叉王 各五百眷屬 見聽此經者 皆來共擁護
彩軍乾闥婆 葦王常戰勝 珠頸及青頸 并勃里沙王
大最勝大黑 蘊跋拏雞舍 半之迦羊足 及以大婆伽
小渠并護法 及以獼猴王 針毛及日支 寶髮皆來護
大渠諸掬羅 栴檀欲中勝 舍羅及雪山 及以娑多山
皆有大神通 雄猛具大力 見持此經者 皆來相擁護
阿那婆答多 及以娑揭羅 目真醯羅葉 難陀小難陀
於百千龍中 神通具威德 共護持經人 晝夜常不離
婆稚羅睺羅 毗摩質多羅 母首止跋羅 大肩及歡喜
及餘蘇羅王 并無數天眾 大力有勇健 皆來護是人
訶利底母神 五百藥叉眾 於彼人睡覺 常來相擁護
旃荼旃荼利 藥叉旃稚女 昆當枸吒齒 吸眾生精氣
如是諸神眾 大力有神通 常護持經者 晝夜恒不離
上首辯才天 無量諸天女 吉祥天爲首 并餘諸眷屬
此大地神女 果實園林神 樹神江河神 制底諸神等
如是諸天神 心生大歡喜 彼皆來擁護 讀誦此經人
見有持經者 增壽命色力 威光及福德 妙相以莊嚴
星宿現災變 困厄當此人 夢見惡徵祥 皆悉令除滅
此大地神女 堅固有威勢 由此經力故 法味常充足
地肥若流下 過百踰繕那 地神令味上 滋潤於大地
此地厚六十 八億踰繕那 乃至金剛際 地……

BD03061號　金光明最勝王經卷九　（3–3）

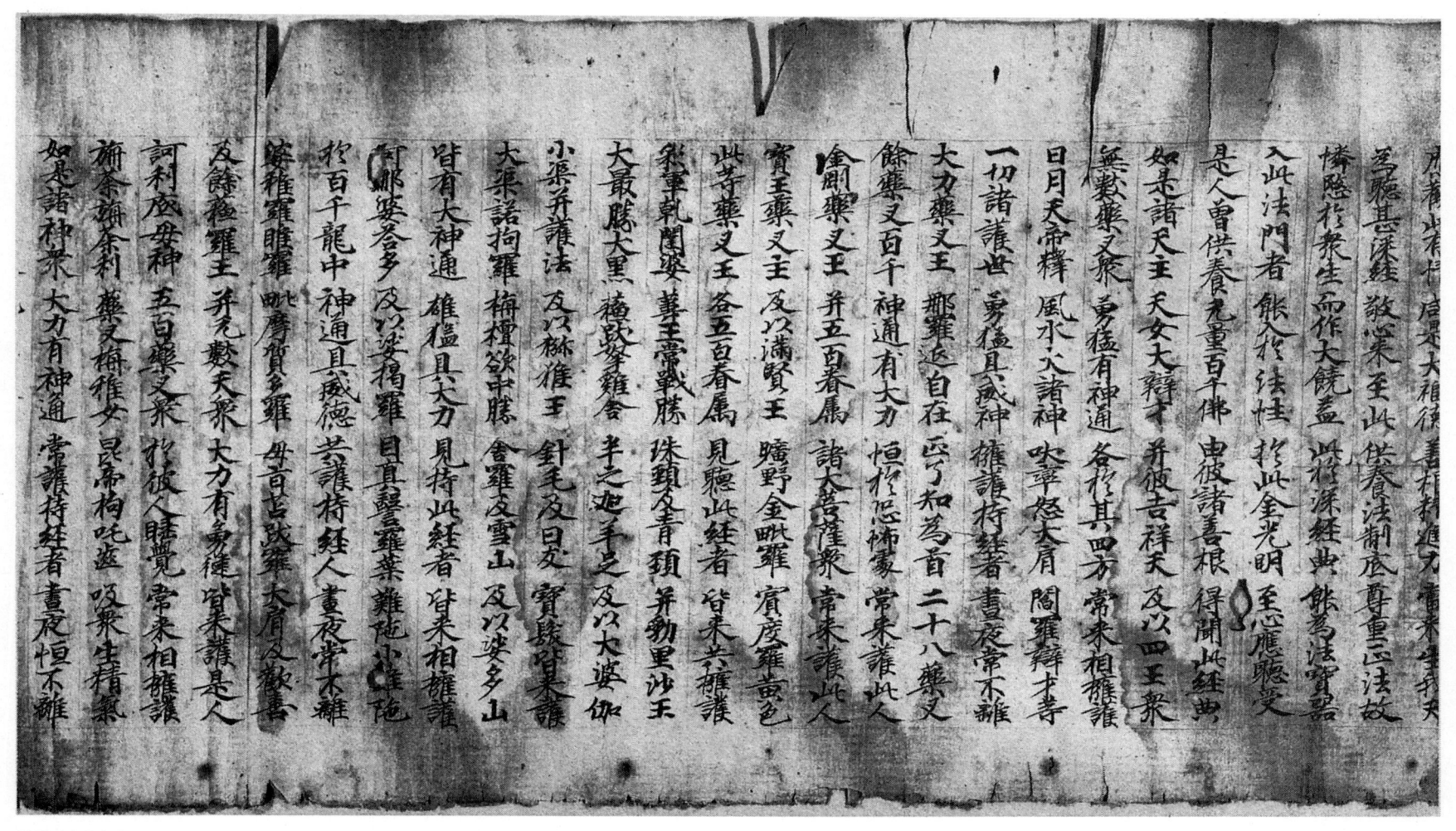

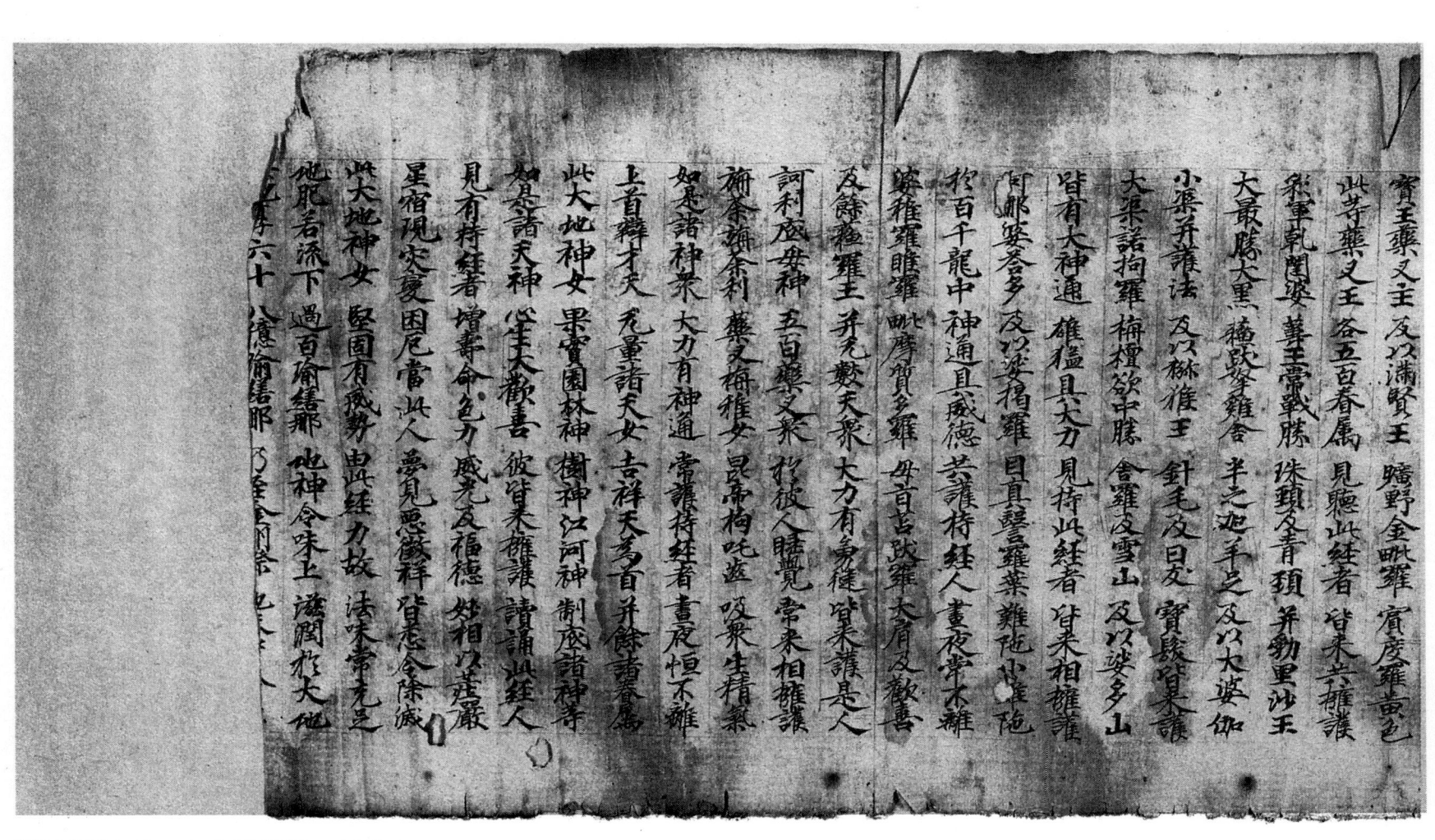

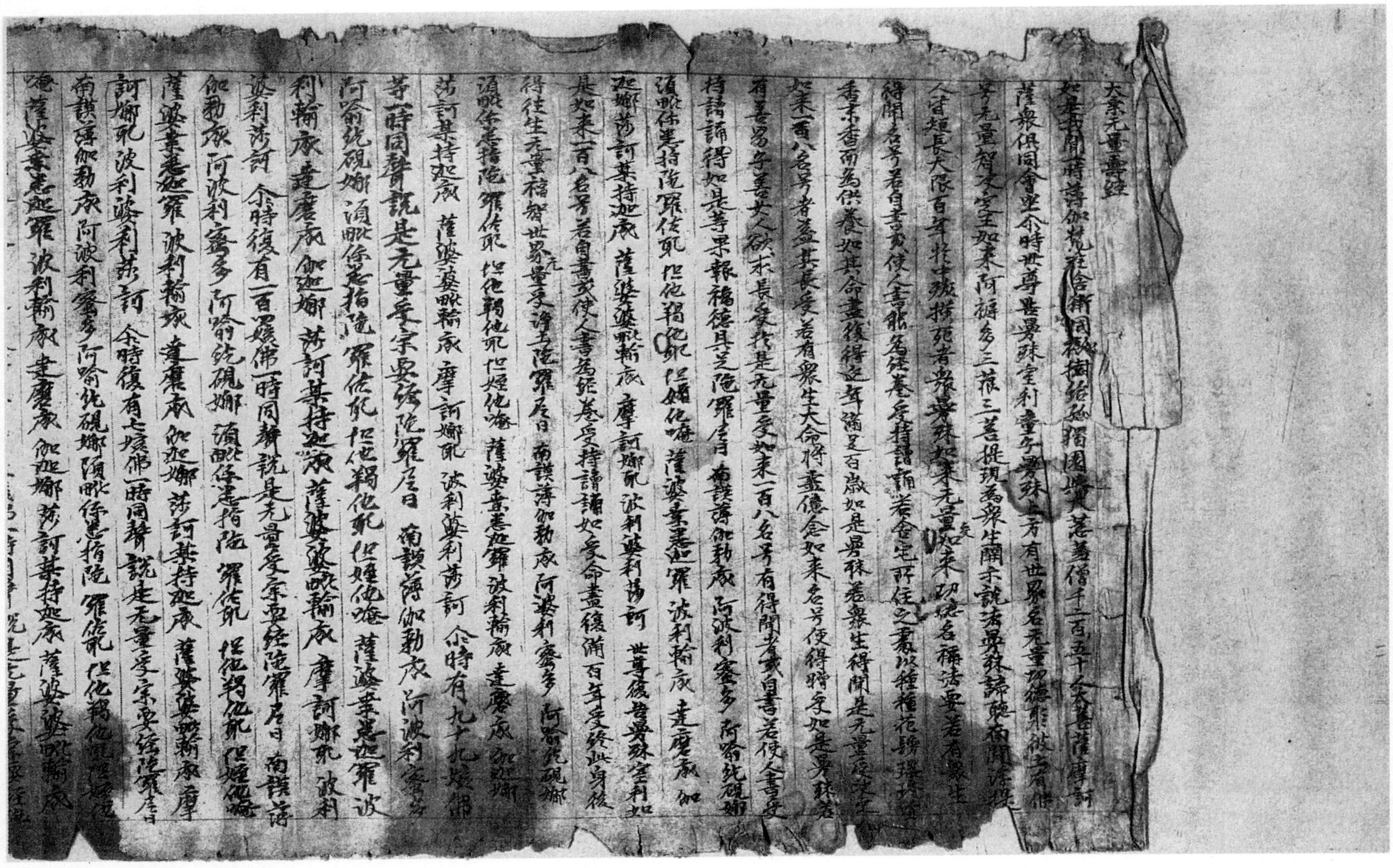

BD03062號　無量壽宗要經　（5–1）

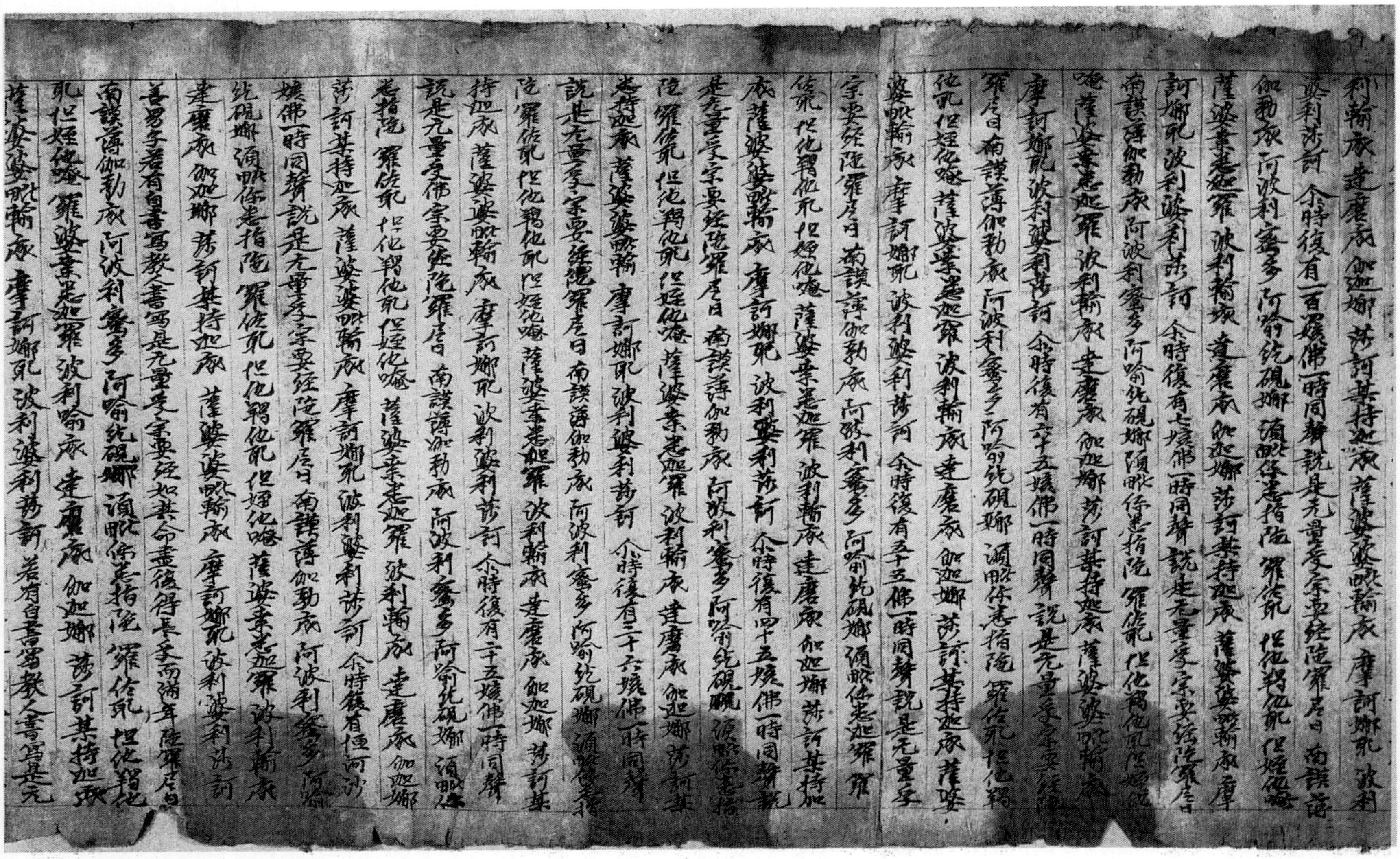

BD03062號　無量壽宗要經　（5–2）

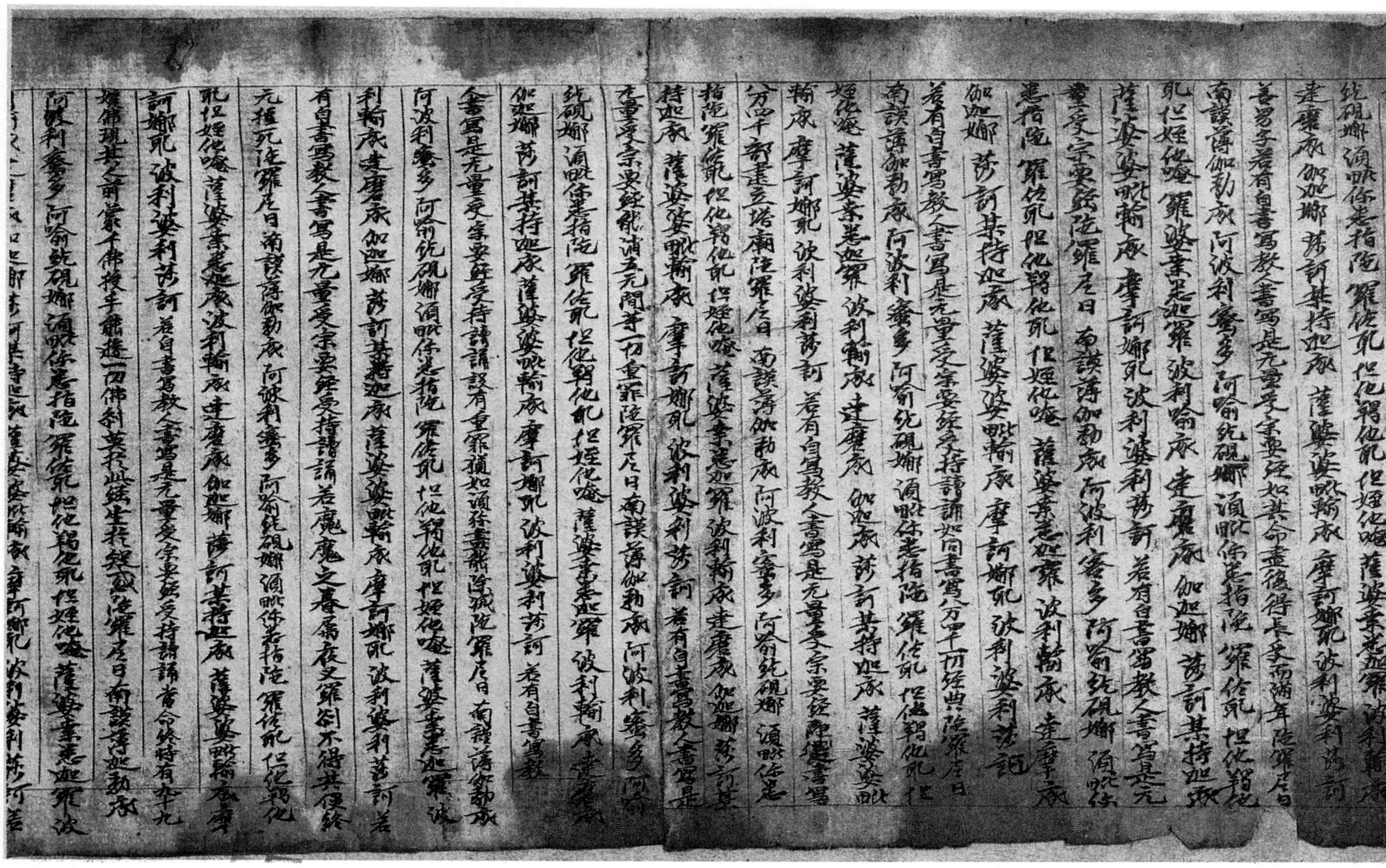

BD03062號　無量壽宗要經　（5–3）

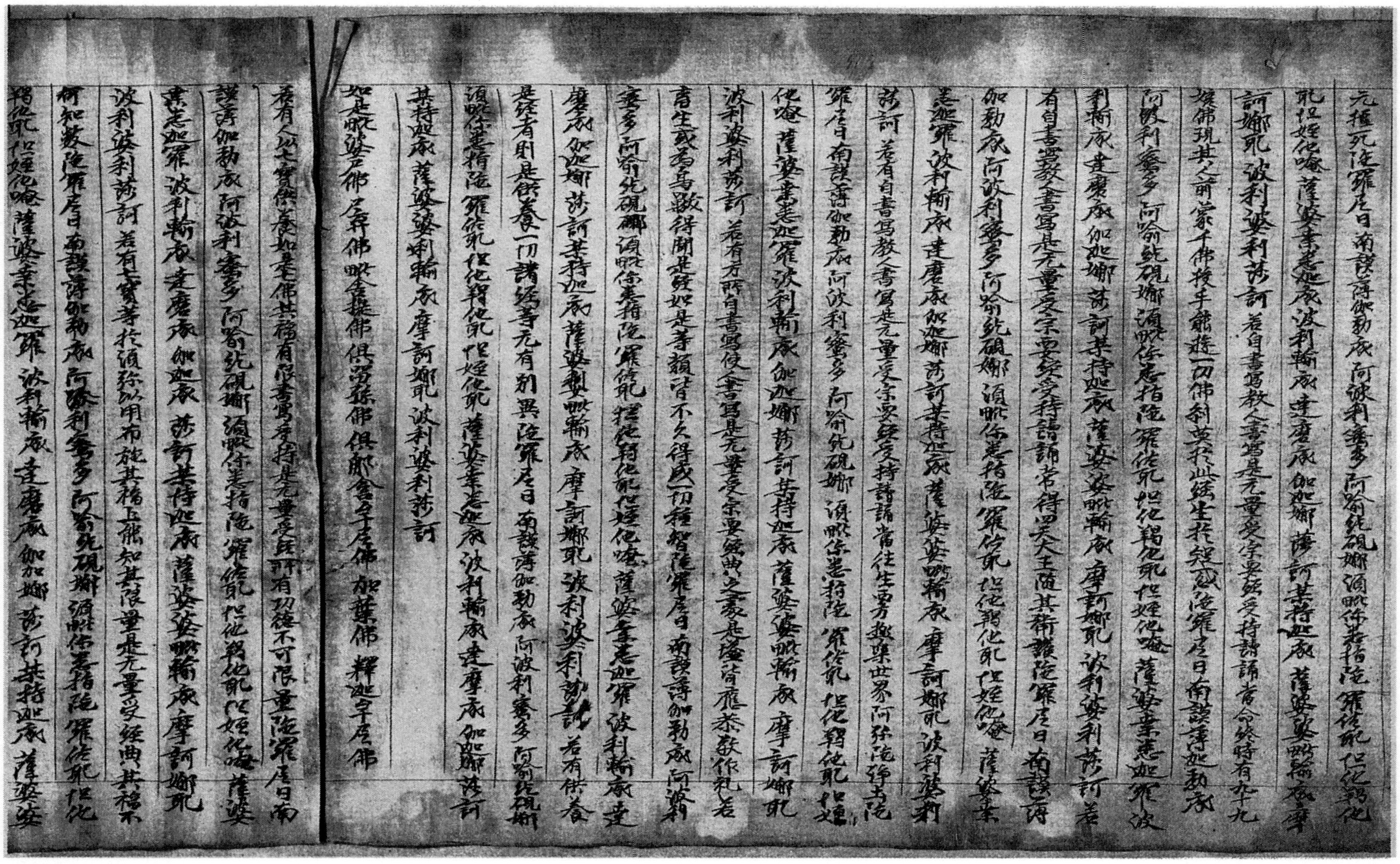

BD03062號　無量壽宗要經　（5–4）

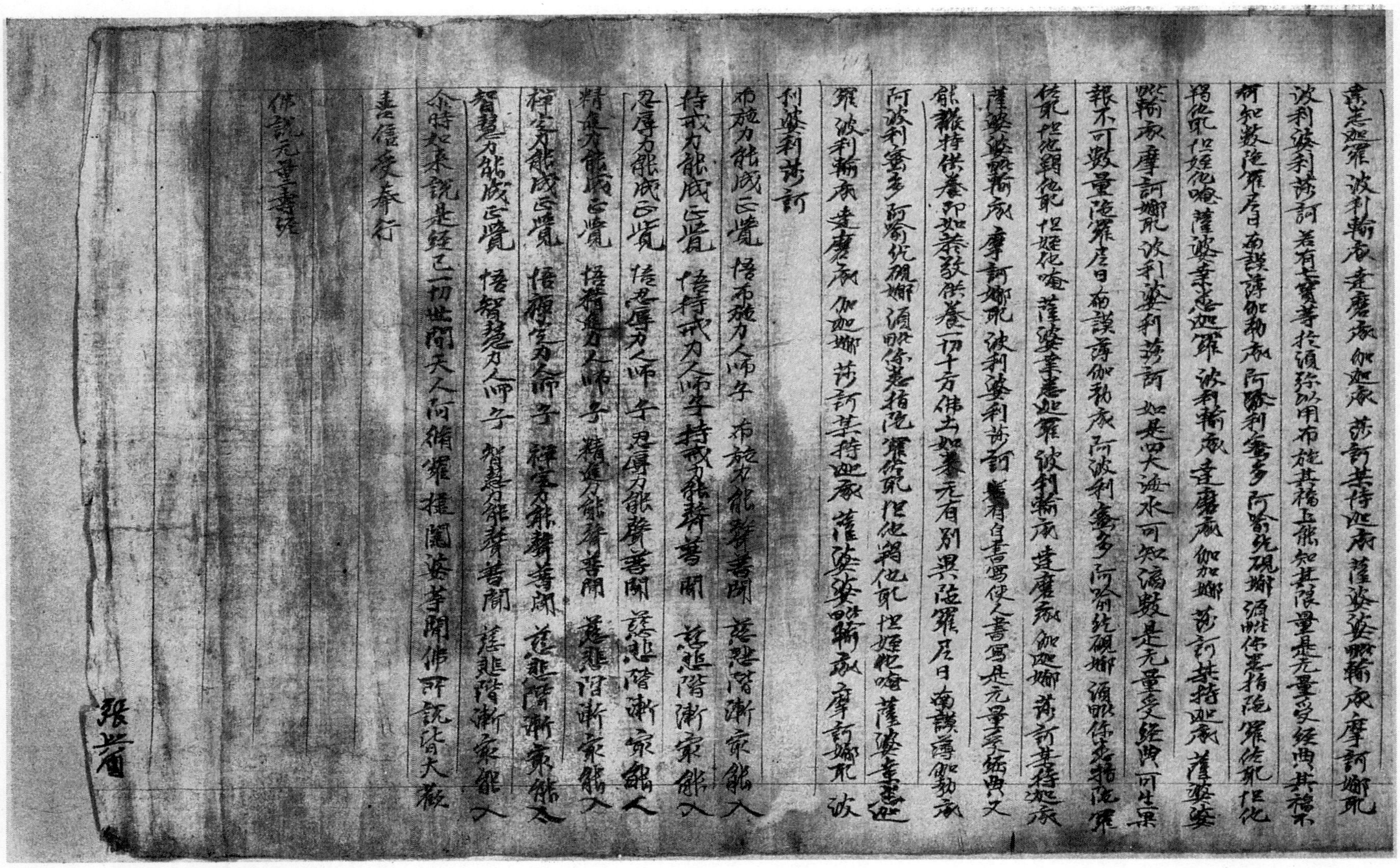

桑悉迦羅波利輸底達磨底伽迦那莎訶其持迦底薩婆婆毗輸底摩訶娜耶
波利婆利莎訶 若有七寶等於須彌山用布施其福上能知其限量是无量受經典其福不
可知數陁羅尼曰 南謨薄伽勃底阿波唎蜜多阿喻紇硯娜須毗你悉指陁羅佐耶怛他
羯他耶怛姪他唵 薩婆桑悉迦羅 波利輸底 達磨底 伽迦那 莎訶 其持迦底 薩婆婆
毗輸底摩訶娜耶 波利婆利莎訶 如是四大海水可知滴數是无量受經典可生果
報不可數量陁羅尼曰 南謨薄伽勃底阿波唎蜜多阿喻紇硯娜須毗你悉指陁羅
佐耶怛他羯他耶怛姪他唵 薩婆桑悉迦羅 波利輸底 達磨底 伽迦那 莎訶 其持迦底
薩婆婆毗輸底摩訶娜耶 波利婆利莎訶 若有自書寫使人書寫是无量受經典之
能轉持供養即如恭敬供養一切十方佛土如來无有別異陁羅尼曰 南謨薄伽勃底
阿波利蜜多阿喻紇硯娜須毗你悉指陁羅佐耶怛他羯他耶怛姪他唵 薩婆桑悉迦
羅波利輸底 達磨底 伽迦那 莎訶 其持迦底 薩婆婆毗輸底 摩訶娜耶 波
利婆利莎訶
布施力能成正覺 悟布施力人師子 布施力能聲普聞 慈悲階漸家能入
持戒力能成正覺 悟持戒力人師子 持戒力能聲普聞 慈悲階漸家能入
忍辱力能成正覺 悟忍辱力人師子 忍辱力能聲普聞 慈悲階漸家能人
精進力能成正覺 悟精進力人師子 精進力能聲普聞 慈悲階漸家能入
禪定力能成正覺 悟禪定力人師子 禪定力能聲普聞 慈悲階漸家能入
智慧力能成正覺 悟智慧力人師子 智慧力能聲普聞 慈悲階漸家能入
介時如來說是經已一切世間天人阿脩羅揵闥婆等聞佛所說皆大歡
喜信受奉行
佛說无量壽經
張[illegible]

BD03062 號　無量壽宗要經　（5–5）

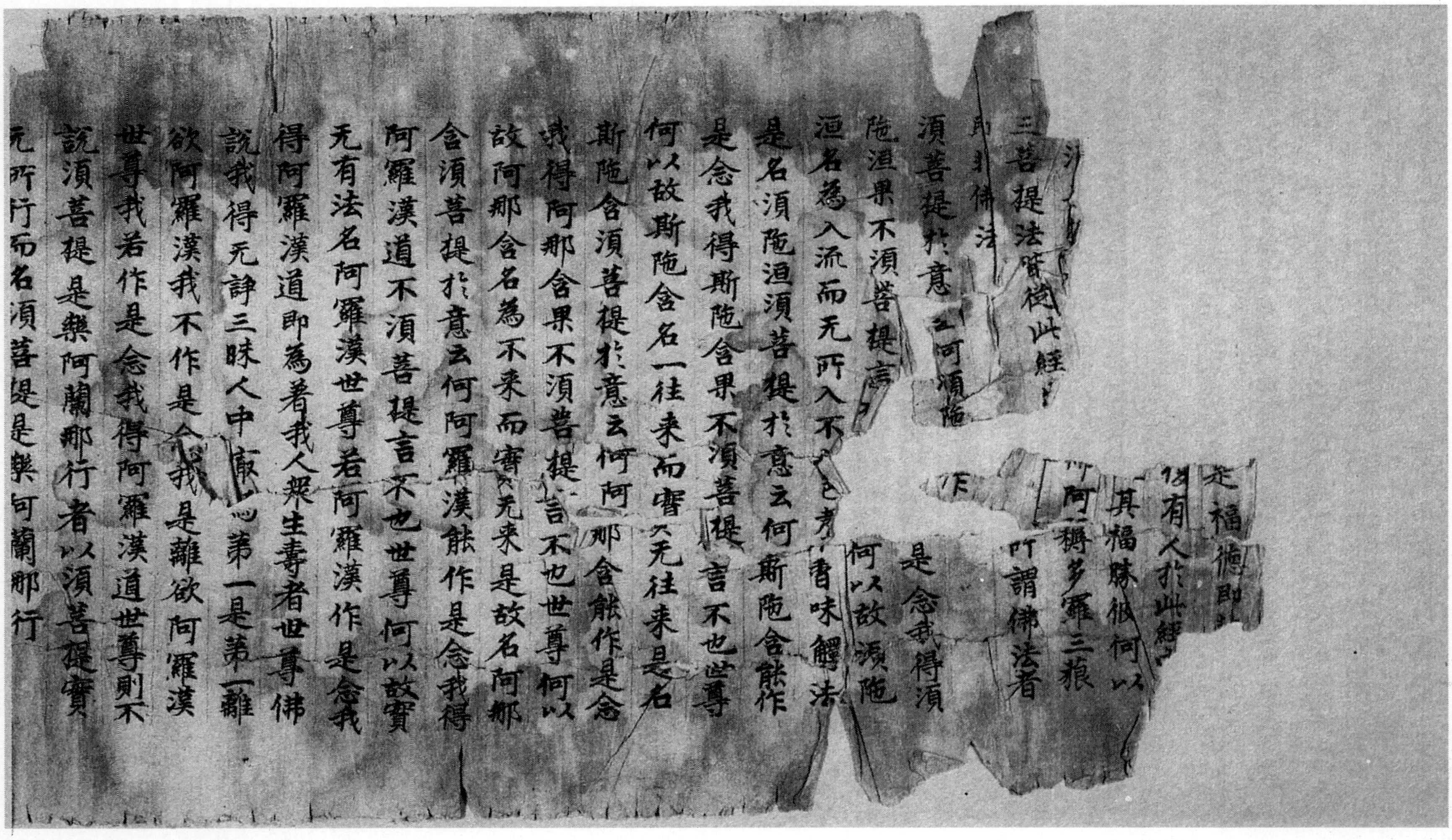

三菩提法皆從此經
即非佛法
須菩提於意云何須陁
陁洹果不須菩提言
洹名為入流而无所入不
色聲香味觸法
是福德即
復有人於此經
其福勝彼何以
阿耨多羅三藐
所謂佛法者
是念我得須
何以故須陁
是名須陁洹須菩提於意云何斯陁含能作
是念我得斯陁含果不須菩提言不也世尊
何以故斯陁含名一往來而實无往來是名
斯陁含須菩提於意云何阿那含能作是念
我得阿那含果不須菩提言不也世尊何以
故阿那含名為不來而實无來是故名阿那
含須菩提於意云何阿羅漢能作是念我得
阿羅漢道不須菩提言不也世尊何以故實
无有法名阿羅漢世尊若阿羅漢作是念我
得阿羅漢道即為著我人衆生壽者世尊佛
說我得无諍三昧人中最為第一是第一離
欲阿羅漢我不作是念我是離欲阿羅漢
世尊我若作是念我得阿羅漢道世尊則不
說須菩提是樂阿蘭那行者以須菩提實
无所行而名須菩提是樂阿蘭那行

BD03063 號　金剛般若波羅蜜經　（13–1）

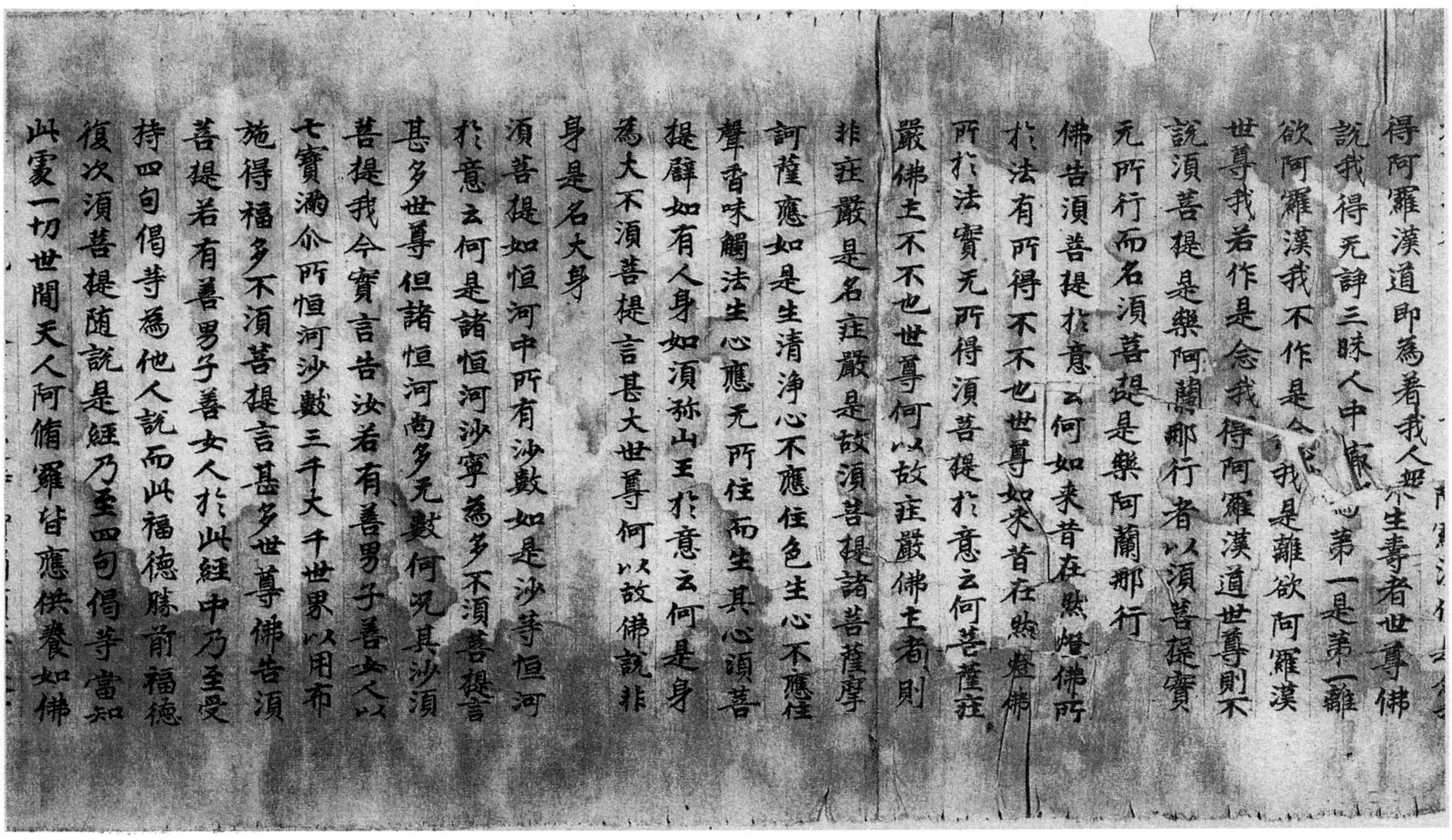
得阿羅漢道即為著我人衆生壽者世尊佛
說我得无諍三昧人中最為第一是第一離
欲阿羅漢我不作是念我是離欲阿羅漢
世尊我若作是念我得阿羅漢道世尊則不
說須菩提是樂阿蘭那行者以須菩提實
无所行而名須菩提是樂阿蘭那行
佛告須菩提於意云何如来昔在然燈佛所
於法有所得不不也世尊如来在然燈佛所
所於法實无所得須菩提於意云何菩薩莊
嚴佛土不不也世尊何以故莊嚴佛土者則
非莊嚴是名莊嚴是故須菩提諸菩薩摩
訶薩應如是生清淨心不應住色生心不應住
聲香味觸法生心應无所住而生其心須菩
提譬如有人身如須弥山王於意云何是身
為大不須菩提言甚大世尊何以故佛說非
身是名大身
須菩提如恒河中所有沙數如是沙等恒河
於意云何是諸恒河沙寧為多不須菩提言
甚多世尊但諸恒河尚多无數何況其沙須
菩提我今實言告汝若有善男子善女人以
七寶滿尒所恒河沙數三千大千世界以用布
施得福多不須菩提言甚多世尊佛告須
菩提若有善男子善女人於此經中乃至受
持四句偈等為他人說而此福德勝前福德
復次須菩提隨說是經乃至四句偈等當知
此處一切世間天人阿脩羅皆應供養如佛

BD03063 號　金剛般若波羅蜜經　（13–2）

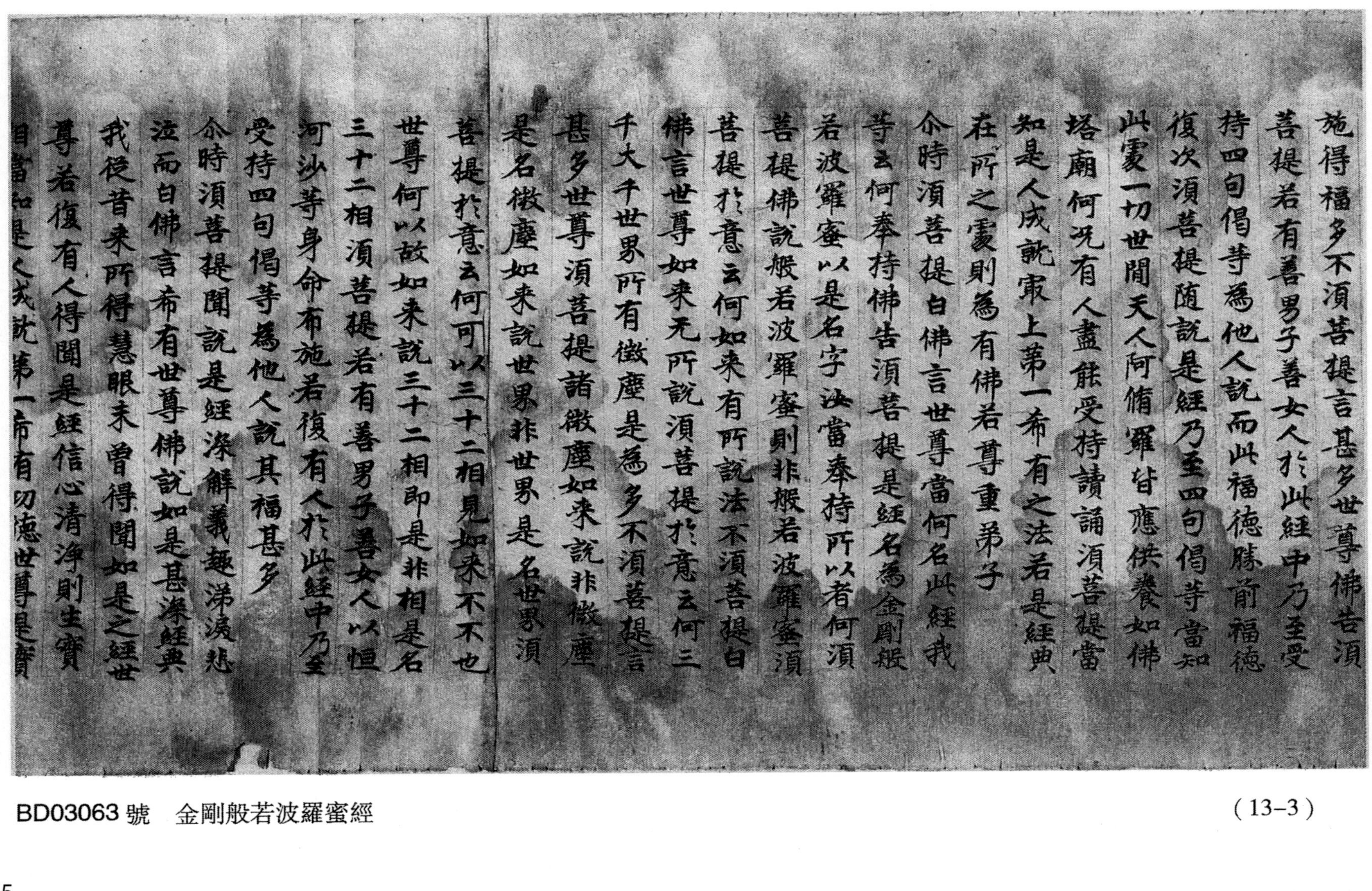
施得福多不須菩提言甚多世尊佛告須
菩提若有善男子善女人於此經中乃至受
持四句偈等為他人說而此福德勝前福德
復次須菩提隨說是經乃至四句偈等當知
此處一切世間天人阿脩羅皆應供養如佛
塔廟何況有人盡能受持讀誦須菩提當
知是人成就最上第一希有之法若是經典
在所之處則為有佛若尊重弟子
尒時須菩提白佛言世尊當何名此經我
等云何奉持佛告須菩提是經名為金剛般
若波羅蜜以是名字汝當奉持所以者何須
菩提佛說般若波羅蜜則非般若波羅蜜須
菩提於意云何如来有所說法不須菩提白
佛言世尊如来无所說須菩提於意云何三
千大千世界所有微塵是為多不須菩提言
甚多世尊須菩提諸微塵如来說非微塵
是名微塵如来說世界非世界是名世界須
菩提於意云何可以三十二相見如来不不也
世尊何以故如来說三十二相即是非相是名
三十二相須菩提若有善男子善女人以恒
河沙等身命布施若復有人於此經中乃至
受持四句偈等為他人說其福甚多
尒時須菩提聞說是經深解義趣涕淚悲
泣而白佛言希有世尊佛說如是甚深經典
我從昔来所得慧眼未曾得聞如是之經世
尊若復有人得聞是經信心清淨則生實
相當知是人成就第一希有功德世尊是實

BD03063 號　金剛般若波羅蜜經　（13–3）

受持四句偈等為他人說其福甚多
尒時須菩提聞說是經深解義趣涕淚悲
泣而白佛言希有世尊佛說如是甚深經典
我從昔來所得慧眼未曾得聞如是之經世
尊若復有人得聞是經信心清淨則生實
相當知是人成就第一希有功德世尊是實
相者則是非相是故如來說名實相世尊我
今得聞如是經典信解受持不足為難若當
來世後五百歲其有衆生得聞是經信解受
持是人則為第一希有何以故此人无我相人
相衆生相壽者相所以者何我相即是非相人
相衆生相壽者相即是非相何以故離一切諸
相則名諸佛
佛告須菩提如是如是若復有人得聞是
經不驚不怖不畏當知是人甚為希有何以
故須菩提如來說第一波羅蜜非第一波羅
蜜是名第一波羅蜜
須菩提忍辱波羅蜜如來說非忍辱波羅蜜
何以故須菩提如我昔為歌利王割截身體
我於尒時无我相无人相无衆生相无壽者
相何以故我於往昔節節支解時若有我相
人相衆生相壽者相應生瞋恨須菩提又念
過去於五百世作忍辱仙人於尒所世无我
相无人相无衆生相无壽者相是故須菩提
菩薩應離一切相發阿耨多羅三藐三菩提
心不應住色生心不應住聲香味觸法生心
應生无所住心若心有住則為非住是故佛

BD03063號　金剛般若波羅蜜經　（13–4）

人相衆生相壽者相應生瞋恨須菩提又念
過去於五百世作忍辱仙人於尒所世无我
相无人相无衆生相无壽者相是故須菩提
菩薩應離一切相發阿耨多羅三藐三菩提
心不應住色生心不應住聲香味觸法生心
應生无所住心若心有住則為非住是故佛
說菩薩心不應住色布施須菩提菩薩為利
益一切衆生應如是布施如來說一切諸相
即是非相又說一切衆生則非衆生須菩提
如來是真語者實語者如語者不誑語者
不異語者須菩提如來所得此法无實无虛
須菩提若菩薩心住於法而行布施如人入闇
則无所見若菩薩心不住法而行布施如人
有目日光明照見種種色須菩提當來之
世若有善男子善女人能於此經受持讀誦
則為如來以佛智慧悉知是人悉見是人皆
得成就无量无邊功德
須菩提若有善男子善女人初日分以恒河
沙等身布施中日分復以恒河沙等身布施
後日分亦以恒河沙等身布施如是无量百
千万億劫以身布施若復有人聞此經典信
心不逆其福勝彼何況書寫受持讀誦為
人解說
須菩提以要言之是經有不可思議不可稱
量无邊功德如來為發大乘者說為發最上
乘者說若有人能受持讀誦廣為人說如來
悉知是人悉見是人皆成就不可量不可稱

BD03063號　金剛般若波羅蜜經　（13–5）

心不逆其福勝彼何况書寫受持讀誦為
人解說
須菩提以要言之是經有不可思議不可稱
量无邊功德如来為發大乘者說為發㝡上
乘者說若有人能受持讀誦廣為人說如来
悉知是人悉見是人皆成就不可量不可稱
无有邊不可思議功德如是人等則為荷擔
如来阿耨多羅三藐三菩提何以故須菩提
若樂小法者著我見人見衆生見壽者見則
於此經不能聽受讀誦為人解說須菩提在
在處處若有此經一切世間天人阿脩羅所
應供養當知此處則為是塔皆應恭敬作
礼圍遶以諸華香而散其處
復次須菩提善男子善女人受持讀誦此經
若為人輕賤是人先世罪業應墮惡道以今
世人輕賤故先世罪業則為消滅當得阿耨
多羅三藐三菩提
須菩提我念過去无量阿僧祇劫於然燈佛
前得值八百四千万億那由他諸佛悉皆供
養承事无空過者若復有人於後末世能
受持讀誦此經所得功德於我所供養諸佛
功德百分不及一千万億分乃至筭數譬喻所
不能及須菩提若善男子善女人於後末世
有受持讀誦此經所得功德我若具說者或
有人聞心則狂亂狐疑不信須菩提當知是
經義不可思議果報亦不可思議

BD03063號　金剛般若波羅蜜經　（13–6）

功德百分不及一千万億分乃至筭數譬喻所
不能及須菩提若善男子善女人於後末世
有受持讀誦此經所得功德我若具說者或
有人聞心則狂亂狐疑不信須菩提當知是
經義不可思議果報亦不可思議
尒時須菩提白佛言世尊善男子善女人發
阿耨多羅三藐三菩提心云何應住云何降
伏其心佛告須菩提善男子善女人發阿耨
多羅三藐三菩提者當生如是心我應滅度
一切衆生滅度一切衆生已而无有一衆生實
滅度者何以故若菩薩有我相人相衆生相
壽者相則非菩薩所以者何須菩提實无
有法發阿耨多羅三藐三菩提者須菩提於
意云何如来於然燈佛所有法得阿耨多
羅三藐三菩提不不也世尊如我解佛所說
義佛於然燈佛所无有法得阿耨多羅三
藐三菩提佛言如是如是須菩提實无有
法如来得阿耨多羅三藐三菩提須菩提若有
法如来得阿耨多羅三藐三菩提者然燈佛則
不與我授記汝於来世當得作佛号釋迦牟
尼以實无有法得阿耨多羅三藐三菩提是
故然燈佛與我授記作是言汝於来世當得
作佛号釋迦牟尼何以故如来者即諸法如
義若有人言如来得阿耨多羅三藐三菩提
須菩提實无有法佛得阿耨多羅三藐三菩
提須菩提如来所得阿耨多羅三藐三菩提
於是中无實无虛是故如来說一切法皆是

BD03063號　金剛般若波羅蜜經　（13–7）

故然燈佛與我授記作是言汝於來世當得
作佛号釋迦牟尼何以故如來者即諸法如
義若有人言如來得阿耨多羅三藐三菩提
須菩提實无有法佛得阿耨多羅三藐三菩
提須菩提如來所得阿耨多羅三藐三菩提
於是中无實无虛是故如來說一切法皆是
佛法須菩提所言一切法者即非一切法是故
名一切法須菩提譬如人身長大須菩提言
世尊如來說人身長大則為非大身是名大
身須菩提菩薩亦如是若作是言我當滅
度无量衆生則不名菩薩何以故須菩提實
无有法名為菩薩是故佛說一切法无我无人
无衆生无壽者須菩提若菩薩作是言我
當莊嚴佛土是不名菩薩何以故如來說莊
嚴佛土者即非莊嚴是名莊嚴須菩提若菩
薩通達无我法者如來說名真是菩薩
須菩提於意云何如來有肉眼不如是世
尊如來有肉眼須菩提於意云何如來有天
眼不如是世尊如來有天眼須菩提於意云
何如來有慧眼不如是世尊如來有慧眼
須菩提於意云何如來有法眼不如是世尊如
來有法眼須菩提於意云何如來有佛眼不
如是世尊如來有佛眼須菩提於意云何如恒
河中所有沙佛說是沙不如是世尊如來說
是沙須菩提於意云何如一恒河中所有沙
有如是等恒河是諸恒河所有沙數佛世界
如是寧為多不甚多世尊

BD03063號　金剛般若波羅蜜經　（13–8）

如是世尊如來有佛眼須菩提於意云何如恒
河中所有沙佛說是沙不如是世尊如來說
是沙須菩提於意云何如一恒河中所有沙
有如是等恒河是諸恒河所有沙數佛世界
如是寧為多不甚多世尊
佛告須菩提尒所國土中所有衆生若干種
心如來悉知何以故如來說諸心皆為非心
是名為心所以者何須菩提過去心不可得
現在心不可得未來心不可得須菩提於意
云何若有人滿三千大千世界七寶以用布
施是人以是因緣得福多不如是世尊此人
以是因緣得福甚多須菩提若福德有實
如來不說得福德多以福德无故如來說得
福德多
須菩提於意云何佛可以具足色身見不不
也世尊如來不應以具足色身見何以故如
來說具足色身即非具足色身是名具足色
身須菩提於意云何如來可以具足諸相見
不不也世尊如來不應以具足諸相見何以故
如來說諸相具足即非具足是名諸相具足
須菩提汝勿謂如來作是念我當有所說
法莫作是念何以故若人言如來有所說法
即為謗佛不能解我所說故須菩提說法
者无法可說是名說法
須菩提白佛言世尊佛得阿耨多羅三藐三
菩提為无所得耶如是如是須菩提我於阿
耨多羅三藐三菩提乃至无有少法可得是

BD03063號　金剛般若波羅蜜經　（13–9）

法莫作是念何以故若人言如來有所說法
即為謗佛不能解我所說故須菩提說法
者无法可說是名說法
須菩提白佛言世尊佛得阿耨多羅三藐三
菩提為无所得耶如是如是須菩提我於阿
耨多羅三藐三菩提乃至无有少法可得是
名阿耨多羅三藐三菩提復次須菩提是法平
等无有高下是名阿耨多羅三藐三菩提以
无我无人无衆生无壽者脩一切善法則得
阿耨多羅三藐三菩提須菩提所言善法
者如來說非善法是名善法
須菩提若三千大千世界中所有諸須弥山
王如是等七寶聚有人持用布施若人以此
般若波羅蜜經乃至四句偈等受持為他人
說於前福德百分不及一百千萬億分乃至筭
數譬喻所不能及
須菩提於意云何汝等勿謂如來作是念我
當度衆生須菩提莫作是念何以故實无有
衆生如來度者若有衆生如來度者如來則
有我人衆生壽者須菩提如來說有我者則
非有我而凡夫之人以為有我須菩提凡夫者
如來說則非凡夫
須菩提於意云何可以三十二相觀如來不須
菩提言如是如是以三十二相觀如來佛言
須菩提若以三十二相觀如來者轉輪聖王
則是如來須菩提白佛言世尊如我解佛
所說義不應以三十二相觀如來尒時世尊

BD03063 號　金剛般若波羅蜜經　（13–10）

如來說則非凡夫
須菩提於意云何可以三十二相觀如來不須
菩提言如是如是以三十二相觀如來佛言
須菩提若以三十二相觀如來者轉輪聖王
則是如來須菩提白佛言世尊如我解佛
所說義不應以三十二相觀如來尒時世尊
而說偈言
若以色見我　以音聲求我　是人行邪道　不能見如來
須菩提汝若作是念如來不以具足相故得阿
耨多羅三藐三菩提須菩提莫作是念如
來不以具足相故得阿耨多羅三藐三菩提
須菩提汝若作是念發阿耨多羅三藐三菩
提者說諸法斷滅莫作是念何以故發阿耨
多羅三藐三菩提者於法不說斷滅相須菩
提若菩薩以滿恒河沙等世界七寶布施若
復有人知一切法無我得成於忍此菩薩勝
前菩薩所得功德何以故須菩提以諸菩薩
不受福德故須菩提白佛言世尊云何菩薩
不受福德須菩提菩薩所作福德不應貪著
是故佛說不受福德須菩提若有人言如來
若來若去若坐若卧是人不解我所說義何
以故如來者无所從來亦无所去故名如來
須菩提若善男子善女人以三千大千世界
碎為微塵於意云何是微塵衆寧為多不甚
多世尊何以故若是微塵衆實有者佛則不
說是微塵衆所以者何佛說微塵衆則非微

BD03063 號　金剛般若波羅蜜經　（13–11）

若來若去若坐若卧是人不解我所說義何
以故如來者无所從來亦无所去故名如來
須菩提若善男子善女人以三千大千世界
碎為微塵於意云何是微塵衆寧為多不甚
多世尊何以故若是微塵衆實有者佛則不
說是微塵衆所以者何佛說微塵衆則非微
塵衆是名微塵衆世尊如來所說三千大千世
界則非世界是名世界何以故若世界實有
者則是一合相如來說一合相則非一合相是
名一合相須菩提一合相者則是不可說
但凡夫之人貪著其事須菩提若人言佛
說我見人見衆生見壽者見須菩提於意云
何是人解我所說義不不也世尊是人不解
如來所說義何以故世尊說我見人見衆生
見壽者見即非我見人見衆生見壽者見是
名我見人見衆生見壽者見須菩提發阿耨
多羅三藐三菩提者於一切法應如是知如是
見如是信解不生法相須菩提所言法相如
來說即非法相是名法相須菩提若有人以
滿无量阿僧祇世界七寶持用布施若有
善男子善女人發菩薩心者持於此經乃至
四句偈等受持讀誦為人演說其福勝彼云
何為人演說不取於相如如不動何以故
一切有為法　如夢幻泡影　如露亦如電　應作如是觀
佛說是經已長老須菩提及諸比丘比丘尼優
婆塞優婆夷一切世間天人阿脩羅聞佛所
說皆大歡喜信受奉行

BD03063號　金剛般若波羅蜜經　（13–12）

名我見人見衆生見壽者見須菩提發阿耨
多羅三藐三菩提者於一切法應如是知如是
見如是信解不生法相須菩提所言法相如
來說即非法相是名法相須菩提若有人以
滿无量阿僧祇世界七寶持用布施若有
善男子善女人發菩薩心者持於此經乃至
四句偈等受持讀誦為人演說其福勝彼云
何為人演說不取於相如如不動何以故
一切有為法　如夢幻泡影　如露亦如電　應作如是觀
佛說是經已長老須菩提及諸比丘比丘尼優
婆塞優婆夷一切世間天人阿脩羅聞佛所
說皆大歡喜信受奉行

金剛般若波羅蜜經

BD03063號　金剛般若波羅蜜經　（13–13）

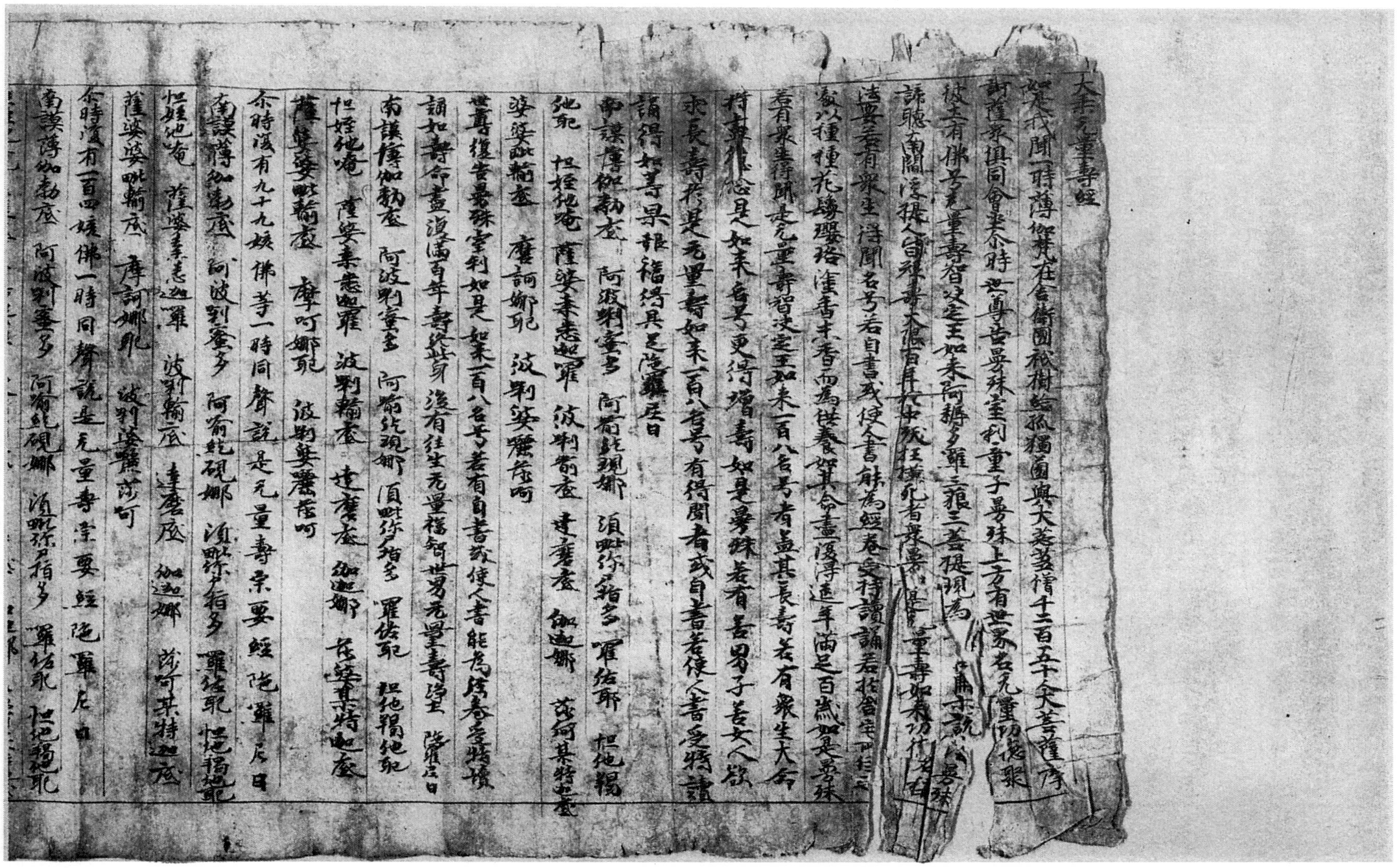

大乘無量壽經

如是我聞一時薄伽梵在舍衛國祇樹給孤獨園與大苾芻僧千二百五十人大菩薩摩

訶薩眾俱同會坐爾時世尊告曼殊室利童子曼殊上方有世界名無量功德聚

彼土有佛號無量壽智決定王如來阿耨多羅三藐三菩提現為眾生開示說法曼殊

諦聽南閻浮提人皆短壽大限百年於中夭枉橫死者眾…

法要若有眾生得聞名號若自書或使人書能為經卷受持讀誦若於舍宅所住之

處以種種花鬘瓔珞塗香末香而為供養如其命盡復得延年滿足百歲如是曼殊

若有眾生得聞是無量壽智決定王如來一百八名號者益其長壽若有眾生大命

將盡憶念是如來名號更得增壽如是曼殊若有善男子善女人欲

求長壽於是無量壽如來一百八名號有得聞者或自書若使人書受持讀

誦得如是果報福德具足陀羅尼曰

南謨薄伽勃底 阿波唎蜜多 阿喻紇硯娜 須毗你只指多 囉佐耶 怛他羯

他耶 怛姪他唵 薩婆桑悉迦囉 波唎輸底 達磨底 伽伽娜 娑訶某特迦底

娑婆婆毗輸底 摩訶娜耶 波唎婆嚟娑訶

世尊復告曼殊室利如是如來一百八名號若有自書或使人書能為經卷受持讀

誦如其命盡復滿百年壽終之後往生無量福智世界無量壽淨土 陀羅尼曰

南謨薄伽勃底 阿波唎蜜多 阿喻紇硯娜 須毗你只指多 囉佐耶 怛他羯他耶

怛姪他唵 薩婆桑悉迦囉 波唎輸底 達磨底 伽伽娜 娑訶某特迦底

薩婆婆毗輸底 摩訶娜耶 波唎婆嚟娑訶

爾時復有九十九姟佛一時同聲說是無量壽宗要經 陀羅尼曰

南謨薄伽勃底 阿波唎蜜多 阿喻紇硯娜 須毗你只指多 囉佐耶 怛他羯他耶

怛姪他唵 薩婆桑悉迦囉 波唎輸底 達磨底 伽伽娜 娑訶某特迦底

薩婆婆毗輸底 摩訶娜耶 波唎婆嚟娑訶

爾時復有一百四姟佛一時同聲說是無量壽宗要經 陀羅尼曰

南謨薄伽勃底 阿波唎蜜多 阿喻紇硯娜 須毗你只指多 囉佐耶 怛他羯他耶

BD03064 號　無量壽宗要經　（6–1）

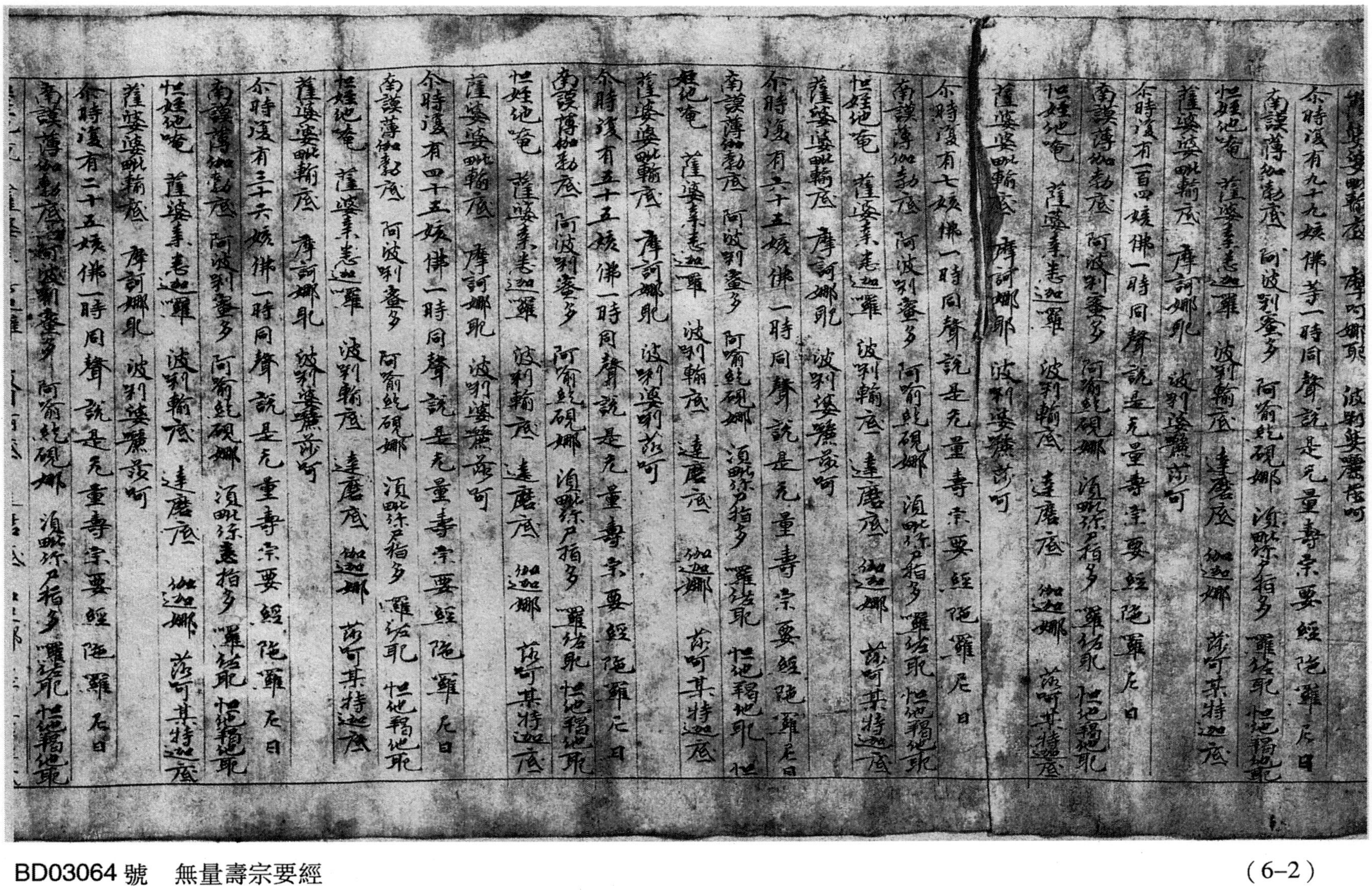

薩婆婆毗輸底 摩訶娜耶 波唎婆嚟娑訶

爾時復有九十九姟佛一時同聲說是無量壽宗要經 陀羅尼曰

南謨薄伽勃底 阿波唎蜜多 阿喻紇硯娜 須毗你只指多 囉佐耶 怛他羯他耶

怛姪他唵 薩婆桑悉迦囉 波唎輸底 達磨底 伽伽娜 娑訶某特迦底

薩婆婆毗輸底 摩訶娜耶 波唎婆嚟娑訶

爾時復有一百四姟佛一時同聲說是無量壽宗要經 陀羅尼曰

南謨薄伽勃底 阿波唎蜜多 阿喻紇硯娜 須毗你只指多 囉佐耶 怛他羯他耶

怛姪他唵 薩婆桑悉迦囉 波唎輸底 達磨底 伽伽娜 娑訶某特迦底

薩婆婆毗輸底 摩訶娜耶 波唎婆嚟娑訶

爾時復有七姟佛一時同聲說是無量壽宗要經 陀羅尼曰

南謨薄伽勃底 阿波唎蜜多 阿喻紇硯娜 須毗你只指多 囉佐耶 怛他羯他耶

怛姪他唵 薩婆桑悉迦囉 波唎輸底 達磨底 伽伽娜 娑訶某特迦底

薩婆婆毗輸底 摩訶娜耶 波唎婆嚟娑訶

爾時復有六十五姟佛一時同聲說是無量壽宗要經 陀羅尼曰

南謨薄伽勃底 阿波唎蜜多 阿喻紇硯娜 須毗你只指多 囉佐耶 怛他羯他耶

怛姪他唵 薩婆桑悉迦囉 波唎輸底 達磨底 伽伽娜 娑訶某特迦底

薩婆婆毗輸底 摩訶娜耶 波唎婆嚟娑訶

爾時復有五十五姟佛一時同聲說是無量壽宗要經 陀羅尼曰

南謨薄伽勃底 阿波唎蜜多 阿喻紇硯娜 須毗你只指多 囉佐耶 怛他羯他耶

怛姪他唵 薩婆桑悉迦囉 波唎輸底 達磨底 伽伽娜 娑訶某特迦底

薩婆婆毗輸底 摩訶娜耶 波唎婆嚟娑訶

爾時復有四十五姟佛一時同聲說是無量壽宗要經 陀羅尼曰

南謨薄伽勃底 阿波唎蜜多 阿喻紇硯娜 須毗你只指多 囉佐耶 怛他羯他耶

怛姪他唵 薩婆桑悉迦囉 波唎輸底 達磨底 伽伽娜 娑訶某特迦底

薩婆婆毗輸底 摩訶娜耶 波唎婆嚟娑訶

爾時復有三十六姟佛一時同聲說是無量壽宗要經 陀羅尼曰

南謨薄伽勃底 阿波唎蜜多 阿喻紇硯娜 須毗你只指多 囉佐耶 怛他羯他耶

怛姪他唵 薩婆桑悉迦囉 波唎輸底 達磨底 伽伽娜 娑訶某特迦底

薩婆婆毗輸底 摩訶娜耶 波唎婆嚟娑訶

爾時復有二十五姟佛一時同聲說是無量壽宗要經 陀羅尼曰

南謨薄伽勃底 阿波唎蜜多 阿喻紇硯娜 須毗你只指多 囉佐耶 怛他羯他耶

BD03064 號　無量壽宗要經　（6–2）

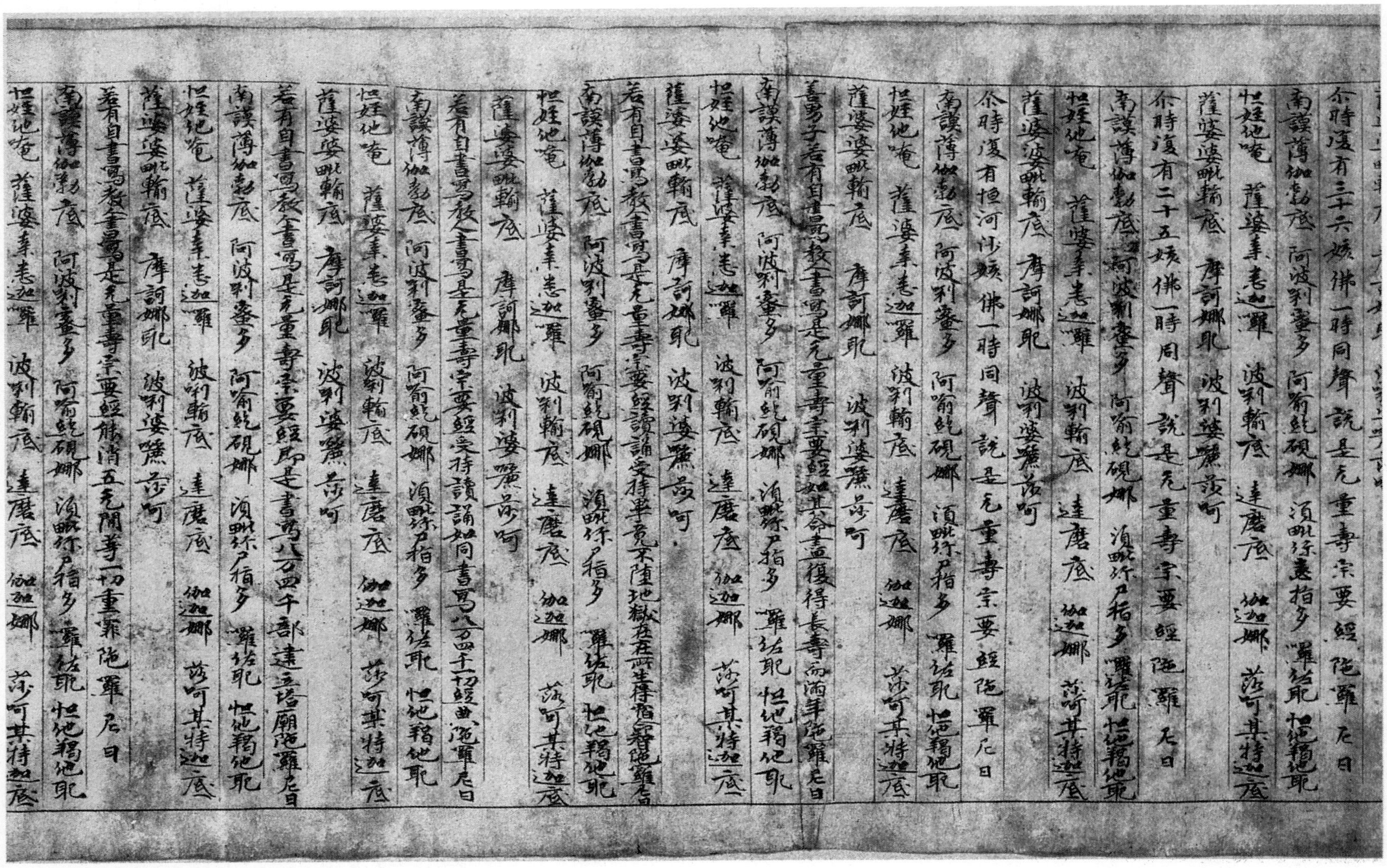
尒時復有三十六姟佛一時同聲說是无量壽宗要經陁羅尼曰
南謨薄伽勃底 阿波唎蜜多 阿喻紇硯娜 須毗𤨏尸指多 囉誐耶 怛他羯他耶
怛姪他唵 薩婆桒悉迦羅 波唎輸底 達磨底 伽迦娜 莎訶其特迦底
薩婆婆毗輸底 摩訶娜耶 波唎婆𪛀莎訶
尒時復有二十五姟佛一時同聲說是无量壽宗要經陁羅尼曰
南謨薄伽勃底 阿波唎蜜多 阿喻紇硯娜 須毗𤨏尸指多 囉誐耶 怛他羯他耶
怛姪他唵 薩婆桒悉迦羅 波唎輸底 達磨底 伽迦娜 莎訶其特迦底
薩婆婆毗輸底 摩訶娜耶 波唎婆𪛀莎訶
尒時復有恒河沙姟佛一時同聲說是无量壽宗要經陁羅尼曰
南謨薄伽勃底 阿波唎蜜多 阿喻紇硯娜 須毗𤨏尸指多 囉誐耶 怛他羯他耶
怛姪他唵 薩婆桒悉迦羅 波唎輸底 達磨底 伽迦娜 莎訶其特迦底
薩婆婆毗輸底 摩訶娜耶 波唎婆𪛀莎訶
善男子若有自書寫教人書寫是无量壽宗要經如其命盡復得長壽而滿年陁羅尼曰
南謨薄伽勃底 阿波唎蜜多 阿喻紇硯娜 須毗𤨏尸指多 囉誐耶 怛他羯他耶
怛姪他唵 薩婆桒悉迦羅 波唎輸底 達磨底 伽迦娜 莎訶其特迦底
薩婆婆毗輸底 摩訶娜耶 波唎婆𪛀莎訶
若有自書寫教人書寫是无量壽宗要經讀誦受持畢竟不墮地獄在在所生得宿命智陁羅尼曰
南謨薄伽勃底 阿波唎蜜多 阿喻紇硯娜 須毗𤨏尸指多 囉誐耶 怛他羯他耶
怛姪他唵 薩婆桒悉迦羅 波唎輸底 達磨底 伽迦娜 莎訶其特迦底
薩婆婆毗輸底 摩訶娜耶 波唎婆𪛀莎訶
若有自書寫教人書寫是无量壽宗要經受持讀誦如同書寫八万四千一切經典陁羅尼曰
南謨薄伽勃底 阿波唎蜜多 阿喻紇硯娜 須毗𤨏尸指多 囉誐耶 怛他羯他耶
怛姪他唵 薩婆桒悉迦羅 波唎輸底 達磨底 伽迦娜 莎訶其特迦底
薩婆婆毗輸底 摩訶娜耶 波唎婆𪛀莎訶
若有自書寫教人書寫是无量壽宗要經即是書寫八万四千部建立塔廟陁羅尼曰
南謨薄伽勃底 阿波唎蜜多 阿喻紇硯娜 須毗𤨏尸指多 囉誐耶 怛他羯他耶
怛姪他唵 薩婆桒悉迦羅 波唎輸底 達磨底 伽迦娜 莎訶其特迦底
薩婆婆毗輸底 摩訶娜耶 波唎婆𪛀莎訶
若有自書寫教人書寫是无量壽宗要經能消五无間等一切重罪陁羅尼曰
南謨薄伽勃底 阿波唎蜜多 阿喻紇硯娜 須毗𤨏尸指多 囉誐耶 怛他羯他耶
怛姪他唵 薩婆桒悉迦羅 波唎輸底 達磨底 伽迦娜 莎訶其特迦底

BD03064 號　無量壽宗要經　（6–3）

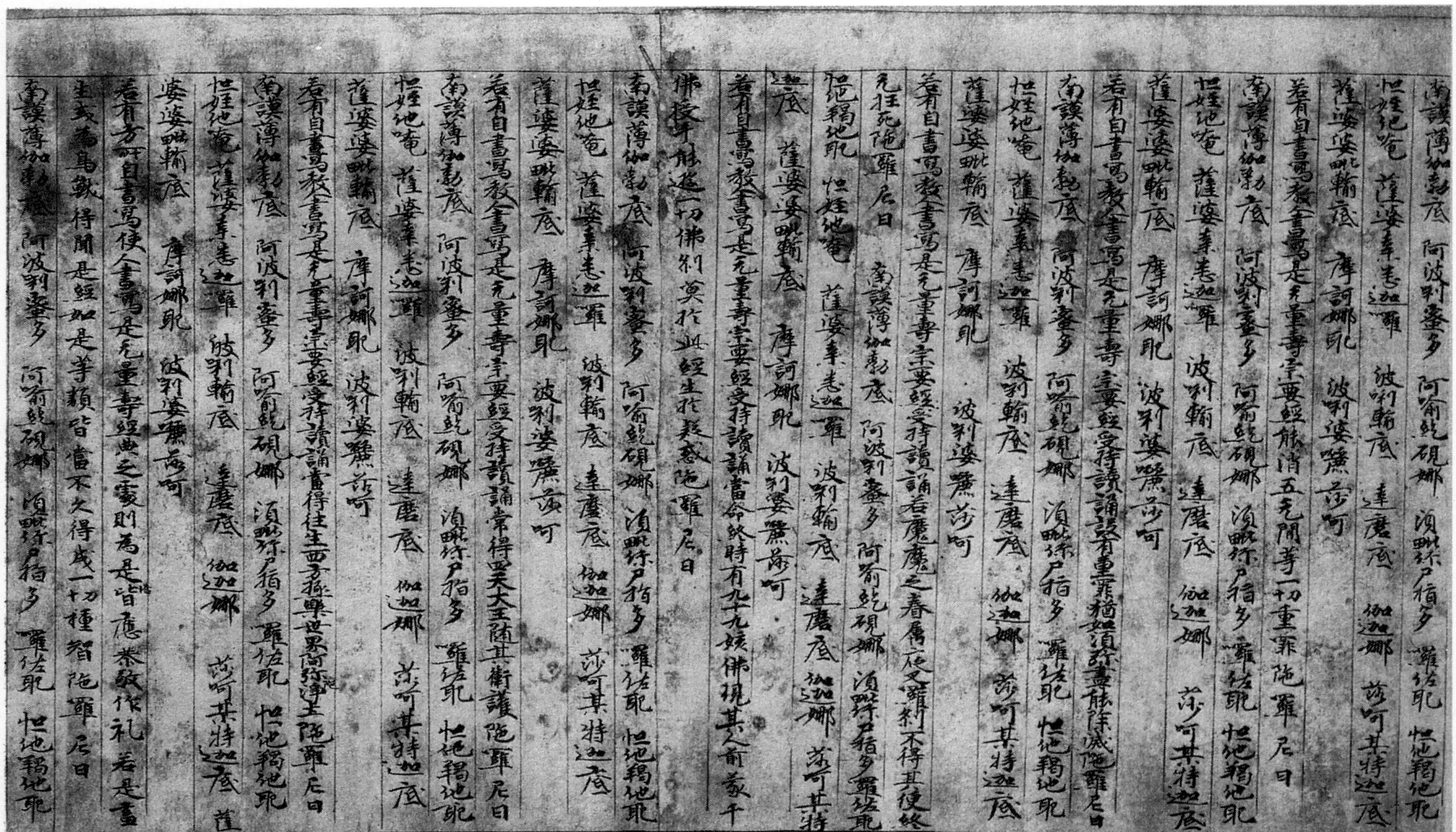
南謨薄伽勃底 阿波唎蜜多 阿喻紇硯娜 須毗𤨏尸指多 囉誐耶 怛他羯他耶
怛姪他唵 薩婆桒悉迦羅 波唎輸底 達磨底 伽迦娜 莎訶其特迦底
薩婆婆毗輸底 摩訶娜耶 波唎婆𪛀莎訶
若有自書寫教人書寫是无量壽宗要經能消五无間等一切重罪陁羅尼曰
南謨薄伽勃底 阿波唎蜜多 阿喻紇硯娜 須毗𤨏尸指多 囉誐耶 怛他羯他耶
怛姪他唵 薩婆桒悉迦羅 波唎輸底 達磨底 伽迦娜 莎訶其特迦底
薩婆婆毗輸底 摩訶娜耶 波唎婆𪛀莎訶
若有自書寫教人書寫是无量壽宗要經受持讀誦設有重罪猶如須弥盡能除滅陁羅尼曰
南謨薄伽勃底 阿波唎蜜多 阿喻紇硯娜 須毗𤨏尸指多 囉誐耶 怛他羯他耶
怛姪他唵 薩婆桒悉迦羅 波唎輸底 達磨底 伽迦娜 莎訶其特迦底
薩婆婆毗輸底 摩訶娜耶 波唎婆𪛀莎訶
若有自書寫教人書寫是无量壽宗要經受持讀誦若魔魔之眷屬夜叉羅刹不得其便終
无狂死陁羅尼曰 南謨薄伽勃底 阿波唎蜜多 阿喻紇硯娜 須毗𤨏尸指多 囉誐耶
怛他羯他耶 怛姪他唵 薩婆桒悉迦羅 波唎輸底 達磨底 伽迦娜 莎訶其特
迦底 薩婆婆毗輸底 摩訶娜耶 波唎婆𪛀莎訶
若有自書寫教人書寫是无量壽宗要經受持讀誦當命終時有九十九姟佛現其人前蒙千
佛授手能遊一切佛刹莫於此經生於疑惑陁羅尼曰
南謨薄伽勃底 阿波唎蜜多 阿喻紇硯娜 須毗𤨏尸指多 囉誐耶 怛他羯他耶
怛姪他唵 薩婆桒悉迦羅 波唎輸底 達磨底 伽迦娜 莎訶其特迦底
薩婆婆毗輸底 摩訶娜耶 波唎婆𪛀莎訶
若有自書寫教人書寫是无量壽宗要經受持讀誦常得四天大王隨其衛護陁羅尼曰
南謨薄伽勃底 阿波唎蜜多 阿喻紇硯娜 須毗𤨏尸指多 囉誐耶 怛他羯他耶
怛姪他唵 薩婆桒悉迦羅 波唎輸底 達磨底 伽迦娜 莎訶其特迦底
薩婆婆毗輸底 摩訶娜耶 波唎婆𪛀莎訶
若有自書寫教人書寫是无量壽宗要經受持讀誦當得往生西方極樂世界阿弥陁淨土陁羅尼曰
南謨薄伽勃底 阿波唎蜜多 阿喻紇硯娜 須毗𤨏尸指多 囉誐耶 怛他羯他耶
怛姪他唵 薩婆桒悉迦羅 波唎輸底 達磨底 伽迦娜 莎訶其特迦底 薩
婆婆毗輸底 摩訶娜耶 波唎婆𪛀莎訶
若有方所自書寫使人書寫是无量壽經典之處則為是皆應恭敬作禮若是畜
生或為鳥獸得聞是經如是等類皆當不久得成一切種智陁羅尼曰
南謨薄伽勃底 阿波唎蜜多 阿喻紇硯娜 須毗𤨏尸指多 囉誐耶 怛他羯他耶

BD03064 號　無量壽宗要經　（6–4）

南謨薄伽勃底 阿波唎蜜多 阿喻紇硯娜 須毗你尸稲多 囉佐耶 怛他羯他耶
怛姪他唵 薩婆桑塞迦囉 波利輸底 達磨底 伽伽娜 莎呵其特迦底 薩
婆婆毗輸底 摩訶娜耶 波唎婆嚟 莎呵
若有方所自書寫使人書寫是無量壽經典之處則為是皆應恭敬作礼若是畜
生或為鳥獸得聞是經如是等類皆當不久得成一切種智陀羅尼曰
南謨薄伽勃底 阿波唎蜜多 阿喻紇硯娜 須毗你尸稲多 囉佐耶 怛地羯地耶
怛姪他唵 薩婆桑塞迦囉 波唎輸底 達磨底 伽伽娜 莎呵其特迦底
薩婆婆毗輸底 摩訶娜耶 波唎婆嚟 莎呵
若有於是無量壽經自書寫使人書寫畢竟不受女人之身陀羅尼曰
南謨薄伽勃底 阿波唎蜜多 阿喻紇硯娜 須毗你尸稲多 囉佐耶 怛地羯地耶
怛姪他唵 薩婆桑塞迦囉 波唎輸底 達磨底 伽伽娜 莎呵其特迦底
薩婆婆毗輸底 摩訶娜耶 波唎婆嚟 莎呵
若有能於是經少分能惠施者等於三千大千世界滿中七寶布施陀羅尼曰
南謨薄伽勃底 阿波唎蜜多 阿喻紇硯娜 須毗你尸稲多 囉佐耶 怛地羯地耶
怛姪他唵 薩婆桑塞迦囉 波唎輸底 達磨底 伽伽娜 莎呵其特迦底
薩婆婆毗輸底 摩訶娜耶 波唎婆嚟 莎呵
若有能供養是經者則是供養一切諸經等無有異陀羅尼曰
南謨薄伽勃底 阿波唎蜜多 阿喻紇硯娜 須毗你尸指多 囉佐耶 怛地羯地耶
怛姪他唵 薩婆桑塞迦囉 波唎輸底 達磨底 伽伽娜 莎呵其特迦底
薩婆婆毗輸底 摩訶娜耶 波唎婆嚟 莎呵
若有以七寶供養如是七佛其福有限書寫受持是無量壽經典所有功德不可限量陀羅尼曰
毗婆尸佛 尸弃佛 毗舍浮佛 俱留孫佛 俱那含牟尼佛 迦葉佛 釋迦牟尼佛
南謨薄伽勃底 阿波唎蜜多 阿喻紇硯娜 須毗你尸稲多 囉佐耶 怛地羯地耶
怛姪他唵 薩婆桑塞迦囉 波唎輸底 達磨底 伽伽娜 莎呵其特迦底
薩婆婆毗輸底 摩訶娜耶 波唎婆嚟 莎呵
若有七寶等於須彌山用布施其福亦能知其限量是無量壽經典其福不可知數陀羅尼曰
南謨薄伽勃底 阿波唎蜜多 阿喻紇硯娜 須毗你尸指多 囉佐耶 怛地羯地耶
怛姪他唵 薩婆桑塞迦囉 波唎輸底 達磨底 伽伽娜 莎呵其特迦底
薩婆婆毗輸底 摩訶娜耶 波唎婆嚟 莎呵
譬如四大海水可知滴數是無量壽經典所生果報不可數量陀羅尼曰
南謨薄伽勃底 阿波唎蜜多 阿喻紇硯娜 須毗你尸指多 囉佐耶 怛地羯地耶

BD03064號　無量壽宗要經　（6–5）

南謨薄伽勃底 阿波唎蜜多 阿喻紇硯娜 須毗你尸稲多 囉佐耶 怛地羯地耶
怛姪他唵 薩婆桑塞迦囉 波唎輸底 達磨底 伽伽娜 莎呵其特迦底
薩婆婆毗輸底 摩訶娜耶 波唎婆嚟 莎呵
若有七寶等於須彌山用布施其福亦能知其限量是無量壽經典其福不可知數陀羅尼曰
南謨薄伽勃底 阿波唎蜜多 阿喻紇硯娜 須毗你尸指多 囉佐耶 怛地羯地耶
怛姪他唵 薩婆桑塞迦囉 波唎輸底 達磨底 伽伽娜 莎呵其特迦底
薩婆婆毗輸底 摩訶娜耶 波唎婆嚟 莎呵
譬如四大海水可知滴數是無量壽經典所生果報不可數量陀羅尼曰
南謨薄伽勃底 阿波唎蜜多 阿喻紇硯娜 須毗你尸指多 囉佐耶 怛地羯地耶
怛姪他唵 薩婆桑塞迦囉 波唎輸底 達磨底 伽伽娜 莎呵其特迦底
薩婆婆毗輸底 摩訶娜耶 波唎婆嚟 莎呵
若有自書寫使人書寫是無量壽經典又能護持供養即如恭敬供養一切十方佛土如來無
有別異陀羅尼曰 南謨薄伽勃底 阿波唎蜜多 阿喻紇硯娜 須毗你尸指多
囉佐耶 怛地羯地耶 怛姪他唵 薩婆桑塞迦囉 波唎輸底 達磨底 伽伽娜
莎呵其特迦底 薩婆婆毗輸底 摩訶娜耶 波唎婆嚟 莎呵
布施力能成正覺 悟布施力人師子 布施力能聲普聞 慈悲階漸最能入
持戒力能成正覺 悟持戒力人師子 持戒力能聲普聞 慈悲階漸最能入
忍辱力能成正覺 悟忍辱力人師子 忍辱力能聲普聞 慈悲階漸最能入
精進力能成正覺 悟精進力人師子 精進力能聲普聞 慈悲階漸最能入
禪定力能成正覺 悟禪定力人師子 禪定力能聲普聞 慈悲階漸最能入
智慧力能成正覺 悟智慧力人師子 智慧力能聲普聞 慈悲階漸最能入
尒時如來說是經已一切世間天人阿脩羅揵闥婆等聞佛所說皆大歡喜信受奉行
佛說無量壽宗要經

BD03064號　無量壽宗要經　（6–6）

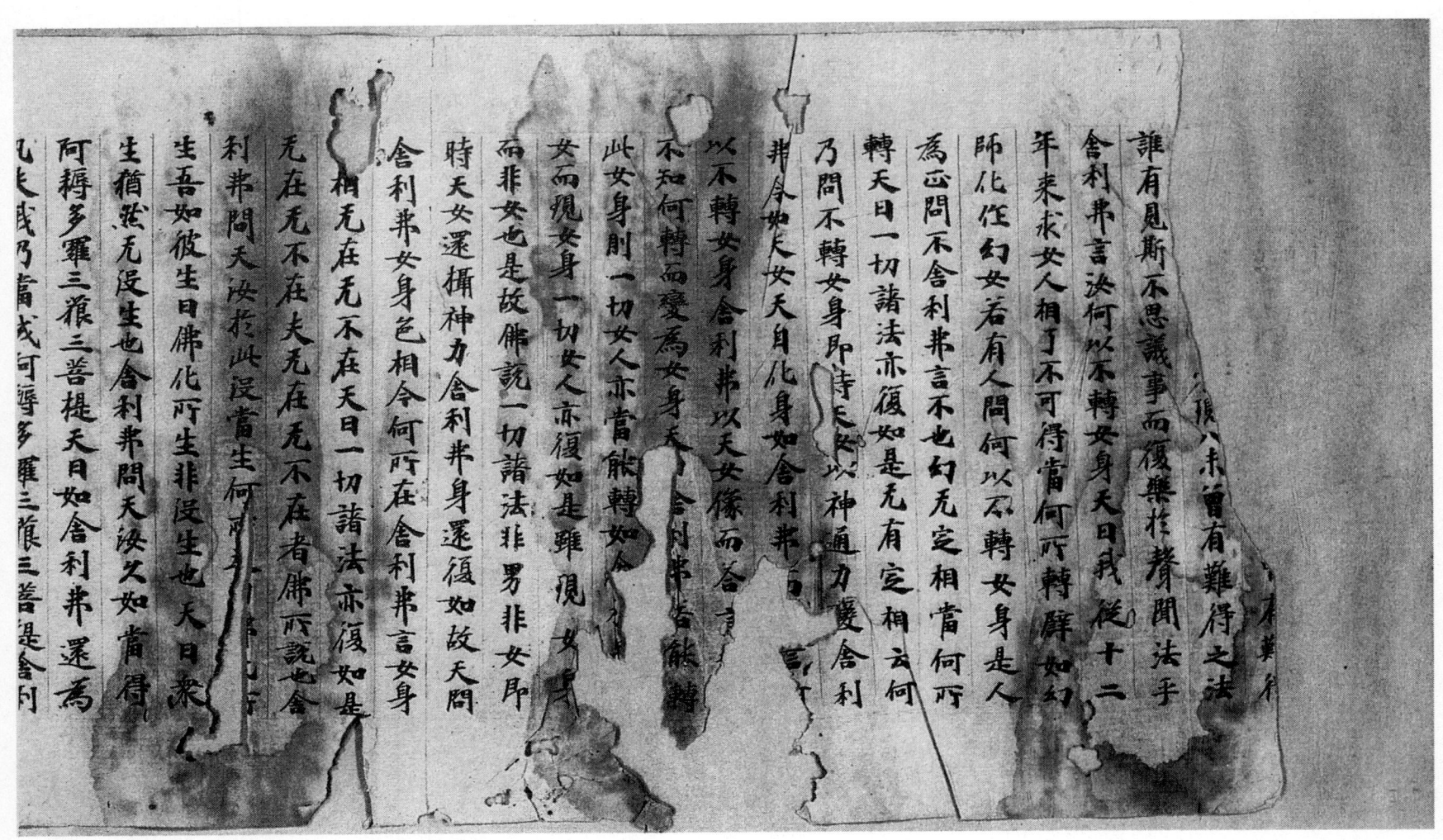

有華行
復八未曾有難得之法
誰有見斯不思議事而復樂於聲聞法乎
舍利弗言汝何以不轉女身天曰我從十二
年來求女人相了不可得當何所轉譬如幻
師化作幻女若有人問何以不轉女身是人
為正問不舍利弗言不也幻无定相當何所
轉天曰一切諸法亦復如是无有定相云何
乃問不轉女身即時天女以神通力變舍利
弗令如天女天自化身如舍利弗而問言
以不轉女身舍利弗以天女像而答言
不知何轉而變為女身天曰舍利弗若能轉
此女身則一切女人亦當能轉如舍
女而現女身一切女人亦復如是雖現女身
而非女也是故佛說一切諸法非男非女即
時天女還攝神力舍利弗身還復如故天問
舍利弗女身色相今何所在舍利弗言女身
相无在无不在天曰一切諸法亦復如是
无在无不在夫无在无不在者佛所說也舍
利弗問天汝於此沒當生何所
生吾如彼生曰佛化所生非沒生也天曰眾
生猶然无沒生也舍利弗問天汝久如當得
阿耨多羅三藐三菩提天曰如舍利弗還為
凡夫我乃當成阿耨多羅三藐三菩提舍利

BD03065號　維摩詰所說經卷中　（12–1）

舍利弗女身色相今何所在舍利弗言女身
相无在无不在天曰一切諸法亦復如是
无在无不在夫无在无不在者佛所說也舍
利弗問天汝於此沒當生何所
生吾如彼生曰佛化所生非沒生也天曰眾
生猶然无沒生也舍利弗問天汝久如當得
阿耨多羅三藐三菩提天曰如舍利弗還為
凡夫我乃當成阿耨多羅三藐三菩提舍利
弗言我作凡夫无有是處天曰我得阿耨多
羅三藐三菩提亦无是處所以者何菩提无
住處是故无有得者舍利弗言今諸佛得阿
耨多羅三藐三菩提已得當得如恒
謂何乎天曰皆以世俗文字數故說有三世
非謂菩提有去來今天曰舍利弗汝得阿羅
漢道耶曰无所得故而得天曰諸佛菩薩亦
復如是无所得故而得尒時維摩詰語舍利
弗是天女曾已供養九十二億佛已能遊戲
菩薩神通所願具足得无生忍住不退轉以
本願故隨意能現教化眾生
佛道品第八
尒時文殊師利問維摩詰言菩薩云何通達
佛道維摩詰言若菩薩行於非道是為通達
佛道又問云何菩薩行於非道答曰若菩薩
行五无間而无惱恚至于地獄无諸罪垢至
于畜生无有无明憍慢等過至于餓鬼而具
足功德行色无色界道不以為勝示行貪欲離

BD03065號　維摩詰所說經卷中　（12–2）

尒時文殊師利問維摩詰言菩薩云何通達
佛道維摩詰言若菩薩行於非道是爲通達
佛道又問云何菩薩行於非道答曰若菩薩
行五无間而无惱恚至于地獄无諸罪垢至
于畜生无有无明憍慢等過至于餓鬼而具
足功德行色无色界道不以爲勝示行貪欲離
諸染著示行瞋恚於諸衆生无有恚閡示行
愚癡而以智慧調伏其心示行慳貪而捨内
外所有不惜身命示行毁禁而安住淨戒乃
至小罪猶懷大懼示行瞋恚而常慈忍示行
懈怠而懃脩功德示行亂意而常念定示行
愚癡而通達世間出世間慧示行諂僞而善
方便隨諸經義示行憍慢而於衆生猶如橋
梁示行諸煩惱而心常清淨示入於魔而順
佛智慧不隨他教示入聲聞而爲衆生說未
聞法示入辟支佛而成就大悲教化衆生示
入貧窮而有寶手功德无盡示入形殘而具
諸相好以自莊嚴示入下賤而生佛種性中
具諸功德示入羸劣醜陋而得那羅延身一
切衆生之所樂見示入老病而永斷病根超
越死畏示有資生而恒觀无常實无所貪示
有妻妾婇女而常遠離五欲淤泥現於訥鈍
而成辯才摠持无失示入邪濟而以正濟度
諸衆生現遍入諸道而斷其因緣現於涅槃
而不斷生死文殊師利菩薩能如是行於非
道是爲通達佛道

BD03065號　維摩詰所說經卷中　（12–3）

越死畏示有資生而恒觀无常實无所貪示
有妻妾婇女而常遠離五欲淤泥現於訥鈍
而成辯才摠持无失示入邪濟而以正濟度
諸衆生現遍入諸道而斷其因緣現於涅槃
而不斷生死文殊師利菩薩能如是行於非
道是爲通達佛道
於是維摩詰問文殊師利何等爲如來種文
殊師利言有身爲種无明有愛爲種貪恚癡
爲種四顛倒爲種五蓋爲種六入爲種七識
處爲種八邪法爲種九惱處爲種十不善道
爲種以要言之六十二見及一切煩惱皆是佛
種曰何謂也答曰若見无爲入正位者不
能復發阿耨多羅三藐三菩提心譬如高原
陸地不生蓮華卑濕淤泥乃生此華如是見
无爲法入正位者終不復能生於佛法煩惱
泥中乃有衆生起佛法耳又如殖種於空終
不得生糞壤之地乃能滋茂如是入无爲正
位者不生佛法起我見如須弥山猶能發
于阿耨多羅三藐三菩提心生佛法矣是故
當知一切煩惱爲如來種譬如不下巨海終不
能得无價寶珠如是不入煩惱大海則不能
得一切智寶尒時大迦葉歎言善哉善哉文
殊師利快說此語誠如所言塵勞之儔爲如
來種我等今者不復堪任發阿耨多羅三藐
三菩提心乃至五无間罪猶能發意生於佛
法而今我等永不能發譬如根敗之士其於五

BD03065號　維摩詰所說經卷中　（12–4）

得生一切智寶。尒時大迦葉歎言：善哉善哉！文
殊師利快說此語，誠如所言，塵勞之疇為如
來種。我等今者不復堪任發阿耨多羅三藐
三菩提心。乃至五无間罪猶能發意生於佛
法，而今我等永不能發。譬如根敗之士，其於五
欲不能復利。如是聲聞諸結斷者，於佛法中
无所復益，永不志願。是故文殊師利，凡夫於
佛法有反復，而聲聞无也。所以者何？凡夫聞
佛法能起无上道心，不斷三寶；正使聲聞終
身聞佛法力无畏等，永不能發无上道意。尒
時會中有菩薩名普現色身，問維摩詰言：居
士父母妻子、親戚眷屬、吏民知識悉為是誰？
奴婢僮僕、象馬車乘皆何所在？於是維摩詰
以偈答曰：
智度菩薩母　方便以為父　一切眾導師　无不由是生
法喜以為妻　慈悲心為女　善心誠實男　畢竟空寂舍
弟子眾塵勞　隨意之所轉　道品善知識　由是成正覺
諸度法等侶　四攝為伎女　歌詠誦法言　以此為音樂
總持之園苑　无漏法林樹　覺意淨妙華　解脫智慧菓
八解之浴池　定水湛然滿　布以七淨華　浴此无垢人
象馬五通馳　大乘以為車　調御以一心　遊於八正路
相具以嚴容　眾好飾其姿　慚愧之上服　深心為華鬘
富有七財寶　教授以滋息　如所說脩行　迴向為大利
四禪為林座　從於淨命生　多聞增智慧　以為自覺音
甘露法之食　解脫味為漿　淨心以澡浴　戒品為塗香
權滅煩惱賊　勇健无能踰　降伏四種魔　勝幡建道場

富有七財寶　教授以滋息　如所說脩行　迴向為大利
四禪為林座　從於淨命生　多聞增智慧　以為自覺音
甘露法之食　解脫味為漿　淨心以澡浴　戒品為塗香
權滅煩惱賊　勇健无能踰　降伏四種魔　勝幡建道場
雖知无起滅　示彼故有生　悉現諸國土　如日无不見
供養於十方　无量億如來　諸佛及己身　无有分別想
雖知諸佛國　及與眾生空　而常脩淨土　教化於群生
諸有眾生類　形聲及威儀　无畏力菩薩　一時能盡現
覺知眾魔事　而示隨其行　以善方便智　隨意皆能現
或示老病死　成就諸群生　了知如幻化　通達无有閡
或現劫盡燒　天地皆洞然　眾人有常想　照令知无常
无數億眾生　俱來請菩薩　一時到其舍　化令向佛道
經書禁呪術　工巧諸伎藝　盡現行此事　饒益諸群生
世間眾道法　悉於中出家　因以解人惑　而不墮邪見
或作日月天　梵王世界主　或時作地水　或復作風火
劫中有疾疫　現作諸藥草　若有服之者　除病消眾毒
劫中有飢饉　現身作飲食　先救彼飢渴　却以法語人
劫中有刀兵　為之起慈悲　化彼諸眾生　令住无諍地
若有大戰陣　立之以等力　菩薩現威勢　降伏使和安
一切國土中　諸有地獄處　輒往到于彼　勉濟其苦惱
一切國土中　畜生相食噉　皆現生於彼　為之作利益
示受於五欲　亦復現行禪　令魔心憒亂　不能得其便
火中生蓮華　是可謂希有　在欲而行禪　希有亦如是
或現作婬女　引諸好色者　先以欲鉤牽　後令入佛智
或為邑中主　或作商人導　國師及大臣　以祐利眾生
諸有貧窮者　現作无盡藏　因以勸導之　令發菩提心

示受於五欲　亦復現行[illegible]
火中生蓮華　是可謂希有　在欲而行禪　希有亦如是
或現作婬女　引諸好色者　先以欲鉤牽　後令入佛智
或為邑中主　或作商人導　國師及大臣　以祐利衆生
諸有貧窮者　現作无盡藏　因以勸導之　令發菩提心
我心憍慢者　為現大力士　消伏諸貢高　令住佛上道
其有恐懼衆　於前而慰安　先施以无畏　後令發道心
或現離婬欲　為五通仙人　開導諸群生　令住戒忍慈
見須供事者　現為作僮僕　既悅可其意　乃發以道心
隨彼之所須　得入於佛道　以善方便力　皆能給足之
如是道无量　所行无有崖　智慧无邊際　度脫无數衆
假令一切佛　於无數億劫　讚歎其功德　猶尚不能盡
誰聞如是法　不發菩提心　除彼不肖人　癡冥无智者

入不二法門品第九

尒時維摩詰謂衆菩薩言諸仁者云何菩薩
入不二法門各隨所樂說之會中有菩薩名
法自在說言諸仁者生滅為二法本不生今
則不滅得此无生法忍者是為入不二法門
德守菩薩曰我我所為二因有我故便有我
所若无有我則无我所是為入不二法門
不眴菩薩曰受不受為二若法不受則不可
得以不可得故无取无捨无作无行是為入
不二法門
德頂菩薩曰垢淨為二見垢實性則无淨相
順於滅相是為入不二法門
善宿菩薩曰是動是念為二不動則无念无
念即无分別通達此者是為入不二法門

BD03065號　維摩詰所說經卷中　（12–7）

不二法門
德頂菩薩曰垢淨為二見垢實性則无淨相
順於滅相是為入不二法門
善宿菩薩曰是動是念為二不動則无念无
念即无分別通達此者是為入不二法門
善眼菩薩曰一相无相為二若知一相即是无
相亦不取无相入於平等是為入不二法門
妙臂菩薩曰菩薩心聲聞心為二觀心相空如
幻化者无菩薩心无聲聞心是為入不二法門
弗沙菩薩曰善不善為二若不起善不善入
无相際而通達者是為入不二法門
師子菩薩曰罪福為二若達罪性則與福无
異以金剛慧決了此相无縛无解者是為入
不二法門
師子意菩薩曰有漏无漏為二若得諸法等
則不起漏不漏想不著於相亦不住无相是
為入不二法門
淨解菩薩曰有為无為為二若離一切數則心
如虛空以清淨慧无所閡者是為入不二法門
那羅延菩薩曰世間出世間為二世間性空即是出
世間於其中間不入不出不溢不散是為入不二法門
善意菩薩曰生死涅槃為二若見生死性則
无生死无縛无解不然不滅如是解者是為
入不二法門
現見菩薩曰盡不盡為二法若究竟盡若不
盡皆是无盡相无盡相者即是空空則无有
盡不盡相如是入者是為入不二法門

BD03065號　維摩詰所說經卷中　（12–8）

无生死无縛无解不然不滅如是解者是為
入不二法門
現見菩薩曰盡不盡為二法若究竟盡若不
盡皆是无盡相无盡相者即是空空則无有
盡不盡相如是入者是為入不二法門
普守菩薩曰我无我為二我尚不可得非我何
可得見我實性者不復起二是為入不二法門
電天菩薩曰明无明為二无明實性即是明
明亦不可取離一切數於其中平等无二者
是為入不二法門
喜見菩薩曰色色空為二色即是空非色滅
空色性自空如是受想行識識空為二識即
是空非識滅空識性自空於其中而通達者
是為入不二法門
明相菩薩曰四種異空種異為二四種性即
是空種性如前際後際空故中際亦空若能
如是知諸種性者是為入不二法門
妙意菩薩曰眼色為二若知眼性於色不貪
不恚不癡是名寂滅如是耳聲鼻香舌味身
觸意法為二若知意性於法不貪不恚不癡是
名寂滅安住其中是為入不二法門
无盡意菩薩曰布施迴向一切智為二布施
性即是迴向一切智性如是持戒忍辱精進
禪定智慧迴向一切智為二智慧性即是迴向一
切智性於其中入一相者是為入不二法門
深慧菩薩曰是空是无相是无作為二空即无

无盡意菩薩曰布施迴向一切智為二布施
性即是迴向一切智性如是持戒忍辱精進
禪定智慧迴向一切智為二智慧性即是迴向一
切智性於其中入一相者是為入不二法門
深慧菩薩曰是空是无相是无作為二空即无
相无相即无作若空无相无作則无心意識於
一解脫門即是三解脫門者是為入不二法門
寂根菩薩曰佛法衆為二佛即是法法即是
衆是三寶皆无為相與虛空等一切法亦尒
能隨此行者是為入不二法門
心无閡菩薩曰身身滅為二身即是身滅所
以者何見身實相者不起見身及以滅身身
與滅身无二无分別於其中不驚不懼者是
為入不二法門
上善菩薩曰身口意善為二是三業皆无作相
身无作相即口无作相口无作相即意无作
相是三業无作相即是一切法无作相能如
是隨无作慧者是為入不二法門
福田菩薩曰福行罪行不動行為二三行實
性即是空空則无福行无罪行无不動行於
此三行而不起者是為入不二法門
華嚴菩薩曰從我起二為二見我實相者不
起二法若不住二法則无有識无所識者是
為入不二法門
德藏菩薩曰有所得相為二若无所得則无
取捨无取捨者是為入不二法門

此三行而不起者是為入不二法門
華嚴菩薩曰從我起二為二見我實相者不
起二法若不住二法則无有識无所識者是
為入不二法門
德藏菩薩曰有所得相為二若无所得則无
取捨无取捨者是為入不二法門
月上菩薩曰闇與明為二无闇无明則无有二
所以者何如入滅受想定无闇无明一切法相
亦復如是於其中平等入者是為入不二法門
寶印手菩薩曰樂涅槃不樂世間為二若不
樂涅槃不猒世間則无有二所以者何若有
縛則有解若本无縛其誰求解无縛无解則
无樂猒是為入不二法門
珠頂王菩薩曰正道邪道為二住正道者則
不分別是邪是正離此二者是為入不二法門
樂實菩薩曰實不實為二實見者尚不見實
何況非實所以者何非肉眼所見慧眼乃能
見而此慧眼无見无不見是為入不二法門
如是諸菩薩各各說已問文殊師利何等是
菩薩入不二法門文殊師利曰如我意者於
一切法无言无說无示无識離諸問答是為
入不二法門
於是文殊師利問維摩詰我等各自說已仁
者當說何等是菩薩入不二法門時維摩詰
嘿然无言文殊師利歎曰善哉善哉乃至无
有文字語言是真入不二法門說是入不二法

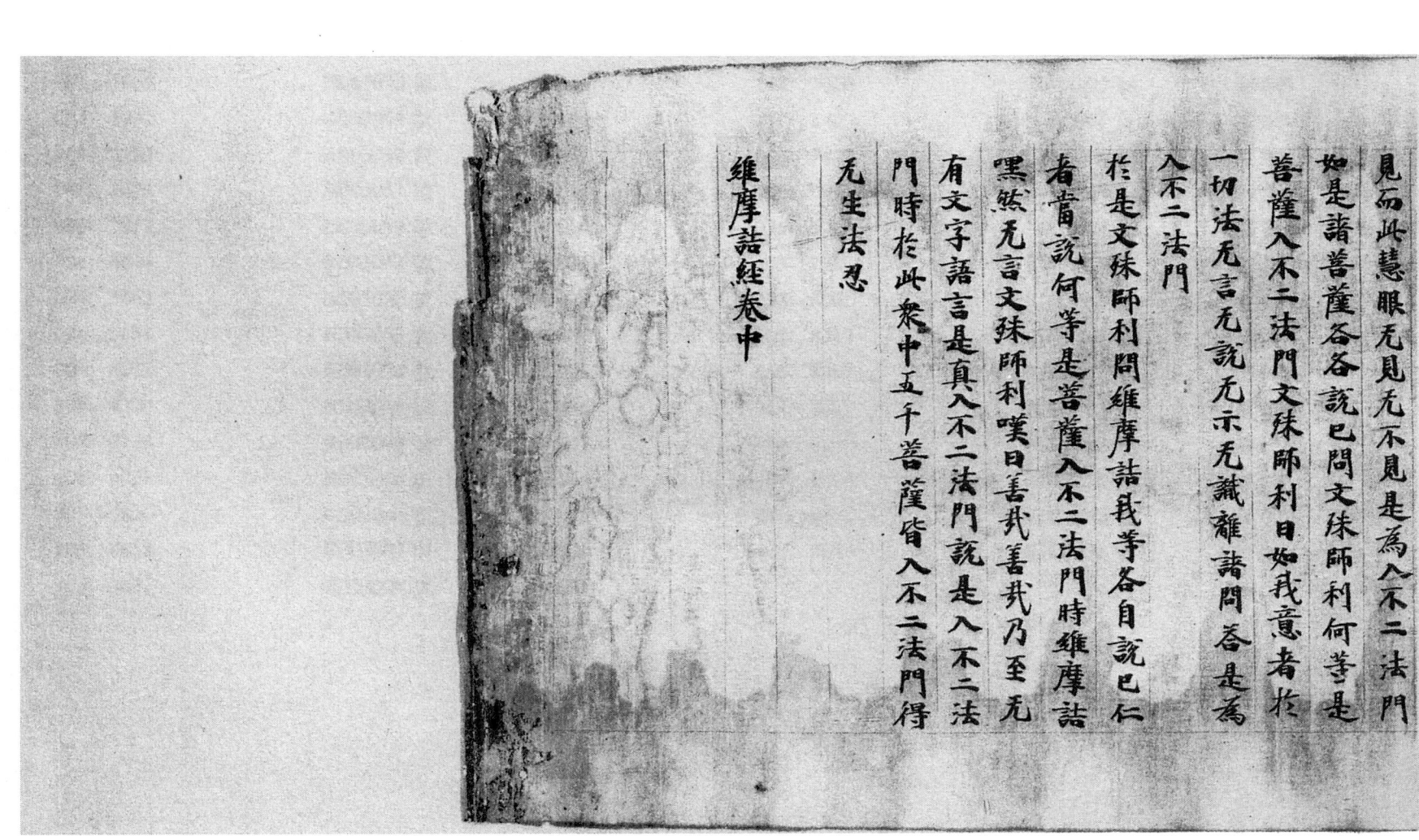

BD03065號　維摩詰所說經卷中　（12–11）

見而此慧眼无見无不見是為入不二法門
如是諸菩薩各各說已問文殊師利何等是
菩薩入不二法門文殊師利曰如我意者於
一切法无言无說无示无識離諸問答是為
入不二法門
於是文殊師利問維摩詰我等各自說已仁
者當說何等是菩薩入不二法門時維摩詰
嘿然无言文殊師利歎曰善哉善哉乃至无
有文字語言是真入不二法門說是入不二法
門時於此衆中五千菩薩皆入不二法門得
无生法忍

維摩詰經卷中

BD03065號　維摩詰所說經卷中　（12–12）

著 録 凡 例

本目録採用條目式著録法。諸條目意義如下：

1.1　著録編號。用漢語拼音首字“BD”表示，意為“北京圖書館藏敦煌遺書”，簡稱“北敦號”。文獻寫在背面者，標註為“背”。一件遺書上抄有多個文獻者，用數字 1、2、3 等標示小號。一號中包括幾件遺書，且遺書形態各自獨立者，用字母 A、B、C 等區別。

1.2　著録分類號。本條記目録暫不分類，該項空缺。

1.3　著録文獻的名稱、卷本、卷次。

1.4　著録千字文編號。

1.5　著録縮微膠卷號。

2.1　著録遺書的總體數據。包括長度、寬度、紙數、正面抄寫總行數與每行字數、背面抄寫總行數與每行字數。如該遺書首尾有殘破，則對殘破部分單獨度量，用加號加在總長度上。凡屬這種情況，長度用括弧標註。

2.2　著録每紙數據。包括每紙長度及抄寫行數或界欄數。

2.3　著録遺書的外觀。包括：（1）裝幀形式。（2）首尾存況。（3）護首、軸、軸頭、天竿、縹帶，經名是書寫還是貼簽，有無經名號，扉頁、扉畫。（4）卷面殘破情況及其位置。（5）尾部情況。（6）有無附加物（蟲繭、油污、線繩及其他）。（7）有無裱補及其年代。（8）界欄。（9）修整。（10）其他需要交待的問題。

2.4　著録一件遺書抄寫多個文獻的情況。

3.1　著録文獻首部文字與對照本核對的結果。

3.2　著録文獻尾部文字與對照本核對的結果。

3.3　著録録文。

3.4　著録對文獻的説明。

4.1　著録文獻首題。

4.2　著録文獻尾題。

5　著録本文獻與對照本的不同之處。

6.1　著録本遺書首部可與另一遺書綴接的編號。

6.2　著録本遺書尾部可與另一遺書綴接的編號。

7.1　著録題記、題名、勘記等。

7.2　著録印章。

7.3　著録雜寫。

7.4　著録護首及扉頁的内容。

8　著録年代。

9.1　著録字體。如有武周新字、合體字、避諱字等，予以説明。

9.2　著録卷面二次加工的情況。包括句讀、點標、科分、間隔號、行間加行、行間加字、硃筆、墨塗、倒乙、刪除、兑廢等。

10　著録敦煌遺書發現後，近現代人所加内容，裝裱、題記、印章等。

11　備註。著録揭裱互見、圖版本出處及其他需要説明的問題。

上述諸條，有則著録，無則空缺。

為避文繁，上述著録中出現的各種參考、對照文獻，暫且不列版本説明。全目結束時，將統一編制本條記目録出現的各種參考書目。

本條記目録為農曆年份標註其公曆紀年時，未進行歲頭年末之換算，請讀者使用時注意自行换算。

條 記 目 錄

BD03001—BD03065

1.1 BD03001號
1.3 金光明最勝王經卷六
1.4 雲001
1.5 083:1814
2.1 52.5×25厘米；2紙；29行，行17字。
2.2 01：49.5，28； 02：03.0，01。
2.3 卷軸裝。首脱尾殘。卷尾殘碎嚴重。尾有蟲繭。背有古代裱補。有烏絲欄。
3.1 首殘→大正665，16/432B10。
3.2 尾全→16/432C10。
4.2 金光明最勝王經卷第六（尾）。
8 8～9世紀。吐蕃統治時期寫本。
9.1 楷書。
11 圖版：《敦煌寶藏》，70/157。

1.1 BD03002號
1.3 大般涅槃經（北本）卷一八
1.4 雲002
1.5 412:8570
2.1 （3.7+36）×27.4厘米；2紙；32行，行17字。
2.2 01：3.7+27，27； 02：09.0，05。
2.3 卷軸裝。首脱尾斷。首紙上邊殘缺，接縫處有開裂，通卷下邊有等距殘洞及殘缺。有烏絲欄。
3.1 首2行上殘→大正374，12/473A2～3。
3.2 尾殘→12/473B5。
8 5～6世紀。南北朝寫本。
9.1 楷書。
11 圖版：《敦煌寶藏》，110/606B～607A。

1.1 BD03003號
1.3 大佛頂如來密因修證了義諸菩薩萬行首楞嚴經卷二
1.4 雲003
1.5 237:7400
2.1 97.5×25.7厘米；2紙；44行，行17字。
2.2 01：48.8，27； 02：48.7，17。
2.3 卷軸裝。首斷尾全。有烏絲欄。
3.1 首殘→大正945，19/114A27。
3.2 尾全→19/114C13。
4.2 大佛頂萬行首楞嚴經卷第二（尾）。
6.1 首→BD03244號。
8 9～10世紀。歸義軍時期寫本。
9.1 楷書。
11 圖版：《敦煌寶藏》，106/73B～74B。

1.1 BD03004號
1.3 大乘稻竿經
1.4 雲004
1.5 058:0468
2.1 （14+253）×27.2厘米；6紙；143行，行19字。
2.2 01：14+19，18； 02：46.5，28； 03：47.0，28；
04：47.0，28； 05：47.0，28； 06：46.5，13。
2.3 卷軸裝。首殘尾全。首紙中下部殘缺嚴重，油污變色。有烏絲欄。已修整。
3.1 首7行中下殘→大正712，16/824B23～29。
3.2 尾全→16/826A27。
4.2 佛說大乘稻芉（竿）經一卷（尾）。
8 8～9世紀。吐蕃統治時期寫本。
9.1 楷書。
9.2 有行間校加字。有行間加行。
11 圖版：《敦煌寶藏》，59/281B～285A。

1.1 BD03005號
1.3 四分比丘尼戒本
1.4 雲005
1.5 157:6979
2.1 （22.5+117+3）×25.5厘米；4紙；86行，行17字。

2.2　01：22.5＋12，21；　02：46.5，28；　03：46.5，28；
　04：12＋3，09。
2.3　卷軸裝。首尾均殘。首紙有殘洞，通卷下部有殘缺。有烏絲欄。已修整。
3.1　首14行中下殘→大正1431，22/1031C17～11。
3.2　尾2行上中殘→22/1033C25～A2。
8　8～9世紀。吐蕃統治時期寫本。
9.1　楷書。
9.2　有行間校加字。
11　圖版：《敦煌寶藏》，103/236A～237B。

1.1　BD03006號
1.3　大方廣佛華嚴經（晉譯六十卷本）卷五〇
1.4　雲006
1.5　001:0029
2.1　419.3×46.9厘米；9紙；249行，行17字。
2.2　01：47.0，28；　02：47.3，28；　03：47.4，28；
　04：47.2，28；　05：47.3，28；　06：47.0，28；
　07：47.3，28；　08：47.0，28；　09：41.8，25。
2.3　卷軸裝。首尾均脱。麻紙，未入潢。有烏絲欄。已修整。
3.1　首殘→大正278，9/713C7。
3.2　尾殘→9/716C3。
8　7～8世紀。唐寫本。
9.1　楷書。
11　圖版：《敦煌寶藏》，56/150B～156A。

1.1　BD03007號
1.3　妙法蓮華經卷二
1.4　雲07
1.5　105:4868
2.1　（8.2＋37.8＋4.8）×26.8厘米；2紙；30行，行17字。
2.2　01：8.2＋32.3，24；　02：5.5＋4.8，06。
2.3　卷軸裝。首尾均殘。經黄打紙。通卷殘碎。有烏絲欄。已修整。
3.1　首5行上下殘→大正262，9/11C23～12A3。
3.2　尾3行上下殘→9/12B4～7。
8　7～8世紀。唐寫本。
9.1　楷書。
11　圖版：《敦煌寶藏》，87/130A～B。

1.1　BD03008號
1.3　妙法蓮華經卷三
1.4　雲008
1.5　105:5168
2.1　（360.5＋6.4）×26.5厘米；8紙；208行，行17字。
2.2　01：48.2，28；　02：47.8，28；　03：47.6，28；
　04：47.7，27；　05：47.9，28；　06：45.2，26；
　07：47.1，27；　08：29＋6.4，16。
2.3　卷軸裝。首脱尾殘。有烏絲欄。
3.1　首殘→大正262，9/24A15。
3.2　尾全→9/27B9。
4.2　妙法蓮華經卷第三（尾）。
8　9～10世紀。歸義軍時期寫本。
9.1　楷書。
9.2　有刮改。
11　圖版：《敦煌寶藏》，81/298A～303A。

1.1　BD03009號
1.3　妙法蓮華經（兑廢稿）卷三
1.4　雲009
1.5　105:5037
2.1　（11＋226.5）×27.7厘米；5紙；132行，行17字。
2.2　01：11＋36.6，26；　02：47.6，29；　03：47.5，28；
　04：47.5，28；　05：47.3，21。
2.3　卷軸裝。首全尾脱。卷首上部殘損。尾紙有餘空。有烏絲欄。
3.1　首4行上殘→大正262，9/19A14～21。
3.2　尾缺→9/21A1。
4.1　□…□五，三（首）。
8　9～10世紀。歸義軍時期寫本。
9.1　楷書。
11　圖版：《敦煌寶藏》，88/350B～353B。

1.1　BD03010號
1.3　佛名經（二十卷本）卷一四
1.4　雲010
1.5　063:0736
2.1　（18.5＋152＋6）×26.5厘米；4紙；93行，行19字。
2.2　01：18.5＋28，24；　02：47.0，25；　03：47.0，25；
　04：30＋6，19。
2.3　卷軸裝。首全尾殘。首紙上下部殘缺嚴重，第3紙上下方有破裂。有烏絲欄。
3.4　説明：
　本文獻首全，尾3行中下殘。未為歷代大藏經所收。
4.1　佛説佛名經卷第十四（首）。
8　8～9世紀。吐蕃統治時期寫本。
9.1　楷書。
11　圖版：《敦煌寶藏》，61/671B～673B。

1.1　BD03011號
1.3　金光明最勝王經卷一
1.4　雲011
1.5　083:1481
2.1　（4.5＋288.7）×27.8厘米；7紙；179行，行17字。

2.2　01：4.5＋17.5，13；　02：45.2，28；　03：45.0，28；
04：45.0，28；　05：45.5，28；　06：45.5，28；
07：45.0，26。
2.3　卷軸裝。首殘尾全。上下邊有殘破。背有古代裱補。有烏絲欄。
3.1　首2行中殘→大正665，16/405C20～22。
3.2　尾全→16/408A28。
4.2　金光明最勝王經卷第一（尾）
5　尾附音義。
8　9～10世紀。歸義軍時期寫本。
9.1　楷書。
11　圖版：《敦煌寶藏》，68/67B～71A。

1.1　BD03012號
1.3　佛名經（十六卷本）卷一
1.4　雲012
1.5　061:0524
2.1　（51＋188）×31.9厘米；6紙；136行，行19字。
2.2　01：04.0，02；　02：47.0，26；　03：47.0，27；
04：47.0，27；　05：47.0，27；　06：47.0，27。
2.3　卷軸裝。首殘尾脫。第1、3紙上部殘損，接縫處有開裂。有烏絲欄。已修整。
3.1　首18行上下殘→《七寺古逸經典研究叢書》，3/第12頁第78行～第13頁第49行。
3.2　尾殘→《七寺古逸經典研究叢書》，3/第21頁第205行。
5　與七寺本對照，文字略有差異，計量三寶語的插放點不同。此外，本號和《佛名經》（十二卷本）可對應，參見大正440，14/114C～116A21。
8　9～10世紀。歸義軍時期寫本。
9.1　楷書。
11　圖版：《敦煌寶藏》，59/547B～550A。

1.1　BD03013號
1.3　金光明最勝王經卷六
1.4　雲013
1.5　083:1812
2.1　（47.7＋2）×25厘米；1紙；28行，行17字。
2.3　卷軸裝。首脫尾殘。背有古代裱補。有烏絲欄。
3.1　首殘→大正665，16/432A11。
3.2　尾殘→16/432B9。
8　9～10世紀。歸義軍時期寫本。
9.1　楷書。
11　圖版：《敦煌寶藏》，70/154。

1.1　BD03014號
1.3　大般涅槃經（北本　異卷）卷三七
1.4　雲014
1.5　115:6509
2.1　（6.5＋721.2）×26.2厘米；17紙；434行，行17字。
2.2　01：6.5＋35.5，26；　02：42.5，26；　03：42.4，26；
04：42.5，26；　05：42.5，26；　06：42.3，26；
07：42.5，26；　08：42.5，26；　09：42.5，26；
10：42.3，26；　11：42.4，26；　12：42.5，26；
13：41.0，25；　14：41.4，25；　15：42.0，26；
16：42.2，26；　17：52.2，20。
2.3　卷軸裝。首殘尾全。卷面殘破嚴重，卷中有殘洞。尾有原軸，兩端塗黑漆。背有古代裱補。有劃界欄針孔。有烏絲欄。
3.1　首4行下殘→大正374，12/581C12～16。
3.2　尾全→12/586C24。
4.2　大般涅槃經卷第卌七（尾）。
5　與《大正藏》本對照，分卷不同。經文相當於《大正藏》卷三十七迦葉菩薩品第十二之五至卷三十八迦葉菩薩品第十二之六。與其他諸藏分卷亦不同。
8　5～6世紀。南北朝寫本。
9.1　楷書。
9.2　有行間校加字。有重文符號。
11　圖版：《敦煌寶藏》，100/21B～31A。

1.1　BD03015號1
1.3　維摩詰所說經卷中
1.4　雲015
1.5　070:1136
2.1　710.5×27.5厘米；15紙；505行，行30～32字。
2.2　01：49.5，36；　02：49.5，36；　03：49.5，36；
04：49.5，36；　05：49.5，36；　06：49.5，36；
07：49.5，36；　08：49.5，36；　09：49.5，36；
10：49.5，36；　11：49.5，36；　12：49.5，36；
13：49.5，36；　14：49.5，36；　15：17.5，01。
2.3　卷軸裝。首脫尾全。卷面有破裂。有烏絲欄。
2.4　本遺書包括2個文獻：（一）《維摩詰所說經》卷中，241行，今編為BD03015號1。（二）《維摩詰所說經》卷下，264行，今編為BD03015號2。
3.1　首殘→大正475，14/546A14。
3.2　尾全→14/551C27。
4.2　維摩經卷中（尾）。
8　8～9世紀。吐蕃統治時期寫本。
9.1　楷書。
9.2　有刮改。
11　圖版：《敦煌寶藏》，65/404A～412A。

1.1　BD03015號2
1.3　維摩詰所說經卷下
1.4　雲015
1.5　070:1136

2.4　本遺書由 2 個文獻組成，本號為第 2 個，264 行。餘參見 BD03015 號 1 之第 2 項、第 11 項。
3.1　首全→大正 475，14/552A3。
3.2　尾全→14/557B26。
4.1　維摩詰經香積佛品第十，卷下（首）。
4.2　維摩詰經卷下（尾）。
5　與《大正藏》本對照，本號卷尾多"作禮而去"一句。
8　8～9 世紀。吐蕃統治時期寫本。
9.1　楷書。
9.2　有行間校加字。有刮改。
11　圖版：《敦煌寶藏》，65/404A～412A。

1.1　BD03016 號
1.3　妙法蓮華經卷二
1.4　雲 016
1.5　105:4761
2.1　739.5×25.2 厘米；16 紙；430 行，行 17 字。
2.2　01：46.2，28；　02：46.1，28；　03：46.1，28；
04：46.1，27；　05：46.2，28；　06：46.3，28；
07：46.2，28；　08：46.2，28；　09：46.2，28；
10：46.1，28；　11：46.3，28；　12：46.3，28；
13：46.3，27；　14：46.4，26；　15：46.3，25；
16：46.2，17。
2.3　卷軸裝。首脫尾全。經黃打紙。尾紙末端略有殘損。有烏絲欄。
3.1　首殘→大正 262，9/13A7。
3.2　尾全→9/19A12。
4.2　妙法蓮華經卷第二（尾）。
8　7～8 世紀。唐寫本。
9.1　楷書。
11　圖版：《敦煌寶藏》，86/382A～391B。

1.1　BD03017 號
1.3　大般涅槃經（北本）卷二〇
1.4　雲 017
1.5　115:6410
2.1　（6.5＋643.7）×25.5 厘米；13 紙；388 行，行 17 字。
2.2　01：6.5＋32.5，24；　02：51.0，31；　03：51.0，31；
04：51.3，31；　05：51.5，31；　06：51.3，31；
07：51.3，31；　08：51.4，31；　09：51.4，31；
10：51.4，31；　11：51.4，31；　12：51.2，31；
13：47.0，23。
2.3　卷軸裝。首殘尾全。首紙殘破嚴重，第 2、3 紙上方有破裂，卷下邊有等距離黴斑。尾有原軸，兩端塗黑漆，頂端點硃漆。有烏絲欄。
3.1　首 4 行下殘→大正 374，12/481B5～9。
3.2　尾全→12/486A13。
4.2　大般涅槃經卷第廿（尾）。
8　5～6 世紀。南北朝寫本。
9.1　楷書。
11　圖版：《敦煌寶藏》，99/33B～42A。

1.1　BD03018 號
1.3　大乘稻芊經隨聽疏
1.4　雲 018
1.5　059:0490
2.1　352.7×30.5 厘米；8 紙；217 行，行 33 字。
2.2　01：45.0，27；　02：48.5，31；　03：48.5，30；
04：48.2，30；　05：49.0，30；　06：49.0，31；
07：49.0，31；　08：15.5，07。
2.3　卷軸裝。首脫尾全。有烏絲欄。
3.1　首殘→大正 2782，85/545C21。
3.2　尾殘→85/551B21。
7.1　卷尾有硃筆勘記"了"。
8　8～9 世紀。吐蕃統治時期寫本。
9.1　行楷。
9.2　有倒乙符號。
11　圖版：《敦煌寶藏》，59/333A～337A。

1.1　BD03019 號
1.3　七階佛名經
1.4　雲 019
1.5　305:8312
2.1　（98.6＋2）×26.4 厘米；3 紙；58 行，行 17 字。
2.2　01：31.2，18；　02：48.0，28；　03：19.4＋2，12。
2.3　卷軸裝。首斷尾殘。經黃紙。卷面多處橫向破裂，第 2 紙原已斷爲兩截，已綴接。背有古代裱補。有烏絲欄。
3.4　說明：
本文獻首殘，尾行下殘。為中國人編纂的禮懺文獻，形態較爲複雜。未為歷代大藏經所收。
8　7～8 世紀。唐寫本。
9.1　楷書。
11　圖版：《敦煌寶藏》，109/615B～616B。

1.1　BD03020 號
1.3　金光明最勝王經卷六
1.4　雲 020
1.5　083:1766
2.1　696.2×26 厘米；16 紙；414 行，行 17 字。
2.2　01：19.7，12；　02：45.2，28；　03：45.2，28；
04：45.4，28；　05：45.1，28；　06：45.3，28；
07：45.2，28；　08：45.2，28；　09：45.3，28；
10：45.3，28；　11：45.1，28；　12：45.3，28；
13：45.3，28；　14：44.7，28；　15：44.6，28；

16：44.3，10。
2.3　卷軸裝。首斷尾全。有烏絲欄。
3.1　首殘→大正 665，16/427C3。
3.2　尾全→16/432C10。
4.2　金光明經卷第六（尾）。
5　尾附音義。
7.3　背有雜寫"大"字。
8　8～9 世紀。吐蕃統治時期寫本。
9.1　楷書。
9.2　有刮改。
11　圖版：《敦煌寶藏》，69/658B～667B。

1.1　BD03021 號
1.3　大佛頂如來密因修證了義諸菩薩萬行首楞嚴經卷一〇
1.4　雲 021
1.5　237:7427
2.1　（4.2+515.4）×25.2 厘米；13 紙；304 行，行 17 字。
2.2　01：04.2，02；　02：40.4，25；　03：40.8，25；
04：42.9，23；　05：40.0，25；　06：38.9，24；
07：46.6，29；　08：47.2，29；　09：47.2，29；
10：47.3，29；　11：47.2，29；　12：46.2，28；
13：30.7，07。
2.3　卷軸裝。首殘尾全。卷面有破裂殘損，有殘洞，接縫處有開裂。背有古代裱補。有烏絲欄。
3.1　首 2 行中下殘→大正 945，19/151C18～21。
3.2　尾全→19/155B4。
4.2　大佛頂萬行首楞嚴經卷第十（尾）。
8　9～10 世紀。歸義軍時期寫本。
9.1　楷書。
11　圖版：《敦煌寶藏》，106/224A～231A。

1.1　BD03022 號
1.3　妙法蓮華經（八卷本）卷七
1.4　雲 022
1.5　105:5779
2.1　838.6×26 厘米；22 紙；457 行，行 17 字。
2.2　01：03.5，02；　02：39.5，22；　03：39.7，22；
04：39.5，22；　05：39.7，22；　06：39.7，22；
07：39.5，22；　08：39.7，22；　09：39.7，22；
10：40.0，22；　11：39.7，22；　12：40.0，22；
13：39.7，22；　14：39.7，22；　15：40.0，22；
16：40.0，22；　17：39.7，22；　18：40.0，22；
19：39.8，22；　20：40.0，22；　21：40.0，22；
22：39.5，15。
2.3　卷軸裝。首殘尾全。有燕尾。有烏絲欄。
3.1　首 2 行下殘→大正 262，9/50C13～15。
3.2　尾全→9/56C1。
4.2　妙法蓮華經卷第七（尾）。
5　與《大正藏》本對照，分卷不同。本卷相當於《大正藏》本經卷第六常不輕菩薩品第二十起至卷第七妙音菩薩品第二十四，為八卷本。
8　7～8 世紀。唐寫本。
9.1　楷書。
11　圖版：《敦煌寶藏》，95/15A～26B。

1.1　BD03023 號
1.3　長爪梵志請問經
1.4　雲 023
1.5　138:6663
2.1　108.6×26 厘米；3 紙；59 行，行 17 字。
2.2　01：40.0，24；　02：42.0，25；　03：26.6，10。
2.3　卷軸裝。首尾均全。首紙斷爲兩截。有燕尾。有烏絲欄。
3.1　首全→大正 584，14/968A8。
3.2　尾全→14/968C20。
4.1　長爪梵志請問經一卷，三藏法師義淨奉制譯（首）。
4.2　長爪梵志請問經（尾）。
8　8 世紀。唐寫本。
9.1　楷書。
11　圖版：《敦煌寶藏》，101/105B～106B。

1.1　BD03024 號
1.3　八相變
1.4　雲 024
1.5　361:8437
2.1　673×29.5 厘米；18 紙；290 行，行 17 字。
2.2　01：37.5，護首；　02：42.0，26；　03：42.0，24；
04：42.5，20；　05：42.0，20；　06：25.0，11；
07：40.0，17；　08：29.0，14；　09：30.0，15；
10：43.0，22；　11：42.5，23；　12：42.0，22；
13：13.0，06；　14：33.0，14；　15：43.0，18；
16：42.5，18；　17：42.0，17；　18：42.0，03。
2.3　卷軸裝。首尾均全。有護首，首端裝芨芨草天竿，護首上有經名。卷中下邊有破裂。有折疊欄。
3.1　首全→《敦煌變文集》，第 329 頁第 2 行。
3.2　尾全→《敦煌變文集》，第 342 頁第 7 行。
7.4　護首有經名"八相變"。
8　9～10 世紀。歸義軍時期寫本。
9.1　行楷。
9.2　有硃筆斷句、間隔、重文符號。有墨筆塗抹及行間校加字。
11　圖版：《敦煌寶藏》，110/317A～325A。

1.1　BD03025 號
1.3　大般涅槃經（北本　異卷）卷二九
1.4　雲 025

1.5　115:6472
2.1　(17+178.8)×25.2厘米；7紙；126行，行17字。
2.2　01：02.0，01；　02：15+20，23；　03：35.7，23；
04：35.7，23；　05：35.7，23；　06：35.7，23；
07：16.0，10。
2.3　卷軸裝。首尾均殘。卷首殘破嚴重。上邊有等距離殘缺。有劃界欄針孔。有烏絲欄。
3.1　首11行上殘→大正374，12/534C2～12。
3.2　尾殘→12/536A29。
5　與《大正藏》本對照，分卷不同。經文相當於《大正藏》卷第二十八師子吼菩薩品第十一之二至卷第二十九師子吼菩薩品第十二之三。因本號可與BD03027號綴接，而BD03027號有尾題，由此可知本號與歷代其他藏經分卷均不同。在此依據BD03027號判定本號卷次。
6.2　尾→BD03027號。
8　5～6世紀。南北朝寫本。
9.1　隸書。
11　圖版：《敦煌寶藏》，99/388A～390B。

1.1　BD03026號
1.3　大智度論鈔（擬）
1.4　雲026
1.5　218:7286
2.1　(10.5+503+1.5)×26厘米；13紙；292行，行17字。
2.2　01：10.5+17.5，16；　02：44.0，25；　03：44.0，25；
04：44.0，25；　05：44.0，25；　06：44.0，25；
07：44.0，25；　08：44.0，25；　09：44.0，25；
10：44.0，25；　11：44.0，25；　12：44.0，25；
13：01.5，01。
2.3　卷軸裝。首尾均殘。前9紙下部有等距離殘洞，第6紙上下全斷開，卷尾上方破裂。有烏絲欄。
3.4　說明：
本文獻首6行中下殘，尾殘。抄寫《大智度論》7段文字，詳情如下：
①第1行～第59行（卷五一）
首→25/423C15；
尾→25/424B17。
②第61行～第76行（卷五一）
首→25/425A15；
尾→25/425B2。
③第76行～第148行（卷五一）
首→25/426B14；
尾→25/427B4。
④第149行～第182行（卷五一）
首→25/427C20；
尾→25/428A27。
⑤第182行～第222行（卷五一）
首→25/429A3；
尾→25/429B17。
⑥第224行～第245行（卷五二）
首→25/430A8；
尾→25/430B1。
⑦第247行～第295行（卷五二）
首→25/431B4；
尾→25/431C26。
5　與《大正藏》對照，本件卷品序品的名稱不同。
8　6～7世紀。隋寫本。
9.1　楷書。
11　圖版：《敦煌寶藏》，105/322B～329A。

1.1　BD03027號
1.3　大般涅槃經（北本　異卷）卷二九
1.4　雲027
1.5　115:6481
2.1　(1.5+623.8)×25.5厘米；18紙；386行，行17字。
2.2　01：1.5+18.5，13；　02：36.0，22；　03：36.0，22；
04：36.2，23；　05：36.2，23；　06：36.2，23；
07：36.2，23；　08：33.0，21；　09：36.0，23；
10：36.0，23；　11：36.0，23；　12：34.5，22；
13：36.0，23；　14：36.0，23；　15：36.0，23；
16：36.0，23；　17：36.0，23；　18：33.0，10。
2.3　卷軸裝。首殘尾全。卷中部有橫裂，第10紙上方破裂。尾有原軸，兩端塗黑漆，頂端點硃漆。有劃界欄針孔。有烏絲欄。
3.1　首1行中殘→大正374，12/536A29。
3.2　尾全→12/540C14。
4.2　大般涅槃經卷第廿九（尾）。
5　與《大正藏》本對照，分卷不同。與歷代諸藏均不同。
6.1　首→BD03025號。
8　5～6世紀。南北朝寫本。
9.1　隸楷。
9.2　有重文符號。
11　圖版：《敦煌寶藏》，99/454A～462A。

1.1　BD03028號
1.3　金剛般若波羅蜜經
1.4　雲028
1.5　094:3662
2.1　(1.5+415.6)×26厘米；11紙；284行，行17字。
2.2　01：01.5，01；　02：42.0，29；　03：42.7，29；
04：42.0，29；　05：41.5，29；　06：41.6，29；
07：41.8，29；　08：41.8，29；　09：40.7，29；
10：41.0，29；　11：40.5，22。
2.3　卷軸裝。首殘尾全。經黃紙。第10紙有橫裂。有烏絲欄。
3.1　首行上、下殘→大正235，8/749A16～17。

3.2　尾全→8/752C3。
4.2　金剛般若波羅蜜經（尾）。
8　7～8 世紀。唐寫本。
9.1　楷書。
11　圖版：《敦煌寶藏》，79/400B～405B。

1.1　BD03029 號
1.3　妙法蓮華經卷三
1.4　雲 029
1.5　105:5062
2.1　（6.8＋107.9）×25.2 厘米；3 紙；69 行，行 17 字。
2.2　01：6.8＋14.7，13；　02：46.7，28；　03：46.5，28。
2.3　卷軸裝。首殘尾脱。經黄紙。第 2 紙前方撕爲 2 段。有烏絲欄。
3.1　首 4 行上下殘→大正 262，9/19B2～6。
3.2　尾殘→9/20A23。
8　7～8 世紀。唐寫本。
9.1　楷書。
11　圖版：《敦煌寶藏》，88/413B～415A。

1.1　BD03030 號
1.3　金光明最勝王經卷六
1.4　雲 030
1.5　083:1767
2.1　（5＋612.8）×28 厘米；13 紙；403 行，行 17 字。
2.2　01：5＋10.7，10；　02：50.2，35；　03：50.5，35；
04：50.2，34；　05：50.4，35；　06：50.3，34；
07：50.4，34；　08：50.2，33；　09：50.2，32；
10：50.2，34；　11：50.0，34；　12：50.0，34；
13：49.5，19。
2.3　卷軸裝。首殘尾全。卷尾有蟲繭。有燕尾。背有古代裱補。有烏絲欄。
3.1　首 3 行中下殘→大正 665，16/427C13～16。
3.2　尾全→16/432C10。
4.2　金光明經卷第六（尾）。
8　9～10 世紀。歸義軍時期寫本。
9.1　楷書。
11　圖版：《敦煌寶藏》，69/668A～675B。

1.1　BD03031 號
1.3　金光明最勝王經卷六
1.4　雲 031
1.5　083:1788
2.1　（2.5＋262.9＋11.5）×26 厘米；8 紙；157 行，行 17 字。
2.2　01：2.5＋9，6；　02：44.0，25；　03：42.4，24；
04：44.4，25；　05：44.3，25；　06：44.1，25；
07：34.7＋9，25；　08：03.5，02。
2.3　卷軸裝。首尾均殘。經黄紙。通卷有水漬。有烏絲欄。
3.1　首行上下殘→大正 665，16/429A26～27。
3.2　尾 8 行下殘→16/431A11～17。
8　9～10 世紀。歸義軍時期寫本。
9.1　楷書。
9.2　有行間校加字。
11　圖版：《敦煌寶藏》，70/88B～92A。

1.1　BD03032 號
1.3　大般若波羅蜜多經卷九一
1.4　雲 032
1.5　084:2256
2.1　（8＋454.9＋9）×26.6 厘米；12 紙；267 行，行 17 字。
2.2　01：8＋17.5，14；　02：42.5，24；　03：42.3，24；
04：42.0，24；　05：42.3，24；　06：42.3，24；
07：42.0，24；　08：42.0，24；　09：42.0，24；
10：42.0，24；　11：42.0，24；　12：16＋9，13。
2.3　卷軸裝。首尾均殘。經黄打紙，研光上蠟。首紙有破裂，第 10 紙下邊有破裂。有烏絲欄。
3.1　首 4 行下殘→大正 220，5/505A7～11。
3.2　尾 4 行下殘→5/508A7～10。
8　7～8 世紀。唐寫本。
9.1　楷書。
11　圖版：《敦煌寶藏》，72/448A～454A。

1.1　BD03033 號
1.3　金光明最勝王經卷八
1.4　雲 033
1.5　083:1865
2.1　（7.5＋641.2）×26.5 厘米；14 紙；379 行，行 17 字。
2.2　01：7.5＋25.5，19；　02：47.7，28；　03：47.5，28；
04：47.6，28；　05：47.7，28；　06：47.8，28；
07：47.7，28；　08：47.8，28；　09：47.7，28；
10：47.5，28；　11：47.3，28；　12：47.0，28；
13：46.7，28；　14：45.7，24。
2.3　卷軸裝。首殘尾全。首紙斷爲兩截，全卷多處破裂，卷尾殘破嚴重。背有古代裱補，裱補紙上有字，因與卷背相粘，文不可讀。有烏絲欄。
3.1　首 4 行下殘→大正 665，16/438B3～10。
3.2　尾全→16/444A9。
4.2　金光明最勝王經卷第八（尾）。
5　尾附音義。
8　9～10 世紀。歸義軍時期寫本。
9.1　楷書。
11　圖版：《敦煌寶藏》，70/415A～423A。

1.1　BD03034 號

1.3　無量壽宗要經
1.4　雲 034
1.5　275: 8005
2.1　(14.5 +135.5) ×31.5 厘米；4 紙；102 行，行 30 餘字。
2.2　01：14.5 +11.5，18；　02：42.5，29；　03：42.5，29；
04：39.0，26。
2.3　卷軸裝。首殘尾全。首紙右上殘缺。尾有蟲繭。有烏絲欄。
3.1　首 10 行上下殘→大正 936，19/82C26 ~83A11。
3.2　尾全→19/84C29。
4.2　佛說無量壽宗要經（尾）。
8　8 ~9 世紀。吐蕃統治時期寫本。
9.1　行楷。
9.2　有行間校加字。
11　圖版：《敦煌寶藏》，108/497A ~498B。

1.1　BD03035 號
1.3　妙法蓮華經（偽造）卷七
1.4　雲 035
1.5　105: 5988
2.1　188.1 ×27.1 厘米；2 紙；108 行，行 17 ~19 字。
2.2　01：77.7，40；　02：110.4，68。
2.3　卷軸裝。首尾均殘。紙張不見帘紋，通卷焦脆碎裂嚴重，變爲灰黑色。有烏絲欄。上邊高 3.6 厘米，下邊高 3.9 厘米。行寬 1.45 厘米 ~2.6 厘米。已修整，並通卷拓裱，以資研究。
3.1　首殘→大正 262，9/56C6。
3.2　尾殘→9/58A27。
3.4　說明：

紙張、行款、字體、抄寫方式、通卷風格等，均與敦煌遺書不符，為近代人偽造。

在《敦煌石室經卷總目》中，本號著錄為“法華”，首字為“百一”，尾字為“發心”。長度用蘇州碼子著錄為 5 尺 4 寸，又改爲 5 尺 7 寸，並鈐“復查”印。陳垣《敦煌劫餘錄》著錄為 2 紙 108 行，首字為“百千、一心”，尾字為“皆發、提心”。並備註曰：“尾二行碎損。字體八分。”由此可知民國七年（1918）十月，此件尚存。至陳垣編目時已經被人偷換。

8　20 世紀。近代寫本。
9.1　隸書。
9.2　有點刪符號。有校改字。但與敦煌遺書之點刪符號、校改方式不符。
11　圖版：《敦煌寶藏》，96/269A ~271A。

1.1　BD03036 號
1.3　金剛般若波羅蜜經
1.4　雲 036
1.5　094: 4320
2.1　137.3 ×26.2 厘米；3 紙；82 行，行 17 字。
2.2　01：46.0，28；　02：45.8，28；　03：45.5，26。
2.3　卷軸裝。首脫尾全。經黄紙。斷成 4 截。背有古代裱補。有烏絲欄。
3.1　首殘→大正 235，8/751B25。
3.2　尾全→8/752C3。
4.2　金剛般若波羅蜜經（尾）。
5　與《大正藏》本對照，本卷無冥司偈，文見大正 235，8/751C16 ~C19。
7.1　尾題下有題記“弟子優婆夷李”。
8　7 ~8 世紀。唐寫本。
9.1　楷書。
11　圖版：《敦煌寶藏》，82/647B ~649A。

1.1　BD03037 號
1.3　妙法蓮華經卷四
1.4　雲 037
1.5　105: 5410
2.1　240.8 ×25.9 厘米；4 紙；112 行，行 17 字。
2.2　01：60.0，28；　02：60.4，28；　03：60.2，28；
04：60.2，28。
2.3　卷軸裝。首脫尾殘。经黄纸。首紙有殘洞及上開裂，第 2、3 紙接縫處下開裂。有烏絲欄。
3.1　首殘→大正 262，9/34C29。
3.2　尾殘→9/36B4。
8　7 ~8 世紀。唐寫本。
9.1　楷書。
11　圖版：《敦煌寶藏》，91/416B ~419A。

1.1　BD03038 號 A
1.3　金光明最勝王經（兌廢稿）卷八
1.4　雲 038
1.5　404: 8550
2.1　(26.8 +17) ×27 厘米；1 紙；50 行，行 20 字。
2.3　卷軸裝。首尾均脫。通卷碎損嚴重。尾有餘空。有烏絲欄。
3.1　首 17 行上殘→大正 665，16/442C28。
3.2　尾殘→16/443B23。
8　8 ~9 世紀。吐蕃統治時期寫本。
9.1　楷書。
11　圖版：《敦煌寶藏》，110/567A ~564B。

1.1　BD03038 號 B
1.3　金光明最勝王經（兌廢稿）卷二
1.4　雲 038
1.5　404: 8550
2.1　43.7 ×27.4 厘米；1 紙；24 行，行 17 字。
3.1　首殘→大正 665，16/410B9。
3.2　尾殘→16/410C6。
8　8 ~9 世紀。吐蕃統治時期寫本。

9.1　楷書。上邊有一“兌”字。

1.1　BD03039 號
1.3　五千五百佛名神咒除障滅罪經卷三
1.4　雲 039
1.5　067:0844
2.1　(1+380.8)×26.5 厘米；9 紙；228 行，行 17 字。
2.2　01：1+5.5，4；　02：46.5，28；　03：46.8，28；
04：47.0，28；　05：47.0，28；　06：47.0，28；
07：47.0，28；　08：47.0，28；　09：47.0，28。
2.3　卷軸裝。首殘尾脱。打紙。第 2 紙上有殘洞，接縫處有開裂。有烏絲欄。
3.1　首 1 行上殘→大正 443，14/328A3。
3.2　尾殘→14/330C2。
8　7~8 世紀。唐寫本。
9.1　楷書。
11　圖版：《敦煌寶藏》，63/16B~21A。

1.1　BD03040 號
1.3　妙法蓮華經卷三
1.4　雲 040
1.5　105:5045
2.1　241.9×25.8 厘米；5 紙；127 行，行 16~19 字。
2.2　01：49.2，26；　02：48.8，27；　03：49.2，25；
04：48.2，24；　05：46.5，25。
2.3　卷軸裝。首尾均脱。首紙前端下邊脱落殘損一塊，第 4 紙下部殘損脱落一塊。有烏絲欄。
3.1　首行殘→大正 262，9/19C15~16。
3.2　尾殘→9/21B29。
8　9~10 世紀。歸義軍時期寫本。
9.1　楷書。
11　圖版：《敦煌寶藏》，88/377A~380B。

1.1　BD03041 號
1.3　藥師琉璃光如來本願功德經
1.4　雲 041
1.5　030:0301
2.1　229×26 厘米；5 紙；139 行，行 17 字。
2.2　01：46.0，28；　02：46.0，28；　03：46.5，28；
04：45.5，28；　05：45.0，27。
2.3　卷軸裝。首脱尾全。經黄打紙。接縫處有開裂。尾有原軸，兩端軸頭已脱落。有烏絲欄。
3.1　首殘→大正 450，14/406C13。
3.2　尾全→14/408B24。
4.2　藥師經（尾）。
7.3　第 2 紙背有雜寫“須菩提若菩”。
8　7~8 世紀。唐寫本。
9.1　楷書。
11　圖版：《敦煌寶藏》，57/673B~676B。

1.1　BD03042 號
1.3　灌頂隨願往生十方淨土經
1.4　雲 042
1.5　249:7472
2.1　(1.4+466)×25.6 厘米；11 紙；284 行，行 17 字。
2.2　01：1.4+39.1，25；　02：45.8，28；　03：45.8，28；
04：45.9，28；　05：45.8，28；　06：45.9，28；
07：45.9，28；　08：45.8，28；　09：46.0，28；
10：45.8，28；　11：14.2，07。
2.3　卷軸裝。首殘尾全。經黄打紙，研光上蠟。卷首有殘損，有等距離殘洞。卷背有古代裱補。有烏絲欄。
3.1　首行殘→大正 1331，21/528C27。
3.2　尾全→21/532B3。
4.2　佛說普廣菩薩所問十方淨土隨願往生經（尾）。
8　7~8 世紀。唐寫本。
9.1　楷書。
11　圖版：《敦煌寶藏》，106/362B~368B。

1.1　BD03043 號
1.3　金剛般若波羅蜜經
1.4　雲 043
1.5　094:3644
2.1　489.4×26 厘米；13 紙；294 行，行 17 字。
2.2　01：43.0，28；　02：43.4，28；　03：43.5，28；
04：43.5，28；　05：43.5，28；　06：38.0，24；
07：38.0，24；　08：38.0，24；　09：38.0，24；
10：21.0，11；　11：41.0，22；　12：41.0，24；
13：17.5，01。
2.3　卷軸裝。首脱尾全。卷後 4 紙與前 9 紙紙質不同，前 4 紙為未入潢麻紙，後 9 紙甚薄。有烏絲欄。
3.1　首殘→大正 235，8/749A15。
3.2　尾全→8/752C3。
4.2　金剛般若羅蜜經（尾）。
8　9~10 世紀。歸義軍時期寫本。
9.1　楷書。
9.2　有行間校加字。
11　圖版：《敦煌寶藏》，79/315A~321A。

1.1　BD03044 號
1.3　妙法蓮華經卷四
1.4　雲 044
1.5　105:5232
2.1　(5.5+1097.2)×25 厘米；23 紙；610 行，行 17 字。
2.2　01：05.5，06；　02：49.5，28；　03：50.3，28；

04：50.3，28；　05：50.5，28；　06：50.5，28；
07：50.5，28；　08：50.5，28；　09：50.5，28；
10：50.4，28；　11：50.3，28；　12：50.5，28；
13：50.5，28；　14：50.5，28；　15：50.5，28；
16：51.0，28；　17：51.0，28；　18：51.0，28；
19：51.2，28；　20：51.0，28；　21：51.0，28；
22：51.2，28；　23：34.5，16。
2.3　卷軸裝。首殘尾全。經黄打紙。卷首殘破，接縫處有開裂。背有古代裱補。有烏絲欄。
3.1　首3行上殘→大正262，9/28A10～13。
3.2　尾全→9/37A2。
4.2　妙法蓮華經卷第四（尾）。
8　7～8世紀。唐寫本。
9.1　楷書。
9.2　有刮改。
11　圖版：《敦煌寶藏》，90/125A～140B。

1.1　BD03045號
1.3　妙法蓮華經卷二
1.4　雲045
1.5　105:4820
2.1　（11＋116.3）×24.9厘米；3紙；77行，行17字。
2.2　01：11＋23.2，21；　02：46.7，28；　03：46.4，28。
2.3　卷軸裝。首殘尾脱。經黄打紙。接縫處有開裂。有烏絲欄。
3.1　首7行上下殘→大正262，9/10C5～12。
3.2　尾殘→9/12A1。
6.2　尾→BD03047號。
8　7～8世紀。唐寫本。
9.1　楷書。
11　圖版：《敦煌寶藏》，87/10B～12A。

1.1　BD03046號
1.3　大般涅槃經（北本）卷九
1.4　雲046
1.5　115:6336
2.1　（1.5＋407.7＋10）×27.4厘米；10紙；239行，行22字。
2.2　01：1.5＋18.5，11；　02：44.5，25；　03：45.0，25；
04：45.0，26；　05：44.8，26；　06：45.0，25；
07：45.4，25；　08：45.0，27；　09：45.0，26；
10：29.5＋10，23。
2.3　卷軸裝。首尾均殘。上邊碎損，卷面有破裂，多有斑點。有烏絲欄。
3.1　首殘→大正374，12/418A26。
3.2　尾5行中下殘→12/421C23～28。
7.3　首紙背有雜寫3處："阿毗達磨大毗婆沙論卷第五十一"；"大毗婆沙論第一卷"，上有經名號；"金"，上有經名號。
8　8世紀。唐寫本。
9.1　楷書。
9.2　有行間校加字。
11　圖版：《敦煌寶藏》，98/251A～256B。

1.1　BD03047號
1.3　妙法蓮華經卷二
1.4　雲047
1.5　105:4743
2.1　856.4×25.2厘米；19紙；511行，行17字。
2.2　01：46.9，28；　02：46.5，28；　03：46.6，28；
04：46.6，28；　05：46.5，28；　06：46.7，28；
07：46.6，28；　08：46.7，28；　09：46.6，28；
10：46.7，28；　11：46.6，28；　12：46.9，28；
13：46.7，28；　14：46.7，28；　15：46.6，28；
16：46.7，28；　17：46.7，28；　18：46.6，28；
19：16.5，07。
2.3　卷軸裝。首脱尾全。經黄打紙。接縫處有開裂，尾紙末端有殘損。有燕尾。有烏絲欄。
3.1　首殘→大正262，9/12A2。
3.2　尾全→9/19A12。
4.2　妙法蓮華經卷第二（尾）。
6.1　首→BD03045號。
8　7～8世紀。唐寫本。
9.1　楷書。
11　圖版：《敦煌寶藏》，85/179A～190B。

1.1　BD03048號
1.3　金光明最勝王經卷六
1.4　雲048
1.5　083:1761
2.1　（8.5＋718.2）×25厘米；16紙；425行，行17字。
2.2　01：8.5＋29.5，23；　02：47.0，28；　03：47.0，28；
04：47.1，28；　05：47.1，28；　06：47.3，28；
07：47.2，28；　08：47.0，28；　09：47.3，28；
10：47.1，28；　11：47.1，28；　12：47.0，28；
13：42.5，27；　14：42.8，27；　15：42.7，27；
16：42.5，13。
2.3　卷軸裝。首尾均全。卷首殘破嚴重，下邊殘缺，脱落一塊殘片，可以綴接。背有古代裱補，紙上有字，向内粘貼，難以辨認。有燕尾。有烏絲欄。
3.1　首5行下殘→大正665，16/427B16～24。
3.2　尾全→16/432C10。
4.1　金光明最勝王經四天王護國品□…□（首）。
4.2　金光明最勝王經卷第六（尾）。
7.3　卷背有"金光明勝王經四天王護國品第十二"、"大王司空萬萬歲"、"大王司空"、"康單晡、裴略忠"、"大王"、"金光明"、"李"、"王子婇女眷屬生慈心"等多處雜寫。

8　8～9 世紀。吐蕃統治時期寫本。
9.1　楷書。
9.2　有刮改。
11　圖版:《敦煌寶藏》, 69/619A～628A。

1.1　BD03049 號
1.3　大佛頂如來密因修證了義諸菩薩萬行首楞嚴經卷二
1.4　雲 049
1.5　237:7394
2.1　(6.4＋167.6)×27 厘米; 4 紙; 99 行, 行 17 字。
2.2　01: 6.4＋19.6, 15;　02: 49.4, 28;　03: 49.4, 28;　04: 49.2, 28。
2.3　卷軸裝。首殘尾脱。通卷黴爛殘損嚴重。有烏絲欄。已修整。
3.1　首 4 行上殘→大正 945, 19/111B24～27。
3.2　尾殘→19/112C7。
8　9～10 世紀。歸義軍時期寫本。
9.1　楷書。
11　圖版:《敦煌寶藏》, 106/57B～59B。

1.1　BD03050 號
1.3　大佛頂如來密因修證了義諸菩薩萬行首楞嚴經卷二
1.4　雲 050
1.5　237:7395
2.1　245.3×27 厘米; 5 紙; 140 行, 行 17 字。
2.2　01: 49.0, 28;　02: 49.0, 28;　03: 49.3, 28;　04: 49.0, 28;　05: 49.0, 28。
2.3　卷軸裝。首尾均脱。卷面破損較嚴重。有烏絲欄。已修整。加配《趙城金藏》木軸。
3.1　首殘→大正 945, 19/112C7。
3.2　尾殘→19/114B2。
8　9～10 世紀。歸義軍時期寫本。
9.1　楷書。
9.2　有行間加行。
11　圖版:《敦煌寶藏》, 106/60A～63A。前數拍圖版次序有誤。

1.1　BD03051 號
1.3　維摩詰所説經卷上
1.4　雲 051
1.5　70:989
2.1　(5＋135)×26 厘米; 3 紙; 78 行, 行 17 字。
2.2　01: 5＋34.5, 22;　02: 50.0, 28;　03: 50.5, 28。
2.3　卷軸裝。首殘尾脱。首紙中下部殘破。有烏絲欄。已修整。
3.1　首 3 行中下殘→大正 475, 14/541B17～20。
3.2　尾殘→14/542B14。
8　8～9 世紀。吐蕃統治時期寫本。
9.1　楷書。
11　圖版:《敦煌寶藏》, 64/282A～284A。

1.1　BD03052 號
1.3　維摩詰所説經卷中
1.4　雲 052
1.5　070:1095
2.1　(1.5＋380.5)×25 厘米; 8 紙; 210 行, 行 17 字。
2.2　01: 1.5＋23.5, 14;　02: 51.0, 28;　03: 51.0, 28;　04: 51.0, 28;　05: 51.0, 28;　06: 51.0, 28;　07: 51.0, 28;　08: 51.0, 28。
2.3　卷軸裝。首殘尾脱。經黄打紙。有烏絲欄。
3.1　首行殘→大正 475, 14/545A13～14。
3.2　尾殘→14/547C8。
8　7～8 世紀。唐寫本。
9.1　行楷書。
9.2　有硃筆斷句、行間校加字。
11　圖版:《敦煌寶藏》, 65/308B～313B。

1.1　BD03053 號
1.3　妙法蓮華經卷四
1.4　雲 053
1.5　105:5218
2.1　(3＋1066.5)×26 厘米; 23 紙; 632 行, 行 17 字。
2.2　01: 3＋43, 27;　02: 46.5, 28;　03: 46.0, 28;　04: 46.0, 28;　05: 46.5, 28;　06: 46.0, 28;　07: 46.0, 28;　08: 46.0, 28;　09: 46.0, 28;　10: 46.0, 28;　11: 46.0, 28;　12: 46.5, 28;　13: 46.5, 28;　14: 47.0, 28;　15: 47.0, 28;　16: 47.0, 28;　17: 47.0, 28;　18: 47.0, 28;　19: 47.0, 28;　20: 47.0, 28;　21: 47.0, 28;　22: 47.0, 28;　23: 46.5, 17。
2.3　卷軸裝。首殘尾全。卷首下邊多處殘破。有烏絲欄。
3.1　首 2 行上下殘→大正 262, 9/27C16～17。
3.2　尾全→9/37A2。
4.2　妙法蓮華經卷第四(尾)。
8　9～10 世紀。歸義軍時期寫本。
9.1　楷書。
11　圖版:《敦煌寶藏》, 89/573B～590A。

1.1　BD03054 號
1.3　大般涅槃經(北本　異卷)卷三七
1.4　雲 054
1.5　115:6510
2.1　646.4×26 厘米; 14 紙; 363 行, 行 17 字。
2.2　01: 07.5, 04;　02: 50.0, 28;　03: 49.8, 28;　04: 49.8, 28;　05: 49.6, 28;　06: 50.0, 28;

07：50.0，28；　08：50.0，28；　09：49.8，28；
10：49.6，28；　11：50.0，28；　12：50.0，28；
13：49.8，28；　14：40.5，23。
2.3　卷軸裝。首尾均殘。第2紙上下方殘破，第7紙上方破裂，卷尾殘破嚴重。有烏絲欄。
3.1　首殘→大正374，12/582A12。
3.2　尾3行上殘→12/586B9~12。
5　與《大正藏》本對照，分卷不同。經文相當於《大正藏》卷三十七迦葉菩薩品第十二之五至卷三十八迦葉菩薩品第十二之六。與歷代諸藏分卷均不同。在此暫按日本宮內寮本定為卷三七。
8　5~6世紀。南北朝寫本。
9.1　楷書。
9.2　有倒乙符號。
11　圖版：《敦煌寶藏》，100/31B~40A。

1.1　BD03055號
1.3　七階佛名經
1.4　雲055
1.5　305:8313
2.1　(208+1)×27厘米；5紙；139行，行18字。
2.2　01：44.5，30；　02：44.5，30；　03：45.0，30；
04：45.0，28；　05：29+1，21。
2.3　卷軸裝。首脫尾殘。卷面有破裂，有鳥糞污漬。背有古代裱補。有烏絲欄。
3.4　說明：
本文獻首殘，尾1行上下殘。為中國人編纂的禮懺文獻，形態較爲複雜。未為歷代大藏經所收。
8　7~8世紀。唐寫本。
9.1　楷書。
11　圖版：《敦煌寶藏》，109/617A~619B。

1.1　BD03056號
1.3　金剛般若波羅蜜經
1.4　雲056
1.5　094:4072
2.1　(9+80.5+26.5)×26.5厘米；3紙；61行，行17字。
2.2　01：9+22，17；　02：47.5，26；　03：11+26.5，18。
2.3　卷軸裝。首尾均殘。經黄紙。第1、2紙接縫處開裂。有烏絲欄。
3.1　首5行下殘→大正235，8/750B5~10。
3.2　尾12行上中殘→8/750C28~751A13。
8　7~8世紀。唐寫本。
9.1　楷書。
11　圖版：《敦煌寶藏》，82/31B~33A。

1.1　BD03057號
1.3　大般若波羅蜜多經卷一〇五
1.4　雲057
1.5　084:2278
2.1　(15.3+693.7)×26厘米；15紙；407行，行17字。
2.2　01：15.3+32.2，28；　02：47.5，28；　03：47.5，28；
04：47.6，28；　05：47.7，28；　06：47.7，28；
07：47.7，28；　08：47.8，28；　09：47.8，28；
10：48.0，28；　11：47.8，28；　12：47.8，28；
13：48.0，28；　14：48.0，28；　15：40.6，15。
2.3　卷軸裝。首脫尾全。首紙上下邊殘缺，卷面有油污。有燕尾。有烏絲欄。
3.1　首9行中下殘→大正220，5/579C11~19。
3.2　尾全→5/584B12。
4.2　大般若波羅蜜多經卷第一百五（尾）。
7.1　首紙背有勘記："十一袟（本文獻所屬袟次），一百五（卷次）。"
8　8~9世紀。吐蕃統治時期寫本。
9.1　楷書。
11　圖版：《敦煌寶藏》，72/507B~516B。

1.1　BD03058號
1.3　大方等陀羅尼經卷二
1.4　雲058
1.5　446:8645
2.1　(76.2+1.3)×26.2厘米；2紙；49行，行17字。
2.2　1：40.0，25；　2：36.2+1.3，24。
2.3　卷軸裝。首脫尾殘。卷面有殘破。有烏絲欄。
3.1　首殘→大正1339，21/649C20。
3.2　尾行上下殘→21/650B11。
8　5~6世紀。南北朝寫本。
9.1　楷書。
11　圖版：《敦煌寶藏》，111/82B~83B。

1.1　BD03059號
1.3　大般若波羅蜜多經卷二九六
1.4　雲059
1.5　084:2817
2.1　(4.4+43.2)×26厘米；2紙；32行，行17字。
2.2　01：4.4+21.7，15；　02：21.5+6，17。
2.3　卷軸裝。首尾均殘。上下邊殘破。有烏絲欄。
3.1　首2行上殘→大正220，6/506A10~11。
3.2　尾4行上殘→6/506B9~13。
6.1　首→BD05450號。
6.2　尾→BD05458號。
8　8~9世紀。吐蕃統治時期寫本。
9.1　楷書。
11　圖版：《敦煌寶藏》，75/173B~174A。

1.1 BD03060號
1.3 無量壽宗要經
1.4 雲060
1.5 275:7780
2.1 176×30.5厘米；4紙；112行，行30餘字。
2.2 01：44.0，28； 02：44.0，30； 03：44.0，30；
04：44.0，24。
2.3 卷軸裝。首尾均全。首紙前部有横破裂。有烏絲欄。
3.1 首全→大正936，19/82A3。。
3.2 尾全→19/84C29。
4.1 大乘無量壽經（首）。
4.2 佛說無量壽宗要經（尾）。
7.1 卷末有題記“令狐晏兒寫”。
8 8～9世紀。吐蕃統治時期寫本。
9.1 楷書。
11 圖版：《敦煌寶藏》，107/586B～588B。

1.1 BD03061號
1.3 金光明最勝王經卷九
1.4 雲061
1.5 083:1930
2.1 （3+74.3+1）×25.5厘米；3紙；45行，行20字（偈頌）。
2.2 01：3+10.3，7； 02：45.0，26； 03：19+1，12。
2.3 卷軸裝。首尾均殘。卷面有殘洞，上下邊殘破，多黴斑。有烏絲欄。
3.1 首行上殘→大正665，16/445B13。
3.2 尾行殘→16/446B14～15。
8 8～9世紀。吐蕃統治時期寫本。
9.1 楷書。
11 圖版：《敦煌寶藏》，71/28B～29B。

1.1 BD03062號
1.3 無量壽宗要經
1.4 雲062
1.5 275:7781
2.1 179×31.5厘米；4紙；109行，行30餘字。
2.2 01：44.0，29； 02：43.0，29； 03：46.0，27；
04：46.0，24。
2.3 卷軸裝。首尾均全。卷面有破損殘缺及殘洞，第3、4紙接縫處脱開。有烏絲欄。
3.1 首全→大正936，19/82A3。。
3.2 尾全→19/84C29。
4.1 大乘無量壽經（首）。
4.2 佛說無量壽經（尾）。
7.1 卷末有題名“張興國”。
8 8～9世紀。吐蕃統治時期寫本。
9.1 行楷。
11 圖版：《敦煌寶藏》，107/589A～591A。

1.1 BD03063號
1.3 金剛般若波羅蜜經
1.4 雲063
1.5 094:3858
2.1 （15+427.6）×26.6厘米；10紙；256行，行17字。
2.2 01：15+32，28； 02：47.0，28； 03：47.5，28；
04：47.6，28； 05：47.5，28； 06：47.5，28；
07：47.0，28； 08：47.5，28； 09：47.5，28；
10：16.5，04。
2.3 卷軸裝。首殘尾全。經黄打紙。卷首殘破嚴重。尾有原軸，兩端塗棕色漆。背有古代裱補。有烏絲欄。
3.1 首9行殘→大正235，8/749B20～28。
3.2 尾全→8/752C3。
4.2 金剛般若波羅蜜經（尾）。
8 7～8世紀。唐寫本。
9.1 楷書。
11 圖版：《敦煌寶藏》，80/618A～623B。

1.1 BD03064號
1.3 無量壽宗要經
1.4 雲064
1.5 275:7782
2.1 200.5×31.5厘米；5紙；138行，行30餘字。
2.2 01：39.0，27； 02：41.5，29； 03：42.0，29；
04：42.0，29； 05：36.0，24。
2.3 卷軸裝。首尾均全。卷面多黴斑，有殘缺破裂，接縫處有開裂。脱落1塊殘片，可綴接。有烏絲欄。
3.1 首全→大正936，19/82A3。。
3.2 尾全→19/84C29。
4.1 大乘無量壽經（首）。
4.2 佛說無量壽宗要經（尾）。
8 8～9世紀。吐蕃統治時期寫本。
9.1 楷書。
11 圖版：《敦煌寶藏》，107/591B～593B。

1.1 BD03065號
1.3 維摩詰所說經卷中
1.4 雲065
1.5 070:1166
2.1 （3+408）×26厘米；9紙；233行，行17字。
2.2 01：3+24，15； 02：48.0，28； 03：48.0，28；
04：48.0，28； 05：48.0，28； 06：48.0，28；
07：48.0，28； 08：48.0，28； 09：48.0，22。
2.3 卷軸裝。首殘尾全。卷前部有等距離殘破及污垢，卷面多

水漬印，接縫處有開裂，尾有蟲繭。有烏絲欄。
3.1　首行上殘→大正 475，14/548B20。
3.2　尾全→14/551C27。
4.2　維摩詰經卷中（尾）。
8　8~9 世紀。吐蕃統治時期寫本。
9.1　楷書。
11　圖版：《敦煌寶藏》，65/542B~548A。

新舊編號對照表

一、千字文號與北敦號、縮微膠卷號對照表

千字文號	北敦號	縮微膠卷號
雲 001	BD03001 號	083：1814
雲 002	BD03002 號	412：8570
雲 003	BD03003 號	237：7400
雲 004	BD03004 號	058：0468
雲 005	BD03005 號	157：6979
雲 006	BD03006 號	001：0029
雲 07	BD03007 號	105：4868
雲 008	BD03008 號	105：5168
雲 009	BD03009 號	105：5037
雲 010	BD03010 號	063：0736
雲 011	BD03011 號	083：1481
雲 012	BD03012 號	061：0524
雲 013	BD03013 號	083：1812
雲 014	BD03014 號	115：6509
雲 015	BD03015 號 1	070：1136
雲 015	BD03015 號 2	070：1136
雲 016	BD03016 號	105：4761
雲 017	BD03017 號	115：6410
雲 018	BD03018 號	059：0490
雲 019	BD03019 號	305：8312
雲 020	BD03020 號	083：1766
雲 021	BD03021 號	237：7427
雲 022	BD03022 號	105：5779
雲 023	BD03023 號	138：6663
雲 024	BD03024 號	361：8437
雲 025	BD03025 號	115：6472
雲 026	BD03026 號	218：7286
雲 027	BD03027 號	115：6481
雲 028	BD03028 號	094：3662
雲 029	BD03029 號	105：5062
雲 030	BD03030 號	083：1767
雲 031	BD03031 號	083：1788
雲 032	BD03032 號	084：2256
雲 033	BD03033 號	083：1865
雲 034	BD03034 號	275：8005
雲 035	BD03035 號	105：5988
雲 036	BD03036 號	094：4320
雲 037	BD03037 號	105：5410
雲 038	BD03038 號 A	404：8550
雲 038	BD03038 號 B	404：8550
雲 039	BD03039 號	067：0844
雲 040	BD03040 號	105：5045
雲 041	BD03041 號	030：0301
雲 042	BD03042 號	249：7472
雲 043	BD03043 號	094：3644
雲 044	BD03044 號	105：5232
雲 045	BD03045 號	105：4820
雲 046	BD03046 號	115：6336
雲 047	BD03047 號	105：4743
雲 048	BD03048 號	083：1761
雲 049	BD03049 號	237：7394
雲 050	BD03050 號	237：7395
雲 051	BD03051 號	070：0989
雲 052	BD03052 號	070：1095
雲 053	BD03053 號	105：5218
雲 054	BD03054 號	115：6510
雲 055	BD03055 號	305：8313
雲 056	BD03056 號	094：4072
雲 057	BD03057 號	084：2278
雲 058	BD03058 號	446：8645
雲 059	BD03059 號	084：2817
雲 060	BD03060 號	275：7780
雲 061	BD03061 號	083：1930
雲 062	BD03062 號	275：7781
雲 063	BD03063 號	094：3858
雲 064	BD03064 號	275：7782
雲 065	BD03065 號	070：1166

二、縮微膠卷號與北敦號、千字文號對照表

縮微膠卷號	北敦號	千字文號
001：0029	BD03006 號	雲 006
030：0301	BD03041 號	雲 041
058：0468	BD03004 號	雲 004
059：0490	BD03018 號	雲 018
061：0524	BD03012 號	雲 012
063：0736	BD03010 號	雲 010
067：0844	BD03039 號	雲 039
070：0989	BD03051 號	雲 051
070：1095	BD03052 號	雲 052
070：1136	BD03015 號 1	雲 015
070：1136	BD03015 號 2	雲 015
070：1166	BD03065 號	雲 065
083：1481	BD03011 號	雲 011
083：1761	BD03048 號	雲 048
083：1766	BD03020 號	雲 020
083：1767	BD03030 號	雲 030
083：1788	BD03031 號	雲 031
083：1812	BD03013 號	雲 013
083：1814	BD03001 號	雲 001
083：1865	BD03033 號	雲 033
083：1930	BD03061 號	雲 061
084：2256	BD03032 號	雲 032
084：2278	BD03057 號	雲 057
084：2817	BD03059 號	雲 059
094：3644	BD03043 號	雲 043
094：3662	BD03028 號	雲 028
094：3858	BD03063 號	雲 063
094：4072	BD03056 號	雲 056
094：4320	BD03036 號	雲 036
105：4743	BD03047 號	雲 047
105：4761	BD03016 號	雲 016
105：4820	BD03045 號	雲 045
105：4868	BD03007 號	雲 07
105：5037	BD03009 號	雲 009

縮微膠卷號	北敦號	千字文號
105：5045	BD03040 號	雲 040
105：5062	BD03029 號	雲 029
105：5168	BD03008 號	雲 008
105：5218	BD03053 號	雲 053
105：5232	BD03044 號	雲 044
105：5410	BD03037 號	雲 037
105：5779	BD03022 號	雲 022
105：5988	BD03035 號	雲 035
115：6336	BD03046 號	雲 046
115：6410	BD03017 號	雲 017
115：6472	BD03025 號	雲 025
115：6481	BD03027 號	雲 027
115：6509	BD03014 號	雲 014
115：6510	BD03054 號	雲 054
138：6663	BD03023 號	雲 023
157：6979	BD03005 號	雲 005
218：7286	BD03026 號	雲 026
237：7394	BD03049 號	雲 049
237：7395	BD03050 號	雲 050
237：7400	BD03003 號	雲 003
237：7427	BD03021 號	雲 021
249：7472	BD03042 號	雲 042
275：7780	BD03060 號	雲 060
275：7781	BD03062 號	雲 062
275：7782	BD03064 號	雲 064
275：8005	BD03034 號	雲 034
305：8312	BD03019 號	雲 019
305：8313	BD03055 號	雲 055
361：8437	BD03024 號	雲 024
404：8550	BD03038 號 A	雲 038
404：8550	BD03038 號 B	雲 038
412：8570	BD03002 號	雲 002
446：8645	BD03058 號	雲 058